le Guide du **routard**

Directeur de collection et auteur
Philippe GLOAGUEN

Cofondateurs
Philippe GLOAGUEN et Michel DUVAL

Rédacteur en chef
Pierre JOSSE

Rédacteurs en chef adjoints
Amanda KERAVEL et Benoît LUCCHINI

Directrice de la coordination
Florence CHARMETANT

Rédaction
Olivier PAGE, Véronique de CHARDON,
Isabelle AL SUBAIHI, Anne-Caroline DUMAS,
Carole BORDES, André PONCELET,
Marie BURIN des ROZIERS,
Thierry BROUARD, Géraldine LEMAUF-BEAUVOIS,
Anne POINSOT, Mathilde de BOISGROLLIER,
Alain PALLIER, Gavin's CLEMENTE-RUÏZ
et Fiona DEBRABANDER

MEXIQUE
(Yucatán et Basse-Californie)

2007

Hachette

Avis aux hôteliers et aux restaurateurs

Les enquêteurs du *Guide du routard* travaillent dans le plus strict anonymat. Aucune réduction, aucun avantage quelconque, aucune rétribution n'est jamais demandé en contrepartie. Face aux aigrefins, la loi autorise les hôteliers et restaurateurs à porter plainte.

Hors-d'œuvre

Le *Guide du routard,* ce n'est pas comme le bon vin, il vieillit mal. On ne veut pas pousser à la consommation, mais évitez de partir avec une édition ancienne. Les modifications sont souvent importantes.

> Pour que votre pub voyage autant que nos lecteurs,
> contactez nos régies publicitaires :
> ● fbrunel@hachette-livre.fr ●
> ● veronique@routard.com ●

ON EN EST FIERS : www.routard.com

Tout pour préparer votre voyage en ligne, de A comme argent à Z comme Zanzibar : des fiches pratiques sur 125 destinations (y compris les régions françaises), nos tuyaux perso pour voyager, des cartes et des photos sur chaque pays, des infos météo et santé, la possibilité de réserver en ligne son visa, son vol sec, son séjour, son hébergement ou sa voiture. En prime, *routard mag*, véritable magazine en ligne, propose interviews de voyageurs, reportages, carnets de route, événements culturels, dossiers pratiques, produits nomades, fêtes et infos du monde. Et bien sûr : des concours, des *chats,* des petites annonces, une boutique de produits de voyage...

Les réductions accordées à nos lecteurs ne sont jamais demandées par nos rédacteurs afin de préserver leur indépendance. Les hôteliers et restaurateurs sont sollicités par une société de mailing, totalement indépendante de la rédaction qui reste libre de ses choix. De même pour les autocollants et plaques émaillées.

Mille excuses, on ne peut plus répondre individuellement aux centaines de CV reçus chaque année.

Le contenu des annonces publicitaires insérées dans ce guide n'engage en rien la responsabilité de l'éditeur.

TABLE DES MATIÈRES

COMMENT Y ALLER ?

GÉNÉRALITÉS

MEXICO ET SES ENVIRONS

LES ENVIRONS DE MEXICO

LE GOLFE DU MEXIQUE

LA PÉNINSULE DU YUCATÁN

LA RUTA PUUC

DE LABNÁ À CHICHÉN ITZÁ

LA CÔTE, DE CANCÚN À TULUM

LE CHIAPAS

LA CÔTE PACIFIQUE SUD

LA CÔTE PACIFIQUE NORD

LES VILLES COLONIALES

LA LIGNE DE CHEMIN DE FER LOS MOCHIS – CHIHUAHUA

LA BASSE-CALIFORNIE

LES GUIDES DU ROUTARD
2007-2008

(dates de parution sur **www.routard.com**)

France

Nationaux

- **Camping en France (avril 2007)**
- Nos meilleures chambres d'hôtes en France
- Nos meilleurs hôtels et restos en France
- Nos meilleures tables à la ferme en France
- Petits restos des grands chefs

Régions françaises

- Alpes
- Alsace
- Aquitaine
- Ardèche, Drôme
- Auvergne, Limousin
- Bourgogne
- Bretagne Nord
- Bretagne Sud
- Châteaux de la Loire
- Corse
- Côte d'Azur
- Franche-Comté
- Île-de-France
- Languedoc-Roussillon
- **Lorraine (janvier 2007)**
- Lot, Aveyron, Tarn
- Nord-Pas-de-Calais
- Normandie
- Pays basque (France, Espagne)

- Pays de la Loire
- Poitou-Charentes
- Provence
- Pyrénées, Gascogne

Villes françaises

- Bordeaux
- Lille
- Lyon
- Marseille
- Montpellier
- Nice
- **Strasbourg (avril 2007)**
- Toulouse

Paris

- Junior à Paris et ses environs
- Paris
- Paris balades
- Paris exotique
- Paris la nuit
- Paris sportif
- Paris à vélo
- Paris zen
- Restos et bistrots de Paris
- Le Routard des amoureux à Paris
- Week-ends autour de Paris

Europe

Pays européens

- Allemagne
- Andalousie
- Andorre, Catalogne
- Angleterre, Pays de Galles
- Autriche
- Baléares
- Belgique
- Castille, Madrid (Aragon et Estrémadure)
- Crète
- Croatie
- Écosse
- Espagne du Nord-Ouest (Galice, Asturies, Cantabrie)
- Finlande
- Grèce continentale

- Hongrie, République tchèque, Slovaquie
- Îles grecques et Athènes
- Irlande
- Islande
- Italie du Nord
- Italie du Sud
- **Les Lacs italiens (décembre 2006)**
- Malte
- Norvège, Suède, Danemark
- Pologne et capitales baltes
- Portugal
- Roumanie, Bulgarie
- Sicile
- Suisse
- Toscane, Ombrie

LES GUIDES DU ROUTARD
2007-2008 *(suite)*

(dates de parution sur **www.routard.com**)

Villes européennes

- Amsterdam
- Barcelone
- Berlin
- Florence
- **Lisbonne (octobre 2006)**
- Londres
- Moscou, Saint-Pétersbourg
- Prague
- Rome
- Venise

Amériques

- Argentine
- Brésil
- Californie
- Canada Ouest et Ontario
- Chili et île de Pâques
- Cuba
- Équateur
- États-Unis côte Est
- Floride, Louisiane
- Guadeloupe, Saint-Martin, Saint-Barth
- **Guatemala, Yucatán (novembre 2006)**
- Martinique, Dominique, Sainte-Lucie
- Mexique
- New York
- Parcs nationaux de l'Ouest américain et Las Vegas
- Pérou, Bolivie
- Québec et Provinces maritimes
- République dominicaine (Saint-Domingue)

Asie

- Birmanie (Myanmar)
- Cambodge, Laos
- Chine (Sud, Pékin, Yunnan)
- Inde du Nord
- Inde du Sud
- Indonésie
- Istanbul
- Jordanie, Syrie
- Malaisie, Singapour
- Népal, Tibet
- Sri Lanka (Ceylan)
- Thaïlande
- Turquie
- Vietnam

Afrique

- Afrique de l'Ouest
- Afrique du Sud
- Égypte
- Île Maurice, Rodrigues
- Kenya, Tanzanie et Zanzibar
- Madagascar
- Maroc
- Marrakech
- Réunion
- Sénégal, Gambie
- Tunisie

Guides de conversation

- Allemand
- Anglais
- **Arabe du Proche-Orient (mars 2007)**
- **Arabe maghrébin (mars 2007)**
- Chinois
- Croate
- Espagnol
- Grec
- Italien
- Portugais
- Russe

Et aussi...

- Le Guide de l'humanitaire

NOS NOUVEAUTÉS

GUIDE DE CONVERSATION ESPAGNOL (PARU)

Excuse me, où est la Sagrada Familia ? Visiblement, les mots vous manquent... Votre mini-guide en poche, palabrer dans la langue d'Almodóvar deviendra un jeu d'enfant. Phrases-clés prêtes à l'emploi, encadrés culturels et conseils pratiques : tout est là. Vous êtes fin prêt pour arpenter les contrées hispanophones !

GUIDE DE CONVERSATION ITALIEN (PARU)

Un voyage dans la Botte en prévision et vous parlez seulement avec les mains ? Rassurez-vous, la tchatche italienne est désormais à portée de guide. Tous les mots et expressions-clés de la vie quotidienne, transcrits en phonétique, enfin réunis dans un format poche très fonctionnel. Et pour que l'immersion soit complète, des encadrés vous dévoilent les us et coutumes autochtones. Un compagnon de route indispensable pour vivre au rythme de la *dolce vita.*

LISBONNE (octobre 2006)

Lisbonne, à l'embouchure du Tage, avec vue sur l'Atlantique... La ville qui a vu passer Vasco de Gama, Magellan ou saint Antoine de Padoue offre – en moins de 3 h d'avion depuis Paris – un rapport qualité-prix-dépaysement imbattable. De l'authentique Alfama jusqu'au Bairro Alto branché, en passant par le Parc des Nations, la ville du futur et le musée Calouste-Gulbenkian où les chefs-d'œuvre abondent. Tout le monde s'y retrouve. Entre deux gargotes, on saute dans le vieux tram jaune 28 qui traverse la ville, du château Saint-Georges avec sa forteresse jusqu'au monastère des hiéronymites de Belém, tout en dentelles. Funiculaires, ascenseurs, tram, métro, tous les moyens sont bons pour arpenter la ville. On goûte un *pasteis de nata,* petit flan crémeux en buvant une *ginja...* Sans oublier les *casa do fado,* pour écouter ce blues portugais. Et les derniers fêtards se retrouvent sur les *docas,* où les meilleurs DJ's viennent astiquer les platines.

NOS NOUVEAUTÉS

GUATEMALA, YUCATÁN (novembre 2006)

Une région que nous aurions pu tout aussi bien intituler « Le Pays maya ». Que l'on atterrisse à Ciudad Guatemala ou à Cancún, que l'on passe par le Chiapas ou par le Belize pour rejoindre le Yucatán ou le Guatemala, partout on est en territoire maya. À la fin d'un tel circuit, cette civilisation aux coutumes toujours vives n'aura plus de secret pour vous. Malgré sa petite superficie, le Guatemala offre une palette étonnamment variée de paysages, de climats, de coutumes locales qui raviront les amateurs de vestiges, de culture et de dépaysement. Flores, ravissante île posée sur le lac Petén, Itza et Tikal, site splendide en pleine forêt vierge. Alentour, enfouis dans la jungle, d'autres sites moins connus attendent les randonneurs aguerris. Le lac Atitlán, l'un des plus beaux du monde, avec sa couronne de volcans, est bordé d'un chapelet de villages hors du temps. Antigua, l'ancienne capitale coloniale et plus belle ville du pays, mérite à elle seule une étape de plusieurs jours. Et puis, changement de décor ! À bord d'une *lancha* vous descendrez le *río Dulce* jusqu'à Livingston, au bord de l'Atlantique, refuge des *Garifunas,* des descendants d'esclaves, présents aussi au Belize tout proche. Ici, on vit au rythme d'une musique caraïbe. Enfin, près de Cobán, ne manquez pas de rendre visite à l'oiseau-roi des Mayas, le *quetzal,* volatile rare et somptueux, qui a donné son nom à la monnaie locale. Escalades des volcans ou des pyramides, plongées dans les eaux turquoise du Belize et du Yucatán, découverte des biotopes complèteront ce superbe voyage.

LACS ITALIENS (décembre 2006)

Le lac Majeur, le lac de Garde, Côme, Lugano, Orta, Iseo... Des romantiques du XIXe siècle aux stars hollywoodiennes, les lacs italiens n'ont cessé d'attirer et de séduire le visiteur. Nous sommes tous envoûtés par ces rivages nichés dans des paysages préalpins de toute beauté. Après avoir savouré le charme des villages du lac Majeur et du lac de Côme, leurs fastueuses villas entourées de jardins somptueux, peut-être serez-vous tenté alors par une virée helvète, à Locarno ou au bord du petit lac de Lugano. C'est là que vous vous attablerez dans les charmants *grotti*, ces petites auberges de campagne où l'on dévore un plateau de charcuterie (ou la spécialité locale) tout en s'abreuvant du vin du patron. Dans cette région de balades, entre villes et montagnes, le routard pourra toujours choisir entre le glamour et l'agitation des petites villes chic qui bordent les lacs et l'authenticité des coins perdus sur les hauteurs, dans une nature généreuse et escarpée qui offrira aux randonneurs une multitude de sentiers à explorer.

Nous tenons à remercier tout particulièrement Loup-Maëlle Besançon, Thierry Bessou, Gérard Bouchu, François Chauvin, Grégory Dalex, Fabrice de Lestang, Cédric Fischer, Carole Fouque, Michelle Georget, David Giason, Lucien Jedwab, Emmanuel Juste, Florent Lamontagne, Philippe Martineau, Jean-Sébastien Petitdemange, Laurence Pinsard, Thomas Rivallain, Déborah Rudetzki, Claudio Tombari et Solange Vivier pour leur collaboration régulière.

Et pour cette nouvelle collection, nous remercions aussi :

David Alon et Andréa Valouchova
Didier Angelo
Bénédicte Bazaille
Jean-Jacques Bordier-Chêne
Ellenore Busch
Louise Carcopino
Florence Cavé
Raymond Chabaud
Alain Chaplais
Bénédicte Charmetant
Cécile Chavent
Stéphanie Condis
Agnès Debiage
Tovi et Ahmet Diler
Clélie Dudon
Sophie Duval
Sophie Ferard
Julie Fernandez
Alain Fisch
Suzel Gary
Adrien Gloaguen
Romuald Goujon
Stéphane Gourmelen
Pierre Granoux
Claudine de Gubernatis
Xavier Haudiquet
Claude Hervé-Bazin
Claire d'Hautefeuille
Bernard Hilaire
Lionel Husson
Sébastien Jauffret

François et Sylvie Jouffa
Hélène Labriet
Lionel Lambert
Vincent Launstorfer
Francis Lecompte
Jacques Lemoine
Sacha Lenormand
Valérie Loth
Dorica Lucaci
Philippe Melul
Kristell Menez
Delphine Meudic
Éric Milet
Jacques Muller
Anaïs Nectoux
Alain Nierga et Cécile Fischer
Hélène Odoux
Caroline Ollion
Nicolas Pallier
Martine Partrat
Odile Paugam et Didier Jehanno
Xavier Ramon
Dominique Roland et Stéphanie Déro
Corinne Russo
Caroline Sabljak
Prakit Saiporn
Jean-Luc et Antigone Schilling
Brindha Seethanen
Nicolas Tiphagne
Charlotte Valade
Julien Vitry

Direction : Nathalie Pujo
Contrôle de gestion : Joséphine Veyres et Céline Déléris
Responsable de collection : Catherine Julhe
Édition : Matthieu Devaux, Stéphane Renard, Magali Vidal, Marine Barbier-Blin, Géraldine Péron, Jean Tiffon, Olga Krokhina et Sophie Touzet
Secrétariat : Catherine Maîtrepierre
Préparation-lecture : Agnès Petit
Cartographie : Frédéric Clémençon et Aurélie Huot
Fabrication : Nathalie Lautout et Audrey Detournay
Couverture : conçue et réalisée par Thibault Reumaux
Direction marketing : Dominique Nouvel, Lydie Firmin et Juliette Caillaud
Responsable partenariats : André Magniez
Édition partenariats : Juliette Neveux et Raphaële Wauquiez
Informatique éditoriale : Lionel Barth
Relations presse : Danielle Magne, Martine Levens et Maureen Browne
Régie publicitaire : Florence Brunel

NOS NOUVEAUTÉS

LORRAINE (janvier 2007)

D'abord, on ne passe pas par la Lorraine avec ses gros sabots, on laisse à la frontière ses idées préconçues. La Lorraine peut revendiquer aujourd'hui d'être le centre de l'Europe. Elle partage ses frontières avec trois pays (l'Allemagne, la Belgique et le Luxembourg). À propos, qui appelle-t-on lorsque la France est dans la panade ? Jeanne d'Arc et de Gaulle avec sa croix de Lorraine. Qui est le vrai poumon vert du pays ? La Lorraine avec un bon tiers de forêt. Et que dire de ces villes à forte personnalité : Nancy avec sa célèbre place Stanislas et son patrimoine Art nouveau unique, Metz, qu'on croit grise, mais qui affiche un festival permanent de teintes jaune, ocre, mordorées et un délicieux centre piéton d'où émerge une merveilleuse cathédrale... Bar-Le-Duc, aux vieux quartiers pleins de charme. Sans oublier l'héroïque Verdun et les souvenirs douloureux des Poilus. Et comme cette province est très sage, allez voir Épinal, elle y a reçu une image. Enfin, les visiteurs apprécieront le superbe patrimoine culturel de la Lorraine, riche de ses différences. Nourrie par la France et l'Allemagne, elle se façonna de ces deux cultures.

STRASBOURG (avril 2007)

Strasbourg l'européenne, l'intellectuelle, Strasbourg l'artiste, la romantique, la gourmande... Strasbourg est une ville plurielle et très alsacienne, à la fois métropole active et cité intimiste. À découvrir en tramway, en bateau ou encore à pied. Quel plaisir de flâner sur les berges de l'Ill ou d'arpenter les ruelles de son centre historique, qui tout entier a été classé au Patrimoine mondial de l'humanité par l'Unesco. Capitale européenne depuis 1992, Strasbourg possède, été comme hiver, une grande vitalité et une qualité de vie étonnante. À la fois métropole étudiante, fière de sa vie nocturne, et ville d'Art et d'Histoire, Strasbourg a plus d'un atout en poche pour vous séduire.

LES QUESTIONS QU'ON SE POSE LE PLUS SOUVENT

➤ *Quels sont les papiers à avoir ?*

Passeport valable au moins 6 mois après la date de retour. Pas de visa, mais on vous demandera de remplir dans l'avion une carte touristique que vous devrez rendre à la sortie du territoire.

➤ *Quelle est la meilleure saison pour aller au Mexique ?*

Réponse de Normand : tout dépend de l'itinéraire choisi. Le climat et les températures varient beaucoup selon les régions. Une petite préférence pour l'automne, la saison des pluies est passée et la nature est encore très verte.

➤ *Quels sont les vaccins indispensables ?*

Aucun vaccin spécifique en plus de ceux recommandés en France, même s'il est vivement conseillé de se faire vacciner également contre l'hépatite A et la fièvre typhoïde.

➤ *Quel est le décalage horaire ?*

Il est de 7 h pour le Yucatán (8 h pendant quelques jours durant les mois d'avril et d'octobre, le Mexique ne passant pas à l'heure d'été en même temps que nous), 8 h pour la plus grande partie du pays.

➤ *La vie est-elle chère ?*

Lié au roi dollar depuis peu, le peso s'est stabilisé... et les prix se sont envolés ! À moins d'être un as du système D, on ne s'en sort pas pour beaucoup moins cher que lors d'un voyage en Europe.

➤ *Peut-on y aller avec des enfants ?*

À condition d'alterner les marches, les visites des sites mayas et la plage, les enfants seront aux anges... et puis les Mayas, c'est au programme, non ?

➤ *Quel est le meilleur moyen pour se déplacer dans le pays ?*

Le bus ! Un réseau inégalé très dense et plusieurs niveaux de confort... La voiture devient rentable à partir de 4 personnes. Le train n'existe plus (sauf celui, célèbre, de Los Mochis à Chihuahua), le stop est rarissime, les vols intérieurs sont chers.

➤ *Comment se loger au meilleur prix ?*

En dormant dans son hamac, qu'on peut accrocher sur certaines plages et quelques campings de la côte ! Également des auberges de jeunesse et des hôtels très bon marché.

➤ *Quels sports peut-on pratiquer ?*

Le tourisme d'aventure se développe peu à peu : descentes de rapides en kayak, VTT, spéléologie, escalade... Plongée sous-marine dans les eaux des Caraïbes et les *cenotes* du Yucatán, *snorkelling* pour les moins braves.

➤ *Y a-t-il des problèmes de sécurité ?*

Petite et moyenne délinquances dans les grands centres urbains, comme Mexico. Certaines routes du pays sont à éviter la nuit. En règle générale, oubliez les routes isolées et les randonnées à pied dans les zones non touristiques, notamment au Chiapas, dans l'État de Guerrero et sur la côte du Michoacán.

COMMENT Y ALLER ?

LES LIGNES RÉGULIÈRES

▲ AIR FRANCE

Renseignements et réservations au ☎ 0820-820-820 (0,12 €/mn) de 6 h 30
à 22 h, sur ● www.airfrance.fr ●, dans les agences Air France et dans toutes
les agences de voyages.
– *Mexico :* Jaimes Balmes 8-802, col. Los Morales, Polanco. ☎ 2122-8200.
Fax : 2122-8216.
➤ Air France dessert Mexico avec 2 vols quotidiens au départ de Roissy-
Charles-de-Gaulle, terminal 2E. Six autres destinations via Mexico, dont Can-
cún, Guadalajara, León, Mérida, Acapulco et Puerto Vallerta.
Air France propose une gamme de tarifs attractifs accessibles à tous : du
Tempo 1 (le plus souple) au *Tempo 5* (le moins cher), selon les destinations.
Pour les moins de 25 ans, Air France propose des tarifs très attractifs, *Tempo
Jeunes,* ainsi qu'une carte de fidélité (Fréquence Jeune) gratuite et valable
sur l'ensemble des compagnies membres de Skyteam. Cette carte permet
de cumuler des *miles.*
Tous les mercredis dès 0 h, sur ● www.airfrance.fr ●, Air France propose les
tarifs « Coup de cœur », une sélection de destinations en France pour des
départs de dernière minute.
Sur Internet, possibilité de consulter les meilleurs tarifs du moment, rubrique
« Offres spéciales », « Promotions ».

▲ AEROMEXICO

– *Paris :* 1, bd de la Madeleine, 75001. ☎ 01-55-04-90-10. Fax : 01-55-04-
90-11. ● www.aeromexico.com ● Ⓜ Madeleine ou Opéra. Réservations du
lundi au vendredi de 9 h à 17 h.
➤ Assure 2 vols par jour sans escale de Paris (Roissy CDG T2) à Mexico et
dessert 33 villes mexicaines en correspondance comme Cancún, Oaxaca,
Acapulco, Ixtapa, Mérida, Los Cabos, Guadalajara.

▲ IBÉRIA

Renseignements et réservations au ☎ 0825-800-965 (0,15 €/mn). ● www.
iberia.fr ●
➤ Via Madrid, Ibéria propose 2 vols quotidiens sur Mexico.

LES ORGANISMES DE VOYAGES

– Ne pas croire que les vols à tarif réduit sont tous au même prix pour une
même destination à une même époque : loin de là. On a déjà vu, dans un
même avion partagé par deux organismes, des passagers qui avaient payé
40 % plus cher que les autres. De plus, une agence bon marché ne l'est pas
forcément toute l'année (elle peut n'être compétitive qu'à certaines dates
bien précises). Donc, contactez tous les organismes et jugez vous-même.
– Les organismes cités sont classés par ordre alphabétique, pour éviter les
jalousies et les grincements de dents.

EN FRANCE

ALLIBERT

– *Paris :* 37 bd Beaumarchais, 75003. ☎ 01-44-59-35-35. ● www.allibert-trek
king.com ● Ouvert du lundi au samedi de 9 h à 19 h.

Né en 1975 d'une passion commune entre trois guides de montagne, Allibert propose aujourd'hui 450 voyages aux quatre coins du monde tout en restant une entreprise familiale. Découvrir de nouveaux itinéraires en respectant la nature et les cultures des régions traversées reste leur priorité. Séjours randos de 8 jours à ski dans les Alpes aussi bien que des traversées de plusieurs mois... Pour chaque pays, différents niveaux de difficulté. Quelle que soit la formule choisie, en groupe, en famille ou en individuel, leurs équipes locales garantissent toujours logistique et sécurité.

▲ ALTIPLANO

– *Annecy* : 6, rue Louis-Armand, 74000. ☎ 04-50-46-90-25. Fax : 04-50-46-00-88. ● www.altiplano.org ● Ouvert du lundi au vendredi de 9 h à 18 h.
Agence spécialiste du Mexique et du Guatemala, créée par Elena, argentine, et son mari Philippe, passionné d'Amérique latine. Voyages sur mesure : découverte des civilisations aztèque et maya, villages indiens, plages des Caraïbes ou du Pacifique... Ils peuvent vous réserver vols, hôtels (de 1 à 5 étoiles), excursions, locations de voitures. Possibilité de combiner Mexique et Guatemala.

▲ BACK ROADS

– *Paris* : 14, pl. Denfert-Rochereau, 75014. ☎ 01-43-22-65-65. Fax : 01-43-20-04-88. ● www.backroads.fr ● Ⓜ ou RER : Denfert-Rochereau. Ouvert du lundi au vendredi de 10 h à 19 h et le samedi de 10 h à 18 h.
Depuis 1975, Jacques Klein et son équipe sillonnent les routes de l'Amérique, du nord au sud, ce qui fait d'eux de grands connaisseurs de cette région du monde. Pour cette raison, ils ne vendent leurs produits qu'en direct, ce qui leur permet de pratiquer des tarifs très compétitifs. Ils vous feront partager leurs expériences et vous conseilleront sur les itinéraires les plus adaptés à vos centres d'intérêt. Spécialistes des autotours, grâce à leur département *Car Discount,* ils ont également le grand avantage de disposer de contingents de chambres. À côté des circuits classiques, ethnologiques ou archéologiques, ainsi que des circuits camping et des séjours balnéaires ou en hacienda, ils ont développé des programmes « Aventure » tels que des randonnées à pied ou à cheval dans la sierra Tarahumara, la découverte de la Basse-Californie ou du Belize en kayak de mer ou en voilier, ainsi que l'observation des baleines en Basse-Californie.

▲ COMPAGNIE DE L'AMÉRIQUE LATINE & DES CARAÏBES

– *Paris* : 82, bd Raspail (angle rue de Vaugirard), 75006. ☎ 01-53-63-15-35. Fax : 01-42-22-20-15. Ⓜ Rennes ou Saint-Placide.
– *Paris* : 3, av. de l'Opéra, 75001. ☎ 01-55-35-33-57. Fax : 01-42-61-00-96. Ⓜ Palais-Royal. Ouvert du lundi au vendredi de 9 h à 19 h et le samedi de 10 h à 19 h.
● ameriquelatine@compagniesdumonde.com ●
Fort de ses 20 années d'expérience, Jean-Alexis Pougatch, après avoir ouvert un centre de voyages spécialisé sur l'Amérique du Nord (Compagnie des États-Unis et du Canada), décide d'ouvrir Compagnie de l'Amérique latine & des Caraïbes pour, là aussi, proposer dans une brochure des voyages individuels à la carte ou en groupe du Mexique à la Patagonie chilienne et argentine.
Compagnie de l'Amérique latine & des Caraïbes propose de bons tarifs sur le transport aérien en vols réguliers.
Et, comme Compagnie des Indes et de l'Extrême-Orient, Compagnie de l'Amérique latine & des Caraïbes fait partie du groupe Compagnies du Monde.

▲ COMPTOIRS DU MONDE (LES)

– *Paris* : 22, rue Saint-Paul, 75004. ☎ 01-44-54-84-54. Fax : 01-44-54-84-50. ● www.comptoirsdumonde.fr ● Ⓜ Saint-Paul. Ouvert du lundi au vendredi de 10 h à 19 h et le samedi de 11 h à 18 h.

28 D couloir
E centre
F fenêtre

Libre comme l'air.

Avec les petits tarifs Air France, partez au bout du monde
avec ceux que vous aimez. **experience.airfrance.fr**

faire du ciel le plus bel endroit de la terre

AIR FRANCE

C'est en plein cœur du Marais, dans une atmosphère chaleureuse, que l'équipe des Comptoirs du Monde traitera personnellement tous vos désirs d'évasion : vols à prix réduits mais aussi circuits et prestations à la carte pour tous les budgets sur toute l'Asie, le Proche-Orient, les Amériques, les Antilles, Madagascar et maintenant l'Italie. Vous pouvez aussi réserver par téléphone et régler par carte de paiement, sans vous déplacer.

▲ EXPEDIA.FR

☎ 0892-301-300 (0,34 €/mn), du lundi au vendredi de 8 h à 20 h et le samedi de 9 h à 19 h. ● www.expedia.fr ●

Expedia.fr permet de composer son voyage sur mesure en choisissant ses billets d'avion, hôtels et location de voitures à des prix très intéressants. Possibilité de comparer les prix de 6 grands loueurs de voitures et de profiter des tarifs négociés sur 20 000 hôtels de 1 à 5 étoiles dans le monde entier. Également la possibilité de réserver à l'avance et en même temps que son voyage des billets pour des spectacles ou musées aux dates souhaitées.

▲ FRANCE AMÉRIQUE LATINE

– *Paris* : 37, bd Saint-Jacques, 75014. ☎ 01-45-88-20-00. Fax : 01-45-65-20-87. ● www.franceameriquelatine.fr ● falvoyages@franceameriquelatine.fr ● Ⓜ Saint-Jacques. Ouvert du lundi au vendredi de 9 h 15 à 18 h.

Présente depuis 1970 en France et en Amérique latine sur les terrains de la culture, de la solidarité et de la défense des Droits de l'homme, Avec de nombreuses associations et organisations de jeunesse, FAL propose des activités de brigades et chantiers internationaux dans de nombreux pays. Elles ont déjà permis à des centaines de Français de partager la vie et le travail de jeunes dans des coopératives agricoles, des écoles, des quartiers défavorisés des grandes métropoles d'Amérique latine. Sur place, ils pourront remettre eux-mêmes les médicaments et le matériel scolaire qu'ils auront réunis avant leur départ.

▲ JETSET

Renseignements : ☎ 01-53-67-13-00. Fax : 01-53-67-13-29. ● www.jetset.to ● Et dans les agences de voyages.

Jetset-Equinoxiales est un excellent spécialiste des Amériques avec une bonne connaissance du terrain. Dans ses brochures Amérique centrale et Amérique du Sud, il propose un vaste choix d'itinéraires au volant au Mexique, y compris dans des régions moins visitées comme la Basse-Californie ou le Sonora. Bon choix de circuits accompagnés également. Enfin, une section importante est consacrée aux voyages à la carte, en location de voiture ou « voyages en privé » avec chauffeur guide parlant le français, avec des mini-séjours dans toutes les villes importantes en hôtels de charme et traditionnels. À noter aussi les voyages expéditions de la brochure « Suntrek » (voyages en petits groupes en minibus, hébergement sous tente) : *La Ruta del Sol,* de Mexico à Cancún, et *Aventura del Norte,* de Mexico à Los Angeles.

▲ JET TOURS

La brochure « Les voyages à la carte » est disponible dans toutes les agences de voyages. Renseignements sur ● www.jettours.com ● et au ☎ 0825-302-010.

Les voyages à la carte Jet Tours permettent de voyager en toute liberté sans souci de réservation, soit en choisissant des itinéraires suggérés (itinéraires au volant avec ou sans chauffeur, randonnées, excursions, escapades et sorties), soit en composant soi-même son voyage (vols secs, voiture de location, hébergements à la carte).

Jet Tours propose aussi des hébergements authentiques, des adresses de charme, des maisons d'hôtes, des hôtels design...

Avec les voyages à la carte de Jet Tours, vous pourrez découvrir de nombreuses destinations dont le Mexique.

▲ JEUNESSE ET RECONSTRUCTION

– *Paris :* 10, rue de Trévise, 75009. ☎ 01-47-70-15-88. Fax : 01-48-00-92-18. ● www.volontariat.org ● Ⓜ Cadet ou Grands-Boulevards. Ouvert du lundi au vendredi de 9 h à 13 h et de 14 h à 18 h.

Jeunesse et Reconstruction propose des activités dont le but est l'échange culturel dans le cadre d'un engagement volontaire. Chaque année, des centaines de jeunes bénévoles âgés de 17 à 30 ans participent à des chantiers internationaux en France ou à l'étranger (Europe, Asie, Afrique et Amérique), s'engagent dans le programme de volontariat à long terme (6 mois ou 1 an) en Europe, Afrique, Amérique latine et Asie, s'inscrivent à des cours de langue en immersion au Costa Rica, au Guatemala et au Maroc, à des stages de danse traditionnelle, percussions, poterie, art culinaire, artisanat africain. Dans le cadre des chantiers internationaux, les volontaires se retrouvent autour d'un projet d'intérêt collectif (1 à 4 semaines) et participent à la restauration du patrimoine bâti, à la protection de l'environnement, à l'organisation logistique d'un festival ou à l'animation et l'aide à la vie quotidienne auprès d'enfants ou de personnes handicapées.

▲ LOOK VOYAGES

Les brochures sont disponibles dans toutes les agences de voyages. Informations et réservations sur ● www.look-voyages.fr ●

Ce tour-opérateur propose une grande variété de produits et de destinations pour tous les budgets : séjours en club *Lookéa,* séjours classiques en hôtels, circuits « découverte », autotours et croisières.

▲ MAISON DES AMÉRIQUES LATINES (LA)

– *Paris :* 3, rue Cassette, 75006. ☎ 01-53-63-13-40. Fax : 01-42-84-23-28. ● www.maisondesameriqueslatines.com ● Ⓜ Saint-Sulpice. Ouvert du lundi au samedi de 10 h à 19 h.

Dans le cadre exceptionnel d'une photo-galerie, la Maison des Amériques latines se présente comme un lieu de dialogues où chacun peut, en fonction de ses envies, de sa curiosité, de son budget, choisir son itinéraire. Loin des clichés de l'exotisme, le catalogue propose un programme fondé sur les exigences d'une clientèle passionnée, soucieuse de faire appel à un spécialiste : circuits accompagnés en petits groupes, voyages sur mesure.

▲ MARSANS INTERNATIONAL

– *Paris :* 49, av. de l'Opéra, 75002. ☎ 0825-031-031 (0,15 €/mn). ● www.marsans.fr ● Ⓜ Opéra. Ouvert du lundi au vendredi de 9 h à 18 h, le samedi de 10 h à 17 h 30.

– *Lyon :* 1, quai Gailleton, 69002. ☎ 04-72-77-09-60. Ouvert du lundi au vendredi de 9 h 30 à 13 h et de 14 h à 18 h 30, le samedi jusqu'à 17 h 30.

Marsans a pour signature « Voyagez Cultures et Passions », et c'est le thème qui transparaît dans leurs catalogues.

L'un des meilleurs spécialistes de la destination, qui propose un choix de formules très variées : de nombreux circuits accompagnés, des hôtels à la carte à Mexico et dans plus de 30 villes et sites, avec possibilité de location de voitures pour voyager à sa guise.

Et pour se remettre de la fatigue, ne pas manquer les plages, parmi les plus belles des Caraïbes : Cancún, mais surtout la Riviera Maya, nouveau site à découvrir avec des hôtels beaucoup plus adaptés aux souhaits des Européens, ou bien encore Playa del Carmen et ses plages idylliques.

▲ NOUVELLES FRONTIÈRES

– Renseignements et réservations dans toute la France : ☎ 0825-000-825 (0,15 €/mn). ● www.nouvelles-frontieres.fr ●

Les 13 brochures Nouvelles Frontières sont disponibles gratuitement dans les 210 agences du réseau, par téléphone et sur Internet.

Plus de 30 ans d'existence, 1 400 000 clients par an, 250 destinations, une chaîne d'hôtels-clubs *Paladien* et une compagnie aérienne, *Corsair.* Pas éton-

Cie AMÉRIQUE LATINE
& CARAÏBES

L'ART DE VIVRE SON VOYAGE AU MEXIQUE

VOLS - SÉJOURS HÔTELS
CIRCUITS ACCOMPAGNÉS ET CIRCUITS INDIVIDUELS

MEXICO	CANCUN	GUATEMALA CITY
570 €*	590 €*	670 €*

* Vols A/R. Prix à partir de, au 1er octobre 2006. Taxes aériennes non incluses (environ 200 euros)

EXEMPLES D'HÔTELS CATÉGORIE ** à ***** PAR NUIT

MEXICO	Metropol***	22 €	Casona**** charme	96 €
OAXACA	Hacienda de la Noria**	28 €	Camino Real****	54 €
ACALPUCO	Elcano****	55 €	CANCUN Villas Tacul***	50 €
RIVIERA MAYA	Allegro Playacar***(1)	101 €	Maroma****charme	198 €
ANTIGUA	Casa Santo Domingo***charme	61 €	LAC ATITLAN Atitlan ***	61 €

Prix à partir de, par personne et par nuit en chambre double, taxes incluses. (1)All Inclusive

EXEMPLES DE CIRCUITS INDIVIDUELS EN VOITURE

• Magies Mexicaines (1)	14 Jours	825 €
• Reflets du Guatemala (2)	7 Jours	1 095 €

(1) Prix par personne au départ de Mexico, base 2 personnes, hôtels 2/3*, location de voiture en km illimité assurances incluses. (2) Prix par personne au départ de Guatemala City, base 3/4 personnes, hôtels 3/4*, petits-déjeuners, chauffeur-guide francophone privé, visites et entrées.

EXEMPLES DE CIRCUITS ACCOMPAGNES AU DÉPART DE PARIS

• Le Mexique en Version Originale	12 jours	1 495 €*
• Impressions du Guatemala	13 jours	2 190 €**

Départs garantis, prix à partir de, au départ de Paris, Lyon, Marseille, Nice, Toulouse, Bordeaux et Nantes. (**supp. 90 euros au départ de province), hôtels 3 étoiles sup., ch. double, pension complète et guide-accompagnateur francophone, diplômé d'État, sur place du 1er au dernier jour.

Cie AMERIQUE LATINE

82, bd Raspail *(angle rue de Vaugirard)*
75006 Paris
Métro : Rennes-St Placide
Tél : 01 53 63 15 35 - Fax : 01 42 22 20 15
isabelle@compagniesdumonde.com

3, Avenue de l'Opéra
75001 PARIS
Métro Palais-Royal/Louvre
Tél : 01 55 35 33 57 - Fax : 01 42 61 00 96
jplaronde@compagniesdumonde.com

JE VOUS REMERCIE DE M'ENVOYER CONTRE 3,2€ EN TIMBRES, DEUX BROCHURES MAXIMUM AU CHOIX:

BROCHURES : Cie AMERIQUE LATINE ☐ Cie DE L'AFRIQUE AUSTRALE & DE L'OCÉAN INDIEN ☐

BROCHURES : ETATS-UNIS / CANADA / BAHAMAS ☐ INDES / EXTRÊME-ORIENT ☐

NOM . . . . PRENOM . . . .

ADRESSE . . . .

CODE POSTAL |__|__|__|__|__| VILLE . . . . E-MAIL . . . .

Li 075 01 0012 Compagnies du Monde 2007

GR Mex. 07

nant que Nouvelles Frontières soit devenu une référence incontournable, notamment en matière de tarifs. Le fait de réduire au maximum les intermédiaires permet d'offrir des prix « super-serrés ». Un choix illimité de formules vous est proposé : des vols sur la compagnie aérienne de Nouvelles Frontières au départ de Paris et de province, en classe Horizon ou Grand Large, et sur toutes les compagnies aériennes régulières, avec une gamme de tarifs selon votre budget. Sont également proposés toutes sortes de circuits, aventure ou organisés ; des séjours en hôtels, en hôtels-clubs et en résidences ; des week-ends ; des formules à la carte (vols, nuits d'hôtel, excursions, locations de voitures...) ; des séjours neige.

Avant le départ, des réunions d'information sont organisées. Intéressant : des brochures thématiques (plongée, rando, trek, thalasso).

▲ OTU VOYAGES

Informations : ☎ 01-55-82-32-32. ● infovente@otu.fr ● N'hésitez pas à consulter leur site ● www.otu.fr ● pour obtenir adresse, plan d'accès, téléphone et e-mail de l'agence la plus proche de chez vous (24 agences OTU Voyages en France).

OTU Voyages propose tous les voyages jeunes et étudiants à des tarifs spéciaux particulièrement adaptés aux besoins et au budget de chacun. Les bons plans, services et réductions partout dans le monde avec la carte d'étudiant internationale ISIC (12 €). Les billets d'avion (Student Air, Air France, etc.), train, bateau, bus, les assurances voyages, la location de voitures à des tarifs avantageux et souvent exclusifs, pour plus de liberté ! Des hôtels, des city-trips pour découvrir le monde, des séjours skis, surf, kite-surf, plongée, etc.

▲ PICAFLOR VOYAGES

– *Paris :* 5, rue Tiquetonne, 75002. ☎ 01-40-28-93-33. Fax : 01-40-28-93-55. ● www.picaflor.fr ● picaflor@club-internet.fr ● Ⓜ Les Halles ou Étienne-Marcel. Ouvert du lundi au vendredi de 10 h à 13 h et de 14 h à 19 h (20 h le jeudi).

Une nouvelle et pourtant très ancienne agence spécialiste de l'Amérique latine, et en particulier du Pérou, puisque c'est Lalo Justo Caballero qui lança cette destination en France. Dans les années 1970, il a organisé les premiers charters sur le Pérou, le Mexique, l'Argentine, le Brésil. Récemment revenu à ses premières amours, il a ouvert cette petite agence au cœur des Halles, où vous trouverez des conseils pour voyager au Pérou et dans le reste de l'Amérique latine, des vols secs à prix réduits, des forfaits aériens pour parcourir chaque pays, des voyages à la carte, des circuits à prix et dates garantis pour le Pérou, l'Équateur, la Bolivie, le Brésil, l'Argentine, le Mexique, le Guatemala...

▲ PLEIN VENT VOYAGES

Réservations et brochures dans les agences du Sud-Est et du Rhône-Alpes. Premier tour-opérateur du Sud-Est, Plein Vent assure toutes ses prestations au départ de Lyon, Marseille et Nice. Plein Vent propose notamment le Mexique en circuit accompagné. Plein Vent garantit ses départs et propose un système de « garantie annulation » performant.

▲ LA ROUTE DES VOYAGES

– *Annecy :* 2 bis, av. de Brogny, 74000. ☎ 04-50-45-60-20. Fax : 04-50-51-60-58.

– *Lyon :* 59, rue Franklin, 69002. ☎ 04-78-42-53-58. Fax : 04-72-56-02-86.

– *Toulouse :* 9, rue Saint-Antoine-du-T, 31000. ☎ 05-62-27-00-68. Fax : 05-62-27-00-86.

● www.route-voyages.com ● Agences ouvertes du lundi au jeudi de 9 h à 19 h et le vendredi de 9 h à 18 h.

Spécialiste du voyage sur mesure ayant une grande connaissance du terrain. Une équipe spécialisée par destination travaille en direct avec des pres-

marsans

Séjours découvertes,
séjours plages,
circuits...
au **Mexique**

tataires locaux et construit des voyages personnalisés. Leur site Internet très détaillé vous donnera un aperçu de leur programmation. Que ce soit vers les Amériques nord et sud, l'Asie, l'Australie ou l'Afrique australe et l'océan Indien, l'agence privilégie les voyages hors des sentiers battus pour une découverte authentique.

▲ TERRES D'AVENTURE

N° Indigo : ☎ 0825-847-800 (0,15 €/mn). ● www.terdav.com ●
– *Paris :* 6, rue Saint-Victor, 75005. Fax : 01-43-25-69-37. Ⓜ Cardinal-Lemoine ou Maubert-Mutualité. Ouvert du lundi au samedi de 9 h 30 à 19 h.
– *Grenoble :* 16, bd Gambetta, 38000. ☎ 04-76-85-96-05.
– *Lille :* 147, bd de la Liberté (angle place Richebé), 59000. Fax : 03-20-06-76-32.
– *Lyon :* 5, quai Jules-Courmont, 69002. Fax : 04-78-37-15-01.
– *Marseille :* 25, rue Fort-Notre-Dame (angle cours d'Estienne-d'Orves), 13001. Fax : 04-96-17-89-29.
– *Nantes :* 22, rue Crébillon, 44000. Fax : 02-40-20-64-37.
– *Nice :* 4, rue du Maréchal-Joffre (angle rue de Longchamp), 06000. Fax : 04-97-03-64-70.
– *Rennes :* 31, rue de la Parcheminerie, 35000. ☎ 04-76-85-96-05.
– *Toulouse :* 26, rue des Marchands, 31000. Fax : 05-34-31-72-61.
En 2006-2007, ouverture d'agences régionales :
– *Bordeaux :* 28, rue Mably, 33000.
– *Montpellier :* 7, rue de Verdun, 34000.
– *Rouen :* 17-19, rue de la Vicomté, 76000.
Depuis 30 ans, Terres d'Aventure, pionnier du voyage à pied, accompagne les voyageurs passionnés de randonnée et d'expériences authentiques à la découverte des grands espaces de la planète. Voyages à pied, à cheval, en 4x4, en bateau, en raquettes... Sur tous les continents, des aventures en petits groupes encadrés par des professionnels expérimentés. Les hébergements dépendent des sites explorés : camps d'altitude, bivouac, refuge ou petits hôtels. Les voyages sont conçus par niveaux de difficulté : de la simple balade en plaine à l'expédition sportive en passant par la course en haute montagne...
En régions, dans chacune des *Cités des Voyageurs,* tout rappelle le voyage : librairies spécialisées, boutiques d'accessoires de voyage, expositions-ventes d'artisanat et cocktails-conférences. Consultez le programme des manifestations sur leur site Internet.

▲ TERRES DE CHARME & ÎLES DU MONDE

– *Paris :* 19, av. Franklin-D.-Roosevelt, 75008. ☎ 01-55-42-74-10. Fax : 01-56-24-49-77. ● www.terresdecharme.com ● et ● www.ilesdumonde.com ● Ⓜ Franklin-D.-Roosevelt. Ouvert du lundi au vendredi de 10 h à 18 h 30 et le samedi de 10 h 30 à 19 h.
Terres de Charme et Îles du Monde ont la particularité d'organiser des voyages « sur mesure » haut de gamme partout dans le monde pour ceux qui souhaitent voyager à deux, en famille ou entre amis. Des séjours et des circuits rares et insolites regroupés selon 5 thèmes : « charme de la mer et des îles », « l'Afrique à la manière des pionniers », « charme et aventure », « sur les chemins de la sagesse », « week-ends et escapades », avec un hébergement allant de douillet à luxueux.

▲ VACANCES FABULEUSES

– *Paris :* 95, rue d'Amsterdam, 75008. ☎ 01-42-85-65-00. Fax : 01-42-85-65-03. Ⓜ Place-Clichy. Ouvert du lundi au vendredi de 10 h à 18 h.
– Et dans toutes les agences de voyages.
Vacances Fabuleuses, c'est « l'Amérique à la carte ». Ce spécialiste de l'Amérique du Nord (États-Unis, Canada, Mexique et Caraïbes) propose de découvrir le Mexique avec un large choix de formules allant de la location de voitures aux circuits individuels ou accompagnés.

NOUVELLES FRONTIERES

SORTEZ DE CHEZ VOUS

Comment aller au Mexique pas cher ?

Vols A/R au départ de Paris. Pour Cancun : nous consulter.

595 € (1)
MEXICO
ALLER / RETOUR

Comment se déplacer ?

Location de voiture de catégorie A, pour 1 journée.

33 €
LOCATION
1 J. CAT. A

Où dormir tranquille à Playa Del Carmen ?

- Hôtel El Tukan Condotel**, situé au cœur de l'animation de Playa Del Carmen, en logement et petit-déjeuner.
- Hôtel Club Paladien Riu Lupita****, situé à 10 mn (en navette régulière) de la plage, en formule tout inclus.

Prix à partir de, par personne, au départ de Paris, 7 nuits. Base chambre double. Vols et transferts A/R et carte de tourisme inclus.

769 € (1)
EL TUKAN CONDOTEL
7 NUITS
PETIT-DÉJEUNER

1059 € (1)
PALADIEN
7 NUITS
PETIT-DÉJEUNER

Où dormir tranquille à Mexico ?

- Hôtel Regente***, avec air conditionné, situé dans un quartier commercial à proximité des avenues Reforma et Insurgentes, en logement seul.

Prix à partir de, par personne, base chambre double.

16 €
REGENTE
1 N. LOGEMENT

À Voir / À faire :

Excursions: Chichen Itza, Tulum, Coba, Xel Ha, Isla Mujeres.
Plongée: forfait "Yucatan explorer" 240 € comprenant 2 plongées à Playa Del Carmen, 2 en Cenote et 2 à Cozumel.

(1) Prix TTC, à partir de, taxes aériennes et surcharge carburant susceptibles de modification sans préavis. Par personne, à certaines dates, sous réserve de disponibilités.

210 AGENCES EN FRANCE, 0825 000 825, nouvelles-frontieres.fr
(0,15 €/min)

Le transport est assuré à des prix charters, sur compagnies régulières. Le tout, proposé par une équipe de spécialistes. Extension possible au Guatemala en miniséjour ou en circuit accompagné.

▲ VOYAGES WASTEELS

63 agences en France, 140 en Europe. Pour obtenir l'adresse et le numéro de téléphone de l'agence la plus proche de chez vous, rendez-vous sur ● www.wasteels.fr ●
Centre d'appels Infos et ventes par téléphone : ☎ 0825-887-070 (0,15 €/mn).
Voyages Wasteels propose pour tous des séjours, des vacances à la carte, des croisières, des voyages en avion ou train et la location de voitures, au plus juste prix, parmi des milliers de destinations en France, en Europe et dans le monde. Voyages Wasteels, c'est aussi tous les voyages jeunes et étudiants avec des tarifs réduits particulièrement adaptés aux besoins et au budget de chacun. Bons plans, services, réductions et nombreux avantages en France et dans le monde avec la carte internationale d'étudiant ISIC (12 €).

▲ VOYAGEURS AU MEXIQUE ET EN AMÉRIQUE CENTRALE

Le grand spécialiste du voyage en individuel sur mesure. ● www.vdm.com ●
Nouveau ! Voyageurs du Monde Express : tous les vols et une sélection de voyages « prêts à partir » sur des destinations mythiques. ☎ 0892-688-363 (0,34 €/mn).
– *Paris :* La Cité des Voyageurs, 55, rue Sainte-Anne, 75002. ☎ 0892-236-868 (0,34 €/mn). Fax : 01-42-96-10-15. Ⓜ Opéra ou Pyramides. Bureaux ouverts du lundi au samedi de 9 h 30 à 19 h.
– *Bordeaux :* 28, rue Mably, 33000. ☎ 0892-234-834 (0,34 €/mn).
– *Grenoble :* 16, bd Gambetta, 38000. ☎ 0892-233-533 (0,34 €/mn).
– *Lille :* 147, bd de la Liberté, 59000. ☎ 0892-234-234 (0,34 €/mn).
– *Lyon :* 5, quai Jules-Courmont, 69002. ☎ 0892-231-261 (0,34 €/mn). Fax : 04-72-56-94-55.
– *Marseille :* 25, rue Fort-Notre-Dame (angle cours d'Estienne-d'Orves), 13001. ☎ 0892-233-633 (0,34 €/mn). Fax : 04-96-17-89-18.
– *Montpellier :* 7, rue de Verdun, 34000.
– *Nantes :* 22, rue Crébillon, 44000. ☎ 0892-230-830 (0,34 €/mn). Fax : 02-40-20-64-38.
– *Nice :* 4, rue du Maréchal-Joffre (angle rue de Longchamp), 06000. ☎ 0892-232-732 (0,34 €/mn). Fax : 04-97-03-64-60.
– *Rennes :* 31, rue de la Parcheminerie, 35000. ☎ 0892-230-530. Fax : 02-99-79-10-00.
– *Rouen :* 17-19, rue de la Vicomté, 76000.
– *Toulouse :* 26, rue des Marchands, 31000. ☎ 0892-232-632 (0,34 €/mn). Fax : 05-34-31-72-73. Ⓜ Esquirol.
Sur les conseils d'un spécialiste de chaque pays, chacun peut construire un voyage à sa mesure...
Pour partir à la découverte de plus de 120 pays, 100 conseillers-voyageurs, de près de 30 nationalités et grands spécialistes des destinations, donnent des conseils, étape par étape et à travers une collection de 25 brochures, pour élaborer son propre voyage en individuel. Des suggestions originales et adaptables, des prestations de qualité et des hébergements exclusifs.
Voyageurs du Monde propose également une large gamme de circuits accompagnés (Famille, Aventure, Routard...).
À la fois tour-opérateur et agence de voyages, Voyageurs du Monde a développé une politique de « vente directe » à ses clients, sans intermédiaire.
Dans chacune des *Cités des Voyageurs,* tout rappelle le voyage : librairie spécialisée, boutique d'accessoires de voyage, restaurant des cuisines du monde, lounge-bar, expositions-vente d'artisanat ou encore dîners et cocktails-conférences. Toute l'actualité de VDM à consulter sur leur site Internet.

EN BELGIQUE

▲ ARGENTINA TOURS – ICT
– *Bruxelles :* rue de la Montagne, 52, 1000. ☎ et fax : 02-219-65-44. ● www.
argentina-tours.com ●
Fondé en 1999 par l'Argentin Carlos Gerzanich, Argentina Tours s'est spécialisé dans le tourisme réceptif en Argentine, au Chili et au Pérou. Leur
équipe a une très bonne connaissance du terrain. Nouveautés : la Bolivie, le
Brésil, le Venezuela, le Costa Rica, le Guatemala, le Panama, le Honduras et
le Mexique.

▲ CONTINENTS INSOLITES
– *Bruxelles :* rue César-Franck, 44 A, 1050. ☎ 02-218-24-84. Fax : 02-218-
24-88. ● www.continentsinsolites.com ● Ouvert du lundi au vendredi de 10 h
à 18 h et le samedi de 10 h à 13 h.
Continents Insolites, organisateur de voyages lointains sans intermédiaires,
propose une gamme étendue de formules de voyages, détaillée dans leur
brochure gratuite sur demande.
Voyages découverte taillés sur mesure : à partir de 2 personnes. Un grand
choix d'hébergements soigneusement sélectionnés : du petit hôtel simple à
l'établissement luxueux et de charme.
Circuits découverte en minigroupes : de la grande expédition au circuit accessible à tous. Des circuits à dates fixes dans plus de 60 pays en petits groupes
francophones de 7 à 12 personnes. Avant chaque départ, une réunion est
organisée. Voyages encadrés par des guides francophones, spécialistes des
régions visitées.
De plus, Continents Insolites propose un cycle de diaporamas-conférences à
Bruxelles. Ces conférences se déroulent à l'Espace Senghor, pl. Jourdan,
1040 Etterbeek (dates dans leur brochure).

▲ FAIRWAY TRAVEL
– *Bruxelles :* rue Abbé-Heymans, 2, 1200. ☎ 02-762-78-78. Fax : 02-762-02-
17. ● www.fairwaytravel.be ●
Spécialiste de l'Amérique latine, du Mexique au Chili en passant par les fjords
de Patagonie ou la Cordillère des Andes. Au programme, des croisières en
Amazonie, en Antarctique, aux Galápagos et en Terre de Feu, des randonnées sur le chemin de l'Inca, les plus beaux trains d'Amérique latine.

▲ JOKER
– *Bruxelles :* quai du commerce, 27, 1000. ☎ 02-502-19-37. Fax : 02-502-
29-23. ● brussel@joker.be ●
– Adresses également à *Anvers, Bruges, Courtrai/Harelbeke, Gand, Has-
selt, Louvain, Malines, Schoten* et *Wilrijk.*
● www.joker.be ●
Joker est spécialiste des voyages d'aventure et des billets d'avion à des prix
très concurrentiels. Vols aller-retour au départ de Bruxelles, Paris et Amsterdam. Voyages en petits groupes avec accompagnateur compétent. Circuits
souples à la recherche de contacts humains authentiques, utilisant l'infras-
tructure locale et explorant le vrai pays.

▲ LATINO AMERICANA DE TURISMO
– *Bruxelles :* av. Brugmann 250, 1180. ☎ 02-211-33-50. Fax : 02-346-27-66.
● www.latinoamericana.be ●
Division Amérique latine de Braun sprl. Une bonne connaissance de l'Amérique latine permet à cet organisateur de voyages de tailler des circuits personnalisés sur mesure, avec un logement dans des établissements de
charme. Ce spécialiste met tout en œuvre pour vous initier aux secrets du
Pérou, du Chili, du Mexique, de l'Équateur, de l'Argentine, du Guatemala, de
la Bolivie... Départs garantis quelle que soit la date prévue, en tenant compte
des obligations climatiques du pays. Tarifs compétitifs sur vols réguliers.

▲ NOUVELLES FRONTIÈRES

– *Bruxelles* (siège) *:* bd Lemonnier, 2, 1000. ☎ 02-547-44-22. Fax : 02-547-44-99. ● www.nouvelles-frontieres.be ●

– Également d'autres agences à *Bruxelles, Charleroi, Liège, Mons, Namur, Waterloo, Wavre* et au *Luxembourg.*

Plus de 30 ans d'existence, 250 destinations, une chaîne d'hôtels-clubs *Paladien.* Pas étonnant que Nouvelles Frontières soit devenu une référence incontournable, notamment en matière de tarifs. Le fait de réduire au maximum les intermédiaires permet d'offrir des prix « super-serrés ».

▲ PAMPA EXPLOR

– *Bruxelles :* av. Brugmann, 250, 1180. ☎ 02-340-09-09. Fax : 02-346-27-66. ● info@pampa.be ● Ouvert du lundi au vendredi de 9 h à 19 h et le samedi de 10 h à 17 h. Également sur rendez-vous, dans leurs locaux, ou à votre domicile.

Spécialiste des vrais voyages « à la carte », Pampa Explor propose plus de 70 % de la « planète bleue », selon les goûts, attentes, centres d'intérêt et budget de chacun. Du Costa Rica à l'Indonésie, de l'Afrique australe à l'Afrique du Nord, de l'Amérique du Sud aux plus belles croisières, Pampa Explor tourne le dos au tourisme de masse pour privilégier des découvertes authentiques et originales, pleines d'air pur et de chaleur humaine. Pour ceux qui apprécient la jungle et les pataugas ou ceux qui préfèrent les cocktails en bord de piscine et les fastes des voyages de luxe, en individuel ou en petits groupes, mais toujours « sur mesure ».

Possibilité de régler par carte de paiement. Sur demande, envoi gratuit de documents de voyages.

▲ SUDAMERICA TOURS

Brochures disponibles dans les agences de voyages en Belgique et au Luxembourg, ou au ☎ 02-772-15-34 (Bruxelles). ● www.sudamericatours.be ●

Tour-opérateur belge spécialisé depuis 17 ans sur l'Amérique latine, Sudamerica Tours propose deux brochures : « Circuits et séjours individuels » et « Circuits en groupes accompagnés avec départs garantis de Bruxelles à Bruxelles ».

Réalise également des circuits à la carte avec location de voitures, des séjours plage, des safaris et écotourisme, des croisières en Amazonie, aux Galápagos, sur le lac Titicaca... Logement en haciendas et hôtels de charme. Destinations : Argentine, Bolivie, Brésil, Chili, Équateur, Guatemala, Pérou, Mexique. (Contact : Éric Gedeon.) Nouveauté : le Costa Rica.

▲ TERRES D'AVENTURE

– *Bruxelles :* Vitamin Travel, rue Van-Artevelde, 48, 1000. ☎ 02-512-74-64. Fax : 02-512-69-60. ● info@vitamintravel.be ●
(Voir texte dans la partie « En France ».)

EN SUISSE

▲ JERRYCAN

– *Genève :* 11, rue Sautter, 1205. ☎ 022-346-92-82. Fax : 022-789-43-63. ● www.jerrycan-travel.ch ●

Tour-opérateur de la Suisse francophone spécialisé dans l'Afrique, l'Asie et l'Amérique latine. Trois belles brochures proposent des circuits traditionnels et hors des sentiers battus. L'équipe connaît bien son sujet et peut vous construire un voyage à la carte.

En Amérique latine, Jerrycan propose des voyages à partir de deux personnes en Bolivie, au Pérou, en Équateur, au Chili, en Argentine, au Guatemala, au Costa Rica, au Brésil et au Mexique.

▲ NOUVELLES FRONTIÈRES

– *Genève :* 10, rue Chantepoulet, 1201. ☎ 022-906-80-80. Fax : 022-906-80-90.
– *Lausanne :* 19, bd de Grancy, 1006. ☎ 021-616-88-91. Fax : 021-616-88-01.
(Voir texte dans la partie « En France ».)

▲ STA TRAVEL

– *Bienne :* General-Dufourstrasse 4, 2502. ☎ 058-450-47-50. Fax : 058-450-47-58.
– *Fribourg :* 24, rue de Lausanne, 1701. ☎ 058-450-49-80. Fax : 058-450-49-88.
– *Genève :* 3, rue Vignier, 1205. ☎ 058-450-48-30. Fax : 058-450-48-38.
– *Lausanne :* 26, rue de Bourg, 1003. ☎ 058-450-48-70. Fax 058-450-48-78.
– *Lausanne :* à l'université, bâtiment BFSH2, 1015. ☎ 058-450-49-20. Fax : 058-450-49-28.
– *Montreux :* 25, av. des Alpes, 1820. ☎ 058-450-49-30. Fax : 058-450-49-38.
– *Neuchâtel :* 2, Grand-rue, 2000. ☎ 058-450-49-70. Fax : 058-450-49-78.
– *Nyon :* 17, rue de la Gare, 1260. ☎ 058-450-49-00. Fax : 058-450-49-18.
Agences spécialisées notamment dans les voyages pour jeunes et étudiants. Gros avantage en cas de problème : 150 bureaux STA et plus de 700 agents du même groupe répartis dans le monde entier sont là pour donner un coup de main *(Travel Help)*.
STA propose des voyages très avantageux : vols secs *(Skybreaker)*, billets Euro Train, hôtels, écoles de langues, voitures de location, etc. Délivre la carte internationale d'étudiant ISIC et la carte Jeune Go 25.
STA est membre du fonds de garantie de la branche suisse du voyage ; les montants versés par les clients pour les voyages forfaitaires sont assurés.

▲ TERRES D'AVENTURE

– *Genève :* Néos Voyages, 50, rue des Bains, 1205. ☎ 022-320-66-35. Fax : 022-320-66-36. ● geneve@neos.ch ●
– *Lausanne :* Néos Voyages, 11, rue Simplon, 1006. ☎ 021-612-66-00. Fax : 021-612-66-01. ● lausanne@neos.ch ●
(Voir texte dans la partie « En France ».)

AU QUÉBEC

▲ NOLITOUR VACANCES

Membre du groupe Transat A.T. Inc., Nolitour est un spécialiste des forfaits vacances vers le Sud. Destinations proposées : Floride, Mexique, Cuba, République dominicaine, île de San Andres en Colombie, Panama, Costa Rica et Venezuela.

▲ SPORTVAC TOURS

– *Québec :* 538, rue Notre-Dame, Saint-Lambert, J4P-2K7. ● www.sportvac.com ●
Spécialiste des séjours ski (Québec, Ouest canadien et américain, Alpes françaises) et golf (Québec, États-Unis, Mexique, République dominicaine, France, Portugal), Sportvac est l'un des chefs de file dans son domaine au Canada.

▲ STANDARD TOURS

Ce grossiste né en 1962 programme les États-Unis, le Mexique, les Caraïbes, l'Amérique latine et l'Europe. Spécialité : les forfaits sur mesure.

▲ VACANCES AIR CANADA

Vacances Air Canada propose des forfaits loisirs flexibles sur les destinations les plus populaires des Antilles, de l'Amérique centrale et du Sud, de l'Asie et des États-Unis. Pour en savoir plus : ● www.vacancesaircanada.com ●

Cour pénale internationale :
face aux dictateurs et aux tortionnaires,
la meilleure force de frappe,
c'est le droit.

L'impunité, espèce en voie d'arrestation.

Fédération Internationale des ligues des droits de l'homme.

fidh

www.fidh.org

▲ VACANCES SIGNATURE

Ce voyagiste bien établi au Canada est membre de *First Choice Holidays* et propose principalement des forfaits vacances vers le Mexique, Cuba et la République dominicaine au départ de 14 grandes villes canadiennes. Les destinations proposées par le voyagiste sont sur : ● www.vacancessignatu re.com ●

▲ VACANCES TOURS MONT ROYAL

● www.toursmont-royal.com ●

Le voyagiste propose une offre complète sur les destinations et les styles de voyage suivants : Europe, destinations soleils d'hiver et d'été, circuits accompagnés ou en liberté. Au programme, tout ce qu'il faut pour les voyageurs indépendants : location de voitures, cartes de train, bonne sélection d'hôtels et de résidences, excursions à la carte... À signaler : l'option achat/rachat de voiture (17 jours minimum, avec prise en France et remise en France ou ailleurs en Europe, Également : vols entre Montréal et les villes de province françaises avec Air Transat ; alors que les vols à destination de Paris sont assurés par la compagnie Corsair.

GÉNÉRALITÉS

Pour la carte générale du Mexique, se reporter au cahier couleur.

« Le seul pays au monde instinctivement surréaliste... »
André Breton.

Ce pays mythique d'Amérique latine évoque instantanément l'histoire et l'art des civilisations préhispaniques, l'aventure, l'exotisme, le voyage et les fêtes traditionnelles. Le pays garde dans ses terres l'une des plus denses et des plus magnifiques concentrations de civilisations. À lui seul, il peut justifier de passer toute une vie à admirer et étudier les connaissances des Mayas, l'esthétisme des Olmèques, l'esprit sportif des Toltèques ou l'organisation militaire des Aztèques. Riche de plages somptueuses, de villes coloniales éblouissantes, de parcs nationaux gigantesques, le Mexique est l'une des plus belles expressions de la démesure de l'Amérique latine. À l'image de Mexico, il est cosmopolite, bruyant, bourré de monde, tout simplement fascinant.

Au Mexique, venez faire la fête avec les *mariachis* de la plaza Garibaldi ou les *callejoneadas* des villes coloniales, suivre les traces du commandant Cousteau dans les récifs de Cozumel, découvrir le tombeau de Pacal, le roi maya de Palenque, ou encore vous payer une « séquence frisson » dans les *cenotes* du Yucatán. Un séjour sur cette terre surréaliste et magique ne peut être comparé qu'à un voyage initiatique, comme ceux qu'évoquent les livres de Castañeda. Pour couronner le tout, l'influence économique et culturelle du puissant voisin du Nord donne un univers de pensée et un mode de vie où se rejoignent les divinités aztèques et Internet, la traditionnelle fête des Morts et Halloween. Comme le disait Carlos Fuentes, « le Mexique est un mélange bien dosé de Quetzalcóatl et de Pepsicóatl avec quelques gouttes de tequila en plus... »

CARTE D'IDENTITÉ

- *Organisation :* Fédération des États-Unis mexicains ; 31 États plus un district fédéral, la ville de Mexico.
- *Population :* 103 263 400 habitants.
- *Superficie :* 1 967 183 km^2.
- *Capitale :* Mexico.
- *Langues :* espagnol (officielle), 56 langues indiennes.
- *Monnaie :* peso mexicano ($Me).
- *Régime :* présidentiel.
- *Chef de l'État :* Felipe Calderón
- *Sites classés au Patrimoine de l'Unesco :* 25 sites culturels et naturels (voir la liste dans la rubrique « Sites Internet » à la fin des généralités).

GÉNÉRALITÉS

AVANT LE DÉPART

Adresses utiles

En France

❑ *Conseil de promotion touristique du Mexique* : 4, rue Notre-Dame-des-Victoires, 75002 Paris. ☎ 01-42-86-96-12 ou 13. Fax : 01-42-86-05-80. N° Vert : ☎ 00-800-66-66-22-11. ● www.destinationmexique.com ● france@visitmexico.com ● Ⓜ Bourse. Ouvert du lundi au vendredi de 9 h 30 à 13 h et de 14 h 30 à 17 h 30. Dans le même immeuble que le consulat. Accueil aimable, brochures à profusion et, bien évidemment, personnel francophone.

■ *Ambassade du Mexique* : 9, rue de Longchamp, 75116 Paris. ☎ 01-53-70-27-70. Fax : 01-47-55-65-29. ● www.sre.gob.mx/francia

■ *Instituto de Mexico* (service culturel de l'ambassade) : 119, rue Vieille-du-Temple, 75003 Paris. ☎ 01-44-61-84-44. Fax : 01-44-61-84-45. ● www.mexiqueculture.org ● Ⓜ Filles-du-Calvaire. Ouvert du lundi au vendredi de 9 h 30 à 13 h et de 14 h 30 à 18 h et le samedi de 14 h 30 à 18 h. Organise des expos mensuelles d'artistes contemporains mexicains.

■ *Consulats mexicains* :
– *Paris* : 4, rue Notre-Dame-des-Victoires, 75002 (même adresse que l'office de tourisme). ☎ 01-42-86-56-20. Fax : 01-49-26-02-78. ● consular mex@wanadoo.fr ● Ⓜ Bourse. Ouvert au public du lundi au vendredi de 9 h à 12 h. Adresse utile si vous envisagez une expatriation au Mexique (études ou travail), pour laquelle vous aurez besoin d'un visa de long séjour et des précieuses FM-3, les cartes de séjour du Mexique. Les autres lecteurs se reporteront à la rubrique « Formalités d'entrée », car les ressortissants français n'ont pas besoin de visa.
– *Barcelonnette* : 7, av. Porfirio-Diaz, 04400. ☎ 04-92-81-00-27.
– *Bordeaux* : 11-15, rue Vital-Carles-V, 33080. ☎ 05-56-79-76-55.
– *Le Havre* : 58, rue de Mulhouse, 76600. ☎ 02-35-26-41-61.
– *Lyon* : 3, rue des Cytises, 69340. ☎ 04-72-38-32-22.
– *Strasbourg* : 19 A, rue Lovisa, 67000. ☎ 03-88-45-77-11.
– *Toulouse* : 35, rue Ozenne, 31000. ☎ 05-61-25-45-17.

■ *Mexique Tourisme* : ☎ 04-50-27-62-57. ● www.mexiquetourisme.com ● mexique@altiplano.org ● Ouvert du lundi au vendredi de 9 h à 18 h 30. Association de passionnés du Mexique envoyant documentation gratuite et répondant à toutes vos questions sur ce pays par téléphone ou mail.

En Belgique

■ *Ambassade et consulat* : av. Franklin-Roosevelt, 94, Bruxelles 1050. ☎ (02) 629-07-11. Fax : (02) 644-08-19. Pas de visa pour les routards belges (voir plus loin « Formalités d'entrée »).

En Suisse

■ *Ambassade du Mexique* : Bernastrasse, 57, 3005 Berne. ☎ (031) 357-47-47. Fax : (031) 357-47-48.

■ *Consulat honoraire du Mexique* : 16, rue de Candolle, 1205 Genève. ☎ (022) 328-39-20. Fax : (022) 328-52-42. Pas de visa pour les routards suisses (voir plus loin « Formalités d'entrée »).

■ *Consulat honoraire du Mexique* : Kirchgasse, 38, 8006 Zurich. ☎ (01) 251-04-62.

– Plus d'office de tourisme.

LES ÉTATS DU MEXIQUE

Ags. : AGUASCALIENTES
D.F. : DISTRICT FÉDÉRAL
Gto. : GUANAJUATO
Mex. : MEXICO
Mor. : MORELOS
Pue. : PUEBLA
Qro. : QUERETARO
Tlax. : TLAXCALA

Au Canada

ⓘ *Bureau de tourisme du Mexique à Montréal :* 1, pl. Ville-Marie (Suite 1931), Montréal H3B-2C3. ☎ (514) 871-1052. Fax : (514) 871-3825. ● www.visitmexico.com ●

ⓘ *Bureau de tourisme du Mexique à Toronto :* 2nd Floor, Street West (Suite 1502), Toronto, Ontario M4W-3E2. ☎ (416) 925-0704. Fax : (416) 925-6061. ● www.visitmexico.com ●

■ *Consulat général du Mexique :* 2055, rue Peel, # 1000, Montréal H3A-1V4. ☎ (514) 288-2502 ou 288-2707. Fax : (514) 288-8287. ● www.consulmex.qc.ca ● Ouvert au public du lundi au vendredi de 9 h à 13 h ; permanence téléphonique jusqu'à 17 h.

■ *Consulat honoraire du Mexique :* 380, chemin Saint-Louis, # 1407, Québec G1S-4M1. ☎ (418) 681-3192. Fax : (418) 683-7843.

Formalités d'entrée

– Les visiteurs doivent acquitter à l'entrée du Mexique une *taxe* de 15 US$. Celle-ci est appliquée quel que soit le moyen de transport utilisé. Tout comme la taxe d'aéroport à la sortie du pays, elle est le plus souvent déjà incluse dans le billet.

– Le visa n'est pas nécessaire pour les citoyens européens, canadiens ou suisses se rendant au Mexique pour des séjours de courte durée en tant que « touriste ». Cependant, vous devrez remplir un document d'immigration (*FMT* ou *carte touristique*) que l'on vous remettra dans l'avion ou à la frontière. Cette carte touristique permet de rester au Mexique pendant une période de 90 jours maximum (on peut la faire renouveler jusqu'à 6 mois). Ce document est tamponné lors de votre entrée dans le pays et **doit être conservé précieusement,** car il vous sera demandé à la sortie du territoire. **Attention !** Le douanier inscrit encore parfois une durée inférieure à 90 jours sans vous demander votre avis, parfois 15 jours. Donc, soyez vigilant ! Si vous comptez rester plus longtemps, n'hésitez pas à le lui préciser, et sachez que

vous avez **droit** à 90 jours. Beaucoup se font attraper et doivent payer la prorogation de leur carte touristique aux services de l'immigration (voir « Adresses utiles » des principales villes), petite visite à l'administration mexicaine qui n'a rien de bien réjouissant et qui est, bien sûr, payante !
– Être en possession d'un *passeport,* valable au minimum 6 mois après la date de retour.
– *Pour ceux qui passent par les États-Unis :* si vous faites une escale, par exemple à Miami, vous n'avez pas besoin de visa américain (d'ailleurs, plus besoin de visa pour les Français qui restent moins de 3 mois aux États-Unis).
– *Permis de conduire :* votre permis national suffit.

Formalités de sortie

Si la taxe d'aéroport n'est pas déjà incluse dans le prix du billet, penser à garder un peu d'argent (20 US$ environ ou l'équivalent en pesos) pour l'acquitter à l'enregistrement. Changer le reste de l'argent mexicain avant de partir, car aucun change n'est possible en France. Nombreux bureaux de change à l'aéroport de Mexico.

Carte internationale d'étudiant (carte ISIC)

Elle prouve le statut d'étudiant dans le monde entier et permet de bénéficier de tous les avantages, services, réductions étudiants du monde, soit plus de 30 000 avantages (dont plus de 7 000 en France) concernant les transports, les hébergements, la culture, les loisirs... c'est la clé de la mobilité étudiante ! La carte ISIC donne aussi accès à des avantages exclusifs sur le voyage (billets d'avion spéciaux, assurances de voyage, cartes de téléphone internationales, locations de voitures, navettes aéroport...).
Pour plus d'informations sur la carte ISIC ou pour la commander : ☎ 01-49-96-96-49. ● www.isic.fr ●

Pour l'obtenir en France

Se présenter dans l'une des agences des organismes mentionnés ci-dessous avec :
– une preuve de son statut d'étudiant (carte d'étudiant, certificat de scolarité...) ;
– une photo d'identité ;
– 12 € ; ou 13 € par correspondance, incluant les frais d'envoi des documents d'information sur la carte.
Émission immédiate.

■ *OTU Voyages :* ☎ 0820-817-817 (0,12 €/mn). ● www.otu.fr ● pour connaître l'agence la plus proche de chez vous. Possibilité de commander en ligne la carte ISIC.
■ *Voyages Wasteels :* ☎ 0825-88-70-70 (audiotel ; 0,15 €/mn) pour être mis en relation avec l'agence la plus proche de chez vous. ● www.wasteels.fr ● Propose également une commande en ligne de la carte ISIC.

En Belgique

La carte coûte 9 € et s'obtient sur présentation de la carte d'identité, de la carte d'étudiant et d'une photo auprès de :

■ *Connections :* renseignements au ☎ 02-550-01-00.

En Suisse

La carte s'obtient dans toutes les agences *STA Travel,* sur présentation de la carte d'étudiant, d'une photo et de 20 Fs.

■ **STA Travel :** 3, rue Vignier, 1205 Genève. ☎ 058-450-48-30.

■ **STA Travel :** 26, rue de Bourg, 1015 Lausanne. ☎ 058-450-48-70.

Sur Internet

Il est également possible de la commander en ligne sur le site ● www.isic.fr ● ou pour la Suisse : ● www.isic.ch ●

Carte FUAJ internationale des auberges de jeunesse

Cette carte, valable dans 81 pays, permet de bénéficier des 4 000 auberges de jeunesse du réseau *Hostelling International* réparties dans le monde entier. Les périodes d'ouverture varient selon les pays et les AJ. À noter, la carte AJ est surtout intéressante en Europe, aux États-Unis, au Canada, au Moyen-Orient et en Extrême-Orient (Japon...). Au Mexique, de nombreuses auberges de jeunesse sont affiliées au réseau *Hostelling International* (voir « Hébergement »).

– On conseille de l'acheter en France car elle est moins chère qu'à l'étranger.
– La FUAJ propose aussi une **carte d'adhésion « Famille »,** valable pour les familles de 2 adultes ayant un ou plusieurs enfants âgés de moins de 14 ans. Prix : 22,90 €. Fournir une copie du livret de famille.
– La carte donne également droit à des réductions sur les transports, les musées et les attractions touristiques de plus de 80 pays. Ces avantages varient d'un pays à l'autre, ce qui n'empêche pas de la présenter à chaque occasion, cela peut toujours marcher.

RENSEIGNEMENTS ET RÉSERVATIONS

En France

Sur place

■ **Fédération Unie des Auberges de Jeunesse (FUAJ) :** 27, rue Pajol, 75018 Paris. ☎ 01-44-89-87-27. Fax : 01-44-89-87-49. ● www.fuaj. org ● Ⓜ La Chapelle ou Marx-Dormoy. Ouvert du mardi au vendredi de 10 h à 18 h et le samedi de 10 h à 17 h. Montant de l'adhésion : 10,70 € pour la carte moins de 26 ans et 15,30 € pour les plus de 26 ans (tarifs 2006). Munissez-vous de votre pièce d'identité lors de l'inscription. Une autorisation des parents est nécessaire pour les moins de 18 ans (une photocopie de la carte d'identité du parent qui autorise le mineur est obligatoire).

– Inscriptions possibles également dans toutes les auberges de jeunesse, points d'information et de réservation FUAJ en France.

Par correspondance

Envoyer une photocopie recto verso d'une pièce d'identité et un chèque correspondant au montant de l'adhésion (ajouter 1,20 € pour les frais d'envoi de la FUAJ). Vous recevrez votre carte sous une quinzaine de jours.

En Belgique

Le prix de la carte varie selon l'âge : entre 3 et 15 ans, 3 € ; entre 16 et 25 ans, 9 € ; au-delà de 25 ans, 15 €.

Renseignements et inscriptions

■ *À Bruxelles :* *LAJ,* rue de la Sablonnière, 28, 1000. ☎ 02-219-56-76. Fax : 02-219-14-51. ● www.laj.be ●

■ *À Anvers :* Vlaamse Jeugdher-bergcentrale (VJH),* Van Stralen-straat, 40, Antwerpen B 2060. ☎ 03-232-72-18. Fax : 03-231-81-26. ● www.vjh.be ●

– Votre carte de membre vous permet d'obtenir un bon de réduction de 5 % €sur votre première nuit dans les réseaux LAJ, VJH et CAJL (Luxembourg), ainsi que des réductions auprès de nombreux partenaires en Belgique.

En Suisse (SJH)

Le prix de la carte dépend de l'âge : 22 Fs pour les moins de 18 ans, 33 Fs pour les adultes et 44 Fs pour une famille avec des enfants de moins de 18 ans.

Renseignements et inscriptions

■ *Schweizer Jugendherbergen (SJH) :* service des membres des auberges de jeunesse suisses, Schaffhauserstr. 14, Postfach 161, 8042 Zurich. ☎ 01-360-14-14. Fax : 01-360-14-60. ● www.youthhostel.ch ●

Au Canada

La carte coûte 35 $Ca pour une durée de 16 à 26 mois et 175 $Ca à vie ; gratuit pour les enfants de moins de 18 ans qui accompagnent leurs parents ; pour les mineurs voyageant seuls, la carte est gratuite, mais la nuitée est payante (moindre coût). Ajouter systématiquement les taxes.

Renseignements et inscriptions

■ *Tourisme Jeunesse :*
– *À Montréal :* 205, av. du Mont-Royal Est, (Québec) H2T-1P4. ☎ (514) 844-0287. Fax : (514) 844-5246.
– *À Québec :* 94, bd René-Lévesque Ouest, (Québec) G1R-2A4. ☎ (418) 522-2552. Fax : (418) 522-2455.

■ *Canadian Hostelling Association :* 205 Catherine Street, bureau 400, Ottawa (Ontario) K2P-1C3. ☎ (613) 237-7884. Fax : (613) 237-7868. ● www.hihostels.ca ●

ARGENT, BANQUES, CHANGE

– *La monnaie mexicaine* est le *peso.* Elle est quasiment indexée sur le dollar américain. Comme le dollar et l'euro jouent régulièrement à « cours après moi que je t'attrape », nous vous indiquons un cours « moyen ». Ainsi, en 2006, 10 pesos avoisinaient 0,70 € (soit 1 € autour de 14 $Me). Son symbole est similaire à celui du dollar, mais il n'y a qu'une barre verticale : $ ($Me dans ce guide). D'où parfois des confusions, surtout dans le nord du pays ou dans le Yucatán, où beaucoup de prix sont affichés en dollars !

Attention, lorsque vous payez en dollars, les commerçants arrondissent le change, mais à la baisse. Par exemple, pour un objet ou une addition de 120 pesos, on vous prendra 12 US$.

– Le Mexique étant le pays de la *propina* (« pourboire », voir plus loin la rubrique qui lui est consacrée), il faut toujours avoir de la monnaie *(cambio)* sur soi. Les pièces en circulation sont celles de 1, 2, 5, 10 et 20 pesos (rarissimes). Pour les billets, vous trouverez celui de 20 (bleu), 50 (rose), 100 (rouge), 200 (vert), 500 (violet), et depuis 2005, il y a même des billets de 1 000 $Me (presque de la même couleur que ceux de 20 $Me ; à ne pas confondre !).

– *L'IVA :* c'est la TVA locale, d'environ 15 % (10 % dans l'État du Quintana Roo). En général, les prix l'incluent, mais dans certains grands hôtels (ainsi que dans de rares restaurants), les prix sont donnés hors IVA. Il faut donc être vigilant. Lorsque c'est le cas, on peut parfois l'éviter si l'on paie en espèces et qu'on ne veut pas de facture. À négocier sur place.

– On peut changer son argent dans les *banques.* Mais attention, il arrive souvent que celles-ci ne fassent le change que le matin ou de 10 h à 16 h. Il y en a partout. Les principales sont : *HSBC, Banamex, Bancomer, BBV, Scottiabank* et *Santander Serfín.* Elles sont ouvertes en général du lundi au vendredi de 9 h à 17 h, voire 18 h dans les grandes villes (ou même 19 h pour *HSBC,* par exemple), et souvent le samedi jusque vers 14 h. On y change sans problème les euros et bien sûr les dollars américains. La plupart acceptent les chèques de voyage.

– *Les bureaux de change (casas de cambio)* sont nombreux dans les grandes villes et les endroits touristiques. Comparer leur taux.

– Les banques possèdent toutes des *distributeurs de billets* qui acceptent les cartes de paiement *Visa* et *MasterCard.* Attention cependant : même si le montant des retraits est limité à 450 € par semaine, sauf si votre banque vous a accordé davantage, il arrive que certains distributeurs ne vous délivrent qu'un maximum de 3 500 $Me pour des raisons de sécurité. Donc, si le distributeur automatique peut se révéler très utile, mieux vaut ne pas compter seulement sur lui. Quand vous retirez de l'argent, évitez de le faire de nuit ou dans un endroit isolé. Préférez toujours un distributeur d'une banque surveillée par un vigile.

– Si l'on est à court d'argent, il reste la solution du retrait au guichet d'une banque (notamment *HSBC*), sur présentation de sa carte de paiement et de son passeport. Moyennant une commission, bien sûr.

Cartes de paiement *(tarjetas de crédito)*

Le paiement par carte est loin d'être aussi répandu qu'en Europe. Les Mexicains utilisent encore beaucoup les espèces pour leurs transactions (et les chèques au porteur, qui sont une pratique commune !). Par conséquent, ne comptez pas utiliser votre carte de paiement pour régler les billets de bus, l'addition du resto ou votre nuit d'hôtel. Seuls les hôtels « chic » et les grands restaurants acceptent le paiement par carte, moyennant une commission de 5 à 10 %. Toutefois, une carte de paiement est indispensable pour louer une voiture. Dans les restaurants, pensez à remplir (comme aux États-Unis) la case pourboire *(propina)* et inscrivez vous-même le total en bas ; sinon, le restaurateur peut remplir lui-même cette case...

– *Carte MasterCard :* assistance médicale incluse. Numéro d'urgence : ☎ (00-33) 1-45-16-65-65. En cas de perte ou de vol, composer le ☎ (00-33) 1-45-67-84-84 en France (24 h/24 ; PCV accepté), pour faire opposition ; numéro également valable pour les cartes *Visa* émises par le Crédit Agricole et le Crédit Mutuel. ● www.mastercardfrance.com ● Au Mexique, faites le ☎ 01-800-307-7304 (n° gratuit).

– *Carte Visa :* assistance médicale incluse. Numéro d'urgence : ☎ (00-33) 1-42-99-08-08. Pour faire opposition, contactez le numéro communiqué par votre banque.

– Pour la carte **American Express,** téléphoner en cas de pépin au ☎ (00-33) 1-47-77-72-00. Numéro accessible 24 h/24, PCV accepté en cas de perte ou de vol. Au Mexique, faites le ☎ 01-800-504-04 (n° gratuit).

– Pour toutes les cartes émises par **La Poste,** composer le ☎ 0825-809-803 (pour les DOM, ☎ 05-55-42-51-97).

– Également un numéro d'appel valable quelle que soit votre carte de paiement : ☎ 0892-705-705 (serveur vocal à 0,34 €/mn).

En résumé

Pour votre voyage, on vous suggère d'emporter de quoi panacher, c'est-à-dire des euros en espèces (éventuellement des dollars US si vous comptez faire un tour en Basse-Californie et en Amérique centrale), des chèques de voyage en euros et une carte de paiement internationale pour des retraits et quelques gros achats. Mais vérifiez, avant de partir, le cours de l'euro. S'il est fort, c'est à votre avantage, donc, prenez-en plus que des dollars.

Dépannage

– Pour un **besoin urgent d'argent liquide** (perte ou vol de billets, chèques de voyage, cartes de paiement), vous pouvez être dépanné en quelques minutes grâce au système *Western Union Money Transfer* : au Mexique, ☎ 03-675-52-66 ; en France (à Paris), ☎ 01-43-54-46-12. La banque *HSBC* a un accord avec *Western Union*. En principe, le virement peut être retiré dans l'une des agences de leur réseau en moins de 12 h. Commission élevée payée par l'expéditeur. Pour cela, demandez à quelqu'un de vous déposer de l'argent en euros dans l'un des bureaux *Western Union* (en France, à *La Poste* – fermée le samedi après-midi ; ☎ 0825-009-898) et à *La Société financière de paiement* (SFP) : ☎ 0825-825-842. ● www.westernunion.com ●

– Il n'est plus possible de se faire envoyer de l'argent par les banques françaises. Elles ont toutes uniquement des bureaux de représentation.

ACHATS

Le Mexique, pays des arts populaires, possède l'une des plus grandes variétés d'objets artisanaux de l'Amérique latine. Les artisans sont extrêmement créatifs et, à côté de la production traditionnelle, chaque année voit apparaître son lot de nouveaux objets et de motifs inédits.

Même si sur les grands marchés on trouve de l'artisanat en provenance de tout le pays, une bonne partie de la distribution reste très locale. Il n'est pas sûr que vous trouviez à Mexico les plateaux laqués de Pátzcuaro ou la poterie aperçue à Oaxaca. Autrement dit, le meilleur moyen d'éviter les regrets, c'est d'acheter dès que vous voyez quelque chose qui vous plaît.

Ce qui suit est une liste non exhaustive de ce que vous pourrez rapporter du Mexique. Parmi les bonnes surprises de ces derniers temps, des reproductions des chefs-d'œuvre de l'art préhispanique qui sont vendues dans les grands musées.

– **Alebrijes :** à Mexico et Oaxaca. Les *alebrijes* sont des créatures imaginaires (un peu comme les gargouilles en Europe), en papier mâché, qui trouvent leur origine dans les contes et histoires du sud du Mexique. Contrairement à une idée répandue, les *alebrijes* sont nés à Mexico dans les années 1950 grâce à l'imagination et au savoir-faire de la famille Linares, précurseurs de cet art. À Oaxaca, les *alebrijes* sont en bois. Ce ne sont pas les « traditionnels » et la peinture y est beaucoup moins travaillée, mais ils ont l'avantage d'être moins chers et moins fragiles. De toute façon, à acheter juste avant le départ.

– *Arbres de vie* (*árboles de la vida*) : ce sont ces structures en céramique en forme de chandelier, de 2 à 6 branches, voire 8 pour les plus grands qui peuvent dépasser 1,50 m de hauteur. « L'arbre » est recouvert d'une multitude de petites figurines en argile : des fleurs, les personnages d'Adam et Ève, des animaux (notamment l'éléphant, la girafe et le serpent)... Sur certains, au sommet de l'arbre, trône Dieu, le père de la création, qui donne la vie à l'ensemble. À l'origine, les thèmes étaient en effet religieux, mais les artisans commencent à faire preuve de plus de créativité, d'abord dans l'utilisation des couleurs (vives ou ton sur ton), ensuite dans le choix des motifs. Les lieux de production sont principalement Acatlán (dans l'État de Puebla), Izucar de Matamoros (entre Puebla et Cuernavaca) et Metepec (voir à cette ville dans les environs de Toluca). En dehors de ces endroits, il n'est pas courant de voir des arbres de vie sur les marchés d'artisanat. D'une part, parce que ce sont des pièces fragiles et délicates à transporter ; d'autre part, parce que s'il s'agit d'un travail de qualité, le prix est très élevé. En revanche, vous en trouverez dans les boutiques d'artisanat, comme les magasins *Fonart* (gouvernementaux) ou les galeries d'art. Et bien sûr, dans tout musée des arts populaires qui se respecte.

– *Bijoux en argent :* à Taxco, la ville de l'argent par excellence.

– *Céramique style « azulejo » :* à Puebla, bien sûr, la ville de la *talavera* (voir cette ville), mais aussi à Dolores Hidalgo.

– *Coffrets et coffres :* les plus célèbres (qu'on trouve très facilement à Mexico) sont en bois peint laqué, fabriqués à partir de ce bois délicieusement odorant caractéristique d'Olinalá.

– *Cuirs :* à San Cristóbal de las Casas et dans le nord du pays (Zacatecas, Guadalajara, León).

– *Hamacs :* un peu partout sur la côte. Prenez un *matrimonial* (2 personnes) : c'est nettement plus confortable, même pour une personne seule. Le choisir à double maille et en nylon ; le coton, même s'il est plus agréable, est trop fragile.

– *Huipil :* blouse en forme de camisole, brodée, portée par les femmes dans le Yucatán, au Chiapas et au Guatemala.

– *Masques en bois :* dans l'État de Guerrero, Taxco, à Oaxaca.

– *Objets en cuivre :* à Pátzcuaro, Santa Clara del Cobre.

– *Plateaux, assiettes en laque :* à Morelia, Pátzcuaro et Uruápan.

– *Poteries :* à Morelia, Pátzcuaro, Guadalajara, Tlayacapán près de Cuernavaca. Poterie noire à Oaxaca.

– *Rebozos :* grands châles tissés rectangulaires, en coton ou même en soie. À Santa María del Río, dans l'État de San Luis Potosí et à San Miguel de Allende.

– *Robes et blouses brodées :* dans le Chiapas, à Pátzcuaro, Puerto Vallarta et Puebla.

– *Sombreros :* place Garibaldi à Mexico et à l'aéroport ! Ailleurs, on voit plutôt les hommes porter des panamas.

BOISSONS

¿ Y de tomar ? La question revient invariablement dès qu'on s'installe à la table d'un resto : « Qu'est-ce que vous prenez ? » N'allez pas répondre quelque chose à manger, la question se réfère à la boisson. Vous avez trois réponses possibles : *una cerveza* (une bière), *un refresco* (un soda) ou *una agua fresca* (on vous explique plus loin ce que c'est). Autant que vous le sachiez, l'eau est une boisson bizarre que les Mexicains ne consomment pratiquement pas, en tout cas jamais au restaurant.

– *La bière :* presque une boisson nationale. Certes, Jacques Chirac a rendu célèbre la *Corona*. Et l'on connaît aussi la *Sol* qui est servie dans le monde entier. En réalité, il existe des dizaines d'autres marques de bière mexicaine, qu'on rencontre selon les régions traversées : la *Victoria* ou la *Bohemia,* à la saveur inégalée de fleurs, la brune *Negra Modelo* ou la *Dos X* (prononcer « Dos Equis ») ou encore la *Montejo* que l'on trouve surtout dans le Yucatán et la *Pacífico* (surtout dans le Nord).

– Principaux concurrents de la bière, les innombrables **sodas** et autres boissons gazeuses, parfois énergétiques, aux saveurs chimiques qui inondent littéralement le marché mexicain. Les *refrescos,* en grande partie responsables de la bedaine des Mexicains (avec la bière !), occupent la moitié du réfrigérateur de n'importe quelle famille. Le Mexicain consomme 200 litres de *soft drink* par an et caracole donc en tête du classement avec les Nord-Américains. Le Coca-Cola règne en maître, omniprésent depuis les fins fonds de la jungle du Chiapas jusqu'à la plus petite épicerie perdue dans le désert du Chihuahua. On le trouve aussi bien dans les églises des Indiens tzotsiles (qui l'utilisent pour provoquer des rots et ainsi expulser leurs péchés !) que sur les tables des restos chic de Polanco.

– **Les jus de fruits :** une heureuse alternative aux *refrescos.* On les rencontre sous plusieurs formes, à tous les coins de rue pour trois fois rien chez les vendeurs ambulants, ou en bouteille, en berlingot ou en canette dans les épiceries. Les meilleures marques (mais très sucrées tout de même) sont *Jumex* et *Del Valle.* Les **licuados** sont des fruits mixés avec du lait, la version mexicaine du milk-shake. À ne manquer sous aucun prétexte.

– **L'agua fresca :** une autre boisson fameuse et typique. Elle est servie notamment avec le menu du jour dans les restos populaires. C'est tout simplement un jus de fruits allongé d'eau. Un délice ! Les plus courantes sont l'*agua de piña* (à l'ananas), l'*agua de limón* (donc une citronnade), l'*agua de naranja* (orangeade), l'*agua de melón*, l'*agua de orchata* (orgeat), l'*agua de sandía* (pastèque), l'*agua de zanahoria* (carotte) ou l'*agua de jamaíca* (fleur d'ibiscus, parfait antiseptique rénal). Bref, il y en a pour tous les goûts, c'est super-rafraîchissant et très bon marché.

– **L'eau :** on ne boit pas celle du robinet, qu'on se le dise ! Elle n'est pas potable, au sens occidental du terme. Même les Mexicains évitent de la boire et achètent plutôt de grosses bonbonnes d'eau de 10 l. On trouve de l'eau minérale en bouteille dans n'importe quelle épicerie ou supermarché. Bien sûr, évitez de boire de l'eau dont vous ne connaissez pas la provenance. Si vous commandez une eau minérale, on doit vous apporter la bouteille parfaitement capsulée. L'eau plate se dit *agua sola.* L'eau gazeuse se dit *agua mineral.*

– Ne quittez pas le Mexique sans avoir goûté à la **tequila,** LA boisson nationale. Dès maintenant, habituez-vous au changement de genre, *tequila* est masculin en espagnol. Selon la légende, il y a très longtemps, un coup de foudre coupa un cactus duquel gicla un liquide que les Indiens trouvèrent particulièrement dopant. Mais ce n'est que lorsque l'usage de la distillation fut introduit par les Espagnols que la tequila vit le jour. Comme vous le verrez, il y a l'embarras du choix avec plus de 500 marques et autant de bouteilles, plus originales les unes que les autres (avis aux collectionneurs !). L'important, lors du choix, est que « el » tequila soit « reposado » ou « añejo », cela signifie qu'elle a été vieillie dans des fûts pendant plusieurs années (une année pour « el reposado », 5 années pour « el añejo »), elle est bien meilleure. Si vous avez l'occasion d'aller à Tequila (berceau de l'alcool du même nom, près de Guadalajara), on vous expliquera tout ça. Quelques très bonnes tequilas : *Don Julio* (l'une des meilleures... et des plus chères), *Cazadores, Tres Generaciones.* L'étiquette doit indiquer « 100 % agave ». Les autres sont à éviter.

Boire la tequila est une véritable cérémonie : mettre une pincée de sel sur le revers de la main (dans le creux entre les tendons du pouce et de l'index), puis l'avaler. Ensuite, boire la tequila cul sec. Terminer en suçant un quartier de citron vert. Une autre manière consiste à la boire en alternance avec de la *sangrita* (composée de jus d'orange, eau, vinaigre d'alcool, sucre, sel, piment et condiments) de la façon suivante : tequila puis *sangrita.* Mais c'est surtout en cocktail, dans la *margarita,* que vous la trouverez le plus souvent.

– À Oaxaca, la boisson du coin est le *mezcal,* et vous leur ferez plaisir en le préférant à la tequila. Cependant, cet alcool est très fort et monte vite à la tête ; on dit même qu'il a tendance, au bout de quelques verres, à rendre fou. Le mezcal, comme la tequila, est un alcool d'agave, plus exactement du maguey, obtenu à partir du cœur de ce cactus. Le titre alcoolique s'établit autour de 40°. Très souvent, on trouve dans la bouteille le *gusanito,* c'est-à-dire un vermisseau qui vit dans le maguey. Allez-y, ce n'est pas mauvais, mais c'est très fort !

– L'alcool préhispanique s'appelle le *pulque.* Il est fait à base de maguey, fermenté au lieu d'être distillé. On peut le boire nature ou fruité dans des *pulquerias,* c'est-à-dire des bouges glauques plus ou moins autorisés. Certains aiment, d'autres pas, c'est très mitigé. Il n'est pas facile de trouver du bon pulque. Mais si vous avez cette chance, n'hésitez pas : c'est le seul alcool qui existait au temps des Aztèques, qui avaient, à de très rares occasions, le droit de boire (en dehors de ces moments, s'enivrer était puni de mort...). Le pulque, c'est un peu comme l'absinthe des surréalistes, il enivre plutôt qu'il ne soûle.

– *Les vins* mexicains proviennent pour la plupart de Basse-Californie et de l'Hidalgo. Ceux qui sont de bonne qualité sont coûteux. Ils sont un peu corsés comme les vins d'Algérie et atteignent facilement 14°.

– Côté *cocktails,* il en existe de très bons : le *coco loco,* mélange de coco et de rhum. Il est surtout servi sur les plages. La *cucaracha,* mélange de tequila et d'alcool de café *(kalhua),* le tout flambé. Dans toutes les fêtes ou *ferias,* vous pourrez goûter aux *cantarritos,* délicieux mélange de tequila, jus de citron, grenadine, orange, ananas et *Squirt* (boisson gazeuse à base de pamplemousse, genre Sprite), avec du *chile* (piment) et du sel, le tout servi dans des pots en terre. Cocktail populaire excellent. Enfin, il y a le traditionnel *cuba libre* (rhum et Coca-Cola), l'éternelle et délicieuse *piña colada* et, bien sûr, la très mexicaine *margarita :* 3 mesures de tequila, une mesure de Cointreau, une mesure de jus de citron, de la glace pilée ; et les rebords du verre recouverts de sel.

– Quant au *café,* bien que le Mexique soit producteur, il est plutôt délavé, « jus de chaussette » en bon français et *café americano* en espagnol. Heureusement, on commence à proposer des *espresso* et *cappuccino* dans les bons restos et dans les cafés branchés qui font leur apparition dans les grandes villes et les endroits touristiques. On trouve en outre partout du Nescafé. Une des spécialités du Mexique traditionnel est le *café de olla,* café préparé dans de grandes jarres en terre et parfumé à la cannelle. Très sucré et excellent. Il est servi dans les restos populaires et sur les marchés.

– Ne pas oublier de goûter l'*atole,* boisson sucrée à base de maïs. On le trouve souvent sur les marchés.

– *Le lait :* on trouve partout du lait pasteurisé longue conservation. Aucun problème.

– *La ley seca :* non, ce n'est pas une autre boisson typique du Mexique, mais un décret qui interdit la vente d'alcool à certains moments. On respecte ainsi « la loi sèche » dès la veille des fêtes nationales ou des élections. Certaines villes l'appliquent systématiquement le vendredi soir et le samedi soir. Résultat : la veille de l'interdiction, les boutiques sont dévalisées. Attention au samedi soir après la *quincena* (le 15 et le 30 de chaque mois), étant donné que le salaire est bimensuel au Mexique) : jour de paie = jour d'ivresse.

– *La hora feliz :* en quelque sorte, le contre-pied de la *ley seca* ! C'est la traduction littérale du *happy hour.* Deux boissons pour le prix d'une, dans les bars en début de soirée. ¡ Salud !

BUDGET

Pour vous aider à préparer votre voyage et à établir votre budget, nous vous donnons les prix en pesos mexicains et en euros.

Hôtels

Les prix suivants s'entendent pour 2 personnes.
– *Très bon marché :* moins de 210 $Me (14,70 €).
– *Bon marché :* de 210 à 300 $Me (14,70 à 21 €).
– *Prix moyens :* de 300 à 500 $Me (21 à 35 €).
– *Chic :* de 500 à 700 $Me (35 à 49 €).
– *Plus chic :* au-dessus de 700 $Me (49 €).
Pour les villes très touristiques (notamment dans le Yucatán et la Basse-Californie), les prix sont bien sûr plus élevés ; de même en haute saison (Pâques, juillet, août et surtout de mi-décembre à début janvier), ils peuvent augmenter de 30 à 50 %. En réalité, chaque établissement en fait un peu à sa tête ! Si la fréquentation est importante, les prix augmentent, sinon, ils restent sages... Ce n'est pas plus compliqué que cela et c'est finalement très logiquement mercantile.
En basse saison, ne pas hésiter à jeter un coup d'œil aux établissements de la catégorie « Chic », qui proposent parfois des tarifs très intéressants. Guetter aussi les offres promotionnelles dans les agences de voyages. Pour les destinations plage, il peut parfois s'avérer utile de consulter les plans « VTP » de *Mexicana* ou « Gran Plan » d'*Aeromexico* qui vous offrent les billets d'avion, des séjours en demi-pension ou tout compris dans des établissements autrement très chers. C'est l'idéal pour les familles.

Restaurants

Il s'agit de fourchettes moyennes sur la base d'un repas complet. Là encore, elles doivent être revues légèrement à la hausse dans certaines villes touristiques. N'oubliez pas d'inclure dans votre budget les *propinas* (pourboires) : entre 10 et 15 % de la note totale.
– *Bon marché :* moins de 70 $Me (5 €).
– *Prix moyens :* de 70 à 150 $Me (5 à 10,50 €).
– *Chic :* de 150 à 250 $Me (10,50 à 17,50 €).
– *Plus chic :* au-dessus de 250 $Me (17,50 €).

CINÉMA

Avec ses révolutions, ses bandits de grand chemin et ses généraux idéalistes et barbares mal rasés, le Mexique passionna très tôt les metteurs en scène d'Hollywood. Dès 1912, ils franchirent le río Grande avec Raoul Walsh et son projet de film *La vie de Villa,* qui donna naissance à l'extraordinaire épopée des westerns mexicains. Pancho Villa, et ses hordes de bandits avec sombreros et cartouchières en bandoulière, chevauchant sans répit les sierras et les déserts aux immenses cactus, devint le héros principal de ces « West movies » des tropiques. Le mythe dépassa vite le personnage, à tel point qu'il attira tous les grands du cinéma, d'Eisenstein (¡ *Qué viva Mexico !,* 1931) à Sergio Leone (*Il était une fois la révolution,* 1971) en passant par John Ford (*Dieu est mort,* 1947), Louis Malle (*Viva Maria,* 1965) et Sam Peckinpah (*La Horde sauvage,* 1969). Pancho Villa joua son propre rôle dans le film de Walsh, puis Wallace, Becry, Solar, Carrillo, Armendariz, Yul Brynner (en Pancho chauve !) et Salavas prirent le relais.
Son rival, Emiliano Zapata, n'inspira quant à lui que Kazan en 1952 (¡ *Viva Zapata !)* avec, aux côtés d'Anthony Quinn, un Marlon Brando inoubliable dans le rôle de Zapata. Un film intitulé sobrement *Zapata* a vu le jour au Mexique en 2004 sous la direction du réalisateur Alfonso Arau mais, trop romanesque, trop éthéré, le film fit un flop.
Bizarrement, l'épopée de Cortés, sans doute trop éloignée des poncifs nord-américains, n'intéressa pratiquement personne. Cependant, l'excellent *Aguirre ou la colère de Dieu* (1972) de Werner Herzog avec Klaus Kinski,

1492 avec Gérard Depardieu ou *Mission* de Roland Joffé donnent une certaine idée des rêves des conquistadors et des souffrances des populations locales.

Le Mexique servit également de toile de fond à quatre chefs-d'œuvre internationaux : *Los Olvidados* de Buñuel (1950), qui retrace la vie des enfants pauvres des faubourgs de Mexico ; l'inoubliable *Nuit de l'Iguane* (1963) de John Huston avec Richard Burton et Ava Gardner, qui mit fin définitivement à la tranquillité du lieu de tournage, le petit village de pêcheurs de Puerto Vallarta ; *Au-dessous du volcan* (1983), du même metteur en scène, tiré du roman culte de Malcolm Lowry, avec Albert Finney et Jacqueline Bisset, qui a pour cadre la ville de Cuernavaca. Le plus récent, *Traffic*, de Steven Soderbergh, Oscar du meilleur réalisateur en 2001, met le doigt sur la corruption et les difficultés du démantèlement des cartels de la drogue, servi par Michael Douglas, Catherine Zeta-Jones et surtout Benicio del Toro.

Alors que le Mexique contrôlait autrefois le marché du cinéma latino-américain, même devant les États-Unis (150 tournages annuels dans les années 1950), le cinéma mexicain, après cet âge d'or, est devenu une industrie en voie d'extinction. La création en 1964 du Centre universitaire d'études cinématographiques n'a rien changé.

Depuis le milieu des années 1990, on assiste cependant à un renouveau du cinéma mexicain. La production reste faible (à peine une quinzaine de films par an), mais la qualité, elle, est au rendez-vous, avec des films qui portent un regard aiguisé et sans concession sur la société mexicaine moderne, ses tabous et ses contradictions *(Como agua para chocolate, Santitos, Sexo, Pudor y Lágrimas, Y tu mamá también...)*.

En 2000, la Nouvelle Vague mexicaine obtient ses premiers galons : le film *Amores Perros (Amours chiennes)* remporte le prix de la Quinzaine des Réalisateurs à Cannes. Le même réalisateur, Alejandro González Iñárritu, tourna aussi *21 grammes* en 2004 avec un casting international, incluant Benicio del Toro, Charlotte Gainsbourg, Naomi Watts et Sean Penn. Il ouvre la voie à d'autres films au caractère social marqué. Un réalisme brutal et parfois insoutenable, avec par exemple *De la calle,* qui décrit la violence de la vie des enfants de la rue à Mexico, ou *Amar te duele,* qui, à travers l'histoire d'amour entre une gosse de riche et un jeune métis de quartier populaire, évoque douloureusement le racisme de classe.

Après des années de censure ou d'autocensure, les cinéastes mexicains s'en donnent désormais à cœur joie, dénonçant tous les abus de pouvoir : la corruption du monde politique avec *La Ley de Herodes*, la corruption de la police avec *Todo el Poder,* l'hypocrisie de l'Église (et ses collusions d'intérêt avec les narcotrafiquants) avec le magnifique *Padre Amaro,* un film qui s'est attiré les foudres des autorités religieuses (il a même été interdit dans certaines salles de province), mais qui représente le plus grand succès du box-office mexicain de ces dernières années. Gael García Bernal, qui interprète le père Amaro, est devenu du même coup la coqueluche du cinéma mexicain. C'est d'ailleurs lui qu'Almodovar a choisi pour jouer le troublant personnage de son avant-dernier film, *La Mala Educación (La mauvaise éducation)*. Alfonso Cuarón, après avoir fait une incursion dans le cinéma hollywoodien en réalisant *Harry Potter et le Prisonnier d'Azkaban,* sort en 2006 un film sur les révoltes estudiantines, intitulé *Mexico 68.*

CLIMAT

Il y a deux saisons au Mexique : la saison sèche, qui s'étend de novembre à mai, et la saison des pluies durant l'été (de juin à octobre). Il tombe alors des trombes d'eau, mais heureusement plutôt en fin d'après-midi ou durant la nuit, et généralement sur une courte durée. Pendant toute l'année, il faut compter avec l'influence de l'altitude. Dans les régions montagneuses, au-dessus de 2 000 m, il fait froid durant les mois d'hiver lorsque le soleil a disparu. C'est le cas, par exemple, de Mexico, à 2 240 m d'altitude. En décembre 1997, l'incroyable est arrivé, il a neigé à Guadalajara. Les zones comprises entre 1 000 et 2 000 m d'altitude qui se trouvent à l'intérieur du pays bénéficient d'un climat tempéré avec une température moyenne de 18 °C, et des soirées un peu fraîches en hiver. En revanche, grosse chaleur, jour et nuit, le long des côtes et dans les terres chaudes qui vont jusqu'à 1 000 m d'altitude (température moyenne : 25 °C). Dans la partie nord du pays, où les pluies sont plus rares, surtout à l'ouest, le climat est franchement continental avec des hivers froids et des étés très chauds et orageux, particulièrement de juillet à septembre.

Consulter sur Internet les rubriques « Climat » des sites ● www.reforma.com. mx ● et ● www.terra.com.mx ● avant de partir. Vous aurez ainsi le bulletin météo de la région que vous allez parcourir.

Voir également la rubrique « Géographie » un peu plus loin.

Quand partir ?

Tout dépend de la partie du pays que vous comptez visiter, chaque région ayant souvent ses propres conditions climatiques (voir plus haut). Par exemple en hiver, alors qu'à Mexico un bon blouson s'impose, on se balade en maillot de bain à Acapulco, à 3 h de route.

En général, on considère que la bonne période s'étend d'octobre à avril, c'est-à-dire pendant la saison sèche. Très agréable : du soleil, mais pas trop chaud, presque pas de pluie et pas trop de monde. Mais durant les mois d'hiver, il faut savoir qu'il fait frisquet dès que le soleil se couche dans les villes en altitude, comme Mexico, Puebla, Oaxaca, Querétaro, San Miguel de Allende, Guanajuato, Guadalajara, Morelia, Pátzcuaro et au Chiapas... Par ailleurs, en décembre et janvier, le temps est souvent nuageux dans les Caraïbes et donc dans le Yucatán, avec même parfois de la pluie. Notez enfin que sur le littoral des Caraïbes, les mois de septembre et octobre sont propices aux cyclones.

La vie quotidienne durant les vacances de Pâques (la Semaine sainte) est perturbée : banques fermées, hôtels et transports complets. C'est le meilleur moment pour visiter la capitale : la ville se vide, le stress disparaît, la pollution baisse, et pendant quelques jours on peut profiter de la clarté du ciel.

Autres périodes difficiles pour les déplacements et réservations : Noël, les ponts du mois de mai et le jour des Morts *(día de los Muertos)*, l'une des fêtes les plus pittoresques d'Amérique latine (voir plus loin la rubrique « Fêtes et jours fériés »).

Qu'emporter ?

– Vêtements d'été pour la côte (maillot de bain).
– Lainages pour les régions en altitude.
– Imperméable pour la saison des pluies (en été). Les grandes capes en plastique pour cyclistes sont les plus pratiques (on peut en acheter sur place, un peu partout, à un prix dérisoire). Absolument obligatoire.
– Le sac de couchage peut se révéler utile en hiver, surtout si vous comptez dormir dans de petits hôtels bon marché (les couvertures y sont très légères ou inexistantes !).
– Une tente légère. Le camping n'est pas très développé, mais on peut planter sa tente sur certaines plages, notamment en Basse-Californie où ce mode de logement est très répandu, à l'américaine. De même, certains établissements disposent d'un emplacement réservé. Voir le chapitre « Hébergement ». Une solution pas chère sur la côte : le hamac, car de nombreux petits hôtels disposent de *cabañas* ou de *palapas* où le suspendre.

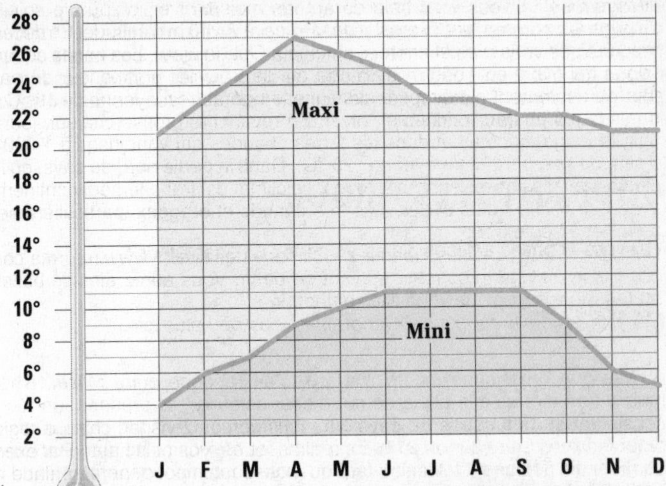

GÉNÉRALITÉS

Moyenne des températures atmosphériques

Nombre de jours de pluie

MEXIQUE (Mexico)

– Pensez aussi à emporter de la crème solaire, elle coûte très cher au Mexique.
– Enfin, si vous êtes sensible au bruit, n'oubliez surtout pas les boules Quies. Très utile lors des longs voyages de nuit en bus (à cause de la télé) ou dans les hôtels si votre chambre donne sur la rue, à côté de la cage d'ascenseur ou en face du parking !

– *Remarque :* si vous vous baladez au Mexique dans les régions peuplées d'indigènes comme le Chiapas, évitez de porter les chemises et tuniques typiques que vous aurez achetées sur le marché. En effet, ces habits ont des coloris qui évoquent l'origine et le clan de ceux qui les portent. Les Indiens sont généralement plutôt vexés de voir les touristes faire les guignols avec leurs costumes traditionnels.

COURANT ÉLECTRIQUE

110 volts et prises à fiches plates. Apportez un adaptateur.

CUISINE

Au Mexique, on déjeune encore plus tard qu'en Espagne, entre 14 h et 16 h 30 mais il faut dire qu'à la place de notre petit déjeuner, ils prennent un repas consistant sur les coups de 9 h-10 h : l'*almuerzo*. Dans les restaurants le dîner est servi entre 20 h et 21 h. En réalité, les Mexicains ne mangent guère au dîner. Ils déjeunent tellement tard qu'ils se contentent généralement d'un chocolat chaud ou d'un verre de lait avec des brioches, plus souvent d'une bière accompagnée de cacahuètes, bref, d'un en-cas léger. Dans la pratique, les Mexicains n'ont pas vraiment d'heure fixe pour manger. On grignote dès qu'on a faim, c'est-à-dire à toute heure du jour. C'est bien pratique parce que les restos sont toujours ouverts.
– N'hésitez pas à manger épicé. Cette nourriture est parfaitement adaptée au pays : elle fait transpirer, élimine les toxines et chasse les moustiques. Et les piments désinfectent ! Les Mexicains s'en servent également pour guérir la *cruda* (gueule de bois) ! Gare aux célèbres *chiles habaneros*, les piments forts que les habitants du pays croquent comme des bonbons : il faut de l'entraînement. Avertissement : les *chiles* les plus brûle-gorge sont souvent les plus petits.

Les restaurants

On trouve au Mexique des restaurants pour toutes les bourses et tous les goûts. Du moins cher au plus chic :
– *les puestos,* petits bouis-bouis ambulants qui proposent des *tacos* (galettes de maïs garnies de viande ou de poulet), des *quesadillas* (tortillas garnies de fromage, champignons ou autres) ou des *tortas* (sandwichs).
– Dans chaque ville ou même village, il y a un *mercado de la comida* à l'intérieur du marché principal, concentration de petits étals qui servent une nourriture typique et bon marché. Un truc pour choisir le meilleur stand : observer celui qui a le plus de clients.
– *Les fondas,* petits restaurants traditionnels qui servent des menus complets, la fameuse *comida corrida* : soupe, riz, plat de résistance avec *frijoles* (haricots rouges), dessert, le tout accompagné d'une *agua fresca*. On y mange généralement une bonne cuisine familiale, pour trois fois rien.
– *Les restaurants de chaîne,* genre *Vip's, Sanborns, 100 % Natural* ou autres *Wing's*. C'est plus soft, plus cher mais parfait pour mettre l'estomac en vacances.
– Il y a enfin une grande variété de *restaurants* : quelques restos très classe proposent de la « nouvelle cuisine mexicaine », cuisine internationale (plats d'inspiration française), végétarienne (dans les villes et les endroits touristiques), des restos italiens, des pizzerias (attention, les pizzas sont chères au Mexique), des japonais, quelques chinois (rares) et les inévitables fast-foods.

La patrie du *cacahuaquahitl* !

Lorsque le pillard-conquistador Hernán Cortés rencontre pour la première fois un plat de *cacahuaquahitl* (l'arbre de cacao dont les amandes servaient de monnaie aux Aztèques), se doute-t-il qu'il va faire déferler sur le monde une redoutable et délicieuse friandise : le chocolat ? Le cacao servait à préparer le *tchotcolatl*, la boisson des dieux, de Moctezuma et de ses guerriers. Initialement, les Aztèques grillaient les fèves, les pilaient et les mélangeaient dans une marmite avec de l'eau, du poivre, du gingembre, du piment et du miel. Le tout était porté à ébullition et battu fortement pour obtenir une mousse onctueuse à laquelle on ajoutait du jus de maïs.

Les jésuites, pour plaire aux palais européens, substituèrent aux piments, gingembre et épices la vanille, le sucre et le musc. Il ne restait plus qu'à introduire des reines espagnoles en France pour populariser le nouveau produit, ce qui fut fait avec l'infante d'Espagne Anne d'Autriche, lorsqu'elle épousa Louis XIII, et avec Marie-Thérèse qui convola avec le jeune Louis XIV (on disait d'elle qu'elle avait deux passions : le roi et le... chocolat). On lui trouva même à l'époque des vertus thérapeutiques. La marquise de Sévigné écrivait à sa fille : « Je veux vous dire, ma chère enfant, que le chocolat vous flatte un temps, puis vous allume tout d'un coup d'une fièvre continue... » Cette excellente attachée de presse y gagna sûrement, ce jour-là, l'honneur de donner son nom à l'une des plus prestigieuses boutiques de chocolats parisiennes !

Quelques plats courants

Certains parmi les plus typiques ont une origine précolombienne. De toute façon, en ce qui concerne la cuisine mexicaine, les avis sont très partagés. Dans le centre du pays, on pourrait dire qu'il s'agit d'une cuisine de paysans pauvres, à base de farine de maïs, qui peut atteindre un certain raffinement. Au Yucatán, les saveurs deviennent plus variées. Dans le Nord, on mange de bonnes viandes bovines, et sur les côtes du poisson et quelques fruits de mer... Commençons par la base de tout : la *tortilla*.

La tortilla

On ne sait pas depuis quand elle est fabriquée, mais ça remonte loin. C'est la base de la cuisine mexicaine et elle accompagne la plupart des plats, à l'égal de notre pain. Préparée avec des grains de maïs détrempés dans une mixture de chaux et d'eau, on lui donne la forme d'une galette. Les *tortillas* sont utilisées pour la confection des *tacos, enchiladas, quesadillas,* en fait un nombre impressionnant de plats. Traditionnellement, les *tortillas* sont faites à la main. C'est d'ailleurs tout un spectacle que d'observer les femmes prendre une boule de pâte, l'aplatir avec les paumes avant de la mettre à cuire sur le *comal* (la plaque chauffante). Dans les villes, les Mexicains les achètent toutes faites, à la *tortillería* ou, pire, au supermarché, sous plastique.

Les plats les plus communs

– **Le taco :** c'est une *tortilla* garnie de viande de bœuf, de porc, de foie ou encore de cervelle. À goûter absolument : le *taco al pastor,* qui est d'ailleurs d'origine arabe. C'est un *taco* garni de viande de porc (cuite à la broche en position verticale) avec de l'ananas, de l'oignon et de l'*epazote* (sorte de persil). Délicieux !

– **L'enchilada :** *tortilla* bourrée de viande ou de poulet, avec du fromage, mijotée dans une sauce au piment *(chile),* avec de la tomate et des oignons. Il y a des *enchiladas verdes* ou *rojas,* en fonction du piment utilisé. Les *enchiladas suizas* sont servies nappées de crème aigre et de fromage fondu.

– *La quesadilla* : *tortilla* garnie au choix de fromage, viande, champignons, *flor de calabaza* (fleur de courgette), cervelle... Elle peut être frite dans l'huile ou simplement cuite sur une plaque.

– *Le guacamole* : purée froide d'oignons et d'avocats, à peine relevée de piment. Un vrai délice, un must.

– *Les chilaquiles* : morceaux de *tortillas* frites avec des oignons, du fromage râpé, du *chile* rouge et de la crème fraîche. C'est un remède de choc pour en finir avec la gueule de bois... Assez lourd.

Autres plats traditionnels

– *Le nopal* : les feuilles de nopal (variété de cactus, comme le figuier de Barbarie) se mangent crues en salade ou bien frites (sans les épines, évidemment !).

– *Les soupes* : tout repas mexicain commence par une soupe. Il en existe de toutes sortes et elles sont généralement très bonnes. La plus connue est peut-être la *sopa azteca,* avec des morceaux de tortilla grillée. Il y a aussi les *caldos* (bouillons), de poulet le plus souvent.

– *Le pozole* : soupe traditionnelle avec maïs, viande de porc ou parfois de poulet, avec pois chiches. Très apprécié des Mexicains. À essayer absolument.

– *Les tamales* : rouleaux à base de semoule de maïs, de piment, de viande, le tout cuit à la vapeur dans des feuilles d'épi de maïs ou de bananier. Salé ou sucré. Là encore, un plat traditionnel très apprécié.

– *Les tortas* : sandwich ovale, servi chaud, avec une base toujours identique d'avocat, de *frijoles,* de fromage fondu, de salade, d'oignons, de *chiles* et qui peut être garni de poulet, de jambon, de viande panée... Très consistant, pas cher et très bon.

– Enfin, les Mexicains sont des pros du petit déjeuner : *huevos a la mexicana* (œufs à la mexicaine : œufs brouillés avec tomates, *chile* et oignons), *huevos rancheros* (œufs au plat avec sauce tomate, piments et *frijoles*) ou autre viande grillée, pléiade de jus et cocktails de fruits... Attention, les fruits sont souvent saupoudrés de *chile*. Demander *sin chile*. À noter, une spécialité pour les couples, les *huevos divorciados*...

Quelques spécialités

– *Le huachinango a la veracruzana* *(façon Veracruz)* : filets de poisson cuits avec des piments, des oignons, des olives et des tomates. Ça ressemble à la daurade.

– *Les chiles rellenos* : poivrons farcis à la viande hachée, aux amandes pilées et au fromage. On les trempe dans des œufs battus avant de les frire. Un must : les *chiles en nogada,* avec des raisins secs et une sauce à base de noix pilées. Ne se mangent qu'en été et à l'automne ; en dehors de ces saisons, vous n'en trouverez que dans les restos éminemment touristiques.

– *Le mole poblano* : la grande spécialité de Puebla. C'est avant tout une sauce, totalement baroque, à base de cacao, amandes et de dizaines d'autres ingrédients dont, bien sûr, différents piments. Elle accompagne généralement un morceau de poulet. À Puebla, on en trouve facilement en pot, pour essayer chez soi !

– *Le mole oaxaqueño* : le *mole* de Puebla, mais version Oaxaca. La sauce est noire comme de l'encre, c'est la réduction d'une purée de poivrons avec du millet, des oignons et des bananes caramélisés.

– *Les gusanos de maguey* : petits vers (!) que l'on trouve sur le maguey, variété d'agave. Servis rissolés avec du sel et du citron à l'heure de l'apéritif ou en entrée. Bon, mais c'est un plat que vous trouverez plus dans les grands restaurants que dans les *cantinas*.

– *Les escamoles* : œufs de fourmis préparés dans une sauce de piments et de tomates vertes. Pas souvent à la carte...

– *Les chapulines :* sortes de sauterelles grillées et servies avec quelques gouttes de citron. Il y en a des petites et des grandes, à vous de choisir. Sous la dent, ça craque comme des pralines. Rien que d'y penser, on en a l'eau à la bouche !
– Sur la côte, on déguste le délicieux *ceviche,* du poisson cru macéré longtemps dans du jus de citron, avec oignons et tomates.
– *Le cochinita pibil :* morceaux de poulet ou de viande de porc marinés dans une sauce à base de jus d'orange amère, d'ail et de cumin, puis cuisinés à l'étouffée dans une feuille de bananier. La plupart du temps servi dans une *tortilla.*
– *Le poc chuc :* tranches de porc grillées, là encore marinées dans un jus d'orange amère, et accompagnées de haricots, d'oignons et d'une sauce tomate. Une spécialité du Yucatán.
– *La barbacoa :* l'ancêtre du barbecue (*barbacoa* prononcé à l'américaine !). Une viande de mouton cuite au fond d'un trou, dans des pierres chauffées à blanc pendant 24 h.
– Ne cherchez pas désespérément du *chili con carne,* c'est une spécialité purement texane.

Les fruits

Le Mexique est le paradis des fruits tropicaux : ananas, bananes (les plus petites sont les meilleures), mais aussi la papaye *(papaya),* fruit de grande consommation, la mangue *(mango),* l'un des fruits les plus savoureux, la goyave *(guayaba)* ; et d'autres moins connus comme la *mamey,* le *chico zapote* (sapotille), la *chirimoya* (pomme-cannelle), la *tuna* (figue de Barbarie), la grenade, etc. En plus de tous les fruits classiques. Évitez les fraises, que les amibes affectionnent... On conseille, bien sûr, de peler les fruits ou de désinfecter ceux que vous achetez sur le marché (avec du *Micropur DCCNa®*). Les fruits achetés au supermarché n'ont besoin que d'un bon lavage.

DANGERS ET ENQUIQUINEMENTS

Voici la liste des pépins qui ne vous arriveront jamais une fois que vous aurez lu ces lignes !
Avant de partir, on peut faire un tour sur le site du ministère des Affaires étrangères : ● www.diplomatie.fr/voyageurs ● Bref récapitulatif des derniers événements dans le pays, conseils de sécurité, numéros de téléphone des consulats à contacter sur place, etc.

Entourloupe

Si les « grands » pratiquent la corruption à grande échelle (le Mexique est l'un des pays les plus corrompus d'Amérique latine), il n'y a aucune raison pour que les « petits » ne fassent pas de même. Attention donc, comme partout dans le monde, au truandage, même dans les endroits les plus officiels : banques (faire les calculs de change avant), compagnies de cars, stations-service, restaurants, taxis (vérifiez que le chauffeur met le compteur en marche... quand il y en a un)...

Le génie du faux !

Certains indigènes ont conservé de leurs ancêtres le génie de la sculpture et de la création artistique. Ainsi un Yucatèque faisait régulièrement le voyage Mérida-Mexico afin de fournir en pièces archéologiques bon nombre de collectionneurs recrutés en grande majorité dans les milieux diplomatiques européens et américains. Il fut intercepté avec un chargement important de statuettes qui intrigua les experts. Inculpé de commerce illégal d'antiquités précolombiennes, il demanda à être confronté avec l'un des objets saisis. Devant une assistance médusée, il le fracassa... pour en extraire une pièce récente de 5 centimes qui était emprisonnée dans la terre cuite. Il avait ainsi prévu un moyen original et efficace de se disculper. Son art avait égalé celui de ses illustres ancêtres, il avait réussi à recréer, en plus de l'harmonie des formes, l'usure et la patine du temps.

Donc, en ce qui concerne les antiquités au Mexique, sachez que l'exportation des pièces originales est strictement interdite, par les lois du Mexique et par de plus en plus de pays qui luttent contre le trafic d'art. En revanche, rien n'empêche d'acheter des reproductions, vendues soit à la sauvette sur les sites archéologiques (de qualité généralement médiocre, mais qui servent de souvenirs), soit dans les grands musées qui proposent de très belles pièces, mais chères.

Vols, brigandages !

Malgré une extrême gentillesse des Mexicains, les grandes centres urbains, Mexico en tête, ne sont pas les plus sûrs de l'Amérique latine. Les Mexicains se sont habitués à cette situation et ont intégré à leur mode de vie tout un ensemble de précautions. Mais on vous rassure, la plupart du temps, vous passerez de bonnes vacances sans le moindre pépin ! Il suffit simplement de respecter un certain nombre de règles élémentaires et de bon sens.

– Faites des photocopies de tous vos papiers (*FMT,* passeport, permis de conduire, billets d'avion, etc.). Ce sera beaucoup plus facile pour les faire refaire en cas de perte. Une photocopie de votre carte de paiement peut s'avérer aussi très utile si vous devez faire opposition. Laissez vos originaux dans le coffre de l'hôtel si c'est possible et n'emportez que le strict minimum.

– Dans les grandes villes, éviter les quartiers non touristiques.

– Ne rien laisser en vue dans sa voiture, même le temps d'une simple halte.

– Dans les bus, garder son appareil photo à portée de main. Dans le métro, avoir son sac devant soi. Pas d'argent dans les poches arrière de son pantalon. Les pickpockets sont habiles.

– Si vous vous baladez à Mexico, dans des quartiers populaires ou des zones isolées, évitez de porter sur vous votre chaîne en or Cartier, vos diam's en rivière ou la dernière Rolex au poignet.

– Dans les taxis, fermez le loquet de sécurité de la portière (de nombreux chauffeurs le font automatiquement) et la fenêtre. Idem si vous êtes en voiture. Dès que la nuit tombe, ne prenez jamais un taxi à la volée, mais appelez un taxi de *sitio,* plus cher mais beaucoup plus sûr.

– Ne jamais accepter de la nourriture ou des boissons proposées par des inconnus : on n'est jamais mieux servi que par soi-même... et elles peuvent contenir des somnifères.

– En cas d'agression (non, il ne s'agit pas de dramatiser, cela peut aussi arriver, malheureusement), donnez tout, calmement, sans essayer de jouer au héros. Certains ne cherchent qu'un peu de liquide... et se contenteront de 100 ou 200 pesos.

Si vous avez un problème, c'est à la police touristique ou aux bureaux de l'office du secrétariat au Tourisme que vous devrez vous adresser. Ils sont présents dans la plupart des grandes villes et ont parfois des traducteurs bilingues.

La *mordida*

Une institution au Mexique. La *mordida* a en réalité deux significations. Pour le fonctionnaire ou le policier corrompu qui la reçoit, c'est le moyen d'arrondir ses fins de mois. Pour celui qui la donne, c'est un moyen d'éviter les lenteurs administratives ou les tracasseries policières. Le gouvernement a d'ailleurs décidé de lutter contre ce fléau de la société mexicaine. Mais pas toujours facile car, pour qu'il y ait un corrompu, il faut un corrupteur !

DÉCALAGE HORAIRE

Il y a 3 fuseaux horaires au Mexique : pour la partie est du pays (Yucatán) compter 7 h de décalage avec la France (quand il est midi à Paris, il est 5 h à Mérida ou Cancún) ; pour la majeure partie du pays, jusqu'à la Basse-Californie du Sud, 8 h de décalage par rapport à Paris ; et pour la Basse-Californie du Nord, 9 h. Le passage à l'heure d'été ou d'hiver est en léger décalage avec la France durant une semaine (ou plus) pendant les mois d'avril et d'octobre.

DRAPEAU MEXICAIN

Vous l'apercevrez souvent, surtout si vous êtes au Mexique en septembre, « le mois de la patrie ». Il est alors affiché absolument partout, sur les voitures, aux fenêtres des maisons, dans les restos, et décliné sous toutes ses formes, guirlandes aux couleurs nationales, aigle en néons... jusqu'à certaines spécialités culinaires composées en vert, blanc et rouge.
Le vert représente la foi du peuple mexicain en son destin ; le blanc, la pureté de ses idéaux ; et le rouge, le sang des martyrs pour la patrie.
Au centre se trouve le fameux écusson figurant un aigle royal posé sur un nopal (figuier de Barbarie) en train de dévorer un serpent. Cette scène s'inspire directement du glyphe préhispanique marquant la fondation de la capitale de l'empire aztèque, la ville de Mexico-Tenochtitlán. Selon la légende, le dieu Huitzilopochtli avait ordonné aux Aztèques de partir à la conquête du monde. Ils étaient donc à la recherche d'une terre où s'installer et allaient être prévenus lorsqu'ils verraient un aigle mangeant un serpent. Alors que la tribu errante arrive sur les rives des lacs de la vallée de Mexico (la vallée de l'Anáhuac), le présage se réalise. Et c'est ainsi qu'un matin ensoleillé de l'été 1325, les Aztèques s'installent sur un îlot du lac, zone inhospitalière s'il en est, marécageuse, insalubre et infectée de moustiques, pour y fonder ce qui allait devenir la plus grande ville du monde. Sur un plan plus symbolique, l'aigle représente la force cosmique du soleil ; le nopal, les forces de la nature ; et le serpent, les potentialités de la terre.

DROGUE

En 2001, Steven Soderbergh remporte l'Oscar du meilleur réalisateur pour son film *Traffic*. Une fiction sur un « tsar » anti-drogue américain (Michael Douglas) qui, dans sa descente aux enfers, découvre les cartels de la drogue, la mafia, le monde des narcotrafiquants... Le tableau est apparemment assez révélateur de ce qui s'est passé dans les années 1980. La drogue, même la marijuana que de nombreux Mexicains cultivent par-ci par-là dans la nature, est **interdite au Mexique.** Le gouvernement n'autorise la consommation du *peyotl* et des champignons hallucinogènes que par les tribus d'Indiens pour leurs rituels traditionnels. Cependant, le problème numéro un du Mexique n'est pas la production de drogue mais le transit. C'est par les côtes du Mexique que passe l'essentiel de la drogue d'Amérique du Sud, pour ensuite sortir du pays via la gigantesque frontière avec les États-Unis. Si vous arrivez en avion d'Amérique centrale et d'Amérique du Sud (surtout de Colombie), vous serez soumis à une fouille en règle. Dans le nord du Mexique, on assiste à un phénomène déjà connu en Colombie. Les caïds de la drogue, provenant souvent des milieux défavorisés, jouent les bienfaiteurs dans leurs villages en construisant salles de fêtes, maisons pour les pauvres gens, etc. Des mafias locales se constituent, avec bien souvent des alliés dans le monde judiciaire et la politique. Bonne nouvelle : en 2002, le chef du cartel de Tijuana, l'un des plus importants narcotrafiquants du Mexique, a été arrêté. En outre, le 1er mars de chaque année, le Mexique doit passer le test de « certification » de lutte anti-drogue devant le Congrès des États-Unis (il conditionne une partie de l'aide économique et des prêts internationaux). C'est pourquoi, surtout en Basse-Californie et au Yucatán, vous serez régulièrement soumis à des fouilles de véhicule, mais les militaires font toujours preuve de la plus grande courtoisie. L'ironie de cette histoire est que si les États-Unis appliquaient sur eux-mêmes le test de la certification, ils ne l'obtiendraient pas.

DROITS DE L'HOMME

Le Mexique connaît depuis quelques années un fonctionnement institutionnel démocratique, avec un système électoral pluraliste. De nombreux engagements ont encore été pris cette année comme l'abolition officielle de la peine de mort ou la ratification du statut de la Cour pénale. Mais si de nouvelles institutions ont vu le jour (Commission des droits humains, Conseil national de prévention de la discrimination, bureau spécial de justice chargé d'élucider les crimes passés, etc.), celles-ci n'ont pour l'instant pas brillé par leur efficacité. De fait, la violence et l'impunité sont toujours de mise, et la réforme du système judiciaire se fait toujours attendre. La torture est toujours largement pratiquée, même si un projet de loi visant à interdire la prise en compte des aveux obtenus sous la contrainte est actuellement en examen. Les populations indigènes, dans les États du sud du Mexique, doivent toujours faire face à une discrimination de la part des autorités. De nouvelles mesures ont été prises localement, qui restreignent les libertés d'association et d'information, et des défenseurs des Droits des indigènes continuent d'être harcelés et/ou menacés. Mais ce sont les femmes qui subissent le plus le climat de violence au Mexique. La FIDH, qui a enquêté en 2005 sur les « féminicides » (assassinats de femmes), évoque les cas de plusieurs centaines d'assassinats dans les États de Mexico, du Chiapas ou du Chihuahua, et dénonce le peu d'efficacité des enquêtes officielles sur ces crimes. Enfin, de nombreuses organisations de défense des Droits de l'homme dénoncent les atteintes graves au Droit du travail, notamment au sein des *maquilas* qui s'étendent le long de la frontière avec les États-Unis.

■ *Fédération internationale des Droits de l'homme (FIDH)* : 17, passage de la Main-d'Or, 75011 Paris. ☎ 01-43-55-25-18. Fax : 01-43-55-18-80. ● www.fidh.org ● Ⓜ Ledru-Rollin.

■ *Amnesty International (section française)* : 76, bd de la Villette, 75940 Paris Cedex 19. ☎ 01-53-38-65-65. Fax : 01-53-38-55-00. ● www.amnesty.asso.fr ● Ⓜ Belleville ou Colonel-Fabien.

N'oublions pas qu'en France aussi, les organisations de défense des Droits de l'homme continuent de se battre contre les discriminations, le racisme et en faveur de l'intégration des plus démunis.

ÉCONOMIE

Le Mexique en chiffres

– *PNB :* 556 milliards de US$.
– *PNB par habitant :* 5 540 US$.
– *Inflation :* en 1996, 27,5 % ; en 1999, 16,6 % ; en 2003, 4,5 %.
– *Taux de croissance :* en 2000, 6,6 % ; en 2001, - 0,3 % ; en 2003, 1,3 %.
– *Revenu par habitant :* un peu plus de 6 000 US$ par an (environ 5 000 $Me par mois).
– *Salaire minimum :* 43,3 $Me (3 €) par jour.

– **Dette extérieure :** en 2001, 146,1 milliards de US$. C'est la 2e dette après le Brésil.
– 1er marché de l'Amérique latine (168,4 milliards de US$ d'importations et 158,5 milliards de US$ d'exportations).
– 8e puissance commerciale du monde.
– **Pétrole :** 5e producteur mondial.
– **Espérance de vie :** 73 ans.
– **Analphabétisme :** 10 %.
– **Répartition de la population active :** services, 55,5 % ; agriculture, 17,5 % ; industrie, 27 %.
– 20 millions de Mexicains, légaux ou illégaux, travaillent aux États-Unis.

Une économie qui joue au yoyo

Pour ceux qui, au bac, ont fait l'impasse sur le Mexique, voilà une bonne occasion de combler vos lacunes. Donc, un peu de concentration dans les rangs. On va essayer de faire simple. C'est dans les années 1940 que le Mexique entame véritablement son industrialisation. Les années 1960 sont celles du miracle mexicain avec une croissance annuelle d'environ 7 %. Depuis les années 1970, l'économie alterne les périodes de croissance et les crises. Le krach de 1976 (dévaluation du peso de 45 % par rapport au papa dollar) peut être surmonté grâce à la découverte d'importants gisements de pétrole. En revanche, la crise de 1982 laisse le pays exsangue. Une inflation galopante, la chute des prix du pétrole et la fuite des capitaux obligent le gouvernement à dévaluer le peso à trois reprises. Un exemple : à peine le président Zedillo arrive-t-il au pouvoir, en décembre 1994, qu'il doit dévaluer la monnaie nationale. Celle-ci perd la moitié de sa valeur tandis que des milliards de pesos courent se réfugier aux États-Unis. C'est la fatale *error de diciembre*, qui plonge une fois de plus le pays dans la dépression et lamine les classes moyennes. Imaginez que, du jour au lendemain, le taux du crédit de votre voiture ou de votre maison, que vous êtes péniblement en train de rembourser, double... Des milliers de Mexicains se retrouvent sur la paille, tandis que les banques récupèrent des milliers de voitures et enrichissent (considérablement) leur patrimoine immobilier !

L'intégration à l'économie mondiale

Les gouvernements des années 1980 et 1990 s'attachent à désengager l'État par le biais des privatisations. Mais la grande affaire du Mexique à cette époque, c'est la politique d'ouverture commerciale tous azimuts. La globalisation est en marche, le Mexique veut en être. On réduit le déficit public, on stimule les exportations et l'on ouvre le pays aux investissements étrangers. Surtout, on signe avec un nombre croissant de pays des accords de libre-échange, dont le plus célèbre est le *Tratado de Libre Comercio* (TLC ou Alena) avec les États-Unis et le Canada. Les résultats ne se font pas attendre. Les exportations de biens mexicains, qui s'élevaient à 20 milliards de dollars en 1986, font un bond impressionnant pour atteindre 158,4 milliards de dollars en 2001. Le Mexique devient le 1er marché d'Amérique latine. L'essentiel des échanges est réalisé avec le voisin du nord, qui absorbe près de 90 % des exportations. Pour tenter de rompre cette dépendance, le Mexique signe en juillet 2000 un traité commercial avec l'Union européenne (voir plus loin). Le Mexique devient alors avec Israël le pays qui compte le plus grand nombre de traités de libre-échange (avec plus de 30 pays !).

Une économie toujours fragile

Durant les années 1980, l'inflation atteignait des taux de 70 %, voire 160 % en 1987 ! Une spirale infernale. L'un des succès de la politique du PRI dans les années 1990 est d'avoir réussi à juguler l'inflation qui, depuis, a retrouvé des taux décents de 6 à 10 %. Mais la trop grande dépendance de l'économie mexicaine avec le cours du pétrole (pour les finances publiques) et avec les États-Unis continue de peser lourd, trop lourd. Le taux de croissance, qui était tout à fait séduisant (au moins pour les investisseurs étrangers), a brutalement chuté en 2001. L'économie mexicaine a alors subi de plein fouet le ralentissement économique de son voisin du nord. C'est certainement le secteur des *maquiladoras* (voir ci-après « L'industrie ») qui a été le plus touché, avec près de 230 000 emplois (soit 17,6 % de la main-d'œuvre) supprimés en 2001.

Un coût social élevé

Les quelques bons résultats de ces dernières années ne sauraient occulter les problèmes de fond, notamment les inégalités structurelles qui touchent la société mexicaine. Les gouvernements ne prennent aucune mesure sérieuse pour réduire la pauvreté. La Banque mondiale estime que 40 % des Mexicains gagnent moins de 2 US$ par jour, et vivent donc en dessous du seuil de pauvreté. Le gouvernement évalue à 19 millions le nombre de personnes vivant dans des conditions d'extrême pauvreté, tandis que d'autres sources l'estiment à 26,5 millions d'individus, soit 28 % de la population totale.

Ces chiffres font réfléchir quand on sait que quelques Mexicains comptent parmi les plus grosses fortunes du monde (sans parler des narcotrafiquants ; l'un d'entre eux, en prison, a même proposé en échange de sa liberté de payer cash la dette extérieure du Mexique !). La fortune des 11 familles les plus riches du Mexique représente le PIB de plus de 5 millions d'habitants. L'inégalité dans la distribution de la richesse est l'un des problèmes majeurs du Mexique, la fourchette entre le salaire le plus bas et le salaire le plus haut étant l'une des plus grandes du monde.

À cette inégalité, il faut ajouter le déséquilibre régional. Le fossé se creuse dangereusement entre le Nord (nouvel État américain ?), où affluent les investissements, et le Sud sous-industrialisé et à l'agriculture sinistrée. On attend toujours la décentralisation promise depuis des générations.

L'économie souterraine : une soupape de sécurité

Autre point noir de l'économie mexicaine : l'emploi. Les chiffres officiels du chômage prêtent à sourire : 3,7 % en 2003 ! En réalité, le concept de chômage n'a pas grand sens au Mexique. Ici, point d'ANPE ni d'ASSEDIC, encore moins de RMI. Autrement dit, sans travail, on meurt de faim. Donc, on trouve un job, quel qu'il soit. On se débrouille comme on peut, quitte à faire de multiples petits travaux, afin d'obtenir le minimum vital. On ne compte plus les chauffeurs de taxi qui sont diplômés de médecine, les ingénieurs qui deviennent profs en désespoir de cause. Un dernier fait concernant l'emploi : 6 % d'enfants de 10 à 14 ans travaillent.

Sous-emploi et bas salaires sont à l'origine de l'économie souterraine qui se développe en dehors de toute structure légale. Pour les autorités, il est difficile d'y remédier, sous peine de supprimer une soupape de sécurité indispensable à des millions de personnes. On considère que ce secteur de l'économie emploie 30 % de la population active. L'INEGI estime que 60 % des micro-entreprises ne sont pas enregistrées, échappant ainsi au fisc mexicain. Chiffres énormes qui représentent une perte fiscale annuelle de 4 200 milliards de dollars.

Selon les sources officielles, l'économie informelle représente entre 7 et 10 % du PIB (plus de 30 % selon l'OCDE). Il ne s'agit pas seulement du million de vendeurs ambulants que l'on croise dans les rues. Le travail clandestin touche aussi le bâtiment, les transports, le travail domestique, les artisans, la petite industrie et le commerce en général.

Les secteurs de l'économie

Agriculture, pêche, forêt

L'agriculture reste un secteur important de l'économie mexicaine, mais sa participation au PIB diminue régulièrement. Alors que 21 % du territoire est cultivable, seulement 12 % des terres sont effectivement cultivées. Et le Mexique, alors même qu'il pourrait être autosuffisant, doit importer des produits agricoles dont du maïs et des haricots rouges *(frijoles)*. Un comble ! Depuis la réforme agraire dans les années 1930, l'agriculture mexicaine n'a fait l'objet d'aucune politique de fond. Alors que la production agricole représentait 9 % du PIB en 1985, elle a atteint 5 % au début du XXIe siècle. Les principales productions destinées à l'exportation sont la canne à sucre (6e rang mondial), le café (6e rang mondial) et le sorgho. Seul le nord du pays a réellement investi (systèmes d'irrigation) pour créer d'immenses exploitations agricoles à haut rendement qui destinent la majeure partie de leur production à l'exportation (principalement nord-américaine). Le reste du pays se contente d'une culture vivrière, une multitude de petites parcelles où l'on utilise des techniques traditionnelles (brûlis, absence de mécanisation) et dont les récoltes servent à la consommation familiale. Les pouvoirs publics ont laissé l'agriculture en jachère, et ce manque de soutien et d'investissement se reflète dans la productivité agricole qui est l'une des plus faibles d'Amérique latine. L'élevage à grande échelle est également concentré dans le Nord mexicain et la viande est exportée aux États-Unis. La production de bétail augmente progressivement.

La pêche est carrément sous-développée. Un paradoxe pour un pays qui compte près de 11 500 km de littoral. La principale zone de pêche se trouve sur la côte Pacifique, en Basse-Californie avec le port d'Ensenada et, dans une moindre mesure, le port d'Acapulco. Côté Atlantique, le principal port de pêche est Veracruz. Les exportations concernent surtout la crevette, le thon et les anchois.

Industrie pétrolière et mines

Le Mexique dispose de ressources minières importantes, notamment le cuivre, le zinc, le fer et l'argent (1er producteur mondial). Cependant, les techniques d'exploitation sont vieillissantes et l'absence d'investissements a nettement ralenti la croissance de l'industrie minière, qui est passée de 8 à 3 % entre 1996 et 2000. À cette exploitation traditionnelle s'est ajoutée la production d'hydrocarbures. Le Mexique est le cinquième producteur mondial de pétrole. Depuis 1938, c'est l'entreprise nationale Pemex qui détient le monopole, d'ailleurs régulièrement remis en cause. Mais jusqu'à présent, à peine quelques lois sont venues autoriser l'intervention d'entreprises étrangères, notamment pour la recherche des gisements pétroliers et le transport du gaz (avec, par exemple Gaz de France et le belge Tractebel). Le Mexique reste l'un des derniers pays du monde à maintenir le monopole de sa compagnie pétrolière. Cependant, Pemex a de plus en plus de mal à financer son développement, et le statut de cette vache à lait (Pemex assure 40 % des recettes de l'État) devra être revu tôt ou tard.

L'industrie

À côté d'une industrie destinée au marché intérieur s'est développée une industrie de sous-traitance à vocation exportatrice (États-Unis) qui emploie 13 % de la population active. Ce sont les *maquiladoras,* principalement localisées le long de la frontière américaine, qui se contentent de faire de l'assemblage, qu'il s'agisse d'appareils électriques ou électroniques, de vêtements ou de véhicules. Une fois montés, les produits repassent la frontière, sont marqués du label « made in USA », puis exportés dans le monde entier. En 1999 par exemple, alors même qu'il n'existe pas de marque mexicaine de véhicule, la production de voitures a atteint 1,5 million d'unités, dont 71 % sont partis à l'étranger, principalement aux États-Unis.

Si le TLC (Alena) a permis d'augmenter les exportations des produits manufacturés, en revanche, la petite industrie traditionnelle s'est vue très affectée par cette ouverture commerciale.

Le tourisme

C'est une importante source d'emplois et de devises. Le Mexique reçoit environ 20 millions de visiteurs par an, dont 80 % de *gringos* contre 3 % d'Européens. Dans les faits, les Américains restent de préférence au nord du pays (Basse-Californie et la côte Pacifique nord) ou bien se contentent d'un séjour à Acapulco ou Cancún. Les Européens, eux, préfèrent explorer les terres du Chiapas et du Yucatán. Les pouvoirs publics, via Fonatur, sont à l'origine de la création et du développement de cinq grandes stations balnéaires : Manzanillo, Cancún, Huatulco, Ixtapa et San José del Cabo en Basse-Californie. Conçues avant tout pour des mentalités américaines, avec des rangées d'hôtels de luxe qui occultent la façade maritime, des fractionnements avec maisons de milliardaires et des voies de circulation rapide ; bref, un côté artificiel qui manque d'âme et de charme. On préfère nettement les stations qui se sont développées autour d'un village préexistant comme Puerto Vallarta, Puerto Escondido, Playa del Carmen, voire Acapulco qui, malgré son gigantisme, recèle les charmes désuets de la gloire passée.

Les échanges avec l'Europe

L'influence de la France au Mexique remonte à la fin du XIXe siècle, sous la présidence de Porfirio Díaz, un francophile passionné. Si les Francs-Comtois de Champlitte eurent peu d'influence sur l'histoire du Mexique, en revanche les Haut-Provençaux de Barcelonnette eurent une importance sensible dans le monde des affaires. De 1884 à 1914, près de 4 000 personnes de cette région s'installent au Mexique ; elles créent un véritable empire industriel et commercial dans le textile ; elles sont à l'origine du premier grand magasin, *El Palacio de Hierro* à Mexico, puis elles se lancent avec succès dans des activités industrielles (papeteries, brasseries, etc.) et, enfin et surtout, les banques.

Mais en 1914, beaucoup de « Barcelonnettes » retournent se battre en Europe. Leur influence décline, pour être remplacée par celle des *Yankees* qui ne cesse de se développer depuis la Seconde Guerre mondiale. À la fin des années 1990, les États-Unis absorbent 87 % des exportations mexicaines, alors que la part européenne et française dans le commerce mexicain ne cesse de se dégrader. Afin de contrebalancer ce face-à-face malsain et dangereux avec son voisin du nord, le Mexique entame à la fin des années 1990 un rapprochement avec l'Union européenne, notamment par l'entremise de la France, qui se concrétisera par un accord de libre-échange avec l'Union européenne signé en juillet 2000. C'est une aubaine pour les grands groupes européens, qui voient s'ouvrir une formidable porte d'accès au marché américain via le Mexique. Du coup, on assiste au retour sur la terre mexicaine des grands groupes, comme Gaz de France, Renault et Peugeot. Ils viennent rejoindre d'autres entreprises déjà bien implantées comme Carrefour (une vingtaine d'hypermarchés), Alcatel, Thalès, Total Fina Elf, Aventis, Saint-Gobain, et, du côté des PME, Sommer-Allibert ou Gemplus (cartes téléphoniques à puce)... Au total, près de 500 entreprises françaises sont implantées au Mexique.

ENVIRONNEMENT

Alors que depuis 1998 la législation interdit toute culture d'OGM dans le pays, on découvre de plus en plus de plants de maïs génétiquement modifié dans différents États (Oaxca, Guanajuato et Puebla). Les importations depuis les États-Unis continuent, or là-bas le tiers du maïs produit est transgénique. La contamination des maïs mexicains, conservés et développés depuis des siècles, est considérée comme une catastrophe, non seulement pour le Mexique mais pour ses implications au niveau mondial. Par ailleurs, depuis 1993, le taux annuel de déforestation s'est élevé à 1,1 million d'hectares, plaçant ainsi le Mexique en 2e position mondiale (après le Brésil) dans la perte des bois et forêts. L'État de Campeche, par exemple, a perdu 100 % de ses forêts, le Tabasco 58 %. Le Yucatán a perdu 35 % de sa jungle, le Querétaro 30 % et Veracruz 22 %.

FÊTES ET JOURS FÉRIÉS

Voici les principales fêtes du Mexique. Vu le nombre, c'est bien le diable si vous ne tombez pas sur une petite *fiesta* lors de votre séjour. Lorsqu'il s'agit de jours fériés officiels, les banques et administrations sont fermées, mais de nombreux magasins restent ouverts.

– *1er janvier :* jour férié et rues désertes.

– *6 janvier :* jour des Rois Mages. Ce sont eux, au petit matin, qui apportent les cadeaux aux enfants. Le Père Noël *(Santa Claus),* lui, est arrivé au Mexique bien plus tard et s'occupe surtout des enfants des familles aisées, qui doublent ainsi la mise. Quant aux adultes, ils partagent ce jour-là l'équivalent de la galette des rois, la *rosca,* sorte de brioche en forme de couronne, comme on peut en trouver dans le sud de la France. Celui qui tire la fève est obligé d'organiser une fête le 2 février suivant et devra servir à ses invités des *tamales.* Eh oui, tout est prétexte à faire la fête !

– *2 février : día de la Candelaría,* ou Chandeleur. Pas de crêpes, mais des *tamales,* un must de la cuisine mexicaine (voir plus haut dans la rubrique « Cuisine »). Côté église, une drôle de tradition veut qu'on habille le petit Jésus de vêtements très élégants (les marchés se remplissent d'habits de poupée). Puis toute la famille l'apporte à la messe où il est béni par le prêtre.

– *5 février :* fête de la Constitution. Jour férié officiel.

– *24 février :* jour du Drapeau (voir plus haut le paragraphe correspondant).

– *Fin février :* le carnaval, qui dure plusieurs jours. Celui de Veracruz est particulièrement chaud et coloré. Mais ceux de Mazatlán, Villahermosa et Mérida valent également le coup si vous êtes dans les parages. Les dates sont fluctuantes. Se renseigner à l'office de tourisme. Réservez votre hôtel bien à l'avance, surtout à Veracruz.

– *21 mars :* commémoration de la naissance (en 1806) de Benito Juárez, Indien Zapotèque de Oaxaca qui deviendra président du Mexique. Un cas unique dans l'histoire du pays, puisque ce sera le premier président indien du Mexique ! D'ailleurs, il n'y en eut pas d'autres depuis. Jour férié officiel.

– *Avril :* les fêtes de Pâques. La *Semana santa* (Semaine sainte) qui précède le dimanche de Pâques est la principale période de vacances pour les Mexicains. Mexico se vide et les stations balnéaires s'engorgent. Attention, les transports et les hôtels de la côte sont souvent complets. En revanche, c'est l'époque de l'année où la capitale est la moins polluée et où l'on peut enfin apercevoir les volcans des alentours. Les Jeudi et Vendredi saints sont fériés. Le pays entier semble être arrêté. Durant ces quelques jours, vous verrez de nombreuses processions religieuses, notamment les *via crusis* du Vendredi saint, représentations « en chair et en os » du Chemin de croix. Un homme barbu porte une lourde croix de bois, des soldats le fouettent, des femmes pleurent... On s'y croirait. C'est parfois impressionnant de réalisme comme à Ixtapalapa, près de Mexico, où le *via crusis* dure toute la journée, suivi par une foule de quelques millions de personnes.

– *1er mai :* fête du Travail et jour férié officiel.

– *5 mai :* commémoration de la bataille de Puebla où l'armée mexicaine l'emporta sur les troupes de Napoléon III. Les Mexicains en sont très fiers. C'est le seul jour où vous éviterez de crier sur les toits que vous êtes français(e).

– *10 mai :* fête des Mères. Très prise au sérieux par les Mexicains, qui peuvent même ne pas aller au boulot ce jour-là.

– *15 mai :* jour du prof. Les enseignants sont de repos. Et les élèves aussi par la même occasion.

– *13 août :* commémoration (non officielle et informelle) de la chute de Mexico-Tenochtitlán aux mains de Cortés. Si vous êtes à Mexico, vous pouvez faire un petit tour place des Trois-Cultures (appelée aussi place de Tlatelolco) : vous y verrez une triste plaque qui se veut l'acte de naissance du pays : « Le 13 août 1521, héroïquement défendu par Cuauhtémoc, Tlatelolco est tombée aux mains de Hernán Cortés. Ce ne fut ni un triomphe ni une défaite, mais la naissance douloureuse du peuple métissé qui est celui du Mexique d'aujourd'hui. » Quelques danses aztèques traditionnelles et beaucoup de nostalgie.

– *Septembre :* mois de la patrie. Chacun y va de son drapeau mexicain. On le suspend aux fenêtres, on l'installe sur les façades des immeubles, dans les voitures, sur les autobus. Les chauffeurs de taxi en recouvrent le capot. Le *zócalo* se couvre de guirlandes aux couleurs de la bannière mexicaine, bref, tout est vert, rouge et blanc.

– *1er septembre :* rapport présidentiel annuel.

– *15 septembre :* c'est ce soir-là que commence la célébration de l'Indépendance. À 23 h, le président de la République, depuis la fenêtre centrale du palais présidentiel, face à l'énorme foule réunie sur le *zócalo,* crie trois fois : ¡ *Viva Mexico !* C'est ce qu'on appelle *el Grito* (« le cri »), en souvenir de l'appel du curé Miguel Hidalgo qui, en 1810, déclencha la guerre d'Indépendance contre l'Espagne. Sur tous les *zócalos* du pays, dans le moindre petit village, le maire lance le même cri au milieu de la liesse populaire. C'est surtout amusant dans une petite ville. Dans les grandes agglomérations, et surtout à Mexico, l'exaltation populaire liée à l'alcool dégénère parfois. En effet, la fête au Mexique, inconcevable sans alcool, est souvent une manière de décharger les rancœurs nées de la pauvreté, de l'inégalité sociale et du manque de représentants capables d'exprimer cette frustration.

– *16 septembre :* fête de l'Indépendance. Défilé militaire, etc. Jour férié.

– *12 octobre :* jour de la Race qui commémore la « découverte » du Nouveau Monde et le métissage des peuples.

– *2 novembre :* *día de los Muertos* ou « jour des Morts ». Sans doute la fête la plus traditionnelle du Mexique, qui date de l'époque préhispanique. Dans chaque foyer est installé un autel, superbement décoré avec des objets ayant appartenu aux défunts. On y dépose aussi des offrandes : les fameuses têtes de mort en sucre, le traditionnel pain de *los muertos,* des fruits ou des plats particulièrement appréciés par le défunt. Le 1er novembre est le jour des enfants morts et le 2 est dédié aux adultes défunts. Les familles mexicaines, accompagnées des amis, se rendent au cimetière avec le pique-nique. Sur place, on nettoie la tombe, on la décore avec des fleurs, on repeint la croix, on plante un nouvel arbuste, et bien sûr, on mange et on boit assis sur les dalles de marbre chaud ou à l'ombre d'une sépulture. Les *mariachis* se mettent de la partie. On se met à chanter. C'est la fête des Morts. Et les cadavres de bouteilles s'amoncellent... Certains resteront au cimetière toute la nuit, à la lumière vacillante des bougies...

– *20 novembre :* anniversaire de la Révolution mexicaine qui a commencé en 1910. Jour férié officiel.

– *12 décembre :* fête de la Vierge de la Guadalupe. La fête religieuse la plus importante du pays. Voir la rubrique « Religion ».

– *Du 16 au 24 décembre :* les *posadas.* Encore une tradition mexicaine très respectée dans les villages. Tous les soirs, durant les 9 jours précédant Noël, une procession reconstitue la pérégrination de Joseph et Marie à la recherche d'un toit lors de leur arrivée à Bethléem. Chaque soir, c'est une famille différente qui offre la *posada,* c'est-à-dire l'hébergement, et qui symboliquement accueille la crèche jusqu'au lendemain. Chaque procession se termine par le rituel de la *piñata* : les enfants, les yeux bandés, tentent de rompre avec un bâton une figure d'argile ou de papier mâché qui représente les 7 péchés capitaux. Elle est garnie de friandises et de sucreries.

– *24 décembre :* le soir, messes et dîner familial de la *noche buena.* Le pays se pare alors de poinsettias, jolies fleurs rouges rebaptisées pour l'occasion... « *noche buena* ».

– *25 décembre : Navidad.* Jour férié officiel.

FOLKLORE

Il existe une culture populaire toujours très vivante chez les Mexicains. Vous la rencontrerez certainement au cours de votre voyage...

– *Les mariachis :* pantalon noir ajusté au plus près, brodé d'or ou d'argent, veste très courte, brodée elle aussi, lavallière bouffante, sombrero et bottes à talons... Mais oui, bien sûr, vous avez déjà vu ce costume, au cinéma ou sur une scène d'opérette ! Ces musiciens ambulants sont apparus pendant l'occupation française. La bourgeoisie mexicaine a voulu égayer ses mariages en faisant jouer des petits orchestres de deux ou trois guitares, autant de violons, un ou deux chanteurs et deux trompettes. Comme ils jouaient pendant les mariages, on nomma les musiciens... *mariachis,* d'après le mot français, tout simplement. En général, ils attendent le client sur le *zócalo* ou une place principale de la ville. Les mariachis sont omniprésents et les Mexicains en raffolent, dépensant des sommes considérables pour entendre quelques airs traditionnels. On fait régulièrement appel à eux pour qu'ils aillent jouer la sérénade sous le balcon d'une bien-aimée. Entre 1 500 et 3 500 pesos la prestation !

– *Les marimbas :* il s'agit d'un groupe musical composé principalement d'une ou plusieurs *marimbas,* une sorte de grand xylophone en bois qui trouve son origine au Guatemala et dans le Chiapas. On les trouve aussi à Veracruz.

– *La charrería (rodéo mexicain) :* on peut y assister le dimanche dans les grandes villes. Ceux qui croient que ça ressemble au rodéo américain n'ont jamais vu les cavaliers mexicains *(charros)* avec leurs grands airs héroïques dignes des héros de l'Antiquité. Il faut remarquer la docilité des chevaux pendant les exercices de dressage et la virtuosité des lanceurs de lasso. Les amateurs de couleurs apprécieront les habits chamarrés des *charros* ou des *charras,* car il y a aussi beaucoup de femmes qui exercent cet art. Paradoxe, s'il en est, dans ce pays de machos...

– *Les courses de taureaux :* on vous déconseille déjà les zoos, alors les corridas... Cela dit, et que ceux qui n'ont jamais bavé devant un bifteck bien saignant nous jettent la première pierre, les courses de taureaux sont l'un des spectacles traditionnels du Mexique. Un grand moment de passion populaire. Ce n'est pas pour rien que Mexico possède la plus vaste *plaza de toros* au monde, avec 50 000 places ! Les « vraies » corridas, celles des professionnels, ont lieu de novembre à mars et sont de grands rendez-vous familiaux où tout le monde se réunit.

– *Les combats de coqs :* encore un spectacle cruel que ces *peleas de gallos,* assez répandus dans les campagnes. Elles ont lieu dans des arènes spéciales *(palenque).* Les paris montent à toute allure, les plumes volent, les propriétaires vocifèrent leurs encouragements... et nous, on déconseille. Ce qui ne vous empêchera pas de lire la superbe nouvelle de Juan Rulfo, *Le Coq d'or.*

– *Les ferias :* elles ont lieu un peu partout dans le pays (Puebla, Aguascalientes, San Luis Potosí) et marquent en général la pleine saison d'un fruit
(ananas, raisin, etc.). Elles donnent lieu à des concours de beauté, des corridas, des courses de chevaux, des combats de coqs. Ambiance populaire
torride garantie.

FRONTERA

Trois mille deux cents kilomètres de frontière séparent les États-Unis d'Amérique du Mexique. On comprend pourquoi, malgré une surveillance de plus
en plus serrée des Américains, nombreux sont encore les Mexicains qui arrivent à passer du côté de l'Eldorado. *La Frontera,* frontière entre « l'État Impérial » et le tiers monde latino-américain, est un univers à part.
En 1848, la conquête par l'armée nord-américaine du Nouveau-Mexique, de
l'Arizona, du Texas et de la Californie divise en deux des villages mexicains.
Des familles entières se retrouvent séparées par ce qu'on appelle aujour-
d'hui le « rideau de tortillas ». Pourtant, très vite une nouvelle vie commence
à naître dans les villes qui jouxtent cette ligne de démarcation territoriale. On
parle le « spanglish », on mange tex-mex, on fait jouer les *mariachis* pendant
que l'on boit une Bud.
Côté mexicain, la zone frontière a connu à partir des années 1970 un boom
économique et démographique avec l'arrivée des *maquiladoras,* ces usines
appartenant à des multinationales nord-américaines ou japonaises qui ont
délocalisé leur production pour profiter de la main-d'œuvre mexicaine bon
marché. Résultat : Laredo, El Paso, Matamoros, Ciudad Juárez ou Tijuana
ont connu des records de croissance... mais se sont aussi rapidement transformées en villes de Far West, avec des ambiances glauques comme on
peut en voir dans les films de Quentin Tarantino ou de Robert Fernandez.
Des milliers de Mexicains se sont déplacés vers la frontière, attirés par des
salaires bien au-dessus de la moyenne nationale. Mais le rêve ne fut que de
courte durée. Depuis 2000, sous l'effet conjugué de la mondialisation et du
ralentissement de l'économie nord-américaine, les *maquiladoras* déména-
gent en Asie (Chine principalement). Les salaires chinois sont désormais
beaucoup plus compétitifs que ceux des Mexicains ! En deux ans, 500 usines ont fermé, laissant plus de 250 000 ouvriers sur le carreau. Et le mouvement de retrait ne fait que commencer...
Côté américain, ce territoire est en train de devenir la dernière croisade des
WASP de la côte ouest des États-Unis. Plus de 10 000 soldats de la « border
patrol » contrôlent jour et nuit la *Frontera* pour éviter que les paysans pauvres du Mexique et de l'Amérique centrale ne se fassent la malle. Un projet
de mur (oui, oui, comme celui de Berlin et celui tant décrié, même par les
Américains – un comble – en Israël) est en train de voir le jour. On estime qu'il
y a chaque année environ 1,5 million de candidats au départ ; ils sont entre
400 000 et 600 000 à atteindre leurs objectifs. Les passeurs, les « coyotes »,
peu scrupuleux, demandent jusqu'à 2 000 US$ aux pauvres en quête du
Graal américain pour ensuite les abandonner parfois en plein désert. Un
véritable business ! Des centaines de Latino-Américains périssent tous les
ans dans ce via crucis du pauvre. Pour y remédier, le gouvernement mexicain a décidé la construction de tours de 30 m de hauteur (des phares en
plein désert !) visibles la nuit à 10 km de distance. À leur pied, des bonbonnes d'eau et parfois des agents des services de l'immigration qui recondui-
sent ces émigrés perdus à la frontière !
Quoi qu'il en soit, ni le « rideau de tortillas » ni la répression n'ont empêché
que les « dos mouillés » (c'est-à-dire les illégaux qui traversent à la nage le
río Grande) soient à la base de l'économie agricole de Californie et du Texas.
Ça n'a pas non plus empêché Los Angeles de devenir la deuxième ville latino
après Mexico ! En 2002, la population latino-américaine est devenue officiel-

lement la principale minorité des États-Unis (dépassant le nombre de Noirs), avec près de 39 millions d'hispanophones, dont 67 % sont d'origine mexicaine...

GÉOGRAPHIE

Il n'a pas l'air comme ça, mais le Mexique est un grand pays. Presque 4 fois la superficie de la France. Près de 3 500 km à vol d'oiseau entre le point le plus au nord et Cancún au sud. Pays de transition entre l'Amérique du Nord et l'Amérique centrale, c'est l'isthme de Tehuantepec (225 km de large) qui marque la jonction.

Deux énormes chaînes de montagnes traversent le pays du nord au sud : la *Sierra Madre* occidentale, côté Pacifique, et la *Sierra Madre* orientale, côté Atlantique. Entre ces deux épines dorsales : les hautes terres. Ou encore ce qu'on appelle le haut plateau central *(altiplano),* dont les altitudes varient entre 1 000 et 3 000 m et qui abrite les deux plus grandes villes du pays : Mexico et Guadalajara. Le voyageur ne cesse donc de monter et de descendre, de quitter sa chemise et de la remettre selon les microclimats et les fluctuations de la température. Le Mexique est en réalité un pays de montagnes et de forêts. Entre Tepic et Veracruz, une barrière volcanique vient ceinturer le haut plateau. Elles comptent les plus hauts sommets du pays comme le volcan Popocatépetl (5 452 m) ou le Pico de Orizaba (5 700 m) aux cimes couvertes de neiges éternelles. Conclusion pratique : ne jamais oublier que la moitié du Mexique est à plus de 1 500 m d'altitude.

Pour la chaleur et la végétation tropicale, il faut descendre vers les *tierras calientes,* les « terres chaudes », comme les ont appelées les Espagnols, c'est-à-dire les deux régions côtières. Rien que du côté Pacifique, le Mexique aligne plus de 7 000 km de côtes. Elles comptent les principales stations balnéaires du pays, comme Puerto Vallarta, Manzanillo, Zihuatanejo, Acapulco, Puerto Escondido et Huatulco. Les plages sont belles et étendues, mais battues par des vagues énormes, idéales pour le surf. La côte Atlantique, avec ses plages de sable gris, est moins développée. Pour trouver des eaux turquoise et du sable blanc, il faut descendre jusqu'à la péninsule du Yucatán, bordée par la mer des Caraïbes.

Après l'isthme de Tehuantepec, commence la *Sierra Madre* du Chiapas et sa forêt tropicale ainsi que la péninsule du Yucatán.

Quant aux étendues désertiques, aux rocailles et aux cactus, vous les trouverez principalement dans le nord du pays (États de Sonora ou Chihuahua), en Basse-Californie ou même dans l'ouest du pays (État de Jalisco). De toute façon, en saison sèche (8 mois dans l'année), l'ensemble du pays devient aride et semi-désertique.

GRINGOS

L'origine du mot date de 1846, lors de la guerre entre le Mexique et les États-Unis. Les troupes nord-américaines allaient au combat en entonnant la chanson populaire *Green grows the grass...* que les Mexicains comprenaient comme « gringos the grass »... *A priori,* le Mexicain vous considérera comme un *gringo,* c'est-à-dire comme un Nord-Américain, et les contacts seront difficiles. On n'annexe pas économiquement un pays sans créer quelques rancunes. Voilà pourquoi il faut parler anglais le moins possible à un Mexicain, même si vous ne connaissez que deux mots d'espagnol. Dans les boutiques, les prix ne seront pas les mêmes ! En revanche, les Français sont mieux accueillis, même si le mot « gringo » signifie aujourd'hui plus généralement « étranger ».

HÉBERGEMENT

Une petite typologie des hôtels s'impose. Les appellations *hotel* ou *posada* ne marquent pas vraiment de différence. Les *casas de huéspedes* (ou *pensión*) sont généralement des hôtels très bon marché. Quant au terme *hostal* (ou *hostel*), il est utilisé par la nouvelle génération des auberges de jeunesse.
– *Les auberges de jeunesse* new look remplacent les AJ publiques d'autrefois tombées en déliquescence. Cette nouvelle génération d'AJ (privées) fait souvent partie du réseau *Hostelling International* (affilié à la *International Youth Hostel Federation*). Ce sont des hôtels bon marché, offrant en général des dortoirs avec des lits superposés. Ils sont récents, généralement bien tenus, et il y règne une bonne ambiance routard ; on y noue des contacts intéressants. On peut choisir de dormir en dortoir (entre 64 et 100 $Me par personne, soit 4,50 à 7 €), en chambre double ou même quelquefois suspendre son hamac. Une liste est disponible sur le site ● www.hostels.com/mx. html ● Mais de toute façon, on vous les indique chaque fois qu'il y en a.
– Certains *hôtels très bon marché* proposent des chambres *sin baño,* c'est-à-dire sans salle de bains individuelle, mais avec douches communes. L'hôtelier ne songera pas toujours à vous les proposer. Pensez à lui demander.
– Dans la catégorie au-dessus, on trouve en centre-ville une foule d'*hôtels de bon marché à prix moyens.* Sans grand luxe mais au confort suffisant et même du charme pour certains. Si vous souhaitez une chambre avec climatisation vous devrez débourser beaucoup plus que si vous vous contentez d'un ventilateur. Sachez aussi que les hôtels disposent très souvent de chambres avec 3 ou 4 lits, ce qui est très pratique lorsqu'on voyage à plusieurs, avec des enfants par exemple. Le prix par personne devient alors très intéressant.
– *Les hôtels chic :* le confort se fait plus cossu, la déco plus recherchée. On s'approche des standards internationaux ou on s'en dépasse pour le haut du panier. Ce sont les hôtels de *gran turismo,* c'est-à-dire les hôtels de luxe. Mention spéciale pour les *haciendas* et *hôtels coloniaux,* lieux historiques, qui gardent le charme et parfois les meubles d'époque. Et les prix ne sont pas forcément exorbitants pour des chambres de 4 personnes ou plus. Même si vous pensez que votre budget ne vous le permet pas, n'hésitez pas à jeter un petit coup d'œil à ces établissements, car il arrive qu'en période creuse on obtienne des réductions conséquentes. Pour à peine quelques pesos supplémentaires, on bénéficie alors d'un rapport qualité-prix nettement meilleur que celui d'un établissement de catégorie « Prix moyens ». Le charme en prime.
Les Mexicains poussent au péché : les chambres avec lit double *(cama matrimonial)* sont généralement moins chères que celles avec deux lits jumeaux. N'oubliez pas que le tarif des chambres est indiqué à la réception. Il est d'usage de payer d'avance la première nuit, ou, dans les hôtels plus chic, de laisser son passeport ou l'empreinte de sa carte de paiement. On doit en principe libérer la chambre vers 13 h et 14 h ; si l'hôtelier est sympa, il accepte de garder les bagages à la réception jusqu'au soir.
Dans les régions humides et chaudes, inspecter son lit avant de dormir et l'éloigner des murs. Les scorpions ne sont pas si agréables que ça, surtout cachés entre les draps.
Dans la plupart des hôtels, on peut déposer argent et autres objets de valeur dans un coffre *(caja fuerte)* ; cela s'appelle un *deposito de valores.* On demande un reçu où tous les détails des valeurs sont inscrits.
– *Les campings* ne sont pas très répandus à part en Basse-Californie et le camping sauvage est très dangereux. À éviter absolument. En revanche, sur certaines plages, notamment sur la côte Pacifique, on plante facilement sa tente sous la paillote d'un resto moyennant quelques pesos.
– Une solution très économique consiste à acheter un *hamac,* notamment pour voyager sur la côte ou dans le Yucatán. Certains hôtels prévoient des

espaces pour les accrocher (avec parfois possibilité d'en louer). Quelques hôtels ont bien des crochets dans les chambres, mais le prix est le même que si vous dormez dans le lit !

– On peut dormir aussi dans les terminaux de cars. En effet, il arrive fréquemment que le car parvienne à destination en pleine nuit. Bon nombre de routards préfèrent dormir dans le terminal pour économiser une nuit d'hôtel. Il y a des lavabos et des toilettes. S'il y a un terminal de 1re classe dans le coin, ne pas hésiter à y aller. C'est nettement plus confortable ! Et surtout plus calme. Déposez vos bagages à la consigne *(guardería de equipaje),* car les rôdeurs rôdent, et demandez un reçu.

HISTOIRE

Les origines

Parfois la ressemblance est étonnante : on pourrait facilement confondre certains Mexicains avec des Asiatiques, notamment des Chinois du Nord ou des Mongols. Pas étonnant puisque le Mexique, comme le reste du continent américain, a été peuplé par des tribus venues de Mongolie, qui traversèrent le détroit de Béring il y a environ 40 000 ans, lorsque le niveau de la mer était bien en dessous de ce qu'il est actuellement, une grande partie des eaux étant retenue par les glaces. Entre 25000 et 16000 av. J.-C., une partie de ces tribus effectua une lente migration vers le sud, traversant l'actuel Mexique. Certaines s'y établirent, d'autres franchirent l'isthme de Panamá. Dès le XXe siècle av. J.-C., des cultures dites « archaïques » existaient dans la vallée de Mexico.

Logiquement, on a longtemps pensé que la sédentarisation en Méso-Amérique était liée à la domestication du maïs (entre 5000 et 3000 av. J.-C). Mais des découvertes récentes laissent à penser que non seulement l'homme se serait sédentarisé avant de pratiquer l'agriculture, mais en plus que ce serait la citrouille le premier légume cultivé. Quoi qu'il en soit, en 2000 avant notre ère, il existait des hameaux dont les habitants pratiquaient l'agriculture et qui travaillaient la poterie et la vannerie. C'est dans ce contexte que s'est développée la première grande civilisation méso-américaine.

Les Olmèques : première civilisation en « èque »

La civilisation olmèque est née sur la côte du Golfe du Mexique, dans une région qui comprend les États actuels de Veracruz et de Tabasco (à partir de 1500 avant notre ère). Elle va influencer toutes les civilisations qui vont suivre, notamment la culture maya, et créer l'unité culturelle du monde préhispanique. La ville de Lorenzo se développe d'abord, puis c'est la grande cité de La Venta (près de Villahermosa) qui prend le dessus, s'épanouissant entre 1200 et 600, voire 400 av. J.-C. C'est là qu'on a retrouvé les célèbres têtes colossales aux traits négroïdes. Elles ont été sculptées dans le basalte car les Olmèques manquaient de certaines ressources importantes, comme par exemple la pierre, l'obsidienne ou le jade. Cela signifie, bien sûr, des échanges commerciaux avec d'autres régions de Méso-Amérique, ce qui a conduit certains à voir là les prémices d'un empire olmèque... En revanche, les Olmèques étaient environnés d'arbres à caoutchouc dont ils tiraient la précieuse substance pour fabriquer les ballons du traditionnel jeu de balle *(juego de pelota).* D'où le nom d'olmèque qui signifie « habitants des terres du caoutchouc ».

Sur les ruines de cette civilisation, obnubilée par le culte du dieu Jaguar, furent bâties celle de Teotihuacán, celle des Zapotèques (aux environs de Oaxaca), celle des Mayas et enfin celle des Aztèques.

Les civilisations dites classiques

La civilisation de *Teotihuacán* (50 km au nord de Mexico) apparut vers le Ier siècle av. J.-C., lorsque de nombreux villages de la région, qui avaient en commun la langue et les rites, commencèrent à bâtir des édifices religieux. Ce sont eux qui répandirent le culte de *Quetzalcóatl* (« le serpent à plumes ») dans presque toute la Méso-Amérique. La ville de *Teotihuacán* (« la Cité des dieux ») s'étendait sur 20 km, avec de très nombreux temples, et devait atteindre une population de 200 000 habitants aux environs de l'an 600. La chute brutale de Teotihuacán reste un mystère. L'hypothèse la plus vraisemblable est que cette civilisation aurait plié au VIIIe siècle de notre ère sous la poussée de barbares venus du nord : les *Chichimèques,* qui eux-mêmes se sont vus bousculés entre les Xe et XIe siècles par les *Toltèques,* dont le centre guerrier se trouvait à Tula.

Plus au sud, dans la région de Oaxaca, le peuple *zapotèque* – dont l'apogée se situe entre les IVe et VIIIe siècles – était composé d'agriculteurs sédentaires, adeptes d'une religion centrée sur le culte de la mort, comme en témoignent les vestiges de leur art, notamment à Monte Albán. Ils furent chassés par les Mixtèques, qui durent finalement se soumettre eux-mêmes aux Aztèques (XIe siècle).

L'Empire maya ou la vie paisible des Tropiques

Mythologie

L'origine des *Mayas,* qui semble remonter au IVe siècle, est inconnue. À son apogée (600-900 apr. J.-C.), cette brillante civilisation s'étendait sur presque tout le territoire actuel du Yucatán, du Chiapas, du Guatemala et du Honduras. La chronologie de l'ancien Empire maya (jusqu'au IXe siècle) a pu être établie grâce à des stèles datées par un calendrier très compliqué, qui démontre les connaissances mathématiques et astronomiques de ce peuple. Cette civilisation de cités (Chichén Itzá, Palenque, Bonampak, Tikal... et des centaines d'autres villes) correspond à un ensemble relativement homogène. On en connaît les aspects essentiels grâce au *Popol Vuh,* un poème épique et symbolique écrit en langue quiché peu après l'arrivée des Espagnols et retraçant la création du monde et les aspects de la vie religieuse des Mayas. Le dieu-créateur était le serpent à plumes : *Kukulcan* (*kukul* = l'oiseau-quetzal ; *can* = serpent), l'équivalent de Quetzalcóatl (pour les Aztèques). Un autre dieu maya fut *Itzamna* (le dieu Ciel), qui correspondait un peu au dieu grec Zeus. Mais le dieu le plus populaire – et dont il reste le plus grand nombre de représentations artistiques – fut Chac, le dieu de la Pluie.

Aspects de la civilisation

Selon les conceptions religieuses des Mayas, il est primordial d'alimenter les dieux par diverses offrandes, notamment le cœur et le sang des animaux et des hommes. D'où des sacrifices humains et autres rites, comme le perçage des oreilles, des lèvres ou de la langue (à nouveau à la mode quelques siècles plus tard !). Il semblerait que les Mayas anciens étaient un peuple pacifique gouverné par des prêtres. Plus tard, les États-cités se mirent à faire la guerre. Ils disposaient d'une écriture hiéroglyphique élaborée, mais c'est surtout grâce à des fresques comme celle de *Bonampak* que l'on a pu avoir connaissance de leur histoire. Ils ignoraient le fer et l'usage de la roue pour le travail (y compris le tour de potier), et leurs outils étaient de type néolithique : l'obsidienne tenait la place qu'avait occupée le silex sur le vieux continent. Malgré cela, l'agriculture était très développée. Ils cultivaient surtout le maïs, la patate douce, la tomate, les haricots, le manioc, et quelques arbres fruitiers comme l'avocatier. En revanche, il n'y avait pas d'élevage et les seuls animaux domestiques étaient la dinde et le chien. Bien qu'ayant bâti de grandes maisons, les Mayas ignoraient le principe de la clé de voûte, primordial pour faire évoluer l'architecture : ils en étaient à peine à l'encorbellement. L'apogée de leur savoir et de leur art correspond aux VIIe, VIIIe et IXe siècles. Les Mayas possédaient une littérature assez riche (brûlée par les Espagnols). Ils furent les inventeurs (comme les Arabes) du chiffre zéro, et dès lors leurs connaissances en mathématiques et astronomie leur donnèrent une maîtrise du temps qui leur permettait non seulement d'écrire l'histoire, mais aussi et surtout de prédire l'avenir, grâce à l'observation astronomique. Pour cela, ils avaient deux calendriers, un solaire de 365 jours et un rituel de 260 jours, et ils pouvaient indiquer les cycles lunaires, les éclipses et d'autres phénomènes astronomiques. Les Mayas naviguaient tout au long du Yucatán et des côtes de l'Amérique centrale, établissant ainsi des relations commerciales entre les différentes villes-États.

Déclin, renouveau et fin

De nombreuses hypothèses tentent d'expliquer le déclin des Mayas. Il est probablement dû à l'épuisement des sols, parallèlement à une crise de surpopulation. Vers le Xe siècle, des envahisseurs venus du nord, les *Toltèques*, occupèrent le Yucatán et donnèrent un second souffle à la civilisation maya. Ce nouvel empire, basé à Chichén Itzá, est à l'origine d'une nouvelle culture mixte toltèque-maya, où l'orfèvrerie et la ferronnerie sont désormais acquises, mais où l'on voit se banaliser les sacrifices humains. Ces derniers sont l'une des causes qui firent que, vers 1200, commença une période de divisions et de révoltes de la part des Mayas. Elles aboutirent à la chute de Chichén Itzá et à l'effondrement, en 1441, de la cité de Mayapán, devenue alors le siège de la ligue qui dominait le nouvel empire. En 1697, quand les Espagnols prirent la dernière ville maya indépendante à Tayasol, au Guatemala, les autres cités avaient été détruites ou abandonnées depuis bien longtemps.

Les Aztèques, deux siècles d'histoire

La première junte latino-américaine

Le mythe de la fondation de Mexico-Tenochtitlán n'a rien à envier à celui de la Rome antique. Après avoir quitté leur ville mythique d'Aztlán (certains la situent à Mexcaltitán, une petite île perdue dans les marais, au nord de Tepic, près de Tuxpan, sur la côte Pacifique), les Aztèques (ou Mexica) errèrent durant un siècle et demi à la recherche d'une terre à la hauteur des ambitions décrétées par leur dieu Huitzilopochtli. Ce dernier, incarné en colibri, guida leurs pas jusqu'à la vallée de l'Anáhuac, l'immense bassin de Mexico protégé par des montagnes et des volcans, recouvert en grande partie par trois immenses lacs (disparus aujourd'hui). C'est là, sur l'un des îlots, qu'ils virent le fameux aigle posé sur un cactus dévorer un serpent. C'était le présage tant attendu, l'augure du dieu qui leur ordonnait de s'établir dans ce lieu marécageux, au milieu des joncs et des bambous. « C'est là que nous nous établirons, que nous dominerons, que nous rencontrerons les peuples divers, qu'avec notre flèche et notre bouclier nous les conquerrons. Ici sera notre cité. » En l'an Deux-Roseau, 1325 de notre ère, les Mexica installent donc à leur capitale, en réalité une misérable bourgade de huttes construites en roseaux. Mais les dés du destin sont jetés. Dès lors, les Mexica s'attacheront à accomplir la prophétie divine, jusqu'à l'irruption des Espagnols.

Bien entendu, les empereurs aztèques n'ont eu de cesse de maintenir le mythe fondateur afin d'octroyer à la capitale impériale ses lettres de noblesse et ses origines divines. La réalité est quelque peu différente. Les Aztèques ne sont en fait que l'une des nombreuses tribus barbares venues du nord pour s'installer dans la vallée au cours du XIIe siècle (comme les Chichimèques). Ils sont même les derniers arrivants. La vallée est alors loin d'être aussi déserte qu'ils voudront le faire croire, puisqu'il existe déjà des villes puissantes dont les princes se flattent de descendre de l'ancienne Teotihuacán ou de Tula. Ces villes toléraient vaguement ces tribus errantes qui vivaient de la pêche et de la chasse du gibier aquatique, tels les Aztèques dont « l'errance lacustre » dura au moins un siècle avant qu'ils ne se sédentarisent à partir de 1325. Il leur faudra encore un siècle d'adaptation, d'efforts, d'opiniâtreté et d'ingéniosité pour dompter cette topographie hostile, avant de commencer à jouer un rôle politique dans la vallée.

Au début du XVe siècle, sous le commandement de leur quatrième roi historique, *Itzcóatl,* les Aztèques profitent de conflits entre les autres villes de la vallée pour fonder la Triple Alliance avec les rois des cités-États de Texcoco et de Tacuba. Très vite, ils prennent les rênes de cette ligue tricéphale, le souverain aztèque intervenant de plus en plus dans les affaires dynastiques et politiques de ses deux alliés, à tel point que Mexico-Tenochtitlán en arrive à répartir à sa guise les tributs de guerre et les impôts des provinces de l'empire.

De la pêche à la guerre

Pêcheurs et chasseurs à l'origine, les Mexica deviennent peu à peu un peuple de guerriers. Il en fallut en effet des batailles pour constituer l'empire ! Influencée par les Toltèques et en partie par les civilisations dites classiques (Teotihuacán), ce qui allait devenir la culture aztèque est en fait une remarquable synthèse. Sa spécificité se trouve dans le caractère guerrier omniprésent. L'arc, par exemple, n'était pas connu par la civilisation maya, alors que des documents *(códices)* montrent les Aztèques habillés de peaux d'animaux, armés d'arcs et de flèches, en train d'attaquer les autres tribus de la vallée. L'Empire aztèque n'était pas vraiment centralisé, mais plutôt structuré comme une confédération de cités et de provinces, au sein de laquelle ils détenaient le pouvoir militaire.

À la fin du règne de Moctezuma II, l'empire comptait 38 provinces, soit un territoire s'étendant du Michoacán (au nord) jusqu'aux régions mayas, et de l'Atlantique au Pacifique. Le statut de ces « États » était assez variable (disposant souvent de l'autonomie administrative et politique), mais ils devaient de toute façon verser l'impôt et bien souvent fournir des hommes qui venaient rejoindre les rangs de l'armée de la capitale impériale. Et il fallait beaucoup d'hommes. Car tout était prétexte à la guerre. En règle générale, toute cité qui n'acceptait pas l'autorité de Mexico-Tenochtitlán était considérée comme rebelle. L'aspect le plus important de cette civilisation était donc le cérémonial de guerre, d'ailleurs étroitement lié à la religion puisque ce sont les dieux eux-mêmes qui réclamaient les combats et qui finalement décidaient du sort de la bataille. Huitzilopochtli, le dieu aztèque de la Chasse, prit de plus en plus d'importance et fut associé à la guerre.

La guerre fleurie

Pour les Aztèques, la création du monde et de l'homme n'est pas un don mais le fruit d'un sacrifice des dieux. L'homme se voit donc dans l'obligation de rétribuer ce don de la création par une adoration constante. La manière de s'élever à la hauteur de l'effort divin, c'est de lui offrir son propre sang. C'est pour cette raison que les sacrifices humains sont essentiels, puisque l'homme n'existerait pas sans les dieux. Mais à l'inverse, les dieux n'existeraient pas sans les hommes, puisque les dieux ont besoin de la substance de vie représentée par leur sang et leur cœur. À travers le cycle de la vie et de la mort, un lien intime les unit. C'est à partir de cette cosmogonie complexe qu'il faut comprendre les nombreux rituels des sacrifices humains qui, avec l'accroissement de l'empire, prirent de plus en plus d'importance dans la vie sociale et religieuse des Aztèques.

La vie de l'homme dépend des battements de son cœur, c'est donc l'offrande de ce cœur encore palpitant, arraché à vif de la poitrine de la victime à l'aide d'un couteau d'obsidienne puis présenté au soleil, qui était le point culminant des cérémonies. Les décapitations permettaient par contre d'étancher la soif de la terre-mère par le flot de sang qui jaillissait. Les corps étaient ensuite dépecés et certaines parties offertes en nourriture aux parents des plus valeureux guerriers. L'ennemi tué était considéré comme un messager que l'on envoyait aux dieux. L'anthropophagie existait donc, mais sous forme de cérémonie de communication divine.

À l'origine, la guerre avait certes des visées expansionnistes, mais très vite elle devint essentiellement religieuse, destinée à faire des prisonniers... pour les sacrifices humains. À tel point que les cités de la vallée de Mexico organisaient des batailles dans l'unique but de récupérer un maximum de futures victimes à immoler au sommet des pyramides. C'est ce qu'on appelait « la guerre fleurie ». Les promotions militaires étaient déterminées par le nombre de captures, et une période de paix se transformait en une véritable catastrophe religieuse ! Il faut dire que les sacrifices humains étaient de mise lors de chaque fête religieuse et que leur nombre atteignait parfois des proportions délirantes. Ainsi, pendant le règne du roi *Auitzotl* (1486-1503), à l'occasion de la consécration de la *Grande Pyramide du Soleil* de Tenochtitlán (le *Templo Mayor*, à côté de l'actuelle cathédrale de Mexico), pas moins de 20 000 captifs furent immolés... Une sacrée fête, certes, mais qui n'a rien à envier au caractère également sanguinaire de la conquête espagnole et à la barbarie d'un Cortés rasant en 1521 l'une des plus belles cités du monde.

Pour la fête du *Toxcatl*, organisée en l'honneur du grand dieu *Tezcatlipoca,* un jeune homme était choisi et vivait durant un an en état de « grâce divine » au milieu de tous les plaisirs et les honneurs, car il était essentiel qu'il ne soit pas corrompu par les tâches et les devoirs des simples mortels. Une fois « purifiée », la victime devenait non seulement le représentant du dieu, mais son véhicule de communication avec l'humanité, ce qui permettait d'assurer la prospérité de la communauté. Au bout d'un an, le jeune homme était sacrifié dans l'allégresse générale.

Dans l'imagerie aztèque, certaines morts valaient plus que d'autres. On l'a vu, la mort sur l'autel du sacrifice était un honneur et assurait une place au soleil. Les femmes mortes en couches avaient un paradis qui leur était réservé, car leur mort était aussi prestigieuse que la mort sur le champ de bataille. Ceux qui mouraient noyés ou accidentés étaient assurés d'un billet d'entrée pour un paradis géré par *Tlaloc,* le dieu de la Pluie et de la Fertilité. En revanche, les gens qui mouraient « normalement » avaient un avenir triste dans l'univers sombre du dieu de la Mort. Ce sont ces arguments de poids qui permettaient au système politico-religieux de se maintenir.

La Venise des Amériques

Les Aztèques, qui avaient commencé les pieds dans la vase, se nourrissant de gibier d'eau et de poissons, réussirent en un siècle à bâtir une ville somptueuse, digne capitale de l'empire. À l'arrivée des Espagnols, Mexico-Tenochtitlán comptait au moins 300 000 habitants (plus de 500 000 selon Jacques Soustelle). C'était probablement la plus grande cité du monde, devant Constantinople ou Paris. Excellents ingénieurs-bâtisseurs, les Aztèques avaient réussi à créer une ville flottante qui éblouit les Espagnols par sa grandeur et sa beauté. L'un des compagnons d'armes de Cortés, Bernal Díaz del Castillo, raconte : « En voyant tant de villes et de villages établis dans l'eau, nous fûmes frappés d'admiration, et nous disions que c'étaient là des enchantements comme ceux dont on parle dans le livre d'Amadis, à cause des grandes tours, des temples et des pyramides qui se dressaient dans l'eau, et même quelques soldats se demandaient si ce n'était pas un rêve. » *(Véridique Histoire de la conquête de la Nouvelle-Espagne).*

Dans sa description, il oublie les énormes digues qui servaient à réguler les eaux du lac à la saison des pluies, le magnifique aqueduc qui transportait l'eau depuis Chapultepec jusqu'au cœur de la cité, et les larges chaussées qui reliaient la ville à la terre ferme, entrecoupées de ponts qui permettaient le passage des barques chargées de marchandises. Sur la place centrale, près de la grande pyramide (le *Templo Mayor,* dont il ne reste plus que des ruines au centre de Mexico), se dressait l'immense palais de Moctezuma : des salles richement décorées, dont l'une pouvait accueillir jusqu'à 3 000 personnes, de vastes cours intérieures avec fontaines, des jardins dont l'un était entièrement consacré aux plantes médicinales, un zoo personnel avec tous les animaux de l'empire... et toutes sortes de « monstres humains ». Ils étaient censés avoir des pouvoirs surnaturels.

La ville était un exemple de propreté, à l'image de ses habitants particulièrement soucieux de l'hygiène, qui se baignaient quotidiennement dans des bains alimentés d'eau courante. On comprend que les Aztèques aient été horrifiés devant la puanteur et la crasse des conquistadores. À cela s'ajoutait la grâce des jardins remplis de fleurs et d'arbres fruitiers, qui séduisirent même les Espagnols, pourtant habitués aux raffinements des parcs mozarabes.

Le calendrier aztèque

La représentation la plus belle et la plus célèbre est au musée d'Anthropologie de Mexico. C'est un colossal disque de pierre de 24 tonnes et 3,50 m de diamètre, connu sous le nom de « pierre du Soleil », peint à l'origine de couleurs vives, conçu comme hommage au dieu solaire Tonatiuh. Les Aztèques, qui n'ont fait d'ailleurs que reprendre les calculs des Toltèques, avaient deux types de calendriers : l'un religieux, composé d'une année de 260 jours, et qui servait surtout aux prêtres pour décider de la date des sacrifices, des fêtes religieuses et des dates des batailles... L'autre solaire, qui rythmait la vie agricole et civile et qui comptait 365 jours. L'année était divisée en 18 mois de 20 jours chacun. Si vous comptez bien, il reste 5 jours. C'étaient 5 jours néfastes et inutiles, chômés bien entendu, et qu'on passait dans la terreur d'une calamité naturelle comme la disparition du soleil.

Le temps aztèque était également organisé en ères de 52 ans chacune. Chaque fin de cycle représentait le moment d'une possible destruction du monde. Les Aztèques s'y préparaient en détruisant les temples et les objets usuels ainsi qu'en éteignant tous les feux. Quand les Espagnols arrivèrent, les Aztèques vivaient sous l'ère du cinquième soleil.

Le panthéon des dieux

De nombreux dieux régissaient la vie quotidienne des Aztèques jusque dans ses moindres détails. Mais cette cosmogonie religieuse, fruit d'une synthèse de toutes les croyances antérieures, est extraordinairement complexe. De plus, les Espagnols firent disparaître une énorme quantité de *códices* (les « livres » des Aztèques), si bien que la principale source d'information est orale et postérieure à la Conquête. La cosmogonie préhispanique est donc un véritable puzzle aux pièces manquantes. Essayons d'y voir un peu plus clair, sachant que l'on trouve de nombreuses versions parfois contradictoires. D'où viennent les dieux ? À l'origine de tout, il y a un couple primordial qui représente le double principe créateur : le féminin et le masculin. De leur union naissent 4 fils. Ce sont eux en réalité qui créeront les dieux mineurs ainsi que le monde et les hommes. Au sein de la création, l'acte fondamental est évidemment la naissance du soleil. Deux des fils jouent un rôle extrêmement important pour les peuples de Méso-Amérique et, bien sûr, pour les Aztèques. Il s'agit de Quetzalcóatl (dieu de la Vie et de l'Air) et Huitzilopochtli (dieu du Soleil et de la Guerre). Il faut y ajouter Tezcatlipoca (le méchant de l'histoire).

Si l'humanité est créée par les dieux, elle peut aussi être anéantie par eux. C'est ce qui est d'ailleurs arrivé plusieurs fois ; il y a eu au moins quatre créations. Ainsi, pour les Aztèques, le destin des hommes est fragile et l'existence n'a rien de définitif. C'est une lutte permanente qui dépend du combat entre les deux dieux créateurs, Quetzalcóatl, le dieu bienfaiteur, et Tezcatlipoca, le dieu nocturne et souvent jaloux de son frère.

– *Quetzalcóatl :* son nom signifie « serpent à plumes ». On le retrouve constamment, et à toutes les époques, même chez les Mayas où il porte le nom de Kukulcan. Et pour cause, c'est le dieu créateur de l'humanité et donc le grand bienfaiteur. Son originalité, c'est que non content d'être un dieu, il est aussi le roi des Toltèques, qui règne sur Tula. On comprend qu'il soit vénéré : il a même été jusqu'en enfer pour récupérer les os des morts afin de créer un nouveau monde. Alors qu'il tente d'échapper au dieu des Enfers, il fait tomber les os ; mais au lieu de fuir, il s'arrête au péril de sa vie pour les ramasser, les arrose de son sang et donne ainsi naissance aux hommes. Les humains sont donc les fils de Quetzalcóatl qui, en bon père, leur offre le maïs, leur enseigne l'agriculture et la science, leur apprend à polir le jade, invente le calendrier, etc. La vie de ce dieu bienfaisant est celle d'un saint qui jeûne et fait pénitence. Mais, bien entendu, son frère Tezcatlipoca (qui, sur un plan symbolique, représente son ombre ou ses aspects obscurs) le fait tomber dans le péché de la chair. Quetzalcóatl doit alors abandonner son trône et fuir de Tula en direction de la côte du golfe du Mexique, où il prend la mer. Le Mexique est alors livré aux maléfices du dieu noir Tezcatlipoca et aux autres dieux qui réclament des sacrifices humains. On attend avec impatience le retour du prince de Tula...

– *Huitzilopochtli :* on lui attribue une naissance prodigieuse, sa mère ayant été fécondée par une boule de plumes qui renfermait l'âme d'un sacrifié. De plus, il naît déjà armé et chasse les ennemis de sa mère, c'est-à-dire ses frères les étoiles et sa sœur la Lune. Huitzilopochtli est donc vraiment le créateur du jour, c'est-à-dire le dieu Soleil. Cependant, ce combat contre l'obscurité se répète tous les matins. Or, pour que le Soleil puisse triompher et se lever chaque jour, il a besoin de forces régénératrices. C'est donc un devoir pour l'homme – ou plutôt une nécessité vitale – de l'alimenter en lui offrant son sang, principe de vie. On voit comment le sort du peuple aztèque est lié à celui du dieu Soleil ; et combien étaient indispensables les sacrifices humains. On peut aussi aisément s'imaginer l'effet que pouvaient produire les éclipses ! Huitzilopochtli ne cesse de lutter pour maintenir en vie l'humanité, les hommes ont besoin de lui pour survivre, et ils meurent donc en son nom. Une dialectique étrange mais incontestable.

– *Tlaloc :* enfin un dieu au nom prononçable ! Important, lui aussi. À tel point qu'il règne sur un pied d'égalité avec Huitzilopochtli et qu'on le trouve à ses côtés dans les temples. C'est qu'il représente la pluie, l'eau et l'orage ; autrement dit, c'est à lui qu'appartient le maïs. C'est évidemment le dieu suprême des paysans. Son culte est très ancien.

– *Les autres dieux :* autant le confesser, on fera l'impasse sur les innombrables dieux du ciel. Simplement pour mémoire, on vous en cite un, « le seigneur de l'Aube », le dieu Tlahuizcalpantecuhtli. Ne l'oubliez pas ! Chaque élément de la nature a également son dieu. Mais là, ça devient carrément compliqué, vu qu'ils portent plusieurs noms et que certains ont les mêmes fonctions.

Une société cloisonnée et disciplinée

Une ville construite sur un site instable (tremblements de terre et inondations), une population nombreuse, un état de guerre permanent, un univers fragile soumis à la volonté des dieux... Tout cela requérait une organisation sociale sans failles et une autorité incontestée. On l'a vu, la religion – et donc les prêtres – jouait un rôle clé dans le maintien de cette structure sociale. La société aztèque était ainsi parfaitement organisée en castes.

L'agriculture tenait, bien sûr, une place extrêmement importante. Les Aztèques avaient compris et développé le principe de la fertilisation de la terre (ils récupéraient par exemple les excréments humains). Ils avaient notamment mis au point la technique des *chinampas,* des îlots artificiels construits à l'aide de branchages, de pierres et de vase, qui servaient de champs (on peut encore en avoir une idée approximative en se baladant sur les canaux de Xochimilco, au sud de Mexico). Hormis le maïs et la citrouille, on cultivait le haricot *(frijol),* la courge, la tomate et le *chile* (piment). Du cactus maguey, les Aztèques utilisaient non seulement les fibres pour confectionner les cordes, des textiles et des chaussures, mais aussi les feuilles qui servaient à fabriquer les toitures des maisons, et la sève dont était tirée une boisson plus qu'euphorisante appelée *octli* (*pulque* de nos jours). Mais bien d'autres ingrédients en provenance des confins de l'empire arrivaient chaque jour au grand marché de Tenochtitlán : le très recherché cacao dont on tirait une boisson, le *tchotcolatl,* censée avoir des vertus aphrodisiaques et qui était réservée à la noblesse (il coûtait très cher) ; la neige que des coureurs de fond allaient ramasser sur la cime du volcan Popocatépetl et rapportaient à toute vitesse pour la servir recouverte de sirop, l'ancêtre du sorbet. Tous les chroniqueurs, y compris les conquistadores, s'émerveillent de la profusion du marché et de son organisation.

Au sein de la société, les artisans formaient une classe nombreuse et à part. Ceux qui travaillaient l'or, l'argent et le cuivre, l'obsidienne et le jade, ou qui se consacraient à l'art de la plume étaient suffisamment considérés pour qu'on les appelle Toltecas, en référence à la civilisation toltèque née de Quetzalcóatl. Certains orfèvres ou plumassiers réalisaient de véritables œuvres d'art, pour lesquelles ils étaient bien rémunérés.

Pour cette ville lacustre, sans autres ressources que celles du lac, la soumission des provinces de l'empire était une nécessité vitale puisqu'elle permettait non seulement de récupérer des butins de guerre et de lever des tributs, mais aussi et surtout d'assurer la sécurité des routes commerciales. Car le commerce était vite devenu essentiel pour la société aztèque, toujours plus avide de produits rares et exotiques. On comprend pourquoi la corporation des marchands, les *pochtecas,* disposait d'un statut particulier et jouissait d'importants privilèges. D'énormes caravanes partaient régulièrement vers les provinces les plus reculées et revenaient à Tenochtitlán chargées de produits de luxe : du jade, des coquillages, des émeraudes, des écailles de tortues, des bois précieux, de l'ambre et surtout des plumes du fameux quetzal des forêts du Guatemala. Tout au long de leurs déplacements, les marchands ne faisaient pas que propager la civilisation aztèque, ils servaient aussi d'espions militaires et d'informateurs. Ce sont probablement eux qui rapportèrent à Moctezuma les premiers témoignages de ces étranges oiseaux blancs flottant sur les eaux le long des côtes du Yucatán. En effet, depuis plus de dix ans, les caravelles espagnoles croisaient dans les parages (les Espagnols étaient implantés à Cuba, au Honduras et dans la région de Panamá). L'une d'elles, avec à son bord un certain Hernán Cortés, n'allait pas tarder à accoster sur la côte du golfe du Mexique.

La conquête espagnole

Éléments du succès

Comment la petite armée de Cortés, à peine 600 hommes, put-elle venir à bout d'un empire, vaincre la majestueuse Tenochtitlán et soumettre ce peuple de guerriers ? L'histoire de la Conquête est celle d'un vaste malentendu, d'un quiproquo tellement énorme qu'on pourrait presque croire que les Aztèques ont tout fait pour accomplir leur tragique destin tel qu'il était prophétisé par de nombreux augures. La méprise commence par une série de funestes présages qui sèment la peur et provoquent une sensation de cataclysme imminent dans les esprits : le temple de Huitzilopochtli prend feu et tombe en ruine, une comète passe dans le ciel, l'eau de la lagune s'agite brusquement avec furie sans raison apparente... Il y a bien là de quoi tourmenter des esprits dominés par l'attente de la fin du monde. Le malentendu, c'est aussi et surtout cette vieille légende datant de la période toltèque qui prévoit le retour d'exil de Quetzalcóatl à cette période. Celle-ci impressionne fortement le roi aztèque Moctezuma II, hanté par des rêves annonciateurs d'apocalypse. Or, précisément, une rumeur circule dans son empire sur l'apparition de mystérieux étrangers sur les côtes du Yucatán. Cette nouvelle, d'abord propagée par les Mayas puis relayée par les négociants aztèques, renforce le monarque dans sa conviction d'un retour imminent de l'ancien dieu Quetzalcóatl, chassé de son royaume par la magie noire de son frère Tezcatlipoca. Moctezuma ne fut sans doute pas surpris d'apprendre, en mars 1519, la nouvelle du débarquement, dans la rade de l'actuelle Veracruz, d'une étrange race d'hommes barbus. Les prophéties annonçant le retour de Quetzalcóatl s'étaient donc réalisées et Cortés fut, selon toute vraisemblance, considéré tout d'abord comme un émissaire de l'ancien dieu toltèque, sinon comme la divinité elle-même.

Un autre malentendu est évidemment l'évaluation des forces de Cortés, qui se résumaient pourtant à bien peu de chose. Mais les Indiens, conditionnés par les prophéties, se laissèrent fortement impressionner par les 11 navires, l'artillerie, les quelques bruyants canons et les 16 chevaux de Cortés. Ils crurent d'ailleurs que les cavaliers ne formaient qu'un seul et même personnage au corps de cerf et buste d'être humain. Lors des batailles, Cortés ordonnait le retrait immédiat des cadavres des soldats afin de maintenir intacte la croyance qu'ils étaient immortels. Lorsque les Aztèques se rendirent compte de la supercherie, il était déjà trop tard. Cortés avait déjà ses alliés parmi les populations autochtones !

Cette stratégie d'alliance fut d'ailleurs l'autre clé du succès des conquistadores. De nombreux peuples soumis ne pensaient qu'à une chose : se venger des sanguinaires Aztèques qui venaient en permanence chercher chez eux des prisonniers pour leurs sacrifices et réclamer des impôts. Le machiavélique Cortés a su parfaitement tirer parti de cette situation pour sceller des alliances avec les ennemis de l'empire et renforcer ainsi sa maigre armée. Mais aucun de ces alliés, hypnotisés par cette chance inespérée de revanche sur les Aztèques, ne pouvait imaginer qu'en se débarrassant d'un pouvoir despotique ils s'offraient en fait en holocauste à un nouvel oppresseur plus terrible encore, qui allait les anéantir définitivement, eux et leur culture. Un autre facteur déterminant fut le fait que les Aztèques se battaient non pas pour tuer mais pour faire des prisonniers (destinés aux sacrifices humains). Une énorme perte de temps dont tirèrent avantage les Espagnols, qui par ailleurs ne s'embarrassaient pas de telles considérations. Enfin, le massacre fut relayé, vers la fin de la Conquête, par les maladies importées, notamment la variole, qui furent fatales aux populations locales non immunisées.

La fin d'un empire

À son arrivée, Hernán Cortés fonda la ville de Veracruz. Puis, après avoir beaucoup appris sur l'Empire aztèque grâce à ses premiers contacts avec les Indiens de la côte, il en « embaucha » plusieurs centaines et, avec quelques Espagnols seulement, commença sa marche sur la capitale Tenochtitlán.

Moctezuma le reçut avec tous les honneurs, lui offrant même une coiffure de plumes de quetzal, emblème de la double dignité, royale et divine, de Quetzalcóatl (envoyée en Espagne, cette coiffure fait actuellement partie des collections du Musée ethnographique de Vienne et fait l'objet de réclamations permanentes du ministère des Affaires étrangères mexicain). Mais, à peine confortablement installé dans un palais proche de celui de Moctezuma, Cortés apprit que les Aztèques avaient attaqué Veracruz, où il avait laissé une partie de ses troupes, et qu'ils étaient sur le chemin du retour avec comme trophée la tête d'un des soldats espagnols. La situation était donc critique et l'immunité terminée. Fin stratège, le conquistador se rendit immédiatement auprès du roi aztèque avec ses soldats, et exigea qu'on lui remît les guerriers aztèques responsables du massacre. Il les fit brûler vifs devant les portes du palais, ce qui ne manqua pas d'impressionner favorablement les Indiens ! De plus, il obligea Moctezuma II à reconnaître le roi Charles Quint et à lui payer une rançon en or et en bijoux.

Mais les ennuis de Cortés ne faisaient que commencer. Peu de temps après, il apprit qu'une force espagnole commandée par Narvaez – envoyée par le gouverneur de Cuba, qui lui avait déjà mis des bâtons dans les roues – avait débarqué dans le but de lui retirer le commandement. Cortés laissa 200 hommes à Tenochtitlán sous le commandement d'Alvarado, puis partit affronter Narvaez. Après ce règlement de comptes fratricide, les soldats vaincus vinrent gonfler la troupe de Cortés, et tout le monde regagna vivement Tenochtitlán. Car entre-temps, le peuple s'était soulevé contre les occupants et Moctezuma II avait été tué lors d'une émeute.

L'arrivée de Cortés ne fit qu'envenimer les choses. Durant la dramatique bataille de la nuit du 29 au 30 juin 1520, la *Noche Triste,* il perdit près de la moitié de ses troupes, composées d'Espagnols et de nombreux indigènes. Décidément, depuis la mort de Moctezuma, rien n'allait plus entre les Aztèques et Cortés. Ce dernier trouva donc des alliances avec des tribus qui avaient souffert de la suprématie de la Triple Alliance dominée par les Aztèques et entreprit le démantèlement de l'empire. La bataille décisive contre la capitale eut lieu le 13 août 1521, au terme d'un long siège commencé le 30 mai précédent. L'Espagnol, aidé de ses alliés, en sortit vainqueur, sonnant ainsi le glas des civilisations en « èque »... et, pour faire bonne mesure, il fit raser la merveilleuse cité lacustre de Tenochtitlán. C'est sur son emplacement même que fut fondée Mexico en 1522.

La couronne espagnole, soucieuse de conserver les trésors du Nouveau Monde sans avoir à fournir d'efforts supplémentaires, oublia l'aspect franc-tireur de Cortés, qui n'hésita pas à déclarer à son roi Charles Quint : « Qui je suis ? Je suis l'homme qui vous a donné plus de provinces que vos ancêtres ne vous ont laissé de cités ! » Sa petite rébellion fratricide fut donc rangée dans les pertes et profits, et il hérita du titre de gouverneur jusqu'en 1527. Toutefois, dès son retour en Espagne en 1541, il tomba en disgrâce.

L'occupation espagnole et ses séquelles

Le Mexique devint une vice-royauté de la Nouvelle-Espagne en 1535. Malgré l'action de l'Église, notamment les décrets du pape Paul III, les Indiens furent exploités, maltraités et pratiquement réduits à l'esclavage. En théorie, ils étaient considérés comme des « pupilles de la nation » que la Couronne espagnole devait protéger, éduquer et convertir... en échange de quoi ils devaient travailler gratuitement pour le compte des colons ! Ce système s'appelait l'*encomienda.* Sous la pression du clergé, ce système fut peu à peu allégé à partir de 1542 et disparut officiellement à l'Indépendance, mais dans les faits, il fallut attendre la Révolution. Les Espagnols importèrent aussi très rapidement des esclaves noirs d'Afrique (le tristement célèbre « commerce triangulaire ») pour les travaux agricoles, sous prétexte de sauvegarder les Indiens, la vérité étant que, du point de vue du rendement, « un Noir vaut quatre Indiens ». Lorsque le père dominicain Bartolomé de Las Casas (voir « Personnages » au chapitre Guatemala) arriva au Nouveau Monde, il se rendit compte qu'il existait une vraie politique d'extermination. Il se fit alors l'apôtre des Indiens et, grâce à son action et celle de quelques autres ecclésiastiques, leur sort fut adouci.

Il n'en reste pas moins que la colonisation brutale ainsi que les maladies « européennes » eurent pour conséquence l'anéantissement des cultures et des civilisations indiennes. Vers 1650, la population indigène était réduite à 1,5 million, alors que leur nombre était certainement supérieur à 5 millions au moment de la Conquête en 1520 (lire la rubrique « Population »).

L'indépendance

L'indépendance du Mexique actuel trouve ses fondements dans la Révolution française et la vague des doctrines philosophiques qui balaya l'Europe sous la bannière « Liberté, Égalité, Fraternité ». Les créoles, tout comme les Indiens et les métis, espéraient, face aux *gachupines* (les Espagnols d'Espagne), une égalité raciale et politique ainsi qu'une libération économique.

Pendant que les créoles et les *gachupines* se chamaillaient, un grand soulèvement populaire se préparait sous les directives d'un simple prêtre très versé dans la littérature révolutionnaire, Miguel Hidalgo. Il en donna le signal du départ le 16 septembre 1810, célébré depuis comme jour anniversaire de l'Indépendance. Ce fut surtout le départ d'une révolution avortée, suivie d'un chaos inextricable. Entre 1821 (date où le vice-roi Odonojú signa avec le général Iturbide le traité de Córdoba assurant l'indépendance du Mexique) et 1876 (date de l'arrivée au pouvoir du dictateur Porfirio Díaz), il y eut deux régences, deux empereurs, plusieurs dictateurs, et suffisamment de présidents pour que le Mexique connaisse pas moins de 74 gouvernements.

Les guerres du Mexique

Dès 1848, à la demande du gouvernement du Nicaragua qui souhaitait le percement d'un canal inter-océanique, Louis-Napoléon Bonaparte avait formulé un projet de mise en valeur des contrées inexplorées d'Amérique centrale, avec l'arrière-pensée de créer une nation latine sous influence française, pour faire face au bloc anglo-saxon des États-Unis. La Louisiane, tout comme le Texas, la Floride et une partie de la Californie, fut un temps territoire espagnol. Entre les États-Unis et le Mexique (lui aussi république confédérée depuis 1824) existaient déjà des tensions au sujet du Texas, alors république indépendante, qui hésitait à entrer dans l'Union. C'est la ratification d'un traité reconnaissant le Texas comme État de l'Union qui mit le feu aux poudres le 13 mai 1846. Après une guerre courte mais pénible, après la prise de Veracruz en mars 1847, puis de Mexico, un traité fut signé le 2 février 1848 par Santa Anna : pour 15 millions de dollars, il vendait le Texas aux États-Unis, leur donnait la Californie et laissait le Nouveau-Mexique libre de choisir son statut (il opta plus tard pour les États-Unis d'Amérique). Le río Grande devenait une frontière naturelle.

Après une guerre civile entre partisans conservateurs et libéraux, qui vit l'avènement de ces derniers au Mexique, le président Benito Juárez décida de suspendre le paiement des dettes intérieures et extérieures de son pays. Craignant pour les intérêts de leurs ressortissants, les gouvernements anglais, espagnol et français envoyèrent une lettre de protestation appuyée par des troupes qui débarquèrent fin 1861 à Veracruz. Si l'Angleterre et l'Espagne signèrent avec Juárez la convention de Soledad, les Français, eux, saisirent ce prétexte pour débarquer au Mexique. Napoléon III allait enfin pouvoir réaliser le rêve d'une présence française en Amérique latine, en tentant d'établir au Mexique un empire au bénéfice de Maximilien d'Autriche. Le corps expéditionnaire français arriva devant Puebla le 5 mai 1862. Après un siège qui dura près d'un mois, la ville capitula, et Mexico suivit son exemple le 10 juin.

Arrivé au Mexique grâce à l'appui des conservateurs (et de l'armée française), Maximilien de Habsbourg fut proclamé empereur en 1864. Mais il s'attira très rapidement des problèmes en raison de sa politique libérale qui s'opposait aux intérêts de l'Église et des riches propriétaires terriens. Pas très malin, il perdit ainsi son seul soutien, celui de la droite réactionnaire. Par ailleurs, les États-Unis se mirent à appuyer les troupes libérales de Juárez, qui regagna peu à peu du terrain, jusqu'à la bataille de Querétaro où Maximilien fut fusillé le 19 juin 1867 (sur Maximilien, lire aussi la rubrique « Personnages »).

« Dictadores y revolución » : soubresauts d'une république

De 1876 à 1911, le dictateur Porfirio Díaz apporta au pays une stabilité politique suffisamment forte pour attirer les investisseurs étrangers (lire la rubrique « Personnages »). Mais c'est tout ce qu'on peut dire pour sa défense. Le mécontentement qui grondait dans l'ombre prit le visage de Francisco Madero qui renversa Porfirio Díaz en 1911 puis se fit élire président de la République. Mais Madero fit des compromis désastreux, se mit les capitaux américains à dos, favorisant ainsi l'essor du mouvement contre-révolutionnaire mené par Victoriano Huerta. Le nouveau régime était instable. Madero fut trahi par Huerta qui, à peine arrivé au pouvoir, le fit assassiner. Une nouvelle dictature commença, pas pour longtemps. Huerta devait non seulement lutter contre les troupes révolutionnaires, mais aussi faire face à l'hostilité américaine. En effet, le nouveau président américain Wilson soutenait Pancho Villa et Venustiano Carranza. Le peuple mécontent se souleva de nouveau avec à sa tête Pancho Villa, Zapata et Carranza. Ce dernier devint à son tour président (1915), mais mena la guerre durant 5 ans contre les guérilleros de Villa et de Zapata (voir la rubrique « Personnages »). Ce n'est qu'en 1920 que la guerre civile prit fin. Zapata et Carranza furent assassinés. Trois ans plus tard, Pancho Villa fut également éliminé.

Le XXe siècle : népotisme et corruption

L'histoire politique contemporaine du Mexique est celle d'un régime plus qu'original : la démocratie à parti unique ! De 1928 à 2000, tous les présidents sont sortis des rangs du PRI, le Parti Révolutionnaire Institutionnel (il faut le faire !), qui cherche à concilier toutes les tendances en même temps... en se prétendant démocratique, bien entendu. Une hégémonie qui se maintiendra grâce au clientélisme, à la corruption et à la fraude électorale, durant plus de 70 ans. La machine est parfaitement huilée. Comme le mandat présidentiel n'est pas renouvelable, c'est le président sortant qui, à la fin de son mandat de 6 ans, désigne le prochain candidat, autrement dit le futur président. C'est le fameux *dedazo,* mot qui vient de « doigt », le président indiquant de son index tout puissant son dauphin au cours d'une réunion du conseil des ministres. Cette coutume est d'une efficacité machiavélique. Elle assure la continuité du système tout en donnant l'impression d'un changement : le nouveau président est plus jeune, il incarne une nouvelle génération et les aspirations du renouveau. Il est chargé de régénérer le pouvoir. En réalité, ce n'est qu'un héritier fidèle et soumis, garant du maintien de cette « dictature parfaite », selon l'expression de l'écrivain Mario Vargas Llosa. Si le poulain se montre par trop rebelle ou progressiste, il disparaît, comme ce fut le cas de Luis Donaldo Colosio, candidat officiel du PRI, retrouvé assassiné au cours de la campagne des élections présidentielles de 1994.
Une autre tradition propre au régime mexicain est la crise économique qui agite le pays tous les 6 ans, lors du changement de président. Le sexennat se termine dans l'incertitude, le cours du peso dégringole, l'inflation s'envole

et les capitaux avec. La population, qui voit ses économies fondre comme neige au soleil, encaisse le choc en jetant l'opprobre sur le président sortant. En revanche, cela sert le nouvel arrivant qui promet que, cette fois, les choses vont changer...

« *La dictature parfaite* »

À l'actif du PRI : la stabilité politique. Durant le premier versant du XXe siècle, le président Lázaro Cárdenas a mené à bien la réforme agraire. Celle-ci, achevée en 1936, a distribué 17 millions d'hectares aux paysans regroupés en coopératives *(ejidos)*. Autre mesure d'importance : la nationalisation des compagnies pétrolières en 1938, suivie de l'entrée en guerre contre le fascisme en 1942 (quelques escadrons sont envoyés en Europe). Après la guerre, la politique d'industrialisation est poursuivie, soutenue par une opération « portes ouvertes » aux capitaux étrangers. Cependant, l'arrivée au pouvoir de Luis Echeverría (1970-1976) marquera un tournant vers la gauche avec un programme de nouvelles réformes agraires et de nationalisations dans le secteur des matières premières. Plus tard, ce sera au tour des banques d'être nationalisées, mais cette mesure n'aura pas de résultats notables sur la stabilité de l'économie.

L'élection en 1982 d'un nouveau président, Miguel de la Madrid, a marqué un retour en force de l'aile droite du parti avec son cortège de privatisations, une politique d'austérité et de rigueur sociale, qui ne marcheront guère mieux. De plus, une série de catastrophes naturelles (tremblement de terre de Mexico en 1985, cyclones divers et accroissement de l'intensité de l'activité volcanique) ne sont pas là pour arranger les choses...

En 1988, Carlos Salinas de Gortari a été élu avec à peine plus de 50 % des voix. Ce n'est pas seulement son élection qui est contestée, mais son mandat tout entier. Que pouvait attendre le Mexique d'un président qui tua son cheval d'une balle de revolver pour avoir perdu aux Jeux olympiques ? Pas grand-chose, sinon de la corruption à grande échelle. Le temps d'un sexennat, l'homme est devenu multimilliardaire. Son frère est actuellement en prison, et lui en exil « volontaire » à l'étranger. Son sexennat s'est terminé par une grave crise économique (« l'erreur de décembre », en 1994) qui a annulé d'un coup les quelques résultats obtenus dans le domaine financier : en quelques jours, le peso a perdu 50 % de sa valeur (coût estimé à 60 milliards de dollars).

Schizophrénie à la mexicaine

Le Mexique bouge, mais presque malgré lui. Ce paradoxe atteint son paroxysme durant les années 1990. Alors que le système institutionnel essaie de maintenir la façade coûte que coûte, le peuple mexicain y croit de moins en moins tout en voulant y croire encore. L'image est trop belle pour l'abandonner si vite. Les *telenovelas* et la publicité, omniprésentes à la télévision, représentent l'archétype de la réussite et ne montrent, dans un racisme simpliste (ou vice versa), que des Blancs, rien que des Blancs. Quand des indigènes apparaissent, c'est dans des rôles de voleurs, malfrats ou tout simplement d'idiots du village. Il y a pourtant près de 500 ans que la colonisation a eu lieu, mais la situation des indigènes n'a toujours pas évolué. Quant au Mexicain moyen, il n'a toujours pas digéré son métissage, écartelé entre ses origines préhispaniques et l'influence occidentale, particulièrement nord-américaine.

Depuis belle lurette, le Mexique est soumis à une nouvelle colonisation, celle des États-Unis. L'influence nord-américaine est de plus en plus forte. Et le *Tratado de Libre Comercio* (Alena) signé en 1994 n'a fait que renforcer ce processus de fascination-rejet. Pour résumer la situation, les Mexicains utilisent le dicton de Porfirio Díaz : *Pobre Mexico, tan lejos de Dios y tan cerca de los Estados Unidos* (« Pauvre Mexique, si loin de Dieu et si près des États-Unis »). Si les pauvres essaient justement de fuir Dieu et de passer au nord du río Grande pour trouver du travail, les riches, eux, imitent carrément le style de vie américain, avec les mêmes grosses bagnoles, les mêmes piscines tape-à-l'œil, les mêmes vacances à Miami et les mêmes maisons au gazon bien tondu.

C'est certes un paradoxe mais, pour l'élite du pays, tout ce qui est mexicain est objet de rejet plus ou moins conscient. C'est ce qu'on appelle ici le *malinchismo*, du nom de la Malinche, cette fameuse Indienne qui s'est jetée dans les bras de l'envahisseur Cortés pour devenir sa maîtresse et sa traductrice. Tout le drame du Mexique s'est joué là, dans cette liaison que d'aucuns nomment trahison (lire à ce propos *Le Labyrinthe de la solitude* du Prix Nobel Octavio Paz). Il en est né l'un des premiers métis du continent, fils de Malintzín l'autochtone et de Cortés le conquérant blanc.

Les indigènes, eux, fournissent une main-d'œuvre bon marché et inépuisable pour les entreprises mexicaines et étrangères, tandis que leurs femmes, en jupe bleu layette et petit tablier de dentelle, travaillent comme servantes dans les maisons de la bourgeoisie.

L'entrée dans le XXIe siècle

Vers la démocratie

Cependant, derrière les apparences, les Mexicains ne peuvent nier plus longtemps les drames qui se jouent au quotidien dans un pays qui compte 40 millions de pauvres sur 100 millions d'habitants. Conséquence directe de la pauvreté : la violence, ce fléau dont est victime le citadin, sous la forme d'enlèvements, braquages, arnaques, etc. Cette montée de l'insécurité n'est pas sans rapport avec le laxisme de la police et la corruption du système policier et judiciaire. Et puis, il y a la question indigène qui éclate comme une bombe en 1994, avec la révolte des Indiens du Chiapas menés par le Sous-commandant Marcos (voir plus loin la rubrique « Zapatistes »). Finalement, le mouvement zapatiste a un vrai mérite, celui d'avoir réveillé le Mexique du mirage de l'Alena, de l'OCDE et du gouvernement tape-à-l'œil de Salinas de Gortari.

Le signal d'alarme a été entendu. Le président Ernesto Zedillo, élu en 1994, commence à lâcher du lest et réalise des réformes qui permettent au Mexique de s'ouvrir au jeu démocratique. La plus significative est celle de l'organisation politique du district fédéral (Mexico). Auparavant nommé par le président de la République, le maire de Mexico sera désormais élu au suffrage universel. Depuis les premières élections en 1997, c'est d'ailleurs le PRD, parti d'opposition (gauche modérée), qui occupe la mairie.

L'alternance. Enfin !

L'année 2000 a marqué un tournant dans l'histoire politique du Mexique. Après 71 ans de domination du PRI, c'est enfin l'alternance. L'élection présidentielle de juillet 2000 voit en effet la victoire de Vicente Fox, du Parti d'Action Nationale (PAN, obédience chrétienne de droite). Ce tribun populiste au bagou de VRP, ancien PDG de Coca-Cola Mexique, doit affronter une immense tâche. C'est un pays ankylosé depuis des décennies qu'il faut faire sortir de sa gangue. De toute évidence, Fox a trop promis : réforme de l'État, éradication de la pauvreté, lutte contre la corruption, combat contre la violence, réforme de l'éducation, accords de paix au Chiapas, redistribution des revenus, rééquilibrage Sud-Nord... À la fin de son mandat, en 2006, la déception est au rendez-vous. Sans majorité absolue au parlement, Fox a dû revoir à la baisse de nombreux programmes, notamment la lutte contre la pauvreté, la réforme fiscale ou celle de l'énergie électrique. À sa décharge cependant, la lutte contre la corruption au quotidien (pot-de-vin aux policiers, aux administrations, etc.). Celle-ci aurait baissé de 3 % depuis son arrivée au pouvoir. Quoi qu'il en soit, son mandat s'est terminé en juillet 2006, laissant chez les Mexicains une profonde amertume : mais c'est Felipe Calderón du parti sortant qui a été élu, battant sur le fil le candidat de la gauche.

Repères

– **1400 av. J.-C à 300 av. J.-C. :** période préclassique.
– **300 av. J.-C. à 700 apr. J.-C. :** c'est l'âge des civilisations dites classiques, telles que Teotihuacán, El Tajín, les Zapotèques (dans la vallée d'Oaxaca) et les Mayas (Tikal, Palenque). La plupart de ces civilisations connaissent une fin brutale vers l'an 1000.
– **935-947 :** les Toltèques s'installent au Yucatán.
– **1168 :** chute de Tula, ville symbole des Toltèques ; apparition de la tribu des Mexica ou Aztecas.
– **1325 (env.) :** les Aztèques s'installent le long de la rive ouest du lac de la vallée de Mexico.
– **1519 :** Cortés débarque sur la côte du golfe du Mexique (vers Veracruz) et atteint Tenochtitlán (Mexico).
– **1521 :** chute de la capitale de l'empire aztèque, Mexico-Tenochtitlán, qui tombe aux mains des Espagnols.
– **1524 :** conquête du Guatemala par Pedro de Alvarado.
– **1598 :** les Espagnols sont implantés sur tout le territoire du Mexique actuel.
– **1810 :** un groupe de créoles, sous la conduite de Miguel Hidalgo, organise un complot contre les Espagnols. C'est le début de la guerre d'Indépendance.
– **1811 :** défaite de l'armée d'Hidalgo, qui sera fusillé. Morelos et Guerrero reprennent les combats contre les royalistes.
– **1821 :** traité de Córdoba, qui consacre l'indépendance du Mexique.
– **1846-1848 :** guerre entre le Mexique et les États-Unis d'Amérique. Perte du Texas, du Nouveau-Mexique et de la Haute-Californie.
– **1861 :** Benito Juárez est élu président de la République. Voir la rubrique « Personnages ».
– **1864-1867 :** l'archiduc Maximilien d'Autriche est sacré Empereur du Mexique et gouverne grâce à l'occupation militaire française. Voir la rubrique « Personnages ».
– **1876-1911 :** long règne dictatorial de Porfirio Díaz (le « Porfiriato »). Voir la rubrique « Personnages ».
– **1911 :** début de la Révolution. Francisco Madero amorce une réforme sociale et agraire.
– **1913 :** Madero est trahi par le général Huerta et assassiné. Luttes intestines, parfois féroces, entre les différents protagonistes de la Révolution : Huerta, Venustiano Carranza, Pancho Villa, Emiliano Zapata, etc.
– **1923-1934 :** le président Carranza et ses amis anticléricaux déclenchent la guerre civile contre les catholiques ; les conflits *(christiades)* culminent en 1926 avec les lois Calles. Ces guerres très meurtrières vont durer plus de 10 ans.
– **1934-1940 :** sous la présidence du général Cárdenas, importante réforme agraire et nationalisation des compagnies pétrolières. Création de *Petroleos Mexicanos* (Pemex), qui deviendra l'une des cinq plus grandes compagnies de pétrole du monde.
– **1942 :** après maintes hésitations, le Mexique déclare la guerre à l'Axe.
– **1964-1970 :** présidence de Gustavo Díaz Ordaz qui semble être impliqué dans le massacre de Tlatelolco.

– *1968 :* massacre de Tlatelolco ; suivant l'exemple de Paris, des révoltes étudiantes se terminent par un bain de sang le 2 octobre, sur la place des Trois-Cultures. Des centaines de morts. Les Jeux olympiques ont lieu quatre jours après.

– *1970-1976 :* présidence de Luis Echeverría. Démocratisation du régime.

– *1982 :* élection de Miguel de la Madrid à la présidence. Crise financière, point de départ d'un virage néo-libéral.

– *1985 :* terrible tremblement de terre à Mexico. Plus de 750 édifices (immeubles, hôpitaux, hôtels...) s'écroulent. Des dizaines de milliers de morts. Le pays est traumatisé.

– *1988 :* élection contestée de Carlos Salinas (PRI). Commencent six ans de privatisation massive et de corruption à grande échelle.

– *1994 :* soulèvement des Indiens zapatistes de l'État du Chiapas menés par Marcos. Le même jour, le 1er janvier, signature de l'Accord de libre-échange nord-américain (Alena) qui libère les frontières commerciales entre le Canada, les États-Unis et le Mexique. Le Mexique devient le premier pays du tiers-monde à accéder à l'OCDE. Élection d'Ernesto Zedillo. Dévaluation du peso.

– *1996 :* le 16 février sont signés les accords de San Andrés entre les zapatistes du Chiapas et le gouvernement sur « les droits et cultures indigènes » (toujours pas appliqués).

– *1998 :* l'année des désastres écologiques. Graves incendies de forêt. La pollution bat tous les records. Inondations dans le Chiapas. L'ouragan *Mitch* frappe le sud du pays (et une grande partie de l'Amérique centrale).

– *2000 :* fin d'une grève étudiante de plus d'un an à l'UNAM (la plus grande université d'Amérique latine). Alternance historique avec l'élection de Vicente Fox (PAN) à la présidence. Entrée en vigueur du traité de libre commerce avec l'Union européenne.

– *2002 :* 5e visite du pape à Mexico. Il canonise Juan Diego, le « petit indigène » à qui est apparue la Vierge de la Guadalupe. Énorme affaire de corruption chez Pemex, qui met en cause les dirigeants et les syndicats.

– *2003 :* malgré l'étroitesse de ses relations économiques avec les États-Unis, le Mexique (présent à l'ONU) s'oppose à la guerre en Irak et au président Bush.

– *2005 :* après Stan au Chiapas, la saison des cyclones culmine avec l'ouragan Wilma (en octobre) qui ravage la Riviera maya, le plus dévastateur depuis la création de Cancún. La guéguerre des cartels de la drogue met en évidence la complicité à très haut niveau de la police avec les narcotrafiquants, et en particulier la protection dont bénéficie le cartel de Sinaloa de la part de l'Agence Fédérale d'Investigation.

– *2006 :* à partir de janvier, nouvelle marche des zapatistes à travers le pays. En avril, la mort de 65 mineurs dans une mine de charbon révèle plusieurs scandales dont l'immense fortune du leader syndical des mineurs ! La première moitié de l'année est dominée par la campagne électorale pour les élections présidentielles de juillet. Un scrutin qui se déroule sous la menace d'un retour du PRI au pouvoir. Trois candidats en lice : Roberto Madrazo pour le PRI, Felipe Calderón du PAN (le parti sortant, droite conservatrice), et l'ancien maire de Mexico, Manuel Lopez Obrador pour le PRD (gauche modérée). Contre toute attente, c'est le candidat du parti sortant qui a été élu.

HOMOSEXUALITÉ

Les mentalités dans ce pays de machos sont beaucoup plus tolérantes qu'on ne pourrait le penser. Peut-être parce que dans certaines régions du pays, l'homosexualité masculine est une tradition culturelle extrêmement ancrée dans les mœurs. Dans l'isthme de Tehuantepec par exemple, les communautés zapotèques, organisées sur le modèle du matriarcat, intègrent dans leur organisation sociale les *muxe* (prononcez « muché », homosexuel en zapotèque), qui sont souvent le dernier fils de la famille, éduqué en conséquence. Ils s'habillent parfois, mais pas toujours, avec des vêtements féminins, le *huipil* brodé traditionnel. En tout cas, l'un de ces *muxe*, représentant des communautés indiennes à l'Unesco, voyage ainsi vêtu.

On trouve des bars et des discos gays dans toutes les grandes villes (Mexico détient sans doute un record en la matière) et les stations balnéaires, notamment à Puerto Vallarta.

HUMBOLDT, PREMIER GRAND ROUTARD

La vie des pays latino-américains pendant la colonisation espagnole reste l'un des thèmes les moins connus de l'histoire. Un Allemand sera l'un des principaux chroniqueurs du Mexique de cette période. Né à Berlin en septembre 1769, Alexandre von Humboldt est un grand voyageur. Associé au botaniste français Aimé Bonpland, il entreprend des études de la faune et de la flore aux Amériques. Mais cet aventurier, grand érudit curieux de tout, s'intéresse aussi à la sociologie (avant l'heure), à la démographie et à la géographie. Bref, tout ce qui se présente devant ses yeux est digne d'analyse et de réflexion. Cuba, le Venezuela et l'Équateur sont visités entre 1799 et 1802. Puis commence l'aventure mexicaine.

À cette époque, la Nouvelle-Espagne est la province la plus grande, la plus développée et la plus peuplée (5 millions d'habitants) de l'Empire espagnol. Mexico est déjà la ville la plus importante du continent, avec 130 000 âmes. Fin observateur, Humboldt fera des études sur la démographie, les mines, la défense (il anticipe même une invasion via Puebla !) et prévoit déjà la construction d'un canal dans l'isthme d'Amérique centrale entre l'océan Atlantique et le Pacifique. Il prendra aussi une part active aux études hydrauliques concernant la ville de Mexico qui, à l'époque, est régulièrement confrontée à de terribles inondations. Humboldt insiste beaucoup sur les rapports entre classes sociales et note aussi le fossé qui existe entre les Blancs, qui contrôlent l'économie de la région, et le reste du pays. Voir aussi la rubrique « Livres de route ».

INFOS EN FRANÇAIS SUR TV5

TV5MONDE vous accompagne : la chaîne TV5MONDE est reçue dans de nombreux hôtels du pays et disponible dans la plupart des offres du câble et du satellite.

Si vous êtes à l'hôtel et que vous ne recevez pas TV5MONDE dans votre chambre, n'hésitez pas à la demander ; vous pourrez ainsi recevoir 18 fois par jour des nouvelles fraîches de la planète en français.

Au Mexique, TV5 est présente par câble dans les villes de Mexico D.F., Monterrey et Puebla uniquement. La chaîne peut être également reçue dans tout le pays par satellite et en réception directe via Sky.

Pour tout savoir sur TV5, connectez-vous à ● www.tv5.org ●

ITINÉRAIRES SUGGÉRÉS

L'itinéraire parfait au Mexique n'existe pas, ou si... mais il faudrait six mois au moins. Voici cependant quelques suggestions qui peuvent vous aider à élaborer votre parcours. Dans leurs choix de destinations, les allergiques aux touristes n'oublieront pas que certaines régions du centre et du nord sont superbes, authentiques et nettement moins fréquentées que le Sud. Le Mexique ne se résume pas à ses temples mayas sur fond de cocotiers. D'ailleurs, les nombreuses villes mexicaines classées au Patrimoine mondial de l'Humanité se trouvent pour la plupart au centre : Mexico, Guanajuato, Morelia, Zacatecas, Tlacotalpán, Querétaro, Puebla, Guadalajara, Teotihuacán.

La route maya

Mérida – Uxmal – Ruta Puuc – Chichén Itzá – Tulum – Río Bec – Palenque – Yaxchilán – Bonampak – Comitán – San Cristóbal de las Casas

Le Mexique colonial

Cet itinéraire permet d'admirer les splendeurs de l'époque de la vice-royauté de la Nouvelle-Espagne et de l'art baroque :
Mexico – Tepotzotlán – Querétaro – San Miguel de Allende – Guanajuato – San Luis Potosí – Real de Catorce – Zacatecas – Guadalajara – Tlaquepaque – Morelia – Pátzcuaro – Mexico

Vers le nord

Mexico – Puerto Vallarta – Los Mochis – Creel (Barranca del Cobre) – Chihuahua – Zacatecas – Guadalajara – Manzanillo – Morelia – Pátzcuaro – Mexico (ou retour par les villes coloniales de Guanajuato, San Miguel de Allende et Querétaro)

La route olmèque-maya

De Mexico-Tenochtitlán à la « Rivera Maya » en passant par le territoire olmèque :
Mexico – El Tajín – Xalapa (Musée olmèque) – Veracruz – Villahermosa – Palenque – Campeche – Mérida – Uxmal – Chichén Itzá – Tulum – Playa del Carmen – Mexico

De la sierra aux plages du Pacifique

Mexico – Puebla – Oaxaca – Monte Albán – Palenque – San Cristóbal de Las Casas – Puerto Angel – Puerto Escondido – Acapulco – Taxco – Mexico

LANGUE

Seul l'espagnol est reconnu comme langue officielle au Mexique, alors qu'il existe aussi 56 langues indiennes ! Voici un extrait de *Patas Arriba, la escuela del mundo al revés*, d'Eduardo Galeano : « En 1986, un député mexicain visite la prison de Cerro Hueco, au Chiapas. Là, il rencontra un Indien Tzotzil, qui avait égorgé son père et avait été condamné à 30 années de prison. Mais le député découvrit aussi que le défunt père apportait tous les midis des *tortillas* et des *frijoles* à son fils emprisonné ! Ce prisonnier tzotzil avait été interrogé et jugé dans la langue castillane, qu'il comprenait peu ou pas, et, encouragé par une bonne rossée, avait avoué être l'auteur du patricide. »
Si le mixtèque, le maya, le zapotèque ou le nahuatl vous paraissent trop difficiles, essayez au moins d'apprendre quelques rudiments d'espagnol avant le départ. Ce sont ceux-ci qui feront toute la différence et l'agrément pendant le séjour.

«Pour vous aider à communiquer, n'oubliez pas notre Guide de conversation du routard en espagnol. »

Le B.A.-BA

Oui	*sí*
Non	*no*
Je, moi	*yo*
Tu, toi	*tú* (prononcez « tou »)
Il, lui, elle	*él, ella*
Bonjour	*buenos días* (*hola* = salut), *buenas tardes* (à partir de midi)

Bonsoir	*buenas noches*
À bientôt, au revoir	*hasta luego, adios*
Comment ça va ?	*¿ Qué tal ?*
S'il vous plaît	*por favor*
Merci	*gracias*
Pardon	*perdón*
Excusez-moi	*disculpe*
Parlez-vous français ? Parles-tu français ?	*¿ Habla usted francés ? ¿ Hablas francés ?*
Je ne comprends pas	*no entiendo*
Comment ?	*¿ Cómo ?*
Comment t'appelles-tu ?	*¿ Cómo te llamas ?*
Je voudrais...	*quisiera...*
Hier	*ayer*
Aujourd'hui	*hoy*
Demain	*mañana*
Ce matin	*esta mañana*
Ce soir	*esta tarde*
Crème antimoustiques	*repelente para mosquitos*
Crème à bronzer	*bronzeador* ou, mieux, *protector de sol*
C'est combien ?	*¿ Cuánto es ?*
Cher	*caro*
Trop cher	*demasiado caro*
Bon marché	*barato*

Les services

Bureau de tourisme	*oficina de turismo*
Bureau de poste	*oficina de correo*
Timbre	*timbre* (prononcez « timmebré »)
Police touristique	*policía turística*
Banque	*banco*
Bureau de change	*casa de cambio*
Argent	*dinero*
Distributeur de billets	*cajero automático*
Carte téléphonique	*tarjeta de teléfono*
Cabine téléphonique	*teléfono público*
Pharmacie	*farmacia*
Hôpital	*hospital*
Consigne à bagages	*guarda equipaje*

Circuler, les transports

Où ?	*¿ Dónde ?*
Où est la (le) ?	*¿ Dónde está la (el) ?*
Quelle est la direction de... ?	*¿ Cuál es la dirección de... ?*
À gauche	*a la izquierda*
À droite	*a la derecha*
Est-ce la route de... ?	*¿ Ésta es la carretera de... ?*
Pompe à essence	*gasolinera*
Station de bus	*estación de autobuses, terminal de camiones, central camionera*
Quel est le bus pour... ?	*¿ Cuál es el camión para... ?*
À quelle heure part le car ?	*¿ A qué hora sale el camión ?*
À quelle heure arrive l'avion ?	*¿ A qué hora llega el avión ?*
Billet de bus, d'avion	*boleto de camión, de avión*
Bus urbain	*colectivo, pesero, combi...*
Louer une voiture	*rentar un coche*
Permis de conduire	*licencia*

Dormir, l'hébergement

Dormir	*dormir*
J'ai bien (mal) dormi	*dormí bien (mal)*
Chambre	*cuarto, habitación*
Combien par nuit ?	*¿ Cuánto por noche ?*
Un couple	*una pareja*
Lit à deux places	*cama matrimonial*
Avec (sans) salle de bains	*con (sin) baño*
Eau chaude, eau froide	*agua caliente, agua fría*
Serviette de toilette	*toalla* (prononcez « toiya »)
PQ	*papel de baño*
Savon	*jabón* (prononcez « rabonne »)
Ventilateur	*ventilador, abanico*
Air conditionné	*aire condicionado, climatización*
Cafards (!)	*cucarachas*
Scorpion (tant qu'on y est)	*alacrán*
Hamac	*hamaca*
Tente	*tienda de campaña*

Manger, au restaurant

Manger	*comer*
Petit déjeuner	*desayuno*
Casse-croûte de 10 h	*almuerzo* (très courant)
Déjeuner ou repas	*comida*
Dîner	*cena*
Garçon !, Mademoiselle !	*¡ Joven !, ¡ Señorita !*
Menu	*menú* ou *comida corrida*
Carte	*carta*
Boire	*beber, tomar*
Vin rouge, blanc	*vino tinto, blanco*
Eau plate (minérale)	*agua sola*
Eau gazeuse	*agua mineral*
Bière	*cerveza*
Jus de fruits	*jugo de fruta*
Jus d'orange	*jugo de naranja*
Lait	*leche*
Sans glaçons	*sin hielo*
Pain	*pan*
Beurre	*mantequilla*
Glace (à manger)	*helado*
Bon	*bueno* et surtout *rico*
Mauvais	*malo*
Plus	*más*
Moins	*menos*
C'est bien ainsi	*está bien*
L'addition	*la cuenta*
Ma monnaie, SVP !	*¡ Mi cambio, por favor !*
Service compris	*servicio incluido*
Pourboire	*propina*
Carte de paiement	*tarjeta de crédito*
Espèces	*efectivo*
Les toilettes, SVP	*los baños, por favor*

Des chiffres et des jours

1	*uno*	3	*tres*
2	*dos*	4	*cuatro*

5	*cinco*	40	*cuarenta*
6	seis	50	*cincuenta*
7	*siete*	60	*sesenta*
8	*ocho*	70	*setenta*
9	*nueve*	80	*ochenta*
10	*diez*	90	*noventa*
20	*veinte*	100	*ciento* ou *cien*
30	*treinta*		

Jour	*día*	Jeudi	*jueves*
Semaine	*semana*	Vendredi	*viernes*
Lundi	*lunes*	Samedi	*sábado*
Mardi	*martes*	Dimanche	*domingo*
Mercredi	*miércoles*		

Quelques expressions spécifiquement mexicaines

– *¿ Mande ? :* quoi ? Comment ?
– *Es padre :* c'est super, c'est le pied ! (très utilisé).
– *Hongos :* champignons (pas toujours hallucinogènes).
– *Lana :* fric, pèze.
– *Ahorita :* tout de suite, dans une heure, quand on aura le temps...
– *Camión :* autocar ou bus.
– *Guero* (« huero ») *:* les personnes à la peau blanche (en opposition aux métis). L'équivalent sympathique de *gringo.*
– *Fresa :* bourgeois, snob, fils à papa. Le routard lui paraît un extra-terrestre.
– *Mordida :* au sens propre du terme, la morsure. Celle que vous inflige le douanier ou le policier quand vous lui glissez quelques pesos (parfois plus) pour résoudre un petit contentieux...
– Méfiez-vous du verbe *chingar,* très fréquent... et très injurieux ! Essayez de ne pas répliquer sur le même ton... À ce propos, se référer au chapitre que Paz lui consacre dans *Le Labyrinthe de la solitude.* Une vraie leçon de sémantique.

LIVRES DE ROUTE

Histoire et essais

– **Le Jade et l'Obsidienne,** d'Alain Gerber (éd. Le Livre de Poche, 1986). L'Empire aztèque, les sacrifices, les dieux et les guerres.
– **La Vie quotidienne des Aztèques à la veille de la conquête espagnole,** de Jacques Soustelle (éd. Hachette, coll. La Vie quotidienne, 1955 et 1995). Vous ignorez tout des Zapotèques, des Mixtèques ou des Toltèques ? Vous confondez Huitzilopochtli et Tenochtitlán ? Voici LE classique de base pour y remédier. Très facile à lire.
– **Essai politique sur le Royaume de la Nouvelle-Espagne,** d'Alexandre von Humboldt (les éditions Utz ont publié la version de 1811). Le résultat des observations sur le Mexique de la colonisation par ce grand voyageur érudit. Voir plus haut le paragraphe consacré à Humboldt.
– **Histoire de Mexico,** de Serge Gruzinski (éd. Fayard, 1996). L'histoire de Mexico-Tenochtitlán écrite par un spécialiste du Mexique. Certes, c'est un pavé, mais vous saurez tout sur les tribulations de la capitale mexicaine, depuis sa fondation par les Aztèques jusqu'à nos jours. Avec, en plus, des photos, une monstrueuse bibliographie, une filmographie et même une discographie.
– **Le Destin brisé de l'Empire aztèque,** de Serge Gruzinski (éd. Gallimard, coll. Découvertes, 1988). Du même auteur, mais avec des images ! L'histoire des Mexicas, guidés par leur dieu Huitzilopochtli et l'arrivée de Cortés. Riche et ludique.

– *Les Tarahumaras,* d'Antonin Artaud (éd. Gallimard, 1971 ; Folio-Essais n° 52). En 1936, le poète Antonin Artaud pousse sa quête initiatique au Mexique : il part au devant des Indiens Tarahumaras.

– *Marcos, la dignité rebelle - Conversations avec le sous-commandant Marcos,* d'Ignacio Ramonet (éd. Galilée, 2001). Peu après la Marche pour la dignité indienne, Ignacio Ramonet (rédacteur en chef du *Monde Diplomatique*) et Daniel Mermet (producteur de l'émission *Là-bas, si j'y suis* sur France Inter) sont allés rencontrer le *subcomandante* Marcos dans la forêt Lacandone. Série d'entretiens avec celui qui est devenu l'une des grandes figures (masquées !) du mouvement de l'anti-globalisation.

– *La Rébellion indigène du Mexique,* de Carlos Montemayor (éd. Syllepse, 2001). Par une analyse des luttes indigènes et des guérillas récentes au Mexique, l'auteur explique les origines du mouvement zapatiste actuel. Clair et très intéressant.

– *La Fragile Armada,* de Jacques Blanc, Yvon Le Bot, Joani Hocquenghem et René Solis (éd. Métailié, 2001). Articles des différents auteurs ponctués d'extraits de textes, interventions, contes et communiqués de Marcos et des commandants zapatistes.

– *Histoire des Indes,* de Bartolomé de Las Casas (éd. du Seuil, 2002, 3 vol.). Né en Espagne en 1474, cet évêque du Chiapas, qui a consacré sa vie à la défense des communautés indiennes, consigne avec précision dans cette œuvre historique un ensemble de témoignages, d'expériences vécues qui dénoncent la brutalité et les crimes de la conquête espagnole. Quatre siècles après sa mort, Las Casas demeure toujours une figure emblématique auprès de la population indienne.

– *Histoire véridique de la conquête de la Nouvelle-Espagne,* de Bernal Díaz del Castillo (éd. Maspéro, La Découverte, 1980, 2 vol.). Premier découvreur espagnol de la terre mexicaine en 1517, compagnon d'armes d'Hernán Cortés lors de la conquête de Mexico-Tenochtitlán, Bernal Díaz del Castillo (1494 ou 1495-1584) raconte la chronique détaillée des événements dont il a été acteur et témoin de 1517 à 1521, quatre années décisives qui marquent la fin du monde aztèque et le début de la colonisation espagnole au Mexique (au XVIᵉ siècle, on l'appelait Nouvelle-Espagne). Son récit décrit « sans aucune flatterie » le quotidien des conquistadors avides d'or et de puissance, leur admiration devant la splendeur de Mexico et de l'Empire aztèque, mais aussi leur effroi devant les rites sacrificiels. Il explique la stratégie – mélange de ruse et de violence – de Cortés qui se présente au départ comme un libérateur. Si, comme nous, vous vous posez la question : comment une troupe de 450 soldats espagnols a-t-elle réussi à s'approprier un empire et à abolir la civilisation la plus avancée d'Amérique, lisez ce livre !

– *Le Rêve mexicain,* de Jean-Marie Le Clézio (coll. Folio, Gallimard, 1988). À lire après la chronique de Bernal Díaz del Castillo. Que serait le Mexique aujourd'hui si les conquérants espagnols n'avaient pas détruit la civilisation aztèque ? Que serait notre civilisation occidentale si la violence du monde moderne n'avait aboli cette culture étonnante ? J.M.G Le Clézio démontre que la conquête du Mexique est née de la rencontre de deux rêves antagonistes : le rêve du conquistador (rêve d'or et de puissance) et le rêve aztèque issu d'un mythe ancien selon lequel un jour des sauveurs viendraient de l'autre côté de la mer pour les subjuguer. Éblouis par le faste de cette civilisation inconnue mais horrifiés par la cruauté des sacrifices humains, les Espagnols affrontèrent Moctezuma et les Aztèques stupéfaits de voir ces demi-dieux européens se transformer en conquérants sanguinaires. Le rêve s'effondre, laissant la place aux armes, aux missionnaires et aux colons. De ce premier choc brutal entre l'Occident et l'Amérique, en 1519, va naître le Mexique colonial d'où vient le Mexique moderne. Près de 500 ans après, en Amérique latine, les indigénistes et les hispanistes continuent de s'affronter.

Romans

– *Au-dessous du volcan,* de Malcolm Lowry (éd. Grasset, 1947 ; Folio n° 351). Roman dont l'action se situe à Cuernavaca, longue plainte frénétique, exaltée, violente, démoniaque, sur l'amour, l'alcool, la mort, la déchéance, l'impossibilité de communiquer.

– *Le Serpent à plumes,* de D.H. Lawrence (LGF, 1926 ; Biblio-Poche n° 3047). Le spectacle terrifiant et inoubliable d'une corrida mexicaine ouvre ce roman, histoire d'une jeune femme arrivant au Mexique et tombant sous le charme de cet étrange pays.

– *La Puissance et la Gloire,* de Graham Green (éd. La Table Ronde, 1949). Suite à une visite dans le Tabasco en 1938, l'écrivain en rapporte ce célèbre roman, porté plus tard à l'écran sous le titre *Dieu est mort,* de John Ford, avec Henry Fonda.

– *Azteca,* de Gary Jennings (éd. Le Livre de poche, n° 6929). LA saga par excellence avec pour toile de fond le Mexique avant la colonisation. Massacres, sacrifices, rebondissements en tout genre, ça pulse sec !

– *Cosa fácil,* de Paco Ignacio Taïbo II (éd. Rivages/Noir, 1995). Mexicain « pur jus » d'origine espagnole, l'auteur nous conte les insomnies d'un privé entre un meurtre sur fond de conflit syndical, le racket de la fille d'une actrice X et la quête de la nouvelle identité de Zapata ; c'est toute la sensualité irrationnelle de Mexico qui vous envahit au fil des pages. « Putain de merde ! Cette ville est vraiment magique. Il s'y passe des saloperies incroyables. » Si vous êtes séduit, sachez que Taïbo a commis d'autres polars tout aussi croustillants.

– *Puerto Escondido,* de Pino Cacucci (éd. Bourgois, 1994). Mais en voilà un routard ! Ne demandant rien à personne, le voici pourchassé d'Italie au Mexique après un épique détour par Barcelone et sa « movida ». On piste ensuite notre aventurier dans ses tribulations de Mexico DF à Oaxaca et Puerto Escondido. Conçu tel un *road book* avec de l'humour, de l'action, de la défonce et de l'amour. À dévorer les pieds en éventail dans un hamac sur la plage de Puerto Escondido.

Auteurs mexicains

Octavio Paz (poète et essayiste, prix Nobel de littérature en 1990), *Carlos Fuentes* (dont le dernier livre, *Contre Bush,* paru en 2004, fustige le président américain), *Elena Poniatowska, Castañeda, Rulfo*...

– *La plus limpide région,* de Carlos Fuentes (éd. Gallimard, 1964 ; Folio n° 1371). Ce roman, situé dans les années 1950, a fort justement été comparé à un puzzle : des personnages très différents (certains ont réellement existé, d'autres sont inventés, d'autres enfin sont des anges...), des intrigues qui s'enchevêtrent mêlant le romanesque, le mythe et l'histoire.

– Pour ceux qui lisent l'espagnol, deux romans prenants de Velazco Pina : *Tlacaelel* et *Regina.* Le premier raconte la conquête du pouvoir par les Aztèques et l'histoire d'un personnage clé, Tlacaelel, détenteur de l'emblème sacré de la religion. Le second relate le rôle de Regina, jeune Mexicaine, pendant la sanglante révolution d'octobre 1968, à Tlatelolco.

Beaux livres

– *Livres d'art et de photos sur le Mexique.* Des beaux livres sur les « muralistas » (Rivera, Orozco, Siqueiros), sur les cultures mexicaines, sur la nature ou sur les paysages sont disponibles dans les grandes librairies de Mexico (la chaîne Gandhi ou les librairies du quartier de Coyoacán). Parfois, on trouve des versions françaises. En France, le *Carnets mexicains, 1934-1964* d'Henri Cartier-Bresson est remarquable.

– *Mexico mosaïque* (éd. Autrement, 2000). Un superbe catalogue consacré aux objets typiques du Mexique, depuis le fameux sombrero jusqu'à la *piñata* en passant par le presse-tortillas, le papier de soie, la bonbonne d'eau... Très belles photos en noir et blanc accompagnées de petits textes.

MARCHANDAGE

Il est une loi non écrite au Mexique, qui prescrit de marchander dans tous les marchés (surtout pour les produits artisanaux). Pour cela, il est conseillé de spécifier dès le début que vous n'êtes pas un *gringo* et que vos moyens sont limités. Si vous parlez l'espagnol, ne serait-ce que quelques mots, les artisans vous considéreront autrement et ils baisseront les prix. Cela dit, il faut éviter de trop en faire : bien souvent, on mégote auprès des indigènes pour trois fois rien, alors que l'on ferme son bec dès que l'on se trouve dans une boutique chic de Cancún ou de Polanco... En réalité, l'artisanat demande du temps, beaucoup de travail et de savoir-faire, sans parler de la matière première, et c'est souvent l'unique source de revenus d'une famille. Les superbes œuvres des artisans mexicains, achetées pour deux bouchées de pain dans les villages de production, sont souvent vendues 10 fois leur prix d'achat dans des boutiques de décoration de New York ou Paris. Et là, on ne marchande pas...

MÉDIAS

« Presse vendue ! », scandaient les étudiants lors des manifestations qui furent réprimées dans le sang en 1968. L'époque est aujourd'hui révolue où les médias étaient à la botte de l'omniprésent Parti révolutionnaire institutionnel (PRI). La libéralisation de la presse a débuté dans les années 1990. Certains la situent même très précisément le 1er janvier 1994, date du soulèvement zapatiste dans les montagnes du Chiapas. Depuis, la critique du pouvoir est entrée dans les mœurs.

Journaux

La presse écrite est pour le moins vigoureuse. En 2001, on recensait pas moins de 328 quotidiens et 1 600 revues dans tout le pays ! Les quotidiens de référence à diffusion nationale se comptent néanmoins sur les doigts des deux mains. Ouvertement à gauche et proche des zapatistes, *La Jornada* symbolise peut-être le mieux la liberté de ton acquise depuis le 1er janvier 1994. Après avoir critiqué le gouvernement du PRI, le journal n'hésite pas maintenant à s'en prendre au PAN (parti au pouvoir). Plus modéré, le quotidien de centre droit *Reforma* est une référence en matière de couverture de l'actualité internationale. À côté se distinguent *El Universal* ou *Excelsior,* sérieux et complets. De plus en plus indépendant à l'égard du pouvoir, *Excelsior* est aussi le quotidien qui dispose du plus grand tirage (300 000 exemplaires). Dans la presse hebdomadaire, *Proceso* tient toujours le haut du pavé grâce un journalisme d'enquête et la qualité de ses reportages. Créé en 1976, cet hebdo est le vétéran de la presse d'opposition, mais il a du mal à rajeunir son image.

Télévision

Deux géants se partagent le petit écran : *TV Azteca* et (surtout !) le groupe *Televisa.* Ce dernier était détenteur du monopole sur la télévision, sous le contrôle de l'État, jusqu'au début des années 1990. Il compte toujours 4 chaînes nationales, dont celle qui dispose de la plus grande audience, la célèbre *Canal 2.* Géant de l'audimat, *Televisa* est aussi un géant de la production dans de nombreux domaines : télévision, radio, musique, cinéma, sport... Ses investissements précoces dans le câble et le satellite lui permettent de diffuser ses programmes dans toute l'Amérique latine. Sa participation dans le capital d'*Univisión,* la première chaîne de télévision de la communauté hispanique des États-Unis, étend son influence au territoire de son important voisin du Nord. *TV Azteca,* sa rivale sur le marché national, a fait son apparition en 1993 en profitant de la privatisation des deux principales chaînes publiques.

Au programme de la petite lucarne : *telenovelas, telenovelas* et *telenovelas* ! Ces feuilletons mettent en scène des héros qui doivent surmonter d'innombrables obstacles pour survivre aux coups du destin, le tout se terminant par un (inévitable) *happy end* où triomphent l'amour et la justice. Ils tiennent en haleine le pays entier, toutes classes confondues. Un véritable phénomène de société quand on sait qu'en moyenne une *telenovela* compte... 160 épisodes ! La concurrence avec *Televisa* a conduit *TV Azteca* à diffuser des *telenovelas* à caractère plus social. Cette nouvelle génération aborde des thèmes plus actuels comme la corruption des milieux politiques, la violence urbaine, l'homosexualité, les droits de la femme...

L'information est l'autre champ de bataille de la concurrence. La ligne éditoriale des journaux télévisés, après avoir été soumise durant des années à la loi de l'autocensure (voire à la censure politique), obéit dorénavant à la recherche de l'audimat. Autrement dit, le ton est passé de celui de la propagande à celui de la presse à sensation ! Heureusement, il existe quelques bonnes chaînes à caractère culturel, comme la *Canal 22* et l'excellente *Canal 11.* La télé par câble est très répandue. Dans les hôtels, vous aurez donc accès à de nombreuses chaînes américaines (dont CNN, en anglais ou en espagnol).

Liberté de la presse

Au cours de l'année 2005, le Mexique est devenu le pays le plus meurtrier du continent américain pour les journalistes. La presse locale, à l'inverse des grands médias nationaux, a rapidement fait les frais de l'appel d'air dont elle avait cru bénéficier à la fin du mandat d'Ernesto Zedillo et au début de celui de Vicente Fox. Depuis 2000, dix-huit journalistes sont tombés sous les balles de narcotrafiquants, de paramilitaires, voire de tueurs à gages à la solde de potentats locaux, dont la moitié dans le seul État de Tamaulipas (Nord-Est). Au cours de la première semaine d'avril 2005, deux journalistes ont été assassinés – Dolores Guadalupe García Escamilla, de la radio *Estéreo 91 XHNOE,* à Nuevo Laredo (Tamaulipas) et Raúl Gibb Guerrero, directeur du quotidien *La Opinión* à Papantla (Veracruz) – et un troisième, Alfredo Jiménez Mota, du quotidien *El Imparcial,* a disparu dans l'État de Sonora. Les trois s'étaient distingués par leurs enquêtes sur des affaires de contrebande ou de narcotrafic. Le début de l'année 2006 a encore alourdi ce sombre bilan : le photographe indépendant Jaime Arturo Olvera Bravo et le journaliste de radio Ramiro Téllez Contreras ont été tués à vingt-quatre heures d'intervalle, les 9 et 10 mars, le premier dans l'État du Michoacán, le second dans l'État de Tamaulipas (encore !). Malgré la mise en place d'une juridiction spéciale chargée des attaques contre la presse le 15 février 2006, les enquêtes ne donnent aucun résultat et la rivalité entre pouvoirs fédéral et local n'arrange rien. Outre les assassinats, les manœuvres de censure et d'intimidation sont le lot quotidien des journalistes de province, en butte à l'autorité de gouverneurs pas toujours respectueux de la liberté d'informer, ni des Droits de l'homme. Dans l'État d'Oaxaca, des partisans du gouverneur PRI ont saboté pendant plusieurs mois le fonctionnement du quotidien *Noticias de Oaxaca,* jusqu'à bloquer les accès de la rédaction.

L'emprisonnement abusif de la journaliste indépendante Lydia Cacho, qui avait révélé l'existence d'un réseau de pédophilie impliquant de hautes personnalités locales, a tourné au scandale d'État. La presse a fini par rendre public le contenu de conversations téléphoniques entre un entrepreneur du textile et le gouverneur de l'État de Puebla, Mario Marín, où les deux hommes envisageaient de « faire violer » la journaliste en cellule.

Une seule note encourageante se dégage de ce tableau plutôt sinistre : l'approbation par la Chambre des députés, en avril 2006, d'une loi garantissant le secret professionnel aux journalistes et l'introduction, dans la foulée, d'une dépénalisation des délits de presse. Ce dernier point n'a pas encore été débattu par le Sénat.

Ce texte a été réalisé en collaboration avec *Reporters sans frontières.* Pour plus d'informations sur les atteintes aux libertés de la presse, n'hésitez pas à les contacter :

■ *Reporters sans frontières :* 5, rue Geoffroy-Marie, 75009 Paris. ☎ 01-44-83-84-84. Fax : 01-45-23- 11-51. ● www.rsf.org ● Ⓜ Grands-Boulevards.

PERSONNAGES

– *Cuauhtémoc (1503-1525) :* le dernier chef aztèque, l'ultime empereur à lutter contre les conquistadors. Il a sa statue sur l'un des ronds-points de l'avenue Reforma à Mexico. Après la mort de Moctezuma II (celui qui a reçu Cortés), son neveu Cuitláhuac lui succède, mais il meurt peu après de la variole introduite par les Espagnols. Cuauhtémoc, un autre neveu, âgé de 18 ans, prend alors la relève en 1521. C'est à lui qu'incombent les derniers combats pour défendre Mexico-Tenochtitlán assiégé par les Espagnols. Après quelques mois d'une bataille désespérée, alors que les soldats aztèques sont épuisés par la famine et les maladies, Cuauhtémoc est finalement vaincu par Cortés qui rase littéralement la ville aztèque. Cuauhtémoc est fait prisonnier, puis torturé pour lui faire dévoiler la cachette du trésor aztèque. Alors que le jeune Aztèque réclame la mort, celle-ci lui est refusée et il doit accompagner Cortés jusqu'au Honduras, où il est finalement exécuté sous prétexte de trahison.

– *Porfirio Díaz (1830-1915) :* 34 ans à la tête du Mexique ! Un record. Originaire d'Oaxaca, il naît dans une famille modeste et, dès 16 ans, s'engage dans l'armée. Il y fait toute sa carrière, et ses succès militaires (notamment contre les troupes françaises et anglaises) le hissent au rang de général. Il s'oppose à Maximilien aux côtés des libéraux. Peine perdue, c'est Benito Juárez qui est élu aux élections après la chute de l'éphémère empire. En 1877, Porfirio Díaz est élu à la présidence de la République et commence ainsi son long règne de dictateur. Culturellement tourné vers la France, politiquement soumis aux États-Unis et au grand capital. Il supprime le principe constitutionnel de la non-réélection, ce qui lui permet d'être réélu 6 fois de suite ! Puis c'est le cortège habituel de mesures autoritaires : suppression des libertés publiques, censure de la presse, répression. Il s'appuie sur la grande bourgeoisie et les capitaux étrangers (surtout nord-américains) qui permettent l'industrialisation du pays : exploitation des mines, ports, développement du chemin de fer, urbanisme. Le pays connaît une forte croissance économique. Mais à quel prix ! Le fossé s'élargit de plus en plus entre les classes moyennes et la bourgeoisie, les ouvriers et les paysans vivent dans la misère, les indigènes n'existent carrément pas. Des mouvements en faveur de la justice sociale, soutenus par l'Église, sont sauvagement réprimés. Cette opposition au « porfiriat » se fait de plus en plus virulente et se transforme, sous l'impulsion de Madero, de Zapata et de Villa, en ré ;volution (1910). Porfirio Díaz renonce au pouvoir (1911) et se réfugie à Paris, où il mourra quelques années plus tard.

– *Miguel Hidalgo (1753-1811) :* le grand héros de l'indépendance du Mexique. En septembre 1810, ce « brave » curé de province lance son fameux appel aux armes contre la vice-royauté espagnole depuis le parvis de sa paroisse de Dolores (près de Guanajuato). C'est le début de la guerre d'Indépendance. On comprend que l'on retrouve son nom un peu partout sur les plaques des rues. Aujourd'hui encore retentit tous les 15 septembre à 23 h l'appel de Dolores : le président de la République, depuis la fenêtre centrale du Palais National donnant sur un *zócalo* envahi par la foule crie trois fois : *¡ Viva Mexico !* Jusqu'au moindre petit village, tous les maires en font autant. Bien entendu, ça fait belle lurette que la formule originale a été édulcorée et qu'a été supprimée la dernière partie : « Mort aux Gachupines » (Espagnols).

– *Benito Juárez (1806-1872) :* le seul président du Mexique d'origine indigène. Benito Juárez, Indien Zapotèque d'Oaxaca, n'apprit à lire et à écrire qu'à l'âge de 13 ans. D'abord gouverneur de l'État d'Oaxaca, il devient un acteur politique important durant la période confuse de l'après-indépendance. À la tête du parti libéral et d'une petite armée, il se lance dans la lutte contre les conservateurs, installant son gouvernement à Veracruz. Il est élu une première fois à la présidence de la République en 1858. Mais il doit affronter les troupes françaises de Maximilien de Habsbourg et, tandis que ce dernier monte sur le trône, il se réfugie dans le nord du pays, à Ciudad Juárez. Soutenu par les États-Unis, il reprend la lutte contre l'empire jusqu'au siège de Querétaro, qui sera fatal à Maximiliano (voir ci-dessous). Après la chute de l'empire, il est élu premier président de la République restaurée et poursuit la mise en place de réformes progressistes : constitution libérale, nationalisation des biens de l'Église, laïcité de l'école...

– *Maximiliano (1832-1867) :* le dérisoire symbole des ambitions impérialistes de Napoléon III. Pauvre Maximilien de Habsbourg ! Il n'en demande sans doute pas tant, cet archiduc autrichien, frère de l'empereur François-Joseph, qui passe des jours tranquilles dans un château près de Trieste. En revanche, sa femme Charlotte (Carlota), fille du roi de Belgique, a beaucoup plus d'ambitions et rêve de devenir impératrice comme sa belle-sœur Sissi. C'est Charlotte qui pousse Maximilien à accepter l'offre de Napoléon III. Ce dernier prétend étendre l'influence de la France en Amérique latine. Soutenu par le parti conservateur mexicain en lutte contre le régime libéral de Benito Juárez, il offre la couronne du Mexique à une marionnette, Maximilien, qui, plein de bonnes intentions pour ce peuple qui lui tombe du ciel, s'installe en 1864 sur le trône impérial au château de Chapultepec de Mexico. Son règne sera de courte durée. Maximiliano Ier est un idéaliste, mais d'une grande naïveté. Il trouve le moyen de se mettre à dos son seul allié, la droite conservatrice et cléricale, en conduisant une politique libérale ; il maintient les réformes de Benito Juárez et va même jusqu'à introduire la liberté de la presse et à nationaliser une partie des biens de l'Église. Pour corser la difficulté, Napoléon III décide de rapatrier les troupes françaises afin d'éviter un affrontement avec les États-Unis (qui soutiennent les libéraux). Les suppliques de Charlotte, qui parcourt l'Europe entière à la recherche d'un soutien, n'y feront rien. Le couple impérial est abandonné à son triste destin. Maximilien doit affronter seul les troupes de Benito Juárez qui assiègent Querétaro. Après la chute de la ville, il est fait prisonnier et fusillé en 1867. Quant à Charlotte, elle devient folle et termine sa vie dans un asile en Belgique.

– *José María Morelos (1765-1815) :* curé, héros de la guerre d'Indépendance (1810-1821). Habile tacticien, il réussit à occuper une grande partie du sud-ouest du pays. Il a laissé son nom à un État.

– *Emiliano Zapata (1883-1919) :* avec Pancho Villa, Zapata est l'un des grands protagonistes de la Révolution. Le premier agissant dans le nord du pays, notamment dans l'État de Chihuahua, le second bataillant au sud-ouest, dans les États de Guerrero et de Morelos. Emiliano Zapata, issu de la paysannerie métisse, prend la tête d'une armée de paysans indiens au nom de *tierra y libertad* (« terre et liberté »). Leur but est de récupérer la terre pour la rendre à ceux qui la travaillent. Sur leur passage, ils ravagent les grandes haciendas avec leurs plantations de canne à sucre et redistribuent la terre aux *peones*. Zapata met en place une réforme agraire dans l'État de Morelos. En 1914, Zapata et Villa parviennent à entrer dans Mexico. Mais peu après, ils doivent se replier, et Zapata continue sa lutte contre l'armée du gouvernement de Carranza (soutenu par les États-Unis). Ce dernier décide d'en finir une fois pour toutes avec Zapata et lui tend un piège où « le héros des paysans » est assassiné en 1919. Zapata reste aujourd'hui le symbole de la lutte paysanne contre la misère et pour la répartition équitable de la terre. D'ailleurs, ce n'est pas par hasard que les zapatistes actuels et font référence. Voir aussi le paragraphe « ¡ Viva Zapata ! » dans le chapitre sur Cuernavaca.

– *Marcos :* mais qui se cache donc sous cette cagoule ? Il s'agirait de Rafael Guillén, né en 1957 dans le nord du Mexique. Licencié en philo et en socio-logie, il aurait enseigné dans une université de Mexico et aurait même étudié un temps à la Sorbonne. Le port de la cagoule, outre le fait d'être une formida-ble image médiatique, revêt bien d'autres significations : « Nous autres, Indiens, nous étions invisibles, il a fallu que nous nous cachions le visage pour que l'on nous voie. » Marcos a rejoint en 1984 le noyau de l'EZLN dans la forêt lacandone. Dix années s'écouleront donc avant le soulèvement zapa-tiste de janvier 1994. Dix années durant lesquelles il vit avec les Indiens, apprend leur langage, leurs symboles, leur histoire. Il n'est d'ailleurs que le *subcomandante,* car le mouvement politique appartient avant tout aux indi-gènes. Marcos n'en est que le porte-parole et le chef de la branche militaire qui leur est aussi subordonnée.

La guérilla de janvier 1994 ne dure qu'une dizaine de jours. Très vite, c'est la plume de Marcos qui devient l'arme principale. Le mouvement a déjà produit une grande quantité de textes politiques et littéraires, des communiqués, des déclarations, des lettres, des réflexions, des rêveries, des contes... Une lit-térature originale et bourrée d'humour, qui se colore d'une mosaïque d'influen-ces et de références, de Carlos Fuentes à Shakespeare, de Galeano à Gar-cia Lorca, de Serrat à Sabina. « Contre l'horreur, l'humour : il faut rire beaucoup pour faire un monde nouveau, dit Marcos, sinon ce monde nou-veau naîtra carré, et il n'arrivera pas à tourner. » Lire aussi la rubrique « Zapatistes ».

– *Diego Rivera (1886-1957) :* le père du muralisme mexicain et de l'art engagé. Diego Rivera est né à Guanajuato. Il raconte que c'est sur les murs de sa chambre d'enfant qu'il peignit ses premières fresques. Il poursuit sa formation de peintre en Espagne et à Paris, où il reçoit l'influence des cubis-tes, de Mondrian et surtout de Picasso. Il développe son propre style, plus réaliste, fortement teinté de mexicanité, introduisant des figures et des sym-boles aztèques dans ses peintures. Il revient au Mexique en 1921, peu de temps après la Révolution, alors que naît le mouvement pro-indigène fondé sur la recherche et la reconnaissance des racines préhispaniques et des cultures traditionnelles. À la même époque, le ministre de l'Éducation, Vas-concelos, philosophe de formation, lance le concept de *muralismo* afin de mettre l'art à la portée du peuple. Les fresques, peintes sur les édifices publics, devraient illustrer les thèmes de l'identité mexicaine. Diego Rivera peint son premier *mural* en 1922, *Creación.* Il peindra des dizaines d'autres fresques gigantesques dans les bâtiments publics. Membre du parti commu-niste (il voyage en Russie en 1927), ses fresques murales deviennent de plus en plus engagées politiquement, alors même qu'elles sont financées par le gouvernement mexicain ou par de riches commanditaires américains comme Rockefeller. En plus de ses nombreuses amantes, il eut 3 épouses principales : Angelina Beloff, Guadalupe Marín et surtout la peintre Frida Kahlo. Diego Rivera est considéré par beaucoup comme l'initiateur de l'iden-tité mexicaine. Toute sa vie, il collectionnera des figurines et objets d'origine préhispanique.

– *Frida Kahlo (1907-1954) :* une vie sous le signe de la douleur physique. Frida Kahlo, la grande artiste mexicaine, trouva son exutoire dans la pein-ture. De père juif allemand et de mère métisse originaire d'Oaxaca, elle naît à Coyoacán (aujourd'hui quartier de Mexico). À l'âge de 6 ans, elle est atteinte de poliomyélite et à 18 ans un terrible accident de tramway la laisse en partie paralytique, stérile, et l'oblige à utiliser un fauteuil roulant durant les dernières années de sa vie. Elle subit plus de trente opérations. Sa peinture, largement autobiographique, reflète toutes ces blessures à son intégrité corporelle. Forte personnalité, elle milite au parti communiste, s'habille avec les vêtements des Indiens, défend la cause des femmes. Sa relation passionnée avec Diego Rivera, qui lui est infidèle, est une autre source de souffrances. Elle meurt à l'âge de 47 ans dans la maison bleue *(casa azul)* de Coyoacán. Le film *Frida* (2002), avec Salma Hayek, n'est malheureusement qu'un pâle reflet de la vie passionnée et passionnante de la plus célèbre artiste du Mexique.

PHOTOS

On trouve des pellicules papier partout au Mexique (dans les pharmacies, les grandes surfaces et de nombreuses boutiques spécialisées). Les grandes marques sont présentes. Un peu moins chères qu'en France. On peut aussi développer sur place (de nombreux laboratoires), mais les puristes préfèrent attendre leur retour.
Les pellicules pour diapositives professionnelles de type Kodak Élite ou Fuji-chrome Velvia, ainsi que les films *Advantix,* sont disponibles dans les magasins spécialisés. La plupart des cybercafés proposent également de graver les photos numériques sur support CD.

POLITIQUE

C'est très simple. Même pour ceux qui n'ont pas fait Sciences Po. Tout d'abord, il faut distinguer la théorie et la pratique. Côté théorie, la Constitution mexicaine organise un régime de type présidentiel, du genre de celui des États-Unis, avec séparation des pouvoirs. Le président de la République est élu au suffrage universel direct pour 6 ans. Il est non rééligible. ¡ *No reeleccíón !* Depuis la Révolution, c'est la devise de la République mexicaine... et aussi le nom de nombreuses rues. Le président nomme ses ministres (appelés *secretarios*), lesquels sont directement responsables devant lui. Traduisez : il a le pouvoir de les congédier comme il l'entend.
Du côté du pouvoir législatif, le parlement comporte 2 chambres : la Chambre des députés (500 membres), élue pour 3 ans au suffrage universel, et un Sénat composé de 2 membres par État. En effet, le Mexique est une fédération composée de 31 États. À quoi il faut ajouter le district fédéral (DF) de Mexico. Chaque État est dirigé par un gouverneur élu pour 6 ans, et dispose également d'une Chambre des députés.
Organisation parfaite s'il en est. Au moins sur le papier. Dans la pratique, il en va tout autrement. La vie politique mexicaine a été dominée de 1929 à l'an 2000 par le PRI, le tout puissant Parti révolutionnaire institutionnel *(sic !),* avec tout ce que cela signifie de concentration du pouvoir dans les mains du seul chef suprême de la nation. Pas besoin d'être grand clerc pour comprendre comment une telle absence de contre-pouvoir a pu favoriser le népotisme, le copinage, les collusions d'intérêt, les trafics d'influence, en un mot la corruption qui est considérée aujourd'hui par les Mexicains comme le fléau numéro un du pays (voir aussi la rubrique « Histoire »).

POPULATION

Un peu de démographie

Près de 100 millions d'habitants ont été comptabilisés lors du recensement de l'an 2000. Il suffit de se promener dans les rues pour constater que la population est jeune. La moitié des Mexicains ont moins de 22 ans. Ce qui donne une pyramide des âges à la base élargie, typique des pays en voie de développement.

Question densité, on est très loin des chiffres habituels en Europe : la densité est de 51 habitants au km². Le Mexique dispose encore d'immenses espaces quasiment vierges comme le nord du pays (États de Sonora, Chihuahua, Basse-Californie) avec ses 12 habitants au km². À l'extrême opposé, on trouve la ville de Mexico avec ses 5 634 habitants au km². Vous l'aviez déjà deviné, le centre du pays est la région la plus peuplée avec 58 % de la population mexicaine. La capitale est l'objet de toutes les migrations. Depuis des décennies, les zones rurales ne cessent de se dépeupler au profit des grands centres urbains comme Monterrey, Guadalajara et, bien sûr, Mexico. À elles seules, ces villes regroupent près de 30 % des Mexicains.

Populations indigènes

On estime la population indigène à 10,5 millions de personnes, soit environ 11 % de la population totale. C'est une véritable mosaïque puisqu'elle se divise en plus de 50 communautés... et autant de langues différentes ! Et puisqu'on en parle si rarement, en voilà quelques-unes : Amuzgo, Cochimi, Cora, Chinantèque, Chocholtèque, Chol, Chontal, Cuicatèque, Guarijio, Guaycuri, Huastèque, Huave, Kikapu, Kukapa, Kumiai, Mame, Matlazinca, Maya Yucatèque, Mayo, Mazahua, Mazatèque, Mixe, Mixtèque, Ñahñu, Nahua, O'odham, Pame, Pericuri, Popoluca, Purépecha, Raramuri, Tenek, Tlahuica, Tlapanèque, Tojolabal, Totonaque, Triqui, Tzeltal, Tzotzil, Wixaritari-Huichol, Yaqui, Zapotèque, Zoque.

Les principales langues préhispaniques en usage sont le *nahuatl*, l'ancienne langue des Aztèques, parlé par 24,2 % de la population indigène, essentiellement dans le centre du pays, le *maya* (14,2 %) utilisé au Chiapas et au Yucatán, le *zapotèque* (7,7 %) parlé dans les États d'Oaxaca et de Veracruz. Les démographes et les historiens sont loin d'être d'accord sur le nombre d'habitants qui vivaient en terre mexicaine avant l'arrivée des Espagnols. Les chiffres varient entre 4,5 et 25 millions ! Ce qui est certain, c'est que cette population indigène a dramatiquement décru après la Conquête ; tueries, guerres, travail forcé, épidémies et maladies d'importation (la variole notamment) ont fait des ravages. Cependant, alors que commence le grand brassage des races, les Indiens resteront durant les trois premiers siècles de domination nettement plus nombreux que les Espagnols (18 % de la population au XVIIIe siècle). Durant cette époque, la population métisse augmente de manière exponentielle. C'est au XIXe siècle que la démographie indigène entame son déclin : juste avant la guerre d'Indépendance, les Indiens représentaient 60 % de la population du Mexique. Un siècle plus tard, ils ne sont plus que 37 %.

Actuellement, les principales communautés indigènes, notamment celles des États d'Oaxaca, Veracruz, Chiapas et Yucatán, se maintiennent. Mais d'autres ont un avenir beaucoup plus incertain, comme les Huicholes (État de Nayarit) ou les Tarahumaras (voir le chapitre « La sierra Tarahumara et la Barranca del Cobre »).

Comme on le constate aisément en se baladant dans les coins reculés du pays, les indigènes sont les laissés-pour-compte. Cette population, sans conteste la plus pauvre, est restée en marge du développement, sans accès à la santé ni à l'éducation (voir la rubrique « Droits de l'homme »). Face à la misère, la réponse de cette population a été la mobilité. Les indigènes ne cessent de voyager, émigrant vers les sources de travail que sont les zones urbaines ou le sud des États-Unis pour les travaux agricoles. Il s'agit en général d'une migration temporaire, le temps de gagner de l'argent avant de rejoindre la communauté d'origine. Ces phénomènes migratoires, qui n'ont longtemps concerné que les hommes, touchent désormais les femmes, qui partent travailler comme ouvrières agricoles dans les grandes exploitations du Nord, dans les centres touristiques pour y vendre leur artisanat, ou comme domestiques à Mexico dans le meilleur des cas.

POSTE

Le réseau postal est sous-développé au Mexique. Le courrier fonctionne très mal. Comptez 2 à 3 semaines pour qu'une lettre arrive en France. Dans l'autre sens, c'est pire. Ne cherchez pas non plus le bureau de poste du quartier car, dans la plupart des cas, il n'existe pas. En général, il y a quand même une poste par ville. Heureusement, car c'est le seul endroit où l'on trouve des timbres (ou bien à la réception de certains grands hôtels).
– Pour affranchir vos cartes, il est donc plus simple d'acheter un carnet de timbres pour tout votre voyage.
– Ceux qui disposent d'une carte *American Express* se feront adresser leur courrier aux agences (dans les grandes villes et les centres touristiques).
– Sinon, ayez recours à la poste restante *(lista de correo),* où parfois les lettres s'égarent.
– Pour un envoi sûr ou urgent, l'idéal est de s'adresser à un service express de type DHL, FedEX ou UPS. Votre envoi prendra 2 jours ouvrables pour arriver en Europe et 1 jour ouvrable pour les États-Unis.
– Prix d'un timbre pour l'Europe : 13 $Me (0,91 €).

POURBOIRE

Le Mexique est le pays de la ***propina...*** Le pourboire est INDISPENSABLE dans les cafés et les restaurants. Il est au minimum de 10 % de l'addition, jusqu'à 15 % si vous êtes content du service. C'est très facile : pour une addition de 80 pesos (5,60 €), il faut laisser 8 pesos de pourboire, voire 10 pesos si le serveur est sympa. Prévoyez-le dans votre budget. Les Français, bien vu par ailleurs, ont une réputation à refaire dans ce domaine. Certes, on a perdu l'habitude, mais pensez que les serveurs gagnent le salaire minimum, c'est-à-dire pas grand-chose, et qu'ils s'en sortent grâce aux pourboires. En plus, le service au Mexique est particulièrement aimable, même s'il n'est pas toujours très pro. Bien vérifier tout de même que le pourboire n'est pas déjà inclus dans l'addition. Cela arrive, notamment dans le Yucatán. En revanche, pas de pourboire aux chauffeurs de taxis sans compteur. D'autant que quand on arrive dans une ville où l'on ne connaît pas les tarifs en vigueur, on paie plus cher que les locaux. Dans les taxis avec compteur (que vous trouverez surtout à Mexico), on a coutume d'arrondir au peso supérieur. Aux stations-service *Pemex,* vu qu'ici il y a encore des personnes qui vous servent l'essence, le pompiste a droit à 2 ou 4 pesos.

RELIGION

Le Mexique est un État laïc, et la Constitution garantit la liberté de confession. N'allez surtout pas croire que tout le monde est catholique. Le nombre de fidèles est passé de 93 % en 1993 à 85 % aujourd'hui. Cette baisse est surtout due à l'apparition des « sectes » dans les années 1960, comme les témoins de Jehova, les adventistes, les mormons ou les *cristianos,* qui gagnent de plus en plus d'audience. On compte par ailleurs 10 % de protestants et moins de 5 % de juifs.

La Vierge de Guadalupe

Elle représente le signe de ralliement du peuple mexicain, la véritable religion nationale. L'histoire est assez simple. Dix ans seulement après la Conquête, le 12 décembre 1531, le jeune indigène Juan Diego, pauvre bien sûr, baptisé évidemment, et d'une grande humilité, comme le remarquent volontiers les chroniqueurs de l'époque, reçoit l'apparition de la Vierge Marie sur le mont Tepeyac, à quelques kilomètres de Mexico (là où se trouve actuellement la basilique de la Guadalupe). L'endroit n'est pas neutre. Au sommet de cette même colline, les Aztèques avaient construit un temple dédié à Tonatzín, c'est-à-dire « la mère des dieux » ou « notre mère ». Éberlué, l'*Indito* Juan Diego entend la Sainte Vierge lui ordonner d'aller voir l'évêque de Mexico pour lui demander de faire construire une église en son honneur sur le lieu même de son apparition. Il se rend à l'évêché, mais sa requête ne rencontre, bien entendu, aucun succès. Alors, la Vierge fait pousser de splendides roses de Castille au sommet de la colline (un endroit désertique, et nous sommes en plein hiver) et demande à Juan Diego d'en cueillir de pleines brassées pour l'évêque. Aussitôt dit, aussitôt fait, l'Indien s'en retourne à l'évêché, sa tunique chargée de roses. Reçu par Monseigneur Zumárraga, il ouvre son manteau, et toutes les merveilleuses roses se répandent sur le sol, tandis que, sous les yeux émerveillés de l'évêque agenouillé, l'image de la Vierge s'imprime sur la tunique. Une chapelle est rapidement construite sur la colline de Tepeyac, en lieu et place de l'ancien temple aztèque. La basilique ne viendra que plus tard (1555, puis 1609). On y exposera la fameuse tunique à l'effigie de la Sainte Vierge.

Beaucoup d'historiens tentent d'en comprendre l'origine, voire de contester l'authenticité du miracle. Certains ecclésiastiques ont même contesté l'existence de Juan Diego. Mais les Mexicains se moquent de ces querelles d'experts, et toutes les remises en question n'y feront rien : les indigènes, dans leur désespérance d'un peuple vaincu et soumis, avaient besoin d'une protectrice. La Guadalupe sera désormais leur Bonne Mère. Au début de la Conquête, sa dévotion se confond d'ailleurs sans doute avec le culte aztèque. De fait, les pèlerinages à la Guadalupe avaient lieu en septembre, c'est-à-dire à la même période que les fêtes de Tonatzín. Ce n'est que depuis le XVIIIe siècle que la procession de la Guadalupe a lieu le 12 décembre.

En 1737, la Vierge de Guadalupe devient patronne de Mexico, exemple rapidement suivi par d'autres villes du pays. En 1910, l'Église la nomme patronne de toute l'Amérique latine. Mais le Mexique continue de s'approprier jalousement la Guadalupe, symbole de la revanche de l'indigène sur l'Espagnol et, d'une certaine manière, garantie d'une continuité entre les cultures préhispanique et hispanophone à travers un même culte à la *Madre*.

En 2002, le pape Jean-Paul II, en visite au Mexique, canonise solennellement Juan Diego. C'est le premier saint indien du calendrier chrétien. Pour la foule en liesse, notamment les indigènes, c'est la revanche de l'histoire. Ironie de la situation, le portrait du « petit Indien », qui envahit alors les rues, présente les traits d'un Espagnol ! L'épiscopat s'est justifié en expliquant que c'était la seule gravure existante de Juan Diego dont ils disposaient, datant du XVIIe siècle...

SANTÉ

Quelques conseils élémentaires :
– emporter de l'*Imodium* ou de l'*Ercéfuryl* contre la **turista** (diarrhée), appelée aussi au Mexique « la revanche de Moctezuma » ! Les pharmacies du pays sont habituées à cette affection typiquement touristique et sauront vous conseiller.
– Bien sûr, être à jour pour tous les **vaccins** recommandés en France : tétanos, polio, diphtérie, hépatite B. On peut aussi se faire vacciner contre l'**hépatite A** et la **fièvre typhoïde**.
– **À Mexico,** l'altitude et la pollution peuvent indisposer les cardiaques et les asthmatiques (voir « Climat et pollution » en introduction de la ville).
– **Moustiques :** pour ceux qui ne sont pas satisfaits des antimoustiques courants *(repelente para mosquitos),* un laboratoire *(Cattier-Dislab)* a mis sur le marché une gamme enfin conforme aux recommandations du ministère français de la Santé : *Repel Insect Adulte* (DEET 50 %) ; *Repel Insect Enfant*

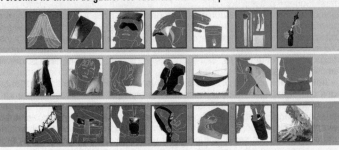

(35/35 12,5 %). Dans les coins où les moustiques pullulent, il est très utile d'imprégner la moustiquaire d'insecticide (ou, mieux, de se procurer une moustiquaire préimprégnée).

Il subsiste un peu de *paludisme* (sous une forme mineure) dans le Chiapas, très rarement transmis aux touristes. Donc, aucun traitement antipaludique n'est vraiment nécessaire. La *dengue* (sorte de forte grippe) transmise par les moustiques (diurnes contrairement au paludisme) apparaît régulièrement sous forme épidémique. Dans ce cas-là, une seule solution : la crème antimoustiques !

– Attention aux piqûres et aux morsures venimeuses... Ce sont surtout celles des *scorpions* que l'on peut rencontrer au Mexique dans les terres chaudes (ainsi que les serpents, mais là, il faut avoir joué les Indiana Jones). La morsure de scorpion peut être dangereuse, voire mortelle si elle n'est pas traitée avant 1 h. Or, en général, on se trouve à moins de 1 h d'un hôpital, où l'on pourra se faire injecter éventuellement un sérum. Sinon, il peut être bon de se balader avec un *Aspivenin* sur soi pour les premiers secours, avant d'atteindre un hôpital.

– Rendre visite à son *dentiste* avant de partir ; l'altitude et la plongée peuvent rendre douloureux les plombages défectueux.

– Les différents produits et matériels mentionnés peuvent être achetés par correspondance :

■ **Catalogue Santé Voyages :** 83-87, av. d'Italie, 75013 Paris. ☎ 01-45-86-41-91. Fax : 01-45-86-40-59. ● www.sante-voyages.com ● (infos santé voyages et commandes en ligne sécurisées). Envoi gratuit du catalogue sur simple demande. Livraisons *Colissimo Suivi* : 24 h en Île-de-France, 48 h en province. Expéditions DOM-TOM.

– Routard souffreteux, hypocondriaque ou tout simplement curieux, mettez-vous donc entre les mains d'un *curandero*, guérisseur traditionnel (souvent le chaman ou le sorcier bienveillant) qui possède une connaissance approfondie des plantes médicinales. Dernier conseil, fuyez le sorcier *brujo*, confrère maléfique du *curandero*, avant qu'il ne vous jette un mauvais sort.

SAVOIR-VIVRE ET COUTUMES

Tâche ardue que de parler des Mexicains en général. Quoi de commun entre le descendant maya perdu entre deux dindons et cinq plants de maïs dans les tréfonds de la jungle du Chiapas, et le cadre sup d'origine espagnole, peau blanche et costume noir, sillonnant le deuxième étage du *periférico* de Mexico dans un monospace américain dernier modèle, téléphone portable collé à l'oreille ? Le Mexique est une vraie mosaïque de cultures, de coutumes et d'arts de vivre.

Néanmoins, il existe quelques grands traits communs.

– **La Guadalupe :** voir la rubrique « Religion ». Plus encore que le drapeau national, c'est elle qui représente le vrai symbole de l'unité mexicaine. Objet de consensus dans tout le pays, toutes classes confondues.

– **La familia :** autre objet de culte. Mais on aurait tort d'y voir seulement l'influence de la religion ou des relents de valeurs morales. En réalité, la force des rapports familiaux tient beaucoup aux conditions de vie et à la pression économique. Pour les parents, les enfants représentent tout bêtement la garantie d'une vieillesse décente dans un pays où les retraites sont quasi inexistantes. Quant aux enfants, ils ne quitteront le domicile parental qu'au moment du mariage, là encore pour des raisons financières. Il n'est donc pas rare de voir trois générations se côtoyer dans la même maison. Certes, la pudeur mexicaine interdit de dévoiler ces motivations socio-économiques, et l'on préfère conserver intacte l'illusion de la mystique familiale chère au cœur de tout Mexicain. N'empêche, la famille mexicaine est tout aussi éclatée qu'ailleurs, si ce n'est plus. Le nombre de divorces est en hausse depuis des années. Les mères célibataires sont légion. On se remarie, on fait élever les enfants par la grand-mère... En revanche, le jour de la fête des Mères, il ne viendrait à l'idée d'aucun Mexicain d'oublier de célébrer sa chère *mamá*.

– *La fiesta :* le Mexique est le pays de la fête. Tout est prétexte à décorer les rues du village, à suspendre les guirlandes multicolores, à sortir les drapeaux, à fleurir la maison et à préparer le fameux *mole* ou les traditionnels *tamales*. Baptême, première communion, anniversaires, mariage... jusqu'à la mort, qui se fête dans l'allégresse tous les 2 novembre.

À la campagne et dans les milieux populaires, la fête la plus importante est celle des 15 ans, véritable rite de passage entre l'état de jeune fille et celui de femme. Sans doute un résidu de la tradition du premier bal des jeunes donzelles de l'aristocratie espagnole à l'époque coloniale. De nos jours, les familles économisent de longs mois et se saignent aux quatre veines pour pouvoir payer la somptueuse robe de l'héroïne du jour, sa couronne de strass, le smoking des garçons d'honneur, le repas offert pratiquement à tout le village, l'immense pièce montée de 3 m de haut, sans oublier l'orchestre de *mariachis* sans lequel on ne saurait imaginer une fête mexicaine. Tout ça coûte une petite fortune, et il est donc de tradition de faire appel à des « parrains » qui participent financièrement. Ainsi, si vous sympathisez avec une famille mexicaine et que celle-ci vous propose d'être *padrino*, vous saurez à quoi vous en tenir. Attention, ça peut revenir très cher. Mais en contrepartie de votre généreuse obole, le père de famille vous fera l'honneur de vous appeler *compadre*, autrement dit compère, titre d'amitié à toute épreuve : vous ferez désormais partie de la famille.

Ainsi, où que vous soyez dans le pays, vous aurez toutes les chances d'assister à une fête (lire aussi le chapitre « Fêtes et jours fériés »).

– *La mort :* un étrange rapport unit les Mexicains à la *muerte,* qu'ils ont baptisée de multiples noms : la *flaca* (la maigre), la *Catrina*... Le Mexique est probablement un des seuls endroits au monde où l'on peut habiter barranca del Muerto (précipice du Mort), faire son jogging sur calzada del Hueso (avenue des Os) ou boire une tequila au bar *La Calavera* (Le Squelette). La fête des Morts est un voyage au plus profond de l'identité mexicaine. Dans la plupart des maisons, on dresse un autel durant les premiers jours de novembre. Bref, si vous êtes à Mexico durant cette période, préparez-vous à être témoin de l'une des fêtes les plus spectaculaires du pays.

– *Le machisme :* tout le monde le sait, le Mexique est le pays des machos. Typique, le Mexicain à la fière moustache, installé à une table de *cantina,* descendant tequila sur tequila. Dans cet antre interdit aux femmes, il se sent roi, *El Rey,* un classique chanté par les *mariachis* et auquel il s'identifie pleinement : « Avec ou sans argent / Je fais toujours ce que je veux / Et ma parole, c'est la loi / Je n'ai ni trône ni reine / Mais je continue d'être le roi. » Le macho fanfaronnant cherche ainsi à conforter sa masculinité à travers la compagnie des hommes, l'amoncellement des cadavres de bières, les blagues largement sexuées, la capacité à siffler les minettes dans la rue... Dans les villages de campagne, les femmes ne mangeront qu'après avoir servi le repas aux hommes. Chez les classes moyennes, l'homme est le pourvoyeur, la femme se cantonne dans le rôle de *madre* et de femme au foyer. Au fond, le *machismo* est une conséquence de la Conquête et du métissage des races : d'une certaine manière, le Mexicain mâle s'identifie au conquistador espagnol ; la femme, elle, représente le sang indien, c'est-à-dire l'objet de conquête et de domination. De la virilité baroque ! Car pour conquérir sa dulcinée, le macho n'hésite pas à vider sa bourse pour lui faire jouer la sérénade sous sa fenêtre par une demi-douzaine de *mariachis.* Messieurs les routards, vous savez ce qu'il vous reste à faire...

– *¡ Es tu casa !* : rien à voir avec notre « Fais comme chez toi ». C'est carrément : « Voici ta maison ! » Ne le prenez surtout pas au pied de la lettre !

C'est une phrase que les Mexicains répètent à loisir et qui en dit long sur leur sens de l'hospitalité et leur amabilité. L'hospitalité, vous aurez plus de chance de la rencontrer dans les petits villages de province et dans les milieux populaires que dans les grands centres urbains, où elle tend à disparaître. En revanche, l'amabilité et une incroyable gentillesse sont quasi générales (à nuancer évidemment dans les endroits très touristiques). Le Mexicain est d'une nature joviale et il émaille son langage de tournures courtoises et dramatiquement soumises : *A sus ordenes. ¿ En que le puedo servir ? ¡ Que Dios le bendiga !* Ce qui donne littéralement : « À vos ordres. En quoi puis-je vous servir ? Que Dieu vous bénisse ! » Dans les magasins ou les restaurants, n'ayez jamais peur d'en faire trop dans les formules de politesse. Les Mexicains adorent.

– *¡ Tranquilo ! :* pour les mentalités européennes et cartésiennes, les occasions de s'irriter ne manquent pas : le robinet de la douche qui vous reste entre les mains, la musique jusqu'à 4 h du mat' dans la chambre voisine, les horaires de bus approximatifs, etc. ; à chacun ses points sensibles et ses petites raisons de se fâcher. Pourtant, s'énerver ne mène à rien dans ce pays où la colère et les scandales sont très mal vus. Le Mexicain est d'un naturel tranquille, cherchant à régler le problème à l'amiable. Par conséquent, la règle d'or est de ne jamais s'énerver. Si tel était le cas, la pauvre guichetière ou le réceptionniste vous regarderaient les yeux tout ronds, paralysés par la surprise et bien souvent incapables de réagir. Au contraire, en jouant la carte de l'amabilité, agrémentée d'un brin de séduction, vous mettrez toutes les chances de votre côté pour qu'une solution apparaisse. N'oubliez jamais : au Mexique, la gentillesse ouvre des portes insoupçonnées. Et puis, vous êtes en vacances après tout !

– *Le temps :* pas celui de la météo, ni celui des calendriers aztèques, mais celui que s'octroient leurs descendants. Ce temps-là n'a aucun repère, aucune précision. Son unité de mesure, c'est le fameux *mañana* (demain), utilisé des dizaines de fois par jour par les Mexicains ; et qui signifie souvent dans 2 ou 3 jours, voire une semaine. Mais pourquoi donc faire aujourd'hui ce qu'on peut faire demain, on vous le demande ? Si parfois vous entendez un *ahorita* (« dans un instant »), ce n'est qu'une façon de parler. Ainsi, un séjour au Mexique est-il aussi un voyage à travers le temps... vu différemment. Alors, ne soyez pas surpris des horaires changeants, des départs retardés et des rendez-vous manqués. Malgré la proximité des États-Unis, ici, le temps n'est pas encore de l'argent. Profitons-en, ça se fait rare sur la planète.

Corollaire de ce comportement, c'est le flou artistique des adresses et des informations données. « C'est par là », vous répondra-t-on avec d'immenses gestes de bras, sans autre précision. Quelle importance, puisque ici, on a le temps de chercher, de demander. Chaque fois qu'on arrête un passant dans la rue, c'est l'opportunité d'une nouvelle causette. Et un peu de temps gagné !

– *La platica :* c'est-à-dire la conversation ou l'art de bavarder. C'est un des grands plaisirs des Mexicains, une activité en soi. Si vous parlez quelques mots d'espagnol, vous aurez maintes occasions de tailler la bavette. Mais attention à ne pas critiquer le pays où vous êtes. Profitez-en plutôt pour écouter le point de vue de votre interlocuteur. Si le Mexicain aime converser, il n'est pas à l'aise dans la polémique. Par ailleurs, il y a des sujets sensibles, comme la religion, la corruption, le narcotrafic, les États-Unis, la situation au Chiapas... En général, les Mexicains que vous rencontrerez aimeront surtout savoir d'où vous venez et comment ça se passe chez vous. Enfin, pour ceux qui auraient la fibre militante, il faut savoir que l'article 33 de la Constitution mexicaine interdit aux étrangers, sous peine d'expulsion, de critiquer le gouvernement ou d'avoir une activité militante (!).

– *L'albur :* ce mot, qui désigne les expressions à double sens, vient du français « calembour ». Dans un Mexique encore pudibond en ce début de XXIe siècle, l'*albur* permet un exutoire masqué par l'humour en donnant au moindre mot ou à la moindre phrase une connotation sexuelle. Tout un art pour les initiés. Mais plusieurs années de pratique sont nécessaires pour y exceller.

– **Au restaurant :** quand on arrive dans un resto chic, on ne va pas s'asseoir directement à sa table. Un petit rituel exige que l'on s'arrête à l'entrée, à côté d'un pupitre où trône le livre des réservations, et que l'on attende sagement que vienne vous chercher le maître d'hôtel qui vous conduira à votre table. S'il y a du monde, on inscrit votre nom sur le gros livre, et l'hôtesse vous appelle quand une table se libère. En général, on est très bien reçu et le service est courtois. Un truc marrant dans les restos classe : ne sursautez pas si vous voyez les mains du serveur s'approcher dangereusement de vos genoux. C'est simplement pour y déposer la serviette de table en début de repas. Certains se plaindront de la rapidité du service (surtout les fumeurs). On a à peine fini son assiette qu'elle a déjà disparu et que le plat suivant arrive. Pour les Mexicains, la vélocité du service est un critère de qualité.

– **La mendicité :** il y a très peu de clochards dans les villes, ni même de mendiants faisant la manche. Quand on en voit, ce sont surtout des enfants et seulement dans les endroits touristiques. Ne jamais donner d'argent aux enfants, car ces derniers sont envoyés par leurs parents faire la mendicité au lieu d'aller à l'école. Sur le long terme, sans formation scolaire, ils ont peu de chances de s'en sortir et risquent de reproduire le même schéma de la mendicité avec leurs propres enfants. En revanche, vous rencontrerez dans la rue une multitude de personnes qui vendent des babioles diverses, des friandises, des peluches aux couleurs du drapeau mexicain... D'autres vous proposeront de laver votre pare-brise, de surveiller votre voiture... N'hésitez pas à leur donner une pièce. C'est la rémunération de leur service.

– **Fumer sans honte :** pour un routard fumeur en provenance des États-Unis, c'est carrément un ouf de soulagement que de poser le pied en terre mexicaine. Enfin un endroit où il pourra fumer sans culpabiliser, où il n'est ni persécuté ni soumis à la vindicte populaire ! Les Mexicains, même les non-fumeurs, sont extrêmement tolérants vis-à-vis des amateurs de cigarettes. Il existe néanmoins une vague législation qui interdit de fumer dans les endroits publics. Quelques restaurants (notamment ceux des chaînes *Sanborn's* et *Vip's*) sont dotés de zones non-fumeurs. Mais n'en cherchez pas dans les *cantinas* ni les restos de base, encore moins dans les bars. Vous trouverez des cigarettes dans toutes les épiceries, supermarchés, grands magasins, dans les kiosques à journaux... et les pharmacies !

– **Naturisme :** si vous avez oublié votre maillot de bain, vous avez tout faux. On ne vient pas au Mexique pour faire du naturisme. Les plages où l'on se dénude sont rarissimes. Et ce sont surtout les touristes étrangers qui donnent la note. Les Mexicains, eux, sont 100 % textile. Quant au monokini, il n'est pas non plus très en usage, sauf peut-être sur quelques plages de Cancún.

SITES ARCHÉOLOGIQUES ET MUSÉES

Fini la gratuité du dimanche, sauf pour les Mexicains ! L'entrée des musées et des sites est payante tous les jours pour les touristes étrangers (sauf dans quelques rares musées privés). En général, entrée gratuite pour les moins de 13 ans. Alors que dans les musées la carte d'étudiant marche parfois (utilisez votre plus beau sourire), sur les sites archéologiques elle a rarement de l'effet, pour ne pas dire jamais. Lisez bien les tarifs affichés pour ne pas vous retrouver à payer des prix fantaisistes au guichet !

La plupart des sites ferment vers 17 h ; en revanche, ouverture très tôt le matin, vers 8 h, profitez-en si vous le pouvez : il n'y a pas grand monde avant le milieu de la matinée. C'est fou la différence entre un site désert et un site bondé... De plus, de 11 h à 13 h, le soleil est presque à la verticale, donc mauvaise lumière pour les photos. *Attention :* pour la visite des sites archéologiques en altitude, ne pas oublier chapeau et crème protectrice (écran total), car ça cogne fort, surtout à 2 000 m !

Un dernier mot : l'utilisation de la vidéo est payante (autour de 35 \$Me, soit 2,50 €).

SITES INTERNET

Le Mexique est peut-être le pays le plus « Internet » d'Amérique latine. Depuis le site de l'armée zapatiste (l'EZLN), en passant par les services et les institutions gouvernementales, il est très facile d'obtenir des infos fraîches sur le pays. Voici quelques sites pour ceux qui ont besoin d'un peu de virtuel avant la réalité :

- *www.routard.com* • Tout pour préparer votre périple, des fiches pratiques, des cartes, des infos météo et santé, la possibilité de réserver vos prestations en ligne. Sans oublier *Routard mag,* véritable magazine avec, entre autres, ses carnets de route et ses infos du monde pour mieux vous informer avant votre départ.
- *www.infomexique.com* • En français. Infos restreintes. Des infos économiques, des données sociales et politiques, des reportages, etc. Histoire de ne pas voyager futile !
- *www.mexicodesconocido.com.mx* • La page du magazine *Mexico Desconocido.* Plein d'infos sur les musées, les sites archéologiques, les plages, l'environnement, les sites naturels, les principales villes, etc. Très complet. Des tuyaux aussi pour s'aventurer hors des sentiers battus.
- *www.cartographe.net/fr/unesco/mexico.htm* • Pour connaître la liste et les caractéristiques des quelque 25 sites culturels et naturels classés au Patrimoine mondial.
- *www.tiempolibre.com.mx* • La page de l'hebdomadaire qui recense les expositions, concerts et événements culturels à Mexico.
- *www.chilangolandia.com.mx* • La page la plus originale sur les restaurants (de prix moyens à plus chic) et événements de la capitale du Mexique.
- *www.jornada.unam.mx/index.html* • Le site officiel de *La Jornada,* journal connu pour sa liberté de ton.
- *www.ezln.org.mx* • Le site officiel de Marcos et des zapatistes.
- *www.chiapas.indymedia.org* • Site d'informations indépendantes et alternatives sur le combat des communautés indiennes du Chiapas, sur les différentes luttes en cours pour la reconnaissance des minorités.
- *www.schoolsforchiapas.org* • Site d'une chouette ONG pour ceux qui veulent soutenir la mise en place d'un réseau éducatif au Chiapas.

TÉLÉPHONE, TÉLÉCOMMUNICATIONS

Les numéros de téléphone sont à 7 chiffres, sauf à Mexico, Monterrey et Guadalajara, où ils sont à 8 chiffres. Pour téléphoner d'une ville à l'autre, il faut composer un indicatif que l'on vous indique pour chaque ville (à côté de son nom). Ce sont des communications *larga distancia.*

Communications internationales

Elles sont assez chères. De la France : environ 1,07 €/mn. Autour de 10 \$Me (0,70 €) la minute depuis le Mexique (beaucoup plus cher si vous téléphonez depuis votre hôtel).

– Il existe de nombreuses petites boutiques *(casetas telefónicas)* d'où l'on peut téléphoner (appel local ou international). Cela revient en général moins cher que de téléphoner d'une cabine téléphonique (qui sont désormais à carte ; on achète les cartes téléphoniques dans les épiceries, pharmacies, kiosques à journaux et grands magasins type *Sanborn's*). On peut aussi

appeler via Internet dans ces mêmes petites boutiques, c'est encore moins cher, mais la communication n'est pas terrible.
– Fax publics dans de nombreuses papeteries.
– *Mexique* → *France :* 00 + 33 + numéro du correspondant (sans le 0 du code de la région). Pour téléphoner en PCV *(por cobrar),* composer le 09.
– *France* → *Mexique :* 00 + 52 + indicatif de la ville + numéro du correspondant.

Communications interurbaines *(larga distancia)*

Composer le 01 + indicatif de la ville *(clave)* + numéro du correspondant. Pour appeler un portable, composer le 01 + indicatif de la ville *(clave)* + numéro du correspondant. Si votre correspondant a un numéro qui dépend de la même zone que vous, composer le 044 à la place du 01.

Numéros utiles

– Renseignements téléphoniques : ☎ 040.
– Appel national via une opératrice (ou pour les PCV) : ☎ 020.
– Appel international via une opératrice bilingue (ou PCV) : ☎ 090.
– Les numéros en 01-800 sont gratuits à l'intérieur du pays.

Internet

Les cafés et centres Internet sont légion. La plupart restent ouverts tard le soir. Compter en moyenne entre 15 et 20 $Me (1,05 à 1,40 €) pour 1 h de connexion.

TRANSPORTS

Le bus

C'est le seul vrai moyen de transport au Mexique. Les bus circulent absolument partout, dans des conditions de confort variables selon les régions et les parcours. Dans les grandes villes, les compagnies de bus sont regroupées dans un même *terminal de bus,* à l'extérieur de l'agglomération. Il faut donc bien souvent prendre un taxi pour rejoindre le centre. Parfois des bus urbains font la liaison, mais pas toujours. Ces gares routières sont généralement spacieuses et bien aménagées, avec les mêmes services et boutiques que dans une aérogare.
Il existe trois classes :
– *bus de 2ᵉ classe :* ils s'améliorent de jour en jour, vu que ce sont de plus en plus souvent les anciens bus de 1ʳᵉ classe reconvertis. Mais bien sûr, certains datent encore de la Conquête. Ce sont les moins chers. Évidemment, ils n'ont ni TV ni toilettes, et les sièges sont souvent défoncés. Mais c'est plus folklo, on voyage avec le Mexique populaire et l'on peut faire des rencontres sympas. Les Mexicains appellent ces bus des *guajoloteros,* nom qui vient du mot *guajolote,* « dindon ». On voyage donc entre des cages à poulet, des seaux remplis de poissons, des sacs de cochonnaille...
– *Bus de 1ʳᵉ classe :* là, on atteint des niveaux de confort franchement agréables (TV, toilettes, sièges inclinables, rideaux aux fenêtres, AC). Moins folklo mais plus rapides. Ils font en principe moins d'arrêts. Plus cher, évidemment. Idéal pour les longs trajets ou les parcours de nuit. Cependant, la clim' est parfois tellement efficace qu'il vaut mieux prévoir un pull !
– *Bus de luxe (de lujo* ou *ejecutivo) :* le top ! Du super-luxe, mais très cher. En plus des services de la 1ʳᵉ classe, on a droit à un minibar et surtout à des sièges très larges et super-inclinables (qui se transforment presque en couchette). Le grand pied pour dormir (avec parfois de petits oreillers fournis). Et

on enregistre les bagages à l'avance, comme pour l'avion. Principales compagnies : *ETN* et *Primera Plus* (destinations au nord de Mexico), *ADO GL* et *UNO* (dans le sud).

– *Ticketbus :* c'est un système de réservation, surtout présent dans le centre et le sud du pays. Pour les bus de 1re classe ou *de lujo*. Très pratique, il suffit de donner son numéro de carte de paiement. ☎ 01-800-702-80-00 (n° gratuit). ● www.ticketbus.com.mx ●

– Lors des vacances scolaires des Mexicains, certaines compagnies offrent d'importantes réductions sur présentation de la carte d'étudiant... mexicaine ! Vous pouvez toujours essayer de présenter votre carte, mais si vous obtenez le *descuento,* ce ne sera qu'une question de chance. En revanche, réduction (jusqu'à 50 %) pour les enfants (l'âge varie selon les compagnies) et pour les personnes handicapées.

Nous indiquons certains horaires : il est évident qu'ils changent tout le temps et qu'ils ne serviront le plus souvent qu'à vous donner une idée de la périodicité des bus.

Comme les paysages sont très souvent les mêmes sur des centaines de kilomètres, on a souvent intérêt à partir tard le soir et à rouler de nuit (prenez des boules Quies en raison de la musique ou de la TV). On économise ainsi une nuit d'hôtel et on gagne du temps. Par exemple, les trajets suivants peuvent être effectués de nuit sans trop de regrets :

➢ Mexico – Guadalajara-Oaxaca – Tuxtla-Gutiérrez-Oaxaca – Cancún-Veracruz – Palenque – Mérida

– En revanche, la route Oaxaca – Puerto Escondido (ou Puerto Ángel) mérite d'être faite de jour.

Voici quelques exemples de tarifs :

➢ Mexico-Veracruz (416 km) : autour de 260 $Me (18,20 €), 295 $Me (20,30 €) en service *ejecutivo*.

➢ Mexico-Mérida (1 340 km) : autour de 825 $Me (57,80 €) en 1re classe.

Le train

Ne cherchez pas la gare ; il n'y en a plus. Depuis la privatisation de *Ferrocarriles Mexicanos* en 1997, les lignes de chemin de fer ont été désaffectées ou sont réservées au fret. Cependant, il existe encore deux lignes célèbres, qui valent vraiment le coup :

➢ Los Mochis-Chihuahua (pour plus d'infos, voir aux chapitres concernés). C'est le fameux train *Chihuahua al Pacífico (El Chepe),* qui traverse le magnifique Cañón del Cobre (canyon du Cuivre) et la sierra des Tarahumaras.

➢ Guadalajara-Tequila. Avec le *Tequila Express*.

L'auto-stop

L'auto-stop, pour des raisons d'insécurité, ne se pratique quasiment pas au Mexique, à part en Basse-Californie, influence américaine oblige. Toutefois, on peut s'aventurer à *pedir un rail* (faire du stop) dans certains coins très spécifiques (que l'on vous indique), pour des petits trajets, sans bagage, et en prenant les précautions d'usage avant de monter.

La location de voitures

C'est cher : entre 450 et 650 $Me (31,50 à 45,50 €) par jour selon le modèle, kilométrage illimité et assurance responsabilité couvrant 90 % des frais. En fait, le prix de la location varie pas mal d'une région à l'autre et selon la saison. Par exemple, à Cancún, cela revient plus cher qu'à Mérida. Si vous êtes 4 ou 5, c'est une solution envisageable. De même, à partir de 6 personnes, la location d'un minibus peut parfaitement être rentabilisée. L'essence n'est pas chère.

Il est conseillé de louer à partir de la France, prix beaucoup plus intéressants qu'au Mexique. Les compagnies mexicaines n'acceptent généralement pas de louer des voitures aux moins de 25 ans, parfois 22 ans. La plupart exigent le passeport, le permis de conduire (votre permis national suffit au Mexique) et une carte de paiement pour la caution (souvent prohibitive). Vérifier soigneusement l'état général du véhicule avant le départ. Et bien se faire préciser la couverture de l'assurance *(el seguro)*.
Attention au fait que certaines agences ne reçoivent pas les véhicules les samedi et dimanche. Un excellent moyen pour rouler les clients inattentifs. Avec certaines agences, il est possible de laisser sa voiture dans une autre ville que celle du départ, mais cela coûte en général 50 % de plus.
Faites gaffe aux tracasseries à la frontière. Pour réaliser un *circuit Mexique-Guatemala-Belize* à partir de Mexico, il faut obtenir une autorisation écrite de la société de location. *Hertz, Budget* et *Avis* refusent de la donner. En revanche, la société *Sarah Rente Autos* accepte de fournir ledit document (Sullivan n° 69, Lobby San Rafael, 06470 Mexico City, à 100 m de la tour de la Loterie Nationale ; ☎ 5566-6088). Il est à noter que les douaniers du Belize insistent pour que l'on souscrive une assurance spécifique, étant donné qu'on perd toutes les autres en passant la frontière. Ce n'est pas obligatoire, tout dépend de la durée du séjour.

■ *Auto Escape :* ☎ 0800-920-940 (n° gratuit) ou 04-90-09-28-28. Fax : 04-90-09-51-87. ● www.autoescape. com ● L'agence *Auto Escape* réserve auprès des loueurs de gros volumes de location, ce qui garantit des tarifs très compétitifs. 5 % de réduction supplémentaire aux lecteurs du *Guide du routard* sur l'ensemble des destinations. Il est recommandé de réserver à l'avance. Vous trouverez également les services d'Auto Escape sur ● www.routard.com ●

On peut également louer sa voiture avec *Hertz* (☎ 01-39-38-38-38), *Avis* (☎ 0820-050-505) ou *Budget* (☎ 0825-003-564).

L'art de conduire

Sachez que n'importe qui conduit au Mexique, souvent sans permis ni assurance et dès l'âge de 14 ou 15 ans (de toute façon, le permis ne veut pas dire grand-chose puisqu'il s'achète, tout simplement...). Cela dit, les Mexicains, dans l'ensemble, ne conduisent pas plus mal que n'importe qui. Quelques trucs cependant à connaître :
– à l'entrée et à la sortie de chaque village, en fait un peu partout sur les routes, il y a des *vibratores* ou *topes*, sortes de *dos-d'âne* artificiels destinés à achever les suspensions et surtout à faire ralentir les voitures, les limites de vitesse n'étant que très rarement respectées. C'est le cauchemar des automobilistes, surtout que bien souvent, ils ne sont absolument pas signalés. Méfiez-vous en conduite de nuit.
– **Attention**, *les feux* sont placés APRÈS le carrefour, comme aux USA. Quand on n'a pas l'habitude, on pourrait croire qu'il n'y a pas de feux, funeste erreur...
– Les lignes blanches et panneaux divers sont peu respectés. Attention aux sens interdits qui ne sont presque JAMAIS signalés, y aller mollo en tournant dans une rue, elle peut s'avérer à sens unique !
– Peu d'automobilistes savent se servir du *clignotant.* Donc, souvent des surprises. À ce sujet, il est bon de savoir que si un camion ou un véhicule lent qui vous précède met son clignotant à gauche, cela peut signifier deux choses : qu'il va tourner à gauche (logique !) ou qu'il vous indique que vous pouvez le doubler. À vous de deviner !
– **Stationnement :** en ville, de nombreux parkings *(estacionamientos)*, heureusement moins chers qu'en Europe. Ils sont indiqués par un E. Il vaut

mieux les utiliser plutôt que de se garer dans la rue. D'abord, on ne sait jamais bien si c'est autorisé ou non. Et ensuite, on n'est jamais sûr de retrouver son véhicule (pas à cause de la fourrière, mais *because* les vols). Ça fait beaucoup d'incertitudes !

Dans les parkings, il faut souvent laisser sa voiture avec la clé de contact et les gardiens la garent eux-mêmes. Dans ce cas, les Mexicains ne laissent aucun objet de valeur à l'intérieur. On peut le mettre dans le coffre si l'on dispose d'une clé à part (qu'on garde sur soi, évidemment).

Dans certains centres urbains, il y a des parcmètres. Mais le plus courant est de tomber sur un jeune garçon qui s'est approprié un bout de trottoir et qu'il « loue » moyennant une *propina* (10 à 20 pesos). En échange de quoi, il surveille votre véhicule. L'insécurité aura au moins fourni du travail à quelques futés ! Vous ne pouvez pas les louper, ils agitent un foulard rouge.

– **Mauvais stationnement :** ne vous inquiétez pas le jour où vous retrouvez votre véhicule avec une plaque d'immatriculation en moins ou un sabot accroché à l'une de vos roues. Vous vous êtes sans doute mal garé (en principe, les stationnements interdits sont indiqués par un « E », barré d'un trait rouge oblique). Il faut aller au *Transito* le plus proche (c'est la police municipale) et payer une contravention. Prévoyez un tournevis, ils ne remettront pas la plaque eux-mêmes... En cas de mauvais stationnement à Mexico, les voitures sont souvent enlevées par la fourrière. Là, bon courage !

– **Autoroutes** (*autopistas* ou *carreteras de cuota*) **:** n'allez surtout pas imaginer que parce que vous roulez sur une autoroute, vous êtes en sécurité. Elles sont en général désertes, mais les apparences sont trompeuses : elles sont beaucoup plus fréquentées que vous ne l'imaginez par... des piétons sortis du néant, des cyclistes chargés d'énormes ballots qui zigzaguent en tous sens, des chiens errants, des cageots de fruits, des ouvriers mal signalés... On en a même vu qui se sont trouvés nez à nez avec des vaches. À 120 km/h, la rencontre est douloureuse.

Attention aussi aux camions. Ils roulent comme des dingues. D'une manière générale, c'est la jungle. On double par la droite, on fait des queues de poisson, et si ça ne va pas assez vite, on prend la voie d'urgence...

Pourtant, le péage des autoroutes est hors de prix. Heureusement, les autoroutes sont souvent doublées par une nationale (*carretera libre*), et si on n'est pas pressé (limitations de vitesse entre 40 et 80 km/h, sans que l'on sache très bien parfois pourquoi), on peut préférer prendre cette dernière. Un avantage cependant de l'autoroute : le ticket de péage inclut une assurance spéciale. Et en cas de pépin, on est secouru par les *angeles verdes* (« anges verts »), patrouille spéciale d'aide aux conducteurs.

– **Conduite de nuit :** déconseillée dans certaines régions peu fréquentées. À Mexico, la pratique veut qu'on ne s'arrête ni aux feux ni aux stops (insécurité oblige). Mais ne vous amusez pas trop à le faire, l'accident est quasiment garanti. De plus, dans le reste du pays, vous ne craignez pas grand-chose. Une bonne solution : fermer sa porte à clé, mais pas de parano inutile. N'oubliez pas qu'il y a beaucoup de voitures en très mauvais état et donc sans feux arrière, par exemple. Pire que les vieilles caisses, le Mexicain qui a bu trop de tequila...

– **Essence :** c'est *Pemex* qui détient le monopole. On trouve des stations-service à la sortie de chaque ville. Attention, il y en a peu le long des autoroutes. Donc, avant un grand voyage par l'autoroute, pensez à faire le plein. Demandez de l'essence *magna* (sans plomb), sauf indication contraire du loueur. Des pancartes placées dans les stations-service invitent la clientèle à vérifier si le compteur de la pompe à essence a bien été remis à zéro avant que le pompiste ne procède à une nouvelle distribution ; cette mise en garde est parfois utile. De même, vérifiez votre monnaie *(bis repetita...)*.

– **Accrochages ou accidents :** en cas d'accident, téléphonez immédiatement au loueur qui préviendra l'assurance qui enverra un de ses agents sur les lieux. Ce dernier se charge de tout. Le seul problème qui peut surgir, c'est que l'autre véhicule ne soit pas assuré. Dans ce cas, soit il fuit à toute vitesse, soit il vous propose un règlement amiable. Ne traitez pas avec lui, attendez l'arrivée de l'agent d'assurances.

Le taxi

Le taxi est un moyen de transport très pratique et très économique. Il faut distinguer Mexico du reste du pays.

– À Mexico, presque tous les taxis ont un compteur. Ne montez pas quand il n'y en a pas (arnaque) et vérifiez qu'il a été remis à zéro (dans les 5 pesos au départ). Vérifiez également la licence, qui doit être bien en vue : elle doit avoir une photo et une date d'expiration. Ne payez qu'après avoir récupéré les bagages. Enfin, prévoyez de la monnaie. La nuit, ne prenez jamais de taxi dans la rue, appelez un taxi *de sitio*, plus cher mais beaucoup plus sûr. Voir aussi la rubrique « Le taxi » dans le chapitre « Mexico ».

– En province, les taxis n'ont presque jamais de compteur. Or, n'oubliez pas que vous êtes *gringo*, normalement ça développe une inflation galopante. Demandez le prix de la course avant de monter et divisez-le au moins par deux. Évidemment, si l'on s'est renseigné avant sur les tarifs en vigueur dans le coin, on peut se montrer beaucoup plus ferme pour négocier. Dans certaines villes, les taxis disposent d'une liste de tarifs en fonction de la distance parcourue ; la consulter.

– Pour éviter les arnaques, les terminaux des bus et les aéroports ont désormais tous une station de taxis intégrée. On achète son billet dans une guérite à l'intérieur du terminal et l'on paie selon la longueur du parcours. Il est vivement conseillé de prendre ces taxis « officiels » plutôt que d'aller en chercher un dans la rue. La course ne revient pas plus cher et la sécurité est garantie.

L'avion

Les vols intérieurs sont chers, mais l'avion permet d'éviter de longs trajets monotones en bus. Compter plus du double d'un voyage en car en 1re classe. Ce à quoi il faut ajouter les transferts entre l'aéroport et la ville, qui sont parfois coûteux.

À tous les voyageurs munis d'un billet international aller-retour, *Aeromexico* offre la possibilité de partir à la découverte de ses destinations intérieures avec son forfait aérien « Mexipass » qui fonctionne sur la base de coupons représentant chacun un vol. L'achat de ce Mexipass est de minimum 2 coupons (à partir de 80 US$ par coupon plus taxes et surcharges). Il a une validité de 3 jours minimum et de 90 jours maximum. À titre indicatif, la réduction tarifaire appliquée par rapport au tarif plein aller simple de chacun des trajets est approximativement de 40 % en classe économique. Pour plus de renseignements, à Paris : ☎ 0800-423-091 (n° Vert).

– Quelques compagnies charters concurrencent *Aeromexico* et *Click-Mexicana* : *Magnicharters, Aviacsa*... Pratique pour les destinations plage. Compter presque un tiers du prix en moins.

Pour réserver les vols intérieurs, les agences de voyages sont bien pratiques car elles sont en contact avec toutes les compagnies aériennes.

Les coordonnées de toutes les compagnies d'aviation sont regroupées dans les « Adresses utiles » de Mexico.

Transport de véhicules et bagages par cargo

■ **Allship :** 18, av. Bosquet, 75007 Paris. ☎ 01-47-05-14-71. Fax : 01-45-96-98-75. ● francis_allship@ hotmail.com ● Demander Francis. | Allship transporte vos motos ou vos voitures dans le monde entier. Vous pourrez récupérer vos véhicules sur la côte des USA du golfe du Mexique. Si vous voulez qu'on vous les livre au Mexique même, les prix augmentent et les difficultés aussi. Également pour vos bagages excédentaires ou pour vos déménagements. Allship dessert 152 villes du continent américain, d'Anchorage à Panamá.

■ Si l'on est trop chargé, on peut renvoyer par bateau une partie de ses affaires. S'adresser au **Central de Aduanas,** Dinamarca 83, à Mexico. ☎ 5525-7660. Minimum : 10 kg.

TRAVAIL BÉNÉVOLE

■ *Concordia :* 1, rue de Metz, 75010 Paris. ☎ 01-45-23-00-23. Fax : 01-47-70-68-27. ● www.concordia-association.org ● Ⓜ Strasbourg-Saint-Denis. Travail bénévole. Logés, nourris. Chantiers très variés : restauration du patrimoine, valorisation de l'environnement, travail d'animation... Places limitées. *Attention,* on se répète : voyage et frais d'inscription à la charge du participant.

ZAPATISTES

La révolte des Indiens

Le 1er janvier 1994, le président du Mexique, Carlos Salinas de Gortari, célèbre l'entrée en vigueur de l'Accord de libre-échange nord-américain (Alena), qui associe le Mexique à ses voisins du nord, États-Unis et Canada. Ce même jour, dans la stupeur générale, les paysans indiens se soulèvent et prennent les armes avec pour modèle Emiliano Zapata (d'où leur nom, EZLN, *Ejercito zapatista de liberación nacional*). Cette guérilla qui compte à peine 3 000 à 5 000 indigènes, hommes et femmes confondus, occupe San Cristóbal de Las Casas et 4 bourgades du Chiapas. Ils réclament la fin de la « dictature » et revendiquent le droit à la terre, au logement, à la santé, à l'éducation, au travail et à la justice, mais aussi la reconnaissance de leur identité et de leur culture en tant que peuple indigène. Un sentiment résumé par Marcos : « Pour eux, nos histoires sont des mythes, nos doctrines sont des légendes, notre science est magie, nos croyances sont superstitions, notre art est artisanat, nos danses et nos vêtements sont folklore, notre gouvernement est anarchie, notre langue est dialecte, notre amour est péché et bassesse, notre démarche est traînante, notre taille petite, notre physique laid, nos manières incompréhensibles (...). Ils nous "civilisèrent" hier et veulent aujourd'hui nous "moderniser" (...) ». Le gouvernement déclenche une contre-offensive qui fait plusieurs centaines de morts.

La contre-offensive du gouvernement

Depuis la Conquête espagnole en 1521, l'histoire des populations indigènes rime avec extermination, exploitation et humiliation. Certes, la forme a changé, les massacres ont laissé la place à une négation plus insidieuse à travers la pauvreté, l'exclusion, la spoliation des terres. La Constitution du Mexique ne reconnaît toujours pas l'existence des peuples indigènes, alors qu'ils représentent 10 % de la population totale, soit environ 10 millions de personnes ! En janvier 1994, une importante manifestation rassemble plus de 100 000 personnes à Mexico. Sous la pression de l'opinion publique, le gouvernement décrète le cessez-le-feu. Les négociations sont ouvertes entre le mouvement zapatiste et le gouvernement, avec la médiation de l'évêque Samuel Ruiz.
Mais avec l'élection de Zedillo en 1994, la pression militaire s'accroît et l'EZLN suspend le dialogue. Le 1er décembre 1994, jour de l'investiture du président,

les zapatistes chassent l'armée de 38 communes, sans affrontement. Zedillo déclenche une contre-offensive le 9 février 1995. Il rend publique l'identité présumée de Marcos et des autres dirigeants, et ordonne leur arrestation. D'énormes mobilisations nationales et internationales lui répondent. Un mois plus tard est mise en place une Commission de concorde et de pacification, la Cocopa.

Les accords de San Andrés restent lettre morte

Le 16 février 1996 est une date porteuse d'espoir : l'EZLN et le gouvernement signent les accords de San Andrés sur les droits des cultures indigènes. Ce premier pas est suivi par une Rencontre continentale américaine pour l'Humanité et contre le néo-libéralisme, qui a lieu à La Realidad, petite localité enfouie dans la forêt Lacandone. Plus de 3 000 personnes de 54 pays y assistent. Les zapatistes prennent une place importante dans le mouvement anti-mondialisation. Mais rien n'avance, et en septembre, les zapatistes suspendent le dialogue avec le gouvernement. La Cocopa propose alors un projet de loi fondé sur les accords de San Andrés. L'EZLN l'accepte, mais le gouvernement le rejette. En 1997, les évêques médiateurs Samuel Ruiz et Raul Vera Lopez sont victimes d'une embuscade attribuée à un groupe paramilitaire. Quelques mois plus tard, le 22 décembre, dans le petit village d'Acteal (Chiapas), des gens se sont réunis pour prier. Un groupe de paramilitaires leur tirent dessus, les poursuivent, achèvent les blessés... Bilan : 45 morts (un bébé, 14 enfants, 21 femmes et 9 hommes). On apprendra par la suite que la police a protégé les paramilitaires, tentant même de faire disparaître des corps. Peu après démarrent une vague d'expulsions de dizaines d'observateurs étrangers présents au Chiapas et une série d'agressions de l'armée contre plusieurs communes zapatistes.

Marcos, après plusieurs mois de silence, lance une consultation à travers tout le pays pour le respect des accords de San Andrés. Le 21 mars 1999, 5 000 zapatistes parcourent le pays et récoltent la signature de 3 millions de Mexicains pour le respect des accords. En septembre, Mary Robinson (haut-commissaire des Nations unies aux Droits de l'homme) se prononce publiquement pour la démilitarisation du Chiapas.

Faux espoirs

Avec l'investiture du nouveau président Fox en 2000, l'espoir revient, et les zapatistes organisent une immense marche vers Mexico (3 000 km) qui reçoit l'appui de personnalités du monde entier. On aperçoit Danièle Mitterrand, Bernard Cassen (ATTAC), Wolinski, Alain Touraine. On assiste même à un fait « historique » : José Bové et Marcos s'échangeant leurs pipes !

Le 28 mars, une délégation zapatiste est enfin reçue à la Chambre des députés. Marcos s'efface volontairement et la *comandante* Esther prononce le discours principal. C'est la toute première fois dans l'histoire du Mexique qu'une Indienne prend la parole à la tribune.

Mais le 25 avril 2001, c'est la trahison : les sénateurs votent un projet de loi qui vide de son contenu le projet de la Cocopa, qui est bien sûr rejeté par les zapatistes. Ces derniers rompent les contacts avec l'administration Fox et le silence retombe sur la jungle du Chiapas. Malgré les espérances levées par l'alternance politique, le bilan aujourd'hui est assez maigre : certes, le mouvement zapatiste a réussi à redynamiser la société civile, à réactiver les mouvements sociaux et à faire entendre la parole des communautés indiennes. Mais en réalité, depuis 1994, il n'y a eu aucune avancée concrète. En janvier 2006 (alors que débutait la campagne électorale pour les présidentielles), Marcos a organisé une nouvelle marche à travers le pays et a lancé la « *otra campaña* » pour souligner son désaccord fondamental avec les partis politiques traditionnels...

ZÓCALO

Le *zócalo,* c'est la place principale d'une ville, lieu privilégié d'animation autour duquel tout s'ordonne. Cela veut dire « socle ». Si la place la plus importante de Mexico s'est appelée ainsi, ce serait à cause du socle de la statue équestre de Carlos IV qui resta longtemps sans statue, d'où le surnom ironique de *zócalo* pour désigner cette place. Par extension, on surnomma toutes les autres places mexicaines ainsi. C'est d'ailleurs à l'origine d'un problème agaçant de géographie urbaine. Certaines places sont connues sous une demi-douzaine d'appellations : plaza Principal, plaza Mayor, *zócalo,* un nom propre... On tâchera au maximum de vous éviter cet ennui.

MEXICO ET SES ENVIRONS

MEXICO   20 millions d'hab.   IND. TÉL. : 55

> Pour les plans de Mexico et celui du métro, se reporter au cahier couleur.

Arrêtez-vous ! Cette capitale n'est pas qu'une cité de passage. Il faut aller à sa rencontre. Si le Mexique est surréaliste, Mexico en est la quintessence. La capitale du pays rassemble tous les excès. Par sa démesure déjà. C'est sans aucun doute la plus grande agglomération du monde, en compétition permanente pour ce titre de gloire avec Tokyo et São Paulo. Inutile de vous dire que vous allez avoir du travail si vous voulez tout connaître du D.F., comme on l'appelle communément (pour Distrito Federal). Mexico se situe à 2 300 m d'altitude et l'on manque un peu de souffle parfois en parcourant ses 60 km du nord au sud et ses 40 km d'est en ouest. Mais rassurez-vous, on peut très bien se contenter de rester dans les quartiers du centre. La ville est construite sur d'anciens lacs asséchés, ce qui donne aux immeubles cet air penché qui amuse tant le touriste. Ajoutez à cela des secousses sismiques quasi constantes, et vous aurez le paysage urbain le plus curieux et le plus hétéroclite qui soit. En un mot, une ville en mouvement perpétuel, avec ses embouteillages et ses heures d'attente dans les transports en commun. Le charme du pays...
Attention, le menu est plutôt copieux : plus de 100 musées, un magnifique centre historique aux accents coloniaux, des ruines aztèques qui bordent le périph', des jardins flottants (Xochimilco), l'impressionnant volcan Popocatépetl en ligne de mire (quand la pollution ne cache pas l'horizon !), la plus grande avenue du monde (*Insurgentes* et ses impressionnants 40 km), des concerts et spectacles de classe mondiale, et une vie nocturne effrénée...
Bref, l'ancienne capitale de l'Empire aztèque offre tout ce que peut désirer le routard le plus exigeant. C'était d'ailleurs écrit, la légende aztèque dite « des migrations » prévoyait déjà il y a 500 ans que *Tenochtitlán* deviendrait la ville la plus grande et la plus peuplée au monde. Étonnant, non ?

CLIMAT ET POLLUTION

Plus de 200 jours d'ensoleillement par an ! Mais attention, à cause de l'altitude, il fait chaud dans la journée mais frais dès que le soleil disparaît, voire froid les soirs d'hiver. En été, *grosso modo* de juin à octobre, c'est la saison des pluies. Heureusement, celles-ci ne tombent qu'en fin de journée. Ce sont des trombes d'eau de courte durée qui viennent rafraîchir l'atmosphère, nettoyer la ville... et créer de monstrueux embouteillages (à cause des inondations de la chaussée) !
La pollution ! Sujet intarissable des *capitalinos*. Deux indicateurs la mesurent en permanence (indiqués au journal météo). Dès que l'indice IMECA atteint 240 ou l'indice PM 180, le maire déclare l'état d'alerte. À partir de ce moment, 30 % du parc industriel est arrêté et environ 20 % des voitures n'ont plus le droit de circuler. Heureusement, ce cas ne s'est pas reproduit depuis octobre 1999, quand les pigeons tombaient du ciel, étouffés par l'air contaminé ! Mais Mexico, c'est aussi – et on l'oublie souvent sous le nuage de pollution – une ville verte, avec pas mal de parcs, comme Chapultepec ou

l'Alameda, des allées bordées d'arbres et de fleurs sur Reforma ou Insurgentes. Pour les fêtes de fin d'année, la ville se pare de *Noche buena,* des poinsettias rouge flamboyant. Très beau spectacle.

UN PEU D'HISTOIRE

Imaginez un peu la stupeur des Espagnols quand ils découvrent, en 1519, la capitale de l'Empire aztèque, construite au milieu d'un lac bordé de majestueux volcans. Une merveilleuse ville flottante couverte de palais gigantesques, de pyramides flamboyantes, des jardins enchanteurs, des marchés, des canaux et d'immenses aqueducs qui alimentent la ville en eau. Tout est propre, ordonné, régi par des rites et des règles stricts.
Ce bel ordonnancement est soudain bouleversé par l'arrivée de Cortés et de ses hommes. En deux ans, ils se rendront maîtres de l'Empire aztèque. Les combats restent incertains, mais finalement, Mexico-Tenochtitlán tombe aux mains des Espagnols à l'issue d'un siège de plusieurs mois, qui affamera la population.
Cortés prend alors une décision qui nous paraît aujourd'hui monstrueuse et absurde : il fait tout simplement raser la ville, qui est enterrée sous plusieurs millions de mètres cubes de terre. Au-dessus des ruines du Templo Mayor (la plus haute pyramide de Tenochtitlán), la cathédrale est édifiée... Le grand métissage des races peut commencer (lire aussi l'histoire des Aztèques dans les « Généralités »).
Mexico devient alors, pendant près de 400 ans, la capitale de la puissante vice-royauté de la Nouvelle-Espagne, et le Mexique, la province la plus importante de l'Empire espagnol pendant le XVIIIe siècle. En effet, après la conquête des Philippines par les galions de Manille, le Mexique, avec ses deux ports d'Acapulco et de Veracruz, devient le passage obligé sur la route des Indes qui permet le commerce des richesses entre l'Asie et l'Europe. En l'an 2000, Mexico-Tenochtitlán a fêté ses 675 ans.

Le 19 septembre 1985... 8,2 sur l'échelle de Richter !

Ce matin-là, deux violentes secousses sismiques, à quelques minutes d'intervalle, frappent de plein fouet Mexico. Si certains quartiers périphériques restent intacts, d'autres connaissent d'importants dégâts, comme le centre-ville et le quartier Roma. Plus de 8 000 morts, des centaines d'immeubles détruits. De nombreux hôpitaux s'effondrent, ce qui révèle alors l'étendue de la corruption : les bâtiments publics n'avaient pas été bâtis selon les normes de construction.
Seule consolation au milieu du désarroi : l'immense mouvement de solidarité qui se manifeste chez les Mexicains et dans le monde. Mais aujourd'hui encore, 1985 reste dans toutes les mémoires mexicaines.

Mexico, un développement monstrueux

L'un des rares effets bénéfiques du tremblement de terre a été de ralentir pour un temps l'immigration intérieure, soit pas moins de 8 000 arrivées par jour avant la catastrophe, surtout des familles de paysans. On les appelle les « parachutistes ». Ils débarquent pleins d'espoir, construisent leurs baraques en quelques nuits. Le moindre espace disponible est squatté par les bidonvilles. Il suffit ensuite de quelques élections et des « achats » de votes pour que des rues soient tracées, l'eau courante installée. Les premières maisons en parpaings sont alors construites, et voilà en quelques années un pan de colline verdoyant transformé en zone urbaine. La visite du pape Jean-Paul II a eu parfois des effets inattendus : Ciudad Nezahuatcoyotl a ainsi eu droit à l'électricité juste avant son arrivée. Depuis les années 1950, Mexico connaît une croissance exponentielle telle que personne ne semble

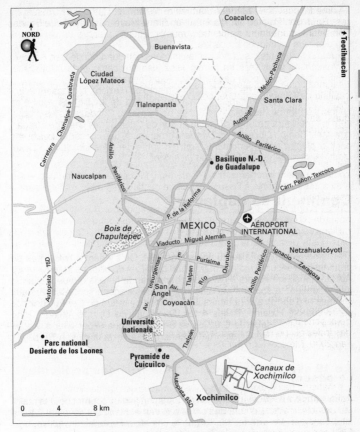

LA CONURBATION DE MEXICO

pouvoir l'arrêter. Vous imaginez facilement les deux maux dus à cette concentration urbaine : la délinquance et le trafic automobile. La sécurité est devenue la priorité numéro un des autorités (lire nos conseils à la rubrique « Dangers et enquiquinements » dans les « Généralités »). Quant aux embouteillages, la mairie a renoncé à limiter la circulation automobile. En désespoir de cause, elle a construit en 2003 un deuxième étage de périphérique !

Itinéraires conseillés

ATTENTION : la majorité des musées ferment le lundi.
➤ *Jour 1 :* museo de Antropología, museo de Arte moderno, le château de Chapultepec et les musées du coin (Polanco). Le soir, sortir dans l'un des bars ou restaurants du quartier Condesa.

➤ *Jour 2 :* consacré à la visite du centre historique. Cathédrale, musée du Templo Mayor, Palacio nacional, museo Franz Mayer, Secretaría de Educación pour les amateurs de peinture murale. Le soir, prendre un verre dans l'un des bars mythiques du centre.

➤ *Jour 3 :* partir plein sud. Visiter les musées des quartiers de San Ángel et Coyoacán. Si vous êtes en forme, allez jusqu'au campus de l'Université. Restez dans le coin pour passer la soirée à Coyoacán.

➤ *Jours 4 et 5 :* visite de Teotihuacán (au nord de Mexico), en passant éventuellement par Tepotzotlán et Xochimilco (au sud de la ville). Si vous êtes toujours en forme, les salles de danse de Roma ou Condesa où se produisent les meilleurs groupes de salsa et *són* de Cuba et des Caraïbes (regardez dans *Tiempo Libre, DF* ou *Dónde* le programme des concerts). Les billets pour la plupart des événements sont en vente dans les kiosques « Ticket Master » des magasins *Mix Up* ou *Liverpool*.

Comment se déplacer ?

Le métro

Troisième réseau en taille au niveau mondial. On s'y sent à l'aise, pas de problème de sécurité majeur et très pratique. Prix du billet : 2 $Me (0,14 €). Acheter plusieurs tickets à l'avance pour éviter de faire la queue à chaque fois. Attention, le soir, sur certaines lignes, des wagons sont réservés aux femmes et d'autres aux hommes. Les stations de métro du *Centro Histórico* sont : Juárez, Hidalgo, Bellas Artes, San Juan de Letrán, Allende, Pino Suárez, Zócalo, Isabel la Católica et Salto del Agua. Pour aller à *Xochimilco,* prendre le *Tren ligero* (métro aérien) à partir de la station Tasqueña (ligne n° 2).

Le *pesero*

Appelé aussi *micro,* c'est le moyen de transport le plus courant pour la majorité des Mexicains. Ce sont des petits bus vert et blanc qui dévalent à toute allure les grandes artères, tandis que le chauffeur klaxonne, invective, boit, fume et vous rend la monnaie. À prendre au moins une fois ! Pas d'arrêt fixe. Vous devez les héler. Pour descendre, rendez-vous à l'arrière (enfin, si vous pouvez bouger) et appuyez sur la sonnette, en hauteur près de la porte. Si cela ne marche pas : prenez votre respiration, appuyez à nouveau sur la sonnette et criez « Baaajaaa ! ».
Une **pancarte sur le pare-brise indique la destination finale** et les principaux points de passage. Vous trouverez des dizaines de *peseros* à chaque sortie de métro. Très pratique pour descendre (ou remonter) les grandes avenues comme Reforma. Il vous en coûtera environ 2 à 4 $Me (0,14 à 0,28 €).

Le *metrobus*

Inauguré en 2005. C'est un double bus qui dispose de son propre couloir (au centre de l'avenue) et s'arrête systématiquement à toutes les stations, comme le métro. Pour le moment, un seul parcours : l'avenue Insurgentes, l'immense artère qui traverse la ville du nord au sud, depuis la station de métro Indios Verdes jusqu'à l'Université UAEM. Pour y accéder, il faut acheter une carte magnétique rechargeable. Sur Insurgentes, c'est désormais le seul transport public possible puisque les *peseros* ont été supprimés.

Le taxi

Les taxis sont omniprésents dans les rues, même si c'en est bel et bien fini du règne sans partage des fameuses coccinelles vert pomme. Bien sûr, vous en verrez encore une floppée, mais on trouve de plus en plus d'autres modèles comme la Chevy (Opel), l'Atos et même la Clio... Voici quelques recommandations. Les chauffeurs de taxi doivent tous afficher leur permis avec photo couleur sur le pare-brise. Ne pas prendre de taxi sans compteur ou sans le permis affiché. Dès la tombée de la nuit, ne jamais prendre un taxi dans la rue, mais appeler un *taxi de sitio* (voir les téléphones dans les « Adresses utiles générales »). Les routards prudents feront d'ailleurs la même chose durant la journée.

Attention : par temps de pluie, les veilles de jours fériés et le vendredi, réserver à l'avance par téléphone (notamment en cas de départ à l'aéroport), car les taxis sont pris d'assaut.

L'arrivée à l'aéroport

L'arrivée

L'arrivée sur Mexico, de jour comme de nuit, est incontestablement l'une des visions les plus surréalistes qui soient ! Essayez d'avoir un siège côté hublot. Comme l'aéroport est en pleine ville, le survol de la mégapole à quelque 500 m de hauteur est impressionnant.
– *Formalités à l'arrivée :* il y a de fortes chances que Mexico soit votre porte d'entrée au Mexique. Vous devrez donc remplir le formulaire FMT *(Forma Migración para Turista),* qui vous est remis dans l'avion. Gardez-le **précieusement** car ce document vous sera demandé lors de la sortie du territoire mexicain. On doit également remplir le formulaire des douanes (fourni dans l'avion). Il spécifie que vous avez droit de transporter 3 l d'alcool, 20 paquets de cigarettes, 25 cigares et l'équivalent de 10 000 US$ en devises.

L'aéroport

– Pour tous renseignements : ☎ 5782-9002.
– Pour se repérer : le hall A est réservé aux *arrivées nationales.* Les *compagnies nationales* sont réunies dans les halls B, C et D. Pour *l'international,* les arrivées se font dans le hall E et les départs en salle F.

🛈 *Information tourisme :* minuscules guichets dans les halls A et E. Si vous n'avez pas de chambre d'hôtel réservée, adressez-vous à ces stands qui possèdent la liste des principaux hôtels avec les prix.
✉ @ *Poste et Internet :* guichet de poste dans la zone nationale, au repère « A ». Ouvert tous les jours. Dans tout l'aéroport, on trouve des boîtes aux lettres et des distributeurs de timbres. Cybercafé plein de jolis I-mac entre les repères « D » et « E ».

■ *Change :* nombreuses banques et bureaux de change *(casa de cambio)* dans tout l'aéroport. Peu de différence de taux entre eux. Celui-ci n'est pas très avantageux. Également des distributeurs automatiques pour cartes *Visa* et *MasterCard.*
■ *Consigne :* aux repères « A » et « E ». Ouvert 24 h/24 (casiers). Compter de 55 à 80 $Me (3,85 à 5,60 €) pour 24 h et selon la taille du bagage.

Comment quitter l'aéroport ?

✈ *L'aéroport Benito Juárez* de Mexico est à 8 km du centre historique, à l'est de la ville. On peut rejoindre le centre en métro ou en taxi.

MEXICO
ET SES ENVIRONS

– *Taxis :* il existe des taxis « autorisés » *(taxi autorizado),* blancs et jaunes, avec le logo d'un avion peint sur les portières. Ils sont situés aux sorties internationales, zone D, et à la sortie nationale, zone A. Mais avant, il faut acheter le ticket aux guichets situés près de la réception des bagages. ☎ 5571-3600. Prix fixes et officiels. Compter de 70 à 230 $Me (4,90 à 16,10 €) pour le centre-ville. Si vous êtes très nombreux, vous pouvez demander une camionnette (« ichi-van », du nom de la marque, et il faut payer le double). Évitez les taxis non autorisés, à cause des risques d'arnaque.

– *Métro :* la station de métro est *Terminal Aerea* (ligne n° 5). Elle se trouve à 400 m environ à l'extérieur, en sortant à gauche de l'aérogare, après la zone nationale (A). En principe, l'accès du métro est interdit aux porteurs de gros bagages et de valises encombrantes aux heures de pointe : de 7 h à 10 h et de 17 h à 20 h. En dehors de ces heures, le passage est toléré. Plan du métro gratis aux guichets... enfin, quand il y en a (sinon, voir le plan dans le cahier couleur de ce guide). Pour le centre, prendre la direction *Pantitlán* (terminus de la ligne 5) et ensuite la correspondance avec la ligne 1 (direction *Observatorio*).

– *Bus :* pour ceux qui veulent éviter Mexico, sachez que l'on peut rejoindre quelques villes de province directement depuis l'aéroport : Puebla, Cuernavaca, Toluca, Querétaro... Ce petit terminal de bus (très pratique parce que ça évite de se trimballer jusqu'aux stations de bus) se trouve au 1er étage, au niveau de la zone des vols internationaux. Salles d'attente confortables et départs réguliers.

Adresses utiles générales

Représentations diplomatiques

■ *Ambassade et consulat de France (plan couleur III, G6, 1) :* Lafontaine 32. ☎ 9171-9840. Fax : 9171-9858. En cas d'extrême urgence : ☎ 044-55-5406-8664 (portable, 24 h/24). ● www.francia. org.mx ● Ⓜ Auditorio. Ouvert du lundi au vendredi de 9 h à 13 h. Service culturel, poste d'expansion économique. En cas de difficultés financières et juridiques, le consulat peut vous assister pour résoudre vos problèmes.

■ *Ambassade de Belgique (plan couleur III, G6, 2) :* angle de Horacio et Musset 41. ☎ 5280-0758 et 1008. Ouvert du lundi au vendredi de 8 h 30 à 13 h.

■ *Ambassade et consulat de Suisse (plan couleur d'ensemble, 3) :* av. Las Palmas 405, edificio Torre Optima, 11e étage. ☎ 5520-3003. Fax : 5520-8685. ● www.eda.admin. ch/mexico ● Ⓜ Auditorio ou Chapultepec, puis prendre le *pesero* marqué « Palmas ». À l'est de la ville. Ouvert du lundi au vendredi de 9 h à 12 h (11 h le vendredi).

■ *Ambassade et consulat du Canada (plan couleur III, H6, 4) :* Schiller 529 ; à l'angle avec Tres Picos. ☎ 5724-7900. En cas d'urgence : ☎ 01-800-706-2900 (n° gratuit). ● www.canada.org.mx ● Bureaux ouverts du lundi au vendredi de 9 h à 17 h ; pour les visas, de 9 h à 12 h 30.

■ *Ambassade et consulat du Guatemala (plan couleur d'ensemble, 5) :* av. Esplanada 1025, quartier Lomas de Chapultepec. ☎ 5520-0454 ou 5540-7520. Le visa n'est pas nécessaire, le passeport suffit. Ne pas oublier sa carte de tourisme mexicaine pour passer la frontière.

■ *Ambassade des États-Unis (plan couleur II, E4, 6) :* paseo de la Reforma 305. ☎ 5080-2000 ou 01-900-849-849 (n° gratuit). ● www. usembassy-mexico.gov ● Ⓜ Insurgentes. Ouvert du lundi au vendredi de 9 h à 11 h et de 13 h à 15 h. Inutile de vous déplacer sans avoir téléphoné au préalable pour prendre rendez-vous.

Infos touristiques

ℹ️ *Points d'infos touristiques :*
☎ 01-800-008-900 (n° gratuit).
● www.mexicocity.gob.mx ● Sur tous les sites culturels (le Zócalo, le musée d'Anthropologie...), vous verrez des petites guérites jaunes ouvertes de 9 h à 18 h. Infos en espagnol et anglais, plans, etc. Personnel très disponible et sympa.
■ *Instituto nacional de Migración* (plan couleur d'ensemble, 7) : Ejer-

cito Nacional 862. ☎ 5626-7200. Ⓜ Polanco. Au nord-ouest de Polanco. Ouvert du lundi au vendredi de 9 h à 13 h. Pour tout problème de carte de touriste, notamment si vous voulez prolonger votre séjour. Prévoir 250 $Me (17,50 €), le passeport et votre formulaire FMT. Se rendre au guichet « D ». Venez-y quand même dès l'ouverture, il y a beaucoup de monde.

Argent, banques, change

■ *Banques HSBC :* font le change à un taux satisfaisant. Vous en trouverez un peu partout dans la ville. Gros avantage : elles sont ouvertes du lundi au samedi de 9 h à 19 h.

■ Toutes les banques disposent de *distributeurs de billets* pour cartes *Visa* et *MasterCard*.
■ *American Express* se trouve dans la Zona Rosa (voir plus loin).

Services

✉️ *Poste centrale* (plan couleur I, C1) : Tacuba, à l'angle de Cárdenas. ☎ 5512-0091. Entre les stations de métro Bellas Artes et Allende. Ouvert du lundi au vendredi de 8 h à 20 h et les samedi et dimanche jusqu'à 16 h. La magnifique façade rappelle les palais vénitiens. Un bureau de poste se trouve sur le Zócalo, face au Palais national, sous les arcades. Pas facile à trouver ; à l'enseigne *Postal México,* il faut aller tout au fond de la galerie.
■ *Apprendre l'espagnol :* les plus chouettes cours ont lieu à l'*Université Nationale Autonome de Mexico* (UNAM) au *Centro de Enseñanza*

para los Extranjeros (CEPE), av. Universidad 3002. ☎ 5622-2470. Fax : 5616-2672. ● www.cepe.unam.mx ● C'est super, mais les sessions durent 6 semaines. Également un centre à Taxco (voir cette ville).
■ *Sanborn's :* on trouve souvent les principaux hebdos français et américains dans cette chaîne de grands magasins.
■ *Services de radio-taxis 24 h/24 :* ☎ 5271-2560, 5516-9220, 5566-0968. Dans le centre : ☎ 5516-6020 et 5538-1440 *(Taximex),* ☎ 5566-1060 *(Servitaxis)* et ☎ 5756-3514 *(D'Lux).*

Urgences

■ *Urgences :* ☎ 080.
■ *Policía* (plan couleur II, E5, 8) : Florencia 20. ☎ 061 ou 5346-8730. Ⓜ Insurgentes. Au 1er étage. Ce poste de police est ouvert 24 h/24, pour les pertes, vols ou agressions. Beaucoup de monde.
■ *Médecins parlant français :* Dr Alberto Aznar, Dramaturgos 49-A, Satelite. ☎ 5393-1672 ou 5328-2828 (portable). Dr Raymondo Nuñez, Horacio 1008. ☎ 5280-8549 ou 5227-7979 (portable). Ce dernier officie à l'*hospital Español.*

■ *Hospital Español* (plan couleur d'ensemble) : av. Ejército Nacional 613. ☎ 5255-9600. Fax : 5255-9665. À 600 m du métro Polanco et du lycée français. Immenses bâtiments modernes qui occupent toute une *cuadra.* Efficace et très cher : on doit laisser un dépôt-caution de 15 000 $Me (1 200 €) ! Les soins sont remboursés ultérieurement par factures par vos assurances. Cartes de paiement acceptées, heureusement ! Le Dr Raymondo Nuñez y parle le français.

■ **Hospital ABC** (plan couleur d'ensemble) : Sur 136, 116. Col. Las Americas. ☎ 5230-8000. Au sud de Polanco. Connu aussi sous le nom d'*hospital Ingles*. L'un des meilleurs (et des plus sûrs !) établissements hospitaliers de la ville. Dépôt-caution obligatoire également en cas d'hospitalisation. On y parle l'anglais.

Agences de voyages

■ **Viva Zapata** (plan couleur II, E4, 9) : río Niagara 52. Col. Cuauhtémoc. ☎ 5207-6416. Fax : 5511-1781. ● www.viva-zapata.biz ● Correspondant de nombreuses agences en France. On y parle le français. Une chouette équipe, très compétente, qui saura très bien vous conseiller.
■ **Mundo Joven** (plan couleur I, D1, 50) : Guatemala 4. ☎ 5518-1755. Fax : 5518-1746. ● www.mundojoven. com ● Agence située dans les locaux de l'*hostal Catedral*. Adresse intéressante pour les vols charters à prix imbattables et pour se faire faire une carte d'étudiant internationale ISIC (plus chère qu'en France). Elle donne droit à des réductions dans les musées. D'autres bureaux dans la ville (voir dans les quartiers).

Culture

Pour organiser vos sorties (théâtre, ciné, expos, concerts, musées, loisirs, etc.), procurez-vous **Tiempo Libre, DF** ou **Dónde.** Dans tous les kiosques de la ville.

Comment se repérer ?

Les différents quartiers *(colonias)*

Mexico est une pieuvre gourmande qui a grandi en avalant les villages des alentours. Un « phagocytage » anarchique mais efficace. Résultat : la ville est une mosaïque de quartiers très différents les uns des autres et souvent distants de plusieurs dizaines de kilomètres. Outre le centre historique, les plus intéressants sont : au centre, la Zona Rosa, la Condesa et la Roma ; au sud, Coyoacán et San Ángel ; à l'est, Polanco. La visite de Mexico demande donc un minimum d'organisation pour profiter au mieux de cette « mégalopole » hallucinante. Nous avons donc divisé la ville par quartiers et à l'intérieur de chacun vous trouverez nos rubriques « Adresses utiles », « Où dormir ? », « Où manger ? », « Où sortir ? », etc., « À voir ».

CENTRO HISTÓRICO (CENTRE HISTORIQUE ; plan couleur I)

Le cœur historique, avec ses superbes bâtiments coloniaux, quelques lambeaux de l'ancienne Tenochtitlán et des rues qui réservent plein de surprises. Mais aussi le coin des adresses « routard » si vous restez 2 ou 3 jours. Un concentré de Mexico D.F. !

Adresses utiles

Livres, journaux et Internet

■ **Gandhi :** av. Juárez. Ⓜ Bellas Artes. Très grande librairie. Appartient à une importante chaîne mexicaine.
Ⓐ La plupart des **cybercafés** sont situés aux étages des boutiques. Bien lever la tête ! En voici deux :
– *Café Distante (plan couleur I, C1, 10) :* Tacuba 40, 1er étage. ☎ 5518-8153.
– *Express-Net (plan couleur I, C2, 11) :* calle República del Salvador 12, 2e étage. ☎ 5512-4001. Ouvert du lundi au samedi de 8 h à 20 h.

Divers

■ *Le petit train :* arrêt devant le Palacio Bellas Artes *(plan couleur I, B1, 173),* pour une visite du *Centro Turístico.* ☎ 5512-1012. Du lundi au dimanche de 10 h à 18 h. Prix : 35 $Me (2,50 €) ; réductions. Durée : 45 mn.

■ *Bains-douches Marbella (plan couleur I, C1, 12) :* Belisario Dominguez 40. ☎ 5529-4550. Ouvert du lundi au samedi de 7 h à 20 h et le dimanche jusqu'à 17 h. Hammam et bains turcs à 45 $Me (3,15 €) environ. Vente de produits pour le bain.

■ *Photographie, vidéo :* tous les magasins *Sanborn's* ont au minimum du papier couleur, des films Advantix et des cassettes pour vos caméscopes... au format NTSC (Pal ou Secam en Europe), malheureusement. Pour les pros, faire un tour dans les magasins de la rue Donceles à partir de l'angle avec Brasil dans le *Centro Histórico.*

Où dormir ?

C'est ici qu'il faut loger si l'on reste quelques jours dans la ville (accès facile en métro ou en taxi de l'aéroport). Les hôtels sont en général de bon standing, mais bien souvent la déco n'a pas passé le cap des années 1970. Les chambres avec grand lit, même *king size,* sont plus économiques que les chambres à 2 lits (même si ceux-ci, parfois immenses, peuvent se révéler intéressants... à quatre !). En moyenne, les prix sont moins élevés qu'en province.

Très bon marché : moins de 210 $Me (14,70 €)

⌂ *Hostel Catedral (plan couleur I, D1, 50) :* Guatemala 4. ☎ 5518-1726. ● www.hostelcatedral.com ● Ⓜ Zócalo. Derrière la cathédrale. Dortoirs et chambres propres et modernes, dont certaines avec une vue imprenable sur la cathédrale. Celles à 2 lits (chambre cellule) sont relativement chères pour une auberge de jeunesse. L'intérêt réside plus dans les nombreux services fournis : café, restaurant, salon TV, machines à laver, cuisine, billard, agence de voyages et service Internet. Si l'accueil de l'auberge reste ouvert 24 h/24, en revanche les services ferment à 22 h. Réduction aux membres des AJ et aux porteurs de carte ISIC. L'endroit idéal pour rencontrer des jeunes de tous pays et faire la fête !

⌂ *Hôtel Isabel (plan couleur I, C2, 51) :* Isabel la Católica 63 ; à l'angle avec El Salvador. ☎ 5518-1213. Fax : 5512-1233. ● www.hotel-isabel. com.mx ● Ⓜ Isabel la Católica. Une adresse pour routards, située dans un bel immeuble ancien. Chambres disposées autour d'un vaste atrium, grandes et hautes de plafond, mais sombres. Celles avec salle de bains commune sont très compétitives. Mobilier vétuste et eau pas toujours chaude. Préférer le 4e étage pour le calme, la clarté et la vue sur les toits. Salon pour échanger des bons plans. Bonne ambiance. Resto ouvert jusqu'à 23 h et bar jusqu'à 1 h. Accueil un peu limite.

⌂ *Hostal Moneda (plan couleur I, D2, 52) :* Moneda 8. ☎ 5522-5821. Fax : 5552-5803. ● www.hostalmoneda.com.mx ● Ⓜ Zócalo. À quelques pas du Zócalo, quartier populaire de la Moneda. Dans un immeuble colonial, l'établissement offre des lits en dortoirs pour 4 à 6 personnes, petit dej' inclus à prendre en terrasse. Internet, laverie, coin cuisine. Accepte les cartes de paiement. Moins bon rapport qualité-prix que l'*hostel Catedral.*

⌂ *Hôtel Meave (plan couleur I, C2, 53) :* Meave 6. ☎ 5521-6712. Fax : 5512-0686. Ⓜ Salto del Agua. Presque à l'angle Lázaro Cárdenas, dans un quartier populaire. Prix très compétitifs, équivalents à ceux d'une AJ pour les chambres à lit *king size*. Belle façade, intérieur rénové. Chambres très propres avec TV, téléphone, et eau minérale, mais souvent sombres, voire très sombres. Également 2 belles chambres avec jacuzzi. Parfois location à l'heure ! Malgré cela, une de nos meilleures adresses. Attention tout de même si vous rentrez tard le soir, la rue a de drôles de fréquentations !

🛏 *Hôtel Juárez (plan couleur I, C1, 54)* : cerrada (impasse) de 5 de Mayo 17. ☎ 5512-6929. Ⓜ Zócalo. Le moins cher de sa catégorie. Hôtel calme où domine la tonalité verte. Ascenseur. Les chambres sans fenêtre se répartissent sur 6 étages autour d'un patio genre puits de lumière. Sombres, mais avec des sanitaires en marbre ! TV et téléphone. Prix et situation intéressants si vous arrivez tôt.

Bon marché : de 210 à 300 $Me (14,70 à 20 €)

🛏 *Hôtel Habana (plan couleur I, C1, 55)* : Cuba 77. ☎ 5518-1589. Ⓜ Allende. L'entrée fait plutôt penser à une banque. Chambres très spacieuses et propres, avec douche, TV câblée, téléphone et radio. Certaines avec lit *king size*. Mobilier pratique et assez joli. Bon rapport qualité-prix. Distributeurs de boissons à la réception. Une adresse plébiscitée par les lecteurs de ce guide.

🛏 *Hôtel Conde (plan couleur I, B2, 56)* : Pescaditos 15. ☎ 5521-1084. Ⓜ Balderas. À l'angle de Revillagigido. Belle entrée en marbre, hélas un peu tristounette. Chambres propres et agréables, avec salle de bains, lits de 2 m de large et mobilier fonctionnel. Très propre. TV et téléphone. Très bon rapport qualité-prix pour les chambres à lit *king size*. Bien moins cher qu'une AJ. Belle vue sur la place. Garage. Dommage que ce soit un peu loin du centre.

🛏 *Hôtel Monte Carlo (plan couleur I, C2, 57)* : Uruguay 69. ☎ 5521-2559. Fax : 5510-0081. Ⓜ Zócalo. Chambres spacieuses avec salle de bains, donnant sur un grand patio. Petit balcon pour celles donnant sur la rue animée. Beaucoup sont assez sombres et assez vieillottes. Garage insolite dans le hall-patio. Accueil bon enfant et standard téléphonique d'un autre âge ! Bon rapport qualité-prix.

🛏 *Hôtel Lafayette (plan couleur I, C2, 58)* : Motolinía 40. ☎ 5521-9640. Ⓜ Zócalo. À l'angle de calle 16 de Septiembre. Belle façade sur une agréable rue piétonne. Près de 55 chambres pas de première jeunesse, un peu petites, surtout celles du 3e étage, mais salle de bains rénovée, téléphone et TV. Ensemble très propre, avec matelas tout neufs. Calme et central. Charmant accueil. Hôtel souvent complet et fréquenté principalement par les Mexicains.

🛏 *Hôtel Congreso (plan couleur I, C1, 59)* : Allende 18. ☎ 5510-4446. Ⓜ Allende. À 5 mn de Bellas Artes. Façade des années 1950. Propre mais un peu lugubre. TV satellite. Douches ou bains et sanitaires impeccables. De plus, bon accueil. Garage gratuit.

🛏 *Hôtel Atlanta (plan couleur I, C1, 60)* : Belisario Domínguez 31, angle Allende. ☎ 5518-1201. Fax : 5518-1200. Ⓜ Allende. Hôtel sans charme, un peu vétuste mais avec ascenseur. Les chambres sont bien tenues, avec TV câblée et téléphone. Bon accueil. Distributeur de boissons dans le hall de l'entrée. Cartes de paiement acceptées.

🛏 *Hôtel Miguel Ángel (plan couleur I, B3, 61)* : Dr Valenzuela 8. ☎ 5578-3022. Ⓜ Salto del Agua. Dans un immeuble moderne impersonnel, chambres à petit prix avec sanitaires, téléphone, TV câblée et mobilier digne des séries allemandes style *Inspecteur Derrick*. Assez bruyant, mais bon rapport qualité-prix. Ascenseur, garage et restaurant. Un peu excentré.

🛏 *Hôtel San Antonio (plan couleur I, C2, 62)* : callejón 5 de Mayo 29. ☎ 5518-1625. Fax : 5512-9906. Ⓜ Allende. Entre Isabel la Católica et Palma. Calme. Chambres avec moquette, téléphone et TV. Mais elles sont bien petites et un peu sombres. Tout comme la rue à la nuit tombée ! Très central. Une bonne adresse.

▲ **Hôtel Washington** (plan couleur I, C2, 63) : callejón 5 de Mayo 54. ☎5521-1143. Ⓜ Allende. À côté de l'incontournable El Popular. Belle façade, bien qu'un peu vieillotte, avec balcons donnant sur la rue (attention au bruit !). Propre et très clair. Salles de bains correctes. La quasi-totalité des chambres ont été rénovées. L'un des meilleurs rapports qualité-prix du quartier si vous

avez une chambre avec fenêtre.

▲ **Hôtel Antillas** (plan couleur I, C1, 64) : Belisario Domínguez 34. ☎ et fax : 5526-5674 ou 5678. ● www.hotelantillas.com ● Ⓜ Allende. Belle façade Renaissance. Ascenseur. Chambres correctes, avec TV câblée, mais literie un peu fatiguée. Salles de bains propres. Eau minérale dans les chambres. Préférer celles côté rue, sinon c'est assez triste. Bar-resto sympa. Parking gratuit. Ascenseur. Accueil moyen. Cartes de paiement acceptées.

Prix moyens : de 300 à 500 $Me (21 à 35 €)

▲ **Hôtel Azores** (plan couleur I, C1, 65) : Brazil 25. ☎5521-5220. Fax : 5212-0070. ● www.hotelazores.com ● Ⓜ Zócalo. Tout près de la jolie place populaire Santo Domingo. Bel hôtel rénové. Hall d'entrée en marbre. Doubles avec douche ou bains très propres, aux tonalités chaudes, avec mobilier moderne, TV, téléphone, coffre-fort et bouteilles d'eau. Préférer celles donnant sur la rue, plus claires. Restaurant. Parking gratuit à 2 blocs.

▲ **Hôtel Roble** (plan couleur I, D2, 66) : Uruguay 109. ☎5522-7830. Fax : 5542-4410. ● www.hotelroble.com ● Ⓜ Zócalo. Hôtel moderne

sans charme particulier, à 2 cuadras du Zócalo. Grandes chambres impeccables, avec TV et téléphone. Ascenseur. Bar et petit resto. Un bon rapport qualité-prix.

▲ **Hôtel Canada** (plan couleur I, C2, 67) : av. 5 de Mayo 47. ☎5518-2106. Fax : 5512-9310. Ⓜ Allende. Hôtel moderne de la chaîne Holiday Inn. Chambres avec douche ou bains et coffre-fort, un peu vieillottes mais propres. Certaines sont très sombres. Déco années 1970. C'est le plus cher de sa catégorie, et ce n'est pas nécessairement justifié. Accueil un peu limite.

Chic : de 500 à 700 $Me (39 à 54,50 €)

Ce sont souvent de grands hôtels modernes. Quelques bonnes adresses pour lecteurs plus aisés.

▲ **Hôtel Monte Real** (plan couleur I, B2, 68) : Revillagegido 23. ☎5518-1149. Fax : 5512-6419. ● www.hotelmontereal.com.mx ● Ⓜ Juárez. Un hôtel assez joli et l'un des moins chers de sa catégorie. Immeuble moderne à la façade d'alu et de verre. Beaucoup de chambres donnent sur cour. Elles ont tout le confort : TV, téléphone, AC. Personnel accueillant. Bar ouvert 24 h/24. Garage.

▲ **Hôtel Marlowe** (plan couleur I, B2, 69) : Independencia 17. ☎5521-9540. Fax : 5518-6862. ● www.hotelmarlowe.com.mx ● Ⓜ Bellas Artes

ou Juárez. Une cuadra au sud des jardins de l'Alameda. Bel hôtel moderne où abondent le marbre et le travertin. Tout confort. Vastes chambres très agréables et superbes salles de bains. Décoration harmonieuse. Bien sûr, TV et téléphone. Restaurant. Impeccable. Accueil sympa. Très bon rapport qualité-prix.

▲ **Hôtel Gillow** (plan couleur I, C2, 70) : Isabel la Católica 17. ☎5510-0791. Fax : 5512-2078. ● hgillow@prodigy.net.mx ● Ⓜ Allende ou Zócalo. Hôtel entièrement rénové, à la belle façade 1930. Les chambres à l'intérieur se répartissent autour d'un patio tout en longueur. Doubles avec mobilier moderne et TV. Préférez celles avec terrasse au 6e étage, bien plus claires. Les autres sont un peu moins folichonnes.

▪ *Hôtel Reforma Avenue (plan couleur I, A2, 71)* : Donato Guerra 24. ☎ 5566-6488. Fax : 5592-0397. Ⓜ Cristóbal Colón. Dans une rue perpendiculaire à Reforma. Un grand hôtel de 12 étages, sans grand charme apparent mais tout confort, très propre et assez central. Belles chambres, claires, avec clim', TV câblée et téléphone. Et même de la moquette pour un réveil en douceur... Internet. Resto au rez-de-chaussée. Et parking juste à côté (non gardé).

Où manger ?

Pour les fauchés : moins de 20 $Me (1,40 €)

Comment manger bien, varié et pour pas cher ? Voici un tour culinaire en 2 étapes pour 20 pesos par repas en moyenne.
– *Les fruits :* un peu partout, il existe des petits stands ou des chariots qui proposent toute la panoplie des fruits tropicaux, en jus ou en salades de fruits. Solution saine et économique, et nous avons constaté moins de problèmes d'estomac que le prix ne le laisserait supposer.
– *Dans la « calle » (rue) :* nombreux sont les Mexicains qui déjeunent dans la rue de quelques *tacos,* avalés debout, à toute vitesse. Ce sont des kiosques, plus ou moins fixes, installés sur le trottoir. Notamment autour des bouches de métro. Pour estomacs aguerris quand même ! L'été, les p'tites bestioles et la chaleur ont vite fait d'abîmer la viande...

Bon marché : moins de 70 $Me (4,90 €)

🍴 *Trevi (plan couleur I, B1, 80)* : Colón 1. ☎ 5512-3020. Ⓜ Hidalgo. Ouvert tous les jours matin et soir. Dans un cadre de *diner* américain, une adresse simple, pas chère, aux accents italiens. Et qui a le mérite de ravir une clientèle d'habitués depuis 1955 ! Menu du jour comprenant 5 plats à prix imbattable. Service rapide.

🍴 *Café El Popular (plan couleur I, C2, 81)* : av. 5 de Mayo 52. ☎ 5518-6081. Ⓜ Allende. Ouvert toute l'année, 24 h/24. Petites salles dont une à l'étage avec banquettes à l'américaine. On vous sert une cuisine consistante et sans prétention à petits prix. Bon *mole de pollo* (poulet avec sauce aux épices et au chocolat). On peut même emporter ses plats. Attention, très, très fréquenté. Service un peu long. Une de nos adresses préférées.

🍴 *Casa de Todos (plan couleur I, B2, 82)* : López 15. ☎ 5521-2435. Ⓜ Juárez. Ouvert de 9 h à 19 h. Fermé le dimanche. Grand restaurant familial, à la cuisine simple et copieuse. Menu à prix très doux, boisson incluse. Propre et clair. Service efficace. Une bonne adresse sur votre parcours.

🍴 *Gili Pollo (plan couleur I, C1-2, 83)* : angle 5 de Mayo et Isabel la Católica. Ⓜ Allende. Rôtisserie de poulets qui jouxte la *taquería.* Servis rôtis ou *ranchero* avec *papas fritas* et *tacos.* Le tout pour moins de 50 $Me (3,50 €). Mezzanine au 1er étage, juste au-dessus de la rôtissoire ; chaud, chaud, surtout l'été.

🍴 *Taquería Tlaquepaque (plan couleur I, C1-2, 83)* : Isabel la Católica 16. Ⓜ Allende. Ouvert tous les jours jusqu'à 4 h du matin. Établissement sans prétention proposant des *tacos,* bien sûr, et d'excellentes *aguas de frutas.*

🍴 *La Casa del Pavo (plan couleur I, C2, 85)* : Motolinía 40. Ⓜ Allende. À l'angle de calle 16 de Septiembre. Dans une rue piétonne à côté de l'hôtel *Lafayette.* Le paradis de la dinde dans tous ses états, en torta, en *taco, relleno* (farcie) et en *platón*. Les meilleurs sandwichs du coin. Une adresse bien typique.

|●| *Pastelería Madrid (plan couleur I, C2, 86)* : 5 de Febrero 25. Ⓜ Pino Suárez. Ouvert tous les jours de 7 h 30 à 22 h (21 h les samedi et dimanche). Un véritable supermarché de pâtisseries en tout genre, vendues au poids. Également de délicieux sandwichs. Au comptoir, prendre les *promociones* ou *paquete*, des menus complets pour pas cher. Quelques gourmandises à se damner !

|●| *Restaurant San José (plan couleur I, B2, 87)* : Ayuntamiento 66. ☎ 5512-4925. Ⓜ Juárez. À l'angle avec L. Moya. Ouvert jusqu'à 22 h. Fermé les jours fériés. Menus à prix doux. Resto populaire. Grande salle lambrissée et murs couverts de photos du vieux Mexico. Très fréquenté par les travailleurs et familles du quartier. Copieux et traditionnel. Adresse sympa.

|●| *Selva Café (plan couleur I, C2, 88)* : Bolívar 31. ☎ 5521-4111. Ⓜ San Juan de Latran. Ouvert tous les jours de 9 h à 22 h. Une belle résidence avec un patio aux superbes colonnes doriques. On peut grignoter quelques snacks, sandwichs et autres salades sur des chaises en osier et des canapés. Cadre très agréable, frais et calme.

|●| *El Vegetariano (plan couleur I, C2, 89)* : Filomeno Mata 13. ☎ 5531-1895. Ⓜ Bellas Artes. Ouvert tous les jours de 8 h à 20 h. Resto végétarien de chaîne. Décor Formica, super propre, voire aseptisé, avec des photos de montagnes accrochées aux murs (!). Délicieuses salades de fruits « énergétiques », *enchiladas verdes* au pâté de soja, *taquitos* au tofu, pain intégral... Très populaire et dépaysant (ça change du poulet *poblano* !).

|●| *Mercado de los alimentos San Camilito (plan couleur I, C1, 90)* : pl. Garibaldi. Ⓜ Garibaldi. Ouvert du lundi au vendredi de 9 h à 3 h et les samedi et dimanche 24 h/24 ! Un immense marché couvert et tout en long, sur la place des *mariachis*. Succession de petits restaurants identiques et alignés, aux murs carrelés de rouge. Une énorme usine à bouffe où l'on mange mieux qu'il n'y paraît, pour des prix dérisoires.

– *Petites échoppes de la rue Uruguay (plan couleur I, C2)* : entre les rues Isabel la Católica et Eje Lázaro Cárdenas, il y a nombre d'échoppes traditionnelles où l'on sert des fruits de mer, huîtres *(ostiones)*, gambas *(camarones)* et du poisson grillé. Les locaux sont souvent déglingués et fréquentés de temps en temps par d'étranges *trouvadores* sortis tout droit d'une bande dessinée de Tex Avery. Un retour vers les années 1950. Et en plus, c'est bon.

Prix moyens : de 70 à 150 $Me (4,90 à 10,50 €)

|●| *Restaurant Castropol (plan couleur I, D3, 91)* : Pino Suárez 58. ☎ 5542-3570. Ⓜ Pino Suárez. À côté de l'hôtel du même nom. Ouvert du lundi au samedi de 7 h 30 à 22 h. Cuisine simple, et c'est propre. Service rapide. Café *espresso* en insistant bien *fuerte*. Populaire. Pratique pour visiter le *zócalo* et les alentours, mais souvent plein.

|●| *Café La Blanca (plan couleur I, C1-2, 92)* : av. 5 de Mayo 40. ☎ 5510-0399. Ⓜ Allende. Ouvert tous les jours de 7 h à 23 h. Menu touristique autour de 60 $Me (4,20 €). Dans le genre grande cafétéria des années 1950. Tons froids, néons, chaises alu et skaï, tables en formica. Photos du vieux Mexico sur les murs. Bons petits plats : *enchilada de pollo, filete La Blanca, pescado vino blanco*. Très populaire chez les Mexicains et chez les touristes. Également de bons petits dej' avec corbeille de brioches.

|●| *Centro Castellano (plan couleur I, C2, 93)* : Uruguay 16. ☎ 5518-6080. Ⓜ San Juan de Latran. Ouvert tous les jours de 13 h à 23 h. Grand restaurant sur trois niveaux. Au rez-de-chaussée, bar et restaurant avec menus. Aux étages, restaurant à la carte. Genre grande auberge espagnole, avec décor ibérique où la tau-

romachie est reine. Ambiance festive pour une cuisine chère et recherchée (fruits de mer et poisson). Fabuleuse paella à la valencienne. Les personnalités du monde politique ne s'y sont pas trompées, de Castro à Fox en passant par Cárdenas. Leurs photos aux murs en témoignent. Une adresse qui vaut le détour.

|●| *Casa de los Azulejos (plan couleur I, C2, 94) :* Madero 4. Ⓜ Bellas Artes. Pratique, car le resto *Sanborn's* qu'elle abrite est ouvert tous les jours de 7 h à 1 h. Au déjeuner, compter environ 100 $Me (7 €), avec une soupe et un plat principal. Superbe bâtiment colonial du XVIe siècle recouvert, comme son nom l'indique, d'*azulejos.* C'est le premier endroit où Pancho Villa est allé avec sa troupe, quand il a pris

Mexico. Salle somptueuse. Les murs sont décorés de céramiques, surmontés par des linteaux en pierre sculptée. Fresque d'Orozco dans l'escalier qui monte au 1er étage. Bonnes pâtisseries à déguster devant la fontaine monumentale. Service impersonnel et à la chaîne. Vérifiez votre addition.

|●| *Hostería de Santo Domingo (plan couleur I, C1, 95) :* Belisario Domínguez 72. ☎ 5526-5276. Ⓜ Allende. À la hauteur de Chile. Ouvert tous les jours de 9 h à 22 h 30. Fondé en 1860, le plus ancien restaurant du Mexique. Plats traditionnels corrects. Assez touristique. Service un peu trop oppressant. Murs tapissés de signatures des routards du monde entier. Bons chocolats chauds à la cannelle.

Chic : de 150 à 250 $Me (10,50 à 17,50 €)

|●| *Los Girasoles (plan couleur I, C1, 96) :* Tacuba 8-10A. ☎ 5510-0630. Ⓜ Bellas Artes. Ouvert tous les jours. Belle façade et terrasse couverte avec vue sur la place Tolsá. La spécialité s'appelle *En Rosa Mexicano* (poulet avec une sauce aux noix et au *chipotle,* très mexicaine). D'autres plats bien tournés, à base d'épices, d'arachides et de fruits. Service très sympa et emplacement agréable. Belle terrasse.

|●| *Café de Tacuba (plan couleur I, C1, 97) :* Tacuba 28. ☎ 5512-8482. Ⓜ Bellas Artes ou Allende. Ouvert tous les jours de 8 h à 23 h 30. Menu à 146 $Me (10,05 €), dessert et café compris. Très belle *casona* du XVIIe siècle, totalement rénovée. Superbe décor d'*azulejos,* bois sculptés, fresques et toiles de l'école de Cuzco, lustres hollandais, le tout dans une belle salle voûtée. Beaucoup de cachet. La cuisine n'y est pas mal non plus : saveurs mexicaines à l'ancienne bien goûteuses. La préparation du café au lait (style Veracruz) est déjà toute une cérémonie. Grand choix de desserts très appétissants. Le soir, un orchestre tendance *tuna* espagnole (pour ceux qui connaissent) anime le repas.

Bonne musique (disponible sur CD).

|●| *Restaurant de l'hôtel Cortés (plan couleur I, B1, 98) :* av. Hidalgo 85. ☎ 5518-2182. Ⓜ Hidalgo. En face du parc de l'Alameda. Ouvert tous les jours de 7 h 30 à 22 h 30. L'un des plus beaux cadres que l'on puisse imaginer pour dîner en amoureux. Ancien hospice religieux du XVIIIe siècle, à l'architecture éblouissante et au portail richement sculpté. À l'intérieur, grand patio aux arcades couvertes de lierre. Arbustes, fleurs et fontaine au milieu distillent une douce fraîcheur. Calme et sérénité assurés. La cuisine propose les grands classiques de la cuisine mexicaine, tel le *mole poblano.* Un menu abordable à midi en semaine et trio de chanteurs tous les après-midi sauf le dimanche, à 15 h.

|●| *El Danubio (plan couleur I, C2, 99) :* Uruguay 3. ☎ 5512-0912. Ⓜ San Juan de Latran. Ouvert tous les jours de 13 h à 22 h. Belle façade. Grande salle aux murs couverts de dédicaces et signatures de célébrités mexicaines. L'un des meilleurs restaurants de fruits de mer de Mexico. Ambiance un peu chic et guindée. Délicieuses *gambas*. Au

menu, c'est encore raisonnable. Arriver avant 14 h ; le restaurant se remplit très vite.

|●| *La Casa de las Sirenas* (plan couleur I, D1, 100) : calle República de Guatemala 32. ☎ 5704-3225. Ⓜ Zócalo. Ouvert jusqu'à 23 h (18 h le dimanche). Dans une superbe *casona* du XVIIe siècle, qui se visite

comme un musée. Le restaurant est au 2e étage, avec une terrasse qui surplombe l'arrière de la cathédrale. Nouvelle cuisine mexicaine, pas toujours bien relevée. Assez cher. Mais quelle vue ! Ambiance féerique le soir. Attention : 15 $Me (1,50 €) sont comptés pour tout siège occupé. Service moyen.

MEXICO ET SES ENVIRONS

Où prendre le petit déjeuner ?

Vous trouverez des *pastelerías* (spécialisées dans les viennoiseries) dispersées un peu partout. Vous vous servez avec une pince et un plateau. Très économique pour le petit dej'.

|●| *Jugos Canada* (plan couleur I, C2, 67) : av. 5 de Mayo 47. Ⓜ Allende. Près de l'hôtel *Canada*. Un choix invraisemblable de jus de fruits. Toutes les combinaisons sont possibles. De délice en délice. Prenez la *piña colada*, un régal.

|●| *Resto de l'hôtel Cortés* (plan couleur I, B1, 98) : av. Hidalgo 85. ☎ 5518-2182. Ⓜ Hidalgo. En face du parc de l'*Alameda Central*. On « petit déjeune » dans un superbe patio fleuri. Voir « Où manger ? ». Assez cher.

|●| *Bertico Café* (plan couleur I, C2, 131) : Madero 66. ☎ 5510-9387. Ⓜ Allende. Ouvert tous les jours de 9 h à 21 h 30. Dans un cadre agréable et bien éclairé. À tout moment, baguettes, pâtisseries (*postre de queso* et croissant excellents), jus de fruits et, surtout, le meilleur café de Mexico. Également grande variété de mets, de vins italiens et de bières à la pression.

|●| *Pastelería Ideal* (plan couleur I, C2, 132) : Uruguay 76. Ⓜ Zócalo. Ouvert tous les jours de 6 h 30 à 21 h 30. Pays des merveilles. Surprenante vitrine de pièces montées en tout genre pour mariages, anniversaires ou communions. Décor superbe pour échafaudages géants à la crème. Grand choix de pâtisseries.

|●| *Pastelería del Camino* (plan couleur I, C1, 133) : Lázaro Cárdenas, angle Belisario Domínguez. Ⓜ Garibaldi. À côté de la plaza Garibaldi. Croissants et très bon pain. Goûtez aux *pecadillas*. Ça ressemble à un

hamburger, mais c'est heureusement bien meilleur. Bonnes *tortas* également.

|●| *Pastelería Madrid* (plan couleur I, C2, 86) : 5 de Febrero 25. Voir « Où manger ? ».

|●| *Café Habana* (plan couleur I, A2, 134) : angle Bucarelli et Morelos. ☎ 5546-0255. Ouvert de 8 h à 15 h 30 (16 h le samedi). Genre *diner* à l'américaine, avec ventilo, odeurs de café, de Cuba bien sûr. Photos de La Havane sur les murs. Ce café a à peine changé depuis les années 1957-1958 quand un jeune Cubain prénommé Fidel rencontra un médecin argentin répondant au nom de Guevara. Besoin de vous en dire plus ? Ils étaient chauffeurs de bus ! Super café torréfié sous vos yeux. Un délice !

|●| *Hôtel Majestic* (plan couleur I, C2, 136) : Madero 73. Ⓜ Zócalo. Juste à côté du Zócalo. Terrasse au dernier étage pour le petit déjeuner formule buffet à 170 $Me (11,90 €) ! Très cher : 50 % plus cher que celui du *Gran Hotel de México*. Service quelconque pour le prix. Prenez-y au moins un verre pour jouir de la vue plongeante sur le Zócalo et les montagnes environnantes (les cimes du Popocatépetl par bonne visibilité ; mais c'est rare !).

|●| *El Moro* (plan couleur I, C2, 137) : Cárdenas 48. Ⓜ San Juan de Letrán. Face à la station. Ouvert 24 h/24 et très fréquenté. Une maison qui date de 1935, et qui, dans un cadre espagnol, propose 4 sortes de chocolat accompagnées de *churros*. Le cho-

colat espagnol est le plus épais, pour connaisseurs seulement. La fabrication des *churros* en vitrine vaut le coup d'œil.

|●| *Allende 46 (plan couleur I, C1, 138) :* Allende 46. ☎ 5526-4503. Ⓜ Allende. Uniquement pour ceux qui ont leur hôtel dans le coin. Petit boui-boui familial. Bon petit dej' pas cher. Super accueil. Et délicieuses *tortillas* préparées devant vous.

|●| *Dulcería Celaya (plan couleur I, C2, 139) :* av. 5 de Mayo 39. Ⓜ Allende. Confiserie fondée en 1874, où vous trouverez toutes sortes de *turrones*, fruits confits, *mazapán*, *polvorones* aux amandes, à la cannelle, aux noix... Pour le plaisir des yeux et du palais. À emporter seulement.

Où boire un verre ?

Ⓨ *Bar La Ópera (plan couleur I, C1, 150) :* av. 5 de Mayo 10. Ⓜ Bellas Artes. Très chaleureux. Pancho Villa y joua même du revolver (l'impact de la balle est l'une des attractions de cet endroit).

Ⓨ *La Casa de las Sirenas (plan couleur I, D1, 100) :* calle República de Guatemala 32. ☎ 5704-3345. Ⓜ Zócalo. Juste derrière la cathédrale. Ouvert jusqu'à 20 h en semaine et jusqu'à 2 h le week-end. Dans cette ancienne dépendance du presbytère, vous aurez le choix entre 150 tequilas différentes, à tous les prix. Vue magnifique et très romantique. Voir « Où manger ? Chic ».

Ⓨ *La Hostería del Bohemio (plan couleur I, B1, 152) :* av. Hidalgo 107.

☎ 5512-8328. Ⓜ Hidalgo. Ouvert tous les jours de 17 h à 23 h. Consos autour de 35 $Me (2,50 €). Elle est située dans le superbe patio à colonnades de l'ex-couvent de San Hipolito. Architecture 1700 ; avant d'être un couvent, c'était un asile d'aliénés, le premier de la ville (1566). Groupes de musiciens, des chanteurs et parfois des poètes. Ambiance très gothique.

Ⓨ *Salón Tenampa (plan couleur I, C1, 153) :* plaza Garibaldi 12. ☎ 5526-6176. Ⓜ Garibaldi. Ouvert toute la semaine de 13 h jusqu'à tard dans la nuit. Le temple des *mariachis*. Y aller à plusieurs. *Fiesta* garantie ! Attention ici on paye en *efectivo*, aucune carte de paiement acceptée.

Où sortir ? Où danser ?

On ne vous indiquera pas toutes les boîtes de nuit, qui sont ici les mêmes qu'ailleurs. Voir l'hebdomadaire *Tiempo Libre*. Voici plutôt des endroits traditionnels où les Mexicains, toutes générations confondues, se retrouvent dans les vapeurs de la tequila, pour danser sur des rythmes tropicaux : salsa, samba, merengue... Ce sont les fameux salons dansants *(salones de baile)*, ceux-là mêmes qui ont fait la réputation du Mexico nocturne des années 1940. On y vient encore endimanché. Ici, c'est le royaume des classes populaires, sur lequel règnent des orchestres qui comptent parfois jusqu'à 15 musiciens. Une nouvelle vague de *salones* a récemment vu le jour dans les quartiers « branchés » de Mexico (voir plus loin les autres quartiers). Ambiance garantie tout de même. Bien souvent, les dames ne paieront pas l'entrée.

♪ *Salón Tropicana (plan couleur I, C1, 159) :* sur la place Garibaldi, sur le côté droit. ☎ 5529-7235. Ⓜ Garibaldi. Du mardi au vendredi à partir de 20 h. Entrée : 20 $Me (1,40 €) ; mais après, il faut compter entre 50 et 80 $Me (3,50 et 5,60 €) le verre. Si vous y allez en sortant de la *cantina Tenampa*, juste en face, après plu-

sieurs verres de tequila dans le gosier, et qu'en traversant la place vous vous faites jouer la sérénade par les *mariachis* et dégustez des *tacos* bien gras, vous aurez saisi le charme sensuel de la vie nocturne du Mexique populaire. Au *Tropicana*, il y a 3 pistes de danse, mais partout, entre les tables, les corps se meuvent et se rencontrent au rythme de la musique *en vivo*. Mesdames, vous serez certainement invitées à danser par un Mexicain qui vous le demandera avec beaucoup de courtoisie. N'hésitez pas à accepter, car ici, on vient avant tout pour danser.

♪ *Salón México (plan couleur I, B1, 160) :* angle Pensador Mexicano et San Juan de Dios. ☎ 5518-0931. Ⓜ Bellas Artes. Ouvert seulement les vendredi et samedi, à partir de 21 h et jusqu'à 3 h. Prendre un taxi *de sitio* pour y aller et revenir : certaines rues des alentours craignent un peu. Ce fut l'une des grandes salles de danse de Mexico. Devenu un immense hangar pour *rave parties*.

♪ *Tarará (plan couleur I, C2, 161) :* Madero 39. ☎ 5208-8346. Ⓜ Zócalo. Entrée : 50 $Me (3,50 €). Le temple de la salsa. Cela se passe au 2e étage, dans une immense salle, tous les week-ends. Musique à fond, apportez vos boules Quies.

♪ *Colmillo Bar (plan couleur I, A2, 162) :* Versalles 52. ☎ 5592-6114. Ⓜ Cuauhtémoc. Ouvert du mercredi au samedi à partir de 22 h. Dans une maison discrète, il faut sonner. Au rez-de-chaussée, cocktails d'avant-garde et clientèle branchée techno. À l'étage, l'une des rares boîtes jazz de Mexico. Appelez pour avoir le programme. Musique *en vivo,* ambiance *Cotton Club* à la mexicaine.

À voir

Les panneaux surmontés d'un « M » ne correspondent pas à la signalisation des métros mais à celle des musées. **Les musées sont fermés le lundi.** Compter entre 17 et 37 $Me (1,20 et 2,60 €). Presque tous les musées proposent un tarif étudiant ; même si certains vous diront qu'il est réservé aux Mexicains, n'hésitez pas à tenter le coup avec votre carte ISIC, ça marche souvent. Pour les amateurs d'art précolombien, le doublé *Museo nacional de Antropología / Templo Mayor* est incontournable. Pour les amateurs de peinture murale, il en va de même pour le doublé *Palacio Presidencial / Secretaría de Educación.*

🎭🎭🎭 *Templo Mayor (plan couleur I, D1-2, 170) :* au nord-est du Zócalo. Ⓜ Zócalo. Ce musée de la Grande Pyramide est ouvert de 9 h à 17 h. Entrée : 37 $Me (2,60 €) ; gratuit pour les moins de 12 ans. Audioguide en espagnol à 50 $Me (3,50 €), plus cher en anglais. Visites nocturnes à partir de 18 h, à réserver entre 10 h et 15 h au ☎ 5233-2040 ; prix : 95 $Me (6,70 €). Guide gratuit s'il n'est pas monopolisé par un groupe scolaire (sinon, possibilité de réserver la veille).

Les archéologues savaient depuis toujours qu'il existait une pyramide à cet endroit. Mais en 1978, le banal coup de pioche d'un terrassier mit au jour un chef-d'œuvre de la sculpture aztèque : le *monolithe de Coyolxauhqui* (présenté dans le musée). D'autres sculptures, vestiges et objets furent découverts dans la foulée. Notamment une sculpture de *Chac-Mool* (soldat allongé destiné à recevoir les cœurs arrachés), avec la plupart de ses couleurs originelles.

Le site n'est pas très spectaculaire en soi, mais il possède une grande valeur symbolique : une sorte de revanche *a posteriori* des Aztèques. Les Espagnols avaient cru, en liquidant tous les monuments aztèques, supprimer à jamais leur civilisation et leur histoire. Et voilà qu'ils resurgissent ! La pyramide mesurait 70 m de haut et était surmontée de deux temples. Elle représentait le centre du monde, le point de convergence des éléments : ciel, terre, et inframonde, l'axe des points cardinaux. Surprenant alignement des crânes sur l'autel des sacrifices.

Ne manquez pas le *musée,* très intéressant, qui renferme plusieurs séries d'objets provenant des fouilles, avec des explications très vivantes. À voir : toutes les statues et représentations dédiées à la mort, dont l'effrayant dieu de la Mort, Mictlantecuhtli, au 3e étage de l'aile droite. Belle collection de masques. Impressionnant.

🎥🎥🎥 *Secretaría de Educación Pública* (SEP ; plan couleur I, C-D1, *171*) :

Brazil 31 (entrée parfois sur Argentina 28). Ⓜ Allende. Visite en semaine de 9 h à 16 h. Entrée gratuite. Dépliant en français. À ne rater sous aucun prétexte ! C'est la plus belle expression de l'art mural révolutionnaire mexicain.

Situé dans le couvent de la Imaculada Concepción (fin du XVIᵉ siècle), le bâtiment public est recouvert des peintures de Diego Rivera. Pas moins de 200 panneaux exécutés par le peintre entre 1922 et 1928. Ne pas rater au 2ᵉ étage la série *Les Martyrs de la Révolution,* la plus belle synthèse de deux faits fondateurs du Mexique : la Révolution et le culte des morts (Zapata, Villa, Obregón...). En bref, une fête de couleurs, de contenu politique et d'histoire mexicaine. Bâtiments splendides. Un vrai havre de paix dans la chaleur mexicaine.

🎨 *Museo nacional de Arte ou Munal* (plan couleur I, C1, *172*) : Tacuba 8.

☎ 5512-3224. Ⓜ Bellas Artes. ● www.munal.com.mx ● Ouvert de 10 h 30 à 17 h 30. Entrée : 30 $Me (2,10 €). Devant, la statue équestre de Carlos IV (elle se trouvait sur le *zócalo* jusqu'en 1852). Dans un très bel édifice du XIXᵉ siècle. Intéressantes expositions temporaires. La collection permanente comporte des peintures, des gravures et des sculptures mexicaines des XIXᵉ et XXᵉ siècles. L'ensemble des œuvres est divisé en trois parties intitulées : assimilation à l'Occident, construction d'une nation et stratégie plastique pour un Mexique moderne.

🎥🎥 *Palacio de Bellas Artes* (plan couleur I, B1, *173*) : Juárez et Eje Central ; à l'est du parc de l'Alameda. ☎ 5521-9251. Ⓜ Bellas Artes. Ouvert tous les jours de 11 h (9 h le dimanche) à 19 h. Entrée gratuite, sauf pour les expositions en étage.

Ce palais possède une curieuse histoire. Commandé par le dictateur Porfirio Díaz comme théâtre à un architecte italien, il devait symboliser la puissance et la gloire du régime. L'architecte le conçut dans un style hybride Renaissance italienne et romantique, entièrement en marbre de Carrare. Commencé au début du siècle dernier, il devait en principe être achevé en 1910, pour le centenaire de la guerre d'Indépendance mexicaine. L'édifice ne connut que des vicissitudes. Pendant la construction, on s'aperçut d'abord qu'il s'enfonçait dans le sol trop meuble. Les travaux prirent du retard, puis furent interrompus pour reprendre en 1920. Entre-temps, l'architecte mourut et les plans changèrent avec ses successeurs. Les travaux s'achevèrent enfin en 1932. Federico Mariscal, le dernier maître d'œuvre, en accord avec son époque, conçut l'intérieur en style Art déco ; il est néoclassique et Art nouveau à l'extérieur.

À l'intérieur, superbe décoration avec des fresques remarquables, œuvres de la « bande des quatre » : Orozco, Rivera, Siqueiros et Tamayo, plus Juan O'Gorman. Il faut entrer voir les expos temporaires. Tarif : 30 $Me (2,10 €). Plein de symboles à déchiffrer et de personnages à identifier. Au rez-de-chaussée, café sympa avec terrasse et librairie (grand choix de livres d'art). – Dans la salle du théâtre, ne pas manquer les représentations du *Ballet national folklorique du Mexique,* surtout la première, celle des Aztèques. En principe, le spectacle se produit de façon permanente le mercredi à 20 h et le dimanche à 9 h 30 et 21 h. Un spectacle d'une très grande qualité.

Très beau rideau de scène en mosaïque de cristaux, réalisé par le célèbre Tiffany (celui des lampes), d'après un carton de Murillo. Demandez à quelle séance le rideau est illuminé (en principe, le dimanche matin). Renseignements et réservations : ☎ 5529-9320 ou 5529-0509. Prendre les places de 2ᵉ ou 3ᵉ catégorie, c'est moins cher – compter environ 240 $Me (16,80 €) au lieu de 400 $Me (28 €) – , on est plus haut, donc on voit mieux. Possibilité de les acheter à l'avance par le système « Ticket Master » dans les magasins *Mix Up* ou *Liverpool.* ☎ 5325-9000.

🍴 *Correo Mayor (la poste centrale ; plan couleur I, C1) :* en face du Palacio de Bellas Artes. Construit comme un palais Renaissance vénitienne. Très belle façade ; mais entrez aussi à l'intérieur. Le marbre vient de Carrare. Superbe. C'est ici que fut tourné un des James Bond. Derrière, entrée de métro insolite de style Guimard (réplique), offerte par la RATP et Jacques Chirac lors de sa visite en 1998.

🍴🍴 *Museo Franz Mayer (plan couleur I, B1, 174) :* av. Hidalgo 45. ☎ 5518-2266. • www.franzmayer.org.mx • Ⓜ Bellas Artes. Le long du parc de l'Alameda, à gauche en regardant Bellas Artes, encadré de deux vieilles belles églises inclinées. Ouvert du mardi au dimanche de 10 h à 17 h. Entrée : 30 \$Me (2,10 €) ; 50 % de réduction pour les étudiants avec la carte ISIC ; gratuit pour tous le mardi.

Franz Mayer, financier d'origine allemande venu faire fortune au Mexique, a eu la bonne idée d'investir, non seulement en bourse, mais aussi dans l'art. On lui doit cette collection impressionnante de plus de 20 000 pièces, qu'il a léguée au gouvernement mexicain. Bon, d'accord, en ce moment vous n'êtes peut-être pas vraiment intéressé par les toiles flamandes du XVIe siècle, par les porcelaines de Chine, l'argenterie religieuse, ou les peintres de l'École espagnole comme Vélasquez ou Zurbarán. En revanche, plusieurs salles consacrées aux arts appliqués vous donneront un bon aperçu du Mexique colonial : *talaveras* (céramiques) de Puebla, *azulejos* en veux-tu en voilà, sculptures de bois polychrome de toute beauté, *rebozos* et *sarapes*. Des pièces d'habitation, de celles qu'on trouve dans les haciendas, ont été reconstituées. De quoi rêver un peu. Quant à l'édifice lui-même, construit au XVIe siècle, il eut, entre autres vocations, celle d'hôpital pour « filles de joie », quand Maximilien légalisa la prostitution.
– En fin de visite, arrêtez-vous au café pour grignoter un sandwich ou une salade bon marché dans la cafétéria de la belle cour coloniale. Agréable et très calme.

🍴 *Museo de la Ciudad de México - MCM (plan couleur I, D2, 175) :* av. Pino Suárez 30, entre Uruguay et Salvador. ☎ 5542-0083. Ⓜ Pino Suárez (lignes nos 1 et 2). Ouvert de 10 h à 18 h. Fermé le lundi. Entrée gratuite. Construit en 1779, ce palais baroque abrite le « musée de la Ville », mais la plupart des œuvres qu'il accueillait ont été dispersées dans les différents musées de la capitale ! Autour du patio en étage, deux salles dites respectivement salle de la Musique et salle des Peintures. Le seul intérêt du musée réside dans son architecture extérieure : tête de *coalt* qui sert de pierre d'achoppement, gouttières-fûts de canon et lourde porte en cèdre blanc, provenant des Philippines. Fréquentes expositions temporaires. Jolie librairie attenante.

🍴 *Museo mural Diego Rivera (plan couleur I, B1, 176) :* Colón, angle Balderas. ☎ 5510-2329. Ⓜ Hidalgo. Ouvert du mardi au dimanche de 10 h à 18 h. Entrée : 10 \$Me (0,70 €) ; gratuit le dimanche. Ce petit musée a été construit en 1986 pour recevoir la vaste fresque de 15 x 4 m peinte par Diego en 1947 pour l'hôtel *Prado*. Gravement endommagée par les tremblements de terre de 1985, la fresque dut être réaménagée dans ce musée. Elle représente tous les personnages illustres du pays se promenant dans un parc. Une bonne leçon d'histoire en B.D. Spectacle son et lumière du mardi au vendredi à 11 h et 16 h, et les samedi et dimanche à 11 h, 13 h, 16 h et 17 h.

À voir encore : monuments et curiosités

Autour du Zócalo

Montez sur la terrasse de l'hôtel *Majestic* (en face du Palacio nacional) pour avoir une vue plongeante sur le Zócalo, le palais et la cathédrale. On peut y prendre un verre (voir « Où prendre le petit déjeuner ? »).

🎥🎥🎥 *Le Zócalo* (plan couleur I, C-D2) : Ⓜ Zócalo. D'une grande unité archi-tecturale, l'une des plus belles places au monde, la deuxième par sa taille après la place Rouge de Moscou, et l'une des plus anciennes. Cortés décida que le centre de la nouvelle cité espagnole devait s'élever là, sur l'emplace-ment du marché aztèque *(tiangui)* de l'ancienne Tenochtitlán. Les pierres des pyramides servirent à construire les nouveaux édifices et églises coloniaux, et à paver la place. Elle connut plusieurs noms : plaza Real (place Royale), plaza Mayor, plaza de Armas, puis plaza de la Constitución. Elle n'est d'ailleurs presque jamais appelée ainsi, mais plutôt *Zócalo* (le socle), en sou-venir du monument consacré à l'Indépendance qui ne fut jamais achevé et dont la construction se limita au socle (enlevé enfin en 1996). Les places mexicaines héritèrent de ce nom. Si le Zócalo a conservé ses dimensions anciennes, il a subi au cours des siècles de nombreuses transformations. Au XIXᵉ siècle, il abritait de beaux jardins avec un kiosque.
Aujourd'hui, tous les grands événements du pays s'y déroulent et toutes les manifestations terminent ici, face au palais présidentiel. Des plantons de manifestants peuvent même y camper des semaines entières. Et c'est ici que la grande Marche des zapatistes s'est achevée en 2001. C'est le centre poli-tique de la nation et il y a toujours de l'animation sur cette place. Mais le président ne vit pas là, il habite et travaille dans la maison de Los Pinos, un quartier excentré particulièrement bien gardé.

🎥🎥🎥 *Palacio nacional* (plan couleur I, D2, 177) : Ⓜ Zócalo. Ouvert au public de 9 h à 17 h sur présentation d'une pièce d'identité. Il occupe tout un côté de la place. Construit en 1523 dans une belle pierre volcanique à l'emplacement du palais de Moctezuma. Résidence des vice-rois d'Espagne, puis des pré-sidents de la République jusqu'à la fin du XIXᵉ siècle (Benito Juárez y mou-rut). Tout au long de son histoire, il subit de nombreuses transformations, reconstructions et remaniements, jusqu'à l'adjonction d'un 3ᵉ étage, il y a 50 ans. C'est du balcon principal que chaque année, le 15 septembre à 23 h, le président de la République lance *el Grito* : le cri de l'indépendance. Les ¡ *Viva México* ! sont repris par la foule en liesse.
On y trouve les *fresques* extraordinaires de Diego Rivera, peintes de 1929 à 1945 et représentant toute l'histoire du Mexique. À ne pas rater. À gauche en entrant dans le palais, au pied des escaliers, l'immense *Mexique à travers les siècles*. Sur le côté droit, face à vous, la vie avant l'arrivée des Espagnols, âge d'or glorieux avec le cacaotier. Stupéfiante vigueur du trait, richesse des com-positions et abondance des symboles. Au centre, on retrouve la fondation de Tenochtitlán et l'aigle sur le cactus. Sur le côté gauche de l'escalier, l'admirable tableau intitulé *La Lucha de Clases* (La Lutte des classes). En haut, à gauche, Marx indique à un paysan, à un ouvrier et à un soldat le futur radieux de l'huma-nité. Juste en dessous de lui, description sans complaisance de la société capitaliste. Portraits des maîtres de l'époque de Wall Street : John D. Rocke-feller, Vanderbilt, Morgan, etc., qui fascinaient bizarrement le communiste Rivera. Une tête de Frida Kahlo et de sa sœur sont cachées quelque part, à vous de les trouver. Brochure explicative illustrée à 40 $Me (2,80 €). D'autres scènes peintes le long des couloirs du premier étage du bâtiment, évoquant différents épisodes de l'histoire mexicaine. Visites au fond du bâtiment, du palais de l'ancien Parlement, avec un étonnant bonnet phrygien au-dessus de la tribune principale. *Revolución,* quand tu nous tiens !

🎥🎥 *La cathédrale* (plan couleur I, C-D1-2, 178) : Ⓜ Zócalo. Elle domine la place de son immense et magnifique façade. Intérieur en restauration à la suite de l'affaissement du sol. Commencée à partir de 1573, la cathédrale ne fut finalement achevée qu'en 1813. Cela explique les différences de styles dans la construction, notamment le baroque de la façade et le style néoclas-sique fin XVIIIᵉ siècle des balustrades et pinacles qui la surmontent.
À l'intérieur, on note bien sûr les vastes proportions de la nef. Cependant, ornementation et décoration peu fascinantes, à part, derrière le chœur, l'*altar*

de los Reyes, superbe retable churrigueresque, encadré par l'autel *del Pardón* et celui de *Nuestra Señora de Zapopan.* Il faut quand même préciser qu'un grave incendie en 1967 causa beaucoup de dégâts. La *sacristie,* au fond à droite, propose de superbes fresques de Juan Correa : *L'Entrée du Christ à Jérusalem* et *Saint Michel terrassant le dragon.* Entrée payante.

À côté de la cathédrale, à l'angle, s'élève le *Sagrario,* église du XVIIIᵉ siècle, à la belle façade churrigueresque. Elle a été construite pour recevoir les archives et les vêtements sacerdotaux des officiants de la cathédrale en à peine 10 ans. En contournant la cathédrale, vous découvrez une petite place bien pittoresque avec une fontaine, élevée à la mémoire de Bartolomé de Las Casas.

🎥 À l'angle de l'av. 5 de Mayo et de Monte-de-Piedad, à l'ouest du Zócalo, se trouve le **Monte-de-Piedad** *(plan couleur I, C1-2, 179).* Ⓜ Zócalo. Ouvert du lundi au vendredi de 8 h 30 à 18 h et le samedi de 8 h 30 à 13 h. Entrée libre. Installé, là aussi, dans un bel édifice colonial, construit en 1521 sur l'emplacement de l'ancien palais de Moctezuma. Cet organisme, qui prête de l'argent sur dépôts d'objets précieux, date de 1725. Files importantes les veilles des fêtes. Plusieurs salles contiennent les objets mis en vente.

Petite promenade coloniale

À l'est du Zócalo s'étend le secteur colonial le mieux préservé de Mexico. Habité par une population très pauvre, il fut longtemps à l'abandon. Mais, conscientes de la valeur de ce patrimoine architectural, les autorités ont entrepris depuis quelques années une politique énergique de rénovation. C'est un quartier très populaire. Évitez d'y aller avec votre Rolex ; ici, des gens survivent en vendant des tampons Jex d'occasion.

🎥🎥🎥 **La calle de La Moneda** aligne de beaux édifices coloniaux et des palais, et témoigne d'une remarquable homogénéité architecturale. On y trouve l'**Université autonome métropolitaine** *(plan couleur I, D2, 180)* dans un magnifique bâtiment colonial à l'angle de la rue Licenciado Verdad. Entrez voir le patio coloré à la belle volée d'escaliers. Expos temporaires. C'est là que furent fondues les cloches de la cathédrale. Dans cette rue s'élève l'**église Santa Teresa la Antigua** *(plan couleur I, D2, 181),* du XVIIIᵉ siècle, aujourd'hui transformée en salle d'exposition et de concert ; le musée de l'Archevêché est à l'intérieur. Toujours sur La Moneda, au n° 13, le **musée national des Cultures** *(plan couleur I, D2, 182),* à la superbe façade. Entrée libre de 9 h 30 (10 h le dimanche) à 18 h. Fermé le lundi. C'est ici que l'on frappait la monnaie autrefois (d'où le nom de la rue). Très beau et grand patio avec sa fontaine, ses palmiers et ses bougainvilliers.

Au n° 26, l'*église Santa Inès,* avec ses portes remarquables, finement sculptées de scènes religieuses.

🎥🎥 Puis La Moneda devient la *calle Emiliano Zapata* et mène à l'un des joyaux coloniaux du quartier : l'**église de la Santísima** *(plan couleur I, D2, 183).* L'extraordinaire et monumental portail sculpté a été dégagé, ce qui le situe désormais 2 m plus bas que le niveau de la rue. Clocher richement sculpté également, en forme de tiare. La nuit, dans la faible lueur des réverbères, tout le quartier prend des teintes impressionnistes. Dans ce coin, certains canaux qui assuraient l'approvisionnement en eau du Mexico colonial ont été dégagés, mais ils sont à sec depuis bien longtemps.

🎥 **Plaza de la Alhóndiga** *(plan couleur I, D2)* : à deux pas de la Santísima s'étend le quartier de la Alhóndiga, l'ancien marché central et grenier de la ville. Là aussi, le canal a été restauré (mais sans eau), ainsi qu'un des 45 petits ponts en dos d'âne qui franchissaient les canaux dans le passé. La rue a récupéré ses gros galets ronds. Vous verrez des dizaines de petites boutiques populaires : robes de poupées Barbie, crèmes pour soigner tous les maux, etc. Quelques beaux étals d'épices. Superbes bâtiments coloniaux très colorés.

🏃 On peut choisir de revenir vers le Zócalo par **Corregidora,** parallèle à La Moneda. Ancienne rue « des Marchands de miel » ou « des Barques ». Elle a retrouvé, elle aussi, son canal (sans eau) qui date de l'époque aztèque. Il assurait le transport des denrées de la Alhóndiga vers le centre-ville. Les façades et coins de rue révèlent quantité de détails architecturaux pittoresques.

🏃🏃 Les amateurs de fresques remonteront la calle Argentina. Puis, à l'angle de Justo Sierra, au n° 16, l'ancien **collège jésuite San Ildefonso** (plan couleur I, D1, **184**), ouvert du mardi au dimanche de 10 h à 17 h 30. Entrée payante : 17,50 $Me (1,50 €). Visite du premier patio et de l'amphithéâtre S. Bolívar où se trouvent les fresques de F. Leal et de D. Rivera ; réduction pour les étudiants présentant la carte ISIC ; gratuit pour les moins de 12 ans. Allez admirer les fresques d'Orozco réparties sur trois étages. Celles de Siqueiros se trouvent dans un autre bâtiment : demander la *filmacoteca.*

🏃 Par la *calle Justo Sierra,* on atteint la **plaza Loreto** (plan couleur I, D1), une autre jolie place avec l'*église de Loreto* de style néoclassique et l'ensemble conventuel *Santa Teresa la Nueva.* Deux portes identiques : l'une pour le couvent, l'autre pour l'église.

🏃🏃 Puis reprendre San Ildefonso, retraverser Argentina pour découvrir la **plaza Santo Domingo** (plan couleur I, C1), paisible et croquignolette, l'une des places à avoir conservé le mieux leur caractère colonial. Bordée de palais avec, au fond, l'*église Santo Domingo,* bel édifice de style baroque.
À l'ouest de la place, sous les arcades, une douzaine de petits imprimeurs exécutent toutes sortes de menus travaux sur des presses à main.

Et puis encore...

🏃🏃 **Calle Madero :** Ⓜ Allende ou Bellas Artes. Elle part du Zócalo et rejoint l'Alameda en alignant quelques monuments coloniaux intéressants. À l'entrée de la rue se détache la très belle **Casa de los Azulejos** (voir aussi, plus haut, « Où manger ? Prix moyens »). L'un des plus anciens bâtiments de la ville (XVIIIᵉ siècle), recouvert de carreaux de faïence *(azulejos)* bleu et blanc. Grande peinture murale dans l'escalier par Orozco (1925).
En face, l'*église San Francisco* (Saint-François d'Assise ; plan couleur I, C2, **185**), construite en 1716 par les franciscains, succédant à un grand monastère du XVIᵉ siècle, le premier de la ville, inauguré par Cortés lui-même. Noyée dans les immeubles modernes, superbe façade de style churrigueresque. Juste à côté (au n° 11), l'*église San Felipe de Jesús* (plan couleur I, C2, **185**), plus petite et plus sobre, mais en pleine rénovation lors de notre passage.
Plus loin, au n° 17, le **Palacio Iturbide** (plan couleur I, C2, **186**), construit en 1780 pour le comte de Valparaíso, résidence principale de l'empereur Iturbide en 1822 et aujourd'hui occupé par la banque *Banamex.* Ouvert au public de 10 h à 19 h. Fermé le mardi. À l'intérieur, superbe patio à arcades de style colonial. De novembre à février, gigantesque crèche au milieu de la cour. Il existe un second palais du comte de Valparaíso au 44 Isabel la Católica, occupé lui aussi par la *Banamex* : intérieur grandiose.

🏃🏃 **Parque de l'Alameda central** (plan couleur I, B1) : Ⓜ Bellas Artes ou Hidalgo. Grand parc joliment dessiné et très arboré. Le lieu favori pour les promenades populaires. Il a été autrefois utilisé par l'Inquisition pour exécuter ses basses œuvres. Le parc abrite, sur Juárez, le mémorial dédié à Benito Juárez et son centre culturel. Tout autour, des bâtiments dignes d'intérêt.

Côté nord du parc, sur Hidalgo, voir la superbe façade sculptée et le patio de l'*hôtel Cortés (plan couleur I, B1, 98).*

À l'angle de l'avenida Juárez et du paseo de la Reforma, à l'ouest du parc, s'élève la tour (noire) de la ***Lotería nacional*** *(plan couleur I, A1).* Ses fondations sont aussi profondes que le bâtiment est haut ! Imparable contre les tremblements de terre. Bizarrement, les tirages ont lieu dans l'ancien bâtiment ocre, en face, les mardi, vendredi et dimanche à 20 h. Entrée gratuite. Au passage, admirez l'immense ***Torre Caballito,*** sculpture jaune surprenante.

🏛 ***Plaza Garibaldi*** *(plan couleur I, C1) :* au nord de l'Alameda. Ⓜ Garibaldi ou Bellas Artes. Sans grand intérêt pendant la journée, et rendez-vous des *mariachis* qui voudront absolument vous jouer la sérénade le soir. Beaucoup de vrais machos aux moustaches noires. Quartier un peu craignos. À éviter.

À voir au nord du centre historique

🏛🏛 ***Les deux basiliques de la Guadalupe*** *(plan couleur d'ensemble) :* Ⓜ La Villa-Basílica (ligne n° 6), puis suivre le flot humain. Cap au nord de la ville ! Vous avez bien lu : il y a maintenant deux basiliques de la Guadalupe, pour le même prix ; de quoi réjouir le routard le plus exigeant ! L'une des basiliques, celle qui se prend pour la tour de Pise, date de l'époque coloniale. Les choses sérieuses se déroulent dans la basilique *new look,* style palais des Congrès. C'est là, sous l'autel, que l'on peut voir le suaire sacré (l'image de la Vierge de la Guadalupe), qui date de 470 ans. On y accède par un tapis roulant, ce qui empêche les foules de s'amasser devant l'effigie durant des heures ! Cette tunique fait l'objet de toutes les dévotions, et c'est le but d'innombrables pèlerinages qui viennent de tout le pays. Certains pèlerins s'y dirigent à genoux depuis la grande avenue qui mène à la basilique, notamment le 12 décembre, jour de la fête de la Vierge de Guadalupe. Des millions de Mexicains se pressent alors ici, venus de tout le pays. Le voyage, à pied ou à vélo, dure plusieurs jours, voire des semaines. L'esplanade est remplie d'une foule immense et compacte. Vous côtoierez le Mexique profond, au milieu des danses préhispaniques, des processions et des messes qui sont célébrées en permanence durant toute la journée. Pour les photographes, c'est vraiment le paradis. Cette tunique reste une véritable énigme pour les scientifiques ; le vêtement ne s'est jamais dégradé et l'on ne connaît pas l'origine des pigments utilisés. Lire aussi la rubrique « Religion » dans les « Généralités ».

– Petit *musée d'Art religieux* avec de belles pièces pour les amateurs. Long couloir recouvert d'ex-voto peints à la main par les pèlerins sur des plaques de tôle, représentant les circonstances dans lesquelles la Vierge les a sauvés. Ne manquez pas de visiter, à l'extrême droite, les beaux jardins et les cascades avec la reproduction, en statues plus grandes que nature, de l'apparition.

Au-dessus de la basilique, la *chapelle de Tepeyac* ; c'est là où tout a commencé. Très beau point de vue.

🏛 ***Plaza de las Tres Culturas*** *(plan couleur d'ensemble) :* Ⓜ Tlatelolco. Au nord du centre historique. Une valeur symbolique, parce qu'elle présente sur le même lieu les trois grandes cultures que connut le Mexique : aztèque, coloniale et moderne. L'aztèque est représentée par les ruines de l'*ancien marché de Tlatelolco,* l'espagnole par l'*église de Santiago,* et la moderne par les affreux bâtiments qui entourent le site (sauf peut-être le ministère des Affaires étrangères). Mais pour beaucoup d'autres, la place symbolise désormais la répression du régime autoritaire à l'époque du PRI : c'est en effet sur cette place qu'a eu lieu le « massacre de Tlatelolco », lorsqu'en 1968, à l'époque des révoltes étudiantes, une grande manifestation s'est terminée en boucherie. Des centaines d'étudiants et de manifestants ont été tués. Paradoxe douloureux, les Jeux olympiques de Mexico furent inaugurés une semaine après, avec lâcher de colombes de la paix dans le Stade universitaire. Si vous êtes pressé ou contre-révolutionnaire, vous pouvez sans regret vous dispenser de cette visite.

À faire

– Les magazines *El Tiempo Libre, DF* et *Dónde* vous informent des spectacles de la semaine dans Mexico. On les trouve dans tous les kiosques.
– Le système *Ticket Master* vous permet d'acheter vos billets par téléphone, à l'avance. ☎ 5325-9000. Assez efficace. Vous pouvez vous renseigner sur les événements par le serveur vocal. Néanmoins, l'achat devra s'effectuer dans les magasins *Mix Up* (Genova 76 à la Zona Rosa ou Madero 51 dans le centre historique) ou dans la chaîne de centres commerciaux *Liverpool.* Payable en espèces uniquement.
– **Les charreadas** (rodéos mexicains) : *Rancho Grande de la Villa,* av. Acueducto. ☎ 5577-0011. Prendre le bus « Indios Verdes » sur l'avenida Insurgentes Norte ou descendre à la station de métro Indios Verdes. À l'angle avec Insurgentes Norte. Le dimanche à midi (y arriver un peu avant). Elles ont même un musée, rien que pour elles, en centre-ville.
– **Les corridas :** plaza de Toros, calle Maximinio. Près d'Insurgentes Sur. C'est la plus grande *plaza* du monde. Elle peut recevoir 50 000 *aficionados* aussi passionnés que leurs cousins ibériques. *Temporada* (saison) de novembre à mai.
– **Les joueurs d'échecs** ne doivent pas rater le rendez-vous de tous les *aficionados* dans le square adjacent au parc de l'Alameda, angle Balderas et Juárez *(plan couleur I, B1, 200).* Ⓜ Hidalgo. De grandes tentes bâchées les protègent du soleil ou de la pluie.
– **Lucha libre :** c'est le catch à la mexicaine. Il s'agit de l'une des meilleures expressions du kitsch mexicain. Très bon marché. Ambiance garantie. La Mano Negra a même dédié l'une de ses chansons (« Super Chango ») à ces héros du ring. C'est à mourir de rire, et c'est toujours le gentil qui gagne. Mieux vaut être accompagné par des Mexicains : quartier un peu limite.

■ **Arena Coliseo** (plan couleur I, C1, **201**) : Perú 77. ☎ 5526-1687. Ⓜ Laguni. En plein centre. Se renseigner sur les dates de combats. La meilleure salle.

■ **Arena México** (plan couleur I, A3, **202**) : calle Doctor Lavista. Ⓜ Cuant'émoc. Pas loin du centre. Se renseigner sur les dates de combats.

Boutiques et marchés

Ah, les marchés de Mexico ! Ils fascinaient déjà les conquistadors à l'époque de Tenochtitlán. Ils sont immenses et innombrables. Pour tous les goûts et toutes les bourses... Dans le centre-ville, chaque corporation a son quartier : les bijoutiers sont autour du Zócalo, les imprimeurs autour de la plaza Santo Domingo. Puis il y a la rue des robes de mariées (étonnant), celle des carrelages, des joailliers, des papeteries, etc.

⚱ **Mercado de la Ciudadela** (plan couleur I, B2, **203**) : angle plaza de la Ciudadela et Balderas. Ⓜ Balderas. Ouvert tous les jours de 10 h à 19 h. Notre marché préféré. Le meilleur endroit de la ville pour acheter de l'artisanat mexicain. Objets et textiles, de bonne qualité et à des prix raisonnables. Il faut marchander.
⚱ **Exposición nacional de Arte popular - FONART** (plan couleur I, B1, **204**) : av. Juárez 89. Ⓜ Hidalgo

ou Bellas Artes. Près du parc de l'Alameda. Ouvert tous les jours de 10 h à 19 h. Superbes céramiques, jouets en bois, monstres en papier mâché. Très cher.

🐝 *Mercado de la Merced* (hors plan couleur I par D3, *205*) : près du Zócalo, angle de Rosario. Ⓜ Merced. Le marché le plus vaste de Mexico, un des plus anciens et peut-être le plus intéressant. Pas grand-chose à acheter. Il suffit de voir, admirer et sentir, ça, c'est gratuit. Se divise en trois grands quartiers : les fruits, les épices et les fromages. Au *Mercado Sonora,* tout proche, sur l'avenida Fray Servando, toutes sortes de plantes et autres grigris pour faire de la sorcellerie.

🐝 *Mercado de la Lagunilla* (plan couleur I, C1, *206*) : sur la *cuadra* qui fait l'angle d'Allende et Honduras. Ⓜ Allende ou Garibaldi. Trois grands marchés couverts : fringues, meubles et alimentation. Le dimanche, il s'enrichit d'un vaste marché aux puces installé sur Comonfort. Vêtements, bijoux en argent de Taxco, pierres semi-précieuses en vrac, masques, cuivres, plus une brocante invraisemblable (beaux éperons anciens de cow-boys). Y aller avec des Mexicains. Pas très bien fréquenté.

🐝 *Plantes médicinales* (plan couleur I, D1, *207*) : pasaje Catedral, petit passage derrière la cathédrale, juste à côté de l'AJ et de son grand drapeau. Ⓜ Zócalo ou Allende. Enfilade de boutiques pleines de remèdes indiens, très anciens. Chose étonnante, ces boutiques alternent avec des échoppes de bondieuseries. Quand une méthode ne marche pas, on essaie l'autre.

🐝 *Bazar de la Fotografía Casasola* (plan couleur I, C2, *208*) : 16 de Septiembre 58, à l'angle de Isabel la Católica, 3ᵉ étage. ☎ 5521-7883 et 5521-5192. Ouvert de 10 h à 19 h (15 h le samedi). Fermé le dimanche. Un lieu étrange et sympa. Vieilles photos de la Révolution et du Mexico du début du siècle dernier avec le *paseo de la Reforma* en pleine campagne ! Près d'un million de négatifs. Possibilité d'acheter.

🐝 *Mercado San Juan* (plan couleur I, B2, *209*) : sur la plaza San Juan. Ⓜ San Juan de Latran. Ouvert tous les jours de 9 h à 19 h (16 h le dimanche). Centre commercial d'artisanat. On préfère quand même le marché de la *Ciudadela,* plus traditionnel. Plein de petits stands pour manger pas cher. À signaler, en face, sur Ayuntamiento, le magasin de spiritueux *La Europea.* Ouvert du lundi au samedi de 8 h 30 à 20 h.

QUARTIER POLANCO *(plan couleur III)*

Au nord du *bosque de Chapultepec* (le bois de Chapultepec), c'est le quartier des affaires, avec une forte communauté juive et arabe. Ça ressemble à n'importe quelle grande capitale européenne. Et vous y retrouverez des boutiques aux noms célèbres : Louis Vuitton, Yves Saint Laurent, Cartier, etc. Restaurants pour cadres, boutiques chic, banques, bâtiments administratifs et sièges de grandes sociétés. Encore un peu plus à l'ouest et en hauteur, à Lomas de Chapultepec *(plan couleur d'ensemble),* Bosques de las Lomas et Santa Fe, vit la très haute bourgeoisie de Mexico (et c'est un euphémisme). Pas un intérêt débordant ! En revanche, c'est là, dans le bosque de Chapultepec, qu'on trouve le fameux *musée d'Anthropologie,* le *musée d'Art moderne* et le château de Chapultepec. Des hauts lieux de la vie culturelle mexicaine. Incontournables !

Adresses utiles

■ *L'actualité internationale* (hors plan couleur III par G6, *13*) : Homero 1520. ☎ 5208-8400. En face du lycée français. Quelques journaux internationaux, surtout français.

■ *Alliance française* (hors plan couleur III par G6, *14*) : Socrates 156 ; à l'angle de Homero. ☎ 5395-4735. ● www.alianzafrancesa.org.mx/polan co ● Pas très loin du lycée français. Littérature française, vieux films français et mexicains sous-titrés ou en français.

Où dormir ?

Très chic

Casa Vieja *(plan couleur III, G6, 72)* **:** Eugenio Sue 45. ☎ 5582-0067. Fax : 5281-3780. ● www.casa vieja.com ● Une *posada* perdue sous les feuillages en plein cœur des buildings... un rêve ! Doubles à 155 €. Dix chambres tout confort, avec kitchenette, jacuzzi et lits bien douillets. Déco originale, dans des teintes chaleureuses, réalisée par des artistes mexicains. Joli patio fleuri. Prix négociables. Une adresse de charme. Réductions possibles en passant par l'agence *Viva Zapata* (voir « Agences de voyages » dans les « Adresses utiles générales »).

Où manger ?

Dans le pavé formé par Mazaryk, A. Dumas, O. Wilde et J. Verne, toute une flopée de restaurants à l'européenne (déco moderne recherchée, cuisine internationale). Et quelques gargotes pas mauvaises du tout.

Bon marché : moins de 70 $Me (5 €)

|●| **Takos Takos** *(hors plan couleur III par G6, 101)* **:** calle Ludovico Ariosto. ☎ 5280-8948. Suivre Masaryk à l'ouest ; puis tourner à gauche dans Edgar Allan Poe. Au croisement avec Luis Urbina, petite rue à droite. Ouvert tous les jours de 13 h à 2 h. Au menu : des *tacos,* comme le nom l'indique. Spécialité de la maison, le *taco el niño envuelto* (« l'enfant dans ses langes »), un délicieux *taco* enrobé de fromage fondu. Quelques soupes également. Terrasse aux beaux jours. Très fréquenté par le personnel de l'ambassade de France. Carte de paiement accepté.

|●| **Non Solo Pasta** *(plan couleur III, G6, 102)* **:** Julio Verne 89. ☎ 5280-9706. Ouvert midi et soir. Fermé le dimanche. Une petite adresse sans prétention. Mis à part les *penne, gnocchi* et autres *fusili,* salades copieuses très bon marché et viandes pas mauvaises. Parfait pour réparer les estomacs en déroute. Petite terrasse.

Où prendre le petit dej' ?

|●| **Paris Croissant** *(plan couleur III, G6, 140)* **:** Julio Verne ; à côté de *Non Solo Pasta.* Ouvert de 8 h à 21 h. De vrais croissants, des *espresso* un peu plus relevés que de coutume et même des chaussons aux pommes.

Où boire un verre ? Où danser ?

Hard Rock Café *(plan couleur III, G6, 163)* **:** Campos Eliseos 290. ☎ 5237-7100. À l'angle de Reforma. Ouvert tous les jours de 13 h à 2 h. Pour fans seulement ou pour côtoyer la jeunesse branchée de Mexico. À voir, à l'étage, le costume de Luis Miguel, chanteur mexicain romantico-nostalgique vénéré par toutes les jeunes Sud-Américaines, et plein de souvenirs de U2, Hendrix, les Rolling Stones, etc. ; le tout dans une ambiance musicale *a tope* (à fond). Bons concerts le week-end. Resto.

🎵 *Salón 21 (hors plan couleur III par G6, 164) :* Lago Andrómaco 17, à l'angle de Molière. ☎ 5255-5270. Y aller en taxi. C'est un peu excen-tré, quartier d'entrepôts. Prévoir autour de 300 \$Me (21 €) pour l'entrée, selon les groupes qui jouent. Réservez votre table. Grande salle de danse assez design où passent, en général le week-end, les grands noms de la salsa et du *són.*

À voir

🦌 *Bosque de Chapultepec (plan couleur III) :* ouvert de 5 h à 16 h 30. Un bois assez agréable, bien qu'il soit sillonné par de grandes avenues. On peut louer des vélos ou des barques sur le lac. Jardin d'enfants avec personnages immenses : King-Kong, Pinocchio. Petit train. Agréable pour adultes, génial pour enfants. Le zoo ne présente pas d'intérêt. Dans la partie basse, imposant monument à *los Niños Heroes,* perpétuant la mort héroïque des cadets militaires contre l'invasion américaine en 1847.

Dans la partie haute du Bosque (« Tercera Sección »), éloigné du zoo, se trouve le *Papalote,* la *Feria de Chapultepec* (manèges, montagnes russes, baleines, etc.) et un lac artificiel où l'on peut se promener et admirer la belle vue sur Polanco et le gigantesque drapeau mexicain mitoyen à l'*Auditorio Nacional* (la plus grande salle de concerts d'Amérique latine).

🏛🏛🏛 *Museo nacional de Antropología (plan couleur III, H6) :* dans le bois de Chapultepec, à 1,5 km (à pied) du métro. ☎ 5553-1902. ● www.mna.in ah.gob.mx ● Ⓜ Auditorio ou Chapultepec. Ouvert du mardi au dimanche de 9 h à 19 h. Entrée : 38 \$Me (2,70 €). Consigne gratuite. Vous pouvez bénéficier d'un guide gratuit en français si vous êtes au moins 6 personnes, du mardi au samedi, sur rendez-vous. ☎ 5553-6386 ou 81. Location d'audioguides : en espagnol, 45 \$Me (3,20 €), et en anglais, 50 \$Me (3,50 €). À l'extérieur du musée, les guides qui proposent leurs services n'appartiennent pas au musée. Ils sont payants. Photos autorisées (flashes interdits) moyennant une taxe ; sinon, il faut laisser son appareil à l'entrée. Le resto du musée avec sa terrasse est très agréable mais très cher.

C'est le musée le plus important du genre au monde. Très belle architecture moderne. Construit dans les années 1960 par Pedro Ramirez Velasquez. Le gigantesque parapluie d'acier et d'aluminium de 4 400 m² protégeant des intempéries le patio central est une prouesse architecturale. Sa forme originale draine les eaux de pluie vers le bassin entourant la colonne. Et l'édifice n'a pas bougé d'un pouce lors du séisme de 1985.

Outre l'intérêt unique des pièces d'art précolombien, un tas de maquettes, cartes et dessins permettent de replacer les antiquités dans leur cadre ethnique ou historique. Si vous avez peu de temps, sautez les quatre premières salles (introduction à l'anthropologie, etc.). Bon, voici une présentation, salle par salle, en commençant la visite par la droite de la cour.

– *Salle des expos temporaires :* jetez-y un œil, elles sont très bien faites.

– *Salle d'introduction à l'anthropologie :* mélange de reconstitutions et de pièces archéologiques allant des australopithèques à l'homme de Neandertal. Collections consacrées également à l'ethnologie et à la linguistique, de manière à éclairer le reste de la visite.

– *Salle des origines préhistoriques :* où l'on apprend que les différentes civilisations précolombiennes sont issues d'une série de migrations provenant très logiquement d'Asie, durant la dernière période de glaciation survenue entre 80 000 et 10 000 ans av. J.-C.

– *Salle préclassique du centre du Mexique :* durant 1 500 ans, l'Altiplano central voit apparaître progressivement les premières formes de vie sédentaire. Ce sont les débuts de l'agriculture, des villages permanents et de l'artisanat, puis les bases des premières pyramides pour temples, l'écriture et le calendrier. C'est aussi une époque cannibale : on mange de la cervelle humaine. Ne manquez pas les magnifiques statuettes en terre, dont le splendide *Acrobate contorsionniste* trouvé à Tlatilco et considéré comme l'une des œuvres les plus importantes du musée. Belle recomposition des tombes retrouvées, où l'on apprend que les morts étaient enduits de pigments rouges. Pas mal de céramiques zoomorphes assez rigolotes.

– *Salle de Teotihuacán :* l'une des villes les plus importantes de la période classique. Représentation des temples du Soleil et de la Lune. En face, reconstitution du *temple de Quetzalcóatl,* le fameux serpent à plumes ! Il s'agit du dieu tutélaire le plus connu des dieux mexicains, et pour cause, il serait à l'origine de l'homme et de la nature. À gauche, la sculpture monumentale de *Chalchiuhtlicue* (déesse de l'Eau) provenant de la place de la Lune. À gauche de cette même statue, on franchit une porte dont le linteau peint représente le *paradis de Tláloc,* uniquement réservé aux hommes. On ne manquera pas non plus la *statue de Xipe Tótec* (à gauche du « paradis » en entrant) et la jolie collection de masques à la sortie de la salle.

– *Salle Tolteca :* la première section est consacrée à la ville de *Xochicalco* et à ses fameuses stèles, la seconde au site de *Tula,* d'où fut rapporté un atlante de près de 5 m de haut. Appréciez en sortant de la salle, les espèces de jeux de pelote, à droite, qui consistaient presque à faire du basket le long des temples !

– *Salle Mexica :* notre salle préférée, dédiée aux fondateurs de Tenochtitlán. Juste à l'entrée, un jaguar avec un récipient où l'on déposait les cœurs des victimes humaines sacrifiées. Penchez-vous à l'intérieur : deux dieux s'autosacrifient en se mordillant le lobe de l'oreille ! Également une *pierre de Tizoc,* énorme cylindre de pierre de 2,65 m de diamètre, orné de reliefs. Reconstitution d'une coiffure de plumes (celle de Moctezuma), parmi lesquelles les vertes sont celles du quetzal, oiseau sacré de plus en plus rare. La *pierre du Soleil,* connue sous le nom de calendrier aztèque, pèse 24 t. Tout en basalte, cette pièce a été découverte sous le Templo Mayor. La pierre du soleil est celle du Cinquième soleil, symbolisé par le serpent de feu qui l'encercle, chargé dans la cosmogonie aztèque de provoquer la rencontre des quatre premiers soleils : l'eau, l'air, la terre et le feu. De nombreux autres objets de culte, certains en obsidienne, toujours en provenance du Templo Mayor.

– *Salle d'Oaxaca :* c'est dans la vallée de l'actuelle ville du mezcal que se développèrent les importantes civilisations zapotèque et mixtèque auxquelles on doit Monte Albán et Mitla. Un escalier permet d'ailleurs d'accéder à une cave où fut reconstituée la célèbre *tombe 104 de Monte Albán.* On remarque également, dans une vitrine, un *Gran Jaguar* en terre cuite peinte et servant d'urne funéraire.

– *Salle du golfe du Mexique :* fermée pour rénovation. On y retrouve habituellement l'évocation des mystérieux Olmèques des Totonaques (qui édifièrent El Tajín) et celle des moins connus Huastèques. Ainsi qu'une *tête monumentale,* chef-d'œuvre monolithique légué par les Olmèques.

– *Salle Maya :* dans le jardin, superbe reproduction grandeur nature du *temple de Hochob* (Campeche). Au milieu, grand masque du dieu Chac. Si avancés dans l'architecture, les Mayas n'avaient cependant pas découvert la clef de voûte. Vous remarquerez donc, dans ce bâtiment, la voûte obtenue à l'aide de dalles disposées en encorbellement. À droite, à environ 20 m, reconstitution d'un *temple de Bonampak,* orné de ses célèbres peintures murales. Dans la salle en elle-même, un très beau masque funéraire en jade et une sculpture de Chac-Mool (trouvé à Chichén Itza). On a désespérément essayé de reproduire sa position, pas facile !

– *Salle du Nord et salle de l'Occident :* la seconde présente quelques figurines intéressantes. Beaucoup de céramiques rouges aux motifs variés. Impressionnantes reconstitutions d'intérieur.

– *Au 1er étage :* la section ethnologique du musée. Pour chaque peuple, on étudie les habits, la religion, la magie, la danse, l'artisanat, l'habitat. Attardez-vous sur les peuples chez qui vous vous rendrez (Tzotziles à San Cristóbal de las Casas, Mayas au Guatemala...). Vous y apprendrez qu'au Mexique on parle encore 56 langues indigènes. Intéressante salle d'orientation. Superbe maison tarasque avec sa véranda sculptée.

Possibilité de voir des *voladores* (danseurs-acrobates qui s'élancent dans le vide du haut d'un poteau) dans le parc face au musée, notamment le dimanche vers midi et aux heures d'affluence.

🐾🐾🐾 ⚜ **Museo nacional de Historia et château de Chapultepec** *(plan couleur III, H7) :* dans le bois de Chapultepec. ☎ 5515-6304. Ⓜ Chapultepec (ligne n° 1). À pied, contourner le monument des *Niños Heroes* par la droite. On peut prendre un petit train pour y accéder, car la montée est rude (10 $Me, soit 0,70 €). Ouvert du mardi au dimanche de 9 h à 17 h. Entrée : 37 $Me (2,60 €) ; gratuit le mardi et pour les étudiants avec carte ISIC. Le *castillo* servit de résidence à l'empereur Maximilien et à Porfirio Díaz.

Un des plus beaux et des plus reposants endroits de la ville. D'un côté le *Musée national*, avec quinze salles sur Mexico, retraçant l'histoire de la ville du XVIe siècle à la déclaration d'Indépendance de 1917. Le tout dans un superbe édifice couvert, avec des souvenirs de la conquête espagnole, de la vice-royauté, de l'indépendance et de la révolution. Éléments de la vie quotidienne et belle toile de José Clemente Orozco. Très beau *mural* exécuté par Juan O'Gorman. Ça vaut un bon livre d'histoire. Les explications sont lisibles et très instructives, mais en espagnol seulement.

De l'autre côté, visite du *château de Maximilien,* qu'il occupa de 1864 à 1867, transformant même l'endroit en Alcazar. On est accueilli par le carrosse baroque qu'il apporta d'Italie. Visite des splendides appartements de l'empereur et de son épouse Carlota. Tout est dans le détail, de la céramique d'Iznik aux gonds des portes travaillés. Magnifique ! De la terrasse, vue superbe sur la ville.

⚜ **Museo del Caracol** *(ou Galerie-musée de l'Histoire de la Lutte du peuple mexicain pour la liberté ; plan couleur III, H7) :* le surnom d'escargot lui a été attribué à cause de sa forme en spirale. Il est situé à deux pas du château de Chapultepec (voir ci-dessus). Ouvert de 9 h à 16 h 15. Fermé le lundi. Visite très intéressante pour compléter vos connaissances historiques sur le Mexique. Super didactique. Nombreux documents, photos, maquettes, montages pittoresques pour exalter toutes les dates-clés de l'histoire du pays et les étapes de la lutte pour l'indépendance. Avec tous ses héros : Hidalgo, Mina, Morelos, Juárez, Villa, Zapata, etc. À la sortie, un exemplaire de la Constitution devant laquelle les Mexicains se recueillent religieusement.

⚜ **Museo de Arte moderno** *(plan couleur III, H7) :* paseo de la Reforma y Gandhi. ☎ 5211-8331. Ⓜ Chapultepec (ligne n° 1). Le long du bois de Chapultepec, pas loin du métro. Ouvert de 10 h à 18 h. Fermé le lundi. Entrée : 15 $Me (1,10 €) ; gratuit le dimanche. Visites guidées gratuites du mardi au samedi de 10 h à 16 h ; prendre rendez-vous. Un très bel édifice circulaire abritant dans la section de droite des œuvres de peintres et sculpteurs mexicains : Frida Kahlo et le fameux tableau *Las Dos Fridas,* Siqueiros, Diego Rivera, Orozco, Rufino Tamayo et le Dr Atl, peintre spécialisé dans les volcans du pays. Et dans la section de gauche, à l'étage et dans le bâtiment au fond du jardin, des expos temporaires d'art contemporain international et parfois mexicain. Cafétéria dans un agréable jardin avec des sculptures.

🐾🐾 ⚜ **Museo Tamayo** *(plan couleur III, H6) :* paseo de la Reforma. ☎ 5286-6599. ● www.museotamayo.org ● Également à l'entrée du *bosque de Chapultepec,* en face du musée d'Art moderne. Ouvert de 10 h à 18 h. Fermé le lundi. Entrée : 15 $Me (1,10 €) ; gratuit le dimanche. C'est le musée d'art contemporain international de la ville. Le grand peintre Rufino Tamayo était un collectionneur avisé. Il a donné son nom à ce luxueux musée à l'architecture d'avant-garde. Expos temporaires, présentant une partie de la collection personnelle de Tamayo. Sur les cimaises, on retrouve régulièrement Chirico, Dalí, Miró, Picasso, Léger ou Irving Penn. Et Tamayo lui-même.

⚲ **Museo del Niño-Papalote** (plan couleur III, G7) : bosque de Chapultepec. ☎ 5224-1260. ● www.papalote.org.mx ● Ⓜ Auditorio ; puis prendre le *pesero*. Ouvert du lundi au vendredi de 9 h à 13 h et de 14 h à 18 h (23 h le jeudi), et les samedi et dimanche de 10 h à 14 h et de 15 h à 19 h. Entrée : de 50 à 95 $Me (3,50 à 6,70 €), selon l'âge et le choix des options ; super pour les enfants, mais les *niños* de plus de 60 ans bénéficient aussi d'une réduction. Tout pour l'éveil intellectuel de l'enfant, qui est roi au Mexique. À l'entrée, il est accueilli par *Socrates*, tout un programme ! Unique en son genre.

ZONA ROSA (plan couleur II)

Le quartier festif de Mexico, avec ses nombreux lieux de sortie nocturne, dont d'innombrables boîtes gays. Le centre stratégique se trouve à l'angle de Genova et de Londres (Ⓜ Insurgentes). Très animé le soir et la nuit. Si vous restez faire la fête tard (après la fermeture du métro), ne rentrez jamais tout seul et ne hélez pas un taxi dans la rue. Demandez au portier de la boîte de vous appeler un de leurs taxis affiliés ou bien de téléphoner à un taxi *de sitio*. Sinon, allez prendre votre taxi au grand hôtel *Sheraton Maria Isabel* (disponibles 24 h/24) : traversez Reforma au niveau de la place de l'Ange. Cher, mais c'est le prix de la sécurité.

Adresses utiles

ℹ️ **Direction du tourisme** (plan couleur II, E-F5) : Amberes 54. ☎ 5208-1030. Ⓜ Insurgentes. À l'angle de Londres. Ouvert tous les jours de 9 h à 19 h. Petite agence avec un personnel accueillant mais débordé l'été. Informations sur les activités touristiques et culturelles de la ville.
◾ **Bureau de change** (Casa de cambio ; plan couleur II, F4, 15) : paseo de la Reforma 180. Ⓜ Insurgentes. Dans le bâtiment *HSBC*, face à la statue Cuauhtémoc. Ouvert du lundi au vendredi de 8 h à 19 h et le samedi de 9 h à 15 h.
◾ **American Express** (plan couleur II, E5, 16) : paseo de la Reforma 350, à l'angle de Florencia. ☎ 5326-2525. Ⓜ Insurgentes. Ouvert du lundi au vendredi de 9 h à 18 h et le samedi de 9 h à 13 h. Bureaux ultramodernes, face au monument de l'Ange.
@ **Bits Café y Canela** (plan couleur II, E5, 17) : Hamburgo 165, à l'angle de Florencia. ☎ 5525-0144. Ⓜ Insurgentes. Ouvert de 10 h (11 h le samedi et 12 h le dimanche) à 23 h.

@ **Café Mail** (plan couleur II, E5, 18) : Amberes 61. ☎ 5207-4537. Ⓜ Insurgentes. Mitoyen du *Sanborn's*. Ouvert tous les jours de 10 h à 22 h. Compter 20 $Me (1,40 €) pour une heure. Agréable cybercafé avec assistance technique multilangues.
@ **Java Chat** (plan couleur II, F5, 19) : Genova 44, presque à l'angle de Hamburgo. ☎ 5525-6853. Ⓜ Insurgentes. Ouvert de 9 h (10 h les samedi et dimanche) à 23 h. Compter environ 40 $Me (2,80 €) l'heure. Cher. Dix-huit ordis, dont quelques-uns en terrasse. Accueil très moyen.
◾ **Cartes :** *INEGI* (plan couleur II, F5, 20). ☎ 5514-9618. Ⓜ Insurgentes. Ouvert du lundi au vendredi de 8 h à 20 h et le samedi de 8 h 30 à 16 h. À gauche, dans le tunnel en sortant du métro d'Insurgentes. L'enseigne verte est à peine visible. On y trouve toutes les cartes du territoire mexicain et du monde entier.
◾ **La Casa de Francia** (plan couleur II, F4, 21) : Havre 15. ☎ 5511-3151. Fax : 5511-7071. ● info@casadefrancia.org.mx ● Ⓜ Insurgentes.

Ouvert du lundi au samedi de 10 h à 20 h (18 h le samedi). Au 1er étage d'une belle maison rénovée avec goût, vous trouverez : bibliothèque, Internet, médiathèque, expositions permanentes, événements, *fiestas* de temps en temps, une succursale de *La Bouquinerie*. Également le restaurant d'application du *Cordon bleu*, école de cuisine française.

■ *IFAL - Institut français d'Amérique latine (plan couleur II, E4, 22) :* Río Nazas 43. ☎ 5566-0778, 79 et 80. Fax : 5535-8613. Ouvert de 9 h à 13 h et de 14 h 30 à 18 h 30. Ciné-club gratuit les mardi et jeudi à 20 h. Films sous-titrés en espagnol. Service Internet et café *Salut les Copains*.

■ *La Bouquinerie (plan couleur II, F4, 21) :* Havre 15. ☎ 5514-0838. Dans l'enceinte de la *Casa de Francia*. Des livres, des disques, des revues et journaux.

■ *Budget (plan couleur II, F5, 24) :* Hamburgo 68. ☎ 5533-0451. Fax : 5533-0450. Ouvert du lundi au vendredi de 7 h à 21 h et les samedi et dimanche de 8 h à 16 h. Attention, pour pouvoir louer une voiture, il faut avoir plus de 22 ans. Le permis national suffit. On ne peut pas sortir du pays. Accueil moyen.

■ *Laverie automatique (plan couleur II, F5, 25) :* Napoles 81. Ⓜ Cuauhtémoc ou Insurgentes. C'est au 1er étage et il faut sonner à *Lavandería* pour pouvoir entrer ! Ouvert du lundi au vendredi de 9 h à 14 h 30 et le samedi de 9 h 30 à 15 h.

MEXICO
ET SES ENVIRONS

Où dormir ?

Très bon marché : moins de 210 $Me (14,70 €)

⌂ *Hostel Las Dos Fridas (plan couleur II, E5, 73) :* Hamburgo 301, au 1er étage. ☎ 5286-3849. ● www.2fridashostel.com ● Ⓜ Sevilla. Ouvert 24 h/24. Dortoirs pas chers du tout. Doubles simples et propres. Petit dej' compris. Pour les fans de Frida ! Une adresse bien sympathique, un peu excentrée, mais au super rapport qualité-prix. Toilettes sur le palier, coin cuisine, TV, laverie et Internet en commun. Pas mal de routards s'y retrouvent. Bonne ambiance. Préférez les chambres sur cour. Resto-bar au rez-de-chaussée très convivial.

Prix moyens : de 300 à 500 $Me (21 à 35 €)

⌂ *Hôtel El Castró (plan couleur II, F5, 74) :* Sinaloa 32. ☎ 5511-1306 ou 1426. Ⓜ Insurgentes. À l'angle avec Monterrey. Un guichet en verre fumé fait office de réception. Hôtel impersonnel aux chambres très propres, avec tout le confort, mais aux murs blancs et dénudés. Certaines avec jacuzzi. Ascenseur. L'un des hôtels les plus abordables de la *zona*, qui est très chère. Parking.

De chic à plus chic : de 500 à 850 $Me (35 à 60 €)

⌂ *Posada Viena (plan couleur II, F5, 75) :* Marsella 28. ☎ 5566-0700. Fax : 5592-7302. ● www.posadavienahotel.com.mx ● Ⓜ Insurgentes. À l'angle avec Dinamarca. Curieux nom pour cet établissement au pur style « colonial mejicano ». Chambres aux couleurs très vives, avec tout le confort, TV, ventilateur au plafond. Accueil simple et sympa. Bon rapport qualité-prix. Grande salle de resto ; spécialités argentines. Bar. Une bonne adresse.

⌂ *Hôtel María Cristina (plan couleur II, F4, 76) :* Río Lerma 31, angle Amazonas, près de la place Necaxa. ☎ 5703-1212 et 5566-9688. Fax : 5566-9194. Ⓜ Insurgentes. Un hôtel colonial croquignolet, avec hall de réception rustique et cheminée agréable. Bel escalier intérieur et charmant patio fleuri. Fort belles chambres, avec ventilateur, téléphone, TV câblée. Boutiques, Internet. Réserver impérativement à l'avance pour janvier et février.

🛏 **Hôtel Bristol** (plan couleur II, E4, **77**) : plaza Necaxa 17. ☎ 5533-6060. Fax : 5533-0245. ● www.hotel bristol.com.mx ● Si le María Cristina est complet, allez jeter un coup d'œil à cet hôtel fonctionnel dont les tarifs sont équivalents. Grandes chambres tout confort. Beau hall assez chic. Ascenseur. Bon accueil. Pratique et dans un coin calme.

Où manger ?

Bon marché : moins de 70 $Me (5 €)

🍴 **Café Konditori** (plan couleur II, F5, **103**) : Genova 61. ☎ 5511-0722. Ⓜ Insurgentes. Dans une rue piétonne, en face du McDonald's. Ouvert de 7 h à 23 h 30. Le rendez-vous des noceurs avant d'aller se frotter aux pistes de danse. Tortillas, tacos, crêpes et quelques plats bien troussés et copieux, pour une poignée de pesos à peine. Terrasse sympa.

🍴 **Pari Pollo** (plan couleur II, E5, **104**) : Hamburgo 154. ☎ 5525-5353. Ⓜ Sevilla. Ouvert tous les jours de 10 h à 23 h (minuit le week-end). Bonnes grillades style Monterrey pour deux. Ambiance sympa les week-ends. Service rapide. Parfait avant d'aller danser !

🍴 **Campanario's** (plan couleur II, E5, **105**) : cerrada de Hamburgo 3. En face du Pari Pollo, au fond de l'impasse. Ouvert du lundi au vendredi de 10 h à 23 h et le samedi jusqu'à minuit. Menu du jour à 60 $Me (4,20 €). Cadre agréable. Très sympathique le soir, avec le glouglou de la fontaine et toutes les petites lumières. Show bohème du mercredi au samedi de 18 h à 1 h. Service aimable.

🍴 **Café Mangia** (plan couleur II, E4, **106**) : Río Sena 85. ☎ 5533-4503. Ⓜ Insurgentes. Derrière l'ambassade des États-Unis. Ouvert du lundi au vendredi de 8 h à 18 h. Sympa pour faire une pause. Venir pour le petit dej' : goûter les jus de fruits combinados (fresa-zarzamora, piña-guayaba) et les très bons gâteaux (chocolate con frambuesa). Très bon café. Payez à la caisse. À midi, de bonnes salades et plats du jour. Très fréquenté au déjeuner.

Prix moyens : de 70 à 150 $Me (5 à 10,50 €)

🍴 **Sanborn's de l'hôtel Genève** (plan couleur II, E5, **107**) : calle Londres. Traverser le hall de l'hôtel, c'est tout droit. Dans un ancien pasillo, qui abritait l'entrée d'une banque. Cadre élégant, sous une verrière et des colonnades de pierre. Serveuses en tenue folklorique et cuisine locale à prix doux. Salades, burritos, enchiladas et guacamole caliente, caliente ! Un bel endroit.

🍴 **Fonda El Refugio** (plan couleur II, E5, **108**) : Liverpool 166 (près de Florencia). ☎ 5525-5352. Ouvert jusqu'à 1 h (22 h le dimanche). Aux murs, casseroles et ustensiles en cuivre. Une poignée de tables pour cette taverne un peu chic. Cuisine du Yucatán assez bonne. Spécialité : le filete El Refugio, mariné et tendre à souhait. Réserver en fin de semaine.

Plus chic : plus de 250 $Me (17,50 €)

🍴 **Café del Arrabal** (plan couleur II, E4, **109**) : río Lerma 171. ☎ 5533-3466. Un bistrot argentin, avec tables en marbre, banquettes empesées et sol carrelé noir et blanc. Cuisine à la hauteur des lieux. Au menu, grilla-des, brochettes, poulet. Spécialités de viandes délicieuses. Pour l'apéro, goûter à la sauce chimichurri (origan, persil, vinaigre de vin et huile d'olive). Un régal ! Desserts pas mauvais du tout.

Où boire un verre ? Où sortir ? Où danser ?

El Péndulo *(plan couleur II, F5, 154)* : Hamburgo 126. ☎ 5208-2327. Atmosphère cosy, pour siroter une *michelada* (bière, sel et citron) dans de grands fauteuils club. Quelques plats assez chers pour grignoter. Bonne ambiance. Musique sympa.

♪ **Fixión** *(plan couleur II, F5, 155)* : Merida 56. ☎ 5525-8282. À l'angle de Durango. Prendre un taxi *de sitio* le soir ; un peu excentré. Les bars aux étages sont ouverts les vendredi et samedi. Ambiance rock garantie. L'anti-boîte branchée. En son genre, un excellent endroit.

♪ **Lipstick Lounge and Bar** *(plan couleur II, E5, 156)* : au coin des avenues Reforma et Amberes. ☎ 5514-4920. Ouvert à partir de 22 h. *Cover* les mercredi et samedi. Le slogan de cette boîte gay est clair : « desesperantemente necesario ». Trois étages, vue sur l'Ange de Reforma, DJ à chaque étage, une ambiance de folie !

♪ **Living** *(hors plan couleur II par E5)* : paseo Reforma 483. ☎ 5256-0069. ● www.living.com.mx ● Ouvert les vendredi et samedi à partir de 22 h 30. *Cover* d'environ 150 $Me (10,50 €). Vous pensiez avoir tout vu ? Ben non ! Il vous reste le *Living*, la cathédrale des nuits de Mexico. À l'intérieur, on se croirait d'ailleurs dans une immense église : le temple de la musique électronique. Une autre salle est consacrée à la musique pop et une autre sert de *lounge room*. Salon VIP et une terrasse qui domine la splendide avenue Reforma. Deux ou trois DJs maison mais bien souvent il y a un DJ invité de renommée internationale comme Van Dyke ou Offer Nissim. Ambiance très *high*, surtout le samedi. Ça se termine vers 7 h du mat', mais pas de panique, on vous indiquera l'adresse de l'*after*. Clientèle gay principalement, mais *open*.

LA CONDESA

Au sud de la Zona Rosa. Quartier très tendance depuis quelques années, fréquenté par la jeunesse branchée de Mexico et les expats de tous pays. Beaux immeubles Art déco, rues bordées de palmiers, boutiques minimalistes, des bars plus design les uns que les autres et plein de restos sympas avec des terrasses sur le trottoir, qui proposent de la bonne cuisine internationale. On a du mal à se croire au Mexique.

➤ *Pour y aller* : plusieurs stations de métro encadrent le quartier : Sevilla, Chilpancingo, Juanacatlán ; puis terminer à pied, quelques *cuadras.* On peut aussi, depuis le métro Insurgentes, prendre le *metrobus* vers le sud et descendre à la station Sevilla.

– *Service de taxis 24 h/24 :* ☎ 5553-5059 *(Servitaxis).*

Où dormir ?

Pas d'hôtels dans la Condesa. Mais on vous a quand même déniché une auberge de jeunesse très sympa.

Bon marché : moins de 210 $Me (14,70 €)

Hostal Home *(plan couleur d'ensemble, 78)* : Tabasco 303 ; entre Valladolid et Medellin. ☎ 5511-1683. ● www.hostelhome.com.mx ● Ⓜ Sevilla ou Insurgentes, puis 10 mn à pied vers le sud. Réduction aux porteurs de la carte ISIC. Une AJ très sympa, installée dans une belle maison du XIXe siècle. Trois chambres de 6 à 8 lits et 2 salles de bains. Grand salon qui distille de la musique *lounge* et cuisine collective. Service Internet. Bon accueil et ambiance super cool. Vous y trouverez un plan du quartier.

Où manger ?

Beaucoup de restos sont rassemblés autour du carrefour Michoacán et Vicente Suárez, centre névralgique de la Condesa.

Bon marché : moins de 70 $Me (5,50 €)

|●| *Frutas Prohibidas* : sur Michoacán, à l'angle avec Amsterdam. ☎ 5264-5808. Ouvert du lundi au vendredi de 8 h à 22 h et le samedi de 9 h à 19 h. Un endroit charmant avec ses bancs en bois sur le trottoir où l'on savoure un divin jus de fruits (plusieurs combinaisons) ou un *licuado* revigorant. Et pour les petits creux, des sandwichs très originaux, en forme de rouleau (!), accompagnés d'une saine salade mixte.

|●| *Don Keso* : Parras, à l'angle avec Amsterdam. ☎ 5211-3806. Ouvert de 14 h à minuit (20 h le dimanche). Resto rikiki mais bien sympathique, avec ses tables en bois sur le trottoir. Sandwichs et salades composées. Les Français du quartier viennent y manger une assiette de fromage accompagnée d'un ballon de rouge. Le soir, ambiance tranquille à la lueur des bougies. Bière à la pression.

|●| *El Tizoncito* : à l'angle de Tamaulipas et Campeche. Pas de téléphone. Ouvert tous les jours, 24 h/24. L'incontournable *taquería* de Mexico, qui s'autoproclame l'inventeur des fameux *tacos al pastor*. Y goûter absolument. La viande de porc est cuite sur une broche verticale, à la mode turque. On y ajoute de l'ananas, des oignons hachés et l'une des nombreuses sauces piquantes proposées. Un délice. Et un super remontant à la sortie de la disco, avant d'aller au lit. Toujours du monde, même à 4 h du mat' !

De prix moyens à chic : de 100 à 250 $Me (7 à 17,50 €)

|●| *El Péndulo* : Nuevo León 115, à l'angle de Vicente Suárez. ☎ 5286-9493. Ouvert tous les jours de 8 h (9 h le week-end) à 23 h. Une grande maison verte qui se veut le centre culturel du quartier. Resto, librairie et disquaire sur 2 niveaux. Atmosphère chaleureuse et conviviale. On mange au milieu des livres et des disques, à côté de la collection complète de *Tintin* en espagnol. Délicieux blanc de poulet à la bière, lasagnes, tarte au chocolat... Les plats sont joliment servis. Dans le coin salon du 1er étage, on peut aussi déguster un Sartre, un *frappuccino* (sic !) à la vanille... pour « adoucir l'existentialisme ». Très fréquenté dès le matin pour le petit dej'.

|●| *La Gloria* : Vicente Suárez 41, à l'angle de Michoacán ; dans le centre névralgique de la Condesa. ☎ 5211-4180. Ouvert de 13 h à 23 h. Un cadre étonnement sobre pour le quartier. Mais une terrasse sur le trottoir bien agréable. Bonne ambiance, sans doute grâce au service aimable. Carte italo-franco-mexicaine, avec même un plateau de fromage accompagné d'une carafe de rouge. Ou une soupe à l'oignon pour le soir. Souvent plein.

|●| *La Buena Tierra* : à l'angle de Michoacán et Atlixco ; dans le centre névralgique de la Condesa. ☎ 5211-4242. Ouvert tous les jours de 8 h à minuit. Terrasse sur rue protégée par une haie d'arbustes. Beaucoup de monde attiré par des salades mixtes originales, des sandwichs panini et d'autres plats sympas. Idéal pour un brunch branché. Ils sont excellents et très appréciés par les locaux. Un peu cher tout de même.

|●| *La Bodega* : Popocatépetl 25, à l'angle avec Amsterdam. ☎ 5525-2473 et 5511-7390. Ouvert de 14 h à

2 h 30. Fermé le dimanche. Grande bâtisse abritant sur 3 niveaux un bar, un resto et un cabaret-théâtre. Belle décoration originale (même les *baños* !), dans le style capharnaüm. Nouvelle cuisine mexicaine. Spécia- lités : *hongos* (champignons) *à la Bodega* cuits au vin rouge et *barabacoa de pato* (canard). Du jeudi au samedi soir, groupe de musique *són* cubain.

Où boire un verre ? Où danser ?

🍷 *Patanegra :* dans le bloc dit Plaza Condesa (un ancien ciné), au carrefour où se rejoignent Tamaulipas et Nuevo León. ☎ 5211-4678. Ouvert de 14 h à 1 h du mat', plus tard le week-end. Très bonne ambiance pour ce bar chaleureux et sans les prétentions branchées de ses voisins. Les prix tout doux de la bière à la pression y sont bien sûr pour quelque chose : clientèle hétéroclite et sympa. Musique *en vivo* certains soirs (flamenco, modern jazz, salsa cubaine). Autour du même pâté de maisons, vous trouverez également le *Irish Pub* et le *Cafeina* avec sa déco glamour néobaroque et son DJ maison. Il y en a pour tous les goûts... et toutes les bourses.

🎵 *Mama Rumba :* Querétaro 230, à l'angle de Medellin. ☎ 5564-6920. Ouvert du mercredi au samedi à partir de 21 h et jusqu'à 4-5 h. Entrée autour de 60 $Me (4,20 €). Le samedi, arrivez tôt impérativement pour avoir une table ! Immense maison d'angle genre colonial. Intérieur aux couleurs chaudes et mobilier en bois. Très sympa et bonne ambiance ouverte à tous les publics : salsa et rumba. Peu à peu, la *Mama* entre en ébullition !

À voir

🎥 *Promenade dans la Condesa (plan couleur d'ensemble) :* pour ceux qui passent plusieurs jours à Mexico, cette petite balade permettra de découvrir un autre visage de la capitale, loin du centre historique populeux. Quartier devenu très à la mode depuis quelques années. Se promener dans la Condesa, c'est humer le charme de l'Art déco transplanté à Mexico. Ce quartier, né au début du XXe siècle, dispense avec nostalgie les quelques lambeaux de la prospérité de l'époque de Porfirio Díaz. Commencez par le ravissant *parc Mexico* (l'un des plus jolis de la ville). En flânant dans les rues adjacentes, le nez en l'air, vous pourrez admirer quelques façades des années 1930, notamment l'immeuble *Basurto* (av. Mexico 187, à côté du magasin *Suburbia,* au coin avec Sonora). L'escalier du hall d'entrée est un chef-d'œuvre de l'Art déco (malheureusement, il n'est pas facile d'y entrer).

COYOACÁN *(plan couleur IV)*

Au début du XXe siècle, ce n'était qu'un petit village colonial à 10 km au sud de Mexico, entouré de champs et d'étables ; le refuge des artistes et des intellectuels. Bien avant, à l'époque de la Conquête, Cortés y avait installé ses quartiers après la chute de Tenochtitlán.
Aujourd'hui, englouti par la mégapole, Coyoacán (« le lieu des coyotes » en nahuatl) a gardé son charme bohème. Dans les rues pavées, entre les belles demeures peintes en bleu et ocre, planent les ombres de Frida Kahlo, de Diego Rivera et de leur copain Trotski. Depuis quelques années, le quartier de Coyoacán est devenu l'une des promenades favorites des citadins durant le week-end. Sur la place principale : musiciens, artistes, cireurs de chaussures, vendeurs d'artisanat, diseuses de bonne aventure... En semaine, et surtout tôt le matin, c'est un ravissement que de se balader ici. Cafés avec terrasse, librairies, galeries d'art, jolies boutiques, mais pas d'hôtels.

➤ *Pour y aller :* Ⓜ Coyoacán, mais il faut marcher pas mal ; le plus simple est de descendre au métro General Anaya (ligne bleue) et de prendre un *pesero* marqué « Coyoacán ».

Adresses utiles

🅸 *Office de tourisme (plan couleur IV, I8) :* jardín Hidalgo. ☎ 5659-6009. Dans le beau bâtiment de couleur ocre de la mairie. Ouvert tous les jours de 9 h à 20 h. Plans du quartier. Organise les samedi et dimanche des visites gratuites de Coyoacán (circuits à pied), à 10 h, 12 h et 14 h ; mais c'est en espagnol et il faut rassembler au moins 5 personnes.

▪ *Le train touristique (plan couleur IV, I8) :* ☎ 5662-8972. Départ dans la rue Hidalgo, face à l'entrée du *museo de Culturas populares.* Tour du quartier en 45 mn (commentaires en espagnol seulement). Départ quand le *tranvía* est plein ; environ toutes les 90 mn en semaine, toutes les 30 mn le week-end.

Où manger ?

Tout autour de la place principale (le *zócalo* de Coyoacán), il y a pléthore de restaurants, *taquerías,* cafés, pâtisseries, glaciers... sans compter les vendeurs ambulants qui vous proposent, entre autres, des *chicharrones* : peau de porc en beignet. Les Mexicains en raffolent. Vous n'êtes pas obligé d'y goûter ! En revanche, dégustez les *esquites* servis dans un verre à emporter : une préparation de grains de maïs, avec ou sans piment *(chile).*

Bon marché : moins de 70 $Me (5 €)

🍽 *El Mercadito (plan couleur IV, I8, 110) :* au début de Higuera. Ouvert tous les jours de 8 h à 23 h. Un ensemble de petits stands locaux où l'on savoure des *quesadillas* préparées devant vous. Ultra-typique et très bonne ambiance. Délicieux et petits prix.

🍽 *Papa Pavo Medieval (plan couleur IV, I9, 111) :* à l'angle de Carrillo Puerto et Carranza. ☎ 5659-3401. Ouvert de 12 h à 21 h 30. Fermé le lundi. Un petit resto ouvert sur la rue. La déco se veut une réplique d'un château fort. Petite carte simple et pratique. Spécialités de pommes de terre au four et de dinde fumé *(pavo).* Un regard mexicain sur le Moyen Âge ! Très bon rapport qualité-prix.

Prix moyens : de 70 à 150 $Me (5 à 10,50 €)

🍽 *Mesón de Santa Catarina (hors plan couleur IV par I8, 112) :* sur la place Santa Catarina, en face de l'église. ☎ 5658-4831. Ouvert tous les jours de 8 h 30 à 22 h 30. Ambiance sereine pour ce resto joliment décoré dans l'esprit colonial de Coyoacán. Très agréable, surtout si vous vous installez sur la terrasse ombragée du dernier étage. Bonne cuisine mexicaine et service attentionné. Bon accueil.

🍽 *La Esquina de los Milagros* (plan couleur IV, I8-9, 113) : à l'angle du jardín Centenario et de la calle Tres Cruces, à côté de l'arche. ☎ 5659-2454 et 2859. Ouvert de 9 h à 1 h, voire plus tard le week-end. On y vient d'ailleurs surtout le soir pour manger un morceau ou prendre un verre dans une ambiance animée. Clientèle d'étudiants. Parfois des musiciens y poussent la chansonnette. Salades, pâtes, et de délicieuses crêpes. Idéal aussi pour le petit déjeuner (servi jusqu'à 13 h).

On s'installe en terrasse, face au très joli jardin.

|●| *La Vienet (plan couleur IV, I8, 114) :* angle Viena et Abasolo, près de chez Léon Trotski. ☎ 5554-4523. Ouvert de 8 h à 12 h et de 13 h 30 à 16 h. Fermé le week-end. Une adorable maison de style colonial, où l'on vous sert quelques bons petits plats. Idéal pour déguster une excellente pâtisserie après la visite

de la maison de Frida Kahlo.

|●| *Moheli (plan couleur IV, I8, 115) :* F. Sosa, à 20 m du *zócalo.* ☎ 5554-6221. Ouvert de 8 h à 22 h. Tables installées sur le trottoir, à l'ombre d'une tonnelle. Très sympa pour casser la graine avec un bagel au saumon fumé ou une salade de tomates à la mozzarella. Belle carte de pâtisseries maison, dont un exquis croquant aux noix et aux mûres.

Chic : de 150 à 250 $Me (10,50 à 17,50 €)

|●| *Caballocalco (plan couleur IV, I8, 116) :* Higuera 2, face au *zócalo.* ☎ 5554-9396. Ouvert de 8 h 30 à 19 h. Fermé le lundi. Donc pour le petit déjeuner ou le déjeuner. Décor très Nouvelle-Espagne pour cette

grande bâtisse construite au début du XXe siècle. Belle salle de resto. Très raffiné, service impeccable. De temps en temps, un pianiste joue sur la mezzanine. Attention, le couvert est payant.

Où boire un verre ?

▼ *La Guadalupana (plan couleur IV, I9, 157) :* Higuera 14. ☎ 5554-6253. Ouvert de 12 h à 21 h (minuit le vendredi). L'un des classiques du genre. Entre pub et *cantina.* Bonne atmosphère chaleureuse et conviviale. Bière à la pression, et bien sûr toutes les tequilas dont vous rêvez.

▼ *Burma DJ Café (plan couleur IV, I8-9, 158) :* Carrillo Puerto 14, tout près du *zócalo.* ☎ 5658-8594. Ouvert de 9 h à 23 h (1 h le weekend). Plusieurs salles sur deux niveaux. On s'installe par terre sur

des anciens sacs de café reconvertis en coussin. À moins que vous préfériez vous vautrer devant l'écran géant de la TV ou vérifier vos mails (Internet gratuit si vous consommez). Comme chez soi, donc ; en compagnie d'une très jeune clientèle d'étudiants. Au programme : musique électronique (DJ le jeudi soir), café, thé, infusion et bière à la pression (gratuite si vous consommez des aliments (pizzas, *nachos*...). Bon marché et super cool. Beaucoup d'ambiance le week-end.

À voir

⚑⚑⚑ *La place centrale (plan couleur IV, I8) :* c'est en fait le *zócalo* de Coyoacán, composé de deux places que sépare la calle Carrillo Puerto.
– D'un côté, le *jardín Centenario* (construit sur un ancien cimetière) avec, au centre, la fontaine aux Coyotes.
– De l'autre, la *plaza Hidalgo* bordée par l'*église San Juan Bautista* (un bel édifice dominicain du XVIe siècle) et par le *palais de Cortés,* qui abrite aujourd'hui la mairie et l'office de tourisme. C'est là que le conquistador Hernán Cortés a torturé le dernier empereur Cuauhtémoc en lui brûlant les pieds (brr...) pour savoir où était caché le fameux trésor aztèque. Sans succès. Le trésor reste à découvrir...

⚑ *Museo de Culturas Populares (plan couleur IV, I8) :* Hidalgo 286 ; à deux pas du *zócalo.* ☎ 5554-8968. Ouvert de 10 h à 18 h. Fermé le lundi. Entrée gratuite. Allez jusqu'au fond, derrière la maison qui abrite la librairie. Expositions temporaires sur les arts populaires et la culture indienne. Vente d'artisanat. Et même des cours gratuits d'arts plastiques...

🎥🎥 *La Conchita* (plan couleur IV, I-J9) : en prenant la rue Higuera qui part de derrière l'église, vous arriverez sur la *plaza de la Concepción* (la *Conchita* pour les intimes) avec sa ravissante chapelle baroque, malheureusement bien souvent fermée. Au n° 57 de la calle Higuera : la *Casa Colorada*, autrement dit la « maison Rouge ». Cortés l'a fait construire pour la Malinche, sa traductrice et surtout maîtresse. Ensuite, ce fut son épouse qui l'occupa en arrivant d'Espagne. Mais celle-ci n'en a pas profité bien longtemps, disparaissant sans laisser de traces. On raconte que ce fut encore un coup de Cortés.

🎥🎥 *Plaza Santa Catarina* (hors plan couleur IV par I8) : partir du jardín Centenario, passer sous l'arche et prendre la calle Francisco Sosa. Continuer tout droit en rêvant à ce que cachent les somptueuses façades de la rue. Au bout, une petite église comme dans les films de Zorro, toute jaune, sur une petite place tranquille. Rien de particulier, mais quel charme ! Bon, on vous le dit comme on le pense, c'est l'un de nos coins préférés. Faites un tour dans la Maison de la Culture de Coyoacán (cours de danse, théâtre, musique...). Très beaux jardins et cafétéria très agréable.

🎥🎥🎥 *Museo Casa Frida Kahlo* (plan couleur IV, I8) : Londres 247, à l'angle avec Allende. ☎ 5554-5999. Ouvert du mardi au dimanche de 10 h à 18 h. Entrée : 30 $Me (2,10 €) ; réduction pour les étudiants avec carte ISIC. C'est là qu'est née Frida Kahlo, dans la fameuse maison Bleue *(Casa Azul)*, et qu'elle vécut plus tard avec son époux, le muraliste Diego Rivera (de 1929 à 1954). Elle y reçut plein de gens connus, comme Trotski ou André Breton. Ceux qui sont fascinés par la personnalité de la célèbre peintre mexicaine, infirme, communiste, féministe et pro-indigène, seront comblés. On trouve ici son atelier de peinture, la cuisine, sa chambre, ses vêtements indiens et même sa chaise roulante. Également exposées, de belles figurines préhispaniques, une collection d'ex-voto (curieux pour un couple d'athées) et quelques-unes de ses œuvres (et de celles de Diego Rivera). Ne ratez pas les titres. Une toile est intitulée *Le marxisme donnera la santé* ! Beau jardin et petite cafétéria.

🎥 *Museo Casa de Trotski* (plan couleur IV, J8) : Río Churubusco 410. ☎ 5658-8732. Ouvert du mardi au dimanche de 10 h à 17 h. Entrée : 30 $Me (2,10 €). Grosse bâtisse, genre forteresse. C'est que Trotski, après un premier attentat organisé par le peintre Siqueiros, fit murer les ouvertures extérieures et installer des miradors. Peine perdue, il fut tué quelques semaines plus tard (et enterré ici même). Quelques jours avant de mourir, il prononça la phrase qui inspira le film de Roberto Benigni : « Et pourtant la vie est belle ». Rien n'a changé depuis 1940 : sur son bureau, des notes dactylographiées, et dans la cuisine, des boîtes de thé entamées. Ambiance austère et tristounette. La maison du leader de la Révolution d'octobre est le siège de l'*Institut du Droit d'asile*, fondé en 1982. Dans la bibliothèque, les journaux « révolutionnaires » qui continuent de s'empiler ici. Pour ceux à qui manque la lecture de *L'Humanité...* pardon, on voulait dire *Lutte Ouvrière*. Cafétéria.

🎥🎥 *Museo de las Intervenciones* (ex-convento Churubusco ; plan couleur IV, J8) : ☎ 5604-0699. Ⓜ General Anaya. Depuis le métro, prendre la rue 20 de Agosto ; c'est à 300 m. Ouvert du mardi au dimanche de 9 h à 18 h. Entrée : 32 $Me (2,25 €). C'est dans un ancien couvent du XVIIe siècle (construit, comme d'habitude, sur un ancien temple préhispanique) qu'a été installé le musée des Interventions étrangères au Mexique (sic !). Au total, depuis son indépendance, six « agressions », dont celle de la France de Napoléon III qui envoya Maximilien et Carlota au casse-pipe. Un musée pour méditer sur les vicissitudes, les obstacles et les influences extérieures qui forgent une nation et une identité culturelle. Pour vous détendre les neurones, faites un tour dans le jardin du couvent. Un petit coin de paradis.

Achats

– Le week-end, le jardín Centenario est envahi par des stands d'artisanat hippie. Ambiance baba et odeurs d'encens.

✤ **Marché d'artisanat** *(plan couleur IV, I8, 210)* **:** entrée sur Carrillo Puerto, face au *zócalo*. Ouvert seulement les week-ends et jours fériés. Assez varié.

SAN ÁNGEL

Non loin de Coyoacán. Ancien quartier colonial au sud de Mexico, où subsistent encore quelques beaux vestiges de la Nouvelle-Espagne. C'est l'un des quartiers super-résidentiels de la ville. Jolies promenades à travers les rues pavées bordées par de magnifiques demeures. Y aller de préférence le samedi : beaucoup plus d'ambiance à cause du bazar del Sábado (voir plus loin « Achats »).

➤ *Pour y aller :* pas de métro proche. Prendre le *metrobus* sur Insurgentes en direction du sud. Descendre à l'arrêt San Ángel. Puis remonter à pied l'avenida de La Paz (pavée) et traverser l'avenida Revolución pour rejoindre la plaza San Jacinto.

Où manger ?

Prix moyens : de 70 à 150 $Me (5 à 10,50 €)

|●| **La Mora :** plaza San Jacinto 2. ☎ 044-1060-6507. Ouvert tous les jours de 8 h à 20 h. Resto au 1er étage, dominant la place. Cuisine traditionnelle. Bon rapport qualité-prix. Ambiance assez festive. Bon accueil.

|●| **Crêperie du Soleil :** Madero 4, sur la première place avant la plaza San Jacinto ; en face de la biblioteca de la Revolución Mexicana. ☎ 5550-2585. Ouvert de 10 h à 20 h. Fermé le lundi. Un petit local sympathique. Grand choix de délicieuses crêpes salées et sucrées. Et aussi de bons sandwichs et des salades mixtes pour casser la graine après la visite du *museo del Carmen.*

Plus chic : plus de 250 $Me (17,50 €)

|●| **San Ángel Inn :** Diego Rivera 50, près du *museo Casa Estudio Diego Rivera*. ☎ 5616-1402 et 0973. Ouvert de 13 h à minuit (22 h le dimanche). Un ancien monastère, avec ses patios croulant sous la végétation et ses petites fontaines. Un endroit vraiment exceptionnel, à côté duquel *Maxim's* ressemble à une soupe populaire. On peut se contenter d'y prendre un simple verre *(tomar una copa)*. Une tenue correcte est recommandée.

À voir

🎭 **Museo del Carmen :** av. Revolución, au coin avec l'avenida de La Paz. ☎ 5616-1504. Ouvert de 10 h à 16 h 45. Fermé le lundi. Entrée : 32 $Me (2,30 €) ; gratuit le dimanche. Ancien couvent de carmélites fondé en 1615 : un bon exemple d'architecture religieuse du début du XVIIe siècle. Un vrai dédale (non fléché). Peintures coloniales et sculptures religieuses. L'annexe *Casa Novohispana* présente une petite expo sur la vie quotidienne à l'épo-

que de la Nouvelle-Espagne (1521-1821). N'oubliez pas la chapelle intérieure (1er étage), la sacristie pour son magnifique plafond et les lavabos
recouverts d'*azulejos*. Mais le clou se trouve dans la crypte. Là, 12 cadavres
momifiés dans leur robe de bure regardent passer les touristes. Admirez les
coupoles de l'église recouvertes de *talaveras*. Et faites aussi un tour dans le
jardin, désormais coincé entre les deux avenues les plus utilisées de Mexico !

🎨🎨 *Plaza San Jacinto :* en traversant l'avenida Revolución, continuez la
grimpette jusqu'à cette charmante place où se trouve l'église du même nom,
avec un ravissant cloître fleuri et verdoyant. Allez aussi jeter un œil dans la
cour de la *Casa del Risco,* au n° 15. Il y a là une fontaine qui vous laissera
coi. Expositions temporaires, entrée gratuite. Le samedi, des peintres expo-
sent leurs œuvres sur la place, comme à Montmartre. C'est également le jour
du bazar del Sábado (voir « Achats » ci-après).

🎨 Puis prendre la rue Galeana, bordée d'anciennes maisons enfouies sous
les bougainvillées (attention, ça monte). Au bout, prendre à gauche la rue
Lazcano qui débouche sur le *San Ángel Inn* (voir « Où manger ? » ci-dessus). Vous pouvez y entrer pour admirer les somptueux patios, les cloîtres et
les splendides salons avec mobilier d'époque. C'est là que Pancho Villa et
Zapata décidèrent d'unir leur action.

🎨 En face se trouve le *museo Estudio Diego Rivera.* ☎ 5550-1518. Ouvert
du mardi au dimanche de 10 h à 18 h. Entrée à petit prix. La maison cubique
conçue par l'architecte O'Gorman n'a rien d'extraordinaire. Seul l'atelier possède un certain charme. Y sont exposés les objets préhispaniques de la
collection personnelle de Rivera, ainsi que quelques-unes de ses œuvres. Le
peintre a vécu ici avec Frida Kahlo, installée dans la maison d'à côté, les
deux bâtiments étant réunis par une passerelle. Expos temporaires.

Achats

⚜ *Bazar del Sábado :* plaza San
Jacinto. Ouvert le samedi uniquement, de 10 h à 19 h. Dans une
demeure du XVIIe siècle, vous trouverez un artisanat très raffiné. Très
cher et de moins en moins de choix.

Heureusement, à l'extérieur, en
contrehaut de la place San Jacinto,
marché d'artisanat traditionnel : plein
de petits objets pour les souvenirs à
prix décents.

À VOIR ENCORE PLUS AU SUD

🎨 *L'université de Mexico :* prendre le *metrobus* sur Insurgentes en direction du sud, jusqu'au terminus. En métro, descendre à la station Universidad,
terminus de la ligne 3, et prendre un taxi qu'on partage avec d'autres étudiants jusqu'au campus principal (rectorat).
Por mi raza hablará el espíritu (« L'esprit parlera par ma race »), telle est la
devise de cette université prestigieuse. L'Université Nationale Autonome de
Mexico (UNAM) est la plus grande du continent. Construite à partir de 1950
sur ce site qui contiendrait une ville entière. On l'appelle d'ailleurs la *Ciudad
Universitaria.* Le bâtiment le plus connu est bien sûr la *bibliothèque,* avec
ses fresques en mosaïque exécutées par O' Gorman. Elles représentent
l'histoire du Mexique, synthétisée en trois périodes : préhispanique sur le
mur nord, coloniale sur le mur sud et moderne sur le mur ouest. Le mur est,
lui, nous montre la vision de l'artiste sur l'avenir du Mexique.
Au sud du campus, l'université possède également un *centre culturel* impressionnant, ainsi qu'un *espacio escultórico.* On y découvre des exemples de la
sculpture mexicaine contemporaine, au milieu d'une nature sauvage. Ne man-

quez pas *El Horizonte de las Estrellas* (« L'Horizon des Étoiles »), une œuvre monumentale autour de la lave volcanique qui recouvre cette zone. C'est lunaire.

Vous pourrez également y manger pour quelques pesos et ainsi discuter avec les étudiants (il y en a près de 250 000). C'est aussi à l'UNAM que vous pourrez prendre des cours d'espagnol (voir « Services » dans les « Adresses utiles générales » au début du chapitre « Mexico »).

Le *stade olympique,* de l'autre côté de l'avenue, est l'un des plus beaux au monde (en forme de volcan, comme s'il sortait de la terre) et possède même des fresques de Diego Rivera : l'aigle et le condor symbolisant l'Amérique latine.

🚶 *Le site archéologique de Cuicuilco :* un peu plus loin, au sud de l'université, sur Insurgentes, après le périph'. ☎ 5506-9758. Ouvert tous les jours de 9 h à 17 h. Entrée gratuite. Le site de Cuicuilco, l'un des plus anciens du Mexique, fut submergé par une coulée de lave. La pyramide dut être dégagée à la dynamite et subit de nombreuses détériorations pendant l'opération. Elle mesure 18 m de haut et 135 m de diamètre. De là, par temps clair, on aperçoit les volcans Ixtaccihuatl et Popocatépetl. Les observateurs avertis noteront que la pyramide est circulaire. Rarissime. Lors de la construction du métro, on en a découvert une autre, beaucoup plus petite : on peut la voir dans les couloirs du métro Pino Suárez.

Petit musée présentant des collections de céramique et figurines provenant de différents sites de la même période.

QUITTER MEXICO

Pour toute information sur les avions, les autocars, possibilité d'appeler 24 h/24 au ☎ 5250-0123. Pour de longs trajets (Yucatán), nous vous conseillons de demander à une agence de voyages les tarifs des vols les moins chers. Il se peut que la différence de prix avec le bus ne soit pas trop importante.

EN BUS

Il y a **4 terminaux de bus,** aux 4 points cardinaux, organisés selon les destinations, tous accessibles en métro. Très modernes, ils offrent de nombreux services : cafétérias, consignes, téléphone, distributeurs d'argent...
– Pour toutes infos sur les voyages en bus : ☎ 5566-5636.
– Pour réserver et acheter vos billets à l'avance, un seul numéro : ☎ 5133-2424, ou sur ● www.ticketbus.com.mx ● Le central de réservations *Ticketbus* vous indique ensuite le bureau le plus proche de votre hôtel. Dans le Centro Histórico, il y en a un à Isabel la Católica 83, dans le garage, à droite (pas évident à trouver) ou dans la Condesa, Tlaxcala 193, Local A.
– **Faites-vous bien préciser les horaires.** Si vous ratez le bus, vous avez 24 h, suivant les compagnies, pour changer le départ ou obtenir le remboursement.
– Il y a deux classes (voire trois). Pour les grands trajets, préférez un bus 1re classe. Plus cher, mais vous aurez plus de chance de pouvoir dormir ! Certaines compagnies comme *ETN* ou *ADO* proposent, en plus de leurs bus traditionnels, des cars super confortables.
– Attention, la durée annoncée des voyages doit souvent être augmentée.
– Il est prudent de réserver vos billets à l'avance, surtout si vous partez un samedi ou en période de vacances (semaine de Pâques, Noël, ponts).
– Pour plus de détails, reportez-vous également aux rubriques « Comment y aller ? » des villes où vous vous rendez.

🚌 **Terminal Norte** *(plan couleur d'ensemble) :* ☎ 5587-5200 et 5567- | 8033. Ⓜ Autobuses del Norte. Pour y aller avec un sac à dos, prendre le *pesero* qui indique « Terminal Norte » sur Insurgentes Norte. Consignes à bagages. Guichets de 1 à 4 : lignes des villes proches ; de 5 à 8 : lignes des villes éloignées. Villes desservies : celles du nord du Mexique et les États-Unis, et celles du centre (Guanajuato, Guadalajara, San Miguel de Allende...). Également les pyramides de Teotihuacán, Tula, Poza Rica (pour El Tajín).

➢ *Pour Teotihuacán :* guichet 8, avec la compagnie *Teotihuacán Autobuses.* ☎ 5587-0501.
➢ *Pour Tula :* guichet 8, avec *Estrella Blanca.* ☎ 5729-0707.
➢ *Pour Guadalajara et Tijuana :* guichet 5, avec *Estrella Blanca.* ☎ 5729-0707.

🚏 *Terminal Sur* (ou *Tasqueña ; hors plan couleur d'ensemble) :* | ☎ 5689-9745. Ⓜ Tasqueña.

➢ *Pour Taxco et Acapulco :* avec *Turistar, MMM, Futura* et *Estrella de Oro.*
➢ *Pour Cuernavaca :* avec *Pulman de Morelos* ; départ toutes les 15 mn. Prendre un bus pour le *Centro* (et non pas Casino de la Selva).

🚏 *Terminal Oriente* (ou *Tapo ; plan couleur d'ensemble) :* ☎ 5983- | 5210 et 5762-5977. Ⓜ San Lázaro.

➢ *Pour les villes du Sud-Est :* Veracruz, Villahermosa, Mérida, Cancún... Et *Puebla, Oaxaca.* Avec *ADO* (renseignements : ☎ 5133-2424). Pour Oaxaca, arrivez suffisamment tôt pour éviter de vous retrouver en carafe.

🚏 *Terminal Poniente* (plan couleur d'ensemble) : ☎ 5270-4519. Ⓜ Observatorio. Traverser la passe- | relle ; les guichets se trouvent sur votre gauche.

➢ *Pour les villes du Nord-Ouest :* Morelia, Pátzcuaro, Querétaro, San Miguel de Allende, Guanajuato, Guadalajara, etc. Avec *Herradura de Plata* (☎ 5277-7761) ou avec la luxueuse (et chère) compagnie *ETN* (☎ 5273-0305).

EN AVION

Deux compagnies nationales (*Aeromexico* et *Mexicana*), trois lignes charters (*Magnicharter, Aviacsa* et *Allegro*) et deux compagnies spécialisées (*Aeromar* et *Aerocalifornia*) couvrent les 90 aéroports du Mexique, les grandes villes des États-Unis et une grande partie de l'Amérique latine. Pont aérien entre Mexico, Guadalajara et Monterrey. Pour le reste des villes mexicaines, les fréquences varient de 2 à 10 vols par jour (pour Cancún, par exemple). Voir leurs coordonnées ci-dessous.
– *Remarques :* n'oubliez pas de confirmer votre vol retour au moins 24 h avant votre départ. Attention à la taxe d'aéroport ; demandez bien si elle est comprise ou non dans votre billet. Si elle ne l'est pas, vous devrez prévoir 20 US$, payable en US$ ou en pesos.
– *Retour à l'aéroport :* arrivez 2 h avant pour les vols internationaux vers l'Europe (3 h en période de tension internationale), particulièrement en été, à Noël, durant la fête des Morts et la Semaine sainte. Prévoyez un taxi *de sitio* longtemps à l'avance, surtout le vendredi. Si vous n'avez pas de colis encombrants, prenez le métro et descendez à la station Terminal Aerea.

Compagnies aériennes

La plupart sont regroupées sur le paseo de la Reforma.

Vols nationaux

■ **Aeromexico** (plan couleur II, E5, 26) : paseo de la Reforma 445, près de l'Ange, et dans l'hôtel *Fiesta Americana* (paseo de la Reforma 80), plus au nord. ☎ 5133-4000, 5133-4010 ou 01-800-021-40-00 (n° gratuit). Ouvert du lundi au vendredi de 9 h à 19 h. Vols nationaux et internationaux. Partenaire d'Air France pour les liaisons Paris-Cancún et Mexico.

■ **Mexicana de Aviación** (plan couleur II, E5, 27) : paseo de la Reforma 300, et dans les centres commerciaux de la ville comme plaza Polanco (face au lycée français). Ouvert de 9 h à 18 h 45 (17 h 45 le samedi). Un autre bureau sur Juárez 82, angle Balderas. ☎ 5448-0990 ou 01-800-502-20-00 (n° national gratuit pour les réservations). ● www.mexicana.com.mx ● Vols nationaux et internationaux.

■ **Aerocalifornia** (plan couleur II, E5, près du 27) : paseo de la Reforma 332. ☎ 5207-1392. Face à l'Ange. Compagnie spécialisée dans la Basse-Californie ou les villes du nord du pays telles que Aguascalientes, Chihuahua, Ciudad Juárez, Colima, Culiacán, Durango, Hermosillo, La Paz, Los Cabos, Manzanillo, Mazatlán, Tijuana ou Torreón.

■ **Aeromar** : ☎ 5133-1111. Réserver dans un bureau *Aeromexico*. Pour des vols vers des villes encore moins bien desservies, telles que Tajin-Poza Rica, Ciudad Victoria, Morelia, Uruapán, Xalapa, Bajío ou Torreón.

■ **Aviacsa** : ☎ 5716-9004 ou 01-800-006-22-00 (n° national gratuit pour les réservations). Compagnie charter offrant des prix et séjours compétitifs sur les destinations plage.

■ **Allegro** : Orizaba 154, Colonia Roma. ☎ 01-800-715-76-40 (n° gratuit) ou 5265-0034. Concurrent d'Aviacsa. Pont aérien Mexico-Cancún.

■ **Aerocaribe** : Xola 535, Colonia del Valle. ☎ 5448-3024 ou 5448-3000. ● www.aerocaribe.com.mx ● Valable pour les vols sur le Yucatán.

■ **Azteca** : ☎ 5716-8989. Pour les vols charters à bas prix.

Vols internationaux

■ **Air France** (plan couleur d'ensemble, 28) : Jaime Balmes 8-802, col. Los Morales, Polanco. ☎ 2122-8200 ou 01-800-123-46-60 (n° gratuit). Fax : 2122-8207. Et à l'aéroport : ☎ 5571-4543. ● www.airfrancemexico.com ● Ouvert du lundi au vendredi de 8 h à 19 h et le samedi de 9 h à 15 h.

■ **American Airlines** (plan couleur II, E5, 29) : paseo de la Reforma 300 et 314. ☎ 5209-1400 ou 01-800-904-6000 (n° gratuit). Ouvert du lundi au vendredi de 9 h à 18 h.

■ **British Airways** : Jaime Balmes 8, mezzanine local 6. ☎ 5387-0300. Ouvert du lundi au vendredi de 9 h à 17 h 30.

■ **Delta Airlines** (plan couleur II, E5, 30) : paseo de la Reforma 381. ☎ 5279-0909. Ouvert du lundi au vendredi de 9 h à 18 h.

■ **Iberia** (plan couleur I, A1-2, 31) : paseo de la Reforma 24. ☎ 5130-3030. Ouvert de 9 h à 17 h.

■ **KLM** (plan couleur III, G6, 32) : Andrés Bello 45, 11e étage, à Polanco. ☎ 5279-5390.

■ **Lufthansa** (plan couleur d'ensemble, 33) : paseo de las Palmas 239, col. Lomas de Chapultepec. ☎ 5230-0000 ou 5571-2702 (aéroport). À côté de l'ambassade de Suisse. Ouvert du lundi au vendredi de 9 h à 18 h.

■ **United Airlines** (plan couleur II, E5, 34) : Hamburgo 213. ☎ 5627-0222. Près du *Grand Plazza*. Ouvert du lundi au vendredi de 9 h à 18 h et le samedi de 10 h à 14 h.

En cas de perte de la carte de tourisme

C'est le document FMT rempli dans l'avion et que vous avez malencontreusement jeté après avoir passé la douane. Pas de panique ! Allez tout droit à la *Delegación* ou à la police faire une déclaration de perte ou de vol. Ensuite, muni de votre précieux récépissé et de votre passeport, rendez-vous aux *servicios de Migración*, soit à l'aéroport, soit à l'Instituto nacional de Migración (la *Gobernación* pour les usagers). On peut aussi aller à l'ambassade de France. Pour ceux qui auraient la malchance de perdre leurs papiers un samedi soir alors que leur avion part le lendemain matin (le dimanche) : aller faire une déclaration officielle à la *Delegación Cuauhtémoc (plan couleur I, E4)*, ministère de l'Intérieur (Aldama, à 100 m du métro Revolución) ; puis se rendre à l'aéroport une ou deux heures plus tôt que prévu, pour obtenir un formulaire de la compagnie aérienne intitulé *TWOV (Travel Without Visa)*.

LES ENVIRONS DE MEXICO

LES JARDINS FLOTTANTS DE XOCHIMILCO

Prendre le métro jusqu'à la station Tasqueña (au sud de la ville), puis la correspondance *tren ligero* (même tarif), jusqu'au terminal Xochimilco. En sortant, monter dans un *pesero* avec le panneau « Galeana » ; demander au chauffeur de s'arrêter près de l'embarcadère de Nativitas. Pour rentrer, reprendre un *pesero* dans l'avenue après le marché de Nativitas et demander l'arrêt pour le terminus du *tren ligero*. Il faut compter environ 1 h dans les deux sens. Le site est classé Patrimoine de l'Humanité par l'Unesco.

Depuis l'époque aztèque vit à Xochimilco toute une population de maraîchers qui alimentent la capitale en légumes et en fleurs. C'est au printemps (avril-mai) que les champs de fleurs sont les plus beaux. À ce moment-là, l'endroit mérite plus que jamais son nom qui signifie « le jardin des fleurs » en nahuatl. *Xochili* est d'ailleurs le dieu de l'Amour chez les Aztèques. La campagne, avec ses îlots enserrés dans le réseau géométrique des canaux, les lignes croisées des peupliers et des saules, semble presque irréelle, ainsi que ces barques fleuries *(lanchas)* qui tournent et retournent comme dans un manège autour de l'îlot central, face au débarcadère. Ce type de culture sur sol plus ou moins mouvant, composé de débris de végétaux et de glaise, s'appelle *chinampa* (maquette explicative au musée du Templo Mayor).

Visite du site

▪ *Office de tourisme :* à l'embarcadère Nativitas. Ouvert tous les jours de 9 h à 19 h. Plans de la ville.

– Tous les tarifs des différentes prestations sont affichés un peu partout.

➤ *Pour y aller,* deux solutions : soit prendre un bateau collectif *(lancha colectiva)* à petit prix mais avec une attente de près de 20 mn et seulement le week-end ; soit louer un bateau privé en entier, solution surtout valable à plusieurs.

Les citadins viennent à Xochimilco en famille, pour un déjeuner sur l'eau. Souvent, ils s'offrent les prestations de *mariachis* dont le bateau vient s'accoster au leur. Ambiance festive garantie, surtout si la tequila fait partie du voyage.

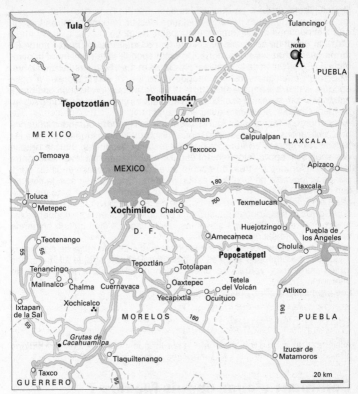

LES ENVIRONS DE MEXICO

Tout autour, nombreuses *lanchas* de vendeurs de fleurs, nourriture, cadeaux et aussi quelques photographes avec des appareils datant de l'ère précolombienne.

La promenade au fil de l'eau, au milieu de dizaines de *lanchas* colorées, dure dans les 60 mn. À terre, nombreuses échoppes de souvenirs et pléthore de stands de bouffe.

Ne partez pas de ce village sans avoir parcouru le ***marché*** (consacré aux fleurs et aux poteries) qui s'étend le samedi le long de la calle del 16 de Septiembre.

LES PYRAMIDES DE TEOTIHUACÁN   IND. TÉL. : 594

À 50 km au nord de Mexico. Classé au Patrimoine de l'Humanité. Teotihuacán est à l'échelle des divinités qu'elle évoque : le Soleil et la Lune. Gigantesque. Seuls des dieux ou des géants, pensait-on, avaient été capables d'ériger ces colossales constructions. Le nom de la ville signifie en nahuatl « le lieu où sont nés les dieux » ou encore, selon certains, « le lieu où l'on devient dieu ». À noter la racine « teo » qui, comme en langue grecque, signifie « dieu ». Ce sont les mystères du Mexique... Tout un programme !

De fait, Teotihuacán a de quoi en imposer. Elle fut l'une des villes les plus importantes du monde pendant quelques siècles, le grand centre idéologique, économique et religieux de cette partie du globe.

C'est au début de notre ère que la cité fut construite selon un axe nord-sud formé par la chaussée des Morts. De cette époque date également la pyramide du Soleil (celle de la Lune est plus tardive). La ville poursuivit son développement pour atteindre son apogée entre les Ve et VIe siècles. À cette époque, la cité, qui dépassait en taille la Rome antique, profitait de nombreux échanges commerciaux et culturels avec d'autres villes comme Monte Albán, El Tajín, Cholula, ou encore avec les Mayas.

Alors pourquoi Teotihuacán, qui fut la source des grands courants d'influence des civilisations de la Méso-Amérique, disparut-elle brusquement entre les VIIe et VIIIe siècles ? Plusieurs hypothèses sont évoquées : baisse brutale des sources d'approvisionnement et crise économique, soulèvement contre la domination des prêtres, ou encore invasion de barbares venus du nord, pillage et incendie de la ville. C'est un mystère. Quoi qu'il en soit, la civilisation de Teotihuacán s'éteignit. La ville fut abandonnée. Peu à peu, les édifices s'écroulèrent et une épaisse couche de terre recouvrit la ville, à tel point que Cortés et ses troupes passèrent à proximité sans en soupçonner l'existence. Pour les civilisations suivantes, Teotihuacán n'était qu'une ancienne et mythique cité sacrée.

Aujourd'hui, la tradition a repris quelque vigueur. Le site attire de nombreux mystiques ou branchés adeptes du *new age.* Par exemple, le 21 mars, des foules immenses vêtues de blanc viennent ici célébrer le solstice de printemps.

Les premières fouilles eurent lieu en 1864.

UN PEU D'HISTOIRE

Allez jeter un coup d'œil, plus haut, à la rubrique « Histoire. Les civilisations dites classiques » dans les « Généralités » sur le Mexique.

Comment y aller depuis Mexico ?

C'est à 50 km au nord, direction Pachuca.

➢ Prendre un bus au terminal Norte au guichet *Transportes Pirámides,* à gauche au fond, au repère 8. Direction Ozumba Apam, arrêt « Las Ruinas ». Le plus simple est d'aller à la station Indios Verdes et de prendre ensuite le bus, mais il y a plusieurs arrêts. Bus toutes les 30 mn. Tarif : 25 $Me (1,80 €). Environ 1 h de transport. À l'arrivée au site, descendre à l'entrée n° 1 (au sud-ouest).

Pour le retour, vous pourrez prendre le bus au même endroit ; ou bien à la porte n° 3, au nord, ce qui évite de refaire tout le site à pied en sens inverse. Dernier départ vers 18 h. Si vous le ratez, allez en taxi au village de San Juan Teotihuacán, d'où vous pourrez prendre un bus pour Mexico.

Où manger ?

Les restos ont été regroupés du n° 1 au n° 26, au sud-est de la zone archéologique, à l'extérieur de celle-ci, le long de la route circulaire qui entoure le site, entre l'entrée n° 5 (celle du musée) et la porte n° 1. Cuisine mexicaine *típica* à volonté et bien touristique, comme on adore, avec des prix *ad hoc.*

|●| Au niveau de l'entrée n° 1, l'ancien musée a été transformé en *restaurant* : au 2e étage. Belle vue sur le site, buffet obligatoire cher.

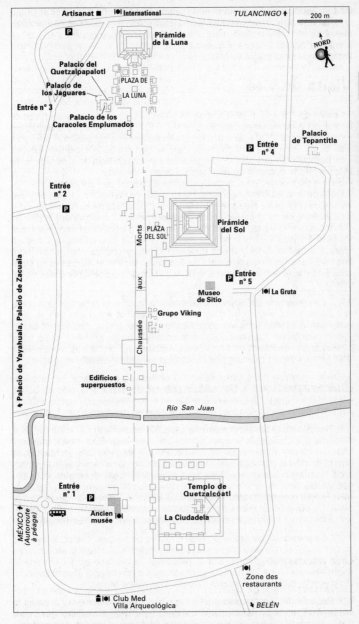

Artisanat ■ |●| International   TULANCINGO ↑   200 m

Pirámide de la Luna

Palacio del Quetzalpapalotl

PLAZA DE

Palacio de los Jaguares

LA LUNA

Entrée n° 3

Palacio de los Caracoles Emplumados

Palacio de Tepantitla

Entrée n° 4

Entrée n° 2

Pirámide del Sol

PLAZA DEL SOL

Morts

Palacio de Yayahuala, Palacio de Zacuala

Entrée n° 5

|●| La Gruta

Museo de Sítio

àux

Grupo Viking

Chaussée

Edificios superpuestos

Río San Juan

Entrée n° 1

Templo de Quetzalcóatl

Ancien musée

La Ciudadela

MÉXICO ↑ (Autoroute à péage)

|●| Zone des restaurants

⌂ |●| Club Med Villa Arqueológica

↘ BELÉN

NORD

LES PYRAMIDES DE TEOTIHUACÁN

|●| *La Gruta :* au niveau de l'entrée n° 5, proche de la pyramide du Soleil. Restaurant insolite installé dans une immense grotte. Fraîcheur garantie l'été. Mobilier très coloré et ambiance très touristique. Assez cher, mais cadre original. Danses folkloriques les samedi et dimanche à 15 h 30 et 17 h 30.

Visite du site

– Ouvert de 7 h à 18 h 30. Entrée : 45 $Me (3,20 €). Si vous avez un camé-scope, on vous redemandera 30 $Me (2,10 €) ! En semaine, il y a beaucoup moins de monde. Y aller le matin le plus tôt possible : c'est désert et deux fois plus beau. Pour les photographes, c'est le moment de la meilleure exposi-tion, particulièrement pour la vue grandiose du site du haut de la pyramide de la Lune. Visite possible en une journée depuis Mexico.
– S'il y a du monde, vous verrez peut-être à l'entrée des *voladores*.
– Deux options au choix pour visiter le site : soit par la porte n° 1 qui se trouve au sud de l'immense chaussée aux Morts qui mène à la pyramide de la Lune. Tout au long de cette majestueuse perspective de 2 km s'alignent la plupart des monuments du centre cérémoniel. Il faut la parcourir en imaginant que tous les édifices étaient ornés de sculptures et de stuc peints de couleurs vives. De même, il ne faut pas oublier que les pyramides sont simplement des soubassements qui servaient de support au temple alors dressé au som-met. Soit par la porte n° 5, proche de la pyramide du Soleil et du musée du site.

🎯🎯🎯 *La pyramide du Soleil* est orientée de façon que la façade principale soit située en face du point d'horizon où disparaît le soleil lors de son pas-sage par le zénith. Tous les autres bâtiments du centre cérémoniel ont la même orientation. Quelque 220 m de côté à la base. En 1971, sous cette pyramide, on découvrit un tunnel qui conduit à une grotte très mystérieuse dont on ne connaît toujours pas l'utilisation véritable (interdite au public).

🎯 De la pyramide de la Lune s'étend la *chaussée aux Morts,* sur une lon-gueur de 2 km jusqu'à la Citadelle en passant devant la pyramide du Soleil. Ce sont les Espagnols qui donnèrent le nom de *Citadela* au premier édifice, confondant les plates-formes l'encerclant avec les remparts d'une forteresse.

🎯🎯 *Templo de la Serpiente emplumada (Quetzalcóatl) :* à l'intérieur de la Citadelle *(Ciudadela),* le premier édifice immense quand on entre par le sud. L'ancien centre administratif de la ville. Pour le dégager, les archéologues durent démolir la partie postérieure d'une pyramide plus récente qui le recou-vrait. Nombreux bas-reliefs : masques, têtes de serpent, escargots, coquilla-ges et des figures représentant alternativement le serpent emplumé et le dieu Tlaloc, reconnaissable à sa paire de lunettes. Traces nombreuses des peintures qui les décoraient. Il paraît que les serpents avaient la gueule rouge, les crocs blancs et les plumes vertes. Les yeux étaient incrustés d'obsidienne.

🎯🎯🎯 *La pyramide de la Lune :* bien que plus petite que celle du Soleil, elle se retrouve à son niveau grâce à une dénivellation d'une trentaine de mètres de la chaussée aux Morts. Sur la place qui lui fait face et qui termine la chaussée aux Morts, de nombreux monticules en pierre, qui étaient surmon-tés d'autels, où tous les prêtres officiaient en même temps.

🎯🎯 *Palacio de Quetzalpapalotl* (palais de l'Oiseau-Papillon) : à gauche, sur la place, en regardant la pyramide de la Lune. Histoire de voir dans quel genre de baraque vivaient les grands prêtres (ceux-ci étaient vraiment tout près du lieu de leur office). L'édifice a été en partie reconstruit, avec des matériaux et selon des techniques d'origine. Le patio intérieur est remarqua-ble. Les colonnes sont recouvertes de bas-reliefs. Certains représentent le fameux quetzal, cet oiseau à plumes vertes qu'on peut encore voir, avec un peu de chance, dans les forêts du Chiapas et du Guatemala. Belle peinture murale dans l'une des salles.

🍴 *Le palais des Jaguars :* derrière le *Palacio*. Fresques murales bien conservées qui représentent des jaguars à plumes soufflant dans des coquillages.

🍴 *Templo de los Caracoles emplumados (temple des Coquillages emplumés) :* on y accède par un tunnel dans la cour du palais des Jaguars. Il a été enterré pour pouvoir construire au-dessus le palais de Quetzalpapaotl. C'est l'une des plus anciennes constructions de Teotihuacán (IIe ou IIIe siècle). Une partie seulement de la façade richement décorée est encore visible.

🍴🚶 *Museo de Sitio :* au niveau de la porte n° 5, en contrebas de la pyramide du Soleil. À ne pas manquer. Remarquable, avec de belles pièces archéologiques. Grâce à un sol en verre, on domine une immense maquette de ce que fut Teotihuacán il y a 1 500 ans. Impressionnant. On se rend bien compte qu'une toute petite partie seulement de l'ancienne ville a fait l'objet de fouilles. Superbes pièces. Jardin de sculptures sympa.

TEPOTZOTLÁN

IND. TÉL. : 55

À ne pas confondre avec Tepoztlán, près de Cuernavaca. Ce village, séparé de Mexico par une quarantaine de kilomètres de banlieue tentaculaire, a gardé tout son cachet colonial. Si l'on décide de s'arrêter ici, c'est surtout pour visiter l'église et l'imposant monastère avec ses splendeurs churrigueresques. Il abrite l'immense musée de la Vice-Royauté, l'un des plus beaux musées d'art colonial du pays, voire d'Amérique latine. Aussi riche que le musée du couvent de Santo Domingo à Oaxaca ou que le couvent San Francisco de Lima en Bolivie. Si vous souhaitez grouper cette visite avec celle de Tula, on vous conseille de partir de Mexico pour Tula vers 8 h, de rentrer sur Tepotzotlán pour le déjeuner, avant de regagner Mexico en fin d'après-midi. Constitue également une bonne étape pour aller à Teotihuacán.

Comment y aller depuis Mexico ?

Tepotzotlán se trouve au nord de Mexico, sur la route de Querétaro.
➤ Prendre un bus au terminal Norte (Ⓜ Autobuses del Norte). Départs fréquents. Environ 1 h de trajet. On peut aussi prendre un bus vers Tula ou Querétaro. Dans ce cas, il faudra marcher un bon kilomètre depuis l'autoroute jusqu'au couvent pour les plus courageux, ou prendre un taxi (sur l'autoroute à l'avant de l'arrêt de bus).

Où manger ?

🍽 *Le marché :* sur le *zócalo*, en face de l'église. Plusieurs stands. *Tacos de barbacoa, quesadillas, pozole...* Typiquement mexicain dans une bonne ambiance populaire.
🍽 *Hostería del Convento de Tepotzotlán :* à côté de l'entrée du monastère. ☎ 5876-0243 et 1646. Ouvert de 10 h à 18 h. Fermé le lundi.

De prix moyens à chic. Très beau cadre : on domine un ravissant patio le long des contreforts de l'église. Goûter aux *crepas de huitlacoche* (un champignon-parasite du maïs). Café à l'ancienne (café *de Olla*). Si vous êtes là à Noël, ne manquez pas les fameuses *pastorales* qui ont lieu tous les soirs du 16 au 23 décembre. Ce

sont des représentations traditionnelles de la Nativité. Le spectacle est
suivi d'une procession avec feu d'artifice et dîner. Cher, mais c'est superbe.

À voir

Le musée national de la Vice-Royauté : ☎ 5876-0245. Ouvert de 9 h à 18 h. Fermé le lundi. Les amateurs de baroque et d'art colonial trouveront la visite passionnante. Installé dans un ancien couvent jésuite, le musée est articulé autour de trois patios aux orangers centenaires. Outre les différentes salles, on visite aussi l'époustouflante église San Francisco Javier et la ravissante *capilla doméstica*. On peut facilement y consacrer une demi-journée.

– *Premier patio :* sur les murs du corridor sont apposés 20 tableaux du grand peintre mexicain Villalpando (1649-1714). Ils retracent la vie de saint Ignace de Loyola, son parcours initiatique, la création de la Compagnie de Jésus. Dans la 1re salle, beau brasier *(brasero)* polychrome de 1 m de haut. Voir aussi le superbe paravent à 8 pans qui représente la *Conquista de México* peinte sur bois avec des incrustations de coquillages (à observer de près).

– *L'intérieur de l'église de Saint-François-Xavier :* construite à partir de 1670, mais la façade et les retables datent du milieu du XVIIIe siècle. Pléthore d'anges, de feuilles dorées et de symboles cachés... C'est sans conteste l'une des plus belles réalisations de l'art churrigueresque du Mexique. Les murs, entièrement recouverts de onze retables dorés, colorés et ultrachargés, forment une vaste galerie d'une exubérance folle. Somptueux et impressionnant ! Sur le côté gauche de la nef, ne manquez pas la très belle chapelle dédiée à la Vierge de Loreto *(Camarín de la Virgen)* ; le sol en *azulejos* est d'origine.

– *Deuxième patio :* maquettes, art religieux et objets de la vie quotidienne sous la domination espagnole. Dans une vitrine, des silices en fer forgé du XVIIIe siècle.

– *Claustro de naranjos (cloître des orangers) :* on descend pour y accéder. Absolument charmant avec sa fontaine centrale bordée d'orangers. C'était la « cour de récréation » des novices du couvent. De là, on accède à la cuisine *(cocina),* au garde-manger et à l'immense réfectoire. De l'autre côté, une belle porte ouvre sur l'ancien jardin potager *(huerta),* un jardin enchanteur de 3 ha où les jésuites cultivaient légumes, plantes médicinales et arbres fruitiers.

– *Troisième patio :* étonnante salle de christs en ivoire originaires d'Asie. Également de nombreuses pièces en provenance d'Extrême-Orient, quand le Mexique était le point de départ de l'évangélisation du Japon et des Philippines. Splendide bibliothèque avec nombre d'incunables.

– *Capilla doméstica :* un chef-d'œuvre baroque truffé de petites niches abritant des statuettes, de miroirs et d'angelots baladant de lourdes guirlandes dorées.

– *Dernier étage :* on y visite les salles des *Gremios* (l'équivalent des Compagnons). Très belles pièces d'ébénisterie. Dans une vitrine, intéressante couverture qui dut être un bel exemple de l'art de la plume (dans lequel les Aztèques excellaient). Salle des Nonnes couronnées *(monjas coronadas)* où sont exposées de magnifiques peintures de religieuses coiffées de couronnes de fleurs. Étonnant ! Enfin, n'oubliez pas d'aller admirer la vue depuis la terrasse *(mirador).*

LES RUINES DE TULA   IND. TÉL. : 773

À une centaine de kilomètres de Mexico. Excursion à faire dans la journée. Compter 5 bonnes heures en tout (voyage aller-retour et visite). Ouvert de 9 h 30 à 16 h 30.

➢ **Pour y aller :** le plus rapide est de prendre un bus au terminal Norte de Mexico (départ toutes les 30 mn). Le trajet dure de 1 h à 1 h 30. Arrivé à Tula, prendre un *combi* qui s'arrête juste à la porte du site, devant le petit musée. On peut grouper la visite avec celle de Tepotzotlán (voir ci-dessus).

Tout le monde est désormais à peu près d'accord pour admettre que Tula fut la capitale des Toltèques. La cité a sans doute été fondée au début du Xe siècle, peu de temps après la destruction de Teotihuacán dont elle est la digne héritière. Mais c'est aussi la ville sur laquelle régna le légendaire Quetzalcóatl de 977 à 999. Ce roi-prêtre, dieu et humain tout à la fois, déclara le caractère sacré de la guerre et abolit les sacrifices humains. C'était sans compter la présence du Mal, représenté par son frère Tezcatlipoca qui lui fit boire du pulque pour l'enivrer et l'entraîner dans la débauche. Plein de remords et de honte, Quetzalcóatl abandonna son royaume et prit le chemin de l'exil vers le Pays de l'Aurore (l'Est), tout en prophétisant son retour. Lire dans les « Généralités » la rubrique « Histoire » et notamment le paragraphe « Le panthéon des dieux ».

Il ne reste quasiment rien de cette cité, à part les fameux atlantes. Ces quatre superbes colosses guerriers de pierre, hauts de 4,5 m (plus de 8 t chacun), dominent le site, installés sur le temple pyramidal qui répond au doux nom de *Tlahuizcalpahtecuhtli*. Petit musée avec de bonnes explications.

LE POPOCATÉPETL

L'un des plus célèbres volcans des cours de géo se situe à 95 km de Mexico. Bien qu'il culmine à 5 230 m, il est rare qu'on puisse le voir depuis la capitale à cause du *smog*. Pour admirer cette masse imposante, parfois couverte de neige, il faut aller jusqu'à Puebla. Depuis son éruption en décembre 1994, le « Popo » mérite plus que jamais son nom, « la Montagne qui fume ». Il a d'ailleurs récidivé encore plus violemment en décembre 2000. S'il explosait, la lave pourrait presque atteindre la ville de Puebla et certains villages près de Cuernavaca. Un nuage de cendres épaisses s'abattrait sur Mexico. Inutile, donc, de vous faire rêver en évoquant son ascension fabuleuse, puisqu'elle est absolument interdite. Des nuages de cendres tombent régulièrement sur les villages alentour, qui sont en état d'alerte permanent.

À côté du Popo, on aperçoit un autre volcan, l'Ixtaccihuatl, surnommé « la Femme endormie ». La légende raconte que celle-ci est morte de chagrin lorsque le guerrier (le Popocatépetl) est parti à la guerre. C'est donc devenu un volcan éteint. À son retour, le Popo fut tellement en colère contre lui-même qu'il est resté en activité et a parfois des accès de rage.

EL TAJÍN

IND. TÉL. : 788

L'un des sites précolombiens les plus importants et les mieux conservés du Mexique central, mais mieux vaut être un connaisseur pour apprécier pleinement la noblesse des pyramides. Inscrit au Patrimoine de l'Humanité en 1992. C'est également le grand centre de la culture totonaque, dont les descendants vivent toujours dans le coin.

On ne sait pas très bien qui a fondé la ville (entre 100 et 200 apr. J.-C.). Peut-être les Olmèques ou une branche des Huastèques. Ce qui est sûr, c'est qu'elle connut son apogée assez tard, entre 700 et 1000. La ville était alors un important centre politique et religieux (estimation de 25 000 hab.) qui avait assujetti les peuplades voisines. Dédiée au culte de Quetzalcóatl, elle aurait reçu de nombreuses influences de Teotihuacán.

Lorsque la cité déclina au XIIe siècle, la civilisation totonaque commença à s'épanouir dans la région. Ce peuple pacifiste, artiste et mystique, qui rêve de voler pour s'approcher du ciel (voir plus loin le rituel des *voladores*), sera soumis par les Aztèques au XVe siècle, avant de tomber dans l'oubli. Même les Espagnols ignorèrent El Tajín, qui ne fut découvert qu'en 1785, par hasard, par un agent du fisc à la recherche de plantations illégales de tabac.

Près de 50 édifices ont été restaurés et sont visibles, ce qui représente à peine plus de 10 % du site. Malheureusement, le dernier grand projet archéologique s'est achevé en 1995. La caractéristique architecturale d'El Tajín, ce sont les fameuses niches, uniques en leur genre, qui recouvrent de nombreux bâtiments et pyramides. Autre particularité : le grand nombre de terrains de jeux de pelote, 17 aux dernières nouvelles. Une véritable obsession. Enfin, n'oubliez pas, en visitant le site, que la plupart des murs étaient peints en rouge, bleu et noir. À noter, début juin : fête de Corpus Christi à Papantla.

On déconseille fortement de dormir à *Poza Rica,* une ville pétrolière très laide. Ceux qui veulent passer une nuit dans le coin logeront donc à *Papantla,* une jolie bourgade, sise sur une colline des contreforts de la Sierra Madre, centre de l'ethnie totonaque.

On peut aussi faire l'excursion dans la journée en calant la visite lors d'un parcours Mexico-Veracruz (ou vice versa !). Mais ce sera un peu la course. Sinon, pour ceux, et c'est la majorité, qui ne viennent que pour voir le site, nous vous avons déniché un hôtel d'où vous pouvez aller à pied jusqu'à El Tajín :

⌂ *Hôtel Campestre :* km 17 carretera Poza Rica. ☎ 842-83-78. Sur la route principale à 500 m de l'entrée du site. Compter entre 400 et 500 $Me (28 à 35 €) pour une chambre double. Très claires et confortables, elles sont idéales pour passer une nuit sans souci. L'hôtel est plutôt charmant avec sa piscine ressemblant à un bain romain, son terrain de tennis et son accueil vraiment très enjoué. En tout point idéal.

Arriver – Quitter

El Tajín se trouve à 300 km au nord-est de Mexico, pas loin de la mer, à 17 km de Poza Rica et à 7 km de Papantla (voir coordonnées du terminal de bus *ADO* ci-dessous).

➤ Depuis Mexico, et quelle que soit votre ville d'arrivée (Poza Rica ou Papantla), prenez un bus de la compagnie *ADO* au terminal Norte (Ⓜ Autobuses del Norte).

🚌 **Terminal de bus ADO :** à 8 mn à pied du centre de Papantla. ☎ 842-02-18. Attention, la plupart des bus sont *de paso* (Papantla n'est pas un terminus). Dès l'arrivée, réserver le billet de départ ; directement au terminal *ADO* ou à *Ticket Bus* (voir « Adresses utiles »). Si tout est complet, demander une réservation au départ de Poza Rica et se rendre dans cette ville (nombreuses destinations et grandes fréquences).

➤ **De Mexico à Poza Rica :** c'est l'option pour ceux qui veulent visiter le site dans la journée avant de poursuivre sur Veracruz. Prendre un bus *ADO* très tôt le matin : départs toutes les 30 mn environ, mais attention, certains bus sont plus lents que d'autres. Trajet : de 5 à 6 h. En arrivant à Poza Rica, réserver une place dans un bus pour Veracruz dans l'après-midi. Laisser son bagage à la consigne et aller à l'autre terminal (juste à côté) pour prendre un bus pour El Tajín avec la compagnie *Transportes de Papantla (TP)*. L'excursion est faisable en 4 h 30 incluant le trajet Poza Rica – El Tajín, la visite des ruines et le retour. Ensuite, compter 4 h 30 pour descendre sur Veracruz. Ouf !

➤ **De Mexico à Papantla :** fréquence nettement moindre que pour Poza Rica. Quatre bus environ avec *ADO* dans les 2 sens. Trajet : de 5 à 6 h.

➤ **De Poza Rica à Papantla :** départs toutes les 10 mn avec *Transportes de Papantla* dans les 2 sens. Trajet : 40 mn. À Papantla, le terminal de *TP* se trouve dans la rue 20 de Noviembre qui descend depuis le *zócalo*.

➤ **De Papantla à El Tajín :** prendre un bus *Tuspa* dans la rue 16 de Septiembre, au-dessus de la cathédrale. Ils passent toutes les 10 mn environ. Trajet : 15 mn. Certains poursuivent ensuite sur Poza Rica.

➤ **De et pour Xalapa :** 7 départs dans la journée. Trajet : 4 h.

➤ **De et pour Puebla :** 2 départs quotidiens. Trajet : 6 h.

➤ **De et pour Veracruz :** 7 départs dans la journée. Trajet : 4 h.

PAPANTLA *(IND. TÉL. : 784)*

Adresses utiles

■ **Change :** plusieurs banques sur Enriquez, autour du *zócalo*. Avec distributeurs automatiques (*Visa* et *MasterCard*).

■ **Ticket Bus :** Enriquez 111, face à la banque *Banamex*. ☎ 842-12-30. Ouvert tous les jours de 9 h à 21 h. Pratique pour acheter ses billets de bus, par exemple au départ de Papantla ou de Poza Rica ou même de Mexico. Avec *ADO*, *UNO*, *Cristóbal Colón* et une dizaine d'autres petites compagnies. On peut même réserver des parcours dans le Yucatán ou le Chiapas.

Où dormir ?

Bon marché : de 210 à 300 $Me (14,70 à 21 €)

🛏 **Hôtel Pulido :** Enriquez 205. ☎ 842-00-36 ou 10-79. Petites chambres convenables récentes, avec salle de bains et ventilo ou AC (prix doublé !) et TV câblée. Parking gratuit dans la cour, donc plus ou moins bruyant.

LE GOLFE DU MEXIQUE

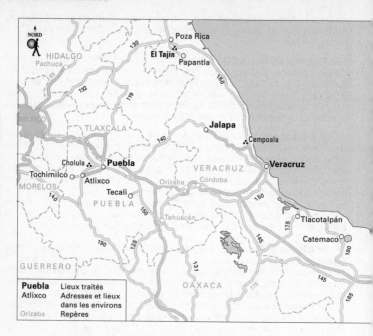

Prix moyens : de 300 à 500 $Me (21 à 35 €)

🛏 *Hôtel Provincia Express :* Enriquez 103. ☎ 842-16-45. Merveilleusement bien situé, sur le *zócalo*, certaines chambres donnent directement sur la place avec de petits balcons et lit *king size*. Les autres bénéficient tout de même d'un vaste espace moderne et conforta-ble. Une bonne affaire.

🛏 *Hôtel El Tajín :* José de Nuñez 104. ☎ 842-06-44 ou 01-21. Du *zócalo*, prendre à gauche de la cathédrale. Un certain charme désuet. On le choisit avant tout pour les chambres avec vue qui dominent le village (cher pour celles avec AC).

Où manger ?

🍴 *Sorrento :* Enriquez 105, face au *zócalo*. ☎ 842-00-67. Ouvert tous les jours de 7 h à minuit. Entre *azulejos* et Formica, grand café-resto apprécié des locaux. Menu copieux et bon marché pour le déjeuner.

🍴 *Plaza Pardo :* sur Enriquez, face à la cathédrale ; au 1er étage. ☎ 842-00-59. Ouvert tous les jours de 7 h 30 à 23 h 30. Une carte variée à prix moyens. Spécialité de *camarones* (crevettes) sous toutes leurs formes. Mais surtout, la vue sur le *zócalo* et la cathédrale est imprenable de la terrasse. La salle aux couleurs chamarrées n'est pas désagréable non plus. Sert également des petits dej' et possède un bar bien fourni. Service nonchalant.

À voir sur le site

Le site est ouvert tous les jours de 8 h à 17 h. Entrée : 45 $Me (3,20 €) ; gratuit pour ceux qui ont la carte internationale d'étudiant ISIC (insistez).

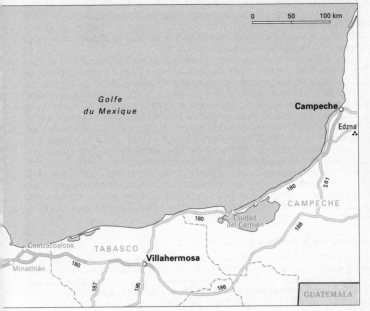

LE GOLFE DU MEXIQUE

Pour une caméra vidéo, compter 30 $Me de plus. Sur place : cafétéria, boutiques et consigne à bagages.

🎥 Il faut commencer par le petit *musée,* à l'entrée, surtout pour la maquette du site : la première partie de la cité, en contrebas, est constituée du centre cérémoniel. La zone surélevée (par les urbanistes de l'époque), appelée *El Tajín Chico,* était réservée aux gouvernants et dignitaires.

🎥 *Plaza del Arroyo :* on passe d'abord par cette grande place rectangulaire entourée de quatre édifices peu visibles. On suppose qu'il s'agissait d'un marché.

🎥🎥 *Jeu de pelote sud :* célèbre pour ses bas-reliefs illustrant les rituels de ce jeu sacré. On y voit notamment le sacrifice rituel d'un des joueurs (mais on ne sait pas si c'était le vainqueur ou le perdant qui était sacrifié), deux joueurs qui parlent ensemble et l'initiation d'un guerrier allongé sur un banc. Les tableaux centraux, avec Quetzalcóatl assis en tailleur, représentent le but et l'essence du jeu.

🎥🎥 *Pyramide des Niches :* située dans la zone centrale, c'est-à-dire le centre cérémoniel. Elle comporte 7 niveaux et compte au total 365 niches célébrant le calendrier solaire. Aujourd'hui encore, l'équinoxe de printemps est célébré ici. Les niches étaient peintes en noir tandis que la pyramide était recouverte de rouge.

🎥 *Édifice des Colonnes :* au-dessus du Tajín Chico, à l'endroit le plus élevé du site. Les colonnes sont au musée. Elles racontent la vie d'un noble appelé *13 Conejo* (13 Lapin).

🎥 *Gran Xicalcoliuhqui :* un long mur en spirale quadrilatère. Bizarre, bizarre. Il serait associé à Quetzalcóatl.

– **Danse des voladores :** le très beau rituel traditionnel des Totonaques. Il a lieu tous les jours devant l'entrée du site, mais les danseurs attendent qu'il y ait du monde pour un pourboire consistant (compter entre 20 et 30 $Me – 0,15 à 0,20 € – par personne). Donc, vous aurez plus de chance de les voir le week-end (toutes les heures environ).

Ils sont vêtus d'un pantalon rouge brodé, d'une chemise blanche, et ils portent une coiffure conique ornée de miroirs et de rubans. Le chef de danse et ses quatre acolytes grimpent au sommet d'un poteau de 30 m. Le chef de danse, du haut d'une petite plateforme, joue à la flûte une musique dédiée aux quatre points cardinaux, tandis que les quatre *voladores* se jettent dans le vide, retenus par une corde accrochée à la ceinture. Ils descendent la tête en bas et les mains tournées vers le ciel, en décrivant des cercles de plus en plus larges. Superbe. Chaque *volador* tourne 13 fois autour du poteau, soit 52 tours à eux quatre. Ce chiffre symbolique représente le cycle calendaire de 52 années, au bout duquel les premiers jours des deux calendriers (solaire et rituel) coïncidaient. Ce rituel ancestral, qui était sans doute dédié à la fertilité, au soleil et au vent, est devenu aujourd'hui une attraction touristique. Les danseurs sont des artisans ou des paysans qui descendent de leur sierra pour venir « danser » ici une ou deux fois par mois. Comme quoi, le saut à l'élastique, on ne l'a pas inventé non plus !

Avant de s'endormir...

En ces temps anciens, Staku-Luhua, le serpent totonaque, était particulièrement aimé et respecté des habitants du royaume de Tajín. Il leur avait rendu de grands services. La plus importante preuve de son amitié fut le voyage qu'il fit jusqu'au Soleil pour lui demander la lumière, l'eau et la chaleur en faveur des habitants d'El Tajín. Pour que Staku-Luhua puisse voler, les Totonaques le vêtirent de plumes blanches, couleur de l'habit traditionnel des hommes d'El Tajín. C'est ainsi que le serpent emplumé s'envola plusieurs fois à travers le ciel, jusqu'au seigneur de la Lumière. Et chaque fois, il revenait avec l'abondance, de la pluie pour le maïs, les haricots et la vanille, de la chaleur pour que sèchent les poteries.

Touchés par les bontés du Soleil, les sages d'El Tajín demandèrent à Staku-Luhua de faire un ultime voyage pour aller remercier l'astre de vie. Cette fois, ils revêtirent le serpent des plus belles plumes de couleur des plus beaux oiseaux de la région. Magnifiquement paré, le serpent prit son envol et, déployant sa magnificence, salua les *voladores,* les *danzantes* et tous les habitants d'El Tajín.

Plusieurs jours passèrent. Les astronomes observaient le ciel, mais Staku-Luhua ne revenait pas. Un jour, alors que le soleil brillait au zénith de la grande pyramide, le ciel soudain s'obscurcit, le tonnerre et les éclairs firent trembler la terre. Les Totonaques, emplis de crainte, cherchèrent refuge pour échapper à une pluie diluvienne. Cependant, le ciel se calma peu à peu. Alors, les gens d'El Tajín virent apparaître dans le ciel une immense frange de couleurs qui allait de montagne en montagne et de vallée en vallée. Elle avait les mêmes couleurs que les plumes de Staku-Luhua : bleu, violet, rouge, jaune, orange et vert. Le serpent ami était revenu. Le Soleil, reconnaissant, avait fait la promesse qu'il y aurait toujours de l'eau pour les champs des Totonaques, et il avait transformé le serpent emplumé en arc-en-ciel, comme témoignage de son amitié avec les fils d'El Tajín.

(Conte de la tradition orale totonaque.)

PUEBLA

1,5 million d'hab.   IND. TÉL. : 222

L'être vivant est ainsi fait qu'il montre souvent le contraire de ce qu'il est. Puebla la baroque, certes. Ultra-baroque même, à l'image du *mole poblano,* la spécialité culinaire qu'elle a apportée au pays : des dizaines d'épices, du piment... et du chocolat. À l'image des montagnes de stuc sculpté qui ornent les corniches des maisons. À l'image des angelots et des chérubins dorés qui s'entrechoquent sur les plafonds des églises. Pourtant, derrière sa façade enjouée, maquillée de céramiques de couleur (les fameuses *talaveras*), se cache une bourgeoisie conservatrice, raide comme ses rues tracées en damier et froide comme ses monuments publics de pierre grise. Cette fille de l'Espagne, plus que toute autre ville au Mexique, a volé dès le XVIe siècle la suprématie à sa voisine, l'indigène Cholula. N'empêche, le legs de la vice-royauté espagnole est de toute beauté. Le centre historique, déclaré Patrimoine de l'Humanité par l'Unesco en 1987, se parcourt à pied : demeures du XVIIIe siècle, églises baroques à tous les coins de rue, musées somptueux, petites places charmantes, quartiers pittoresques... Une belle ville qui offre en plus une vie culturelle intense. Le Festival international de Puebla (concerts, théâtre et folklore) a lieu autour de la 3e semaine de novembre. À plus de 2 000 m d'altitude, le climat est similaire à celui de Mexico : frais le soir, surtout en hiver.

Arriver – Quitter

En bus

🚌 **Terminal de bus (CAPU ;** *hors plan par A1) :* bulevar Norte, à 4 km du centre, soit 20 mn en taxi (comptoir de prépaiement à l'intérieur du terminal). ☎ 249-72-11. Compagnie *ADO :* ☎ 225-90-00 et 01-800-702-80-00 (n° gratuit). Compagnie *AU :* ☎ 225-23-17. Compagnie *Via :* ☎ 225-23-25. Très bien équipé, on y trouve cafétérias, boutiques, téléphone, consigne 24 h/24, et même une banque *Serfín* avec son distributeur de billets. Dessert pratiquement toutes les villes du pays. On peut

NORD

↑ EL TAJIN

A

B

10 Poniente

14 Poniente

12 Poniente

11 Norte

8 Poniente

Museo de Arte popular

La Merced

6 Poniente

7 Norte

10 Poniente

Santa Rosa

9 Norte

5 Norte

8 Poniente

4 Poniente

3 Norte

Fabrique de céramique Uriarte

■ 4

6 Poniente

2 Poniente

▲ 29

Reforma

▲ 55
|●| 43
|●|▼
70 ▲ 22

4 Poniente

▲ 23

Museo Bello y Zetina

Santo Domingo

2 Poniente

7 ◎

3 Poniente

■ 1

Reforma

5 de Mayo

9 Sur

5 Poniente

▲ 24

20 21
▲ ▲

Museo Bello y Gonzalez

3 ■

■ 2

|●|
48

▲ 25

ZÓCALO

7 Sur

5 Poniente

5 Sur

7 Poniente

9 Poniente

5 Poniente

Catedral

27 ▲ |●|
41

Casa del Deán

16 de Septiembre

⊠

ℹ

Biblioteca Palafoxiana

11 Poniente

26 ▲

Concepción

3 Sur

13 Poniente

▲ 33

2 Sur

34
▲

15 Poniente

9 Oriente

Museo Amparo

0   100   200 m

47 |●|

A

B

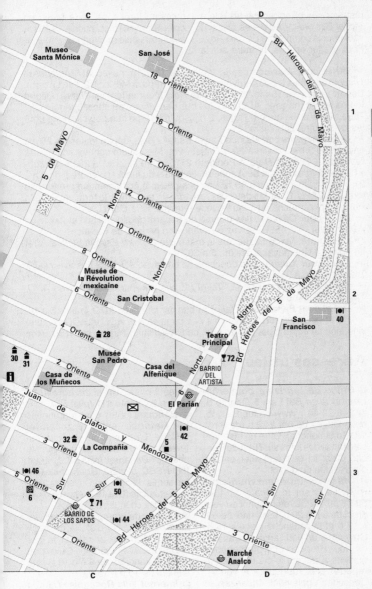

PUEBLA

réserver ses billets en centre-ville à *Ticket Bus* (voir « Adresses utiles ») sauf pour la compagnie *Estrella Roja*. Pour y aller en bus, prendre sur le bulevar Heroes del 5 de Mayo un *colectivo* avec l'inscription « CAPU », ou un bus bulevar Norte.

➤ *De et pour Mexico :* départ toutes les 10-12 mn avec *AU (Autobuses Unidos)* dont tous les bus arrivent au terminal Tapo, à Mexico (Ⓜ San Lázaro). Départ toutes les 15 mn avec *Estrella Roja* (pour le terminal Tapo). Départ toutes les 40 mn avec *ADO* dont les bus desservent au choix 3 terminaux : Tapo, Norte et Tasqueña. Trajet : 2 h jusqu'à la Tapo ; un peu plus long pour les deux autres terminaux.

➤ *Pour l'aéroport de Mexico :* avec *Estrella Roja,* départ toutes les 20 mn environ de 3 h du matin à 20 h. Trajet : 2 h. Mieux vaut acheter son billet à l'avance, à ***Estrella Roja,*** 4 Poniente 2110, entre la 21 et la 23. ☎ 01-800-712-22-84 (gratuit). On peut acheter les billets du lundi au vendredi de 8 h à 21 h et le samedi jusqu'à 19 h. Les bus peuvent également se prendre au terminal *CAPU.* Dans les deux cas, prendre un taxi ; mais le terminal Estrella Roja est plus proche du centre que le terminal de la *CAPU.*

➤ *De et pour Oaxaca :* une dizaine de départs quotidiens nuit et jour avec *ADO.* Trajet : 4 h 45. Réservez à l'avance en période de vacances.

➤ *De et pour Taxco :* 2 départs le matin avec *Futura-Estrella Blanca.* Arrêt de 15 mn à Cuernavaca. Trajet : 5 h 30.

➤ *De et pour Xalapa :* une douzaine de bus avec *AU.* Neuf bus avec *ADO.* Trajet : de 3 h à 3 h 30.

➤ *De et pour Poza Rica* (El Tajín) : 2 bus par jour le matin avec *ADO.* Trajet : compter 6 h.

➤ *Det et pour Papantla* (El Tajín) : 4 bus par jour avec *ADO.* Trajet : 5 h 40.

➤ *De et pour Veracruz :* avec les compagnies *AU, ADO* et *ADO GL,* une vingtaine de départs par jour en tout, de 6 h à minuit. Trajet : de 3 h 30 à 4 h.

Adresses utiles

🛈 *Office de tourisme gouvernemental (plan B3) :* av. 5 Oriente 3. ☎ 246-20-44. ● www.sectur.pue.gob. mx ● Ouvert de 8 h à 20 h (de 9 h à 12 h le dimanche). Offre un plan très bien fait et des infos sur l'État de Puebla. C'est ici qu'il faut aller en cas d'agression ou de vol.

🛈 *Office de tourisme municipal (plan C2) :* sur le *zócalo.* ☎ 404-50-08 ou 47. Ouvert du lundi au vendredi de 9 h à 20 h, le samedi de 9 h à 17 h et le dimanche jusqu'à 15 h. On y parle un peu l'anglais. Pas mal de doc. Propose des promenades guidées à travers le centre-ville (se reporter à la rubrique « À voir »). Consultez également *Andanzas,* le magazine mensuel local qui donne le programme des événements culturels (concerts, expos, etc.).

✉ *Poste principale (plan B3) :* entrée par la rue 16 de Septiembre, à l'angle de 5 Oriente. Ouvert du lundi au vendredi de 8 h à 16 h et le samedi matin. Un autre *bureau* se trouve 2 Oriente 411 *(plan C3).*

▪ *Banques :* elles sont regroupées sur Reforma, entre le *zócalo* et 5 Norte. La plupart ont des distributeurs de billets. Deux banques font le change : ***Banamex** (plan B2, 3)* et surtout ***HSBC** (plan B2, 1)* qui achète toutes sortes de devises. Ouvert du lundi au samedi de 8 h à 19 h. Accepte également les chèques de voyage.

▪ ***Bureau de change** (casa de cambio ; plan B2, 2) :* dans le passage couvert entre le *zócalo* et la rue 2 Oriente. ☎ 242-53-85. Ouvert du lundi au vendredi de 9 h à 18 h et le samedi de 10 h à 15 h.

@ *Internet Villa Rosa (plan C3, 6) :* 5 Oriente 207, à l'entrée du resto *Villa Rosa.* Ouvert tous les jours de 9 h à 21 h. Un cybercafé au cadre pas désagréable et très central.

@ *Internet City (plan A2, 7) :* 3 Poniente 713. ☎ 246-02-32. Ouvert du lundi au samedi de 9 h à

22 h. Une dizaine d'ordinateurs isolés les uns des autres. Café avec petite restauration dans une charmante cour avec fontaine. Sympa.

■ *Laverie (plan A1, 4)* : 7 Norte, entre les rues 4 et 6 Poniente. Ouvert du lundi au samedi de 8 h à 21 h et le dimanche jusqu'à 15 h.

■ *Ticket Bus (plan C3, 5)* : Juan de Palafox y Mendoza 604, à l'angle avec 6 Norte, dans l'immeuble moderne des messageries *Multipack.* ☎ 01-800-702-80-00 (n° gratuit). ● www.ticketbus.com.mx/ticket bus ● Ouvert de 9 h 30 à 15 h et de 16 h à 18 h (heures de déjeuner variables) et le samedi de 9 h à 14 h. Pour réserver ses billets sur n'importe quel parcours avec les compagnies *ADO, ADO GL, UNO, AU, Cristobal Colón* et *Via.*

Où dormir ?

N'allez surtout pas imaginer que les hôtels sont à l'image des façades, vous risqueriez d'être déçu. Les chambres donnent souvent sur des cours couvertes et sont donc sombres et sonores. Dans un même établissement, elles peuvent être très disparates ; demandez à en voir plusieurs avant de vous décider. Il est prudent de réserver, surtout le week-end ; indispensable lors des ponts et périodes de fêtes.

De très bon marché à bon marché : de 210 à 300 $Me (14,70 à 21 €)

â *Hostal Santo Domingo (plan B2, 23)* : 4 Poniente 312. ☎ 232-16-71. Une entrée discrète abrite la meilleure affaire de la ville. Dortoirs de 12 lits (75 $Me par personne, soit 5,30 €) ou chambres doubles à super prix : à partir de 195 $Me (13,70 €) pour les moins chères, vraiment nickel, avec salle de bains impeccable. Pour un chouia plus cher, d'autres donnent sur la rue avec un petit balcon, la télé, des poutres apparentes et une belle hauteur de plafond. Patio aménagé avec coin canapés. Cafétéria à l'entrée servant un bon expresso. Service de laverie, consigne à bagages. Et central !

â *Hôtel San Agustín (plan A2, 24)* : 3 Poniente 531. ☎ et fax : 232-50-89 ou 01-800-849-27-93 (n° gratuit). Immense cour occupée par une maisonnette-bar. Chambres avec ou sans TV (moins cher pour ces dernières). Le petit déjeuner continental est inclus. Les chambres aux noms des différentes municipalités du district de Puebla sont pourvues de petites fenêtres aux vitraux colorés. Éviter celles du rez-de-chaussée. Propre. Resto et parking. Un excellent rapport qualité-prix.

â *Hôtel Catedral (plan B2, 20)* : 3 Poniente 310. ☎ 232-23-68. La maison a dû être splendide. Sols en parquet, et l'on aperçoit encore les belles peintures du plafond. Un charme un peu décrépi. Chambres de 2 à 5 personnes dont certaines, plus claires, à l'étage et donnant sur le patio intérieur. Matelas en mousse et sanitaires collectifs. Le moins cher de Puebla.

â *Hôtel Victoria (plan B2, 21)* : 3 Poniente 306. ☎ 232-89-92 ou 01-800-849-27-93 (n° gratuit). Un peu tristounet dans l'ensemble, mais les chambres – basiques – se révèlent très convenables, avec des salles de bains propres. Préférer celles de l'étage.

â *Hôtel Virrey de Mendoza (plan A2, 22)* : Reforma 538. ☎ 242-39-03. Une belle demeure coloniale, bien entretenue et propre avec une verrière très XIXe siècle abritant un salon. Les chambres donnent sur un grand patio plein de plantes. Préférez le 1er étage plus lumineux. Également d'immenses chambres pour 5 ou 6 personnes à un prix très attractif. Une bonne adresse. Malheureusement, n'accepte pas les réservations.

Prix moyens : de 300 à 500 $Me (21 à 35 €)

Hôtel Santiago (plan B2-3, **25**) : 3 Poniente 106. ☎ 242-28-60. Fax : 242-27-79. Presque à l'angle avec le *zócalo*, quasi en face de la cathédrale, bref, super bien placé. Marbre, moquette et mobilier design. Salle de bains nickel. N'oubliez pas de grimper jusqu'à la terrasse du dernier étage : vue somptueuse sur la cathédrale. Bon rapport qualité-prix pour les chambres avec lit matrimonial.

Hôtel Palace (plan C2, **31**) : 2 Oriente 13. ☎ 232-24-30 et 242-40-30. À côté du *Gilfer*. Hôtel moderne aux chambres standardisées et confortables. Resto et parking. Un excellent rapport qualité-prix.

Hôtel Puebla Plaza (plan B3, **27**) : 5 Poniente 111. ☎ 246-31-75 ou 01-800-926-2703 (n° gratuit). • www.hotelpueblaplaza.com • Intéressant à 4 et 6 personnes. Dans une vieille et honorable demeure à la façade bleue. Les chambres donnent sur une cour intérieure sombre. Récentes, elles disposent de salles de bains carrelées. Préférer celles de l'étage, pour avoir un peu plus de lumière.

Hôtel Imperial (plan C2, **28**) : 4 Oriente 212. ☎ 242-49-80 ou 01-800-874-49-80 (n° gratuit). Chambres propres et claires, arrangées avec goût. Plein de petites attentions pour les clients : accès Internet, billard, minigolf et même une petite salle de gym. On peut aussi laver son linge... et le repasser. Réduction de 20 % pour nos lecteurs et petit déjeuner inclus en basse saison. Ah, on allait oublier, l'apéritif est offert le soir de votre arrivée.

Hôtel San Ángel (plan B2, **29**) : 4 Poniente 504. ☎ 232-27-66 ou 01-800-849-27-93 (n° gratuit). Dans un quartier populaire, à côté d'un square. Choisissez une chambre dans la nouvelle section (au fond, autour du calme patio avec fontaine), et si possible en hauteur. Mobilier en bois rustique. Les salles de bains ont une baignoire (rarissime). Bar-resto (le petit dej' continental est inclus). Parking. Et même une salle de gym !

Chic : de 500 à 700 $Me (35 à 49 €)

Hôtel Gilfer (plan C2, **30**) : 2 Oriente 11. ☎ 309-98-00. • www.gilferhotel.com.mx • Grand hôtel moderne et fonctionnel. Sans grand charme mais avec le standing de cette catégorie et certaines chambres avec vue sur la cathédrale. Resto, lobby-bar, parking... Malgré ses 92 chambres, mieux vaut réserver car c'est un bon rapport qualité-prix.

Hôtel Colonial (plan C3, **32**) : 3 Oriente. ☎ 246-42-92. Fax : 246-08-18. • www.colonial.com.mx • À l'angle de 4 Sur, donnant sur un petit morceau de rue piétonne. Autrefois partie intégrante d'un monastère jésuite, l'établissement a gardé son cachet colonial. Certaines chambres spacieuses, d'autres minuscules. Montez sur la terrasse pour voir les volcans Popocatépetl et Ixtaccíhuatl ; magnifique panorama. Hôtel très souvent complet, réservez à l'avance.

Hôtel Mesón de San Sebastián (plan B3, **33**) : 9 Oriente 6. ☎ 246-65-23. Fax : 232-96-90. • www.mesonsansebastian.com • Dans une ancienne demeure du XVIIe siècle, autour d'un patio, 2 sortes de chambres, portant des noms de saints, au même prix. Notre préférence va à celles dont le lit est situé sur une adorable mezzanine. Beaucoup plus de cachet que les autres, un peu modernes à notre goût. Bonnes prestations et bon accueil.

Beaucoup plus chic : au-dessus de 1 200 $Me (84 €)

Camino Real (plan B3, **26**) : 7 Poniente 105. ☎ 229-09-09. Fax : 232-92-51. • www.caminoreal.com/puebla • Le plus beau des hôtels de Puebla, dans un ancien couvent du XVIe siècle. Magnifique cour intérieure éclaboussée de soleil. Mobilier d'époque, salle de bains à l'ancienne avec tout le confort moderne en sus. Une véritable adresse de charme aux prix qui se négocient jusqu'à 50 % en hiver. Un bar superbe et 2 restos moins convaincants.

🛏 *El Sueño* (plan B3, *34*) : 9 Oriente 12. ☎ 232-64-89 ou 01-800-690-84-66 (n° gratuit). ● www.elsue no-hotel.com ● Alliant ultra-modernité et décorum du XVIIIᵉ siècle, cet hôtel a de quoi surprendre. Et l'audace paie puisque poutres apparentes et design font finalement très bon ménage. Chaque chambre met à l'honneur une femme artiste de langue espagnole. Dans le prix, petit déjeuner, hammam et jacuzzi sur le toit-terrasse avec chaises longues sont compris. Un accueil des plus prévenants.

Où manger ?

N'allez pas dîner trop tard, les restos ferment tôt, surtout en semaine. Puisque vous êtes à Puebla, il faut en profiter pour goûter les spécialités du coin, dont le fameux *mole* (sauce à base de cacao, inventée par les religieuses du couvent Santa Rosa ; voir plus loin), le *chile en nogada* (poivron farci de viande, noix et raisins secs) ou le *pipián,* une sauce que l'on sert avec du poulet ou, plus traditionnellement, avec de la viande de porc. Dans la rue, de nombreux marchands ambulants vendent des *tortillas azul* garnies de fromage, lardons, piments, tomates, au choix. Sans oublier bien sûr les célèbres sucreries (voir plus loin).

Bon marché : moins de 70 $Me (5 €)

🍽 *Mercado El Alto* (plan D2, *40*) : de l'autre côté du boulevard Heroes del 5 de Mayo. Ouvert 24 h/24, donc parfait pour les noctambules. Également pour un petit déjeuner à la mexicaine ou le repas de midi. Marché couvert et tapissé d'*azulejos,* où une multitude de stands servent de la bonne cuisine typique. Ambiance à toute heure, surtout le soir, sous la lumière crue des néons blancs, au son des télévisions et de 3 ou 4 groupes de *mariachis* qui jouent en même temps (leurs quartiers sont juste derrière le marché), sous le regard attendri d'une Vierge de Guadalupe qui clignote en rouge et vert. Les Poblanos, les habitants de Puebla, viennent y déguster des *semitas*, des *molotes*, des *memelas*, du *pozole* ou la *virria*, un vrai tord-boyaux...

🍽 *La Matraca* (plan B3, *41*) : 5 Poniente 105. ☎ 242-60-89. Ouvert tous les jours de 8 h à minuit. Dans le patio d'une ancienne demeure aux murs délabrés et aux arcades peintes de couleur chaude. Des poutres en bois et des balcons aveugles aux belles ferronneries achèvent le décor. C'est le rendez-vous obligatoire des petits budgets. Et des autres aussi, d'ailleurs, parce que l'ambiance y est vraiment sympa. Buffet pour le petit dej' à prix imbattable. Menu très complet à moins de 35 $Me (2,50 €) pour le déjeuner. Et le soir, on y vient siroter une bière (2 pour 1) en écoutant de la musique *en vivo* (souvent des chanteurs). Petite restauration et belle carte de cocktails et liqueurs. De quoi passer une excellente soirée.

🍽 *La Fonda* (plan D3, *42*) : 2 Oriente 801. ☎ 232-44-49. En face du marché d'artisanat El Parián. Ouvert de 8 h 30 à 18 h. Fermé le dimanche. Cadre modeste et typique, avec vue sur les fourneaux de la cuisine où s'affaire une armée de femmes. Bonne cuisine populaire. Trois menus différents à tous les prix. Goûter aux *sesinas*, aux *chalupas* et au *mole poblano*, bien sûr.

🍽 *El Refugio de Los Ángeles* (plan A2, *43*) : 7 Norte 6. Ouvert jusqu'à 21 h. Fermé le dimanche. Un p'tit resto aux couleurs provençales qui sert de super petits dej' à petit prix et un bon menu au déjeuner, qui change tous les jours, autour de 30 $Me (2,10 €). Clientèle variée d'étudiants et d'hommes d'affaires.

LE GOLFE DU MEXIQUE

Prix moyens : de 70 à 150 $Me (5 à 10,50 €)

|●| *Celia's Café* (plan C3, 44) : 5 Oriente 608. ☎ 242-36-63. On entre dans un premier patio couvert, avec de vieilles machines à coudre en guise de table et des plantes dans des bassines en cuivre. La deuxième salle est consacrée à la partie vente des céramiques fabriquées par la famille de Celia. Au fond, un autre patio avec des tables et des chaises disparates, un alambic et un bric-à-brac hétéroclite. Bref, un endroit plein de charme mettant en valeur quelques délicieuses spécialités locales comme ce *mixiote* traditionnel, viande de mouton cuite à la vapeur avec des épices accompagnée d'une sauce à base de *jalapeño* et d'avocat. S'il n'est pas sur la carte, essayez toujours de le demander quand même ! Accueil très souriant. Notre adresse coup de cœur.

|●| *La Zanahoria* (plan C3, 46) : 5 Oriente 206. ☎ 232-48-13. Ouvert de 7 h 30 à 20 h 30. Un grand resto végétarien très haut sous plafond.

Bon choix de salades et de jus de fruits. Un menu différent tous les jours. Le pain semi-complet, tout chaud, est un régal. Super petit dej' et également de la vente à emporter dans la partie boutique. Prix très corrects.

|●| *Fonda Santa Clara* (plan B2, 48) : 3 Poniente 307 (il y en a un deuxième, au 3 Poniente 920). ☎ 242-26-59. Ferme vers 22 h. Un resto ouvert par une femme qui a voulu remettre au goût du jour la cuisine populaire, avec des recettes qui avaient presque disparu de Puebla. C'est ici qu'on pourra goûter au *mole poblano* ou au *pipián* (vert ou rouge) ; ou encore, selon les saisons (mais plutôt de mars à novembre), aux *gusanos de maguey* (vous savez, ces petits vers qui vivent dans les cactus et qu'on fait griller !), aux *chapulines* (grillons frits), aux *escamoles* (rien d'extraordinaire, ce sont simplement des œufs de fourmis). Déco rustico-chic.

Chic : de 150 à 250 $Me (10,50 à 17,50 €)

|●| *Mesón Sacristía de la Compañía* (plan C3, 50) : au n° 304 de la calle 6 Sur, également appelée callejón de Los Sapos. ☎ 242-35-54. Ouvert de 13 h à 23 h 30. Cadre splendide. On mange dans le patio ou dans une des petites salles au milieu d'œuvres d'art anciennes ; une galerie d'antiquités jouxte le resto. Délicieuse cuisine

régionale pas si chère, dans une ambiance raffinée. Pianiste au déjeuner, musique bolero pour le soir. Les quelques chambres de l'hôtel sont meublées avec des œuvres d'art que les hôtes peuvent acquérir, du lit jusqu'aux candélabres. Comptez quand même plus de 1 500 $Me (105 €) pour une nuit vice-royale !

Très chic : plus de 250 $Me (17,50 €)

|●| *La Conjura* (plan B3, 47) : 9 Oriente 201. ☎ 232-96-93. Fermé les dimanche soir et lundi soir. Un resto espagnol de haute volée, estampillé « *comidas lentas* » (plus connu sous le nom de *slow food*). De bons produits comme le fameux *jamón de Jabugo*, des préparations

bien ficelées comme cette *fiderra*, une sorte de paella plus élaborée, le tout servi dans un cadre raffiné et le tour est joué ! Également quelques tapas chic. Très belle cave voûtée, carte des vins soignée et choix de cigares. Pour une soirée d'exception.

Où prendre le petit déjeuner ?

Pratiquement tous les restos ouvrent vers 8 h et proposent des formules petit déjeuner qui sont servies jusque vers midi, voire 13 h.

|●| La Matraca *(plan B3, 41)* : formule buffet à volonté. Excellent rapport qualité-prix. Voir « Où manger ? ».

|●| Teorema *(plan A2, 70)* : voir « Où boire un verre ? ». Très agréable pour le petit dej' (plusieurs formules), mais ouvre à partir de 9 h 30 seulement et fermé le dimanche matin.

Où manger des sucreries ? Où déguster une glace ?

La ville est aussi réputée pour ses confiseries, notamment le *camote* (prononcez « *camoté* »), une patate douce confite, qui se présente sous une telle forme que ce vocable n'en est venu à recouvrir un double sens et donne lieu à de nombreux jeux de mots de la part des Mexicains, toujours prompts à la plaisanterie grivoise. Évidemment, les charmantes touristes sont une cible de choix. Il vous faudra donc faire preuve de beaucoup de finesse pour répondre au vendeur qui vous demandera si vous préférez votre *camote* gros ou long.

|●| Confiseries (dulces) : les confiseurs sont rassemblés dans la rue 6 Oriente, entre 2 et 4 Norte *(plan B1)*. Le sucre dans tous ses états. *Borrachitos* (pâtes de fruits), *tortitas di Santa Clara* et sauce de *mole poblano* si vous voulez vous essayer à la cuisine mexicaine en rentrant. N'oubliez pas le *camote*.

Ⴤ Michoacan *(plan A2, 55)* : angle 7 Norte et 2 Poniente. Ouvert de 10 h à 22 h, sauf le dimanche. Des glaces en boules ou en bâtonnet, à tous les parfums possibles avec parfois des mélanges étonnants. Beaucoup de choix dans les fruités avec des morceaux dedans. Également des *aguas frescas*. Très rafraîchissant.

Où boire un verre ?

Ⴤ Teorema *(plan A2, 70)* : à l'angle de Reforma et 7 Norte. ☎ 232-82-58. Ouvert de 10 h à 14 h et de 16 h 30 à environ 3 h du mat'. Un café-librairie au décor chaleureux. Pour boire un verre et manger une délicieuse pâtisserie pendant la journée. Le soir, à partir de 21 h 30, l'ambiance s'échauffe. Groupes *en vivo* de musique latino-américaine ou de rock. Petite restauration. Très sympa et plein de charme. Un de nos endroits préférés à Puebla.

Ⴤ La Pasita *(plan C3, 71)* : sur la place de los Sapos, à l'angle des rues 5 Oriente et 6 Sur. ☎ 232-44-22. Ouvert tous les jours de 13 h à 17 h 30. Depuis près d'un siècle, les Poblanos viennent ici pour se descendre un p'tit gorgeon. Sorte de cave à vin, sauf qu'on n'y trouve pas de vin mais des liqueurs traditionnelles dont le père de l'actuel tenancier (70 ans). La *Pasita*, à base de raisin sec, est servie dans un petit verre avec un mor-

ceau de fromage au fond, à grignoter entre deux gorgées. Ni chaises ni tables, on boit debout. Vente de bouteilles à emporter.

Ⴤ Café Rentoy *(plan D2, 72)* : au coin de 8 Norte et 6 Oriente. Ouvert tous les jours jusqu'à 2 h ou 3 h. Donnant sur la place des artistes, le meilleur endroit pour boire un café ou un cappuccino dans la journée sur la terrasse ensoleillée. Le soir, ambiance plus *caliente* avec musique *en vivo* dès la fin d'après-midi jusqu'à tard dans la nuit (supplément de 35 $Me – 2,50 € – pour la musique les vendredi et samedi soir). Grand choix de cocktails.

Ⴤ Nombreux **bars** sur la ravissante *plaza de Los Sapos (plan C3)*, avec terrasses à l'extérieur. Ils ouvrent pour la plupart en fin d'après-midi. Les étudiants viennent s'y défouler le soir et le week-end ou boire une bière (souvent une offerte pour une achetée).

Ⴤ Dans la partie piétonne de la

3 Oriente, entre la 6 Sur et la 4 Sur *(plan C3)*, des **bars** avec terrasses plutôt sympas. Vendeurs en tout genre, joueurs de guitare, ambiance relax en journée qui devient survoltée le week-end. Beaucoup d'étudiants du Colegio San Jerónimo, juste à côté.

À voir

Attention ! Les musées sont fermés le lundi (sauf Amparo qui ferme le mardi). Ils sont tous ouverts de 10 h à 17 h. Pour le tarif réduit, essayez la carte étudiant, ça marche parfois.

➤ *Visites guidées :* l'office de tourisme municipal propose des balades à pied à travers la ville avec un guide, de 9 h à 17 h, en anglais ou en espagnol. Quatre circuits au choix sont consacrés aux édifices les plus remarquables *(recorridos de patios)*. Deux autres *recorridos* sont consacrés aux couvents. C'est gratuit et très intéressant... si vous comprenez un peu l'espagnol. Une autre solution consiste à demander les brochures dans un des deux offices de tourisme et faire les circuits tout seul.

➤ *Turibus :* à prendre sur la 5 Oriente, entre 16 de Septiembre et 2 Sur. Toutes les heures de 10 h à 21 h. Deux tarifs : 50 ou 100 $Me (3,50 ou 7 €) si l'on choisit le système de *hop in-hop off* avec différents arrêts dans la ville.

🎭 **Le zócalo** *(plan B-C2-3) :* le centre historique de Puebla est l'une des plus belles réussites de l'urbanisme espagnol en terre mexicaine. La légende veut que ce soit l'œuvre des anges qui dessinèrent dans le ciel une immense croix pour indiquer le plan de la ville... d'où son ancien nom de Puebla de los Angeles. Au centre du *zócalo*, la belle fontaine de l'archange San Miguel (Saint Michel), le patron de la ville, construite en 1777.

🎭 **La cathédrale** *(plan B3) :* ouvert de 10 h à 12 h et de 16 h 15 à 18 h. Visites guidées possibles. Imposante bâtisse de pierre grise. Sa construction a duré 115 ans à partir de 1575. D'où la différence des styles. La façade principale a été terminée en 1664, mais l'intérieur est de style néoclassique. Tour de 72 m de haut : la plus haute du pays.

🎭 *Casa de los Muñecos (plan C2-3) :* 2 Norte, près du *zócalo*. Observez la façade, recouverte de drôles de figurines en céramique. Le propriétaire, pour se venger de la municipalité qui l'avait obligé à murer ses fenêtres parce que sa maison était plus haute que l'hôtel de ville, fit installer ces grotesques personnages qui sont en réalité une caricature des membres du Conseil municipal. Une belle vengeance !

🎭 **La bibliothèque Palafoxiana** *(plan B3) :* 5 Oriente 5 ; au 1er étage de la Casa de la Cultura. ☎ 246-36-32. Entrée : 10 $Me (0,70 €) ; réduction étudiants. Ouvert de 10 h à 17 h (16 h les samedi et dimanche). L'une des plus prestigieuses bibliothèques d'Amérique latine. Tout simplement superbe. Une bonne partie des livres anciens a été héritée des collèges des jésuites quand cet ordre a été expulsé du Mexique. Au total, près de 41 600 volumes, dont quelques incunables. La deuxième salle est consacrée aux livres censurés ou expurgés par l'Église. Dans le patio, des concerts de musique classique ou folklorique parfois le soir (gratuit).

🎭 *Casa del Deán (plan B3) :* 16 de Septiembre 507. Entrée : 25 $Me (1,80 €). L'une des premières maisons de Puebla, construite à partir de 1563. Elle appartenait au *deán* de la cathédrale (sorte de chanoine). D'une surface de 1 725 m², cette somptueuse demeure comportait de nombreuses pièces couvertes de magnifiques fresques. Longtemps abandonnée, la maison a été en grande partie détruite pour être transformée en cinéma en 1953. Des étudiants des Beaux-Arts découvrirent par hasard les fresques sous les couches de peinture et de papier peint ; mais ils ne réussirent à sauver que deux pièces. Dans la première, la salle à manger, la peinture murale représente les Sibylles et des prophéties bibliques. Dans la seconde pièce, splendide illustration picturale du poème de Pétrarque, *Les Triomphes.* On y retrouve les thèmes de l'amour, la pudeur, le temps, la mort et la célébrité.

Museo Amparo (plan B3) : à l'angle de 9 Oriente et 2 Sur. ☎ 229-38-50 et 51. ● www.museoamparo.com ● Ouvert de 10 h à 18 h. Attention, c'est l'exception : fermé le mardi. Entrée : 25 $Me (1,80 €) ; gratuit le lundi ; sinon, tentez la carte d'étudiant.
Situé dans un ancien hôpital du XVIIIe siècle. Très beau musée, l'un des plus importants du Mexique quant à l'art préhispanique. Organisé autour du thème de l'art à travers le temps, depuis l'époque préclassique (2500 av. J.C.-300 apr. J.-C.) jusqu'au postclassique (900-1521). Très didactique, avec un immense panneau synchronique des grandes civilisations sur les 5 continents. Plein de vidéos dans toutes les langues et un système très sophistiqué de CD interactifs. On recommande d'ailleurs la location des audiophones pour bénéficier des explications en français. On y apprend beaucoup sur les civilisations précolombiennes et aussi sur l'art colonial, car quelques salles lui sont consacrés. Vaut vraiment le coup.

Museo Bello y Gonzalez (plan B2) : 3 Poniente 302. ☎ 235-91-21 et 232-47-20. Dans une belle demeure récemment rénovée. Beaucoup d'objets et des peintures du monde entier.

L'église Santo Domingo (plan B2) : 5 de Mayo 405. Ouvert de 10 h à 12 h et de 16 h à 18 h. Construite entre 1680 et 1720, elle présente une façade sans intérêt. Le clou est à l'intérieur : la chapelle du Rosario. Un joyau du baroque luxuriant. C'est une débauche de sculptures dorées en stuc, bois, marbre et onyx. À voir absolument, de préférence le matin, lorsque le soleil fait briller les dorures. Dans l'église, n'oubliez quand même pas d'admirer les magnifiques retables du chœur.

Museo Bello y Zetina (plan B2) : dans la rue piétonne 5 de Mayo, au n° 409, à côté de l'église Santo Domingo. ☎ 232-47-20. Entrée gratuite. Installé dans la riche demeure d'une vieille famille *poblana* de collectionneurs avertis. Le musée renferme un nombre impressionnant de belles pièces : une copie du lit gondole de Napoléon Ier, son buste par Canova, la maquette en bronze de la statue équestre de Louis XIV, des porcelaines de Sèvres, cristallerie de Baccarat, des meubles de la Renaissance italienne et un splendide salon napoléonien...

Museo de Arte Popular Poblano (plan B1) : 3 Norte 1203 ou entrée par le 14 Poniente 305. ☎ 232-92-40. Entrée : 10 $Me (0,70 €) ; gratuit le mardi. Visite guidée (obligatoire) à chaque heure ronde. Installé dans l'ancien *couvent Santa Rosa.*
Très beau musée d'art populaire et d'artisanat de Puebla. Sept salles avec de magnifiques pièces : travail du verre, de la palme, du bois, de la poterie et bien sûr une présence importante de la célèbre *talavera* (céramique) de Puebla. Célèbre aussi pour sa superbe cuisine entièrement recouverte d'*azulejos.* C'est là que sœur Andrea de la Asunción inventa le *mole poblano,* la fameuse sauce au cacao relevée de différents piments, amandes, cacahuètes, aromates... Un grand classique de la cuisine mexicaine, qui est en réalité d'origine aztèque : Moctezuma buvait déjà une boisson de cacao relevée aux épices. Le week-end, vente d'artisanat dans les patios et les cloîtres. Expos temporaires.

Museo Santa Mónica de Arte Religioso (plan C1) : 18 Poniente 103. ☎ 232-01-78. Entrée : 25 $Me (1,80 €). Très beau musée consacré à l'art religieux de l'époque de la vice-royauté. Il est installé dans l'ancien *couvent Santa Mónica* qui possède un cloître magnifique recouvert d'*azulejos.* Ce couvent a fonctionné dans la clandestinité durant 77 ans, entre 1857 et 1934, pour échapper aux lois de la Réforme de Benito Juárez qui ordonnait la fermeture des couvents. D'où la façade qui ressemble à celle d'une banale maison.

🕯 *Le musée de la Révolution mexicaine* (plan C2) : 6 Oriente 206, c'est-à-dire la rue des confiseurs. ☎ 242-10-76. Entrée : 10 $Me (0,70 €) ; réduction étudiants si le préposé est de bonne humeur ; gratuit le mardi. Vous remarquerez sur la façade les impacts de balles, qui datent de la Révolution. C'était la maison des frères Serdán, qui initièrent à Puebla le mouvement de 1910 contre le dictateur Porfirio Díaz. On y observe avec amusement (ou une certaine nostalgie teintée de gravité) des meubles et des objets de la Révolution mexicaine.

🕯🕯 *Casa del Alfeñique* (plan C-D2) : à l'angle de 4 Oriente et 6 Norte. ☎ 232-04-58. Entrée : 10 $Me (0,70 €) ; réduction enfants. Un bel exemple de l'architecture churrigueresque de la seconde moitié du XVIIIᵉ siècle. *Alfeñique* signifie « sucre d'orge ». Ce n'est pas un hasard, car la façade de cette demeure semble avoir été décorée à la crème Chantilly. À l'intérieur, à l'architecture de style mauresque, on visite les pièces d'habitation. La valetaille vivait au rez-de-chaussée, tandis qu'au 1ᵉʳ étage se trouvaient les chambres transformées aujourd'hui en musée : gravures anciennes, costumes traditionnels et de belles peintures religieuses bien que souvent anonymes. Le 2ᵉ étage est sans doute le plus intéressant, avec sa pièce de réception, la salle à manger, la cuisine et la somptueuse chapelle privée recouverte de chérubins dorés. Superbes meubles du XVIIIᵉ siècle, dont des chaises et fauteuils de style Chippendale.

🕯 *Barrio del Artista* (plan D2) : le long de la calle 6 Norte. Dans les années 1940, les peintres et sculpteurs de Puebla se sont installés ici, où ils continuent d'œuvrer aujourd'hui. Ateliers ouverts au public. Peintures pas toujours de très bon goût, mais le quartier est charmant et donne prétexte à une paisible promenade. Cafés sympathiques avec terrasses et ambiance bohème.

🕯 *Museo de Arte San Pedro* (plan C2) : 4 Norte 203. ☎ 246-66-18. Entrée : 15 $Me (1,10 €) ; réduction étudiants ; gratuit le dimanche. Énorme édifice. L'exposition permanente retrace l'histoire de cet ancien hôpital dont la construction commença vers 1556 et qui ne cessa d'être modifié jusqu'à la fin du XVIIIᵉ siècle. Sans grand intérêt. En revanche, vérifiez les expositions temporaires, qui sont parfois de grande qualité.

➤ *La tournée des églises* : chacune présente un intérêt particulier ; La Merced (plan B1) pour son beau plafond peint et ses frises dorées ; San José (plan C1) pour ses splendides retables baroques et sa chapelle ; l'église de San Cristóbal (plan C2), du XVIIᵉ siècle, pour son architecture baroque, sa coupole et ses niches ; l'église de la Concepción (plan B3) pour sa surprenante façade peinte en bleu et blanc et son intérieur kitsch.

🕯 *Les forts de Loreto et de Guadalupe* : à la sortie nord-est de la ville, au Centro Cívico 5 de Mayo, sur l'avenue Ejercitos de Oriente. ☎ 235-26-61. Gratuit le dimanche. Les forts n'ont pas un intérêt fou, mais c'est là que, le 5 mai 1862, le corps expéditionnaire français envoyé par Napoléon III échoua dans sa tentative de s'emparer de la ville de Puebla. Il est amusant de constater que cette éphémère victoire est désormais fête nationale et jour férié au Mexique. Cependant, Puebla tomba aux mains des Français un an plus tard, et l'empereur Maximilien put entrer au Mexique en mai 1864.

Achats

🌐 *Fabrique de céramique Uriarte* (plan A1) : 4 Poniente 911. ☎ 232- | 15-98 et 83-68. Ouvert du lundi au vendredi de 10 h à 12 h et de 13 h à

16 h, et le samedi matin. Même fabrication depuis 200 ans. Entrez au moins pour voir le patio couvert de *talaveras* et sa belle fontaine. Visite très intéressante. Vous saurez tout sur la fabrication des *talaveras,* nom donné ici aux *azulejos.* De magnifiques pièces sont présentées, qu'on peut acheter. Mais pensez au transport !

🌸 *La calle de la Talavera (hors plan par B-C1) :* la rue 18 Poniente (entre 3 et 5 Norte) rassemble les boutiques de *talavera,* la célèbre céramique polychrome de Puebla. Elles sont généralement ouvertes de 10 h à 20 h (18 h le dimanche). Assiettes, vases, bonbonnières, lavabos (!), carafes... Cet artisanat est d'origine espagnole et fut introduit à Puebla au milieu du XVIe siècle par des artisans venus de Talavera de Reina. Les couleurs utilisées ont peu changé : vert, jaune, ocre rouge et le fameux bleu colonial. En revanche, les motifs ont subi plusieurs influences, italienne, espagnole (et arabe par conséquent) et aussi chinoise lorsque les marchandises venant d'Orient (par Acapulco) passaient par Puebla avant de rejoindre le port de Veracruz à destination de l'Europe.

🌸 *Marché artisanal El Parián (plan D3) :* entre les rues 6 Norte et 8 Norte. Ceux qui ont oublié d'acheter certains souvenirs du sud du Mexique les trouveront ici.

🌸 *Barrio de los Sapos (plan C3) :* autrement dit le « quartier des Crapauds ». En réalité, des artisans. On y trouve de belles galeries et boutiques-ateliers dans le bas de 5 Oriente et dans le callejón de Los Sapos. Meubles et superbes cadres en bois sculpté. Le week-end, la place (plazuela de Los Sapos) se transforme en marché à la brocante dans une ambiance bon enfant.

🌸 *Marché Analco (plan D3) :* dans le prolongement de 5 Oriente, de l'autre côté du bulevar Heroes del 5 de Mayo, à deux pas du Barrio de los Sapos. Immense marché d'artisanat, mais seulement le dimanche durant la journée. Populaire et sympa.

➤ DANS LES ENVIRONS DE PUEBLA

On peut grouper la visite de Cholula, Tonantzintla et Acatepec dans la même journée. Compter entre 3 h 30 et 6 h, selon le temps passé au sommet de la pyramide. Prendre d'abord le bus pour Cholula au petit terminal de la rue 6 Poniente *(hors plan par A1)*. Départ toutes les 10 mn de 6 h jusqu'à 23 h. Visite du couvent et de la pyramide, puis reprendre un *colectivo* au même endroit pour Tonantzintla. Ensuite, jusqu'à Acatepec, on peut marcher ou prendre un *combi*. Pour le retour à Puebla, les bus indiquent « Centro ».

CHOLULA (80 000 hab. ; IND. TÉL. : 222)

À 7 km au nord-ouest de Puebla. Outre sa pyramide, Cholula possède un magnifique *zócalo,* bordé d'un côté par des arcades et de l'autre par un couvent franciscain du XVIe siècle. C'est également une ville étudiante, avec beaucoup d'ambiance le soir.

Où dormir ?

🏕 🏠 *Hostal Cholollan :* Privada de Choyollan 2003. ☎ 247-70-38. Téléphoner au préalable car pas facile à trouver. ● www.geocities.com/hostal cholollan ● Compter 60 $Me (4,20 €) la nuit, 20 $Me de plus pour le petit dej'. Chambres de 5 à 6 lits, TV, cuisine équipée, eau chaude. Camping possible, hamacs. Rafael et Ricardo, guides de haute montagne, ont ouvert une agence, *Superficie* (● www.geocities.com/superficiemx ●), et une auberge, pour accueillir les routards sportifs... et les autres. Enfin, si vous êtes là, autant participer à l'une des activités proposées : trekking, escalade, VTT, rafting, etc. Rafael parle le français ; il a passé deux ans sur les plus hauts sommets des Alpes. Une super équipe.

À voir

🏃🏃 *Le couvent San Gabriel :* fondé en 1530 sur l'emplacement d'un ancien temple dédié à Quetzalcóatl. Architecture genre militaire (ils ne se sentaient pas tranquilles, les religieux ?). Juste à côté, la *Capilla Real,* appelée aussi « chapelle des Indiens ». De style arabe et datant de 1540. Très belle avec ses 49 coupoles.

🏃 *La pyramide de Cholula :* la plus grande du Mexique, mais attention, cette pyramide est enfouie sous une colline et n'a donc absolument rien d'impressionnant ! Même Cortés ne put en imaginer l'existence quand il arriva ici et fit détruire le temple toltèque situé au sommet pour le remplacer par une église. Jolie vue du sommet. Par temps dégagé, on aperçoit les quatre volcans : le *Popocatépetl* (la Montagne qui fume), l'*Ixtaccíhuatl* (la Femme endormie), le *Citlaltepetl* (le Verrou de l'Étoile) et la *Malinche* (celle à la Robe bleue). Visite des galeries souterraines (fermées à 16 h 30), sans grand intérêt.

🏃🏃🏃 *Les églises de Tonantzintla et Acatepec :* deux hameaux avec chacun une ravissante église délirante. L'intérieur de celle de *Tonantzintla* est indescriptible, les Siciliens sont battus. De l'ultra-baroque populaire mâtiné d'indigénisme. En effet, avant l'arrivée des Espagnols, les gens du coin vénéraient Tonantzín, déesse protectrice liée au maïs. Rien de plus facile donc pour les missionnaires que de remplacer ce culte par celui d'une autre figure maternelle, la Vierge Marie. Mais ils n'ont pu empêcher les artistes indigènes de donner des traits indiens aux angelots, de les coiffer de panaches de plumes et de sculpter des guirlandes de fruits tropicaux et surtout des épis de maïs, rappel de leur ancienne dévotion. Même style pour l'église d'*Acatepec,* avec une magnifique façade recouverte d'*azulejos* multicolores et un intérieur qui déborde de dorures dans un style très chargé. Églises ouvertes en principe de 10 h à 18 h mais Tonantzintla est parfois fermée dans la semaine hors saison. Villages reliés par bus à Cholula et à Puebla.

AUTRES SITES DES ENVIRONS

🏃 *Atlixco et Tochimilco :* à 40 km de Puebla. Deux villages au pied du Popocatépetl, avec vue superbe sur le majestueux volcan. À *Atlixco,* ancien monastère franciscain au sommet d'une colline, un hôpital datant de l'époque coloniale et plusieurs jolies églises aux alentours du *zócalo.* Le dernier dimanche de septembre, grande fête qui réunit toutes les ethnies de la région. À 14 km de là se trouve le tranquille village de *Tochimilco,* niché sur les pentes du Popo. Rien d'extraordinaire, si ce n'est le charme de son *zócalo* avec sa ravissante fontaine octogonale du XVIᵉ siècle, de style mudéjar. À voir aussi, l'ancien et austère couvent franciscain.

🏃 *Tecali :* à environ 40 km à l'est de Puebla. Grand centre de fabrication d'objets en onyx et en albâtre. Le détour vaut aussi pour le spectacle surréaliste des imposantes ruines d'un ancien couvent franciscain, immobilisé depuis 4 siècles au milieu d'une immense prairie d'un vert intense, avec pour seul toit le ciel bleu azur. Magnifique.

XALAPA (OU JALAPA)

420 000 hab.   IND. TÉL. : 228

Capitale de l'État de Veracruz, Xalapa est une ville universitaire de montagne assez sympa. Beaucoup d'étudiants et une vie culturelle dynamique. Le musée d'Anthropologie est absolument superbe et justifie une halte à lui seul. Par ailleurs, les passionnés du tourisme d'aventure trouveront ici de nombreuses activités : VTT, alpinisme et bien sûr rafting. Côté climat, il fait chaud en été, froid en hiver, avec bien souvent une bruine persistante qui enveloppe la ville. Quant au café, il faut malheureusement détruire un mythe : la région en est certes un grand producteur, mais celui qu'on boit dans les bars est généralement insipide.

Arriver – Quitter

Xalapa est très bien desservi depuis Veracruz, Puebla et Mexico. Accessible également depuis El Tajín (Poza Rica ou Papantla).

En bus

🚌 *Central de Autobuses* (CAXA ; *hors plan par B1-2*) : av. 20 de Noviembre. À 2 km du centre à l'est. Pour rejoindre le centre-ville depuis le *Central de Autobuses* : sortir du terminal et descendre par la droite jusqu'à l'avenue principale (20 de Noviembre). L'arrêt des bus urbains se trouve à 20 m sur la droite. Prendre un bus qui indique *Centro*. Demander l'arrêt au Parque Juárez (5 mn de trajet).
Pour y aller, prendre un bus au centre-ville qui indique « CAXA ». On peut acheter ses billets en ville à *Ticket Bus* (voir « Adresses utiles »).

➤ *De et pour Mexico :* avec *ADO, ADO GL* et *AU*. Une quinzaine de bus par jour. Trajet : 5 h.
➤ *De et pour Veracruz :* avec *ADO, ADO GL* et *AU*. Au moins un bus par heure, souvent plus. Trajet : 2 h.
➤ *De et pour Villahermosa :* avec *ADO GL*, un bus en soirée dans les 2 sens. Compter 7 h de trajet.
➤ *De et pour Puebla :* une douzaine de bus avec *AU*, 9 bus avec *ADO*. Trajet : de 3 h à 3 h 30.
➤ *De et pour Papantla* (El Tajín) : 8 bus avec *ADO*. Trajet : 4 h 45.
➤ *De et pour Poza Rica* (El Tajín) : 12 bus avec *ADO*. Trajet : 5 h.

Adresses utiles

🛈 *Office de tourisme* (plan A1-2) : kiosque d'infos devant l'entrée du Palacio Municipal, sur Enriquez, sous les arcades. ☎ 842-12-14. ● www.xalapa.net ● Ouvert en principe de 9 h à 15 h. Fermé les samedi et dimanche. Vend des tickets de bus. Également un stand à l'intérieur de la gare routière, à l'arrivée des bus. Et un bureau touristique au musée d'Anthropologie.
✉ *Poste* (plan B2) : à l'angle de Zamora et Leño. Ouvert du lundi au vendredi de 8 h à 16 h et le samedi de 9 h à 15 h.
■ *Banque HSBC* (plan A2, 1) : à l'angle d'Enriquez et Clavijero. Ouvert du lundi au samedi de 8 h à 19 h. Plusieurs autres banques avec distributeurs de billets.
■ *Ticket Bus* (plan A1, 2) : Enriquez 13, face à la banque *Serfín*. ☎ 01-800-702-80-00 (n° gratuit). ● www.ticketbus.com.mx/ticketbus ● Ouvert du lundi au samedi de 8 h 30 à 20 h, ainsi que le dimanche matin.

Pour acheter vos billets de bus avec les compagnies *ADO, UNO* et *AU*.

■ *Veraventuras :* Santos Degollado 81. ☎ 818-97-79 et 01-800-888-88-80 (n° gratuit). ● www.veraventuras.com.mx ● Un bon spécialiste du tourisme d'aventure : rafting, varappe et VTT. Ils disposent d'un ranch-auberge à l'arrivée de la descente des rapides ; avec des sources d'eau chaude.

■ *Alliance française :* Juan Alvarez 21. ☎ 817-43-30. Surtout des cours. Pas très active sur le plan culturel.

Où dormir ?

De très bon marché à bon marché : de 210 à 300 $Me (14,70 à 21 €)

🛏 *Hôtel Limon* (plan A1, 10) : Revolución 8. ☎ 817-22-04. Un hôtel qui existe depuis 1894. Assez sympa avec ses murs couverts d'*azulejos* et ses couleurs vives. Chambres petites et simples, mais des salles de bains correctes avec eau chaude. Propre et bien tenu. Attention, seules les chambres du dernier étage possèdent une fenêtre. Agréable patio fleuri. L'accueil pourrait être plus enjoué.

🛏 *Hostal de la Niebla* (plan B1-2, 11) : Zamora 24. ☎ 817-21-74 et 818-28-42. ● www.delaniebla.com ● Auberge de jeunesse moderne et pimpante. Dortoirs de 6 personnes avec lits superposés. Un étage pour les garçons, un autre pour les filles. Également quelques chambres doubles et familiales, un peu plus chères. Cuisine, salle à manger, terrasses ensoleillées et 15 mn d'Internet gratuites par jour. Idéal.

🛏 *Hostal de Bravo* (plan B2, 12) : Bravo 11. ☎ 818-90-38. Petit hôtel tout à fait sympathique. Dix chambres en enfilade, lumineuses et guillerettes, plutôt spacieuses. Bon accueil. Une bonne adresse.

Prix moyens : de 300 à 500 $Me (21 à 35 €)

🛏 *Casa Regia* (plan B2, 14) : Canovas 4. ☎ 817-00-37. ● www.posadacasaregia.com ● Charmant petit hôtel récent. La quinzaine de chambres donnent sur un labyrinthe d'escaliers. Propre et très calme. Au n° 2 de la même rue, une autre partie de l'hôtel, un brin plus chère, à la déco anglaise mais peut-être un peu plus sombre (☎ 812-05-91).

Parking.

🛏 *Hôtel Salmones* (plan A-B2, 15) : Zaragoza 24. ☎ 817-54-31 à 36. Des chambres gentiment surannées dans un grand hôtel. Spacieuses, avec parfois du joli mobilier. Lit *king size* dans certaines, ventilo et TV câblée pour toutes. Calme si vous donnez sur le jardin. Ascenseur et bar-resto.

Chic : de 500 à 700 $Me (35 à 49 €)

🛏 *Mesón del Alférez* (plan A2, 17) : Sebastiano Camacho, à l'angle de Zaragoza. ☎ 818-01-13. Dans une discrète maison à un étage, datant du XVIIIe siècle, un hôtel colonial des plus ravissant. Onze chambres très hautes de plafond, réparties autour de puits de lumière, et quelques suites. Poutres apparentes et lits nichés sur de belles mezzanines en bois apportent un cachet supplémentaire. Espace salon très cosy dans toutes les chambres et tout le confort moderne. Beaucoup de charme, en plein centre et au calme. Parfait.

🛏 *Posada del Cafeto* (plan B2, 16) : Canovas 8. ☎ 812-27-03. Dans une ancienne maison. Autour d'un patio calme et verdoyant, des chambres confortables et sobrement décorées, très hautes de plafond. Charmante cafétéria pour le petit déjeuner.

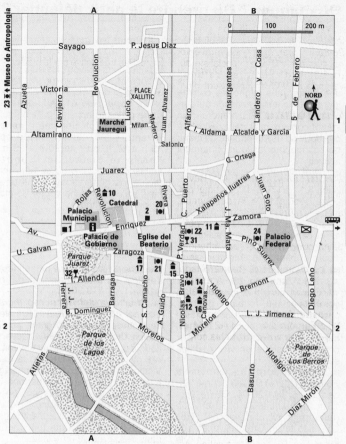

XALAPA

■ Adresses utiles

- **🛈** Office de tourisme
- **✉** Poste
- **🚌** Terminal de bus
- **1** Banque HSBC
- **2** Ticket Bus

🏠 Où dormir ?

- **10** Hôtel Limon
- **11** Hostal de la Niebla
- **12** Hostal de Bravo
- **14** Casa Regia
- **15** Hôtel Salmones
- **16** Posada del Cafeto
- **17** Mesón del Alférez

|●| Où manger ? Où prendre le petit déjeuner ?

- **20** La Sopa
- **21** La Casona del Beaterio
- **22** Il Postodoro
- **23** Churrería del Recuerdo
- **24** Deus Madre
- **30** Café Chiquito

🍸 Où boire un verre ?

- **31** Café Lindo
- **32** The Italian Coffee Company

Où manger ? Où prendre le petit déjeuner ?

Bon marché : moins de 70 $Me (5 €)

|●| *Deus Madre* (plan B2, 24) : Pino Suarez 13. ☎ 817-33-15. Ouvert du lundi au samedi de 8 h à 17 h. Dans une petite salle mignonne comme tout ou sur la terrasse fleurie qui surplombe la rue, on vient prendre ici un vrai et copieux petit dej' mexicain à prix doux ou déjeuner avec un menu qui change tous les jours. Charmant accueil.

|●| *Café Chiquito* (plan B2, 30) : Bravo 3. ☎ 812-11-22. Ouvert tous les jours de 8 h à 2 h. Cadre très agréable avec patio et fontaine, et feu de cheminée en hiver. Clientèle d'étudiants. Pas cher du tout, surtout le buffet du midi avec plusieurs plats chauds. Musique *en vivo* le soir. Délicieux petits dej', mais mauvais café.

|●| *La Sopa* (plan A1, 20) : dans la ruelle piétonne appelée callejón del Diamante 3 (officiellement calle Rivera). ☎ 817-80-69. Ouvert de 13 h à 17 h, puis de 20 h à 23 h. Fermé le dimanche. Bonne ambiance populaire où se côtoient toutes les générations. Dans une belle salle au plafond voûté. Bonne cuisine traditionnelle.

Prix moyens : de 70 à 150 $Me (5 à 10,50 €)

|●| *La Casona del Beaterio* (plan A2, 21) : Zaragoza 20. ☎ 818-21-19. Ouvert de 8 h à minuit. Cadre agréable : patio, fontaine, poutres, photos du vieux Xalapa et grandes fenêtres. Cuisine correcte. À midi, menu très abordable et hyper copieux. Musique *en vivo* certains soirs.

|●| *Il Postodoro* (anciennement Pomodoro ; plan B2, 22) : Primo Verdad 11. ☎ 841-20-00. Ouvre de 13 h 30 jusqu'à 23 h 30 environ (ferme plus tôt le dimanche). Très bon resto italien. Grandes variétés de pâtes et énormes pizzas (même la mediana suffit à nourrir 2 personnes) servies dans un charmant patio arboré.

|●| *Churrería del Recuerdo* (hors plan par A1, 23) : Victoria 158, juste en face de l'entrée du grand hôtel *Misión Xalapa*. ☎ 841-49-61. Ouvert pour le dîner, jusqu'à minuit environ. À 8 mn à pied du centre par la rue Victoria (toujours tout droit), mais la balade vaut la peine. La patronne, anthropologue de formation, prépare une excellente cuisine typique de Veracruz à partir d'authentiques recettes anciennes qui mitonnent dans des jarres en terre cuite.

Où boire un verre ?

▼ *The Italian Coffee Company* (plan A2, 32) : dans le Parque Juarez. Certes, c'est une chaîne, mais l'emplacement de ce café excuse tout : une terrasse ensoleillée dominant la ville. Tentant non ? Et l'expresso n'y est pas mal non plus.

▼ *Café Lindo* (plan B2, 31) : Primo Verdad 21. ☎ 841-91-66. Incontournable, ne serait-ce que pour ses horaires : ouvert tous les jours de 8 h à 2 h. Grande salle chaleureuse et beaucoup de monde le soir, vers 18 h, pour la musique *en vivo*. Grand choix d'alcools.

À voir

🟥🟥🟥 *Museo de Antropologia* (hors plan par A1) : sur le campus de l'université, à 15 mn en bus du centre-ville. ☎ 815-49-42 et 07-08. Pour y aller, il faut prendre le bus qui indique « Tesorería » et/ou « A. Camacho » sur l'avenue Enriquez, face au parc Juárez. Descendez quand vous apercevrez sur la gauche un beau et immense bâtiment bas à l'architecture moderne. Ouvert de 9 h à 17 h. Fermé le lundi. Entrée : 40 $Me (2,80 €) ; réduction étudiants. Guide gratuit tous les jours à 11 h 30 (en espagnol et en anglais) ; payant le reste du temps, ce qui vaut le coup si l'on est plusieurs. Cafétéria au 1er étage. Librairie. Office de tourisme, mais bien caché.

Ce musée ultramoderne, le 2e du Mexique, a été inauguré en 1986. Bâti en escalier le long d'immenses pelouses arborées sur plus de 250 m de longueur, très bien conçu et parfaitement intégré au paysage. Les fenêtres rappellent les niches des pyramides d'El Tajín. L'un des plus beaux musées du Mexique, avec près de 2 500 pièces d'art préhispanique exposées (le musée possède pas loin de 30 000 pièces !) sur près de 3 000 ans. Très axé sur les civilisations de la côte du golfe du Mexique : olmèque, Huaxteca et le centre de l'État de Veracruz. On y admire les fameuses têtes colossales olmèques (ce sont les originaux). Sept au total, qui viennent toutes du site de San Lorenzo. Des vitrines sans armature permettent de voir les pièces sous tous leurs angles. Immenses mais discrets panneaux didactiques qui jalonnent les étapes historiques de toutes les civilisations mexicaines. Intimité pour les petites pièces, vastes patios verdoyants et fleuris pour les énormes sculptures olmèques. Superbe.

🏃 **Palacio de Gobierno** *(plan A2) :* entrée par la calle Leandro Valle. Pour les fanas des fresques murales. Celle qui domine l'escalier central est assez intéressante (sur l'histoire de la justice). Mais ne croyez pas ceux qui vous diront qu'elle est de Diego Rivera. Il s'agit d'un homonyme.

🏃 **La place Xallitic** *(plan A1) :* une petite place tranquille, cachée aux yeux des touristes pressés. Beaucoup de charme avec son ancien lavoir et ses jardins au pied des arches d'un aqueduc.

🏃 **Callejón del Diamante** *(plan A1) :* officiellement calle A de Rivera (comme indiqué sur le plan). Petite rue piétonne où sont rassemblés quelques cafés sympas fréquentés par les étudiants, des boutiques et de l'artisanat néo-baba. Odeurs mélangées de café et d'encens.

VERACRUZ

1,25 million d'hab. IND. TÉL. : 229

Enfin un port ! Un vrai de vrai, avec des cargos et des bateaux de pêche. C'est le plus important du Mexique. Jusqu'en 1760, Veracruz était le seul port autorisé à pratiquer le commerce avec l'Espagne. C'est aussi ici que Cortés accosta avec ses caravelles et qu'il reçut les émissaires de Moctezuma avant d'entreprendre sa longue marche sur Mexico-Tenochtitlán.

Il n'y a pas grand-chose à voir à Veracruz, mais la ville possède un certain charme, avec ses places bordées de palmiers et sa promenade sur le *malecón* longeant le port. Il règne, surtout aux alentours du *zócalo,* une chaude ambiance dès que le jour tombe, et jusqu'à des heures avancées de la nuit. C'est la ville de la musique et de la danse (influence afro-cubaine) et c'est d'ailleurs là qu'est née la célèbre « bamba ». Et si vous y allez en février pendant le carnaval, c'est carrément la folie.

On ne va pas à Veracruz pour ses plages de sable gris, mais pour des enchantements qui lui sont propres, tels ses musiciens ambulants de *marimbas,* ses danses folkloriques (le *danzón),* ses *mariachis,* ses marchands de coquillages, sa nonchalance, sa moiteur et sa sensualité. Et aussi pour la gentillesse de ses habitants, les *Jarochos,* gais et ouverts.

UN PEU D'HISTOIRE

L'histoire de la ville est étroitement liée à celle du pays, puisque Veracruz est la seule porte d'entrée de la façade Atlantique. C'est Cortés qui baptisa l'endroit lorsqu'il débarqua ici un beau jour de 1519 : Villa Rica de la Vera Cruz. La croissance de la ville est bien sûr due à son activité portuaire. Au XVIe siècle, l'or et l'argent représentaient 80 % des exportations. Ces trésors étaient entreposés ici avant d'être chargés sur des galions à destination de l'Espagne. Quelle tentation pour les pirates ! Les flibustiers de tout poil (dont Francis Drake et John Hawkins) ne s'en privèrent pas. Ils attaquèrent régulièrement la ville, au point que celle-ci, pour se protéger, s'enferma à l'intérieur d'une muraille défendue par sept forts. Les fortifications ont été détruites à la fin du XIXe siècle pour faire face à la démographie croissante et accueillir de nouvelles vagues d'immigrants cubains, syriens et libanais.

Arriver – Quitter

En bus

À Veracruz, pour rejoindre le centre-ville depuis le terminal, il y a des bus urbains à la sortie, sur l'avenue. Ils indiquent « Centro ». On y est en 10 mn. À pied, compter 20 à 25 mn de marche le long de l'avenida Diaz Mirón jusqu'au parque Zamora.

🚏 *Les terminaux de bus 1re et 2e classes* (hors plan par A2) sont dans le même bloc, l'un derrière l'autre. *ADO* (1re classe) est situé sur l'avenida Diaz Mirón (à l'angle d'Orizaba) et *AU* (2e classe) sur Lafragua (à l'angle de Xalapa). ☎ 935-07-83 et 937-29-22. Pour y aller, prendre un bus qui indique Mirón et/ou *ADO*. Consigne aux deux terminaux. N'oubliez pas qu'on peut réserver ses billets à l'avance à *Ticket Bus* (voir « Adresses utiles »). Sinon par téléphone pour *ADO*, *ADO GL* et *UNO* : ☎ 01-800-702-80-00 (n° gratuit). • www.adogl.com.mx •

Terminal 1re classe (ADO)

Moderne et bien équipé. On y trouve les compagnies *ADO*, *ADO GL* (chic) et la luxueuse *UNO*.

➤ *Pour / de Palenque :* il faut changer à Villahermosa. En été, réserver son billet plusieurs jours à l'avance.

➤ *Pour / de Villahermosa :* avec *ADO*, une dizaine de départs de 8 h à minuit. Avec *ADO GL*, bus à 17 h 30 et 23 h et pour Veracruz à 8 h 30 et 23 h. Avec *UNO*, un départ le soir tard dans les 2 sens. Préférer un bus le soir, on économise ainsi une nuit d'hôtel. Trajet : de 7 h à 8 h.

➤ *Pour / de Campeche :* 2 bus, à 17 h et 20 h. Trajet : 13 h. Pour Veracruz, bus à 13 h, 20 h (4 escales !) avec *ADO* et un bus à 22 h 30 avec *ADO GL*.

➤ *Pour / de Mérida :* avec *ADO*, mêmes bus que pour Campeche. Avec *ADO GL*, bus à 13 h et à 16 h et au retour à 19 h 15 et 0 h 15. Dans le sens Mérida-Veracruz : bus *ADO* à 10 h 30 (2 escales) et 21 h. Trajet : 15 h environ.

➤ *Pour / de Playa del Carmen et Cancún :* 2 bus avec *ADO GL*, un vers 13 h 30, l'autre le soir vers 23 h, et 2 bus avec *ADO*. Dans l'autre sens, bus à 14 h 30, 15 h, 20 h et 21 h. Trajet : 17 h pour Playa et 18 h pour Cancún.

➤ *Pour / de Puebla :* avec *ADO*, 8 bus de 7 h à 23 h 30, et de 6 h à minuit dans le sens Puebla-Veracruz. Bus supplémentaires le week-end. Avec *ADO GL*, 7 bus entre 6 h 45 et 20 h 30. Trajet : 3 h 30.

➤ *Pour / de Oaxaca :* avec *ADO*, bus à 8 h, 13 h et 22 h 30 ; dans l'autre sens, 2 bus seulement, à 22 h 15 et minuit. Quant à *ADO GL* : un seul bus, à 23 h dans un sens et 23 h 30 dans l'autre. Trajet : 8 h 30.

VERACRUZ

■ **Adresses utiles**

ℹ Office de tourisme
⊠ Poste principale
🚌 Terminal de bus
1 Bureau de change Greco
2 Ticket Bus
3 Banques
4 Laverie Mar y Sol
@ 5 Internet Codigos
6 Mexicana et Aerocaribe

≙ **Où dormir ?**

10 Hôtel Las Nieves
11 Hôtel México
12 Mesón del Mar
13 Hôtel Amparo
14 Hôtel Galery
15 Hôtel El Santander
16 Hôtel Mar y Tierra
17 El Faro
18 Hôtel La Sirena
19 Hôtel Baluarte
20 Hôtel Emporio (HE)
21 Hôtel Imperial

|●| **Où manger ?**

30 Marché aux poissons
31 Marché Hidalgo
32 El Cochinito de Oro
33 El Torbellino
34 Pardiñolas
35 La Suriana
36 Mariscos Tano
37 Cafés de la Parroquia 1 et 2

|●| **Où prendre le petit déjeuner ?**

40 Café Tomari
41 Boulangerie-pâtisserie Colón
42 Lolita

🍸 ♪ 🎵 Où boire un verre le soir ?
Où sortir ?

50 Pink Panther, El Rincón de
la Trova et V Bar

❀ **Achats**

55 Panamas

➤ *Pour / de Xalapa :* bus toutes les 20 à 30 mn environ, de 6 h 45 à 23 h. Trajet : 2 h. Dans l'autre sens, bus jusqu'à environ 22 h.

➤ *Pour / de Papantla (El Tajín) :* 6 bus, surtout en début de journée, et pour revenir, 2 ou 3 bus en fin de journée. Trajet : un peu plus de 4 h.

➤ *Pour / de Poza Rica (El Tajín) :* 15 bus au moins par jour dans les 2 sens, entre 8 h et 22 h 30. Trajet : 4 h 30.

➤ *Pour Mexico* (terminal TAPO ; au métro San Lázaro) *:*
– avec *ADO,* une douzaine de départs nuit et jour et 14 de plus avec *ADO GL.*
– avec *UNO,* 4 à 5 bus par jour. Également 5 ou 6 bus qui arrivent au terminal Norte et même chose pour le terminal Tasqueña. Trajet : de 5 h 30 à 6 h.

➤ *De Mexico :*
– avec *ADO,* plus d'une quinzaine de départs de 7 h à minuit. Environ toutes les heures. Trajet : de 5 h 30 à 6 h.
– Plus chic : avec *ADO GL,* 16 départs de 8 h à minuit, environ toutes les heures. Et quelques bus de la compagnie *UNO* (encore plus luxueuse et très chère).

Terminal 2ᵉ classe (AU)

➤ *De et pour Catemaco :* toutes les 10 mn avec *Tuxtlas.* Trajet : 3 h 40.

➤ *De et pour Xalapa :* avec *TRV,* départ toutes les 10 à 20 mn. Toutes les heures environ avec *AU.* Trajet : de 2 h à 2 h 30.

➤ *De et pour Oaxaca :* départ à 23 h 15. Trajet : de 8 h à 8 h 30.

➤ *De et pour Puebla :* 13 départs entre 6 h et 22 h, pratiquement à chaque heure. Trajet : 4 h 30.

➤ *De et pour Mexico :* 18 départs, à chaque heure ronde, entre 6 h et minuit. Trajet : de 6 h à 7 h.

En avion

✈ *Aéroport :* à 7 km au sud-ouest de Veracruz. ☎ 934-53-73 et 70-00. Prendre le bus « Las Bajadas » sur Zaragoza. Il vous laisse à 500 m de l'aéroport.

– Toutes les grandes compagnies de loueurs de voitures sont représentées à l'aéroport : *Avis* (☎ 932-16-76), *First* (☎ 937-14-27), *Dollar* (☎ 938-78-78), *Hertz* (☎ 925-27-03).

➤ Avec *Mexicana* et *American Airlines,* 4 ou 5 vols quotidiens pour **Mexico.**

➤ Avec *Aerocaribe,* vol direct pour **Mérida.** Voir « Adresses utiles ».

Adresses utiles

ℹ *Office de tourisme* (plan A1) *:* dans le palais municipal, sur le zócalo. ☎ 989-88-17. ● www.vera cruz-puerto.gob.mx ● Ouvert du lundi au vendredi de 8 h à 20 h et les samedi et dimanche de 10 h à 18 h. Fermé les jours fériés. Bien informé. Pas mal de doc dont un plan de la ville et une carte des environs.

✉ *Poste principale* (plan A1) *:* plaza de la República 213. Ouvert du lundi au vendredi de 8 h à 20 h et le samedi de 9 h à 13 h. Dans un immeuble de style néoclassique construit par une compagnie anglaise en 1902.

■ *Bureau de change Greco* (plan A1, 1) *:* Morelos 329 (la continuation de Zaragoza), face à la plaza de la República. ☎ 932-56-58. Ouvert de 9 h à 21 h. Fermé le dimanche. Pas loin, sur le même trottoir, un peu avant l'hôtel *Mexico,* au n° 343, une autre *casa de cambio,* ouverte de 9 h à 22 h. Dans les deux cas, change des euros, mais en espèces seulement. Pour les chèques de voyage, allez dans une banque (autour du zócalo). Distributeurs automatiques.

■ *Ticket Bus* (plan A1, 2) *:*

Molina 90. ☎ 01-800-702-80-00 (n° gratuit). Ouvert du lundi au vendredi de 9 h à 13 h 30 et de 16 h à 19 h 30 (horaires pas toujours respectés) ainsi que le samedi matin. Pour éviter d'aller jusqu'au terminal, on peut acheter ici les billets de bus pour n'importe quelle destination. Avec les compagnies *ADO GL* et *UNO* uniquement. Renseignement également sur Internet (site fonctionnant parfois assez mal) : ● www.tic ketbus.com.mx/ticketbus

■ *Banques (plan A1, 3) :* aux 4 coins du croisement de Benito Juárez et Independencia, 4 banques avec distributeurs automatiques.

■ *Laverie Mar y Sol (plan A1, 4) :* elle donne sur le Parque a la Madre (ou plazuela 10 de Mayo pour le nom officiel). À l'angle avec la rue Madero. Ouvert de 9 h à 21 h. Fermé le dimanche. On paye au minimum pour 1,5 kg de linge.

@ *Internet Codigos (plan A1, 5) :* Miguel Lerdo 357. Ouvert de 9 h à 22 h. Fermé le dimanche. Pas cher du tout. Autres centres Internet juste à côté et en face.

■ *Mexicana et Aerocaribe (plan A1, 6) :* à l'angle de 5 de Mayo et A. Serdán. ☎ 932-22-42. Ouvert de 9 h 30 à 18 h, et le samedi de 9 h 30 à 15 h.

■ *American Airlines :* Adolfo Ruiz Cortines 1600. ☎ 922-60-08. Vols internationaux avec escale à Mexico.

Où dormir ?

En temps normal, les hôtels pratiquent des prix corrects, voire bon marché. Mais durant les vacances scolaires et les week-ends prolongés, les prix que nous indiquons font un sacré bond. Idem durant le carnaval de février. Mais là, de toute façon, tout est complet. Il faut réserver au moins un mois à l'avance.

Très bon marché : moins de 150 $Me (10,50 €)

🛏 *Hôtel Las Nieves (plan A2, 10) :* Tenoya 159. ☎ 932-57-48. Excentré, à 15 mn à pied du *zócalo*, dans un quartier populaire pas désagréable. Petites chambres propres et bien tenues (avec douche) pour cet « hôtel des neiges » (!). Assez lumineux et aéré. Également une quinzaine de chambres *sin baño*, encore moins chères. Très correct pour le prix, et en plus, c'est calme.

Bon marché : de 210 à 300 $Me (14,70 à 21 €)

🛏 *Hôtel Galery (plan A2, 14) :* callejón Reforma 145. ☎ 931-38-33. Un petit hôtel mignon et calme. Ouf ! On l'a enfin déniché. Il donne sur une petite ruelle piétonne. Un peu excentré, mais dans un quartier tranquille. Mention honorable pour l'effort de déco, certes très kitsch avec ses effets de peinture violet, jaune et vert pomme. Petites chambres guillerettes, voire coquettes, avec ventilo et AC. Bonne literie. Très propre. Si vous êtes nombreux, demandez l'immense chambre (n° 11) qui donne sur le toit. Accueil sympa. Notre adresse préférée dans cette fourchette de prix.

🛏 *Hôtel El Santander (plan A1, 15) :* angle Landero y Coss et Molina. ☎ 932-45-29 et 86-59. Le moins cher de cette catégorie. Chambres rehaussées de pointes de couleurs. Confortables et agréables, avec moquette, AC, TV et téléphone. Certaines avec lit *king size* (prix intéressant). Les chambres à 2 lits sont plus lumineuses mais plus chères et elles donnent sur la rue (très bruyante). C'est souvent complet et on ne peut pas réserver.

🛏 *Hôtel México (plan A1, 11) :* av. Morelos 343, en face de la plaza de la República. ☎ 931-57-44. Chambres sur 4 étages, aux murs plaqués bois, disposées autour d'une grande cour intérieure. Sombres.

Demandez-en une le plus haut possible. Assez avenantes, avec ventilo (assez bruyant) et eau chaude. Lits confortables. Ce serait parfait si les salles de bains étaient mieux entretenues.

▲ *Hôtel Amparo (plan A1, 13)* : Aquiles Serdán 482. ☎ 932-27-38. Chambres correctes et assez calmes, surtout si elles donnent sur le patio. Avec ou sans TV (les moins chères). Ventilo et eau chaude. Un bon rapport qualité-prix, mais ça se sait, et c'est souvent complet.

Prix moyens : de 300 à 500 $Me (21 à 35 €)

▲ *Mesón del Mar (plan A2, 12)* : Esteban Morales 543, à l'angle de Zaragoza. ☎ 01-800-581-55-55 (n° gratuit). ● www.mesondelmar. mx ● Voilà une bien belle adresse nichée dans une maison coloniale. Autour d'un patio fleuri, on ne peut plus adorable, des chambres lambrissées avec beaucoup de cachet, le confort en plus : AC, TV, coffre-fort et Internet (gratuit). Un rapport qualité-charme-prix imbattable.

▲ *Hôtel La Sirena (plan B1, 18)* : au coin de Gómez Farias et Serdan. ☎ 931-49-86 ou 92. Une entrée bien avenante et un accueil sympathique donnent envie d'aller voir plus loin. Et les chambres sont loin de décevoir : de taille et de configuration différentes, demandez à en voir plusieurs. Jaune canari, rose bonbon, vert menthe, choisissez votre couleur. Certaines avec vue sur la mer, d'autres avec petit balcon, toutes avec AC et TV. Un côté un peu décrépi parfois, mais l'ensemble reste correct. Une bonne petite adresse, très valable aussi pour des chambres de 4 ou 6 personnes.

▲ *El Faro (plan B2, 17)* : 16 de Septiembre 223. ☎ 931-65-38. Fax : 931-61-76. Un petit hôtel sympathique et calme. Les chambres sont claires, sauf au rez-de-chaussée, avec AC et téléphone. Choix entre 2 lits individuels ou lit *matrimonial*. Plus cher pour un lit *king size*. Petite cafétéria sympa qui sert de bons brownies, avec quelques ordinateurs pour envoyer vos cartes postales virtuelles. Les propriétaires, d'origine libanaise, parlent un français impeccable.

Chic : de 500 à 700 $Me (35 à 49 €)

▲ *Hôtel Mar y Tierra (plan B2, 16)* : en front de mer, au bout du bulevar Manuel A. Camacho ; à l'angle avec Figueroa. ☎ 931-38-66 ou 01-800-543-41-68. Fax : 932-60-96. ● www. hotelmarytierra.com ● Un peu loin du centre, mais un gros avantage : sa position sur le front de mer. On a donc le choix entre des chambres rénovées ou non, mais la différence de confort est vraiment minime. Moquette, AC, TV câblée et téléphone. Les chambres sont de tailles différentes (d'où plusieurs prix) mais la déco varie assez peu. Demandez-en une au 4e ou 5e étage : elles ont vue sur la mer. Piscine sur le toit avec un magnifique panorama à 360°. Resto. Parking. L'un des hôtels les plus sympas de Veracruz.

▲ *Hôtel Baluarte (plan B2, 19)* : à l'angle de F. Canal et 16 de Septiembre. ☎ 932-52-22 et 42-92. ● www. hotelbaluarte.com.mx ● En face du fort Baluarte, dans un quartier calme. Chambres confortables et très propres, avec AC et téléphone. Salle de bains impeccable. Resto. Parking et piscine en construction lors de notre passage.

▲ *Hôtel Imperial (plan A1, 21)* : sur le *zócalo*. ☎ 955-07-49. Fax : 931-45-08. On traverse un vaste hall doté d'une verrière magnifique avant d'atteindre la réception, un peu cachée au fond. Ascenseur Art déco, importé de Suisse en 1905. Préférer les chambres en hauteur, plus claires. Certaines un peu plus chères avec lit *king size* et quelques suites en duplex donnant sur la place. Beaucoup de cachet, même si le mobilier commence à défraîchir. Petite piscine et piano-bar au 1er étage. Une adresse de bon goût à prix raisonnable.

Plus chic : plus de 700 $Me (49 €)

🛏 **Hôtel Emporio** (HE pour les intimes ! ; plan B1, **20**) : paseo del Malecón 244. ☎ 932-22-22. Fax : 931-22-61. ● www.hotelesemporio.com.mx ● Un hôtel de classe internationale avec tout le confort de ce genre d'établissement. Certaines promos incluent le petit déjeuner. Très bien entretenu, avec des petits coins salons, des fleurs un peu partout. Outre des chambres standard, des panoramiques avec jacuzzi et des suites. Toutes très agréables, avec moquette moelleuse, déco moderne. Deux piscines, sauna, centre de fitness, bar et resto chic. La grande classe, sur le *malecón*, à prix justifié.

Où manger ?

Veracruz est célèbre pour ses crustacés et son poisson. Goûtez à la spécialité locale, le *huachinango a la veracruzana,* sorte de daurade cuite au four et nappée d'une sauce à la tomate, aux piments, aux oignons... Un régal.

Bon marché : moins de 70 $Me (5 €)

|●| **Le marché aux poissons** (plan A1, **30**) : au dernier étage. Fermé le soir. Vous y trouverez plein de restos de fruits de mer, et le poisson y est très frais. Bonne ambiance populaire. |●| On peut aussi manger au **marché Hidalgo** (plan A2, **31**) pour pas cher, près du parc Zamora. Mais peu de produits de la pêche et moins avenant.
|●| **El Cochinito de Oro** (plan A1, **32**) : Zaragoza 190. ☎ 932-36-77. Ouvert tous les jours de 11 h à 18 h. Le nom de ce resto populaire vient du fondateur, ancien lutteur qui combattait sous le pseudo de « cochon d'or » ! La façade jaune et vert ne se loupe pas. La salle, claire et aérée, est parfaite pour déguster une bonne petite cuisine locale. Au fond, on peut surveiller les marmites en train de bouillir.
|●| **El Torbellino** (plan A2, **33**) : Zaragoza 384, à l'angle de Morales. ☎ 932-13-57. Ouvert de 11 h à 19 h sauf le mercredi. Un resto à la façade et aux murs verts qui sert une cuisine veracruzienne *muy buena* : *cócteles,* poissons en tout genre, soupes et viandes. Un peu crasseux mais vraiment typique. D'ailleurs, ça ne désemplit pas.

Prix moyens : de 70 à 150 $Me (5 à 10,50 €)

|●| **Cafés de la Parroquia 1 et 2** (plan B1, **37**) : sur le *malecón*, et il y en a deux presque l'un à côté de l'autre. ☎ 932-18-55. Ouvert de 6 h à 1 h. C'est une institution à Veracruz depuis presque un siècle. Avant, ils étaient installés en face du *zócalo*. Mais la tradition n'a pas changé : si le service tarde, on frappe son verre avec une cuillère. Les salles sont grandes comme un terrain de football. On y sert un délicieux *café con leche*, on y prend le petit dej' en terrasse en regardant passer les vendeurs ambulants, on y boit un verre à la fraîche, on y mange à toute heure... Incontournable. Beaucoup de monde.
|●| **Pardiñolas** (plan A1, **34**) : au bord de la petite plazuela de la Campana, côté calle Arista. ☎ 044-229-912-54-00 (portable). Ouvert de 13 h à 22 h 30. Décor frais et élégant pour ce bon resto de fruits de mer. Pinces de crabe, soupe de poisson, cocktails de crevettes... Et d'exquises spécialités

maison comme la *piña rellena Don Fallo* : une préparation de fruits de mer gratinés et servie dans un demi-ananas. Délicieusement tropical. Service pro et aimable.

|●| *La Suriana (plan A1, 35) :* Zaragoza 286, à l'angle avec Arista. ☎ 932-99-01. Ouvert de 9 h à 20 h. Bonne ambiance de resto mexicain. On y mange seulement à la carte (bien présentée). Goûter au *filete relleno* (filet de poisson farci), un vrai délice. Surtout pour le déjeuner.

|●| *Mariscos Tano (plan A1, 36) :* Mario Molina 20. ☎ 931-50-50. Ouvert de 9 h à 22 h. Délirante collection de poissons-lunes, requins, tortues de mer et murènes accrochés au plafond, et pin-up de carnaval sur les murs ! Et de très bons fruits de mer dans l'assiette. Le poisson est bien frais. Spécialité : la *cazuela de mariscos,* un délice. Pour peu qu'un trio se mette à jouer, on est plongé dans la grande tradition *veracruzana.*

Où prendre le petit déjeuner ?

|●| *Café Tomari (plan A1, 40) :* Molina 256. ☎ 931-07-57. Ouvert tous les jours de 8 h à 23 h. Salle clean, bien climatisée. Plusieurs formules. Les œufs sous toutes leurs formes, de bons sandwichs copieusement garnis, *pancakes,* salades de fruits, yoghourt… L'expresso, en revanche, c'est pas tout à fait ça.

|●| *Boulangerie-pâtisserie Colón (plan A2, 41) :* Independencia 1435. ☎ 932-38-41. Ouvert de 7 h à 21 h. Fermé le dimanche. De délicieux petits pains au lait, au jambon et fromage, des croissants et des brioches, et même des *volován* (traduisez vol-au-vent !). Ben oui, les patrons adorent la France. Faites le plein de viennoiseries et allez prendre un café à l'un des *Cafés de la Parroquia* (voir « Où manger ? »).

|●| *Lolita (hors plan par B2, 42) :* 16 de Septiembre 837 ; à deux *cuadras* hors du plan. ☎ 932-07-60. Petit déjeuner servi tous les jours de 7 h à 13 h. Pour ceux qui voudraient se lancer à l'assaut d'un vrai petit dej' mexicain, dans une ambiance typiquement *veracruzana.* Ici, pas de touristes. Le dimanche matin, on y vient en famille pour dévorer des quantités pantagruéliques d'*enchiladas, picadas* et autres *gordas dulce* (délicieux !). Bon et copieux.

Où boire un verre le soir ? Où sortir ?

🍸 Sur le *zócalo,* évidemment. Au son des *machacas* et des *marimbas.* Et jusque tard dans la nuit. On a l'embarras du choix entre les différentes terrasses sous les arcades. Pour ceux qui ne la connaissent pas encore, c'est l'occasion de goûter à la *michelada* : une bière avec du jus de citron et de la *salsa inglesa* (Worcestershire sauce), servie dans un verre au rebord recouvert de sel.

🍸♪♫ Allez aussi dans la ruelle piétonne Lagunilla *(plan A1, 50),* moins touristique et très sympa. Trois bars musicaux l'un à côté de l'autre, chacun dans un style différent. Y aller à partir de 22 h. Décor rustique et chaleureux pour le *Pink Panther* (fermé les dimanche et lundi). On y boit de la bière à la pression *(cerveza de barril)* en écoutant un chanteur qui interprète les classiques de la bonne variété mexicaine. *El Rincón de la Trova* (du jeudi au samedi) attire une clientèle d'âge mûr qui vient y danser sur des rythmes tropicaux, sur et musique *jarocha.* L'endroit branché du moment, le *V Bar,* propose un grand choix d'alcools dans une ambiance *hype* très tendance.

À voir. À faire

– *Musique et folklore :* la musique est partout dans la rue et dans les restos. Qu'il s'agisse des joueurs de *marimbas* (grand xylophone en bois), des trios de guitares ou des chanteurs accompagnés d'une contrebasse. La danse fait aussi partie de la vie des Veracruzanos. Ils ont d'ailleurs créé leur propre style : le *jarocho*. Ce sont également des passionnés du *danzón,* danse traditionnelle, assez lente, d'origine cubaine, mais qui est à Veracruz ce que le tango est à l'Argentine. Soudain la musique change de rythme, les couples font une pause, ce qui autrefois permettait aux femmes de s'aérer d'un coup d'éventail. Malheureusement, le *danzón* n'est plus guère dansé que par les personnes âgées.

Voici les places où vous pourrez assister à des concerts (et danses) gratuits :
– Mardi : *danzón* sur le *zócalo* à 20 h.
– Mercredi : *danzón* à 20 h, sur la plazuela de la Campana *(plan A1)* et au Parque Zamora *(plan A2)*. Folklore *jarocho* à 19 h sur le *malecón (plan B1)*.
– Jeudi : *danzón* sur le *zócalo* à 20 h et *son del callejón* sur la plazuela de la Lagunilla.
– Vendredi : folklore *jarocho* sur le *zócalo* à 20 h.
– Samedi : *danzón* sur le *zócalo* à 19 h.
– Dimanche : *danzón* au Parque Zamora *(plan A2),* à 18 h. Folklore *jarocho* sur le *zócalo* à 20 h.
Et du jeudi au samedi, musique *trova, bohemia* ou salsa sur la plazuela de la Campana *(plan A1),* à 20 h.

➤ **Bus touristique :** il se prend devant l'hôtel *Emporio* ou autour du *zócalo*. Toutes les heures, de 10 h à 22 h. Environ 25 \$Me (1,80 € ; en bas) ou 50 \$Me (3,50 € – partie supérieure du bus, à l'extérieur). Des vieux bus en bois, tout illuminés la nuit qui se baladent le long de la côte et dans le centre-ville.

🎬🎬 **Le port** *(plan B1) :* promenade quasi indispensable sur le *malecón* qui longe le port, avec les inévitables marchands de souvenirs. Plus loin, le long de la côte, ça devient le *« bulevar »,* comme on l'appelle ici. Le soir, les jeunes de Veracruz y amènent leur fiancée.

🎬 **Le musée de la Ville** *(plan A2) :* Zaragoza 397. ☎ 932-63-55. Ouvert de 10 h à 18 h (le dimanche de 10 h à 13 h). Fermé le lundi. Entrée gratuite. Installé dans une très belle demeure de style néoclassique. Ce musée, entièrement rénové en 2000, retrace l'histoire de la ville depuis l'arrivée de Cortés à Veracruz en 1519. Très didactique, des bornes interactives permettent des illustrations sonores. On saisit parfaitement l'évolution de la ville grâce à de grandes maquettes, des gravures et des photos anciennes. Après la terrible attaque du pirate Lorencillo en 1683, la ville fut fortifiée. Nombreux panneaux explicatifs en espagnol. Visite intéressante.

🎬 **Baluarte de Santiago** *(plan B2) :* ouvert du mardi au dimanche de 10 h à 16 h 30. Entrée : 33 \$Me (2,30 €) ; gratuit pour les étudiants et les moins de 13 ans. Dernier vestige des sept forts qui ponctuaient les remparts de la ville pour la protéger des pirates. Abrite un petit musée de bijoux préhispaniques, appelés « joyaux du pêcheur » car ils furent découverts par un pêcheur de poulpes. Ils appartenaient à un seigneur aztèque.

🎬 **La forteresse San Juan de Ulúa :** pour y aller, une seule solution : taxi (ou voiture). Ouvert de 9 h à 16 h 30. Fermé le lundi. Entrée : 33 \$Me (2,30 €) ; gratuit les dimanche et jours fériés. Visite libre ou guidée (pas trop cher). Demander le guide parlant le français.
La forteresse se dresse au bout d'une presqu'île qui fait face au port de Veracruz. Autrefois, c'était une île, celle-là même où, un jour de 1518, débarqua un *teule* venu de l'est qui s'appelait Juan de Grijalva. Un an plus tard, Cortés et « le reste » suivirent. Ce fut le point de départ de l'incroyable épopée des conquistadors sur le continent américain. En 1528, les Espagnols y construisirent un arsenal, un fanal et une chapelle, puis un fort au XVIIe siècle pour protéger la ville contre les pirates. À partir de 1755, la forteresse devient une

prison, l'une des plus sinistres de la Nouvelle-Espagne. Durant les grandes marées, la mer envahissait souvent les cellules. Parmi celles-ci, les plus célèbres sont l'Enfer (plongée dans l'obscurité totale), le Purgatoire et le Paradis qui a droit à deux minuscules meurtrières laissant passer une faible lumière. Malgré la présence de nombreux requins, quelques prisonniers réussirent à s'échapper, notamment le célèbre Chucho El Roto, le Robin des Bois mexicain. Malheureusement, 9 ans plus tard, il retrouva les geôles de San Juan, où il mourut à l'âge de 36 ans. N'oubliez pas de visiter le petit musée. Un agréable prétexte de balade, dans la rumeur des vagues et les sirènes de bateaux.

🍴 *Museo naval* (plan B1) : calle Arista. ☎ 931-40-78. Ouvert de 9 h à 17 h. Fermé le lundi. Entrée gratuite. Dans le bel édifice de l'ancienne école navale construite à la fin du XIXᵉ siècle. L'histoire de la navigation en 18 salles climatisées. Idéal pour prendre le frais intelligemment.

🍴🍴 *Acuario de Veracruz* (hors plan) : à l'intérieur du centre commercial « Plaza Acuario ». ☎ 931-10-20. Prendre un bus sur Zaragoza qui indique « Boca del Río » ou « Mocambo ». Ouvert tous les jours de 10 h à 19 h. Entrée : 60 $Me (4,20 €). C'est le plus grand zoo marin d'Amérique latine. Plusieurs aquariums géants : pour les poissons d'eau douce (avec d'horribles piranhas), les fantastiques poissons exotiques... Et un immense aquarium circulaire où nagent les bestioles océaniques : tortues, barracudas et des requins dont certains mesurent plus de 3 m de long. On vous rassure, le verre fait 20 cm d'épaisseur.

Achats

🐚 *Panamas* (plan A1, 55) : Molina 112. Ouvert de 9 h à 13 h et de 17 h à 20 h. Fermé le dimanche. De vrais panamas en paille, dans une bouti-que tenue par un vieux monsieur hors du temps. Un souvenir marrant et bon marché à rapporter.

➤ DANS LES ENVIRONS DE VERACRUZ

⛰ *La plage de Mocambo* : à 6 km du centre. Accessible par les bus « Boca del Río ». Plage aménagée.

🍴 *Mandinga* : un bus local (depuis le terminal de 2ᵉ classe, derrière le terminal *ADO*) vous conduit en 40 mn à ce petit village au bord d'une lagune. Attablé dans un restaurant au bord de l'eau, devant un *torito* à base d'alcool de canne, vous dégusterez crevettes et poisson frais. Les Mexicains adorent venir s'y attabler des heures entières pendant que les enfants chahutent au bord de l'eau. Excursion en bateau à moteur sur la lagune et pédalos. Dernier retour à 21 h pour Veracruz.

🍴🍴🍴 *Tlacotalpán* : au sud de Veracruz. Vous y serez en 1 h 40 avec un bus *AU*. Un pittoresque et charmant village, fondé au XVIᵉ siècle par les conquistadors espagnols, qui a conservé ses traditions. En arrivant, on longe des petites baraques sur pilotis en bois peint, donnant sur le río Papaloapan. Tlacotalpán est tellement mignon qu'on le croirait sorti d'un décor de film. Avec ses maisons coloniales, son *zócalo* piéton bordé de terrasses, son kiosque à l'ancienne où se produisent parfois des *mariachis,* ses fenêtres ouvragées, ses placettes romantiques, ce *pueblo* a vraiment tout pour plaire. Le 2 février, grande *feria* avec lâcher de taureaux dans les rues, musiques et danses.
Pour ceux qui ont un peu de temps, dormir une nuit à Tlacotalpán s'avérera très reposant et... romantique. Face à la lagune, le midi, plusieurs restos de poisson, avec des produits de la pêche du jour.

🛏 *Hôtel Reforma :* Venustiano Carranza 2. ☎ (288) 884-20-22. De 250 à 400 $Me (17,50 à 28 €) selon si l'on préfère l'AC ou un simple ventilo. Un hôtel un peu vieillissant, mais tranquille et relativement confortable. Certaines chambres possèdent un balcon : nous vous enjoignons à les demander, bien sûr !

🍴 *Rokola :* plaza Zaragoza. Pas de la haute gastronomie mais on dégustera volontiers (pour moins de 70 $Me, soit 5,60 €) quelques crevettes ou du poulet *a la plancha* rien que pour l'emplacement sur le délicieux *zócalo* où marchands ambulants et amoureux se promènent. On pourrait passer des heures à siroter une bière en regardant là la vie qui passe.

🍸 *Bar Colonial :* presque sur la place, av. Venustiano Carranza. Avec de vraies trognes, de la salsa à tue-tête et des mots doux griffonnés sur les murs par les habitués. Authentique à souhait. Juste à côté, un autre bar dans le même genre avec des photos anciennes placardées partout.

🍖 *Le site de Cempoala :* à une quarantaine de kilomètres au nord de Veracruz, près de Cardel. Ouvert tous les jours de 9 h à 18 h. Entrée : 30 $Me (2,10 €). Ce fut l'une des plus grandes villes totonaques (30 000 habitants), conquise par les Aztèques au milieu du XVe siècle. Plus de 6 000 prisonniers furent emmenés à Mexico-Tenochtitlán pour y être sacrifiés. Toutes les villes de la région durent alors payer un lourd tribut annuel à la capitale de l'empire. Cortés, à peine débarqué, n'eut donc aucune difficulté à convaincre les Totonaques de Zempoala de s'allier avec lui dans sa marche sur Mexico. Leur soutien, ainsi que celui d'autres principautés, fut décisif dans les victoires des Espagnols. En effet, à son arrivée, Cortés disposait à peine de 550 hommes. Le conquistador comprit très vite comment il pouvait tirer parti de la haine des peuples soumis par les Aztèques. Par la suite, la ville déclina en raison des destructions dues aux combats et surtout des épidémies. Elle fut abandonnée au début du XVIIe siècle et tomba dans l'oubli, disparaissant peu à peu sous une épaisse végétation. Une grande partie du site est enfouie sous le village actuel, mais on peut visiter quelques ruines de l'ancienne enceinte sacrée : une pyramide, quelques temples et autres édifices. C'est sur le Templo Mayor que Cortés, après avoir détruit les idoles païennes de la ville, fit ériger un autel dédié à la Vierge. Petit musée.

🍖 *La Joya :* sur la route entre Veracruz et Catemaco, un village avec plus de 40 fromageries. *Queso ahumado* (sec), frais, aux herbes, aux piments, des tartes au fromage, etc., le fromage mexicain sous toutes les formes. Un arrêt rigolo, les stands de fromages se serrent les uns contre les autres le long de la rue principale.

🍖 *San Andrés Tuxtla :* à une dizaine de kilomètres avant d'arriver à Catemaco. Connu pour ses cigares, qui, pour certains, valent bien des cubains. Des petits stands en vendent sur le bord de la route, de toutes les tailles. Deux usines de fabrication juste à la sortie de la ville. Visites (gratuites) possibles le matin jusqu'à 11 h environ (sauf le dimanche).

🍖🍖 *Catemaco :* à 3 h 30 en bus (compagnie *AU* ou *ADO*), au sud de Veracruz. Un village au bord d'une immense lagune, offrant un paysage féerique de collines verdoyantes tombant dans les eaux bleues. Quelques plages et de nombreux îlots qui servent de repaires pour les singes mais aussi de jardins marins. Évidemment, on s'y balade en barque à moteur et de très nombreux « guides » vous proposeront leurs services pas franchement indispensables. Catemaco est surtout connu pour être le rendez-vous une fois par an des *curanderos* (guérisseurs) et des *brujos* (sorciers). Certains y ont d'ailleurs élu domicile toute l'année. Si, donc, vous avez besoin d'une *limpia* pour vous nettoyer de vos mauvaises énergies, vous protéger des personnes qui vous jalousent ou retomber amoureux, allez faire un tour à Catemaco ! Nombreuses liseuses dans la main et autres cartomanciennes dans la ville. Ne ratez pas non plus la *basilica*

Nostra Señora del Carme toute de jaune et de brique avec ses deux clochers et son intérieur baroque, ainsi que le *Palacio municipal* de 1900, aux couleurs assorties. Une halte bien sympathique.

– De nombreux hôtels autour du *zócalo*, assez chers pour la qualité. Si vous tenez à dormir face à la basilique, vous pouvez tenter l'hôtel **Las Brisas,** les autres ne valent vraiment pas le coup.

🛏 |●| *Hôtel Julita :* Maria Teresa Garcia, 10. ☎ 943-00-08. Entre le *zócalo* et la lagune. Des chambres à petit prix (entre 150 et 200 $Me, soit entre 10,50 et 14 €), basiques mais bien tenues. Accueil charmant. Fait aussi resto avec une agréable terrasse couverte, même si la qualité est correcte sans plus.

🛏 *Hôtel del Brujo :* sur le *malecón.* ☎ 943-12-05. Compter dans les 350 $Me (24,50 €) pour une chambre double avec ventilo, un peu plus avec l'AC. Quatre des chambres possèdent un grand balcon avec vue directe sur le lac, alors pourquoi ne pas choisir celles-là pour le même prix ? Toutes sont spacieuses, claires et guillerettes. Un très bon choix pour se la couler douce 1 ou 2 jours.

|●| *Mel Mar :* autour du *zócalo*, à droite de la cathédrale. Dans un environnement qui dégouline de plantes vertes, une super petite adresse très dépaysante. Murs et nappes bigarrés, perroquet, et cette verdure... Carte classique mais les plats sont particulièrement goûteux, entre autres le *taco de cochinita pibil.*

VILLAHERMOSA   470 000 hab.   IND. TÉL. : 993

À 900 km de Mexico et à 630 km de Mérida, la capitale de l'État de Tabasco n'a vraiment rien d'*hermosa* (« belle »). Mais elle est un carrefour souvent obligatoire pour tout routard se rendant au Yucatán ou dans le Chiapas. La ville est immense et curieusement conçue : encadrée par trois fleuves, parsemée de lagunes infestées de moustiques et traversée par de grandes voies rapides ! Au milieu de la chaleur moite, un petit centre-ville perdu sur l'une des rives du río Grijalva. On l'appelle la *zona luz,* la « zone lumière » (sic !). Ses rues piétonnes peuvent cependant être bien agréables le soir. L'atout principal de Villahermosa reste le *Parque Museo La Venta,* un magnifique musée archéologique en plein air, consacré à la culture olmèque.

Arriver – Quitter

En bus

🚌 *Terminal ADO 1ʳᵉ classe (hors plan par A1) :* paseo Javier Mina. Excentré, au nord du centre-ville. Mais n'oubliez pas que vous pouvez acheter vos billets en ville (voir « Adresses utiles »). Grand terminal moderne : restaurants, consigne, téléphone. De là partent et arrivent les bus *ADO, Cristóbal Colón (OCC)* et les cars super luxueux de *ADO GL* et *UNO.*
Du terminal de bus *ADO,* compter environ 20 mn à pied pour rejoindre le centre.

➤ *Liaison avec Mexico (Tapo) :* 830 km. Avec *ADO,* 6 départs de 12 h à 22 h. Trajet : 10 h.
➤ *Liaison avec Mexico (Terminal Norte) :* 830 km. Avec *ADO,* 5 départs de 9 h à 23 h. Et le soir, un départ avec *ADO GL* et un avec *UNO.* Trajet : 11 h.
➤ *Liaison avec Veracruz :* 520 km. Avec *ADO,* 10 départs de 8 h 30 à minuit. Avec *ADO GL,* un départ le soir. Trajet : 6 h 30.

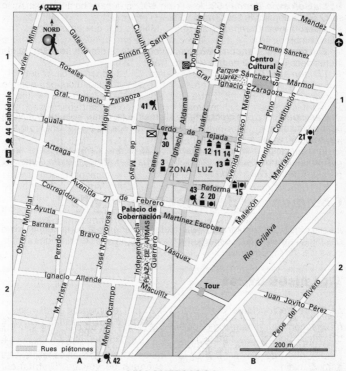

VILLAHERMOSA

■ **Adresses utiles**

🛈 Office de tourisme
✉ Poste
🚌 Terminal de bus
@ 1 Copynet@Clubcafe
2 Banque HSBC
3 Ticket Bus

🏠 **Où dormir ?**

11 Hôtel San Miguel
12 Hôtel Tabasco
13 Hôtel Oriente
14 Hôtel Provincia Express
15 Hôtel Madan

🍽🍷 **Où manger ?**

15 Resto de l'hôtel Madan

20 Taquería El Torito Valenzuela
21 Aqa

🍷 **Où prendre un café ?**
Où boire un verre ?

21 Aqa
30 Café La Zaranda

🎭 **À voir**

41 Casa Museo de Carlos Pellicer
42 Museo regional de Antropología
43 Museo de Historia de Tabasco (Casa de los Azulejos)
44 Parque Museo de La Venta

➤ *Liaison avec Oaxaca :* 700 km. Avec *ADO*, 2 départs en soirée. Trajet : 12 h.
➤ *Liaison avec Tuxtla Gutiérrez :* 300 km. Avec *OCC*, 4 départs entre 7 h et 23 h 45. Avec *ADO GL*, 2 départs. Trajet : 5 h.
➤ *Liaison avec Palenque :* 135 km. Avec *ADO*, 6 départs entre 7 h 30 et 21 h 15. Avec *OCC*, 2 départs le matin. Trajet : 2 h.

LE GOLFE DU MEXIQUE

➤ **Liaison avec Mérida :** 630 km. Avec *ADO,* 5 départs dont 3 le soir. Avec *ADO GL,* 3 départs le soir. Trajet : 8 h.

➤ **Liaison avec Campeche :** 410 km. Mêmes bus que pour Mérida. Trajet : 6 h.

➤ **Liaison avec Cancún :** 920 km. Avec *ADO,* 2 départs le soir. Trajet : 13 h. Avec *ADO GL,* 2 départs le soir. Trajet : 12 h.

➤ **Liaison avec Chetumal :** 550 km. Avec *ADO,* 1 départ le soir. Trajet : 8 h.

En avion

✈ **L'aéroport** est à une quinzaine de kilomètres du centre-ville (prévoir vingt bonnes minutes en voiture). Il n'y a pas de service de bus. Prendre un taxi (environ 150 $Me, soit 10,50 €).

➤ Vols directs pour **Mexico** (*Aeromexico, Mexicana, Click, Aviacsa* et *Aerocalifornia*), **Mérida** (*Aviacsa, Click*), **Veracruz** (*Aerolitoral*), **Tuxtla Gutiérrez** (*Click*), **Cancún** (via *Mérida* avec *Click*).

Comment se déplacer dans la ville ?

Il assez facile de circuler car, dans toutes les artères importantes, il existe des minibus. Il vous suffit de regarder sur le pare-brise les destinations annoncées (La Venta, Centro...).

Adresses utiles

✉ **Office de tourisme** (*hors plan par A1*) : calle 13, à l'angle de l'av. de los Ríos, colonia Tabasco 2000. ☎ 310-97-00. Excentré, à 15 mn à pied. Ouvert de 8 h à 16 h et le samedi matin.

🛈 **Poste** (*plan A1*) : à l'angle de Saenz et Lerdo de Tejada. Ouvert du lundi au vendredi de 9 h à 15 h et le samedi matin.

■ **Téléphone** (*hors plan par A1*) : Abelardo Reyes ; 1ʳᵉ rue à gauche après le supermarché *Chedraui,* lorsque l'on arrive du terminal *ADO.* Ouvert du lundi au samedi de 6 h à 20 h.

@ **Copynet@Clubcafe** (*plan B1, 1*) : Zaragoza 502, à l'angle de Doña Fidencia. Ouvert du lundi au vendredi de 9 h à 22 h, le samedi de 10 h

à 21 h et le dimanche après-midi.

■ **Banque HSBC** (*plan B2, 2*) : calle 27 de Febrero 208. Ouvert du lundi au samedi de 8 h à 19 h. Change les euros et les dollars en espèces et les chèques de voyage. Distributeur automatique 24 h/24.

■ **Ticket Bus** (*plan A1, 3*) : Aldama 511 ; presque à l'angle avec Reforma. ☎ 01-800-702-80-00 (n° gratuit, pour les réservations par téléphone). Très pratique pour acheter ses billets de bus puisque ça évite d'aller jusqu'au terminal qui est en périphérie. Les grandes compagnies sont représentées : *ADO, Cristóbal Colón (OCC), UNO, Estrella de Oro, ETN, Primera Plus...* Pour n'importe quel trajet à partir de n'importe quel point de départ.

Où dormir ?

La plupart des hôtels se trouvent au centre.

Très bon marché : moins de 210 $Me (14,70 €)

Les hôtels suivants entrent dans cette catégorie pour les chambres avec ventilateur. Les chambres climatisées sont plus chères.

⬧ **Hôtel San Miguel** (plan B1, 11) : Lerdo de Tejada 315. ☎ 312-14-26. Dans la rue piétonne. L'entrée est au bout d'un couloir peu engageant, mais ça s'arrange par la suite. Demander à voir plusieurs chambres, car certaines sont plus claires ou en meilleur état que d'autres. Avec douche et ventilo. Correct.

Plus cher avec AC et TV.
⬧ **Hôtel Tabasco** (plan B1, 12) : Lerdo de Tejada 317. ☎ 312-00-77. Juste à côté du San Miguel et un chouia plus cher. Ici aussi, demander à voir les chambres, de qualité inégale, certaines avec des matelas récents.

Bon marché : de 210 à 300 $Me (14,70 à 21 €)

⬧ **Hôtel Oriente** (plan B1, 13) : av. Madero 425. ☎ 312-01-21. Hôtel central et très bien tenu. Les chambres sont vraiment impeccables, très propres, avec salle de bains et ven-

tilo. Celles qui donnent sur la rue sont plus claires mais bien sûr plus bruyantes. Beaucoup plus cher avec AC. Souvent complet.

Chic : de 500 à 700 $Me (35 à 49 €)

⬧ **Hôtel Provincia Express** (plan B1, 14) : Lerdo de Tejada 303, à l'angle de Francisco Madero. ☎ 314-53-76. Fax : 314-54-42. ● villaop@prodigy.net.mx ● Très cher. Chambres de belle taille et agréables, avec salle de bains, TV et AC. Préférer évidemment celles donnant sur la rue piétonne, les autres étant plus bruyantes. Certaines avec balconnet. Confortable. Pas de parking dans l'hôtel, mais parking gratuit au

Vip's tout proche de 19 h à 9 h.
⬧ **Hôtel Madan** (plan B1-2, 15) : av. Madero 408. ☎ 312-16-50 et 01-800-543-47-77 (n° gratuit). Fax : 314-33-73. Un hôtel de standing international qui appartient à la chaîne Best Western. Chambres très agréables, dotées de tout le confort : AC, TV, cafetière, room service et téléphone. Bar et resto. Parking. Et le tout à un prix qui donnerait presque envie d'y passer une 2e nuit !

Où manger ?

De bon marché à prix moyens : de 50 à 150 $Me (3,50 à 10,50 €)

|●| **Taquería El Torito Valenzuela** (plan B2, 20) : 27 de Febrero 202, à l'angle de Madero. De l'extérieur, ça ne paie pas de mine, mais on déguste ici de bons tacos et quesadillas. Adresse très prisée par les locaux et prix imbattables.
|●| **Madan** (plan B1-2, 15) : av. Madero 408. Le resto de l'hôtel du même nom (voir « Où dormir ? »). Ouvert de 8 h à 23 h. Climatisé, pro-

pre et sans surprise. Menu du jour à prix raisonnable et une carte, plus chère mais très variée. On peut aussi venir y prendre un copieux petit dej'.
– **Supermarché Chedraui** (hors plan par A1) : près du terminal de bus. On y vend des plats chauds. Climatisé. Pratique si vous devez attendre un bus plusieurs heures.

Chic : à partir de 200 $Me (14 €)

|●| **Aqa** (prononcer « aqua » ; plan B1, 21) : malecón Madrazo. ☎ 131-17-30. Ouvert de 12 h 30 à

3 h du mat'. L'endroit branché de Villahermosa ! Sur les quais, face au fleuve et en plein air. Hautes haies

de bambous pour délimiter le territoire. Ambiance *lounge,* mais la musique, elle, est plutôt électronique. Bonnes spécialités de fruits de mer, comme des crevettes au Bloody Mary ou la casserole *(cazuela)* de *mariscos.* Surtout pour le déjeuner, car le soir on y vient plutôt pour prendre un verre (voir ci-dessous).

Où prendre un café ? Où boire un verre ?

🍸 *Café La Zaranda* (plan A1, 30) : calle Saenz, presque à l'angle avec Lerdo de Tejada. Ouvert de 8 h à 21 h. Fermé le dimanche. Bon café *espresso* que l'on déguste en terrasse, dans la rue piétonne la plus calme de la *Zona Luz.* Parfait pour écrire ses cartes postales que l'on met ensuite à la poste, juste en face !

🍸 *Aqa* (plan B1, 21) : voir « Où manger ? ». Ferme vers 3 h du matin. Belle carte de cocktails. Choisissez de vous installer sur la mezzanine qui ressemble au pont 1re classe d'un paquebot. Banquettes basses et écran plat géant. Le DJ mixe de la super musique électronique. Très belle vue nocturne sur le río Grijalva.

À voir

🚶 *La calle Saenz* (plan A1) : bon, on ne va pas vous dire que c'est une jolie rue. Disons simplement que c'est la plus agréable de la Zona Luz, avec ses quelques belles façades des années 1920 (certaines en piteux état), des galeries d'art et la maison natale de Carlos Pellicer. En quelque sorte, la *calle* culturelle de Villahermosa !

🚶 *Casa Museo de Carlos Pellicer* (plan A1, 41) : Saenz 203. ☎ 314-21-70. Ouvert de 10 h à 19 h, jusqu'à 17 h le dimanche. Entrée gratuite. C'est la maison natale du poète Carlos Pellicer, né en 1897 et mort en 1977. Toute sa vie, il a lutté contre l'interventionnisme nord-américain en Amérique latine défendant bec et ongles l'idée d'une autre Amérique. Il est aussi le concepteur et créateur d'une dizaine de musées archéologiques comme celui de Palenque, le Parque de la Venta à Villahermosa, ou encore la Casa Museo de Frida Kahlo à Mexico.

🚶 *Museo regional de Antropología* (hors plan par A2, 42) : sur Melchor Ocampo (suivre les flèches « CICOM »). ☎ 312-63-44. Ouvert de 9 h à 17 h. Fermé le lundi. Jolies collections d'antiquités olmèques et mayas, provenant de divers sites de cet État.

🚶🚶 *Museo de Historia de Tabasco ou Casa de los Azulejos* (plan B2, 43) : Juárez, à l'angle de 27 de Febrero. ☎ 314-21-72. Ouvert du mardi au samedi de 9 h à 20 h et le dimanche de 10 h à 17 h. Entrée à prix modique. Le musée est situé dans la belle maison aux carrelages bleus qui se détache des horribles bâtisses qui l'environnent. Récemment rénové, l'intérieur est magnifique, un archétype des maisons bourgeoises du XIXe siècle, dont il ne reste presque plus d'exemples dans la ville. Panneaux retraçant la conquête de Cortés et de Montejo, puis l'époque révolutionnaire de Tabasco (vous trouverez les mêmes au musée de San Cristóbal de las Casas !). À noter, quelques slogans anticléricaux de Victor Hugo et de Zola.

🚶🚶🚶 *Parque Museo de La Venta* (hors plan par A1, 44) : à 2 km du centre-ville. ☎ 314-16-52. Ouvert tous les jours de 8 h à 17 h (mais attention, le zoo est fermé le lundi). Entrée : 20 $Me (1,40 €) mais 40 $Me (2,80 €) pour les étrangers (tarif non appliqué si c'est votre jour de chance !). Consigne à bagages, téléphone et information près des guichets.

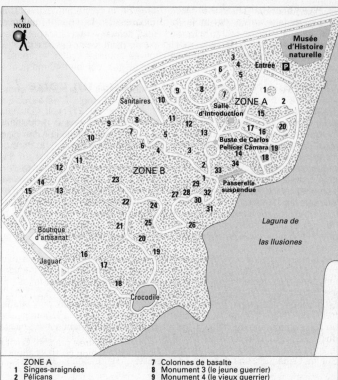

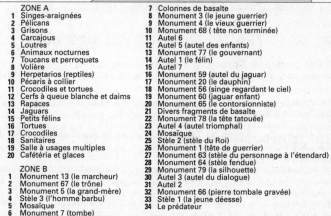

ZONE A

1	Singes-araignées
2	Pélicans
3	Grisons
4	Carcajous
5	Loutres
6	Animaux nocturnes
7	Toucans et perroquets
8	Volière
9	Herpetarios (reptiles)
10	Pécaris à collier
11	Crocodiles et tortues
12	Cerfs à queue blanche et daims
13	Rapaces
14	Jaguars
15	Petits félins
16	Tortues
17	Crocodiles
18	Sanitaires
19	Salle à usages multiples
20	Cafétéria et glaces

ZONE B

1	Monument 13 (le marcheur)
2	Monument 67 (le trône)
3	Monument 5 (la grand-mère)
4	Stèle 3 (l'homme barbu)
5	Mosaïque
6	Monument 7 (tombe)
7	Colonnes de basalte
8	Monument 3 (le jeune guerrier)
9	Monument 4 (le vieux guerrier)
10	Monument 68 (tête non terminée)
11	Autel 6
12	Autel 5 (autel des enfants)
13	Monument 77 (le gouvernant)
14	Autel 1 (le félin)
15	Autel 7
16	Monument 59 (autel du jaguar)
17	Monument 20 (le dauphin)
18	Monument 56 (singe regardant le ciel)
19	Monument 60 (jaguar enfant)
20	Monument 65 (le contorsionniste)
21	Divers fragments de basalte
22	Monument 78 (la tête tatouée)
23	Autel 4 (autel triomphal)
24	Mosaïque
25	Stèle 2 (stèle du Roi)
26	Monument 1 (tête de guerrier)
27	Monument 63 (stèle du personnage à l'étendard)
28	Monument 64 (stèle fendue)
29	Monument 79 (la silhouette)
30	Autel 3 (autel du dialogue)
31	Autel 2
32	Monument 66 (pierre tombale gravée)
33	Stèle 1 (la jeune déesse)
34	Le prédateur

PARQUE MUSEO DE LA VENTA

➤ *Pour y aller :* dans Francisco Madero, prendre un *combi* qui indique « Carrizal » ; se faire arrêter devant la Torre Empresarial (haute tour moderne), puis marcher environ 500 m le long de l'eau, dans le parc.

– Prévoir 1 h 30 à 2 h de visite pour un tour complet. Ceux qui sont pressés ou qui n'aiment pas les animaux en captivité pourront sauter la première partie (zone A) consacrée à la faune. Dans ce cas, compter 40 mn pour le seul parcours olmèque (zone B).

– Pensez à emporter une bonne crème antimoustiques, et, si possible, enduisez-vous le corps avant votre expédition dans la mini-jungle. C'est fou ce que ces bestioles sont voraces !

Ne pas confondre avec La Venta, une ville à 130 km à l'ouest de Villahermosa où l'on découvrit les célèbres têtes olmèques... mais sur des gisements de pétrole ! Elles ont donc été transportées dans ce parc de Villahermosa, qui a été conçu pour l'occasion par le poète Carlos Pellicer (sur 7 ha). L'idée, assez géniale, est de présenter l'art olmèque dans son contexte d'origine, c'est-à-dire au milieu d'un environnement de jungle tropicale avec des essences exotiques (acajou, cacaoyer, fromager...) et aussi les animaux avec lesquels les Olmèques partageaient leur quotidien, notamment le jaguar, un félin omniprésent dans la cosmogonie olmèque. En tout, une trentaine de très belles pièces disséminées le long d'un agréable parcours fléché dans une mini-jungle peuplée d'oiseaux et d'adorables mammifères pas farouches : les coatis.

Les têtes colossales sont intéressantes par leur aspect négroïde, mais aussi remarquables par leur poids : certaines pèsent plus de 30 t. Leur transport témoigne d'un véritable tour de force : le basalte dont elles sont faites provient d'une région distante de plus de 100 km !

Le parcours débute par le zoo qui présente tous les animaux peuplant les forêts du Chiapas (zone A). N'hésitez pas à pénétrer dans la volière géante où l'on se promène au milieu d'une multitude d'oiseaux exotiques. Ensuite, on passe par la salle d'introduction (à la culture olmèque) avant d'entrer dans la zone B et son parcours parsemé de sculptures et de... quelques jaguars. Sur les Olmèques, voir dans les « Généralités », la rubrique « Histoire ».

➤ DANS LES ENVIRONS DE VILLAHERMOSA

🎋 **Les grottes de Cocona :** à **Teapa** (50 km au sud de la ville). Pour s'y rendre, bus très fréquents au départ du terminal *ADO*. Entrée : 20 $Me (1,50 €) ; réduction enfants. Assez chouette.

🎋🎋 **Comalcalco :** à 65 km de Villahermosa (compter 1 h de trajet). Pour y aller, prendre un minibus derrière le terminal *ADO*, dans la calle Gil y Saenz jusqu'au village de Comalcalco. Puis un *van* local pour les ruines ou à pied (2,5 km). Site ouvert tous les jours de 8 h à 17 h. Entrée : 33 $Me (2,30 €). Prévoir 1 h de visite. Commencer par le petit musée consacré à la vie des habitants de la cité.

Découverte par Désiré Charnay en 1880, cette ancienne ville maya est très originale parce que tous les édifices sont construits en brique et non pas en pierre (absente dans la région). C'est tout à fait étonnant de voir ce type d'architecture, surtout que l'on distingue parfois encore très bien la couche de stuc qui recouvrait les bâtiments. La cité connut son apogée entre le IXe et le Xe siècle, grâce notamment à son activité commerciale. Elle a été abandonnée à partir de 1350. Depuis le *Palais*, très belle vue. En contrebas du Palais, le *Temple IX* avec la *Tombe des Neuf Seigneurs de la Nuit,* assez similaire à celle du roi Pacal de Palenque. En redescendant, ne manquez pas non plus le *Temple VI* (ou *Temple des Masques*), orné du dieu solaire.

LA PÉNINSULE DU YUCATÁN

> Pour la carte du Yucatán, se reporter au cahier couleur.

Lorsque l'explorateur espagnol Francisco Hernández de Córdoba accosta le premier sur cette terre, en 1517, il demanda aux habitants mayas qu'il rencontra comment s'appelait la région. La légende veut qu'ils aient alors répondu : *yukatán* (« Je ne comprends pas ce que vous dites »).

La péninsule, faisant face à Cuba et à la Floride, ferme le golfe du Mexique. Elle regroupe les États du Yucatán, du Quintana Roo et une partie de l'État de Campeche. Elle possède les plus belles plages du Mexique. Ah, elle en a fait rêver des routards, la mer des Caraïbes, avec ses eaux turquoise et son sable blanc ! De fait, les fonds marins dans le secteur de Playa del Carmen et de l'île de Cozumel sont franchement exceptionnels. C'est bien sûr la région la plus touristique du pays ; en particulier la côte Caraïbe, complètement squattée par d'énormes complexes hôteliers. On a franchement du mal à se croire au Mexique. Après avoir envahi Cancún, les Américains ont désormais atteint Playa del Carmen. Les prix, souvent affichés en dollars, ont complètement flambé, et le routard qui s'y attardera aura intérêt à avoir les poches bien remplies. Cela dit, la région possède d'autres attraits indéniables : de nombreux sites archéologiques mayas dont deux exceptionnels (Uxmal et Chichén Itzá), des réserves naturelles merveilleuses (dont celle de Sian Ka'an au sud de Tulum) et des endroits qui, bien que très touristiques, gardent encore une âme mexicaine (Mérida, Valladolid, le « vieux centre » de Cancún – eh ! oui ! – Isla Mujeres). Et puis, rien n'empêche de sortir des circuits habituels et d'aller découvrir des lieux moins courus qui, s'ils exigent quelques petits sacrifices en termes de temps et de conditions d'hébergement, ont conservé le charme de l'authenticité (Izamal, Holbox, Río Lagartos...). Ceux qui voudront découvrir un autre visage du Mexique iront plutôt dans le Chiapas (ou au nord du pays) et termineront par quelques jours de plage et de visite dans le Yucatán.

La péninsule est régulièrement atteinte par les ouragans et autres dépressions tropicales durant la période septembre-octobre. Dernier en date : Wilma en octobre 2005, un des plus dévastateurs qu'ait connu la côte caraïbe. La célèbre zone hôtelière de Cancún, Puerto Morelos et l'île de Cozumel ont été les plus durement touchés.

– **Infos sur l'État du Yucatán :** ● www.yucatantoday.com ●
– **Infos sur l'État du Quintana Roo :** ● www.quintanaroo.gob.mx ●

DISTANCES DANS LA PÉNINSULE

Villes	Distance	Temps de transport (bus)
Campeche / Chetumal	425 km	6 h
Campeche / Mérida	196 km	2 h 30
Mérida / Chichén Itzá	120 km	2 h à 2 h 30
Mérida / Valladolid	160 km	2 h
Mérida / Cancún	320 km	4 h (autoroute)
Mérida / Chetumal	520 km	7 h
Valladolid / Cancún	160 km	2 à 3 h (selon la route)
Valladolid / Tulum	100 km	2 h 30
Cancún / Playa del Carmen	70 km	1 h 30

| Playa del Carmen / Tulum | 60 km | 1 h |
| Tulum / Chetumal | 250 km | 3 h |

CAMPECHE

170 000 hab.   IND. TÉL. : 981

Une sensation de bien-être, franchement bienvenue quand on arrive de Palenque. Ces dernières années, Campeche a entrepris une vaste opération de sauvetage du centre historique. Les anciennes maisons coloniales ont été rénovées et les façades peintes de plusieurs couleurs dans les tons pastel. Une jolie ville donc, avec ses rues en damier, ses balcons en fer forgé et ses corniches de stuc sculpté. Calme et reposante, elle sait sourire aux visiteurs encore peu nombreux. C'est la seule ville fortifiée du Mexique, même s'il ne reste aujourd'hui qu'un seul pan de la muraille qui l'entourait. Inscrite au Patrimoine culturel de l'Humanité par l'Unesco en 1999, Campeche est une étape reposante et agréable sur la route de Palenque à Mérida. De plus, la région compte d'innombrables ruines mayas, certes moins célèbres mais plus sauvages que celles du Yucatán, une bonne alternative à ceux qui veulent jouer les Indiana Jones en solo.

En revanche, n'y allez pas pour les plages. Cet État est le plus grand producteur de pétrole du pays, et les raffineries de Ciudad del Carmen, au sud-ouest, polluent allègrement la mer sans que personne n'ose s'opposer à la toute puissante *Pemex.*

Un dernier mot : le terme *campechano* est devenu un adjectif courant en espagnol du Mexique, utilisé pour décrire une personne aimable, ouverte et cordiale. Raison de plus pour faire un arrêt à Campeche ! Les Campechanos seraient donc particulièrement sympas... À vous de vérifier si cette réputation est bien fondée !

UN PEU D'HISTOIRE

Campeche, ou plutôt la ville maya qui la précédait, fut découverte dès 1517, lors de la première expédition espagnole le long de ces côtes. Elle ne fut soumise que beaucoup plus tard par Francisco de Montejo, qui fonda la ville en 1540. Dès lors, et jusqu'au XVIIIᵉ siècle, elle devint le seul port du Yucatán, d'où partaient le *chicle*, les bois précieux, les bois de teinture, ainsi que l'or et l'argent des autres contrées. Très vite, les corsaires et les pirates veulent profiter de la bonne aubaine, et la ville est régulièrement victime de nombreux pillages de la part des flibustiers des Caraïbes, qui n'hésitent pas, en emportant leur butin, à massacrer une partie de la population. La couronne d'Espagne se décide enfin, vers 1686, à entourer la ville d'imposants remparts. À l'époque coloniale, la mer arrivait jusqu'au pied des murailles. Mais au milieu des années 1950, alors qu'on rêve d'un Campeche tourné vers l'avenir, on remblaie pour agrandir la ville du côté de la mer, on construit un *malecón* et de larges avenues qui déconnectent la vieille ville de la côte. Heureusement, à la fin des années 1990, la ville prend conscience de la valeur de son patrimoine et entreprend de sauvegarder ce qui reste de son histoire.

Arriver – Quitter

En bus

▄▄▄ **Terminal 1ʳᵉ classe** *(ADO ; hors plan par B2) :* au sud de la ville, par | l'avenida Central. À environ 15 mn à pied du centre.

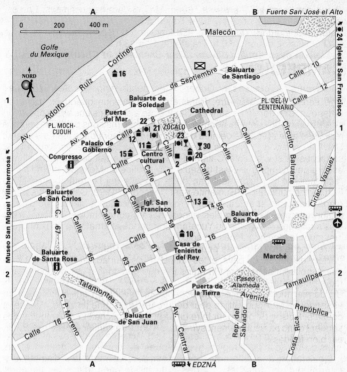

CAMPECHE

LE YUCATÁN

■ **Adresses utiles**

🛈 Office de tourisme gouvernemental
🛈 Office de tourisme municipal
🚌 Terminaux de bus
✉ Poste
1 Banque HSBC
2 Intertel (téléphone)

▲ **Où dormir ?**

10 Hostel del Pirata
11 Monkey Hostel
12 Hôtel Reforma
13 Hôtel Colonial
14 Hôtel Lopez
15 Hôtel América
16 Hôtel del Mar
20 Hostal La Parroquia

🍴 **Où manger ?**

20 La Parroquia
21 Restaurant del Parque et Restaurant Campeche
22 Marganzo
23 Casa Vieja de los Arcos
24 Restaurant La Pigua

🍸 **Où sortir ?**

23 Casa Vieja de los Arcos
30 Iguana Azul

➤ *Liaison avec Mérida :* avec *ADO,* départs pratiquement toutes les heures entre 8 h et 22 h. Quelques départs avec *Altos* (moins cher) et *ADO GL* (très luxueux et très cher). Trajet : 2 h 30.

➤ *Liaison avec Veracruz :* avec *ADO,* 2 départs quotidiens. Trajet : 12 h.

➤ *Liaison avec Palenque :* avec *ADO,* 2 départs, de nuit. Avec *Altos* (légèrement moins cher), départ à 21 h 45. Avec *Maya de Oro,* départ à minuit. Ce bus continue sur ***San Cristóbal de las Casas*** et ***Tuxtla Gutiérrez.*** Trajet : 5 h.

➤ *Liaison avec Villahermosa :* avec *ADO,* 5 départs quotidiens. En service luxe *(ADO GL),* départ à 16 h. Trajet : 5 h.

➤ *Liaison avec Mexico :* avec *ADO,* environ 6 départs quotidiens. Avec *ADO GL* (luxe), départ à 16 h. Trajet : de 17 à 18 h.

➤ *Liaison avec Xpujil (120 km avant Chetumal) et Chetumal :* départ à 12 h avec *ADO.* Trajet : 6 h.

🚌 *Terminal 2ᵉ classe :* av. Gobernadores *(hors plan par B2).* Dessert | les destinations locales et également :

➤ *Mérida :* départ toutes les 30 mn. Trajet : 3 h.
➤ *Chetumal :* 2 départs, le matin et le soir. Trajet : 6 h.

En avion

✈ *L'aéroport* est situé au sud de la ville.
➤ Une liaison quotidienne avec *Mexico* par *Aeromexico.*

Adresses utiles

🛈 *Office de tourisme gouvernemental (plan A1) :* plaza Moch Couoh, entre le *malecón* (front de mer) et le Palacio de Gobierno. ☎ 816-67-67. Fax : 811-92-29. ● www.campeche.gob.mx ● Ouvert du lundi au vendredi de 9 h à 14 h et les samedi et dimanche de 17 h à 20 h. Accueil sympa et compétent. Plans de la ville et de la région, avec la localisation des différents sites archéologiques. Infos et prix des hôtels et restos. N'hésitez pas à leur envoyer un mail si vous désirez des infos.

🛈 *Office de tourisme municipal (plan A2) :* situé dans le *Baluarte Santa Rosa.* ☎ 811-11-38. Ouvert du lundi au samedi de 9 h à 14 h et de 17 h à 20 h. Fermé le dimanche. Vous pouvez vous passer de la visite.

✉ *Poste* (plan B1) : à l'angle de l'avenida 16 de Septiembre et de la calle 53.

@ *Centres Internet* tous les 100 m dans le centre.

■ *Banque HSBC (plan B1, 1) :* calle 10 nº 311, face à la cathédrale. Ouvert du lundi au samedi de 8 h à 19 h. Accepte les devises et les chèques de voyage en dollars et en euros. Également des distributeurs de billets dans toutes les banques pour cartes *Visa* et *MasterCard.*

■ *Consigne :* au terminal de bus 1ʳᵉ classe *ADO.* Ouvert 24 h/24.

■ *Téléphone larga distancia* (plan B1, 2) : une *caseta telefónica, Intertel,* se trouve à deux pas du *zócalo,* calle 57. ☎ 811-43-52. Ouvert du lundi au samedi de 8 h à 22 h. Fermé le dimanche.

Où dormir ?

Très, très bon marché : moins de 210 $Me (14,70 €)

🛏 *Hostel del Pirata (plan B2, 10) :* calle 59 nº 47. ☎ 811-17-57. ● pirate hostel@hotmail.com ● Une AJ récente et avenante, à l'ambiance flibustier. Grands dortoirs de 16 lits superposés, bien agencés. Et quelques chambres. Salles de bains impeccables. Belle cuisine collective très conviviale. Terrasse où l'on prend le petit déjeuner (compris dans le prix). Location de vélos. Bonne ambiance routarde.

🛏 *Monkey Hostel (plan A1, 11) :* calle 57 et 10. ☎ 666-77-90. Fax : 889-00-00. ● www.hostelcampeche. com ● Chouette auberge d'une quarantaine de lits, en dortoirs de 8 personnes ou en chambres doubles (plus cher). Petit déjeuner compris. Central et très pratique, une mine d'infos sur les transports, les excursions, etc. Café Internet.

Hostal La Parroquia *(plan B1, 20)* : même adresse que le resto du même nom (voir « Où manger ? »). ☎ 816-25-30. Fax : 816-60-63. ● www.hostalparroquia.com ● Petite auberge de jeunesse comprenant 2 dortoirs et quelques chambres de 2 à 4 personnes. Compter autour de 200 $Me (environ 14 €) la double. Petit dej' inclus dans les prix. Sanitaires communs, cuisine à disposition. Agréable terrasse ombragée et plusieurs ordinateurs pour pianoter sur le Net. Accueil jeune et sympa.

Auberge de jeunesse Villas Deportivas : av. Agustin Melgar. ☎ 816-18-02. Au sud-ouest de la ville, dans le centre sportif universitaire. Assez excentré ; compter 15 mn en bus. Prendre le bus Universidad sur le boulevard qui entoure la vieille ville ou bien au marché municipal ; demander l'arrêt « Villas Deportivas » ou « Albergue de Juventud ». Chambres pour 4 personnes, non mixtes. Moins coquette que les précédentes.

Bon marché : de 210 à 300 $Me (14,70 à 21 €)

Hôtel Reforma *(plan A1, 12)* : calle 8 n° 257. ☎ 816-44-65. Les chambres ont été joliment rénovées. Nickel, avec sanitaires refaits à neuf. La patronne est souriante. Si vous aimez les broderies, elle se fera un plaisir de vous montrer sa passion. Un peu capharnaüm, mais sympa.

Hôtel Colonial *(plan B2, 13)* : calle 14 n° 122 (entre les calles 55 et 57). ☎ 816-22-22. Jolie maison, ancienne demeure du gouverneur espagnol. Les chambres sont mignonnes et sympas, hautes de plafond, avec petite salle de bains et ventilateur. Petits meubles peints. Calme et bien entretenu. On peut laisser ses bagages à la réception.

Prix moyens : de 300 à 500 $Me (21 à 35 €)

Hôtel Lopez *(plan A2, 14)* : calle 12 n° 189. ☎ 816-33-44. Fax : 816-30-21. Bel hôtel aux formes vaguement Art déco. Chambres confortables avec salle de bains, TV, téléphone, AC ou ventilo. Donnent toutes sur le patio. Éviter le rez-de-chaussée. Service de laverie. Parking.

Hôtel América *(plan A1, 15)* : calle 10 n° 252. ☎ 816-45-88. ● www.hotelamericacampeche.com ● Petit déjeuner inclus (sauf le dimanche). Chambres spacieuses, avec ventilateur ou AC (plus cher). Certaines donnent sur la rue, d'autres sur la cour intérieure. Préférez celles de l'étage, plus lumineuses. Grand corridor. Mobilier rustique. Salles de bains correctes. Lobby agréable avec une certaine recherche dans la déco. On a droit à 1 h d'accès gratuit à Internet. Mention bien.

Très chic : autour de 1 200 $Me (84 €)

Hôtel del Mar *(plan A1, 16)* : av. Ruiz Cortines. ☎ 811-91-91 et 87. Fax : 811-16-18. ● www.delmar.com. mx ● Très bien situé, proche du centre historique et face au *malecón* et à la mer (comme son nom le suggère). Le grand hôtel de Campeche. Tout confort, piscine, parking.

Où manger ?

Les gens du coin sont tous d'accord : les meilleurs *tacos* de Campeche se dégustent le long du *malecón* au nord de la ville ! Là, en face des paillotes moderno-colorées, et avant toutes les barques des pêcheurs, plein de petits

LE YUCATÁN

restos sous tente où l'on vient déguster des poissons tout frais. Au poids, *a la plancha*, pané, et le must : le *pampano* entier ! Plats entre 50 et 120 $Me (3,50 à 8,50 €), dans une ambiance populaire à souhait.

Bon marché : moins de 70 $Me (5 €)

I●I *La Parroquia* (plan B1, 20) : calle 55 n° 9, entre les calles 10 et 12. Ouvert 24 h/24. Grande salle ouverte sur la rue, décorée de fresques mayas et rafraîchie par de grands ventilos. Un endroit sans prétention qui sert la nourriture typique des *cantinas* mexicaines. Spécialités du jour et *pan de cazón* (sorte de *tortilla* fourrée au requin et haricots rouges, le tout recouvert d'une sauce tomate) ainsi qu'une carte très complète. Ambiance populaire et sympa. Comme c'est le même patron qu'au *Marganzo*, on y trouve les mêmes produits, en beaucoup moins cher. Parfait pour l'un des trois repas de la journée. Ou de la nuit ! Très bons petits déjeuners.

I●I *Restaurant del Parque* (plan A1, 21) : à un angle du *zócalo*, du côté opposé à la cathédrale. ☎ 816-02-40. Ouvert de 7 h à 23 h. Cuisine locale. Au menu, indifféremment plats de viande ou poisson. Aucun effort de déco et des néons lugubres en soirée. Surtout pour le petit dej'.

I●I *Restaurant Campeche* (plan A1, 21) : juste à côté du précédent. ☎ 816-21-28. Ouvert de 7 h à minuit. Grande salle ouverte sur le *zócalo* et la cathédrale. Un brin plus cher mais plus agréable, et la carte est plus variée. Menu gargantuesque. Pour le petit déjeuner, goûtez aux *huevos motuleños*, une spécialité du sud du Mexique : une *tortilla* recouverte de *frijoles*, d'un œuf au plat, de crème et de bananes frites. Un délice.

Prix moyens : de 80 à 180 $Me (5,60 à 12,60 €)

I●I *Marganzo* (plan A1, 22) : calle 8 n° 262. ☎ 811-38-98. Ouvre vers 7 h (plusieurs formules pour le petit déjeuner), ferme vers 23 h. L'un des restos chic de la ville. Salle climatisée. Jolies nappes sur les tables. Les serveuses sont habillées en costume qui se veut typique. Bonne cui-

sine, spécialités de poisson et salades de fruits de mer. Goûtez au *filete Marganzo*, une truite farcie aux crevettes et au lard. Ou bien à la spécialité du coin, le *pan de cazón*, à base de *tortillas* et de bébé requin. Service impeccable.

Plus chic : au-dessus de 250 $Me (17,50 €)

I●I *Casa Vieja de los Arcos* (plan B1, 23) : calle 10 n° 319. ☎ 811-80-16. Sur le *zócalo*, au 1er étage, sous les arcades. Prendre une table sur le balcon, d'où l'on domine le *zócalo*. Cadre génial. Des spécialités *campechena* et maya. Service sympa mais il semblerait que le rapport qualité-prix soit en baisse.

I●I *Restaurant La Pigua* (hors plan par B1, 24) : malecón Miguel Alemán 197-A. ☎ 811-33-65. Juste à côté de l'église Guadalupe, donc à l'extérieur des remparts. Ouvert jusqu'à 18 h seulement. Ne pas se fier au décor un peu terne, c'est un excellent restaurant de poisson et crustacés. Les plats de crevettes sont particulièrement réussis. Service à la hauteur des prix. Patron très sympa.

Où sortir le soir ?

Y *Iguana Azul* (plan B1, 30) : calle 55 n° 11, entre les calles 10 et 12. Petit resto dans la première

salle, et bar au fond. Déco sympa de bric et de broc. Belle collection de chapeaux. Quelques tables sous une tonnelle verdoyante. Bonne ambiance le samedi soir. Des musicos y viennent faire des bœufs et invitent les clients à danser. On y passe une bonne soirée.

🍷 Sans oublier le balcon fort agréa-ble du restaurant *Casa Vieja de los Arcos* (plan B1, 23). Grande sélection de *margaritas* (fraise, citron, melon, cacao, menthe...) et excellente *piña colada.*

À voir. À faire

🚶🚶 *Promenade dans la vieille ville :* c'est-à-dire à l'intérieur des fortifications. Celles-ci ont en grande partie disparu. Il y a environ 50 ans, un gouverneur, sous prétexte de chercher de l'or et un trésor hypothétique, fit démolir une partie des magnifiques murailles ; imaginez la même chose à Saint-Malo ou à Carcassonne ! Les trésors actuels sont la crevette et le pétrole. On peut quand même se balader un peu sur les *remparts.* Prenez également la *calle 59,* qui traverse la vieille ville entre la Puerta de la Tierra et la Puerta del Mar (la porte côté mer).

➤ Les flemmards pourront prendre le *Guapo* (route des forts) ou la *Tranvía de la ciudad* (petit car qui parcourt le centre historique). Départ du *zócalo* toutes les 45 mn entre 9 h 30 et 12 h 30, puis à 18 h, 19 h et 20 h. Explications en espagnol. Durée du circuit : 45 mn. Compter 70 $Me (4,90 €).

🚶🚶 *La Puerta del Mar* (plan A1) : c'est par là que les équipages des bateaux entraient dans la ville.

🚶🚶 *La Puerta de la Tierra* (plan B2) : la « porte de la Terre ». À l'angle des calles 18 et 59. Spectacle de *son et lumière* sur l'histoire des pirates et des fortifications les mardi, vendredi et samedi à 20 h ; tous les soirs en haute saison. Entrée gratuite. Traductions en français et anglais.

🚶 *Baluarte de la Soledad* (plan A1) : calle 8, à l'angle de la calle 57. ☎ 816-91-11. Il abrite le *musée des Stèles mayas.* Ouvert du mardi au samedi de 8 h à 20 h et le dimanche de 9 h à 13 h. Entrée : 25 $Me (1,75 €).

🚶 *Baluarte de San Carlos* (plan A1-2) : calle 8, à l'angle de la calle 65. Abrite le *museo de la Ciudad.* Ouvert du mardi au samedi de 8 h à 20 h et le dimanche de 8 h à 13 h. Entrée : 25 $Me (1,75 €). Grande maquette de la ville à l'époque coloniale. Modèles réduits de fortifications, avec des explications sur l'évolution des édifications des remparts de la ville. Du toit du fort, vue sur la mer.

🚶 *Centro cultural, Casa nº 6* (plan A1) : sur le *zócalo,* en face de la cathédrale. Ouvert tous les jours de 9 h à 21 h. Entrée libre. Dans cette grande bâtisse coloniale, quelques pièces meublées comme autrefois...

🚶🚶 *Museo de Arqueología maya* : à 4 km du centre-ville, dans le Fuerte San Miguel. ☎ 816-91-11. Ouvert du mardi au dimanche de 9 h 30 à 19 h 30. Entrée : environ 30 $Me (2,10 €). Dédié à la civilisation maya, les explications et présentations sont excellentes. Contient de belles pièces en provenance de tout l'État du Campeche. Une grande partie provient de Calakmul et de l'île de Jaina. Beaucoup de céramiques, de stèles, de sculptures... Le clou de la collection : 3 magnifiques masques funéraires, en jade, trouvés dans une tombe à Calakmul. Du toit, superbe vue sur la mer. On peut y aller à pied (compter 30 à 40 mn) ou prendre le petit car pour toutous, « El Guapo » (voir plus haut).

🚶 *Museo de Barcos y Armas :* Fuerte de San José El Alto, av. Morazán. Excentré. Du côté opposé au Fuerte San Miguel. Là encore, il faut prendre pour y aller la *tranvía* sur le *zócalo.* Musée ouvert de 8 h à 20 h. Fermé le lundi. Entrée : 25 $Me (1,75 €). Pour ceux qui ont toujours rêvé d'être pirate sans jamais oser l'avouer. Le musée raconte l'histoire du commerce de la ville. On y apprend que la richesse de la région vient du *palo de tinte,* un bois qui permettait la teinture des tissus et qui se vendait à prix d'or en Europe (on comprend l'appétit des flibustiers). Au retour, les navires rapportaient différentes marchandises, notamment des tuiles de France. On peut encore apercevoir quelques rares maisons qui n'ont pas succombé à la mode des toits plats.

🍴 *Casa de artesanías :* calle 10 n° 333, entre la 59 et la 61. Ouvert de 9 h à 20 h (14 h le dimanche). Expo et vente d'artisanat : broderies, coffrets peints...

➤ DANS LES ENVIRONS DE CAMPECHE

EDZNÁ

🎥🎥 Site archéologique à 50 km au sud-est de Campeche. Vous pouvez y aller en bus : premier départ vers 7 h (puis vers 10 h 30) dans la calle República, en face du jardin Alameda ; il vous dépose à 300 m des ruines ; compter un peu plus de 1 h de trajet ; attention pour le retour : demander à quelle heure passe le dernier bus (en général vers 14 h 30). Sinon, des agences de Campeche organisent l'excursion en matinée. Ouvert tous les jours de 9 h à 17 h. Entrée : 33 $Me (2,30 €). Sur place, ni hôtel ni resto.

Peu visité, Edzna doit être l'un des secrets les mieux gardés de l'État du Campeche ! Endroit très sauvage, ça vaut la peine d'y aller. Ce site archéologique se trouve en bordure de l'aire géographique du Río Bec. Il couvre une superficie d'environ 6 km². Mais bien sûr, la plupart des édifices sont recouverts par le maquis. Certaines structures avaient même été dégagées lors des premières fouilles, mais la nature a vite repris ses droits. Dans cette vallée fertile, les habitants se consacraient à l'agriculture grâce à tout un système de récupération des eaux de pluie (citernes naturelles et *chultunes*) et à un réseau de canaux.

La ville connut son apogée au classique tardif (600-900 apr. J.-C.). Elle reçut plusieurs influences, qui se reflètent dans son architecture. On trouve des édifices de style puuc, d'autres avec des traits caractéristiques du Petén ou du Río Bec et Chenes. La structure la plus haute est l'*Edificio de los Cinco Pisos* (« édifice de 5 étages »), surmonté d'un temple. Il fait 31 m de haut. On suppose que les quatre premiers étages, avec leurs galeries voûtées, servaient d'habitations aux prêtres. Quatre-vingt hiéroglyphes mayas sont gravés sur les marches, certains sont dans un excellent état de conservation. Une partie des sculptures qui décoraient la pyramide ont été déplacées et se trouvent sous la *palapa*, juste après l'entrée. Bel écho lorsqu'on tape dans ses mains devant la pyramide à 5 étages. Autour de la place centrale, on peut voir la *Nohochná*, la *Casa de la Luna*, le *Temazcal* (bains de vapeur). En se promenant, pousser un peu plus loin jusqu'à la *plataforma de los Cuchillos* (« plateforme des Couteaux »).

Au début du mois de mai, phénomène astro-architectural : alors que le soleil se couche, la porte d'entrée du temple principal s'illumine. En juillet se déroule une cérémonie consacrée au dieu des Pluies, Chac. Cette tradition ancestrale, appelée *Chachaak*, réunit des milliers de Mayas et a pour but de favoriser la pluie. Le rassemblement est organisé par le Conseil suprême maya, qui bénéficie d'une forte autorité religieuse et même politique.

LES SITES MAYAS DU RÍO BEC

La région du Río Bec, partie intégrante de l'État du Campeche et très proche de la frontière nord du Guatemala, recèle de nombreux sites (Calakmul, Chicanná, Becan, et bien d'autres !). Certes, ils ne sont pas encore très connus, car ils sont restés longtemps enfouis dans les milliers d'hectares de jungle, mais ils émergent peu à peu.

Comment y aller ?

Voir plus haut la rubrique « Arriver – Quitter » à Campeche.

➤ La compagnie *ADO* relie Campeche à Chetumal, via Xpujil une fois par jour. Des bus 2e classe partent également pour Chetumal 2 fois par jour. La compagnie *Sur*, qui dessert les villes entre le golfe du Mexique et Chetumal, via Escarcega (6 par jour), s'arrête à Xpujil.

À Xpujil, le terminal des bus se trouve en plein centre, à côté de l'hôtel *Victoria*, où l'on achète son billet. Si vous avez choisi un des lieux d'hébergement ci-dessous, autre qu'à Xpujil, demandez au chauffeur de vous laisser descendre à proximité (crucero de Conhuas ou de Chicanná).

➤ De Xpujil, si l'on est plusieurs, on peut prendre un taxi à la journée pour aller visiter les sites. Sinon, les lieux d'hébergement que nous mentionnons à proximité des sites organisent des excursions.

➤ En voiture, la route entre Escarcega et Chetumal est meilleure dans sa partie Quintana Roo (plus riche sûrement !) que dans celle du Campeche... Mais pas de difficultés.

Où dormir ? Où manger dans le coin ?

🛏 |◐| *Campement de la réserve :* à environ 6 km du carrefour de *Conhuas*, sur la route du site de Calakmul. ☎ (983) 871-60-64. • ciit calakmul@prodigy.net.mx • En plein dans la jungle, Leticia, Fernando et leurs enfants proposent des tentes à 150 $Me (10,50 €), très rudimentaires. Plats préparés avec des produits locaux naturels. Vente de petit artisanat. Leticia connaît la jungle comme sa poche et sait détecter la présence des singes par l'odeur de leurs déjections. Commentaires en anglais ou en espagnol pour la visite du site et de la réserve de Calakmul. Si vous voulez plonger dans ce monde mystérieux et envoûtant d'une cité perdue dans cette immense mer végétale, négociez un forfait à la journée, repas inclus. Organise aussi des circuits avec bivouac dans la forêt.

🛏 |◐| *Puerta Calakmul :* au km 98, sur la route d'Escarcega à Chetumal, près du carrefour de *Conhuas* (d'où part la route de Calakmul). Réservations : ☎ 898-16-41 (à Cancún). • www.puertacalakmul.com. mx • Dans la forêt, spacieux bungalows rustiques joliment décorés, avec salle de bains et moustiquaire fournie, autour de 800 $Me (56 €) pour deux. Essayer de négocier.

🛏 |◐| *Río Bec Dreams :* km 142, sur la gauche en direction de Chetumal, à environ 150 m de la route et 2 km avant le carrefour de *Chicanná.* ☎ (983) 124-05-01. • www. riobecdreams.com • Compter 350 $Me (24,50 €) pour deux. Sympathiques *« jungalows »*, tenus par une Anglaise, spirituelle et accueillante (*« maybe the only English woman in the jungle »*, dit-elle !). Toutes sortes de *cabañas* sur pilotis éparpillées dans un parc fleuri à souhait : pour dormir (avec moustiquaire), pour les douches, mais aussi cabanes avec bains...

🛏 |◐| *Chicanná Village :* km 144, au carrefour pour le site du même nom, mais prendre la route opposée ; poste de contrôle visible de la route ; à un bon kilomètre dans la forêt. ☎ (983) 871-60-75. Fax : 871-60-74. • ricardotrueba@yahoo.com. mx • Très chic et très cher (environ 1 300 $Me pour deux, soit 91 €), taxe incluse mais petit déjeuner à la carte en sus. Magnifiques bungalows sur pilotis noyés dans la verdure et les fleurs, conçus de façon écologique : tout fonctionne à l'énergie solaire, l'eau et le compostage sont assurés sur place. Style village-club, mais les groupes disposent de leur propre resto. Au menu, des recettes inventées à l'écovillage. Calme assuré, mais accueil facétieux. Piscine. Minibus pour les excursions. La forêt qui entoure l'hôtel est riche d'animaux que l'on peut voir passer.

🛏 |●| ▄ *El Mirador Maya :* à *Xpujil,* sur la droite dans la descente en venant de Campeche. ☎ (983) 871-60-05. Compter autour de 400 $Me (28 €) pour deux. Cartes de paiement acceptées. Quelques *cabañas* en bois bien tenues, dans la cour en retrait de la route, avec ventilo, terrasse privative. Grande *palapa-* restaurant où l'on sert de bons plats et jus de fruit bien frais. Possibilité de visiter les sites de Chicanná / Becan / Xpuhil : 400 $Me (28 €) pour deux ; pour Calakmul 800 $Me pour deux (56 €).

|●| Près du carrefour et autour du terminal des bus de Xpujil, ainsi qu'au marché, plusieurs gargotes qui servent une *comida corrida* correcte.

À voir

🚶🚶🚶 *La biosphère et le site de Calakmul :* à 310 km de Campeche, 175 km de Chetumal, et une trentaine de la frontière du Guatemala. Du carrefour de Conhuas, sur la route Escarcega-Chetumal, il y a environ 60 km à parcourir par une petite route sinueuse à travers la jungle. Vitesse limitée à 30 km/h. Après le poste de contrôle d'entrée dans la réserve, il n'y a pas de village. De plus, le site est immense et on ne peut aller partout (risque de se perdre). Il se trouve au cœur de la réserve de la biosphère de Calakmul, inscrite depuis 2002 au Patrimoine de l'Humanité de l'Unesco. On conseille donc d'y aller accompagné ou en excursion. Penser à emporter de l'eau.
Site ouvert de 8 h à 17 h. Entrée : 35 $Me + 10 $Me (2,45 + 0,70 €) pour l'entrée dans la réserve. Latrines écologiques (lire la notice pour leur fonctionnement, en français !).
– *La réserve :* abrite d'innombrables variétés de bestioles : 354 espèces d'oiseaux, dont des migrateurs, presque autant de papillons, 25 de serpents (ah ! ils sont mignons ces petits rouges qui se faufilent sur les marches des pyramides !), des pumas, chats sauvages, jaguars (mais difficiles à voir)... On y trouve aussi quelque 70 espèces d'orchidées. Les villages environnants pratiquent l'agriculture organique en alternance, l'apiculture et la médecine naturelle.
– *Le site :* la balade dans les sous-bois est très agréable le long d'un sentier balisé, et peut durer de 2 h jusqu'à 4 h pour les plus courageux. Calakmul fut une très importante ville maya, en fait le centre du royaume de la Tête de Serpent. À l'époque préclassique, elle était forte de 50 000 habitants. Au sommet de sa gloire, vers 650 apr. J.-C., elle dominait de nombreuses cités des terres basses, dont Tikal (distante de 100 km) centre du royaume de la Griffe de Jaguar, et qui fut d'ailleurs son éternelle rivale. On y retrouve le même style d'architecture qu'à Tikal (style Petén), mais aussi le style Río Bec, particulier aux villes mayas de la région. Les principaux monuments et leurs fonctions sont d'époques différentes et reflètent la vie et l'histoire de Calakmul : le Grand Acropole, le jeu de balle *(pelota),* la Grand-Place, les stèles (structure V), très nombreuses, mais beaucoup des motifs sculptés ont été découpés et volés après le déclin du royaume, de même que les objets en jade. Ce qui a été retrouvé est exposé au musée de Campeche. Pyramide impressionnante qui domine la jungle (structure I) jusqu'au Guatemala.

🚶🚶 *Chicanná :* km 144, sur la droite en allant vers Chetumal, et à une dizaine de kilomètres avant Xpujil. Ouvert de 8 h à 17 h. Entrée : 30 $Me (2,10 €). Petit site qui se visite en 1 h 30. La structure I est un des meilleurs exemples du style Río Bec, avec son orientation à l'ouest et ses tours massives de chaque côté. Les six chambres représentent le symbole et la synthèse des hautes autorités politique et religieuse qui dirigeaient la société maya ancienne. Le bâtiment situé à l'est de la place (structure II), possède une des façades les mieux conservées ; l'entrée est la bouche – de la Tête de Serpent – , les toits étaient faits de palmes et bois.

🎥 *Becán :* environ 2 km après Chicanná en allant vers Chetumal, tourner à gauche et aller au fond du village. Ouvert de 8 h à 17 h. Entrée : 33 $Me (2,30 €). Un petit joyau, avec de très beaux édifices du style Río Bec. La seule cité maya entourée de douves aujourd'hui asséchées. Dans ce site, on devine mieux l'aspect que devaient avoir les constructions d'habitation : les étages, les pièces avec leurs banquettes, les bains de vapeur, mais toujours avec des motifs évoquant la Tête de Serpent.

MÉRIDA   950 000 hab.   IND. TÉL. : 999

Située à 1 530 km de Mexico, Mérida, capitale du Yucatán, est une cité étendue, extrêmement vivante et bruyante dans la journée, grouillante aux abords de son grand marché. Longtemps dénommée « la ville blanche », ça fait belle lurette qu'elle aurait dû changer de surnom : elle est plutôt de couleur grise. Néanmoins, on trouve quelques beaux restes de l'héritage colonial dans le centre-ville. Si on ne recherche pas la plage, Mérida est un point de départ pratique pour rayonner dans la péninsule, surtout si l'on se limite aux grands sites archéologiques comme Uxmal et Chichén Itzá ou aux villes coloniales de Valladolid ou Izamal. Le nombre de touristes que vous y croiserez le prouve. Un dernier mot : évitez de circuler en voiture dans le centre-ville, le stationnement est un vrai casse-tête.

UN PEU D'HISTOIRE

Après plusieurs années de combats, les Espagnols, conduits par le conquistador Francisco de Montejo (le fondateur de Campeche), entrèrent dans l'ancienne ville maya au milieu du XVIe siècle (1542). Ils trouvèrent une cité dont l'architecture leur fit penser à Mérida, en Espagne. « Qu'à cela ne tienne ! s'exclama le conquérant, nous lui donnerons le même nom. » Mérida (bis) était née. L'ancien site maya fut carrément détruit, et les pierres des temples et des pyramides permirent d'édifier la nouvelle cité. Celle-ci servit de point de départ à la conquête du reste de la péninsule, qui fut achevée 4 ans plus tard. L'entreprise fut facilitée par les inimitiés qui divisaient les Mayas. Dès 1542, le descendant de la dynastie fondatrice d'Uxmal, Ah Kukum Tutul Xiú, l'un des caciques les plus puissants du Yucatán, avait proposé son alliance aux Espagnols et fut baptisé dans la foulée.

Mérida connut dès sa création un important essor commercial. Les beaux édifices coloniaux fleurirent, la culture de l'agave *(henequen)* se développa. À partir de 1847 et jusqu'à la fin du XIXe siècle, cette région du Yucatán fut le théâtre d'une guerre civile, la guerre des Castes, révolte des tribus mayas armées par les négociants britanniques du Belize. La rébellion fut finalement écrasée en 1901, avec la prise de Chan Santa Cruz et Bacalar.

Topographie

Peu de poésie : les rues ont pour nom des numéros. Repérage très facile... une fois qu'on a compris le système ! Toutes les rues nord-sud sont paires, toutes celles est-ouest sont impaires. Le *zócalo* (place centrale) est coincé entre les calles 61, 63, 62 et 60.

Arriver – Quitter

En bus

Les deux *terminaux de bus de 1re et de 2e classes* sont l'un à côté de l'autre (*hors plan par A3* et *plan A3*). On rejoint le centre-ville à pied en quelques minutes.

Attention, en haute saison, quelle que soit votre destination, allez acheter votre billet à l'avance, surtout pour Chichén Itzá et Uxmal, dont les billets sont vendus seulement la veille (en théorie). Pas de bus direct entre Chichén Itzá et Uxmal, il faut forcément repasser par Mérida. Enfin, faites attention à vos affaires en cours de trajet. Des plaintes sont enregistrées chaque jour au poste de police. Ne laissez pas vos sacs contenant les objets précieux (appareil photo...) sur les grilles en hauteur ou à vos pieds, mais gardez-les près de vous.

Terminal Autoprogreso *(plan A3, 16) :* calle 62 n° 524, entre les calles 65 et 67. ☎ 928-39-65.

➢ **Pour Dzibilchaltún :** 2 bus en matinée, vers 7 h 20 et 9 h 20, qui vous laissent à 500 m environ de l'entrée des ruines. Bus dans l'après-midi pour retourner à Mérida.

MÉRIDA

🚌 Terminal Noreste *(plan B3, 17)* : calle 67 n° 531, entre les calles 50 | et 52. ☎ 924-63-55. C'est le terminal des bus *Oriente*.

➤ **Liaison avec Celestún :** 85 km. Bus toutes les heures environ, de 5 h 15 à 20 h 30. Trajet : 2 h.

➤ **Liaison avec Izamal :** 70 km. Bus environ toutes les heures, de 5 h 15 à 21 h. Trajet : 1 h 30.

➤ **Liaison avec Río Lagartos :** 70 km. Bus de 2e classe à 9 h et 16 h. Bus de 1re classe à 17 h 30. Trajet : 6 h en 2e classe, 4 h en 1re classe.

🚌 Terminal 2e classe *(plan A3, 18)* : calle 69 n° 554, entre les calles 68 et 70. ☎ 923-22-87 et 44-40. Consigne à bagages de 6 h à | 21 h 30. Quatre compagnies principalement : *Mayab, Oriente, Sur* et *ATS*.

➤ **Liaison avec Uxmal :** 80 km. Bus de la compagnie *Sur*. Environ 5 départs par jour. Trajet : 1 h 30.

➤ **Pour la Ruta Puuc :** avec la compagnie *ATS*. Le car part à 8 h. Il passe par les sites de Sayil, Labná, Xlapak, Kabah et Uxmal. Retour à Mérida à 16 h 30. Voir plus loin « La Ruta Puuc. Comment y aller ? ».

➤ **Liaison avec Chichén Itzá :** 120 km. Avec *Oriente*, bus environ toutes les heures, de 5 h à 20 h. Trajet : 2 h 30.

➤ **Liaison avec Oxkutzcab** *(grottes de Loltún)* : 90 km. Avec *Mayab*, départ toutes les heures, de 4 h à 23 h 15. Sur place, prendre un *combi* pour les grottes. Trajet : 2 h.

➤ **Liaison avec Valladolid :** 185 km (par la nationale). Avec *Mayab* et *Oriente*, départ chaque heure, de 6 h à minuit. Trajet : 3 h 15.

➤ **Liaison avec Cancún :** 320 km. Mêmes bus que pour Valladolid ; ils prennent la nationale. Trajet : 6 h.

➤ **Liaison avec Chiquilá** *(Isla Holbox)* : 320 km. Un seul bus avec *Oriente* vers 23 h 30 qui s'arrête, entre autres, à Valladolid vers 2 h 30 du matin. Trajet : 6 h.

➤ **Liaison avec Campeche :** 170 km. Avec *ATS* et *Sur*, une huitaine de départs par jour. Trajet : 1 h.

➤ **Liaison avec Villahermosa :** 630 km. De 8 à 9 départs quotidiens, entre 5 h 30 et 22 h 30. Trajet : de 9 h à 10 h.

➤ **Liaison avec Chetumal :** 456 km. Avec *Mayab*, départs à 7 h, 17 h et 23 h 15. Trajet : 7 h.

➤ **Liaison avec Tulum** *(puis Playa del Carmen)* : avec *Mayab*, 5 départs par jour, de 6 h à 23 h 45.

🚌 Terminal CAME 1re classe *(hors plan par A3)* : calle 70 n° 555, entre les calles 69 et 71 (à côté du précédent). ☎ 924-83-91. Pour réservations et livraison de billets à | domicile : ☎ 924-08-30. Consigne. Compagnies : *ADO* et, pour le service de luxe, *ADO GL* et *UNO* (le top !). En direction de Cancún, tous les bus prennent l'autoroute.

➤ **Liaison avec Valladolid :** 185 km. Avec *ADO*, une douzaine de départs, de 5 h 30 à 18 h. Trajet : 2 h.

➤ **Liaison avec Cancún :** 320 km. Avec *ADO*, une vingtaine de départs, toutes les heures environ, de 5 h 30 à minuit. Avec *ADO GL*, 5 départs de 8 h 30 à 19 h 30. Deux départs avec *UNO*, le premier tôt le matin, l'autre le soir. Trajet : 4 h.

➤ **Liaison avec Playa del Carmen :** 350 km. Avec *ADO*, 11 départs, de 5 h 45 à minuit. Avec *ADO GL*, un départ en début d'après-midi. Trajet : 5 h.

➤ **Liaison avec Tulum :** avec *ADO*, 3 départs quotidiens.

➤ **Liaison avec Chetumal :** 456 km. Avec *ADO*, environ 4 départs quotidiens. Trajet : 6 h 30.

➤ *Liaison avec Campeche :* 170 km. Avec *ADO,* départ toutes les heures, de 5 h 30 à 22 h. Avec *ADO GL,* 2 départs, l'un en matinée, l'autre en début de soirée. Trajet : 2 h 30.

➤ *Liaison avec Palenque :* 520 km. Avec *ADO,* départs à 8 h 30, 22 h et 23 h 30. Trajet : 7 h 30.

➤ *Liaison avec San Cristóbal de las Casas :* 744 km. Avec *ADO,* départ vers 19 h 15. Trajet : 12 h.

➤ *Liaison avec Oaxaca :* avec *ADO,* un seul bus le vendredi à 19 h 10.

➤ *Liaison avec Villahermosa :* 630 km. Avec *ADO,* 8 départs par jour, de 7 h 15 à 23 h 45. Avec *ADO GL,* un départ en fin d'après-midi. Avec *UNO,* 2 départs en soirée. Trajet : 9 h.

➤ *Liaison avec Puebla :* 1 442 km. Avec *ADO,* un départ en début de soirée. Trajet : 22 h.

➤ *Liaison avec Mexico* (terminal TAPO) *:* 1 577 km. Avec *ADO,* 4 à 5 départs, de 10 h à 21 h 15. Avec *ADO GL,* 2 départs dans l'après-midi. Trajet : 24 h.

En voiture

➤ *De et pour Valladolid et Cancún :* il y a une autoroute à péage, recommandée si vous voulez éviter la multitude de *topes* et nids-de-poule de la route nationale, mais assez chère. Pour accéder à l'autoroute, suivre les panneaux qui indiquent « Cancún Cuota ». Attention, il n'y a que deux sorties (l'une pour Chichén Itzá, l'autre pour Valladolid). Penser à faire le plein d'essence avant. Pour prendre la nationale (beaucoup plus lent mais nettement moins monotone), suivre « Cancún libre ».

En avion

■ *Compagnies aériennes :* voir plus bas, les « Adresses utiles ».
➤ Liaisons avec *Mexico, Cancún, Miami* et *Houston.*

Arrivée à l'aéroport

✈ Le petit *aéroport international* est à 15 mn à peine du centre-ville en taxi (le matin tôt !).
– Bus n° 79 « Aviación » ; compter 30 mn de trajet entre le centre-ville et l'aéroport. Fonctionne de 6 h à 22 h environ, toutes les 30 mn environ. En ville, on le prend calle 67, entre 60 et 62. Sinon, prendre un taxi, mais c'est cher.

■ *Informations à l'aéroport :* ☎ 946-16-78.
🛈 *Office de tourisme de l'aéroport (Información Turística) :* ouvert du lundi au samedi de 8 h à 21 h. Possibilité de réserver une chambre par téléphone depuis l'aéroport ; ça peut servir en haute saison. Demander le journal *Explore Yucatán ;* gratuit et plein d'infos utiles.
■ *Téléphone (larga distancia) :* ouvert tous les jours de 8 h à 21 h.
■ *Bureau de change :* ouvert tous les jours de 8 h à 20 h. Taux de change moins intéressant qu'en ville.

Adresses utiles

Infos touristiques

🛈 *Office de tourisme gouvernemental (plan A-B2-3, 1) :* en plein centre, à l'angle des calles 59 et 60, à côté du théâtre Peón Contreras. ☎ 924-92-90. Ouvert tous les jours de 8 h à 20 h. On y trouve les horaires de bus pour les sites archéologiques et toutes les grandes villes. Fichier avec les agences de location de voitures, les hôtels et restos de la ville.

🛈 *Office de tourisme municipal* *(plan A3, 2) :* calle 62 ; entre les calles 61 et 63. ☎ 942-00-00 (poste 133). Ouvert du lundi au samedi de 8 h à 20 h et le dimanche de 8 h à 14 h. Accueil très sympathique et on parle un peu le français. Bonne carte de la ville. On peut demander les tarifs des hôtels et faire des réservations. Renseigne aussi sur les horaires des autobus. Demander le calendrier des événements culturels de la ville, et Dieu sait s'il se passe plein de choses à Mérida ! Organise des visites commentées de la ville. Voir plus loin « À voir ».

Poste et télécommunications

✉ *Poste* (plan B3) : à l'angle des calles 65 et 56. Ouvert en semaine de 8 h à 14 h 30.

■ *Téléphone larga distancia* (plan B2-3, 3) : calle 59 n° 495, presque au coin avec la 58 ; à côté de l'entrée du *Plaza Internacional.* ☎ 124-80-44. Ouvert tous les jours de 9 h à 20 h 30 (20 h le dimanche). Fait aussi agence de voyages, avec des tarifs intéressants pour les billets d'avion.

▨ *Internet La Habana* (plan A2, 45) : au 1er étage du resto *La Habana.* Gros avantage : ouvert 24 h/24. Dans une salle climatisée. Connexion rapide par câble. Nombreuses autres adresses dans le centre-ville.

Argent, change

En règle générale, le taux de change des banques est plus favorable que celui des bureaux de change *(casas de cambio).*

■ *Banque Banamex* (plan A3, 4) : sur le *zócalo,* dans la Casa de Montejo. ☎ 924-10-11. Ouvert du lundi au vendredi de 9 h à 17 h et le samedi de 9 h à 16 h. Change (en semaine uniquement pour les chèques de voyage). Guichet automatique. Profitez-en pour admirer la façade de cette belle demeure (voir plus loin « À voir »).

■ *Banque Bancomer* (plan A3, 5) : calle 65, entre les calles 62 et 60. Ouvert du lundi au vendredi de 9 h à 16 h et le samedi de 10 h à 14 h. Change les euros et les dollars. Distributeur automatique pour cartes *Visa* et *MasterCard.* Sinon, banque *Banorte* juste en face (qui accepte les chèques de voyage).

■ *Banque Santander* (plan B2-3, 6) : à l'angle des calles 59 et 56. ☎ 923-44-11. Ouvert du lundi au vendredi de 9 h à 16 h. Change les espèces et les chèques de voyage. Distributeur de billets.

■ *Casa de cambio Canto* (plan B3, 7) : calle 61 n° 468 ; entre les calles 54 et 52. ☎ 928-04-58 et 88. Ouvert du lundi au vendredi de 8 h 30 à 19 h et le samedi jusqu'à 13 h. Accepte les chèques de voyage. Taux de change intéressant. Une autre *casa de cambio* à droite de la cathédrale, pasaje de la Revolución : ouvert jusqu'à 18 h 30 (15 h le dimanche). Pratique, mais taux désavantageux.

Représentations diplomatiques

■ *Consulat de France* (hors plan par A1, 8) : Señora Guadalupe Martín de Mendez, calle 33 B n° 528, entre les rues 62 A et 72 (Reforma). ☎ 925-28-86 (24 h/24, mais uniquement en cas d'urgence). Fax : 925-22-91. Téléphoner pour fixer rendez-vous. En cas de difficultés financières, le consulat peut vous indiquer la meilleure solution pour que des proches puissent vous faire parvenir de l'argent ; il peut aussi vous assister juridiquement en cas de problèmes.

■ *Consulat du Belize* (plan B2) : calle 53 n° 498, entre les calles 56

et 58. ☎ 928-61-52. Ouvert du lundi au vendredi de 9 h à 13 h.
■ *Immigration :* av. Colón 507, à l'angle avec la calle 8. ☎ 925-50-09.

Ouvert en semaine de 9 h à 13 h. Pour prolonger la durée de votre séjour au Mexique.

Urgences

■ *Police touristique :* ☎ 925-25-55 (poste 260) et 983-11-84.
■ *Santé :* clinique *Centro Médico de las Américas – CMA (hors plan*

par B1), calle 54 n° 365, à l'angle avec l'av. Pérez Ponce. ☎ 926-26-19 ou 21-11. *Urgences :* ☎ 927-31-99.

Loisirs, culture

■ *Alliance française (hors plan par B1, 9) :* calle 23 n° 117, à l'angle de la calle 24, à deux pas du prolon-

gement de l'avenida Montejo. ☎ 927-24-03. Fax : 926-99-90. Revues et journaux, vidéos de films français.

Compagnies aériennes

■ *Mexicana (plan B1, 10) :* paseo Montejo, entre les calles 43 et 45. ☎ 924-66-33. Ouvert de 9 h à 18 h 30. À l'aéroport : ☎ 946-13-62 ou 32. Ouvert de 8 h à 18 h 30. Vols quotidiens sur Mexico.
■ *Aeromexico (hors plan par B1) :* plaza Americana, av. Colón ; au pied de l'hôtel *Fiesta Americana.* ☎ 920-12-93 et 946-14-00. • www. aeromexico.com • Ouvert du lundi au vendredi de 9 h à 19 h et le samedi de 9 h 30 à 18 h. À l'aéroport : ☎ 946-13-05 ou 14-00. Vols quotidiens vers Mexico et nombreuses connexions nationales et internationales.

■ *Aerocaribe (plan B2, 11) :* paseo Montejo 500 B, entre les calles 45 et 47. ☎ 942-18-60. • www.aerocari be.com • Ouvert du lundi au vendredi de 9 h à 18 h et le samedi de 9 h à 14 h. Vols sur Cancún, Cozumel, le Chiapas, Veracruz, Villahermosa, Tuxtla Gutiérrez, La Havane.
■ *Aviacsa (hors plan par B1) :* plaza Americana, av. Colón ; au pied de l'hôtel *Fiesta Americana.* ☎ 925-68-90. À l'aéroport : ☎ 946-18-50 ou 01-800-006-22-00 (n° gratuit). • www. aviacsa.com.mx • Ouvert du lundi au vendredi de 9 h à 19 h et le samedi de 9 h à 13 h. Vols quotidiens sur Mexico. Tarifs intéressants.

Location de voitures

Les agences ne sont pas très loin les unes des autres ; pratique pour comparer. En général, elles sont ouvertes le matin jusqu'à 13 h et l'après-midi de 16 h (ou 17 h) jusqu'à 20 h.

■ *Mexico Rent-a-Car (plan B2) :* calle 57 A n° 491 (appelée callejón del Congreso), entre les calles 58 et 60, à 50 m du café *El Peón Contreras.* ☎ 923-36-37. Également un bureau d'information calle 62, entre la 57 et la 59.
■ *Tourist Car Rental (plan A-B2, 12) :* calle 60, entre les calles 45 et 47. ☎ 924-94-71 (24 h/24). Tenu avec sérieux par Daniel. Bons tarifs, mais le parc automobile est réduit et il vaut mieux réserver à l'avance. S'il n'a plus

de voiture disponible, allez chez son frère, à *Maya Car Rental (plan B2, 13),* calle 60 n° 452. ☎ 924-46-94.
■ *Budget (plan A2, 14) :* calle 60, entre les calles 55 et 57, à côté de l'hôtel *Mérida.* ☎ 928-67-59. Bureau à l'aéroport : ☎ 946-13-23 ou 01-800-712-03-24 (n° gratuit). Plus cher que les précédents.
■ *Avis (hors plan par B1) :* av. Colón ; à côté de l'hôtel *Fiesta Americana.* ☎ 925-25-25. À l'aéroport : ☎ 946-15-24.

LE YUCATÁN

Divers

■ *Laverie La Fe* (plan A3, *15*) : calle 61 n° 518, presque au coin avec la calle 64. ☎ 924-45-31. Ouvert du lundi au vendredi de 8 h à 19 h et le samedi de 8 h à 17 h.

■ *Taxis :* ☎ 923-40-46 ou 96, ou 928-53-16. Prix fixes (valables jour et nuit) en fonction de la zone, généralement affichés sur le pare-brise.

Où dormir ?

Si vous disposez d'un véhicule, choisissez un hôtel avec *estacionamiento*. C'est vraiment la galère pour se garer dans le centre-ville. À Mérida, pas ou peu de changement de prix selon la saison, mais vous pouvez négocier 10 à 20 % de remise dans les adresses « chic » et « plus chic » si l'hôtel n'est pas complet.

Très bon marché : moins de 210 $Me (14,70 €)

▲ *AJ Hostel Nómadas* (plan A2, *20*) : calle 62 n° 433. ☎ 924-52-23. Fax : 928-16-97. ● www.nomadastra vel.com.mx ● Fait partie du réseau *Hostelling International.* Tenue par Raoul, un Vénézuélien très sympa qui parle parfaitement le français et qui est incollable sur les hamacs. Le petit dej' est compris. Dortoirs de 4 à 8 lits non mixtes, avec salle de bains commune. Pour ceux qui ont besoin d'air, il y a un coin hamacs dans le jardin. Également quelques chambres avec ou sans salle de bains, plus chères. Cuisine et salle commune. Organise des excursions (très bon marché) dans les sites archéologiques du coin ainsi que du snorkelling dans les *cenotes,* et vend des billets d'avion à prix imbattables.

▲ *AJ Hostel Zócalo* (plan A3, *21*) : calle 63 n° 508, en plein sur le *zócalo*, à côté de la *Casa de Montejo* (rien que ça !). ☎ 930-95-62. Dans une ancienne et immense bâtisse coloniale. Ce fut la demeure du poète José Peón y Contreras. Grandes chambres reconverties en dortoirs, avec des lits simples ou doubles recouverts de moustiquaires. Cuisine collective, salle de TV, laverie, accès Internet. Douches avec eau chaude. Et bien sûr une superbe vue sur le *zócalo*.

▲ *Hôtel Margarita* (plan A3, *22*) : calle 66 n° 506, entre les calles 61 et 63. ☎ 923-72-36. Dans une maison rose qui possède un certain cachet. Chambres avec salle de bains et ventilo. Celles avec AC sont trop chères. L'ensemble est bien tenu. Préférer les chambres à l'arrière à cause de la circulation, mais attention, certaines, sans réelle fenêtre, sont un peu sombres. Parking.

Bon marché : de 210 à 300 $Me (14,70 à 21 €)

▲ *Casa Bowen* (plan A3, *23*) : calle 66 n° 521 B, entre la 65 et la 67. ☎ et fax : 928-61-09. Ancienne demeure de style colonial. Deux patios encadrés de colonnes doriques et une troisième courette verdoyante pour prendre le frais. Chambres à la déco désuète mais sympathique. Avec salle de bains, ventilo ou AC. Celles à l'avant sont bruyantes. Préférer une chambre au

1er étage. Éviter le bâtiment moderne de la section B, sans grand intérêt par rapport à la bâtisse principale et mal surveillé. Accueil sympa. Parking.

▲ *Hostal del Peregrino* (plan B2, *24*) : calle 51 n° 488, entre la 54 et la 56. ☎ 924-54-91 et 30-07. ● www. hostaldelperegrino.com ● Une AJ assez récente, installée dans une ancienne et belle maison coloniale.

Admirez les sols en carrelage : ils sont absolument magnifiques, et en plus, brillants de propreté. Grandes chambres avec quelques lits individuels. Sanitaires nickel. Également des chambres doubles avec salle de bains, ventilo et TV. Belle cuisine et bar sur le toit. On est loin de l'ambiance bohème des autres AJ. Ici, tout est ordonné et très propre. C'est peut-être ce qui justifie des prix plus élevés. L'auberge de jeunesse chic de Mérida !

🛏 *Posada Pellegrin* (plan B2, 25) : calle 49 n° 488, entre la 54 et la 56. ☎ 924-21-63 ou 923-86-64. Une dizaine de très grandes chambres avec coin salon et cuisine ; 1, 2 ou 3 lits ; ventilo et AC, TV câblée. Certaines disposent d'une entrée indépendante donnant sur la rue, comme des studios. Petit resto pour le petit dej'. Bien tenu et bon rapport qualité-prix.

🛏 *Hôtel El Caminante* (plan A3, 26) : calle 64 n° 539, entre les calles 65 et 67. ☎ 923-67-30 ou 924-96-61. Ici, le temps s'est arrêté dans les années 1960. Genre motel, sans personnalité, mais propre. Prix intéressants pour 3, 4 ou 5 personnes. Plusieurs tarifs. Grandes chambres avec ventilo (moins chères) ou AC, avec ou sans TV ; toutes avec douche et eau chaude. Lits confortables, mais éclairage au néon. Calme, mais éviter les chambres proches de la rue. Parking.

🛏 *Hôtel Trinidad B & B* (plan A2, 27) : calle 62 n° 464, entre les calles 55 et 57. ☎ 923-20-33 ou 924-98-06. ● www.hotelestrinidad.com ● Petit dej' continental inclus. L'hôtel le plus cher de sa catégorie, mais un charme certain. Vaste hall agrémenté de gracieuses plantes vertes, de chaises à la florentine, d'un grand bar en bois patiné. Chambres toutes différentes. Les *sin baño* entrent dans la catégorie « très bon marché ». D'autres avec AC et TV. Visitez-en plusieurs avant de vous décider. Toute la journée, café et thé à disposition. Le patron, Marcos, a un autre hôtel, le *Trinidad Galeria,* à l'angle de la 60 et de la 51. Une sorte d'immense capharnaüm artistique. On se perd dans les couloirs et les coursives décorées d'œuvres d'art aussi étranges qu'hétéroclites. D'immenses peintures abstraites couvrent les murs du magnifique hall d'entrée. Chambres très correctes, avec ventilo ou AC. Et surtout, une très agréable piscine au centre de l'hôtel !

Prix moyens : de 300 à 500 $Me (21 à 35 €)

🛏 *Hôtel Aragón* (plan B2, 28) : calle 57 n° 474, entre les calles 54 et 52. ☎ 924-02-42. ● www.hotelaragon.com ● Chambres assez grandes, propres et relativement coquettes, avec ventilo, AC et TV. Les salles de bains sont très correctes. Petit patio intérieur pour le petit déjeuner (inclus) et agréable véranda pour le coin détente. Calme. Accueil sympa. Parking. Un bon p'tit hôtel.

🛏 *Posada Toledo* (plan B2, 29) : calle 58 n° 487, à l'angle de la calle 57. ☎ 923-16-90. ☎ et fax : 923-22-56. ● hptoledo@finred.com.mx ● Ancienne demeure aristocratique de 23 chambres, avec un jardin central agréable. Bel ameublement colonial. Bonne tenue générale et charme indéniable, mais accueil tristounet. Choisissez une chambre au 2e étage : on bénéficie de petites terrasses avec salon de jardin et on aperçoit les clochers de Mérida. Parking.

🛏 *Hôtel Dolores Alba* (plan B3, 30) : calle 63 n° 464, entre les calles 52 et 54. ☎ 928-56-50. ● www.doloresalba.com ● Appartient à la même famille que celui de Chichén Itzá. Plus de 70 chambres dans un grand édifice. Chambres avec ventilateur dans l'ancienne partie ou AC pour celles de la partie récente, qui sont disposées autour d'un patio verdoyant et d'une belle piscine. Propreté impeccable. Pas grand-chose à reprocher d'ailleurs, si ce n'est l'accueil frisquet et la déco au goût parfois douteux. Très bon rapport qualité-prix. Possibilité de prendre le petit dej'. Parking. Une adresse confortable.

🛏 *Hôtel San Juan* (plan B2, 31) : calle 55 n° 497, entre la 60 et la 58. ☎ 924-17-42 et 16-88. ● www.hotel sanjuan.com.mx ● Une soixantaine de chambres avec ventilo et AC. Propres, très bien tenues, et au confort suffisant. TV et téléphone. La déco, avec ses meubles en bois, sent bon la province. Piscine assez grande. Calme. Parking. Un hôtel sans histoire.

Chic : de 500 à 700 $Me (35 à 49 €)

🛏 *Casa Mexilio* (plan A2, 32) : calle 68 n° 495, entre la 57 et la 59. ☎ 928-25-05. ● www.mexicoholiday. com ● Un *B & B* très chic tenu par un couple d'Américains. Dans une très belle demeure ancienne enfouie sous la végétation. Celle-ci est d'ailleurs omniprésente et rajoute du baroque à ce caravansérail garni de meubles anciens et d'antiquités. Les 8 chambres sont bien sûr toutes différentes, avec toutes sortes de prix, petit déjeuner inclus. On y accède par un dédale d'escaliers, de terrasses cachées et de passerelles. Tout en bas, une petite piscine qui ressemble à un mini-*cenote*. Et tout en haut, une terrasse qui domine la ville. Un ravissement.

🛏 *Hôtel Medio Mundo* (plan A2, 33) : calle 55 n° 533, entre la 64 et la 66. ☎ 924-54-72. ● www.hotelme diomundo.com ● Dans un ancien édifice entièrement rénové et peint de couleurs vives. Déco très mexicaine pour cet endroit tenu par Nelson, un Uruguayen chaleureux. Belles chambres confortables bien que sans objets inutiles. Avec ventilo. Les plus grandes ont l'AC (plus cher). On prend le petit dej' (en sus) dans l'arrière-cour, près de la piscine. Bonne ambiance de maison d'hôtes.

🛏 *Hôtel Caribe* (plan B3, 34) : parque Hidalgo, calle 59 n° 500. ☎ 924-90-22. Fax : 924-87-33. ● www.hotel caribe.com.mx ● À deux pas du *zócalo* et juste à côté du *Gran Hotel*.

Plusieurs tarifs. Splendide demeure coloniale dans un ancien collège catholique. Chambres assez charmantes quoique sombres, disposées autour d'un joli patio à arcades. Ventilateur ou AC. Celles du dernier étage, proches de la piscine sur le toit, sont les plus chères. Petit resto en terrasse sur la place, très agréable (voir « Où manger ? »). Parking gratuit de 20 h à 8 h.

🛏 *Gran Hotel* (plan A3, 35) : parque Hidalgo, calle 60 n° 496. ☎ 924-77-30 ou 923-69-63. ☎ et fax : 924-76-22. ● www.granhoteldemerida.com. mx ● À l'angle de la calle 59, à côté de l'hôtel *Caribe*. Situé sur la plus jolie place de la ville. Inauguré en 1902, le *Gran Hotel* fut considéré jusque dans les années 1940 comme l'un des établissements les plus luxueux de tout le Sud-Est mexicain. Premier hôtel construit dans le Yucatán, il a reçu la visite de Charles Lindbergh et, plus tard, celle de Fidel Castro. Rénové en 1987, il a gardé son côté « très grand hôtel ». Style néoclassique à la française. Voir surtout les galeries qui desservent les deux étages de chambres, les mosaïques, le minipatio. Chambres meublées années 1950 ou 1960, avec moquette ou carrelage, très spacieuses, avec près de 5 m de hauteur sous plafond, immenses portes et fenêtres en bois. Essayez d'obtenir l'une des chambres qui donnent sur la place. Le charme du suranné.

Encore plus chic : plus de 1 000 $Me (70 €)

🛏 *La Misión de Fray Diego* (plan A3, 36) : calle 61 n° 524, entre la 64 et la 66. ☎ 924-11-11 ou 01-800-22-10-599 (n° gratuit). ● http://lamisionde fraydiego.com ● Petit hôtel de charme dans une magnifique demeure du XVIIe siècle, superbement restaurée, dans l'esprit des anciennes missions religieuses. Belles chambres joliment décorées et bien conçues, avec tout le confort souhaité (minibar, sèche-cheveux, TV câblée, téléphone...).

Certaines sont situées autour de la piscine. Beaucoup de calme. Petit resto sous les arcades du patio, face à la fontaine, pour prendre le petit déjeuner (service mou). Négociez en période creuse.

Où manger ?

Le centre-ville manque cruellement de bons p'tits restos sympas. En revanche, allez faire un tour dans l'un de ces immenses restos qui proposent un show musical durant le repas. C'est l'une des originalités de Mérida. Ultra-kitsch, mais on peut y passer un moment amusant.

Bon marché : moins de 70 $Me (5 €)

LE YUCATÁN

|●| *Marché Santa Ana (plan B2, 40)* : sur le côté est de la place Santa Ana, à l'angle des calles 47 et 60. Regroupement de stands où l'on vient manger à toute heure du jour. *Tacos, tortas* (gros sandwichs très complets), viandes grillées, cocktails de crevettes, jus de fruits frais... On s'installe en plein air, sur une bien jolie place. Sympa et pas cher du tout.

|●| Des stands de nourriture également dans le *marché principal* (*plan B3* ; voir la rubrique « Achats »), à l'angle des calles 67 et 56. Choisissez le plus fréquenté.

|●| *El Trapiche (plan A3, 41)* : calle 62 n° 491, entre les calles 59 et 61. ☎ 928-12-31. Ouvert de 8 h à 23 h. Un resto populaire tout de jaune et d'orange vêtu, qui fait souvent le plein. Tables recouvertes de toiles cirées. Grand choix de *tortas,* de *tacos* et de plats yucathèques. Profitez-en pour jeter un coup d'œil à la façade « Art déco » du *Théâtre Mérida,* juste à côté.

|●| *El Sazón de Doña Teo (plan A3, 42)* : calle 69 n° 548, entre la 66 et la 68. ☎ 924-34-20. Ouvert de 9 h à 21 h. Tout près du terminal de bus, donc idéal pour reprendre des forces avant la recherche de votre hôtel. Salle agréable peinte de couleurs vives et des nappes sur les tables. *Quesadillas, tacos, flautas, tostadas...* Bref, les grands classiques de la cuisine populaire mexicaine ou la *tortilla* dans tous ses états !

Prix moyens : de 70 à 150 $Me (5 à 10,50 €)

|●| *Il Caffé Italiano (plan B2, 43)* : callejón del Congreso n° 491 (ou calle 57 A, entre la 58 et la 60). ☎ 928-00-93. Ouvert tous les jours de 8 h à minuit. Dans une rue piétonne, calme et agréable, surtout dans la fraîcheur du soir, pour le dîner. Les tables sont disposées en terrasse sur le large trottoir. Resto italien, vous l'aviez compris. Délicieuses pâtes. Très bon café. Mais aussi des *panini*. Et surtout un patron jovial et sympa. Service très compétent.

|●| *Amaro (plan A2, 44)* : calle 59 n° 507, entre les calles 60 et 62. ☎ 928-24-51. Ouvert de 11 h à 1 h. Dans une maison coloniale où naquit Andrés Quintana Roo. Si votre estomac proteste avec véhémence contre l'assaut des *tacos* épicés, voici une alternative. Spécialités végétariennes comme les aubergines au curry, le consommé de courgettes, etc. Goûter les très bonnes crêpes de *chayas* (vous en mangerez rarement ailleurs). Bon choix de pizzas. Le cadre est très chouette : patio intérieur bordé de belles arcades, plantes vertes et joueurs de *trova* de temps en temps. Bonne cuisine dans l'ensemble.

|●| *Café La Habana (plan A2, 45)* : à l'angle des calles 59 et 62. ☎ 928-65-02. Ouvert 24 h/24. Rien de cubain. Les Méridiens, toutes classes sociales confondues, s'y retrouvent à toute heure du jour et de la nuit. Immense salle, style brasserie un brin cossue, avec une lumière blafarde et et grands ventilos ronronnants. Vaste carte de poisson, viande, salades mixtes, etc., ainsi

qu'un bon café torréfié sur place. Grand choix de petits dej'. Serveurs souvent débordés. Idéal pour le p'tit creux de 3 h du mat'. Bien vérifier l'addition.

|●| Pane e Vino *(plan A3, 46)* : calle 62 n° 496, entre les calles 59 et 61, à deux pas du *zócalo*. ☎ 928-62-28. Ouvert de 18 h à minuit. Fermé le lundi. Un très bon resto italien avec un chef florentin derrière les fourneaux. Cadre sobre mais agréable. Un choix impressionnant de pâtes dont certaines sont faites maison (ce sont les plus chères). Elles sont *al dente* et délicieuses. Bons vins italiens, chiliens et français. Le tiramisú est vraiment honnête. Le service est inclus dans l'addition.

|●| El Rincón *(plan B3, 34)* : le restaurant de l'hôtel *Caribe* (voir « Où dormir ? »). Ouvert tous les jours jusqu'à 22 h 30. On s'installe dans un joli patio avec une fontaine ou bien en bordure de l'agréable *parque Hidalgo*. Mais c'est bien là son principal avantage, car la cuisine est plutôt inégale. Éviter le poisson. Pas mal de touristes.

|●| Pórtico del Peregrino *(plan A2, 47)* : calle 57 n° 501, entre les calles 62 et 60. ☎ 928-61-63. Ouvert pour le déjeuner et pour le dîner jusqu'à 23 h. Cadre agréable avec son patio fleuri. Spécialités : le *pollo pibil* et les *camarones al mojo del ajo*. Et un exquis dessert : la glace à la noix de coco arrosée de *kahlúa*, de la liqueur de café. Dommage que la qualité de la cuisine soit fluctuante.

Chic : de 150 à 250 $Me (10,50 à 17,50 €)

|●| El Nuevo Tucho *(plan A-B2, 48)* : calle 60 n° 482, entre les calles 55 et 57. ☎ 924-23-23. ● www.eltucho.com.mx ● Ouvert de 13 h à 20 h, mais y aller vers 16 h pour profiter du spectacle : show musical tous les jours de 16 h à 19 h 30. Beaucoup de Mexicains en famille. Dans une immense salle face à une grande scène centrale sur laquelle se produisent des danseuses pailletées accompagnées par un orchestre (ambiance revue parisienne). Les plats de spécialités régionales sont bons et bien préparés. Mais rester vigilant, les prix grimpent vite. Sinon, se contenter d'y boire un verre, ou plusieurs (!), en dégustant des amuse-gueules. On y va pour le fun et, avec de l'humour, on peut passer un bon moment.

|●| Los Almendros *(plan B2, 49)* : sur la plaza de Mejorada, calle 50, entre les calles 57 et 59. ☎ 928-54-59. Ouvert tous les jours de 11 h à 23 h. Attention, un resto peut en cacher un autre ! Dans celui du fond *(El Gran Almendros),* on déjeune au son de la *música en vivo* (de 13 h à 18 h 30). Dans le premier, pas de musique, mais d'excellentes spécialités du Yucatán. Bien sûr, il faut goûter au *poc chuc*, la spécialité qui a été créée par ce resto. Elle est, *dixit* le menu, *conocida en todo el mundo* (« connue dans le monde entier »). Comment ? Vous n'en aviez pas entendu parler ? Il s'agit de tranches de porc légèrement boucanées et grillées, servies avec une sauce tomate, des haricots, des oignons grillés, du jus d'orange amère et des feuilles de coriandre. Un délice.

Où prendre le petit déjeuner ? Où manger une glace ?

|●| Panificadora El Retorno *(plan A3, 50)* : calle 62. À côté du resto *Pane e Vino* et à deux pas du *zócalo*. Ouvert tous les jours de 7 h à 21 h. Ça sent bon la viennoiserie alentour ! Beaucoup de choix de donuts, croissants et autres gâteaux à prix modiques.

|●| Cafetería Pop *(plan A2, 47)* : calle 57 n° 501. ☎ 928-61-63. Juste à côté du resto *Pórtico del Peregrino*. C'est le même proprio et les deux restos partagent la même cuisine. Drôle de cafétéria à la déco néo-années 1970 (vous avez dit pop ?). Quelques formules de petit dej' à prix variables qui incluent café, jus de fruits, œufs et pain grillé.

☝ *Sorbetería Colón (plan A3, 51) :* calle 61 ; sous les arcades, face au *zócalo.* Ouvert tous les jours jusqu'à 23 h. Bonnes glaces de saison (coco, *mamey, tamarín,* etc.).

Où boire un verre ? Où sortir ?

Tous les mardis soir de 20 h 30 à 22 h, une soirée à ne pas manquer ! Les habitants de Mérida se retrouvent pour danser dans une ambiance chaleureuse, autour d'un orchestre de musique latino et cubaine, dans le parc Santiago, devant l'église du même nom, à l'angle des calles 59 et 72 *(hors plan par A2).*

🍸 *La Parranda (plan A3, 60) :* calle 60. ☎ 928-16-91. Près de la calle 59 et face au *parque Hidalgo.* Ouvert de 11 h à 23 h 30. Grand ouvert sur la rue et la place Hidalgo. Atmosphère chaleureuse avec ses sièges en cuir et ses grands tabourets de bar confortables. Belle offre d'alcools et de cocktails.

🍸 *El Peón Contreras (plan B2, 61) :* calle 60, entre la 59 et la 57, adossé au théâtre du même nom. ☎ 924-70-03. Ouvert en principe jusqu'à 2 h du mat'. Ce café a une belle terrasse située dans une rue piétonne. Très grande salle, style 1900. L'été, la clientèle prend d'assaut la terrasse pour siroter une *agua de orchata* (jus d'orgeat), déguster un excellent café ou une glace au son d'un orchestre de *mariachis.* Pas donné, mais l'endroit est si agréable !

🍸 *Le Prosperidad (plan B2, 62) :* à l'angle des calles 56 et 53. ☎ 924-14-02. Ouvert de 12 h à 20 h. Une *cantina* au cadre amusant *(palapa* entièrement fermée, murs recouverts de bois), c'est-à-dire un de ces endroits où à chaque fois que l'on consomme une boisson, le serveur vous apporte en même temps toutes sortes de *botanas* à grignoter. Celle-ci est l'un des « abreuvoirs » de la ville. Show vers 17 h. Ambiance populaire.

🍸🎵 *Pancho's (plan A2, 63) :* calle 59 n° 509, entre les calles 60 et 62. ☎ 923-09-42. Ouvert tous les jours de 18 h à 2 h. *Hora feliz* (ou *happy hours)* du lundi au vendredi de 18 h à 20 h. Le resto est cher, mais allez donc boire un verre le soir pour jeter un œil à la déco branchée Révolution mexicaine. Photos de Pancho Villa à l'entrée, serveurs avec sombreros et cartouchières à l'épaule, etc. Ambiance toutous en goguette, mais pas désagréable pour aller se déhancher sur de la musique tropicale *en vivo* (du mercredi au samedi à partir de 21 h 30). La piste de danse ouvre dans la soirée. Bonne *margarita* et délicieux *mojito.*

🎵 *Mambo Café (hors plan par B1, 64) :* plaza Las Américas ; dans le centre commercial, au 1er étage. ☎ 987-75-33. Y aller en taxi depuis le centre-ville. Ouvert du mercredi au samedi de 21 h à 3 h. Entrée payante ; gratuit pour les filles le mercredi. L'une des boîtes de Mérida très en vogue, où se retrouve une clientèle de tous les âges pour se trémousser sur des rythmes latino-américains. Musique *en vivo* ou DJ. Bières pas trop chères.

À voir. À faire

➤ *La visite de la ville en tranvía touristique :* ☎ 927-61-19. Départ du parc Santa Lucía *(plan A-B2),* à l'angle entre les calles 55 et 60, du lundi au samedi à 10 h, 13 h, 16 h et 19 h, et le dimanche à 10 h et 13 h. Le parcours dure 2 h. Explications en espagnol et anglais. Autour de 75 \$Me (5,25 €).

➤ *La visite de la ville à pied :* l'office de tourisme organise tous les jours des visites commentées du centre historique (en espagnol et en anglais).

Parcours de 1 h 30. Rendez-vous du lundi au samedi à 9 h 30 devant l'office de tourisme municipal *(plan A3, 2)*.

🏃🏃 ***Museo regional de Antropología*** *(plan B1)* **:** à l'angle de la calle 43 et du paseo Montejo. ☎ 923-05-57. ● www.inah.gob.mx/palaciocanton ● Ouvert du mardi au samedi de 8 h à 20 h et le dimanche de 8 h à 14 h. Fermé le lundi. Entrée : près de 35 \$Me (2,45 €) ; gratuit pour les moins de 13 ans.

Situé dans un très beau palais du début du XXᵉ siècle, de style franco-italien. Visite indispensable pour ceux qui veulent y voir un peu plus clair en ce qui concerne l'art maya. Excellente présentation. Au rez-de-chaussée, parmi les éléments les plus notables : une série de statuettes superbes, une vitrine où sont présentés des crânes d'enfants, complètement déformés, pratique courante chez les Mayas d'une classe sociale élevée ! Reconstitution d'un calendrier maya, tableau chronologique permettant de replacer les Mayas dans leur contexte historique. Beaux masques polychromes, maquettes de sites et superbes offrandes en jade retrouvées dans les *cenotes*. Ne pas manquer la fresque du VIIᵉ siècle provenant d'un site proche de Chichén Itzá. À l'étage, expos temporaires.

🏃 ***La cathédrale*** *(plan A-B3)* **:** imposante, elle surplombe le *zócalo* du haut de ses 400 ans (1598), fêtés il y a quelques années. Ouvert de 6 h à 12 h (13 h le dimanche) et de 16 h à 20 h. Les Méridiens aiment raconter que leur véritable cathédrale se trouve au Pérou. La légende veut, en effet, que, sur le bateau venant d'Espagne, les plans de construction aient été confondus avec ceux destinés à la ville de Lima. Voir le Christ aux ampoules, relique vénérée des Méridiens.

🏃 ***Casa de Montejo*** *(plan A3, 4)* **:** sur le *zócalo*. Ouvert du lundi au vendredi de 9 h à 16 h et le samedi de 10 h à 14 h. Abrite aujourd'hui la *Banamex*. Vieille maison espagnole bâtie au XVIᵉ siècle. En fait, c'est surtout le portique qui retient l'attention, édifié dans le plus pur style plateresque (style de la Renaissance espagnole aux ornements baroques), très chargé. Le reste de la façade hésite plutôt entre le baroque et le néoclassique. Parmi les sculptures, on reconnaît des conquistadors à hallebardes qui, visiblement, viennent de vaincre d'affreux personnages velus, munis de gourdins. Le sculpteur a quelque peu interprété la réalité si son intention était de symboliser les Mayas, ces derniers étant plutôt de style imberbe.

🏃🏃 ***Le théâtre Peón Contreras*** *(plan A-B2, 70)* **:** calle 60, entre les calles 57 et 59. Ouvert du mardi au samedi de 9 h à 18 h (sauf en cas de spectacle). Entrée libre. Très beau. Construit en 1900 dans le style français (comme celui de Guanajuato). Restauré en 1981. De nombreuses rencontres et festivités internationales s'y déroulent chaque année. Juste en face, jeter un coup d'œil à l'*Université du Yucatán,* fondée en 1618 : belle façade et joli patio.

🏃 ***Le musée Macay – museo de Arte contemporáneo*** *(plan A3)* **:** pasaje de la Revolución. ☎ 928-32-36. Sur le côté droit de la cathédrale. Ouvert de 10 h à 17 h 30. Fermé le mardi. Entrée : environ 20 \$Me (1,40 €) ; réductions ; gratuit le dimanche. Il se situe dans un ancien bâtiment du XVIᵉ siècle, transformé en musée d'Art contemporain du Yucatán. Expos temporaires et permanentes de sculptures, peintures et photos.

🏃 ***Palacio del Gobierno*** *(plan A3, 71)* **:** sur le *zócalo*, à l'angle des calles 60 et 61. Ouvert en général de 8 h à 22 h. Entrée libre. Les amateurs de peinture et ceux qui veulent connaître l'histoire de la région ne manqueront pas la visite. Dans l'escalier, une grande fresque représente les croyances mayas avec le jaguar qui symbolise le côté sombre et animalier de l'homme et, en face, la lumière pour sa sagesse. De gigantesques *murales* (œuvres du Mexicain Fernando Castro Pacheco) sont exposés dans les couloirs et dans le salon du 1ᵉʳ étage. Ils présentent les faits marquants de l'invasion du Yucatán par les conquistadors, l'esclavagisme des Mayas et la destruction de leur culture, au nom de la religion (ben dame !).

🏃🏃 *Paseo Montejo* (plan B1) : c'est un peu les Champs-Élysées de Mérida... mais sans l'animation ! Séries de très jolies demeures du début du XXᵉ siècle, construites de chaque côté du boulevard par de riches marchands de sisal.

🏃 *Parque Santa Lucía* (plan A-B2) : agréable square bordé d'arcades sur deux côtés, au carrefour des calles 60 et 55. Ce site accueille le dimanche un marché d'artisanat où vous pourrez admirer les *huipiles,* robes que portent toujours les femmes indigènes du Yucatán. Nombreux spectacles musicaux à partir de 20 h. Se renseigner auprès de l'office de tourisme municipal (voir « Adresses utiles »).

🏃 *Museo de la Canción Yucateca* (hors plan par B2, **72**) : à l'angle des calles 57 et 48. ☎ 923-72-24. Ouvert tous les jours de 9 h à 17 h. Entrée pas chère pour ce petit musée consacré à la musique et la chanson du Yucatán. Instruments de musique préhispaniques, partitions, objets divers, illustrations... Petite boutique pour acheter des disques.

🏃 *L'ermitage Santa Isabel* (hors plan par A3, **73**) : cette église du XVIIIᵉ siècle a une valeur historique et symbolique pour les indigènes. C'est là qu'étaient baptisés tous les Indiens venant de Palenque. Le baptême était obligatoire pour pénétrer dans la ville, une sorte de passeport en somme.

🏃 *Le parc zoologique* (hors plan) : calle 59, près de l'avenida Itzaes. Ouvert du mardi au dimanche de 9 h à 17 h. Gratuit le dimanche. Colonie de crocodiles de tous âges, flamants roses et une collection de serpents de la région.

Achats

🛍 *Casa de las Artesanías* (plan A3) : calle 63 nᵒ 503, entre les calles 64 et 66. ☎ 928-66-76. Ouvert du lundi au samedi de 9 h à 20 h et le dimanche de 9 h à 14 h. Mise en place par les autorités de l'État du Yucatán, c'est une grande boutique qui regroupe soi-disant l'artisanat de tout le pays. En réalité, c'est assez pauvre. Cela permet quand même d'avoir une petite idée des prix avant d'arpenter les étals du marché. Prix fixes.

🛍 *Le marché* (plan B3) : à l'angle des calles 67 et 56. Le marché occupe toute une *manzana,* et l'on prend plaisir à se perdre au milieu des dizaines d'étroits passages où les échoppes croulent sous les produits. On vend, sur des étals ou par terre, de beaux légumes et des épices multicolores. Le coin réservé à la viande n'est pas piqué des vers. On peut aussi y manger dans l'un des nombreux stands de nourriture. Choisissez le plus fréquenté. Vous trouverez également des chapeaux, des *huipiles* (ces jolies tuniques blanches brodées de couleurs vives) et des hamacs (ce sera moins cher si vous allez à Tixkokob, le village où ils sont fabriqués ; voir plus loin). Et pour finir, savez-vous ce que l'on trouve aussi dans ce marché ? Des bijoux vivants ! Ce sont des scarabées, appelés *maquechs,* dont on a décoré la carapace avec des pierres de couleur, et auxquels on a collé une chaînette dorée pour qu'ils ne se fassent pas la belle... Allô, la SPA ?

🛍 *Marché d'artisanat :* au 1ᵉʳ étage du marché (plan B3). Les escaliers d'accès se trouvent sur la calle 56, au niveau de la calle 67. Hamacs, couvertures, fruits en papier mâché, *huipiles,* etc. Tous les cadeaux pour la famille et les amis ! Marchandez ferme (divisez le prix par deux, au minimum). Sachez qu'à l'extérieur du marché, sous les arcades, on peut faire ses emplettes plus calmement et à des prix souvent plus raisonnables.

LE YUCATÁN

L'art d'acheter un hamac

Avant d'acheter un hamac, voilà quelques tuyaux bien utiles pour éviter de se faire rouler dans la farine.

Un bon hamac, de catégorie n° 3, doit avoir au minimum 90 paires de fils à chaque bout (soit 3 bobines de fils utilisées). Un hamac de catégorie n° 4 (4 bobines utilisées) a 120 paires, 150 paires pour un hamac de catégorie n° 5 (combien de bobines utilisées ?), 190 pour un n° 6 et ainsi de suite. Chaque bobine pèse environ 250 g. Il suffit donc de peser son hamac pour connaître la catégorie ! Mais vous vous promenez avec une balance pour faire votre marché, vous ? Alors, il n'y a qu'un seul moyen pour vérifier : compter les paires ! Mais attention, chaque paire est constituée de 4 fils (!). À voir la tête de certains vendeurs lorsqu'on les compte, ils ont le sentiment d'avoir affaire à des spécialistes. Les fils doivent aussi être triples. Les hamacs en coton sont plus confortables, ceux en nylon durent plus longtemps. Prendre un *matrimonial,* même pour une personne seule ; c'est plus confortable. Autre truc de connaisseur : on doit pouvoir s'y allonger en travers. Évitez aussi de choisir un hamac à armatures en bois pour dormir : il risque de se retourner en pleine nuit ! Enfin, pensez qu'il faut 4 m de long et 1,80 m de hauteur pour le tendre convenablement...

Mérida la musicale

Mérida organise un nombre impressionnant de concerts publics. Procurez-vous le programme des spectacles à l'office de tourisme, car il se passe tous les soirs quelque chose sur les places ou les squares, vers 20 h 30 ou 21 h. Le dimanche, la fête dure toute la journée. Les rues autour du *zócalo* sont interdites aux véhicules, les restos de la calle 60 sortent leurs tables en terrasse, les familles se baladent, les enfants mangent des glaces... Une chouette atmosphère.

Le carnaval de Mérida

Il a lieu 40 jours avant la Semaine sainte (fin février ou début mars). Il attire chaque année une foule de touristes. Des dizaines de chars (sponsorisés pour la plupart par des marques de boissons et de cigarettes !) et des centaines de danseurs en costumes chamarrés. Ceux qui connaissent les carnavals du Brésil seront certainement déçus...

➤ *DANS LES ENVIRONS DE MÉRIDA*

🕯 *Tixkokob :* petit village à 28 km à l'est de Mérida. C'est là que l'on fabrique les hamacs. Pour vous y rendre, prenez un *colectivo* dans la rue du marché (destination indiquée sur le pare-brise). Sinon, prendre un bus au terminal *Auto-centro (hors plan par B3),* calle 65, entre les calles 46 et 48. ☎ 923-99-40. Un départ toutes les 30 mn de 5 h à 21 h. Pour le retour, le minibus se prend sur le *zócalo* (départs fréquents).

Ici, pas de magasins mais, dans pratiquement chaque maison, un « métier à tisser » est caché à l'abri des regards indiscrets. Rassurez-vous, on aura vite fait de vous repérer, car les touristes ne sont pas nombreux... Pour peu que vous demandiez : ¿ *Hamacas ?,* vous vous retrouverez face à la bête : immense cadre en bois très simple sur lequel on tend les fils du hamac, confectionné pratiquement comme un filet de pêche. Puis vous découvrirez les modèles aux couleurs chatoyantes et de toutes tailles : le *matrimonial* est pour un couple ; le *king size,* quant à lui, peut loger toute la famille ! Si vous ne trouvez toujours pas votre bonheur, on vous ramènera ceux que fabriquent le cousin ou le beau-père dans la maison d'à côté.

Le site archéologique de Dzibilchaltún : à environ 20 km de Mérida. Sur la route de Progreso, panneau sur la droite. Les ruines se trouvent près du village. Prendre un bus au *terminal Autoprogreso.* Ouvert tous les jours de 8 h à 17 h (16 h pour le musée). Musée fermé le lundi. Entrée : près de 60 $Me (4,20 €) ; gratuit pour les moins de 13 ans.

Le site a été découvert bien après ceux d'Uxmal et de Chichén Itzá. C'est une ville très ancienne, les premières constructions datent de l'an 500 av. J.-C. La cité comptait 20 000 habitants à son apogée, vers le VIIIe siècle. Elle doit son développement à la proximité de la mer et au commerce du sel et des produits de la pêche, notamment les coquillages. Le site n'est pas aussi impressionnant qu'Uxmal ou que Chichén Itzá, mais il vaut le détour.

– Sur la *plaza central* se dresse une grande arche, qui est en fait une ancienne « chapelle ouverte » datant de l'époque coloniale. Ces chapelles permettaient aux Mayas d'assister à la messe sans entrer dans l'église.

– Au sud de la *plaza,* les restes d'un immense palais de 130 m de long (structure 44), avec 16 rangées de marches faisant toute la longueur de l'édifice. Dans sa partie nord, un ensemble de temples où il ne reste guère plus que les marches pour témoigner. Il faut aussi aller se balader autour du *cenote Xlacah,* à la belle eau verte et bleue. On peut s'y baigner, mais ne pas utiliser de crème solaire.

– Vers l'est, le *Sacbe* (la voie sacrée) mène au *Templo de las Siete Muñecas* (le temple des Sept Poupées). Ainsi appelé car on y retrouva sept statuettes. Lors des équinoxes, le soleil se lève précisément dans l'axe des deux portes.

– *Le musée :* en plus des céramiques et figurines, il présente une partie ethnologique, sous de grandes arcades, à travers des sentiers écologiques. Exposé sur la culture des Mayas.

Mayapán : à environ 43 km au sud de Mérida. Pour s'y rendre : en bus, depuis le Terminal Noreste *(plan B3, 17),* direction Telchaquillo (15 $Me, soit 1,05 €), et de là, prendre un taxi jusqu'à Mayapán (environ 50 $Me, soit 3,50 €). Départ des bus toutes les heures à partir de 9 h. Trajet : 1 h. En voiture, prendre le boulevard périphérique en direction de Campeche/Uxmal, puis bifurquer vers Mayapán. Ouvert de 8 h à 17 h. Entrée : 28 $Me (2 €) ; gratuit pour les enfants de moins de 13 ans.

Ce site, très peu fréquenté, vaut vraiment le détour. Mayapán (littéralement « le drapeau des Mayas ») est considéré comme la dernière grande capitale de cette culture de la période post-classique (1200-1450 apr. J.-C.) et s'étend sur une superficie de 4 km². La population d'alors a été estimée à quelque 12 000 habitants. L'influence de Chitchén Itzá y est évidente dans son édifice principal, dénommé le « château de Kukulkan », pareil à celui de Chitchén, mais de proportion un peu inférieure. Autour de la place centrale, on trouve des bâtiments administratifs et religieux. À noter, un intéressant observatoire rond.

Chicxulub : à titre d'information uniquement, car on n'y voit strictement rien. C'est ici, en pleine mer, que la météorite responsable de l'extinction des dinosaures se serait écrasée, il y a 65 millions d'années, faisant disparaître définitivement sous un voile de poussière la faune et la flore de l'époque. Le site a été découvert en 1993, par des océanographes de la compagnie pétrolière *Pemex,* et profite depuis à de petites organisations racoleuses qui proposent de vous faire découvrir le point d'impact. Évidemment, ce dernier ayant une dimension de 200 km de diamètre, mieux vaut avoir l'œil averti. Ne vous laissez pas mener en bateau.

CELESTÚN
2 000 hab.   IND. TÉL. : 988

Petit village tranquille de pêcheurs, situé à 92 km à l'ouest de Mérida, dans une zone classée officiellement « Parc naturel » par le gouvernement. On y vient d'ailleurs pour une balade en barque dans la réserve pour voir les flamants roses. L'estuaire forme une vaste *laguna* d'une vingtaine de kilomètres de long, où s'ébat toute une faune sauvage : une importante colonie de flamants roses, mais aussi des canards du Canada qui viennent passer l'hiver au chaud, des hérons, des pélicans, etc. Au total, plus de 230 espèces. Il y a aussi la plage, des kilomètres de sable blanc, et la nonchalance de ce bourg isolé et sympathique. On y vient pour la journée, mais les amateurs de calme et de nature y passeront avec plaisir une nuit ou deux.

Arriver – Quitter

➢ *De et pour Mérida :* bus *Oriente* toutes les heures environ, de 5 h 15 à 20 h 30 dans le sens Mérida-Celestún et de 5 h à 20 h dans l'autre sens (attention, c'est le dernier !). Départ de Mérida au terminal Noreste et arrivée à Celestún sur le *zócalo.* Trajet : 2 h.

Où dormir ?

Très bon marché : moins de 210 $Me (14,70 €)

🛏 *AJ Ria Celestún Hostel :* calle 12 n° 104, au coin avec la calle 13. ☎ 916-22-22. Une AJ récente, tenue par le sympathique Marco. Ambiance très relax. Petits dortoirs avec des lits superposés, ou chambres doubles. Sanitaires collectifs, coin cuisine. Hamacs dans la cour. Location de vélos (ouverte à tous). Organise des excursions sur la lagune.

🛏 *Hôtel San Julio :* calle 12. ☎ 916-20-62. Un p'tit hôtel qui donne sur la plage, tenu par un chaleureux proprio. Les chambres, de plain-pied, donnent sur une courette. Le confort est simple, mais les draps sont propres. Ventilateur. Ambiance bon enfant. Négociez en basse saison.

🛏 *Hôtel Sofia :* calle 12 n° 100. ☎ 990-77-07. Prix imbattables pour 4 personnes. Un hôtel à l'ambiance familiale qui compte une dizaine de chambres simples et propres. Ventilateur, salle de bains (eau chaude). Et des crochets dans toutes les chambres pour suspendre votre hamac. Très correct pour le prix mais ne borde pas la plage.

De bon marché à prix moyens : de 210 à 300 $Me (14,70 à 21 €)

🛏 *Hôtel María del Carmen :* calle 12 n° 111. ☎ 916-21-70. Petit hôtel, genre cube de béton, d'une douzaine de chambres avec balcon donnant sur la mer. Seules celles du dernier étage bénéficient d'une réelle vue, donc choisir une chambre au 3ᵉ étage. Ventilo ou AC (plus cher). Propre. Accueil familial. Petit resto sur place mais ouvert uniquement s'il y a suffisamment de monde.

Où manger ?

Plusieurs restos le long de la plage. Pratiquement toujours le même menu et au même prix : le poisson pêché du jour, entier (qu'on vous conseille) ou en filet, que vous pouvez demander à la yucatèque (poivrons, tomates et oignons), à l'ail *(ajo)* ou tout simplement nature, *a la plancha.* Il faut aussi goûter aux succulentes *manitas de cangrejo* (pinces de crabe). Directement du pêcheur au consommateur, et à des prix imbattables.

|●| ***La Playita :*** calle 12 n° 99. ☎ 916-20-52. Ouvert tous les jours pour le déjeuner et le dîner. Petite carte de poissons, poulpes et grosses crevettes. Frais et délicieux. Les pieds dans le sable, face à la mer.

|●| ***La Palapa :*** calle 12 n° 105. ☎ 916-20-63. Ouvert tous les jours jusqu'à 18 h 30 environ. Une immense *palapa* très colorée et tout à fait charmante, qui donne sur la plage et qui sert de la bonne cuisine. Cadre assez chic et carte bien fournie.

À voir. À faire

⌂ ***La plage :*** s'étend à perte de vue et, si vous vous éloignez du village, vous serez complètement seul (quel pied !). Bien sûr, la mer est moins belle que côté Caraïbes, mais, pour ceux qui n'aiment pas la foule et veulent admirer des couchers de soleil, ça peut devenir très romantique... Attention, le soir, les moustiques sont féroces !

– ***La pêche :*** c'est l'activité principale du village. Toutes les barques sont installées sur une partie de la plage, et leur va-et-vient incessant commence en fin d'après-midi. Un spectacle incroyable. Les femmes attendent sur la plage et lèvent grossièrement les filets des poissons encore frétillants. Les cadavres sont ensuite mangés par les mouettes ou finissent par sécher sur la plage.

🐦 ***La réserve :*** autour du village s'étend une lagune immense, véritable paradis ornithologique, dont les vedettes sont les *flamants roses.* Longtemps ignorée par la population, la riche colonie qui vivait ici a vu son nombre d'individus décroître de façon importante. Heureusement, une association, créée par une Américaine, Joan Andrews, a pris les choses en main pour informer et former les habitants du parc afin de développer le tourisme et prendre en charge la préservation des espèces. C'est ainsi qu'elle a aidé les villageois à mettre en place des circuits en barques à moteur. Finalement, le gouvernement a pris le train en marche, construisant un mini-centre touristique *(parador turístico)* d'où partent les balades en *lancha.* N'oubliez pas votre téléobjectif. Il est recommandé de ne pas faire s'envoler les flamants car ce sont des oiseaux fragiles, qui volent très peu (alors, chut !). Ne demandez pas aux pêcheurs de s'approcher trop près d'eux : s'ils sont dérangés, ils pourraient s'en aller définitivement. Vous verrez aussi des cormorans, des pélicans, des hérons et bien d'autres... Alors, ouvrez l'œil ! La meilleure saison pour l'observation : de décembre à mars et de juin à août. Pour les amoureux de la nature, sachez que la réserve ornithologique de Río Lagartos au nord-est de Mérida abrite l'une des plus grandes colonies de flamants roses d'Amérique.

➤ ***Parador turístico :*** juste après le pont de Celestún, sur la gauche en venant de Mérida. Ouvert tous les jours de 8 h à 18 h. Propose deux types de tours en *lancha* de 1 à 6 personnes. Le premier dure environ 1 h et permet de voir les flamants dans un paysage de mangrove ; compter près de 400 $Me (28 €). Le deuxième, d'un peu plus de 2 h, permet d'aller jusqu'à l'entrée de la lagune en passant par la forêt pétrifiée de *Tempeten* ; compter environ 800 $Me (56 €). Ajouter 40 $Me (2,80 €) par personne pour le droit d'entrée dans la réserve. Il y a également des départs de lanchas depuis la plage, mais sans caractère officiel.

IZAMAL

13 500 hab.   IND. TÉL. : 988

Charmant village colonial à 1 h 30 de bus de Mérida (70 km). Toutes les maisons sont peintes en jaune et blanc, à l'image du magnifique et imposant couvent qui domine le *zócalo* agréablement ombragé. À l'heure où les rayons du soleil déclinent, c'est tout simplement superbe. Il règne ici une atmosphère tranquille, où l'on prend le temps de vivre et d'entrer en contact avec des habitants avenants et chaleureux. Une étape à ne pas manquer. Les amateurs de calme pourront même la préférer à Mérida comme quartier général (à condition quand même de disposer d'une voiture).

Arriver – Quitter

🚌 **Terminal des bus :** calle 32. ☎ 954-01-07. Entre les calles 31 et 33, juste derrière le Palacio municipal. Bus *ADO* (1re classe) et *Oriente* (2e classe).

➢ **Liaison avec Mérida :** avec *Oriente,* départ toutes les 45 mn de 5 h à 19 h 30 (attention donc, le dernier bus part relativement tôt). Trajet : 1 h 30.
➢ **Liaison avec Valladolid :** avec *Oriente,* départs à 6 h 15, 11 h 30, 13 h 45, 14 h 30 et 16 h 30. Trajet : 2 h.
➢ **Liaison avec Cancún :** avec *Oriente,* départs à 6 h 15, 11 h 30, 14 h 30 et 16 h 30. Trajet : 5 h.

Adresse utile

🛈 **Office de tourisme :** à l'intérieur du Palacio municipal. ☎ 954-06-92. Ouvert du lundi au samedi de 9 h à 18 h, ainsi que le dimanche matin. Plan de la ville.

Où dormir ?

De bon marché à prix moyens : de 210 à 300 $Me (14,70 à 21 €)

🛏 **Posada Flory :** à l'angle des calles 30 et 27. ☎ 954-05-62. À deux *cuadras* du *zócalo*. Des chambres chez l'habitant plutôt qu'un hôtel. La patronne s'appelle Flory, évidemment, et tient le salon de beauté par où l'on entre. On vit dans la maison, on traverse la cuisine où mange la *familia...* Chambres à 1 ou 2 lits, toutes différentes les unes des autres, plus ou moins spacieuses, mais toutes avec salle de bains (certaines sont d'un kitsch absolu), eau chaude et ventilateur. AC pour les plus chères. On peut préparer son petit déjeuner à condition d'apporter tous les ingrédients. Ambiance sympathique.

Prix moyens : de 300 à 500 $Me (21 à 35 €)

🛏 **Macan-Che B & B :** calle 22 n° 305. ☎ 954-02-87. ● www.macan che.com ● Entre les calles 33 et 35. Ce *Bed & Breakfast* propose une douzaine de chambres à la déco personnalisée. Ventilateur pour les moins chères, AC pour les autres. Il s'agit en fait de bungalows répartis au sein d'un immense jardin à la végétation luxuriante. On prend le petit dej' (inclus) sous une très jolie *palapa*. *Temazcal* et belle piscine dans un coin intime. L'atmosphère est douce et reposante. On aime beaucoup.

⌂ *Hôtel Green River :* av. Zamna 342. ☎ et fax : 954-03-37. Un peu excentré. Une vingtaine de chambres dispersées un peu partout dans un immense jardin tropical. Doubles, toute neuves et super clean, avec AC, TV câblée et frigo-bar. Dommage que la déco ne soit pas franchement de bon goût. Parking.

Où manger ?

|●| *El Toro :* calle 33 n° 303. ☎ 967-33-40. À droite du couvent. Ouvert tous les jours de 8 h 30 à 23 h. Petite salle joyeusement colorée qui sert une bonne nourriture typiquement mexicaine et, bien sûr, avec un tel nom, bon filet de bœuf à prix correct. Pour le petit déjeuner, les œufs *motuleños* sont un délice.

|●| *Kinich :* calle 27, entre les calles 28 et 30. ☎ 954-04-89. Quand on regarde le couvent, prendre sur la gauche la calle 28, puis à deux *cuadras*, tourner à droite. Ouvert tous les jours de 11 h à 17 h 30. On mange sous une grande *palapa* installée dans un beau jardin, sous des ventilateurs bienvenus. Ambiance et service chaleureux, avec plein de petites attentions sur la table. La carte n'est pas très longue, mais elle propose de vraies spécialités du Yucatán. Cuisine délicieuse et à des prix vraiment abordables.

À voir

🎥 *Le couvent de san Antonio de Padua :* impossible à louper, vu qu'il domine le centre-ville de sa masse jaune qui se découpe sur le ciel bleu. Ouvert tous les jours de 7 h à 20 h 30. Construit par les franciscains entre 1553 et 1562 sur l'emplacement d'un temple maya. L'atrium est absolument gigantesque (7 800 m²), bordé par 75 arcades. À l'intérieur de l'église, beau retable qui abrite la très vénérée Vierge d'Izamal, devenue patronne du Yucatán en 1949 par décret pontifical pour tous les miracles qui lui sont attribués. Elle est célébrée les 7 et 8 décembre. Jetez aussi un œil au *Camarín de la Virgen* (au 1er étage), peint de couleurs vives. En revanche, le couvent, encore fréquenté par des moines, ne se visite pas. Petit musée (fermé le lundi, horaires variables). Spectacle son et lumière dans l'atrium les mardi, jeudi et samedi à 20 h 30.

🎥 *La pyramide Kinich Kakmó :* à l'angle de la calle 28 et de la calle 27. À moins de 10 mn du *zócalo*. Ouvert tous les jours de 8 h à 17 h. Entrée libre. Izamal est construit sur une ancienne cité maya. Rien d'étonnant, donc, de découvrir çà et là des ruines préhispaniques, bien que la plupart aient été recouvertes par la ville actuelle, édifiée d'ailleurs avec les pierres des monuments préexistants. Du haut de la pyramide, l'une des plus imposantes en volume de la Méso-Amérique, on a une superbe vue sur la ville. On peut aussi se promener du côté du *templo Itzamatul* et visiter son petit jardin botanique.

LA RUTA PUUC

Dans cette partie du Yucatán, au sud de Mérida, émigrèrent des Mayas venus des régions Chenes et Río Bec (l'actuel État de Campeche) pour créer plusieurs centres urbains qui prospérèrent entre les VIIe et IXe siècles : Uxmal, la cité dominante, Kabáh, Sayil, Xlapak, Labná, Oxkintok, Chacmultun... Ces villes formaient une unité politique et religieuse et développèrent une architecture commune, le style puuc. La topographie de la région Puuc présente aussi une forte homogénéité. Il s'agit d'une zone de douces collines, qui contraste avec la plaine monotone de la péninsule. Les terres sont fertiles et depuis les temps préhispaniques, l'agriculture y est prospère. Le seul problème était l'eau. Ici, ni rivières ni lacs, pas même de *cenotes,* ces puits naturels qui permirent à d'autres villes mayas de subsister (Chichén Itzá, par exemple). Les Mayas de la région développèrent donc des systèmes de stockage de l'eau, notamment des citernes *(chultunes),* dont l'approvisionnement dépendait avant tout de la saison des pluies. On comprend qu'une des divinités les plus importantes ait été le dieu de la Pluie ou de l'eau, le fameux Chac...

Les sites de cette région ont été regroupés sous le nom de la *Ruta Puuc,* qui a été inscrite au Patrimoine de l'Humanité.

Comment y aller ?

Il faut savoir que la majorité des touristes se contentent de visiter Uxmal. Or, non seulement les autres sites sont nettement moins fréquentés, mais en plus, le prix du billet d'entrée y est deux fois moins cher.

– Un bon truc est donc de commencer le circuit de la Ruta Puuc par les ruines les plus retirées, Labná ou Sayil, par exemple, et de terminer par Uxmal. Comme ça, on est sûr de visiter au moins deux ou trois sites en toute tranquillité.

➤ *En voiture :* le circuit est facile d'accès et se fait dans la journée. On peut même prévoir d'inclure la visite des grottes de Loltún, bien que ça devienne un peu le marathon. Quitter Mérida en direction d'Uman et suivre les panneaux « Ruta Puuc ». Relativement bien indiqué.

➤ *En transports en commun :* pour se rendre à **Uxmal** depuis Mérida, voir « Arriver – Quitter » à Mérida (terminal 2e classe). On suggère de prendre le premier bus du matin, afin de pouvoir éventuellement revenir à Mérida pas trop tard. Et puis, la visite est plus agréable tôt le matin.

Pour les **autres sites,** c'est là où les choses se compliquent ! Il faut jongler avec les bus et les *combis* locaux. Ou le stop entre deux sites (marche bien en haute saison). Un peu compliqué et perte de temps. Sinon, l'office de tourisme organise des excursions depuis Mérida. Se renseigner sur le parcours, qui n'inclut pas toujours Uxmal. Une autre option consiste à prendre le bus « Ruta Puuc » de la compagnie *ATS.* Départ à 8 h et retour à Mérida vers 16 h 30. Ce bus passe par Uxmal, puis file vers Labná, Xlapak, Sayil, Kabáh, avec des arrêts d'environ 30 mn pour retourner enfin à Uxmal (départ pour Mérida vers 14 h 30). Compter environ 120 $Me (8,40 €) pour le circuit entier, auxquels il faut bien sûr ajouter l'entrée des sites. Réservation la veille au terminal de bus. Voir « Arriver – Quitter » à Mérida. D'accord, le principe est alléchant pour ceux qui ne sont pas véhiculés, mais bien réfléchir avant de se lancer dans l'aventure car au final, cela revient cher et l'on passe bien peu de temps sur les sites (juste le temps de prendre une ou deux photos au pas de course...). On peut aussi faire le choix de rester à Uxmal et de reprendre le bus lorsqu'il a fini sa virée, mais c'est un peu dommage... Si vous passez la nuit à Santa Elena, vous pouvez toujours tenter votre chance auprès des employés des sites qui rentrent au village à partir de 17 h, en échange de quelques pesos.

LE LONG DE LA ROUTE, QUELQUES HACIENDAS

Pour ceux qui sont en voiture (ou à cheval comme au bon vieux temps), trois haciendas entre Mérida et Uxmal. L'occasion de contempler le choc de l'histoire, l'Espagne conquérante qui se superpose à la civilisation maya. Tout d'abord au sens propre, puisque la plupart des haciendas du Yucatán ont été construites sur des sites préhispaniques. Fondées en général au XVIIe siècle, elles se sont d'abord consacrées à l'élevage avant de faire fortune avec la culture de l'agave *(henequen)* dont on tirait la fibre. Et c'est grâce à l'exploitation de ce véritable « or vert » que le Yucatán devint l'un des États les plus riches du Mexique. Au milieu du XXe siècle, celui-ci fournissait près de 90 % du marché mondial. Mais l'avènement des fibres synthétiques et le développement de la culture de l'agave dans d'autres pays, comme au Brésil par exemple, ont considérablement changé la donne. Aujourd'hui, la production a périclité et de nombreuses haciendas sont désormais abandonnées ou transformées en hôtels de luxe. Voici dans l'ordre d'apparition :

🍖 *Hacienda Yaxcopoil :* 16 km après Uman, dans le village de Yaxcopoil. ☎ (999) 927-26-06. ● www.yaxcopoil.com ● En venant de Mérida, on la repère facilement grâce à son beau porche de style mauresque. Elle se visite du lundi au samedi de 8 h à 18 h et de 9 h à 13 h le dimanche, mais l'entrée est assez chère (autour de 40 $Me, soit 2,80 € ; gratuit pour les moins de 12 ans). Elle appartient à la même famille, qui l'acheta en 1864 et est toujours réputée pour sa fabrication de la fibre d'agave. Quelques meubles de l'époque coloniale. Dans l'immense parc, nombreuses ruines mayas. D'ailleurs un petit musée y expose sculptures et autres objets de l'époque classique.

🍖 *Hacienda Temozón :* un peu plus loin sur la route. L'embranchement est indiqué. Prendre à gauche et continuer 5 km. Celle-ci a été transformée en hôtel de grand luxe. Et c'est une litote. Tout simplement splendide. L'hacienda a d'ailleurs reçu des hôtes de marque, comme Bill Clinton. Pensez donc, l'hôtel a financé la rénovation du hameau qui dépendait autrefois de l'hacienda. Avec ses maisons peintes en jaune et ocre, on se croirait revenu à l'époque coloniale. Finalement, rien n'a changé. Les riches logent à l'hacienda, servis par les Mayas du village habillés en costume traditionnel. Si vous avez les poches bien garnies, allez grignoter quelque chose au *resto* qui domine la magnifique piscine design où viennent s'abreuver des paons et autres oiseaux du paradis. Ou bien faire mine de vouloir prendre une chambre (accès difficile quand l'hôtel est complet). On vous laisse donc découvrir les prix. Cardiaques, s'abstenir.

🍖 *Hacienda Ochil :* toujours sur la route principale, quelques kilomètres plus loin, au niveau d'Abala. Embranchement sur la droite. ☎ (999) 950-12-75. Ouvert de 10 h à 18 h. Fermé le mardi. Entrée libre. Bien restaurée. Dans un très beau cadre. Les murs sont peints de cette couleur ocre si chaleureuse, une teinture naturelle. On visite les anciens corps de bâtiment traversés par la petite voie ferrée qui servait au transport de la fibre de *henequen.* Pas de meubles, mais un carrosse. Petits ateliers d'artisans et musée riquiqui sur la vie des principales haciendas de la région. Petit *cenote.*

🍽 *Resto* à prix moyens. On mange en terrasse, sous les somptueuses arcades du bâtiment principal. Carte de spécialités régionales. Pas de la grande gastronomie, mais cuisine correcte. On peut aussi se contenter d'y prendre un verre.

UXMAL   (prononcer « ouchmal »)   IND. TÉL. : 997

Situé à 80 km de Mérida. Le site est remarquable par ses monuments et la beauté de son architecture, caractéristique du style puuc : des frises finement sculptées au sommet des édifices. Chac, le dieu de la Pluie, reconnaissable à son nez crochu, y est omniprésent. C'est l'ensemble le plus important du Yucatán avec Chichén Itzá, et sans doute le plus pittoresque, grâce au paysage vallonné, livrant une jolie vision d'ensemble. Ses proportions humaines permettent d'être immédiatement sensible à son harmonie. Plus qu'un centre cérémoniel, Uxmal était la capitale politique, militaire et religieuse de la région Puuc, et comptait plus de 20 000 habitants à l'époque de sa prospérité.

Arriver – Quitter

En bus

➤ *Liaison avec Mérida :* se placer devant l'hôtel *Hacienda Uxmal* (à la sortie du site) et attendre le bus qui vient de Campeche ; faire signe au conducteur. Théoriquement, 5 passages de bus par jour (compagnie *Auto-transportes del Sur*), entre 6 h 30 et 17 h (ou 19 h 30). Se faire préciser les horaires sur place, car ils sont aléatoires et cela peut très rapidement devenir galère ! À quoi il faut ajouter un service de *colectivos* (prix sensiblement identiques) devant l'entrée du parking.

Où dormir ? Où manger ?

Uxmal n'est pas un village. Quelques hôtels de luxe ont été construits aux abords du site. Si vous êtes très fortuné et que vous souhaitez débuter la visite dès 8 h, vous pouvez dormir sur place. Ceux qui ont un budget plus serré pousseront jusqu'à Santa Elena, à 15 km environ d'Uxmal en direction de Campeche. Pour casser la croûte, pas grand chose à se mettre sous la dent : quelques restos avec leurs tables alignées en rang d'oignons qui font le plein à midi (plus calmes le soir) et où l'addition grimpe vite. Mieux vaut emporter sa p'tite collation.

De très bon marché à bon marché : de 210 à 300 $Me (14,70 à 21 €)

🛏 *Hôtel Sacbé :* à 15 km du site d'Uxmal, sur la route qui mène à Kabáh (et Campeche), à 300 m de Santa Elena, au niveau du km 127. ☎ 01-997-978-51-58 ou (portable) 01-985-858-12-81 ● www.sacbebun galows.com.mx ● Bien desservi par les bus (Mérida-Campeche, via *ruinas*) ; demander à descendre au niveau du terrain de base-ball, à la sortie du village. Tenu par Annette et Edgar, un couple franco-mexicain accueillant, et leur jeune fils qui parle très bien le français. Les bungalows, confortables et bien décorés sont installés dans un immense parc à la belle végétation. Ils dispo-

sent d'une salle de bains (eau chaude) et d'une terrasse privative. Bonne literie. Petit déjeuner préparé par Annette. Et n'oubliez pas de demander à Edgar de vous montrer ses orchidées. Une bonne adresse sympa.

🛏 |●| *Hôtel El Chac-Mool :* à la sortie du village de Santa Elena, en direction de Kabáh, à environ 500 m avant l'*hôtel Sacbé*. ☎ 971-01-91. Six chambres bien proprettes, avec 2 lits, salle de bains (eau chaude en principe), ventilo. Au resto, bonne cuisine régionale à prix très raisonnables.

Prix moyens : de 300 à 500 $Me (21 à 35 €)

⚖ 🛏 |●| *Rancho Uxmal :* en venant de Mérida, c'est à 4 km avant les rui-

nes, sur la droite de la route (panneau). ☎ 977-62-54. Une quinzaine de chambres avec eau chaude (en théorie !) et ventilo. Elles sont dépouillées et un brin défraîchies, mais c'est l'hôtel le plus abordable à proximité des ruines. Literie un peu duraille. Piscine, mais uniquement pour le décor, car l'eau (quand il y en a) n'est pas franchement engageante ! Bon resto avec les plats habituels à prix moyens. On peut aussi y planter sa tente.

|●| **Restaurant Cana Nah :** à 4 km avant les ruines, juste après l'hôtel *Rancho Uxmal* quand on vient de Mérida. ☎ (999) 991-79-78. Ouvert tous les jours jusqu'à 19 h 30 environ. Un grand resto habitué à recevoir des groupes. Bonnes spécialités mexicaines (délicieux *pollo a la plancha*). Atmosphère très touristique, mais service efficace et agréable. Grande piscine.

Très chic : à partir de 800 $Me (56 €)

🛏|●| **Villas Arqueológicas du Club Med :** à 50 m après le site, au bout de la route. ☎ 974-60-20. ● cdvux mal@hotmail.com ● Un peu plus cher en haute saison. Construit sur le même principe que tous les autres hôtels *Club Med* des sites archéologiques. Calme. Une quarantaine de chambres climatisées dominant le patio central. Très mignonnes. Piscine, tennis. Resto au bord de la piscine, qui sert une bonne cuisine d'inspiration française (de prix moyens à chic, selon votre appétit et vos envies...). Et en plus, on est à 3 mn à pied de l'entrée du site. N'oubliez pas l'habituelle réduction de 10 % sur le prix de la chambre et sur la nourriture (mais pas sur les boissons) sur présentation de ce guide.

🛏|●| **Hôtel The Lodge at Uxmal :** juste en face de l'entrée du site, avant le *Club Med.* ☎ 976-20-10 et 21-02. ● www.mayaland.com ● À partir de 1 100 $Me (77 €) la chambre double. Plusieurs petits bâtiments dispersés dans un magnifique parc. Chambres spacieuses et confortables, bien agencées, avec une agréable présence du bois. Deux superbes piscines, dont l'une jouxte le resto. Vous pourrez donc en profiter si vous mangez là. Cuisine excellente mais très chère.

LES RUINES D'UXMAL

🎭🎭🎭 Elles sont d'une beauté exceptionnelle ! À visiter absolument.

UN PEU D'HISTOIRE

Uxmal renferme encore de nombreux mystères. Cependant l'archéologie contemporaine s'accorde à reconnaître l'importance de la cité comme centre politique lors de la période du classique tardif, entre les VIIe et Xe siècles apr. J.-C. Elle a joué un rôle dans la région comparable à celui de Chichén Itzá entre le Xe et le XIIe siècle. Le nom d'Uxmal était sans doute déjà utilisé à l'époque maya. Selon certains, il signifie « 3 fois », indiquant ainsi le nombre de reconstructions qu'aurait subies la cité. Une autre étymologie préfère « le lieu des récoltes abondantes », ce qui correspond à la réalité agricole de la zone.

Le site d'Uxmal était occupé bien avant notre ère, mais ce n'est qu'à partir de l'an 200 qu'il commença à se constituer en centre urbain avant de devenir une ville active qui commerçait avec d'autres cités de la région sud (importation d'obsidienne, de basalte). L'activité marchande devint même le principal secteur économique et les commerçants parvinrent à occuper le haut de l'échelle sociale. Entre l'an 1000 et l'an 1200, une vague d'émigrants originaires du Mexique central (les Xius), porteurs de la culture toltèque, déferle sur le Yucatán. Ces derniers introduisent de nouvelles conceptions politiques et religieuses, notamment le culte du dieu serpent (Kukulcán, l'équivalent du Quetzalcóatl du centre du Mexique), qui apparaît dès lors sur les bas-reliefs des édifices. Pour des raisons inconnues (guerre civile, luttes intestines au sein de l'élite gouvernante...), la cité commence à décliner vers l'an 1200, les habitants émigrant vers d'autres centres. Uxmal se réduit à un centre cérémoniel de moins en moins fréquenté, peu à peu recouvert par la végétation.

Renseignements pratiques

– ☎ 976-21-21.
– Le site est ouvert de 8 h à 17 h.
– **Entrée** : 95 $Me (6,65 €) ; gratuit pour les moins de 13 ans ; utilisation de la vidéo : 30 $Me (2,10 €) en plus. N'oubliez pas que le billet vous donne droit au spectacle *son et lumière* (voir ci-dessous). Comme à Chichén Itzá, on peut alors payer en deux fois : 50 $Me (3,50 €) pour le spectacle (arriver 30 mn avant), et 45 $Me (3,15 €) le lendemain matin pour la visite.
– Consigne pour vos bagages à l'accueil, incluse dans le prix du billet d'entrée. La restauration est très chère, vous vous en doutiez. Prévoyez d'emporter une bouteille d'eau, éventuellement votre casse-croûte.
– Comme d'habitude, si l'on veut éviter la foule, y aller tôt le matin ou en fin d'après-midi. Compter 2 h pour une visite standard. Les plus belles photos se prennent avant 11 h.
– Service de guide (en français) à l'accueil. Prévoir environ 400 $Me (28 €) de 1 à 20 personnes. On peut toujours essayer de se regrouper...
– Spectacle *son et lumière* : à 19 h en hiver, 20 h en été. Durée : 50 mn. Le prix est inclus dans votre billet. La séance est en espagnol, mais on peut louer des écouteurs dans la langue de son choix (25 $Me – 1,75 € ; et n'oubliez pas une pièce d'identité, que vous devez laisser comme caution). Si vous avez l'intention d'assister au spectacle, prévoyez la visite du site en fin d'après-midi et... un maillot de bain pour aller patienter au bar d'une piscine d'hôtel. Arrivez tôt, car en saison il y a beaucoup de monde et les chaises sont prises d'assaut ; sinon, vous serez assis sur les gradins. Sachez que Chichén Itzá propose également un son et lumière. Difficile de trancher entre les deux spectacles, qui sont d'ailleurs conçus sur le même principe ; plus narratif et plus compréhensible à Chichén, mais le cadre d'Uxmal est somptueux. Bien s'assurer de son mode de transport pour le retour. Des agences organisent l'aller et le retour depuis Mérida.
– Si vous venez en voiture, le parking coûte 10 $Me (environ 0,70 €). Allez vous garer sur le parking du *Lodge at Uxmal,* juste avant le *Club Med* (voir « Où dormir ? »).

À voir

– **La pyramide du Devin** *(plan, 1)* **:** difficile de la louper, on tombe dessus juste après l'entrée. Selon la légende, elle aurait été érigée en une nuit par un nain aux pouvoirs magiques, alors qu'il venait d'accéder au trône. Avec ses 35 m de haut, elle est plus haute que celle de Chichén Itzá. Sa forme ovale est unique au Mexique. Probablement construite vers la fin du VIe siècle. Sur les quatre parties superposées se mélangent les styles de toutes les périodes de construction (au moins cinq sous-structures). Au sommet, plusieurs petits temples de différentes époques, mais accès désormais interdit.

– **Le carré des Oiseaux** *(plan, 1 bis)* **:** derrière la pyramide du Devin. Jolie cour qui doit son nom au mur ouest recouvert de sculptures d'oiseaux en pierre. Certains y voient des colombes, d'autres, sans doute plus proches de la réalité, des perroquets aras qui étaient l'emblème du soleil. En tout cas,

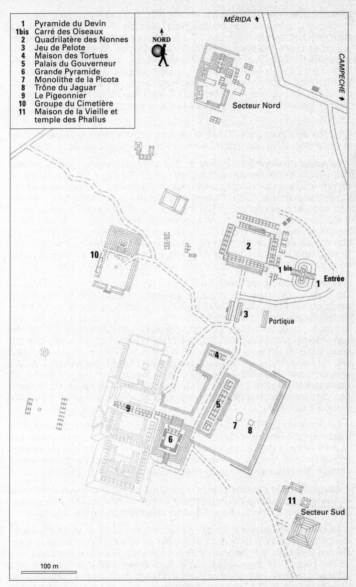

1   Pyramide du Devin
1bis   Carré des Oiseaux
2   Quadrilatère des Nonnes
3   Jeu de Pelote
4   Maison des Tortues
5   Palais du Gouverneur
6   Grande Pyramide
7   Monolithe de la Picota
8   Trône du Jaguar
9   Le Pigeonnier
10   Groupe du Cimetière
11   Maison de la Vieille et
     temple des Phallus

MÉRIDA

NORD

CAMPECHE

Secteur Nord

Entrée

Portique

Secteur Sud

100 m

UXMAL

c'est très beau. Sur les frises, représentations de plantes et de toits en palme tressée, typiques des huttes de paysans mayas.

– **Le quadrilatère des Nonnes** *(plan, 2)* : belle restauration. Baptisé ainsi par les conquistadors à cause de sa ressemblance avec un cloître. Malheureusement, l'ethnocentrisme ne fait pas l'histoire et on ne sait toujours rien de la fonction dévolue à ce magnifique édifice. En tout cas, il n'a rien à voir avec un couvent, même s'il était certainement utilisé par les prêtres et les nobles pour des cérémonies religieuses. C'est du moins ce que laissent penser les superbes frises chargées d'innombrables symboles divins. Également des masques du dieu Chac, des serpents entrelacés, des motifs floraux et géométriques... L'ensemble est d'une grande harmonie architecturale. Quatre grands édifices entourent une cour centrale, du plus pur style puuc, datant du Xe siècle. Tout autour, 74 petites portes. Sous le porche, en entrant, remarquer le système de drainage : pas une seule goutte d'eau ne devait être perdue.

– *Le jeu de pelote (plan, 3)* : on le traverse pour aller vers le *palais du Gouverneur*. Beaucoup plus petit et bien moins conservé que celui de Chichén Itzá.

– *Le palais du Gouverneur (plan, 5)* : sur une esplanade. Considéré comme l'un des chefs-d'œuvre de l'architecture maya. L'équilibre de ses proportions répond à la fameuse loi grecque du nombre d'or. Encore un magnifique exemple de l'art puuc. Il date du Xe siècle. Ce palais tire probablement son nom de son exceptionnelle longueur (environ 100 m) et présente de riches frises sculptées, avec notamment une série de 103 masques du dieu Chac. De la façade se dégage une grande harmonie générale, donnée par le rythme des pierres taillées. Au centre, le trône d'un souverain entouré de serpents entrelacés. Dans les talus, au bas du palais, plein d'iguanes qui se prélassent sous le soleil d'été. De la façade nord, magnifique vue sur le site.

– *Le monolithe de la Picota (plan, 7)* : sur l'esplanade, en face du palais du Gouverneur. Gros cylindre de pierre, qui était à l'origine recouvert de stuc et peint de motifs symboliques. Plusieurs hypothèses sur sa fonction : un poste de flagellation (bof !) ; la représentation de l'arbre du monde Ya'axché Cab, mentionné dans la mythologie maya (poétique) ; un élément de culte phallique (intéressant). Plus tard, on aurait mutilé la partie supérieure du cylindre pour cacher la forme de l'organe sexuel masculin. Cette version est contestée, car il semble que les Mayas ne pratiquaient pas ce type de rituel. N'empêche, on a retrouvé dans le secteur sud un temple dont les gargouilles en pierre représentent des phallus. Et sur la façade ouest du palais des Nonnes, des personnages exhibent leur sexe, symbole de fertilité et de fécondité. Bizarre, bizarre.

– *Le trône du Jaguar (plan, 8)* : au centre de l'esplanade qui fait face au palais du Gouverneur. Il s'agit d'un jaguar bicéphale qui servait de trône aux dignitaires de la cité. Il repose sur une plateforme dans laquelle les archéologues ont retrouvé dans les années 1950 des offrandes de grande valeur comme des bijoux en jade et de nombreuses pièces en obsidienne.

– *La maison des Tortues (plan, 4)* : sur la même esplanade que le palais du Gouverneur, du côté droit. Petit temple à la décoration modeste en comparaison des autres monuments. Corniche effectivement ornée de tortues.

– *La Grande Pyramide (plan, 6)* : du sommet de ses 32 m, on a sans aucun doute la vue la plus belle sur l'ensemble du site qui émerge de la forêt. Encore un temple dont on ne connaît ni les tenants, ni les aboutissants ! Seul un des côtés a été dégagé et restauré. Au sommet, petit temple où l'on peut admirer une belle frise décorée d'oiseaux (sans doute des perroquets aras) et de masques de Chac dans sa partie supérieure. C'est le seul édifice qui ne soit pas de style puuc. De là-haut, on aperçoit au loin le groupe du Cimetière.

– *Le Pigeonnier (plan, 9)* : on le voit très bien du haut de la Grande Pyramide. Évidemment, rien à voir avec le pigeonnier de nos campagnes. C'était plutôt un palais ou un ensemble résidentiel. De l'ancien quadrilatère, il ne reste plus que ce mur dont la crête dentelée a inspiré le nom à l'explorateur John I. Stephens lorsqu'il le découvrit au XIXe siècle.

– *Le groupe du Cimetière* *(plan, 10)* : prendre le sentier qui s'enfonce dans la forêt sur une centaine de mètres. Ruines mal conservées et non restaurées d'un quadrilatère entourant un patio. Pyramide mal en point. De jolies têtes de mort sculptées ornent les murets qui forment plusieurs carrés.

Si vous n'êtes pas encore réduit à l'état de ruine ambulante, vous pouvez aller faire un petit tour au *secteur sud* *(plan, 11)* pour y voir :

– *Le temple des Phallus :* sous une palapa, une quinzaine de phallus de pierre en piteux état. Un exemplaire est exposé au musée.

– *La maison de la Vieille :* juste après le temple des Phallus. Très délabrée. Il ne reste plus qu'une corniche. Près de là, une petite pyramide a été restaurée.

KABÁH

Le site se trouve à une vingtaine de kilomètres au sud d'Uxmal. Ouvert de 8 h à 17 h. Entrée : environ 30 $Me (2,10 €) ; le double pour utiliser une vidéo ; gratuit pour les moins de 13 ans.
Les ruines s'étendent des deux côtés de la route. *Kabáh* signifie en maya « la main qui cisèle » ou « le Seigneur à la main puissante ». La ville était reliée à Uxmal par une artère, le *sacbé*. Compter 30 mn de visite ; 1 h pour les traînards.

À voir

🍴 Dès l'entrée, l'œil est tout de suite attiré par l'imposant *Grand Palais.* L'ensemble est élégant. Il se dégage une atmosphère presque fastueuse. Sur sa droite, le *Codz Poop,* appelé aussi le palais des Masques. Ne le ratez sous aucun prétexte, c'est l'un des plus fascinants exemples d'architecture maya, de style puuc (construit vers 800 apr. J.-C.) ! Dédié à Chac, le dieu de la Pluie. Trois terrasses avec un escalier au milieu, qui mène à une magnifique façade sculptée de remarquables motifs artistiques et de masques de Chac. L'aspect répétitif des motifs donne un grand rythme à l'ensemble. En tout, on a compté 270 masques. Remarquer la complexité de la structure de chaque masque. Superbe.

🍴 De l'autre côté de la route, de petits sentiers à travers bois mènent à une *arche monumentale,* du plus pur style puuc (restauré) qui marquait le départ du *sacbé* menant à Uxmal, et à un petit temple, le *mirador.*

SAYIL

Sayil se trouve à environ 25 km au sud-est d'Uxmal. Pour y aller : à 5 km de Kabáh, quitter la 261 à gauche ; de là, il reste encore 5 km pour atteindre Sayil. Ouvert de 8 h à 17 h. Entrée : près de 30 $Me (2,10 €) ; le double pour utiliser une vidéo ; gratuit pour les moins de 13 ans.
Le site de Sayil est complètement enfoui dans la forêt dense. Beaucoup de ruines encore dans leur gangue de pierre et de terre. Ce fut pourtant un centre urbain très important à l'époque. Sa construction date de l'an 750 à l'an 1000 de notre ère. Magnifique palais qui se dresse au sein d'une belle clairière. Encore un site envoûtant. Attention, il est très étendu et l'on prend plaisir à s'aventurer sur les différents sentiers et à prolonger la visite.

À voir

🏃 L'édifice le plus imposant est le ***Gran Palacio*** (*palais de Mjama Cab,* dieu de la montée du Soleil), de style puuc (époque tardive). Long de 90 m, avec ses étages en retrait les uns par rapport aux autres, il possède un imposant escalier à trois volées de marches et plus de 90 antichambres. Un seul côté a été dégagé, ce qui permet de mesurer l'ampleur du travail qu'exige une restauration. On remarquera l'élégant entablement à colonnes et à masques qui soutient la deuxième terrasse. Une curiosité : sur les colonnes, on note les triples renflements imitant les liens attachant les troncs entre eux dans les cabanes mayas. Nombreux masques de Chac et de serpents.

🏃 Du palais, un petit chemin mène au ***mirador,*** mur de pierre ajouré construit sur un monticule. À 100 m de là, un sentier conduit à une stèle qui représente un dieu phallique. Après une agréable marche de 800 m, on arrive au *Palacio Sur.*

LABNÁ

Labná est situé à 40 km d'Uxmal, après Sayil. Ouvert de 8 h à 17 h. Entrée : aux environs de 30 $Me (2,10 €) ; le double pour utiliser une vidéo ; gratuit pour les moins de 13 ans.
Labná est l'un de nos sites préférés ! Non pour son côté monumental et spectaculaire, mais pour son charme et son caractère isolé (bien moins de touristes, bien sûr). Nous recommandons d'ailleurs, si vous disposez d'un moyen de transport, de commencer par Labná dès l'ouverture. C'est le site qui permet peut-être le mieux (pour les lecteurs romantiques et sensibles) d'imaginer ce qu'y fut la vie autrefois. On sent vraiment des vibrations dans l'air. Avec un peu de chance, vous serez seul. Pas difficile, donc, de se représenter les Mayas déambulant, faisant leur marché. Voie sacrée au milieu, bien dessinée et menant aux différents édifices.

À voir

🏃 Dès l'arrivée, on tombe sur un ***palais,*** moins haut mais proche de celui de Sayil dans sa structure. En forme de L, il est composé de 67 pièces réparties sur deux niveaux. Les grands masques de Chac, en forme de trompe, sont sculptés sur d'imposants panneaux aux angles du toit. À l'angle gauche du *temple,* une grande mâchoire de serpent largement ouverte, à l'intérieur de laquelle apparaît un masque. Le corps du serpent ondule sur le côté de l'édifice. Puis, au fond à droite, un autre petit *palais* avec sa façade recouverte de colonnes.

🏃 ***La voie sacrée*** (*sacbé*) traversant la grande clairière au milieu mène aux deux plus fameuses constructions de Labná : la ***pyramide*** surmontée de son temple (c'est le mirador) et l'***arche monumentale*** (superbement reconstituée). Là aussi, remarquable décoration du mur à côté de l'arche. Les colonnes imitent dans la pierre les enceintes de bois protégeant les premiers villages mayas. L'arche elle-même est unique. Elle présente une architecture très élégante, peu habituelle. Richesse du décor. Vous l'aviez deviné, Labná, on a plutôt aimé...

DE LABNÁ À CHICHÉN ITZÁ

Après la visite des ruines de Labná, et si vous n'avez pas besoin de repasser à Mérida, vous pouvez rejoindre (seulement si vous avez une voiture) le site de Chichén Itzá en empruntant les petites routes méconnues de l'intérieur du Yucatán. De Labná à Chichén Itzá, 150 km environ, soit 3 h de route (asphaltée) en roulant tranquillement au milieu de nuages de papillons jaunes en été. On découvre alors la face cachée de cette province. De nombreux petits villages loin de tout, où le temps s'est arrêté, des paysages assez monotones dans l'ensemble mais pas inintéressants. Se munir d'une bonne carte routière et faire le plein d'essence à Ticul ou à Oxkutzcab.

Itinéraire

➢ **De Labná à Oxkutzcab,** belle route bordée d'orangeraies, de bananeraies et de plantations en tout genre.
➢ **D'Oxkutzcab à Sotuta** (66 km), on traverse plusieurs petits villages typiques comme *Mani, Tipical* (pas de jeux de mots ici !), *Teabo, Mayapan, Cantamayec.* Entre Mayapan et Sotuta, bonne route assez large et bitumée.
|●| À Sotuta, étape déjeuner au resto *Los Compadres* où l'on mange bien pour pas cher.
➢ **De Sotuta à Chichén Itzá,** prendre la route de Tibolón qui rejoint la grande route Mérida-Cancún au village de Holca.

LES GROTTES DE LOLTÚN

À 110 km de Mérida, 21 km de Labná et très proches du village d'Oxkutzcab. Entrée : environ 50 $Me (3,50 €), plus le pourboire pour le guide ; gratuit pour les moins de 12 ans. Parking payant. Visites guidées tous les jours à 9 h 30, 11 h, 12 h 30, 14 h, 15 h et 16 h (en anglais et en espagnol). Sanitaires à l'accueil. Restaurant juste en face de l'entrée.
Avant ou après la visite de Kabáh, Sayil, Xlapak et Labná, un arrêt s'impose à Loltún (« Fleur de pierre »). Découvertes en 1888 par Edward Thompson et visitables depuis seulement une quinzaine d'années, les grottes de Loltún permettent d'admirer l'art rupestre des premiers Mayas, qui les utilisèrent comme refuge. Durant la visite (qui dure environ 1 h sur un parcours de 2 km), le guide vous conduira à 70 m de profondeur parmi les stalactites et les stalagmites. On y voit tout d'abord des jeux de lumière surprenants, puis des peintures irrégulières le long des parois.

Arriver – Quitter

➢ **De Mérida ou Uxmal :** prendre un bus *Mayab* en direction de Chetumal et descendre au village d'Oxkutzcab (voir « Arriver – Quitter » à Mérida). De là, c'est un peu la galère. Il reste 7 km à faire en stop. Ou bien prendre une des camionnettes qui attendent parfois sur le *zócalo,* surtout en haute saison et plutôt le matin, ou bien un taxi (environ 50 $Me, soit 3,50 €, pour 4 personnes). Si vous êtes à Ticul, prenez un *combi* jusqu'à Oxkutzcab.
➢ **Retour à Mérida :** prenez un pick-up sur la route pour retourner à Oxkutzcab, puis bus *Mayab* de 6 h à 19 h 30. Ou demandez au taxi de revenir vous chercher.

CHICHÉN ITZÁ   IND. TÉL. : 985

Le site le plus touristique du Yucatán, à 120 km de Mérida, sur la route de Cancún. Des ruines spectaculaires s'étendent sur 300 ha et, parmi elles, de nombreux édifices bien restaurés. Ce sont aussi les moins mayas de la région, car l'apport toltèque y fut considérable. À son apogée, entre 750 et l'an 1200 de notre ère, la cité détenait l'hégémonie sur l'ensemble de la zone maya. La pyramide Kukulkán, la plus célèbre silhouette du site, domine l'ancienne ville de Chichén Itzá ; une chaussée la relie au *cenote* sacré, puits naturel qui donne accès à la nappe d'eau souterraine, 20 m plus bas. Sans cette précieuse eau, la cité n'aurait pu survivre. C'est aussi ce qui explique le nom *Chichén Itzá* : « près du puits des Itzás », les Itzás étant la tribu maya qui fonda la ville aux alentours de 500.

Arriver – Quitter

En bus

Il y a deux ***arrêts de bus*** à *Piste*. L'un dans le village *(schéma, 3)*. ☎ 851-00-52. L'autre aux ruines *(schéma, 4)*. Le guichet des billets se trouve dans le hall des boutiques à l'accueil du site archéologique.

➤ ***Liaison avec Mérida et Cancún (via Valladolid) :*** tous les bus *Oriente* (2ᵉ classe) qui font Mérida-Cancún et vice versa s'arrêtent à Chichén. Chaque heure environ. Comme ce sont des bus *de paso,* ils sont souvent bondés. Risque de voyager debout, au moins jusqu'à Valladolid. Également quelques bus *ADO* de 1ʳᵉ classe. Le dernier bus pour Mérida et pour Cancún passe à 23 h 30.

➤ ***Liaison avec Tulum et Playa del Carmen :*** avec *ADO,* 3 bus par jour, mais *de paso.* Seul le bus de 16 h part de Piste. Un bus *Oriente* part à 7 h 30 et dessert Cobá, puis Tulum et Playa.

Orientation

Chichén Itzá ne regroupe que des ruines. Le premier village est **Piste** (prononcer « pisté »), à environ 4 km du site. Dans ce bourg de 5 000 habitants, on trouve quelques hôtels, des boutiques de souvenirs sans intérêt et des restos généralement médiocres.

Lorsqu'on arrive de Mérida, on doit d'abord traverser Piste. Après la sortie du village, la route principale continue sur 4 km jusqu'au site archéologique. Après l'embranchement qui mène aux ruines, on doit poursuivre encore 1,5 km sur la route nationale vers Valladolid avant de tomber sur la zone hôtelière de luxe (embranchement sur la droite). Bon, comme on imagine que vous n'avez rien compris à ces explications, et comme un (bon ?) dessin vaut mieux qu'un long discours, on vous propose de vous reporter au schéma de la zone. Et on a bien dit schéma.

Adresse utile

***Internet** (schéma, 2) :* en face du terminal des bus. ☎ 851-00-89. Ouvert de 9 h à 22 h. Une façon d'occuper la soirée : répondre à vos courriels. Quelques ordinateurs. Fait aussi le change des euros (taux pas très intéressant).

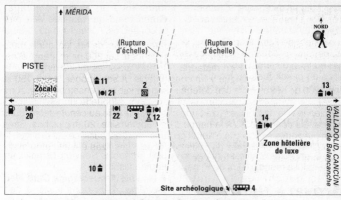

CHICHÉN ITZÁ (SCHÉMA)

LE YUCATÁN

■ Adresses utiles

- @ **2** Internet et change
- 🚌 **3** Terminal de bus (village)
- 🚌 **4** Terminal de bus (ruines)

X ⌂ **Où dormir ?**

- **10** Posada Olalde
- **11** Posada Kary

- **12** Hôtel Piramide Inn
- **13** Hôtel Dolores Alba
- **14** Villa Arqueológica Club Med

⏐●⏐ **Où manger ?**

- **20** Lonchería Fabiola
- **21** Las Redes
- **22** Las Mestizas

Où dormir ?

Si vous voulez visiter le site dès l'ouverture, vous pouvez dormir près des ruines. Sinon, logez à Mérida ou Valladolid.

À Piste *(à 20 mn à pied du site)*

⌂ **Posada Olalde** *(schéma, 10) :* du *zócalo,* prendre en direction des ruines sur la route principale et tourner à droite, en face du restaurant *Carrousel* ; c'est à 100 m. ☎ 851-00-86. Compter environ 210 $Me (14,70 €) pour une chambre avec ventilateur ou un bungalow. Les chambres donnent sur un jardin touffu à la végétation luxuriante. Elles sont spacieuses et très clean, avec salle de bains. Calme. Les bungalows, rustiques, ne manquent pas de charme avec leur toit de palmes. Accueil sympathique. De loin la meilleure adresse de Piste.

⌂ **Posada Kary** *(schéma, 11) :* en venant du *zócalo,* prendre la première à gauche. ☎ 851-02-08. En retrait de la route, donc plus calme que les autres *posadas.* Petit hôtel presque mignon, avec sa façade ocre. Chambres rudimentaires mais bien tenues à partir de 180 $Me (12,60 €). Avec ventilo, eau chaude et même TV. La **Posada Maya,** à côté, est encore meilleur marché mais vraiment très spartiate.

X ⌂ ⏐●⏐ **Hôtel Piramide Inn** *(schéma, 12) :* encore un peu plus loin sur la droite en venant du *zócalo.* ☎ 851-01-15. Fax : 851-01-14. ● www.chichen.com ● Environ 450 $Me (31,50 €) la double. Plus cher si l'on paye par carte. Immense hôtel dont les chambres donnent sur un beau jardin avec une piscine. Ça surprend agréablement après l'horrible façade extérieure. Chambres d'un bon confort, avec ventilo et AC. Si vous avez acheté un hamac, c'est le moment de l'étrenner. On peut le suspendre ici, sous de petites *palapas* au fond du jardin, pour une poignée de pesos (pas de location de hamacs). On peut aussi planter sa tente sous un espace ombragé. Grand resto qui pratique des prix raisonnables. Accueil sympa. Même style que le *Dolores Alba,* mais avec l'avantage d'être dans le village. Une bonne adresse, mais évitez les chambres qui donnent sur la route.

En dehors de Piste

â |●| *Hôtel Dolores Alba (schéma, 13) :* 2 km après le site en direction de Valladolid (donc à 6 km de Piste), sur la gauche de la route. Téléphone à Mérida : ☎ (999) 85-15-55. ● www.doloresalba.com ● Si vous venez de Mérida ou de Cancún par le bus, demandez au chauffeur de vous arrêter devant l'hôtel. De 430 à 530 $Me (30 à 37 €) la double. Chambres avec ventilo et AC. Attention tout de même à la literie, qui est inégale. Deux piscines, dont une tout à fait ravissante avec ses rochers au fond. Et pour se reposer après la visite du site, des hamacs à l'ombre d'une *palapa*. Relativement agréable, mais le bruit des voitures sur la route toute proche pourra gêner certains. Quant à la qualité de l'accueil, elle a énormément baissé ces derniers temps. Resto correct, sans plus ; et il n'y a rien d'autre aux alentours ! Navette gratuite pour se rendre aux ruines mais pas de retour et la route est dangereuse et peu agréable. Souvent complet en haute saison.

â |●| *Villa Arqueológica Club Med (schéma, 14) :* dans la zone des hôtels de luxe, à 3 km après le village de Piste (en direction de Valladolid). ☎ 856-60-00. Fax : 856-60-08. ● chichef01@clubmed.com ● Environ 770 $Me (54 €) la double. L'hôtel chic le moins cher de la zone et le plus attentionné. Architecture intérieure élégante et couleurs chaudes. Beau patio où fleurissent les bougainvillées. Le resto (délicieuse cuisine) borde la piscine. Les 40 chambres ne sont pas très grandes, mais elles disposent de tout le confort souhaité. Avec, en prime, un accès direct à pied au site, par l'entrée sud. Remise de 10 % pour nos lecteurs aussi bien sur le resto que sur le prix de la chambre (mais uniquement pour une réservation sur place et sur présentation de ce guide à l'arrivée).

Où manger ?

|●| *Lonchería Fabiola (schéma, 20) :* presque en face du *zócalo* de Piste, sur la droite quand on vient de Mérida. Ouvert de 7 h 30 à 23 h. Pas de téléphone. Quelques tables en plastique installées sous les arcades. Cuisine familiale. Petit choix de plats bon marché. On peut aussi venir y prendre le petit déjeuner. Bon et pas cher.

|●| *Las Redes (schéma, 21) :* en venant du *zócalo,* sur la gauche. ☎ 851-02-08. Ouvert midi et soir. Cadre assez banal, mais bien aéré sous une *palapa*. La terrasse, sur le trottoir, est aussi agréable. Bonnes spécialités du Yucatán. Pas cher.

|●| *Las Mestizas (schéma, 22) :* continuer en direction des ruines après le *zócalo* ; c'est sur la droite avant la *Posada Chac-mool.* ☎ 851-00-69. Ouvert de 7 h à 23 h. Fermé le lundi. Parmi les restos touristiques qui fleurissent à Piste, celui-ci sort du lot. On mange dans un décor sympa, parmi les papillons, les colibris, les aras et les chouettes. Serveurs déguisés. Très bonne cuisine régionale. Plus calme le soir : la promiscuité des tables est alors beaucoup plus supportable.

LES RUINES DE CHICHÉN ITZÁ

UN PEU D'HISTOIRE

L'histoire de Chichén est complexe et bourrée de points d'interrogation. La ville aurait été fondée par les Itzás, tribu maya venue du sud, vers 450. Elle connaît une première période de splendeur entre les VIIe et IXe siècles. De cette époque datent les premières constructions à l'architecture typiquement maya, qui s'apparente au style puuc. Comme l'ensemble de la région maya, Chichén Itzá entre ensuite dans une phase de déclin au cours du Xe siècle. On ne sait pas bien si la ville fut abandonnée, comme ce fut le cas pour d'autres grandes cités du centre de la région maya, ou si elle se mit simplement en sommeil.

Quoi qu'il en soit, elle est repeuplée vers l'an 1000 grâce à l'arrivée de tribus du Nord, d'origine toltèque. Une légende raconte que ce sont les Itzás eux-mêmes qui, après avoir abandonné leur ville, seraient revenus sous la conduite du roi de Tula, Quetzalcóatl, lequel aurait fondé une nouvelle dynastie avant de repartir pour le Mexique central. Ce qui est certain, c'est que Chichén Itzá connaît alors un nouvel âge d'or. La culture toltèque est intégrée, ce qui se traduit par une nouvelle forme d'architecture, ainsi que par le culte du dieu serpent Quetzacoátl (Kukulcán pour les Mayas).

La cité est définitivement abandonnée vers 1185 (ou 1250, selon d'autres chercheurs), sans doute à cause d'un conflit entre Uxmal, Mayapán et Chichén Itzá (la rupture d'une supposée triple alliance). À l'époque de la conquête espagnole (1533), la cité ne comptait plus que quelques rares habitants, même si Chichén Itzá restait un centre de pèlerinage maya très couru.

Renseignements pratiques

– Site ouvert tous les jours de 8 h à 17 h 30 (18 h en été). Entrée : 95 $Me (environ 6,65 €) ; gratuit pour les moins de 13 ans. Droit de vidéo : 30 $Me (2,10 €). Le spectacle son et lumière est inclus dans le prix du billet. Un tuyau : on peut assister au spectacle (arriver 30 mn avant) en ne payant que 50 $Me (3,50 €) et revenir le lendemain matin pour la visite en payant le reste, soit 45 $Me (3,15 €).

– Compter entre 3 et 4 h de visite pour tout admirer.

– Pour la visite, 2 options : soit vous avez dormi sur place, et l'on vous recommande de vous pointer à 8 h pile devant l'entrée : c'est le seul moyen d'avoir le privilège de profiter du calme ; soit vous séjournez à Mérida ou à Valladolid, et vous pouvez effectuer la visite dans l'après-midi. Dans les deux cas, on évite les heures de pointe du milieu de matinée.

– À l'entrée du site (à 4 km du village de Piste), grand centre touristique avec galerie marchande (utile pour les cartes postales et les pellicules photo), resto-buvette, bureau de change (malgré le nombre de touristes, celui-ci ouvre et ferme selon l'humeur de son gérant). Il y a aussi une consigne à bagages (comprise dans le prix du billet d'entrée).

– Service de guides en français : compter autour de 500 $Me (35 €) pour une visite de 2 h, pour un maximum de 25 personnes. On peut toujours essayer de se regrouper, mais bon, les Français ne courent pas les *sacbés* tous les jours !

– Si vous êtes en voiture, parking payant à l'entrée. Sinon, vous pouvez aussi accéder au site par l'entrée sud (embranchement pour aller à la zone hôtelière). Il y a beaucoup moins de monde.

– Son et lumière : compris dans le prix du billet. Spectacle à 19 h en hiver et 20 h en été (arriver 30 mn avant). Il dure 1 h environ. Bien se renseigner sur les horaires des derniers bus pour repartir. Pour ceux qui ne parlent pas l'espagnol, location d'écouteurs dans la langue de leur choix (comptez 25 $Me environ, soit 1,75 €). N'oubliez pas de prendre une pièce d'identité pour la caution.

À voir

Avant toute chose, une minute d'observation de la maquette du site permet de saisir les différents éléments de cette immense cité. Globalement, tous les édifices de gauche répondent au style maya-toltèque, tandis que la partie tout à fait à droite, bien antérieure, témoigne d'un style purement maya.

On identifie aisément l'architecture toltèque par le soubassement incliné des temples. La base des monuments mayas était droite. Au cours de la visite, d'autres différences notables dans l'art de la sculpture n'échappent pas : les Mayas utilisaient des formes très géométriques, hyper-symbolistes, n'hésitant pas à réduire un visage à la forme d'un gros carré. Un effort d'imagination est souvent nécessaire pour découvrir ici un visage, là un serpent. En revanche, l'art toltèque, très réaliste, s'employait à restituer chaque détail des corps, des visages, des situations. Il cherchait à témoigner et à narrer avant tout.

Au niveau des représentations animales, l'aigle et le jaguar occupaient une importance considérable chez les Toltèques. Chez les Mayas, c'est le *papagayo* (perroquet) ; il symbolise le soleil. C'est aux Mayas que l'on doit la technique de la voûte pentue à sommet plat.

Zone nord : style maya-toltèque

– **Castillo** *(site, 1)* **:** suite à une chute mortelle, on ne peut plus y monter. Formé de neuf terrasses surmontées d'un temple. Les Espagnols l'appelèrent ainsi à cause de son aspect imposant. Quatre escaliers courent de chaque côté pour accéder au sommet. Peu de pyramides au Mexique présentent une telle disposition. Cela donne un phénomène curieux au moment des équinoxes de mars et septembre (vers le 21) ; un serpent apparaît le long de l'escalier nord du Castillo, dessiné par le jeu de l'ombre et du soleil au moment où il se couche. Le phénomène est visible une semaine avant et après l'équinoxe. Et il dure un peu plus de 3 h. Le phénomène est reproduit dans le spectacle du *son et lumière.*

La pyramide, de style maya et toltèque, construite sur des bases plus anciennes, possède 91 marches sur chacun des quatre côtés, plus une marche supplémentaire. Faites les comptes : cela donne 365 marches, ce qui rappelle le nombre de jours de notre révolution terrestre autour du soleil. Le Castillo, entièrement dédié au soleil, était utilisé pour les grandes cérémonies. À l'intérieur, un escalier très raide aux parois couvertes d'humidité mène à une crypte qui abrite un Chac-Mool et un jaguar peint en rouge et aux yeux de jade. Le jaguar symbolise la force, la férocité, mais évoque aussi le coucher du soleil, les taches de sa fourrure rappelant les étoiles du ciel.

1 Castillo	11 Casa Colorada ou Chichanchob
2 Marché	12 Maison du Cerf (Casa del Venado)
3 Bains de vapeur	13 El Caracol (observatoire)
4 Temple aux Mille Colonnes	14 Temple des Nonnes (Edificio de las Monjas)
5 Plateforme de Vénus	15 Église
6 Puits des Sacrifices *(cenote)*	16 Akab Dzib
7 Mur des Crânes (Tzompantli)	17 Temple des Panneaux (Templo de los Tableros)
8 Temple des Jaguars et des Aigles	18 Cenote Xtoloc
9 Jeu de pelote	19 Patio des Nonnes (Patio de las Monjas)
10 Ossuaire ou tombe du Grand Prêtre	

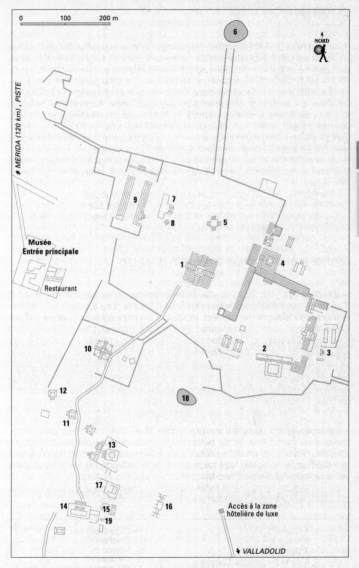

0   100   200 m

NORD

6

MÉRIDA (120 km), PISTE

9

7

8

5

Musée
Entrée principale

Restaurant

1

4

10

2

3

12

18

11

13

17

14   15   16

19

Accès à la zone
hôtelière de luxe

VALLADOLID

CHICHÉN ITZÁ (SITE ARCHÉOLOGIQUE)

– **Le jeu de pelote** (Juego de Pelota ; site, **9**) : le plus grand du continent méso-américain. Et particulièrement bien conservé. La ville en comptait au moins 13. Le jeu de pelote opposait 7 joueurs par équipe et consistait à toucher avec une balle en bois l'anneau de l'adversaire, situé sur le mur. La balle pouvait être envoyée avec le genou, le pied droit, les hanches, ainsi qu'à l'aide d'une batte en bois. La faire passer à l'intérieur de l'anneau représentait un exploit extraordinaire, et son auteur était honoré comme de droit. Les 6 membres de l'équipe jouaient au centre, et les capitaines respectifs sur les terrasses qui bordent les deux murs. Les spectateurs prenaient place tout en haut, ainsi qu'à chaque extrémité du terrain. Le jeu de pelote revêtait un caractère rituel et sacré, et la plèbe n'était pas admise. Seuls les nobles, les prêtres et les invités d'honneur des cités voisines pouvaient assister au jeu. Quant au sort réservé au vainqueur, la polémique se poursuit toujours. Certains soutiennent qu'il était sacrifié aux dieux en signe d'honneur ; d'autres estiment que c'était les perdants qui étaient sacrifiés. Pour tester l'acoustique incroyable, placez-vous au centre et frappez dans vos mains ; l'écho se répète 7 fois.

Passons maintenant à l'étude des superbes bas-reliefs qui ornent les terrasses dans leurs parties centrales et aux extrémités. Au centre, en regardant attentivement, on aperçoit des joueurs, batte en main. Leur chaussure droite, un peu particulière, permit d'affirmer qu'on pouvait utiliser le pied droit pour jouer. En bas, un gros cercle symbolisant la balle est orné en son centre d'un crâne humain, évoquant la mort. À côté, le capitaine de l'équipe victorieuse va se faire décapiter (c'est un honneur !). De son cou jaillissent 6 jets de sang, rappelant les 6 joueurs. Un véritable jeu d'équipe, quoi.

Avant de partir, jeter un coup d'œil aux quatre serpents qui ferment le jeu à chaque extrémité des terrasses. Le serpent à plumes Quetzalcoátl (Kukulcán pour les Mayas) est l'un des symboles les plus importants de la culture toltèque.

– **Le mur des Crânes** (Tzompantli ; site, **7**) : un curieux mur où sont symbolisés de manière très brutale les crânes des joueurs de pelote décapités. À l'intérieur de cette petite plateforme, on trouva en effet des crânes. Plusieurs centaines de crânes grimaçants, tout à fait identiques, donnent un rythme morbide mais très réussi à ce mur. Aux angles apparaissent les seuls crânes de face. D'autres sculptures montrent un joueur venant de perdre la tête et, sur sa droite, un aigle dévorant un cœur humain.

– **Le temple des Jaguars et des Aigles** (site, **8**) : à côté du précédent. Guère plus grand mais très intéressant. À chaque angle, on voit clairement un jaguar (la nuit) et un aigle (le jour) dévorant un cœur humain, symbolisant ainsi l'offrande au soleil. Noter la position de la patte de l'aigle, très humaine dans sa manière de tenir le cœur.

– **La plateforme de Vénus** (site, **5**) : la partie la plus significative de ce petit temple se trouve aux quatre coins, où se répètent les mêmes images : symbolisant la fertilité, le dieu Quetzalcoátl sort de la bouche d'un serpent. Ce dieu toltèque, « serpent couvert de plumes », apparaît aux quatre angles de l'édifice. Sur la frise supérieure, un corps de serpent (encore !) ondule et des poissons apparaissent.

– **Le temple aux Mille Colonnes** (site, **4**) : un gigantesque chef-d'œuvre. Appelé aussi temple des Guerriers (templo de los Guerreros). Il ressemble beaucoup à celui de Tula (capitale des Toltèques). Aujourd'hui, seules les colonnes sont accessibles, toutes ornées d'un guerrier emplumé, muni de sa lance. Au pied, le visage de Quetzalcoátl dans une bouche de serpent, comme à son habitude. Avez-vous remarqué que sur les huit colonnes du centre, face à l'escalier, les personnages ont les mains nouées ? Ce sont en fait des prisonniers, guerriers ennemis, qui vont être sacrifiés sur le chac-mool, au sommet du temple.

Les spécialistes en architecture auront déjà noté que les bases de l'édifice sont toltèques (contreforts inclinés), tandis que les voûtes (aujourd'hui disparues) sont de type maya. Sur le côté droit du temple (côté sud), on peut encore voir de magnifiques frises sculptées représentant des jaguars, des aigles. Cette façade constitue un nouveau témoignage de l'imbrication des styles maya et toltèque.

– **Le puits des Sacrifices** *(cenote de los Sacrificios ; site, **6**) :* profond puits naturel d'une soixantaine de mètres de diamètre, où l'on jetait des offrandes et où l'on accomplissait des sacrifices humains. On y découvrit 21 crânes d'enfants.

À droite de tout le secteur maya-toltèque s'étend le site maya, plus ancien, qui n'a pas subi l'influence toltèque.

Zone centrale : style purement maya

– **L'ossuaire ou la tombe du Grand Prêtre** *(Tumba del Gran Sacerdote ; site, **10**) :* petite pyramide avec un escalier sur chaque côté. Les bases sont ornées de têtes de dragons, ainsi que les angles du sommet de la pyramide. On y découvrit les restes d'un prêtre.

– **Casa Colorada ou Chichanchob** *(site, **11**) :* édifice maya du plus pur style puuc, où la couleur rouge dominait. Dans sa partie supérieure, frise géométrique où apparaît Chac.

– **La maison du Cerf** *(Casa del Venado ; site, **12**) :* très détériorée. On peut y grimper. Doit sans doute son nom à une fresque représentant un cerf, aujourd'hui détruite.

– **L'Escargot** *(El Caracol ; observatoire ; site, **13**) :* nommé *caracol* par les Espagnols à cause de son escalier en colimaçon, cet observatoire présente l'étonnante particularité d'avoir été bâti en fonction de l'apparition de certaines étoiles à des périodes précises de l'année. De même, les entrées de la tour sont parfaitement alignées avec les rayons du soleil à certaines époques de l'année. Cet édifice ne possède pas de véritable symétrie architecturale ; l'important, ce sont les points de référence par rapport au soleil.

– **Le temple des Nonnes et son annexe** *(Edificio de las Monjas ; site, **14**) :* dans un piteux état, ce temple fut exploré par un Français, Le Plongeon, qui avait une conception toute personnelle de l'archéologie. Il fit sauter l'édifice à la dynamite pour voir ce qu'il avait dans le ventre. Évidemment, il ne resta plus grand-chose après coup. Sur la droite, on passe à travers un petit tunnel. Doit son nom aux Espagnols qui, dans un grand effort d'imagination, ont assimilé les nombreuses petites pièces de l'intérieur à des cellules de couvent.
Sur la gauche du temple se trouve l'annexe. Pour admirer sa très belle façade (côté est), il faut pénétrer dans le **patio de las Monjas** *(site, **19**)*. On y retrouve notre ami Chac un peu partout. Au centre de la façade apparaît un grand prêtre (pense-t-on) assis, pieds et mains croisés. L'entrée symbolise une grande bouche entourée de dents.

– **L'église** *(site, **15**) :* c'est l'édifice carré juste à côté, à gauche de l'annexe. Bâtiment de petite importance avec une frise qui ondule. Il s'agit d'un serpent dont les pointes sur le corps rappellent les écailles. Dans les deux niches, on voit, à gauche, un *armadillo* (tatou) et un escargot et, à droite, une tortue et un crabe.

– **Le temple des Panneaux** *(Templo de los Tableros ; site, **17**) :* petite construction maya-toltèque assez décrépite mais qui présente sur chacun de ses murs, au centre, un panneau de quelques pierres sculptées représentant guerriers, jaguars, oiseaux et serpents. On y célébrait des rituels liés à l'élément feu.

– **Cenote Xtoloc** *(site, 18) :* encore un immense puits naturel dans lequel on jetait offrandes et êtres humains ! Entouré de végétation, on arrive à l'apercevoir à certains endroits.

➤ *DANS LES ENVIRONS DE CHICHÉN ITZÁ*

Cenote Ik-Kil : à 2 km après les ruines, en direction de Valladolid. Ouvert tous les jours de 8 h à 18 h. Entrée : 40 $Me (2,80 €) ; réductions. Le site devait être très joli avant qu'il ne soit aménagé et bétonné. Très touristique.

Les grottes de Balancanche : à 6 km de Chichén Itzá, sur la route de Valladolid (et à 30 mn à pied de l'hôtel *Dolores Alba*). Ouvert tous les jours. Entrée : 50 $Me (autour de 3,50 €) ; gratuit pour les moins de 13 ans. Visites guidées toutes les heures de 9 h à 16 h ; à 10 h en français ; à 11 h, 13 h et 15 h en anglais. Le guide ne prend que 30 visiteurs à la fois. Compter 45 mn de visite (900 m de parcours). Y aller en bus et revenir en stop ou avec les gens de la visite. Grottes assez belles. Ancien sanctuaire de l'époque toltèque ; les Mayas y célébraient leurs cérémonies secrètes. On y a découvert des offrandes : poteries, encensoirs, etc. Ravissant jardin botanique et petit musée instructif.

VALLADOLID   62 000 hab.   IND. TÉL. : 985

Valladolid est une jolie ville, calme et peu touristique, qui fait penser à Campeche ou à Mérida il y a plusieurs années. Son *zócalo* ombragé et dominé par les deux tours de la cathédrale, reste très agréable et vivant à toute heure de la journée. Valladolid est située à mi-chemin entre Mérida et Cancún, à 45 km de Chichén Itzá, à 160 km de Tulum (en passant par Cobá), à 80 km du parc national Río Lagartos... Vous l'avez compris, cette bonne grosse bourgade provinciale au charme colonial est un excellent point stratégique pour partir à la découverte de la péninsule. Valladolid, construite sur la cité maya de Zací, fut l'une des premières colonies espagnoles de la région. Fondée dès 1543, elle a été le théâtre d'affrontements sanglants entre Mayas et conquistadors. Les dernières insurrections ont eu lieu au début du XIXe siècle.

Arriver – Quitter

En bus

🚌 **Terminal des bus** *(plan A1) :* à l'angle des calles 39 et 46. Bus | 1re classe : *ADO.* Bus 2e classe : *Oriente* et *Mayab.*

➤ **Liaison avec Chichén Itzá :** 45 km. Avec *Oriente,* départ toutes les 30 ou 60 mn, de 7 h 15 à 17 h 30. Avec *ADO,* 4 départs par jour. Trajet : 45 mn.
➤ **Liaison avec Mérida :** 160 km. Avec *Oriente,* une vingtaine de départs, de 5 h à 22 h 30. Avec *ADO,* 12 bus par jour. Trajet : 3 h 15 en 2e classe ; 2 h 30 en 1re classe.
➤ **Liaison avec Cancún :** 160 km. Avec *Oriente* (par la nationale), départ environ toutes les 30 mn, de 6 h à 22 h 30. Trajet : 3 h 30. Avec *ADO* (par l'autoroute), environ 4 départs quotidiens. Trajet : 2 h 15.

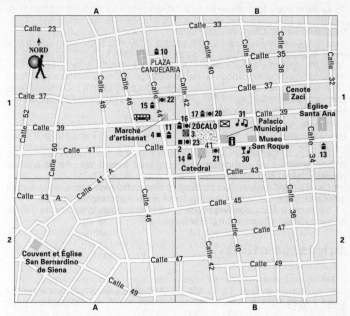

VALLADOLID

■ **Adresses utiles**

🛈 Office de tourisme
✉ Poste
🚌 Terminal de bus
2 Banque HSBC
@ 3 Phonet (téléphone *larga distancia* et Internet)
4 Refaccionaria Silva (location de vélos)

🛏 **Où dormir ?**

10 AJ La Candelaria Youth Hostel
11 Hôtel María Guadalupe
13 Hôtel Santa Ana
14 Hôtel San Clemente

15 Hôtel Zaci
16 Hôtel María de la Luz
17 Hôtel Mesón del Marqués

|◉| **Où manger ?**

16 Resto de l'hôtel María de la Luz
20 Bazar municipal
21 Restaurant Los Portales
22 Don Milan
23 Las Campanas

🍸 ♪ ♫ **Où sortir le soir ?**

30 Yépez II
31 Santos y Pecadores

➤ *Liaison avec Playa del Carmen :* 230 km. Avec *Mayab,* 3 départs. Trajet : 4 h. Avec *ADO,* 5 départs. Trajet : 2 h 30.
➤ *Liaison avec Cobá :* prendre le bus 2ᵉ classe de Playa del Carmen. Trajet : 1 h.
➤ *Liaison avec Tulum :* avec *Mayab,* mêmes bus que pour Playa del Carmen. Avec *ADO,* 4 départs quotidiens. Trajet : 2 h 30 en 2ᵉ classe, 1 h 30 en 1ʳᵉ classe.
➤ *Liaison avec Tizimín (et Río Lagartos) :* avec *Oriente,* 15 départs par jour jusqu'à Tizimín. Trajet : 1 h. De Tizimín, prendre un bus pour Río Largartos : environ 8 départs. Trajet : 1 h.
➤ *Liaison avec Chetumal :* avec *Mayab,* 3 départs quotidiens. Trajet : 4 h 30.

➤ **Liaison avec Izamal :** avec *Oriente*, départs à 12 h 45, 15 h 50 et 17 h. Trajet : 2 h 15.

➤ **Liaison avec Chiquilá** *(Isla Holbox)* **:** 165 km. Deux solutions :
– un bus *Oriente (de paso)* passe entre 2 h 30 et 3 h du matin (glurp !). Il arrive à Chiquilá vers 5 h 30, ce qui permet de prendre le 1er bateau à 6 h.
– L'autre solution s'appelle *Ideal* ! Un bled qui se trouve à l'embranchement de la nationale vers Cancún et de la route pour Chiquilá. Prendre un bus *Oriente* de 2e classe vers Cancún et descendre à El Ideal. De là, départs fréquents de *colectivos* pour Chiquilá. Voilà, vous avez compris pourquoi Isla Holbox n'est pas très fréquentée !

En voiture

➤ **De et pour Cancún :** vous avez le choix entre la nationale et ses villages pittoresques (et les nombreux *topes* qui vont avec !) ou bien l'autoroute *(cuota),* chère (déjà dit) et ennuyeuse.

➤ **De et pour Chiquilá** *(Isla Holbox)* **:** il faut prendre la nationale ; et surtout pas l'autoroute, car il n'y a aucune sortie entre Valladolid et Cancún.

➤ **De et pour Río Lagartos :** belle route bien asphaltée sur la plus grande partie du trajet. Compter 1 h 30 de trajet.

Adresses utiles

Office de tourisme *(plan B1) :* au coin du *zócalo* et calle 41. ☎ 856-25-61 (poste 211). ● www.chichen.com.mx/valladolid ● Ouvert du lundi au samedi de 9 h à 20 h et le dimanche jusqu'à 13 h. Sympa mais pas très fourni en doc.

✉ **Poste** *(plan B1) :* en bordure du *zócalo,* à l'angle des calles 40 et 39. Ouvert du lundi au vendredi de 8 h 30 à 15 h.

■ **Banque HSBC** *(plan B1,* **2***) :* calle 41, à 50 m du *zócalo.* ☎ 856-21-41. Ouvert du lundi au samedi de 8 h à 19 h. Change les euros en espèces ou chèques de voyage. Distributeur pour cartes *Visa* et *Master-Card.* Également du change à la ban-que *Bancomer,* sur le *zócalo.*

@ **Phonet** *(plan B1,* **3***) :* sur le *zócalo.* ☎ 856-40-78. Ouvert tous les jours de 7 h à minuit. Service de téléphone *larga distancia,* fax et Internet. Change également les dollars et les euros, mais taux peu intéressant.

■ **Location de vélos** *(plan A1,* **4***) :* chez *Refaccionaria Silva,* calle 44 n° 191. ☎ 856-36-67. Ouvert du lundi au samedi de 9 h à 20 h, ainsi que le dimanche matin. Plusieurs sortes de vélos, dont quelques VTT tout neufs. Et en plus, Paolino répare toutes les avaries. À côté, au n° 195, des vélos de toutes les tailles. Location à l'heure ou à la journée.

Où dormir ?

Très bon marché : moins de 210 $Me (14,70 €)

🛏 **AJ La Candelaria Youth Hostel** *(plan A1,* **10***) :* calle 35/parque la Candelaria. ☎ et fax : 856-22-67. ● candelaria_hostel@hotmail.com ● Fait partie du réseau *Hostelling International* (réduction avec la carte ISIC). Idéalement située sur la tranquille et jolie place Candelaria, dans une vieille bâtisse soigneusement restaurée. Ouf ! Quel calme après les foules de Chichén ! Quatre *dormitorios* bien conçus et agréables (certains sont mixtes), avec de bons lits, des *lockers* individuels, pour environ 80 $Me (5,60 €) par personne. Quelques chambres également pour 2 ou 3 personnes. Grande cuisine équipée, avec même un grille-pain. Coin salon et TV. Et puis, un jardin verdoyant tout en longueur où se balancent des hamacs. Ce petit bijou est l'œuvre de Pedro, d'origine chilienne, et de sa femme Violeta, du Nicaragua. Ils travaillent tous deux avec les communautés mayas et servent aussi de relais à plusieurs ONG. Ils proposent des cours d'espagnol et de maya et organisent des excursions à Ek Balam. Location de vélos. Bref... un énoooooorme coup de cœur !

🛏 *Hôtel María Guadalupe (plan A1, 11) :* calle 44 n° 196. ☎ 856-20-68. Une dizaine de chambres avec salle de bains (eau chaude) et ventilo, simples mais très correctes. Certaines ont 3 lits (prix avantageux). Évitez celles qui donnent sur la rue, bruyantes. Bien tenu. Bon rapport qualité-prix.

🛏 *Hôtel Santa Ana (plan B1, 13) :* calle 41, entre les calles 32 et 34. En face de l'église du même nom. Un peu excentré. Une dizaine de chambres, spacieuses et lumineuses, avec 2 lits *matrimonial,* TV et ventilo (plus cher avec l'AC). Accueil impersonnel. Parking.

Prix moyens : de 300 à 500 $Me (21 à 35 €)

LE YUCATÁN

🛏 *Hôtel San Clemente (plan B1, 14) :* calle 42 n° 206, donnant presque sur le *zócalo.* ☎ 856-22-08. ● www.hotelsanclemente.com.mx ● Très agréable, avec sa petite piscine, son patio et son air andalou. Chambres spacieuses avec 2 lits en fer forgé, douche et w.-c., ventilo ou AC. Un hôtel qui a un petit côté chic mais à un prix raisonnable. Calme. Bref, une bonne adresse sans histoire et un bon rapport qualité-prix. Parking.

🛏 *Hôtel Zaci (plan A1, 15) :* calle 44 n° 191, entre les calles 39 et 37. ☎ 856-21-67. Bon rapport qualité-prix pour les chambres avec ventilateur ; celles avec AC sont trop chères. Enfilade de chambres toutes roses de chaque côté d'un étroit patio verdoyant, qui se termine par une agréable piscine. Grande propreté et accueil sympa. Parking. Un bon hôtel.

🛏 *Hôtel María de la Luz (plan B1, 16) :* calle 42, sur le *zócalo.* ☎ 856-20-71 et 11-81. ● www.mariadelaluz hotel.com ● Plus d'une soixantaine de chambres sympathiques avec 2 lits *matrimonial,* ventilo, TV et AC. Celles pour 3 ou 4 personnes donnent sur le *zócalo.* Jolie végétation autour de la piscine. Accueil charmant. Une bonne adresse, un poil plus chère que les deux précédentes. Parking. Resto très agréable et bien aéré (voir « Où manger ? »).

Chic : à partir de 500 $Me (35 €)

🛏 *Hôtel Mesón del Marqués (plan B1, 17) :* calle 39, sur le *zócalo* ; en face de la cathédrale. ☎ 856-20-73 et 30-42. Fax : 856-22-80. Deux tarifs selon la taille. Jimmy Carter passa 2 nuits en 1989 dans cette bâtisse coloniale du XVe siècle. Chambres tout confort, agréables et qui viennent de faire peau neuve pour la plupart. Piscine bien entretenue, personnel efficace et souriant. S'il y a de la place, préférez les chambres avec petit balcon. Resto dans un beau patio, autour d'une fontaine. Bon accueil. Parking gratuit.

Où manger ?

🍴 *Bazar municipal (plan B1, 20) :* sur le *zócalo,* juste à côté de l'hôtel *Mesón del Marqués.* C'est un ensemble de petits bouis-bouis de cuisine familiale installés dans une salle immense, encombrée de tables. Certains restent ouverts jusqu'à 22 h. *Comida corrida* à petits prix. Mais attention, à la carte, l'addition grimpe vite. Le rapport qualité-prix n'est pas aussi bon qu'on pourrait le croire et qu'on l'aurait voulu.

|●| **Restaurant Los Portales** (plan B1, 21) : calle 41 n° 202 ; sur le zócalo, entre les calles 40 et 42. ☎ 856-32-43. Ouvert tous les jours de 8 h à 23 h. Petit resto modeste, qui sert une bonne et copieuse cuisine mexicaine à prix raisonnables. L'endroit, sous les arcades, est sympathique et vivant, mais bruyant. Pour le déjeuner, bonne comida corrida bon marché. Et plusieurs formules pour le petit déjeuner.

|●| **Don Milan** (plan A1, 22) : à l'angle des calles 44 et 37. ☎ 856-17-18. Ouvert pour le déjeuner et le dîner jusque vers minuit. En cuisine, Bata prépare d'excellentes pizzas et de merveilleuses pâtes, comme un véritable Italien qu'il n'est pas puisqu'il est suisse-allemand. On mange dans un petit local sans prétention (tout est dans l'assiette). Allez Bata, un p'tit effort pour la déco !

|●| **Las Campanas** (plan B1, 23) : à l'angle du zócalo et de la calle 41. ☎ 856-23-65. Ouvert de 8 h à minuit. Joli cadre rustico-colonial pour ce resto de bonne cuisine mexicaine. Quelques spécialités régionales comme la délicieuse longaniza (sorte de saucisse de porc grillée, un peu similaire au chorizo) ou le fameux poulet pibil qui n'a plus de secret pour vous depuis que vous voyagez dans le Yucatán. Musique en vivo à partir de 21 h les vendredi et samedi. Attention, le pourboire est inclus dans l'addition.

|●| **Restaurant de l'hôtel María de la Luz** (plan B1, 16) : sur le zócalo. Voir « Où dormir ? ». Ouvert midi et soir. Grande salle avec arcades, ouverte sur la place. Fauteuils confortables en osier. Carte variée et comida corrida tous les jours à un juste prix. Très agréable pour le petit dej'. Parfois, buffet à volonté. Cartes de paiement acceptées.

Où sortir le soir ?

🍸 🎵 **Yépez II** (plan B1, 30) : calle 41 n° 148, entre la 38 et la 40. ☎ 858-05-55. Ouvert tous les jours de 18 h à 2 h. On aime bien sa terrasse avec de beaux palmiers en toile de fond pour siroter una cerveza bien fraîche tout en écoutant du rock local en vivo, à partir de 21 h 30 ou 22 h (surtout le week-end ; tous les soirs en saison). Atmosphère tranquille. On peut aussi y manger des tacos. Apportez votre repelente si vous voulez éviter une lutte acharnée contre les moustiques.

🎵 🎵 **Santos y Pecadores** (plan B1, 31) : calle 39, entre la 40 et la 38. Ouvert du mercredi au samedi à partir de 21 h. Petite discothèque sympa qui rassemble les santos et les pecadores du coin, les saints et les pécheurs (les locaux et les touristes ?). Un vrai cocktail musical à base de salsa, de pop mexicaine et de techno. Entrée libre, donc clientèle jeune. Beaucoup de monde le week-end et bonne ambiance.

À voir

🎔🎔 **Calle 41 A** (plan A1-2) : appelée aussi calzada de los Frailes, cette rue est bordée de maisons aux façades de couleurs pastel. Un très bel exemple de rénovation urbaine réussie et de l'architecture locale. Mérite un détour, d'autant qu'elle mène au couvent de San Bernadino.

🎔🎔 **Le couvent et l'église de San Bernardino de Siena** (plan A2) : au bout de la calzada de los Frailes, c'est-à-dire de la jolie calle 41 A. Église ouverte tous les jours sauf le mardi, de 8 h à 12 h et de 17 h à 19 h. Le couvent ne se visite que le matin, et encore, pas tous les jours. C'est l'un des premiers couvents construits dans le pays (1552). Édifié comme une forteresse, il fut incendié par les indigènes en 1847 et en 1910. Il reste peu de mobilier. L'eau du cenote sur lequel il a été construit servait (et sert encore) à arroser le jardin et le potager, actuellement un peu abandonnés. Le 12 décembre, jour de la fête de Nuestra Señora de Guadalupe, grande kermesse populaire devant la place du couvent.

🎥 *Le marché d'artisanat* *(plan A1) :* au coin des calles 39 et 44. Fermé le dimanche après-midi. Surtout des vêtements brodés et des *huipiles*. Deux ou trois hamacs qui se battent en duel. Bref, rien de très palpitant.

🎥 *Cenote Zaci* *(plan B1) :* calle 36, entre les calles 37 et 39. Tout près du centre. Ouvert tous les jours de 8 h à 17 h. Entrée à prix modique. Restaurant et petit parc où quelques animaux dans des cages attendent les rares visiteurs. Ce *cenote,* aux eaux d'un vert profond, a le mérite de pouvoir être contourné presque au ras de l'eau, grâce à un chemin qui en fait le tour. Belle vue sous la *palapa* du restaurant près du Chac-Mol. Grotte-refuge pour des centaines de chauves-souris.

🎥 *Museo San Roque* *(plan B1) :* à l'angle des calles 41 et 38. Ouvert tous les jours de 9 h à 20 h. Entrée libre. Petit musée bien fait qui nous éclaire sur l'histoire et la culture de Valladolid et de sa région. Très intéressant, à condition de comprendre l'espagnol. Expo sur les ruines d'Ek'Balam, pour ceux qui n'auraient pas le temps d'y aller.

➤ *DANS LES ENVIRONS DE VALLADOLID*

🎥 *Cenote X-Kekén (ou Dzitnup) :* à 7 km de la sortie de la ville, en direction de Mérida. Panneaux sur la droite. Pour y aller à vélo : suivre la calle 39 jusqu'à la carretera Mérida Libre, ensuite prendre la piste cyclable. Ou en taxi collectif : dans la calle 44, entre les calles 39 et 41. Ouvert de 7 h à 17 h. Entrée : 20 \$Me (1,40 €). On peut s'y baigner. Bel endroit tranquille avec sa voûte percée par laquelle pénètre un faisceau de lumière.

🎥🎥 *Les ruines d'Ek'Balam :* à 20 km au nord de Valladolid.
➤ *Pour y aller :* trois solutions. Prendre le bus de Tizimín et demander l'arrêt à l'embranchement qui mène au village de *Santa Rita*. Il y a ensuite 5 km à faire à pied ou en stop jusqu'à Ek'Balam-Ruinas (ne pas confondre avec le village). C'est un parcours un peu galère, à moins d'emporter un vélo avec soi dans le bus. La seconde option, beaucoup plus simple, consiste à prendre à Valladolid un *combi* (taxi collectif) pour Santa Rita, dans la calle 44, à l'angle de la plaza Candelaria *(plan B1).* Moyennant un petit supplément, le chauffeur vous dépose à Ek'Balam. Pour le retour, fixer une heure pour que le *combi* vienne vous chercher sur le site. Enfin, on peut aussi négocier un aller-retour avec un taxi.
– *Renseignements :* site ouvert de 8 h à 17 h. Entrée : 25 \$Me (1,75 €) ; gratuit pour les moins de 13 ans ; supplément vidéo.
Très beau site, Ek'Balam (« jaguar noir ») présente l'avantage d'être peu fréquenté. Les fouilles, récentes, n'ont commencé que depuis 1994 et sont toujours en cours. Elles ont déjà mis au jour de superbes sculptures en stuc d'une grande finesse et très bien conservées. Les dates d'occupation sont encore sujettes à caution. On pense que la ville aurait été occupée aux alentours de 500 av. J.-C., bien que la plupart des constructions datent de la période classique (250 à 1200 apr. J.-C.). La cité, qui fut un grand centre religieux, politique et économique, était fortifiée et ceinte de 3 murailles, percées de 5 entrées d'où partaient des routes, les *sakbe'oob*. Chacune de ces 4 chaussées se dirigeait exactement vers les 4 points cardinaux. Le site compte de beaux édifices.
– À l'entrée, *El Arco Maya,* orienté selon les 4 points cardinaux.
– Après avoir franchi le rideau d'arbres, on découvre, un peu hébété et soufflé, l'imposant *Acrópolis*. Il est divisé en plusieurs petites pièces reliées entre elles à l'intérieur par d'innombrables escaliers. On y a découvert en 1998 un glyphe représentant l'emblème de la ville (fait unique dans cette partie de la

péninsule), ce qui semblerait indiquer le caractère royal de la cité et son importance à l'époque maya. Ne manquez pas d'escalader les quelques (!) marches. Vous serez largement récompensé, car du sommet, la vue est superbe. C'est calme, l'atmosphère est sereine. On aperçoit même le bout des pyramides de Cobá et de Chichén Itzá. Vous ne voyez pas ? Juste à droite de la cime de l'arbre au loin ! Allez, un petit effort !

RÍO LAGARTOS   4 000 hab.   IND. TÉL. : 986

À une centaine de kilomètres au nord de Valladolid. Mais on y vient aussi depuis Mérida. Situé sur les rives d'un immense bras de mer, ce petit village de pêcheurs tranquille est aussi la porte d'accès à la réserve du parc national Río Lagartos (47 000 ha). Un vrai paradis pour les ornithologues en herbe. Plus de 200 espèces d'oiseaux : cormorans et pélicans, ibis, échasses et hérons, plusieurs sortes d'aigrettes, et même des crocodiles si vous avez de la chance (si, si ! on en a vu des gros !)... En réalité, ce sont surtout les flamants roses qui justifient le voyage. Ils constituent une des colonies de flamants les plus importantes. En tout cas, les amoureux de nature et d'atmosphère tranquille ne manqueront pas le détour. Attention, pas de banque ni de change. Prévoir des pesos.

Où dormir ? Où manger ?

🛏 *Posada Lucy :* sur le *malecón,* entre les calles 12 et 14. ☎ 862-01-30. À partir de 200 $Me (16 €). Chambres simples, avec salle de bains, mais proprettes et bien suffisantes.

🛏 *Villa de Pescadores :* sur le *malecón,* à l'angle de la calle 14. ☎ 862-00-20. À partir de 350 $Me (24,50 €) en période normale, plus cher en haute saison. Petit immeuble récent. Chambres spacieuses et très clean, avec eau chaude. Grand balcon individuel. Superbe vue sur la lagune à partir du 2e étage.

🍴 *Restaurant Isla Contoy :* calle 19 n° 134 ; tout au bout du *malecón,* vers l'ouest. ☎ 862-00-00. Ouvert tous les jours de 7 h à 22 h. Très bonne cuisine à base de fruits de mer et de poisson. Avec vue sur la lagune et le petit port où se dandinent les bateaux de pêcheurs. Magnifiques couchers de soleil.

À faire

➤ *Promenade sur la plage* déserte. Une quinzaine de kilomètres !

➤ *Balade en lancha* vers le territoire des *flamingos.* Droit d'entrée d'environ 20 $Me (1,40 €) par personne pour pénétrer dans la réserve.
– Tous les guides « officiels » sont désormais regroupés au module *Parador Turístico Nahochin* qui est situé sur le *malecón,* au niveau des calles 12 et 14. Compter environ 450 $Me (31,50 €) pour une *lancha* de 4 personnes et 1 h de balade. Ajouter 100 $Me (environ 7 €) pour une excursion de 2 h. Partir tôt le matin (première sortie à 7 h du mat').
– Une autre option consiste à aller voir Ismael ou Diego au resto *Isla Contoy* (voir « Où manger ? »). Ils ont tous les deux été formés à l'écotourisme et sont réellement soucieux de préserver la nature. Ils organisent des excursions de 3 h 30 à 4 h. Leurs *lanchas* sont munies de moteurs silencieux. Ils fournissent les jumelles. Compter autour de 700 $Me (49 €) pour un hors-bord de 6 personnes. Essayer de trouver d'autres routards pour diviser le prix.

ISLA HOLBOX (prononcer « holboch ») 1 700 hab. IND. TÉL. : 984

Une île comme on les aime... Petit paradis qui s'étend de tout son long entre le golfe du Mexique et la mer des Caraïbes, à l'intérieur de la réserve écologique Yum Balam, où séjourne régulièrement une colonie de flamants roses. Le site est donc protégé, et, si l'on vient de Cancún, c'est le choc : une sorte de remontée dans le temps. Et un calme de plus en plus rare. Ici, le rejet du formalisme saute aux yeux : on se connaît surtout par son surnom, les rues sont en terre, les véhicules à moteur, hormis les utilitaires, sont inexistants, les insulaires se déplacent à vélo ou en voiturettes de golf. Sur la place principale, maisons basses et quelques baraques de bois colorées sur fond de ciel bleu. Vous l'avez compris, le tourisme n'a pas dénaturé l'âme de cette petite île et les cyclones Émilie et Wilma, en juillet et octobre 2005, se sont chargés de rappeler à la prudence les promoteurs qui rêvaient de coloniser son pur rivage. En effet, les quelques petits hôtels récents qui s'étaient approchés un peu trop de l'eau ont été dévastés.
Attention, sur l'île, pas de banque ni de distributeur de billets. Et le change est très défavorable.

UN PEU D'HISTOIRE

À l'origine, cinq familles... et 150 ans plus tard, 1 700 habitants. Vous imaginez les problèmes de consanguinité ! Holbox a très probablement été peuplé vers 1873 par des descendants de pirates du Vieux Continent, natifs du village de Yalahau, sur la terre ferme. Bien plus tard, en 1988, Gilbert (le cyclone) fera des siennes en s'attaquant à la partie orientale de l'île, entre Holbox et Cabo Catoche. Jusqu'en septembre 2002, un pont reliait les deux rives, mais l'ouragan Isidore fut sans pitié pour les quelques poutres bringuebalantes vaguement accrochées entre elles... En 2005, Émilie et Wilma remettent ça, frappant durement le village. À propos de cyclone, les Mayas disent que lorsqu'on voit les baleines s'en aller dans le sens sud-nord, leur nombre indique celui des cyclones à venir.

PÊCHE

La prolifération de différentes espèces de poissons, liée à la jonction de deux courants marins au niveau de Cabo Catoche, fait le bonheur des pêcheurs, qui concentrent à eux seuls 90 % de l'activité de l'île.

Arriver – Quitter

L'embarquement se fait à *Chiquilá,* à 165 km de Valladolid et à 170 km de Cancún.
➢ *Liaison bus 2ᵉ classe + bateau :*
– De *Mérida via Valladolid :* départ à 23 h 30 (5 h de trajet), puis traversée en *lancha* ou attendre le bateau de 6 h ; dans l'autre sens, bateau à 5 h et départ du bus à 5 h 30.
– *De Cancún :* départs vers 8 h et 12 h 30 avec *Mayab* (environ 3 h de trajet). Dans l'autre sens, départs à 7 h 30 et 13 h 30. Attention, bien se faire confirmer les horaires, car ils peuvent changer. Pas d'inquiétude, les bus attendent l'arrivée de la vedette. Pour ceux qui ont vraiment du mal à se lever tôt, la solution consiste à prendre un taxi de Chiquilá jusqu'à Kantunilkin (pas trop

cher à plusieurs). De là, prendre un *combi* jusqu'au lieu-dit Ideal, c'est-à-dire le carrefour avec la nationale Cancún-Mérida, où passent les bus très régulièrement.

– *La traversée :* compter 20 à 25 mn. Il existe un service régulier avec une petite vedette tenue par la même famille (*Los 9 Hermanos* ou « les 9 Frères » !). ☎ 875-20-36. Départs à 6 h, 8 h, 10 h, 12 h, 14 h, 16 h, 17 h et 19 h. Dans l'autre sens, à 5 h, 7 h, 11 h, 13 h, 15 h, 16 h et 18 h. Prix du billet simple : 40 $Me (2,80 €). Si vous arrivez en dehors de ces horaires, pas de panique. On peut passer avec une *lancha* qui coûte environ 200 $Me (14 €) pour 6 personnes. Essayer de se regrouper pour diviser le prix entre le nombre de passagers. Ça se remplit assez vite.

– *L'arrivée sur l'île :* perpendiculaire à l'embarcadère, la rue Benito Juárez conduit au centre du village, puis à la plage nord près de laquelle sont situés les hôtels. On peut y aller à pied. Mais si vous êtes chargé ou flemmard, prenez un tricycle-taxi. Autre solution, les taxis-voiturettes de golf. Compter autour de 40 $Me (2,80 €) par personne. Attention, certains chauffeurs touchent une commission, parfois consistante, pour conduire les voyageurs à certains hôtels, et n'hésitent pas à critiquer la concurrence pour arriver à leurs fins. Donc, ignorez les commentaires des chauffeurs de taxi et soyez sûr de là où vous allez.

– *La voiture :* pas de souci, on peut la laisser sur la jetée ou dans un parking gratuit, juste à gauche du ponton d'embarquement. À noter qu'il y a une pompe à essence à l'entrée de Kantunilkin en venant de la route nationale Cancún-Valladolid.

➤ *L'avion :* nos lecteurs pressés, et peu regardants à la dépense, pourront louer une avionnette pour se faire acheminer de Cancún, ou encore pour aller où bon leur semble. ● www.aerosaab.com ●

Topographie

Au départ, Holbox était une péninsule qui s'étendait sur près de 40 km de long et 3 km dans sa plus grande largeur. Mais, les cyclones ont contribué peu à peu à son insularisation. Holbox n'abrite qu'un seul village du même nom. Le reste de l'île est désert. La rue principale, calle Benito Juárez, qui la traverse du nord au sud, passe bien sûr par la place centrale, le *zócalo*. C'est notre point de référence favori, vu que si les rues portent parfois des noms, personne ne les connaît. On fait donc appel à votre légendaire sens de l'orientation et à vos souvenirs de scout en indiquant les adresses grâce aux points cardinaux (aïe, aïe, aïe !). Rappelez-vous : *grosso modo,* l'ouest se trouve vers la gauche du *zócalo,* quand on vient du débarcadère.

Transports dans l'île

Les distances étant insignifiantes, le mieux est d'utiliser vos jambes, le vélo, très sympa aussi, ou encore une voiturette de golf !

■ *Location de vélos :* s'adresser à la *Posada Los Arcos,* sur le *zócalo* (voir « Où dormir ? »), qui en loue à l'heure (30 $Me, soit 2,10 €) ou à la journée (150 $Me, soit 10,50 €). Certains lieux d'hébergement en mettent à la disposition de leurs clients ou en louent.

■ *Location de golf cars :* ce sont ces petites voitures électriques qu'on voit normalement sur les pelouses impeccables des golfs. Elles présentent au moins l'avantage d'être pratiques pour porter de lourds paquets ou bagages (essayez donc de faire rouler un sac de voyage ou une valise dans le sable sur plus d'un kilomètre !) et silencieuses. Quelques loueurs, dont *Rentadora Miguel,* qui se trouve au coin nord-ouest du zócalo, ou même dans certains hôtels. Compter autour de 100 $Me (7 €) l'heure, 400 $Me (28 €) pour 12 h et 600 $Me (42 €) pour 24 h. Faites jouer la concurrence.

Conseils très pratiques !

Lors de la saison des pluies (de juin à septembre), il semble que les *mosquitos* (moustiques) et *chaquistes* (sorte de puces de sable) se concertent pour passer leurs vacances sur l'île. Certains jouent même les prolongations en hiver. Munissez-vous d'un bon *repelente,* et aussi de vêtements chauds si vous devez traverser en *lancha* au milieu de la nuit ou prendre le bateau aux aurores.

Adresses utiles

■ *Change, téléphone, Internet (El Parque) :* sur le *zócalo,* côté ouest. ☎ 875-21-07. Ouvert de 9 h à minuit. Téléphone *larga distancia* et ordinateurs avec connexion ADSL. Nombreux jeunes et enfants viennent y jouer en réseau après l'école. Possibilité de changer des euros ou des dollars, mais à un taux désavantageux. Autre petit centre Internet à côté de la *Libelula* (voir ci-dessous).
■ *Casita-cinéma-bar La Libelula :* prendre au coin nord-est du *zócalo* la rue parallèle à la mer, bordée de boutiques d'artisanat et de souvenirs, puis de petits hôtels ; *La Libelula* fait l'angle de la 1re rue à droite. C'est une ravissante maison de poupée, aux couleurs vives, qui abrite une bibliothèque, un cinéma (demandez le programme hebdomadaire) et fait office de maison de jeunes, voire très jeunes. Un mini-centre culturel en quelque sorte.

Où dormir ?

Comme dans tout le Yucatán, durant les périodes de vacances des Mexicains (la semaine de Pâques, juillet-août et surtout de mi-décembre à début janvier), il est préférable de réserver. De plus, les prix flambent. En revanche, de début janvier à fin mars, vous paierez jusqu'à trois fois moins cher qu'au moment des fêtes. Vous pourrez même essayer de négocier.

Très bon marché : moins de 180 $Me (12,60 €)

⚑ ▤ *Ida y Vuelta :* à environ 10 mn à pied du débarcadère ; prendre Benito Juárez et tourner à droite avant le *zócalo,* puis parcourir environ 500 m. ☎ 875-23-58. ● www.camping-mexico.com ● Compter autour de 90 $Me (7,20 €) par personne. Réduction enfants et offres spéciales à certaines périodes. Un endroit charmant tenu par des Italiens. La plage est à quelque 200 m. Plusieurs *palapas* fermées par des moustiquaires et sous lesquelles on peut soit planter sa tente (possibilité d'en louer une), soit suspendre un hamac. Huttes avec cadenas pour laisser les bagages. Magnifique bungalow pour la cuisine et barbecue. Les sanitaires collectifs sont recouverts de mosaïques et de galets. On peut payer en euros. Bonne ambiance.

De bon marché à prix moyens : de 250 à 360 $Me (17,50 à 25,20 €)

▤ *Posada Los Arcos :* sur le *zócalo,* côté ouest. ☎ 875-20-43. ● www.hol boxlosarcos.com ● S'adresser à la petite épicerie sur la droite. Chambres avec eau chaude, ventilo ou AC (avec supplément) et petite TV. Simples mais propres et disposées autour d'une grande cour arborée. Assez bien tenu. Location de vélos.

⌂ *Villa Los Mapaches :* au coin nord-ouest, prendre la rue parallèle à la plage et la suivre sur 200 à 300 m, c'est sur la droite. ☎ 875-20-90. ● www.losmapaches.com ● Prix à la journée, à la semaine (sauf de mi-décembre à mi-janvier) ou au mois (veinards !). Studios ou maisonnette pour 2 à 4 personnes ou appartement pour 4-5 personnes. Tous équipés de salle de bains, cuisine, ventilo, moustiquaire, et nichés sous des *palapas* joliment décorées et espacées. Quelques vélos à la disposition des clients. Internet. Excursions bien sûr. Un endroit vraiment sympa.

⌂ *Posada Mawimbi :* prendre la rue qui part au coin nord-est du *zócalo,* c'est à 200 m environ, sur la gauche, entre rue et plage. ☎ 875-20-03. ● www.mawimbi.com.mx ● Petit dej' à la carte non compris. Pas de resto. Au moment des fêtes de fin d'année, réservation de 5 nuits minimum obligatoire. Haute *palapa* circulaire au toit de palmes abritant des chambres très confortables et joliment décorées, aux couleurs chatoyantes. Quelques *cabañas* également avec cuisine, et petites suites, certaines avec AC. Hamacs sur la plage, petit jardin touffu pour le café du matin. Un endroit agréable, avec accès direct à la mer, même si le week-end, on entend les mélodies du bar-disco *Carioca's.*

Plus chic : à partir de 750 $Me (52,50 €)

⌂ *Hôtel Faro Viejo :* au bout de l'av. Benito Juárez, en bord de plage. ☎ 875-22-17. Fax : 875-21-86. ● www.faroviejoholbox.com.mx ● Chambres et appartement pour 2 à 6 personnes de 750 à 2 300 $Me (52,50 à 61 €) selon la taille et la période. Petit dej' et taxes inclus dans le prix. Au resto, plats mexicains de 20 à 350 $Me (1,40 à 24,50 €). Tenu par René, un Français, et sa femme mexicaine, établis ici depuis belle lurette. Toutes les chambres et suites, chaleureuses et confortables, ont vue sur la mer. Organise des excursions autour de l'île. Possibilité de louer des vélos et voiturettes de golf en réservant à l'avance. Même si l'on n'y dort pas, on peut y prendre un copieux petit dej'.

⌂ *Xaloc Resort :* à environ 500 m du *zócalo,* sur la plage, côté est. ☎ 875-21-60 ou 54. ● www.holbox-xalocresort.com ● Prix selon la situation (côté jardin, piscine ou mer). Petit dej' et taxes inclus. Cartes de paiement acceptées. Discrètement intégrées dans la végétation, quelques huttes sur pilotis, spacieuses et confortables, se pressent autour d'une grande *palapa.* Les propriétaires majorquins ont conçu les installations, comme la plupart de leurs confrères, de façon écologique pour préserver l'environnement de l'île. Chaque hutte dispose d'une terrasse avec hamacs. Au resto, produits de la mer bien frais et plats joliment présentés. Petites piscines pour les jours où la mer fait la tête. Atmosphère agréable. Excursions.

Où manger ?

Outre les adresses qui suivent, on trouve quelques petites *comidas corridas* dans les rues autour du *zócalo.* Voir aussi les restos des hôtels dans la rubrique « Où dormir ? Plus chic ».

|●| *Colibri :* au coin sud-ouest du *zócalo,* à l'angle des rues Porfirio Díaz et Benito Juárez. ☎ 875-21-62. Ouvert de 7 h à 15 h et de 18 h à 23 h. Baraque tout en bois, aux murs joyeusement peinturlurés et recouverts de photos souvenirs. On vous préparera de délicieux plats, surtout

à base de poisson et fruits de mer, ainsi que salades, *tacos* ou sandwichs. Bonne ambiance. Excellent jus et salade de fruits naturels.

|●| *Edelin :* angle sud-est du *zócalo*. ☎ 875-20-24. Ouvert tous les jours de 12 h à 23 h. Fermé le mercredi en morte saison. Un endroit incontournable pour sa terrasse lambrissée qui domine le *zócalo*. Un genre de chalet suisse coiffé d'un toit de palmes et qui propose une carte lorgnant plutôt vers l'Italie ! Poisson et fruits de mer également. La terrasse est aussi idéale pour prendre un verre en fin d'après-midi. Ambiance cosmopolite.

|●| *La Cueva del Pirata :* sur le *zócalo*, côté ouest. Ouvert pour le dîner. Fermé les dimanche et lundi en basse saison. Impressionnant choix de pâtes et de sauces pour les accompagner.

|●| *Viva Zapata :* dans la rue qui part à l'angle nord-ouest du *zócalo*. 875-23-30. Ouvert pour le dîner. Fermé le mercredi en basse saison. Grande terrasse au 1er étage, sous une *palapa*. Resto mexicain qui propose de bonnes viandes grillées ou du poisson au grill. Pour les végétaliens, plats de légumes à la vapeur ou sautés.

À faire

➢ *Tour de l'île* en bateau... De juin à septembre, la grande attraction, ce sont les *requins-baleines* : depuis peu, une mode, pas seulement répandue à Holbox, qui pousse aux touristes de nager avec ces bestioles. À vous de voir. En tout cas, tous les hôtels organisent des tours en mer pour les admirer de près. Ces monstres marins, qui peuvent atteindre 14 m de long, sont effectivement des requins, mais ils ne se nourrissent que de plancton, comme les baleines.

➢ *Promenade agréable* sur la plage qui s'étend à l'est du village jusqu'aux abords du cabo Catoche ou, à l'ouest, vers les puntas Mosquito et Sots. N'oubliez pas votre votre crème solaire !

➢ *Excursion en bateau à travers la réserve de Yum Balam :* dans la *laguna Yalahau* et sur l'*Isla de los Párajos.* Située le long du rivage sud de l'île, la lagune est entourée de mangrove et abrite une importante colonie de flamants roses, surtout à partir du printemps. Possibilité d'entrevoir des crocodiles, ainsi que des dauphins. Aller aussi voir le célèbre *Ojo de Agua,* un *cenote* aux eaux cristallines qui servit à alimenter les habitants de l'île en eau potable durant de nombreuses années. Les ornithologues ne manqueront pas l'*Isla de los Párajos* où l'on peut observer près de 140 espèces différentes d'oiseaux selon les saisons. L'accès est interdit, mais des tours d'observation ont été aménagées à proximité. Alors n'oubliez pas vos jumelles si vous en avez dans vos bagages ! Renseignez-vous sur les programmes et durées de ces excursions auprès de votre lieu d'hébergement ou des *lancheros.*

– Ne pas manquer l'arrivée des *pêcheurs* sur la plage, le matin : poulpes, langoustes, mérous...

CANCÚN   550 000 hab.   IND. TÉL. : 998

> **Pour le plan de Cancún, se reporter au cahier couleur.**

Uniquement conçu à l'échelle des Américains, pour désengorger Acapulco. L'endroit choisi était autrefois une fantastique langue de sable aux eaux turquoise, seulement habitée par quelques pêcheurs. Aujourd'hui, l'ensemble

LE YUCATÁN

du site a été coulé dans le béton, genre « Domaine des Dieux » (Astérix et Obélix), si ce n'est que les Romains, eux, avaient un certain sens de l'harmonie, ce qui est loin d'être le cas de ces promoteurs. Malgré son jeune âge, Cancún a déjà son histoire, celle de sa fondation au début des années 1970. L'endroit était en concurrence avec plusieurs autres sites, depuis les côtes de Tamaulipas jusqu'à la baie de Chetumal. Ce sont finalement les ordinateurs qui ont rendu leur verdict en analysant les courbes de température de l'eau, les données climatiques, les courants marins, ainsi que les possibilités de communication et d'approvisionnement. Mais c'était sans doute avoir une vue sur le court terme, car en octobre 2005, le cyclone Wilma a fait fort sur la zone hôtelière : piscines arrachées, portes et fenêtres soufflées, végétation écrasée, palmiers décapités... même le sable de la plage s'en est allé, préférant trouver refuge du côté de Playa del Carmen. Cancún se divise en trois parties : la banlieue, vaste concentration de logements pour les employés des grands hôtels ; le centre-ville, *downtown,* comme on l'appelle ici, histoire de donner le ton, quartier vivant et même sympathique, notre préféré ; et enfin, la zone hôtelière, long ruban de 25 km (le boulevard Kukulcán) qui longe la lagune, bordée d'hôtels 5 étoiles au luxe clinquant, dont les quelque 27 000 chambres faisaient le bonheur des tour-opérateurs principalement nord-américains.

Arrivée à l'aéroport

✈ **L'aéroport** *(hors plan couleur par B3) :* à environ 20 km au sud du centre. ☎ 886-00-47, 48 ou 49.

■ Dans le terminal 2, change possible à la banque **Banamex.** Ouvert en semaine de 7 h à 19 h et le week-end de 9 h à 15 h. Distributeur automatique disponible 24 h/24.
■ Également une *casa de cambio* dans le hall d'arrivée, ouverte tous les jours de 9 h à 22 h.

➤ **Pour Cancún :** bus *ADO-Riviera* que l'on prend devant le hall des départs (du côté droit en sortant). Départ toutes les heures environ, de 6 h 30 à minuit. Très pratique pour ceux qui ont un hôtel dans le centre-ville, car le bus arrive au terminal des bus *(plan couleur B1).* Compter 15 \$Me (1,05 €). Trajet : 30 mn. Si vous êtes à l'hôtel dans la zone hôtelière, prenez un taxi collectif. Prévoyez environ 100 \$Me (7 €). Ce sont des camionnettes confortables d'une huitaine de places qui vous déposeront à votre hôtel. Ils desservent aussi le centre-ville, mais bien souvent après la visite de la zone hôtelière ! Le taxi individuel coûte cher (environ 200 \$Me, soit 14 €).
➤ **Pour Playa del Carmen :** bus *ADO-Riviera* que l'on prend sur le parking de l'aéroport (du côté droit en sortant). Départ environ toutes les heures, de 9 h 30 à 20 h 30. Compter environ 65 \$Me (4,55 €). Trajet : 50 mn. Ou bien prendre un taxi collectif *(colectivo)* qui revient à un peu moins de 180 \$Me (12,60 €) par personne.
➤ **Pour Tulum :** pas encore de bus direct. Il faut changer à Playa del Carmen.

Comment se déplacer ?

Très simple. Le **terminal des bus** *(plan couleur B1)* est en plein centre-ville. On rejoint donc son hôtel à pied sans trop transpirer. Dans le centre, on fait d'ailleurs tout à pied. Pour rejoindre la zone hôtelière et les plages, il y a un bus super pratique (qui circule même la nuit) qu'on prend n'importe où sur l'avenue Tulum et qui vous dépose où vous voulez le long des 25 km du boulevard Kukulcán. C'est le bus *R1* (ruta 1) qui indique : « Hoteles-Downtown ». Toutes les 10 mn environ. Fréquence réduite la nuit.

Adresses utiles

Infos touristiques

⧉ Direction du tourisme munici-pal *(plan couleur B3) :* à l'angle des avenidas Cobá et Nader. ☎ 887-43-29 ou 98-76. Ouvert du lundi au vendredi de 9 h à 16 h. Sympa et efficace. On y trouve le *Cancún tips,* brochure gratuite en anglais, très

bien faite. Plein de brochures publicitaires avec des bons de réduction, des plans de la ville et de la zone hôtelière. Autre bureau au km 8,5 dans la zone hôtelière, dans le *Cancún Edificio.*

Services

✉ **Poste** *(plan couleur A2) :* à l'angle de Xel-Ha et Sunyaxchén, dans le centre-ville. ☎ 884-14-18. Ouvert du lundi au vendredi de 8 h à 18 h et le samedi de 9 h à 13 h.
■ **Banques :** dans le centre, la *Bancomer (plan couleur B2, 2),* la *Scotiabank Inverlat (plan couleur B1-2, 3)* et la *Santander Serfín (plan couleur B3, 4)* se trouvent sur l'avenida Tulum, la troisième à l'angle avec Cobá. Pour le change, venir du lundi au vendredi entre 9 h (ou 10 h) et 16 h et le samedi matin. Changent

les euros. Distributeurs automatiques pour cartes *Visa* et *Master-Card.* Sinon, plusieurs bureaux de change. À vous de comparer.
@ **Internet :** plusieurs centres Internet sur l'av. Uxmal, autour du terminal des bus *(plan couleur B1),* et du parc de las Palapas *(zócalo ; plan couleur B2).*
■ **Station de taxis** *(plan couleur B1, 5) :* en face de l'entrée principale du terminal de bus. Tous les chauffeurs disposent d'un feuillet avec une liste de prix fixes en fonction de la course.

Représentations diplomatiques

■ **Consulat de France :** av. Bonampak 239. ☎ 887-81-41. Fax : 887-78-42. ● spitie@laatsa.com ●
■ **Consulat de Suisse :** av. Cobá 12, edificio Venus, bureau 214. ☎ et fax : 884-84-46. ● grupo.rolandi@caribe.net.mx ● Ouvert du lundi au vendredi de 9 h à 18 h.
■ **Consulat de Belgique :** av. Tulum 192, plaza Tropical, bureau 58. ☎ 892-25-12. Fax : 892-20-97. ● consulbelcancun@yahoo.com.mx ● Ouvert du lundi au samedi

de 9 h à 14 h.
■ **Consulat du Canada :** bd Kukulcán, plaza Caracol, 3e étage, local 330. ☎ 883-33-60 ou 32-32. Ouvert du lundi au vendredi de 9 h à 17 h.
■ **Immigration** *(plan couleur B1, 6) :* à l'angle des avenidas Nader et Uxmal. ☎ 884-14-04. ● qrdrinf@inami.gob.mx ● Ouvert du lundi au vendredi de 9 h à 13 h. Pour une prorogation de votre séjour ou en cas de perte de votre carte touristique.

Location de voitures

L'agence *Viva Zapata* (cf. « Adresses utiles. Agences de voyages » à Mexico), peut vous trouver un véhicule à des conditions intéressantes. Ils ont aussi un réceptif à Cancún (☎ 849-21-68 ou 65).

■ **Alamo :** à l'aéroport. ☎ 886-01-79. Bons véhicules.
■ **Budget :** av. Tulum 231, à l'angle avec Labna. ☎ 884-69-55. À l'aéroport, ☎ 01-800-700-17-00 (n° gratuit), 886-00-26 (24 h/24) ou 886-04-

27. ● www.budgetcancun.com ●
■ **Avis :** à l'aéroport. ☎ 01-800-707-77-00 (n° gratuit) ou 886-02-22.
■ **Hertz :** à l'aéroport. ☎ 01-800-709-50-00 (n° gratuit) ou 887-66-04.

Compagnies aériennes

■ *Aerocaribe :* av. Cobá 5, plaza América, sur le côté droit de l'avenue en descendant vers l'avenue Bonampak. ☎ 884-20-00. À l'aéroport, ☎ 886-00-83. Dépend de *Mexicana*. Vols quotidiens pour La Havane et Mérida.

■ *Aeromexico :* av. Cobá 80, juste avant le carrefour avec Bonampak, sur la gauche. ☎ 287-18-60 ou 01-800-021-40-00 (n° gratuit). À l'aéroport, ☎ 886-00-18. Vols quotidiens pour Mexico et quelques autres grandes villes du pays. On peut y confirmer son vol de retour aussi bien sur *Air France* que sur *KLM* ou sur *Alitalia* avec lesquels ils sont associés.

■ *Aviacsa :* av. Cobá 37. ☎ 887-42-11 ou 01-800-006-22-00 (n° gratuit). Vols quotidiens pour Mexico et Monterrey. Moins cher qu'*Aeromexico* ou *Mexicana*.

■ *Iberia :* à l'aéroport, ☎ 886-02-43.

■ *Magnicharters :* av. Nader 93, à l'angle de l'avenida Cobá. ☎ 884-06-00. À l'aéroport, ☎ 886-08-36. Vols sur Mexico et Monterrey. Bons tarifs.

■ *Mexicana :* av. Tulum 269, 2e étage. ☎ 881-90-90 ou 01-800-502-20-00 (n° gratuit). À l'aéroport, ☎ 886-00-42. Vols quotidiens pour Mexico. Prix similaires à ceux d'*Aeromexico*.

Où dormir ?

Tous nos hôtels sont situés dans le centre-ville, et non dans la zone hôtelière (le long de la plage). Pas de vue sur la mer donc, mais prix abordables et la vie nocturne y est plus spontanée. Si vous voulez absolument voir la mer et jouir d'un bout de plage, on vous conseille de filer plus au sud, à Playa del Carmen ou, mieux, à Tulum. Les prix que nous indiquons ci-dessous correspondent aux périodes normales. Durant les deux mois d'été, et de Noël à Pâques (le terrible *spring break* des Américains, à éviter absolument), les prix grimpent allègrement.

Très bon marché : moins de 210 $Me (14,70 €)

🛏 *AJ Mexico Hostel (plan couleur A1, 10) :* Palmera 30, presque à l'angle de l'avenida Uxmal. ☎ 887-01-91. Les prix incluent le petit dej'. Dortoirs (mixtes ou non) de 4, 6, 8 ou 16 lits superposés, avec ventilos. Grands casiers pour les sacs. Plusieurs petites salles de bains modernes et fonctionnelles, avec eau chaude. Sur la terrasse, une *palapa* agréable où, le soir, se retrouvent les routards du monde entier pour papoter. On peut faire sa tambouille. Accès Internet. Bonne ambiance. Idéal quand on voyage seul.

🛏 *AJ Mayan Hostel (plan couleur B1, 11) :* Margaritas 17. ☎ 892-01-03. ● www.cancunhostel.com ● À quelques enjambées du terminal des bus. Une autre auberge de jeunesse récente, avec des huttes sur le toit. Dortoirs de 4 à 10 lits super-

posés, avec ventilos, salle de bains (eau chaude) et casiers. Coin cuisine. Réduction au centre Internet, juste à côté. Très sympa, bien tenu et accueil agréable.

🛏 *The Nest Backpackers Hostel (plan couleur B2, 12) :* à l'angle de Alcatraces et de Margaritas. ☎ 884-89-67. Petit dej' inclus le prix et 7e nuit gratuite si réservation à l'avance. Petit bâtiment jaune, de plain-pied, situé juste ce qu'il faut à l'écart de la place de las Palapas et de la trépidante Yaxchilán. Un nid qui porte bien son nom. Intime et à l'accueil très gentil. Dortoirs de 12 lits et une poignée de chambres pour deux, avec ventilo ou AC. Cuisine équipée, barbecue et buanderie à disposition, patio pour sécher le linge. Consigne fermée. Un bon rapport qualité-prix.

Bon marché : de 210 à 300 $Me (14,70 à 21 €)

▣ *Hostal Chacmool (plan couleur B2, 13) :* Gladiolas 18. ☎ 887-58-73 ou 884-19-15. ● www.chacmool.com.mx ● Donne sur le Parque de las Palapas. Attention, l'entrée (juste à droite de la laverie) est exiguë et se distingue à peine. Augmente ses tarifs en haute saison. Sympathique petit hôtel (petit dej' compris). Plusieurs chambres pour 2 personnes, *sin baño* mais avec AC.

Et des petites salles de bains propres, avec eau chaude. Également des dortoirs de 4 ou 6 lits superposés (avec AC). Service de laverie et Internet. Grande terrasse sur le toit, avec son coin cuisine. Super cool pour y prendre un verre dans la fraîcheur du soir. Lumières tamisées et belle vue sur la place pour observer l'animation en fin d'après-midi.

Prix moyens : de 300 à 500 $Me (21 à 35 €)

▣ *Hôtel Alux (plan couleur B1, 15) :* av. Uxmal 21. ☎ 884-66-13 ou 05-56. ● www.hotelalux.com ● Un édifice tout rose, à deux pas du terminal des bus et de l'animation du centre. Chambres propres, climatisées et agréables pour la plupart. Éviter celles sans fenêtre. TV et téléphone. Accueil agréable. Réductions accordées parfois aux routards habitués des AJ. Autre établissement à Playa del Carmen.

▣ *Casa de Huéspedes Punta Allen (plan couleur A1, 14) :* Punta Allen 8. ☎ 884-02-25. ● www.puntaallen.da.ru ● Toutes les chambres avec AC

et TV, mais sans ventilo. Attention, certaines sont petites et sombres ; d'autres disposent d'un balcon donnant sur la rue.

▣ *Hôtel Canto (plan A1, 16) :* Manzana 22, presque à l'angle de l'avenida Yaxchilán. ☎ et fax : 884-57-93 ou 12-67. ● www.hotelcanto.com ● Réduction de 20 % à partir de 2 nuits minimum à la réservation. Confortable et bien situé mais un peu tristoune. Une trentaine de petites chambres propres et fraîches, toutes avec AC et TV. Certaines agréables, avec un balcon, donnent sur la rue. Parking.

Chic : de 500 à 700 $Me (35 à 49 €)

▣ *Hôtel Suites Cancún Center (plan couleur B2, 17) :* Alcatraces 32. ☎ 884-23-01 et 72-70. ● www.suitescancun.com.mx ● Pas de petit déjeuner. On y est bien reçu et son emplacement sur le parc de las Palapas en fait une adresse centrale et pourtant calme. Les chambres, très spacieuses et bien tenues, avec AC, TV câblée, sont ordonnées de part et d'autre d'un long patio orné de plantes. Piscine. Parking devant l'entrée.

Plus chic : à partir de 700 $Me (49 €)

▣ *Hôtel Xbalamqué (plan couleur A2, 18) :* av. Yaxchilán 31. ☎ 884-96-90 ou 887-30-55. ● www.xbalamque.com ● Les prix comprennent le petit dej' pour deux et la taxe. Possibilité de négocier. Un hôtel à la décoration originale et très bien situé. Partout, sols joliment dallés. Larges couloirs aux tons ocre ornés de moulures et fresques évoquant l'architecture maya. Chambres spacieuses et

très confortables. Nombreuses animations : expositions, concert chaque jour différent. Bar interactif, remise en forme, *temazcal,* piscine et parking. Les murs du restaurant, *La Adelita,* sont couverts de photos anciennes représentant des personnalités de la révolution zapatiste. Certainement l'une des plus intéressantes adresses de sa catégorie.

▣ *Hôtel El Rey del Caribe (plan*

couleur B1, 19) : à l'angle des avenidas Uxmal et Nader. ☎ 884-20-28. Fax : 884-98-57. ● www.reycaribe. com ● Un peu excentré. Petit déjeuner compris. Près de 25 chambres à 1 ou 2 lits, spacieuses, avec ventilos et AC. Le tout niché dans un jardin intime à la végétation luxuriante, avec des hamacs pour faire la sieste et une petite piscine pour se prélasser au soleil. Accueil charmant et tout à fait à la hauteur. Parking. Un bémol, les chambres côté avenue sont quand même assez bruyantes.

⌂ **A Casazul** *(plan couleur B2, 20)* : Alcatraces 33, à un angle du parc de las Palapas. ☎ 898-41-02 ou 887-98-30. ● www.cancuncasazul.com ● Même si l'on n'y dort pas, on peut admirer à travers son portail en fer forgé cette pittoresque maison aux volets bleus, trônant au fond d'un jardin en terrasse noyé dans la végétation. À l'intérieur, chambres d'hôtes de charme, chacune décorée de façon différente et avec raffinement (l'Africaine, l'Indienne, etc.) par Patrick, un Montpelliérain. Toutes avec lit *king size*, moustiquaire, ventilo ou clim'. Service plein de petites attentions. Une étape idéale pour amoureux, jeunes ou confirmés.

Où manger ?

Bon marché : moins de 70 $Me (5 €)

|●| Sur le parc de las Palapas, plusieurs petits **kiosques** *(plan couleur B2, 30)*, ouverts tous les jours jusqu'à 22 h environ, permettant de manger des *tacos, tortas, quesadillas* pour quelques pesos. Ambiance populaire et sympa, bien loin des restos touristiques du boulevard Kukulcán...

Prix moyens : de 70 à 150 $Me (5 à 10,50 €)

|●| **Los Huaraches de Alcatraces** *(plan couleur B2, 31)* : Alcatraces 31, à côté de l'hôtel *A Casazul*. Ouvert du mardi au dimanche de 8 h à 18 h. Dès le matin, une équipe de femmes s'affaire aux fourneaux derrière un comptoir. Elles préparent le repas que les habitués consomment vers 9-10 h dans une ambiance familiale. Ici, tout est nickel, et les spécialités mexicaines sont copieuses et succulentes. Les clients de l'hôtel *Suites Cancún Center* voisin peuvent y prendre un bon petit dej' accompagné d'une salade de fruits frais ou d'un jus tout aussi frais.

|●| **Tampico** *(plan couleur A1, 35)* : Roble 66. ☎ 884-35-27. Petite rue donnant dans l'avenida Uxmal, à deux pas de l'*hostal Mexico* ; le resto est à 50 m sur la droite. Ouvert seulement pour le déjeuner. Fermé les samedi et dimanche. Petit endroit familial et sans prétention (genre cantine mais avec des tables recouvertes de nappes en tissu, s'il vous plaît !), tenu par des gens charmants, qui adorent les routards. On peut voir les plats, car c'est une formule buffet (qui change tous les jours) comprenant soupe et 2 plats typiquement mexicains (dont un végétarien). Copieux.

|●| **El Taco Torro** *(plan couleur A1-2, 33)* : à l'angle de Sunyaxchén et Yaxchilán, à côté de l'hôtel *Caribe*. Ouvert de 7 h à 14 h. *Taqueria* proposant un grand choix de *tortas, quesadillas* et *tacos*, ainsi que des jus à des prix très doux. Atmosphère amicale.

|●| **Gory Tacos** *(plan couleur B2, 34)* : Tulipanes 26, une rue piétonne entre l'avenida Tulum et le parc de las Palapas. ☎ 892-45-41. Ouvert tous les jours de 11 h 30 à 23 h. Petit resto convivial au joli cadre dans les tons bleus. Malgré son style un tantinet racoleur de resto touristique, avec ses tables en terrasse, sous des parasols, on y mange une bonne cuisine à prix raisonnables. Délicieux *ceviche* de crevettes, bien relevé évidemment. *Hora feliz* non-

stop (deux bières pour le prix d'une) !

El D'Pa *(plan couleur B2, 32) :* à quelques mètres de l'*hostal Chacmool* et du même côté du parc de las Palapas. ☎ 887-98-30. Ouvert de 16 h à minuit. Créé par Patrick, le patron de l'hôtel *A Casazul,* et géré par un de ses amis. Dans un cadre cosy, on savoure des crêpes salées ou sucrées, des quiches ou une salade de chèvre. Terrasse très agréable sur le trottoir, face au square.

100 % Natural *(plan couleur A2, 36) :* av. Sunyaxchén 62-64. ☎ 884-36-17. En face de l'hôtel *Hacienda.* Ouvert tous les jours de 7 h à 23 h. Très clean. Un peu le genre *coffee-shop* californien, tout crème et vert, avec un agréable patio verdoyant où murmure une fontaine rafraîchissante. Copieuses salades mixtes, *licuados* et d'énormes jus de fruits. Sandwichs divers. Attention, l'addition grimpe vite. Plusieurs formules pour le petit dej'.

Mesón del Vecindario *(plan couleur B1, 37) :* av. Uxmal 23, en face de l'hôtel *El Rey del Caribe.* ☎ 884-89-00. Belle salle à la déco recherchée. Cuisine dans le même style alliant inventivité et tonalités mexicaines. Délicieuses salades composées également. Une bonne adresse. Attente parfois un peu longue.

Chic : plus de 150 $Me (10,50 €)

La Parilla *(plan couleur A1, 38) :* av. Yaxchilán 51. ☎ 887-61-41. Ouvert de 14 h 30 à 4 h (2 h le dimanche). Déco très colorée et ambiance largement touristique, mais avec beaucoup de Mexicains. Au cœur de la fête, en compagnie de *mariachis* à partir de 19 h. Plats typiques et large éventail de bonnes viandes grillées. Bonne cuisine. Et on s'y amuse bien.

Labná *(plan couleur A-B2, 39) :* Margaritas 29, à deux pas du parc de las Palapas. ☎ 892-30-56. Ouvert de 12 h à 22 h. Façade chic qui imite une pyramide. On mange d'ailleurs sous une reproduction de la fameuse voûte maya (!). Délicieuse cuisine yucatèque, mais la carte propose aussi quelques plats d'inspiration française. Clientèle mexicaine. Service impeccable.

Où boire un verre ? Où sortir ?

Dans le centre-ville

Root's *(plan couleur B2, 40) :* Tulipanes 26, dans la rue piétonne entre le parc de las Palapas et l'avenida Tulum. ☎ 884-24-37. Ouvert de 19 h à 1 h. Fermé les dimanche et lundi. Clientèle sympa et parfois endiablée qui vient applaudir les bons musiciens de jazz qui se produisent ici. Style différent chaque jour : jazz-funk, jazz contemporain, acid-jazz, jazz latino... Les amateurs du genre seront vraiment heureux. Les concerts démarrent vers 21 h 30 ou 22 h 30 le week-end. Passez voir le programme en début de soirée et profitez-en pour réserver votre table.

El Pabilo Café *(plan couleur A2, 18) :* av. Yaxchilán 31, dans l'enceinte de l'hôtel *Xbalamqué* (voir « Où dormir ? »). ☎ 892-45-55. Ouvert de 10 h à 23 h 30. Fermé le dimanche. Musique *en vivo* tous les soirs à partir de 21 h, avec des genres très différents : *trova,* flamenco, new age, guitare classique, jazz... Pendant la journée, on y prend un verre en parcourant les journaux et revues à disposition. Ambiance agréable et confortable.

Los Arcos *(plan couleur A1, 42) :* av. Yaxchilán 51. ☎ 887-66-73. Ouvert de 11 h à 6 h du mat'. On s'installe en salle ou sur la terrasse qui domine l'avenue. Groupe de rock à partir de minuit. Le prix de la bière est très abordable. Et en plus, c'est *hora feliz* jour et nuit ! Clientèle jeune et ambiance d'enfer la nuit. Mais très bien aussi pour prendre un verre en soirée, avant d'aller dîner.

« Je ne sais pas quoi faire ! Qu'est-ce que je peux faire ? »

➤ **Parque de las Palapas** *(plan couleur B2)* : allez y faire un tour en fin de journée, surtout le week-end. En première partie de soirée l'ambiance est populaire et familiale, 100 % mexicaine. Très souvent des spectacles et des animations : concerts, ballets, marché d'artisanat... Un certain Mexique authentique vous coule. Curieusement pas de cris, de bousculades ou d'agressivité, juste une paisible bonhomie. Puis vers 22 h, après que les familles se sont retirées, gays et guincheurs sortent de leur tanière pour faire la fête jusqu'au bout de la nuit.

➤ **Parque del Artesano** *(plan couleur B1-2)* : à quelques pas du parc de las Palapas ; des artisans et des hippies s'y installent l'après-midi et le soir (à partir du vendredi en basse saison). Parfois des spectacles de rue. Un but de promenade agréable.

➤ **Parcourir les 25 km de boulevard Kukulcán** *(hors plan couleur par B3)* qui dessert la zone hôtelière avec le bus n° 1 « Downtown-Hoteles », histoire de se faire une idée et de ne plus critiquer sans savoir. Le bus se prend n'importe où sur l'avenida Tulum et longe toute la lagune jusqu'au *Club Med*. Ceux qui voyagent avec leur propre véhicule et se dirigent ensuite vers Tulum peuvent réaliser cet itinéraire au moment de partir : le boulevard Kukulcán rejoint en effet la route de Tulum, ce qui évite de repasser par le centre-ville.

⌒ **Les plages :** se renseigner sur leur état avant. On vous rappelle que le sable, après le passage du cyclone Wilma en 2005, s'était fait la malle. De toute façon, elles bordent l'immense *zona hotelera* et sont somme toute assez décevantes, étroites et sans palmiers. Prendre le même bus qu'indiqué ci-dessus et s'arrêter sur la plage de son choix. Toutes les plages, même celles des grands hôtels, sont libres. Mais pour y accéder, il faut traverser le hall des hôtels (propriété privée, bien sûr) et un vigile mal luné peut très bien vous en empêcher l'accès. Bon, en général, avec un gentil sourire tout se passe bien. Sinon, il y a des plages publiques, très fréquentées par les locaux le week-end. Ambiance populaire et familiale. Franchement, nous, on préfère aller passer la journée à Isla Mujeres (voir plus bas).
– **Playa Las Perlas :** km 1,5. La plus proche du centre-ville et finalement l'une des plus agréables. Bordée sur la gauche par de somptueuses demeures particulières. Quelques parasols fixes en palmes. Baignade facile (bien pour les enfants). Parking.
– **Playa Langosta :** km 4,5. Quelques arbres qui offrent une ombre maigrichonne mais bienvenue. Quelques restos. Baignade tranquille. Parking.
– **Playa Tortuga :** km 6. Pas bien grande non plus et assez étroite. Aménagée, avec parking, restos et boutiques. Baignade facile.
– **Playa Delfines :** km 17,5, entre le *Hilton* et le petit site archéologique El Rey. Grande plage avec une pente assez marquée. Mer souvent agitée et baignade peu pratique. Populaire. Zone gay sur la gauche.
– **Playa Nizuc :** km 20. Au niveau du *Club Med,* le dernier *resort* de la zone hôtelière et le plus isolé. Idéal pour les enfants, car l'eau arrive aux mollets durant des dizaines de mètres.

– **Festival international de jazz** en mai et **Música del Caribe** en novembre. Concerts gratuits et payants.

➤ Pour aller à l'**île de Contoy,** il faut passer par *Isla Mujeres* (voir le chapitre suivant).

– Passer un week-end à **Cuba,** en face, à 1 h de vol. De nombreuses agences proposent des forfaits vol sec ou avec pension.

QUITTER CANCÚN

En bus

🚌 **Terminal des bus** (plan couleur B1) **:** à l'angle des avenidas Tulum et Uxmal. ☎ 887-11-49. Consigne 24 h/24. Tous les bus de 1re et 2e classes y sont regroupés. La compagnie *ADO* (1re classe) dessert surtout les destinations lointaines.

Tout comme les 2 compagnies de grand luxe *ADO GL* et surtout *UNO*, la plus chère de toutes. Deux compagnies desservent les environs : *Mayab* (2e classe) et *Riviera-ADO* (1re classe).

– Les bus *Mayab* sont sans doute ceux qui vous intéresseront le plus. Ce sont les moins chers et ils desservent **toute la côte jusqu'à Chetumal,** s'arrêtant à la demande : *Puerto Morelos, Punta Bete, Playa del Carmen, Xcaret, Paamul, Puerto Aventuras, Xpu-Ha, Akumal, Xel-Há, Tulum...* Départ environ toutes les heures, de 5 h à minuit.

➤ **Pour Campeche :** 525 km. Quatre départs avec *ADO* et un bus *ATS*. Trajet : de 6 h 30 à 7 h.

➤ **Pour Chetumal :** 382 km. Avec *ADO,* 8 départs, de 5 h à 23 h. Et bus *ADO GL* dans l'après-midi. Trajet : 5 h. Et bien sûr les bus *Mayab*. Trajet : 7 h.

➤ **Pour Chichén Itzá :** 205 km. Un départ avec *ADO* à 9 h. Pour le retour, départ de Chichén Itzá vers 16 h 30. Trajet : 3 h.

➤ **Pour Chiquilá (Isla Holbox) :** 2 bus *Mayab*, vers 7 h 30 et 13 h 30. Trajet : 3 h 30.

➤ **Pour Mérida :** 285 km (par l'autoroute). Départs toutes les heures avec *ADO, ADO GL* et *UNO*. Trajet : 3 h 45.

➤ **Pour Mérida via Chichén Itzá :** trajet plus long (par la nationale), entre 5 et 6 h. Une dizaine de bus *Oriente*.

➤ **Pour Mexico :** 1 772 km. Avec *ADO,* 5 départs par jour. Avec la très confortable *ADO GL,* départs à 10 h et 13 h. Trajet : de 24 à 25 h.

➤ **Pour Palenque :** 875 km. Avec *Cristobal Colón (OCC),* 2 à 3 départs par jour. Trajet : de 12 à 13 h.

➤ **Pour Playa del Carmen :** 70 km. Avec *Riviera-ADO,* départ toutes les 15 mn de 5 h à minuit. Également les bus *Mayab* de 2e classe. Trajet : 1 h 15.

➤ **Pour Puebla :** 1 748 km. Un départ avec *ADO* dans l'après-midi. Trajet : 23 h.

➤ **Pour Tulum Ruinas :** 132 km. Avec *ADO,* 2 départs le matin. Trajet : 2 h 15.

➤ **Pour Tulum Pueblo :** 136 km. Bus *Mayab* toutes les heures environ. Trajet : de 2 h 30 à 3 h.

➤ **Pour Valladolid :** 160 km. Avec *ADO* et *Oriente,* 5 départs quotidiens. Trajet : de 2 à 3 h.

➤ **Pour Veracruz :** 1 433 km. Avec *ADO,* 2 départs, dont un le soir. Trajet : 19 h.

En avion

➤ **Pour rejoindre l'aéroport :** bus *ADO-Riviera* qui part du terminal des bus. Départ environ toutes les heures, de 6 h 30 à 22 h 30. Compter 15 $Me (1,05 €). Trajet : 30 mn. Ou bien en taxi (heureusement moins cher que dans le sens aéroport-centre-ville : compter environ 100 $Me, soit 7 €).

En voiture

➤ Sachez que l'autoroute pour **Mérida** est très onéreuse. Mais on évite les nombreux *topes* de la nationale ! La nationale se prend à partir de Puerto

Juárez. Il ne faut surtout pas aller en direction de l'aéroport, car on se retrouve bloqué sur l'autoroute sans savoir comment ; et il n'y a plus qu'à attendre le prochain *retorno*.

➤ Attention si vous allez à **Chiquilá (Isla Holbox),** ne prenez surtout pas l'autoroute car il n'y a aucune sortie entre Cancún et Valladolid !

ISLA MUJERES   14 000 hab.   IND. TÉL. : 998

Ah ! elle en a fait fantasmer des voyageurs, « l'île des Femmes » ! Son nom trouve-t-il son origine dans le nombre important de femmes qui y vivaient pour la satisfaction des pirates ? Ou tout simplement provient-il des nombreuses statuettes féminines – idoles en l'honneur des déesses mayas de la fertilité (notamment Ixchel) – que découvrirent les premiers Espagnols dans le petit sanctuaire à la pointe sud de l'île ? Même si cette dernière explication semble la plus vraisemblable, nul ne le sait vraiment. Toujours est-il que cette île minuscule (8 km de long sur 4 km de large) attire les touristes de tous pays, qui viennent y couler quelques jours de repos après la grimpette des pyramides mayas.

L'île est globalement agréable, mais détruisons dès maintenant un mythe : elle n'a rien d'un petit paradis. L'eau est turquoise, certes, surtout côté continent, mais les plages sont peu nombreuses, assez étroites et pas souvent désertes. Le village, aux couleurs vives, est pittoresque, mais en haute saison, il ressemble à un gigantesque marché d'artisanat. Il ne faut pas hésiter à quitter les rues du centre pour découvrir un autre visage. Vous remarquerez que de nombreux îliens dorment encore dans des hamacs. En conclusion, on peut passer à Isla Mujeres une ou deux journées sans déplaisir, à se prélasser dans l'eau.

Comment s'y rendre ?

➤ **Si vous êtes à pied :** il faut prendre le ferry à *Puerto Juárez,* port d'embarquement situé à 10 mn en bus du centre de Cancún. Prendre le bus n° 13 le long de l'avenida Tulum ou n'importe quel autre qui indique « Puerto Juárez ». Depuis la construction du nouveau terminal maritime (qui se veut ultramoderne avec son resto tournant panoramique en haut d'une tour, mais très endommagé par Wilma en 2005), il y a deux embarcadères, distants de 300 m l'un de l'autre. En venant de Cancún, on passe d'abord devant le nouveau port d'embarquement. Dans les deux cas, la traversée dure de 15 à 20 mn. Deux compagnies se partagent le gâteau :
– *Magaña :* depuis l'ancien embarcadère. Départ toutes les 30 mn de 6 h 30 à 23 h 30. Tarif : 70 $Me (4,90 €) aller-retour. Dans l'autre sens, de 6 h à 20 h 30.
– *Ultramar :* depuis le nouveau terminal maritime. Départ toutes les 30 mn de 5 h 30 à 0 h 30. Dans l'autre sens, de 6 h à 1 h. Avec des bateaux où l'on peut être à l'air libre sur le toit (ouf !) et non pas enfermé comme dans les autres. Tarif : 70 $Me (4,90 €) aller-retour. Grand parking surveillé payant (environ 60 $Me la journée, soit 4,20 €).

➤ **Si vous êtes en voiture :** prenez le ferry à *Punta Sam,* port d'embarquement des véhicules, situé à 5 km au nord de Puerto Juárez, après un immeuble-tour très repérable. ☎ 877-00-65. Cinq départs, toutes les 3 h environ, de 8 h à 20 h 15. Dans l'autre sens, de 6 h 30 à 19 h 15. Arriver 1 h avant l'embarquement. Compter autour de 190 $Me (13,50 €) pour une voiture de tourisme et une vingtaine de pesos par passager (1,50 €). Traversée : 45 mn. Franchement, ce n'est pas la peine d'aller encombrer l'île, d'autant que si vous restez 3 jours, le prix du parking revient quasiment au même.

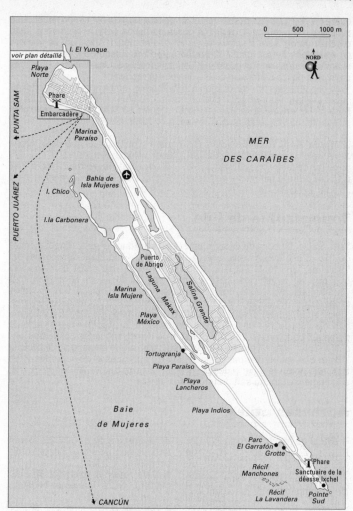

ISLA MUJERES (ÎLE)

Transports dans l'île

➤ **En bus :** départ toutes les 30 mn environ sur l'avenida Rueda Medina. Mais il ne va que jusqu'à Playa Lancheros. S'arrête sur la route à la demande.
➤ **En taxi :** ils sont très nombreux et disposent d'une liste de tarifs officiels selon la course. Dans le village, compter 25 $Me (1,75 €).

Location de vélos, scooters ou voiturettes de golf

Le mieux est de louer un deux-roues. Malheureusement, les vélos se font de plus en plus rares au profit des scooters et des voiturettes de golf, la dernière mode de l'île. Les loueurs se valent, et en plus les prix sont imposés et donc similaires d'un loueur à l'autre (à quelques pesos près). Faites-vous juste préciser ce qui sera à votre charge en cas de pépin. Attention, ils ferment presque tous à 16 h ou 17 h. Au fait, le port du casque est obligatoire en scooter dès que l'on sort du village (et uniquement pour les touristes !). N'ayez crainte, la police se fera un plaisir de vous le rappeler !

Voici une idée des prix de location à la journée en temps normal (plus cher en haute saison). Pour un vélo, prévoir environ 70 $Me (4,90 €). Un scooter de 50 cc coûte environ 150 $Me (10,50 €). Ajoutez 50 $Me pour une moto plus puissante. La voiturette de golf revient à 400 $Me (28 €) par jour.

■ *Motos Rent Kan-Kin* (plan B2, 2) : Abasolo ; entre Hidalgo et Guerrero. Pas de téléphone. Ouvert de 9 h à 16 h. Fermé le dimanche en basse saison. Propose de bonnes motos sur lesquelles on tient à deux. Quelques vélos également.

■ *Location de vélos :* allez à l'AJ *Pocna* et à l'hôtel *Carmelina.* Voir « Où dormir ? ».

Topographie de l'île

Très simple. Le point de débarquement est situé dans le petit village, au nord de l'île. C'est là que vous logerez, le centre de l'île étant occupé par les insulaires. Une route fait le tour de l'île. Compter une petite demi-journée quel que soit le véhicule utilisé. La *côte est,* qui donne sur le large (la mer Caraïbe), est rocailleuse, du genre côte sauvage, bien que çà et là, de riches propriétaires (américains, par exemple) commencent à y construire de somptueuses demeures, dont une en forme de coquillage (!). On ne s'y baigne pas, d'autant qu'il y a un fort ressac. En revanche, on y admire depuis la route de beaux panoramas. La *côte ouest,* d'où l'on distingue les hôtels de Cancún, est plus hospitalière, bien que sa végétation ait été écrasée par le cyclone Wilma. Elle est bordée par quelques plages publiques et de superbes villas avec débarcadère privé et des petits hôtels au luxe discret. Au centre de l'île, une immense lagune sert de refuge aux yachts.

Adresses utiles

🛈 *Office de tourisme* (plan B2) : av. Rueda Medina 130 ; à 20 m du débarcadère. ☎ 877-03-07 ou 07-67. ● www.islander.com ● Ouvert du lundi au vendredi de 8 h à 20 h et le samedi de 10 h à 15 h. Fermé le dimanche. Édite une brochure avec plan, carte et toutes les adresses utiles, hôtels, restos, etc. Les kiosques *Información turistica* qui fourmillent autour du *zócalo* n'ont rien d'officiel. Ce sont de simples rabatteurs pour les agences de voyages.

✉ *Poste* (plan A1) : à l'angle de Guerrero et López Mateos. Ouvert du lundi au vendredi de 9 h à 16 h.

■ *Téléphone larga distancia* (plan B2, 3) : av. Madero ; entre Juárez et Hidalgo. Ouvert tous les jours de 8 h à 22 h.

▣ *Internet Digit Center* (plan A2, 4) : Juárez 9 A. ☎ 877-12-25. Ouvert tous les jours de 9 h à 23 h. Les ordis sont assez rapides.

▣ *Café Internet* (plan B2, 5) : sur Madero, entre Juárez et Hidalgo. Ouvert de 8 h à 22 h.

■ *Banque HSBC* (plan B2, 9) : av. Rueda Medina, en face de l'embarcadère. ☎ 877-00-05. Ouvert du lundi au vendredi de 8 h 30 à 18 h et le samedi de 9 h à 16 h 30. Accepte les euros ou dollars en espèces et chèques de voyage. Distributeur automatique pour les cartes *Visa* et *MasterCard.*

■ *Laverie* (plan A2, 6) : Juárez, à l'angle d'Abasolo. ☎ 877-05-29. Ouvert du lundi au samedi de 7 h à 21 h et le dimanche de 8 h à 14 h. Une autre sur Hidalgo, en face d'*Aqua Adventure.*

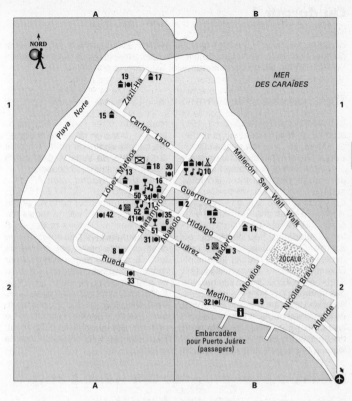

ISLA MUJERES (VILLE)

■ **Adresses utiles**

🛈 Office de tourisme
✉ Poste
2 Motos Rent Kan-Kin
3 Téléphone *larga distancia*
📶 4 Internet Digit Center
📶 5 Café Internet
6 Laverie
7 Aqua Adventure (plongée)
8 Coral (plongée)
9 Banque HSBC
10 AJ Pocna (location de vélos)
12 Hôtel Carmelina (location de vélos)

⌂ **Où dormir ?**

10 AJ Pocna Hostel
11 AJ Urban Hostel
12 Hôtel Carmelina
13 Hôtel Xul-Ha
14 Hôtel Isleno
15 Hôtel Cabañas Maria del Mar
16 Hôtel El Caracol
17 Hôtel Casa Maya
18 Hôtel Francis Arlene
19 Hôtel Na Balam

🍴 **Où manger ?**

10 Resto du Pocna Hostel
19 Zazil-Ha (hôtel Na Balam)
30 Mañana
31 El Poc-Chuc
32 Picus
33 Velasquez
34 Angelo
35 Bistro français

🍴 **Où prendre le petit déjeuner ?**

31 El Poc-Chuc
35 Bistro français
41 Café Cito

🍴 **Où manger un bon dessert ?**

42 Color de Verano

🍸🎵 **Où boire un verre ? Où sortir ?**

10 Bar du Pocna Hostel
50 Bamboo
51 Om
52 Fayne's

Où dormir ?

En haute saison (été, Pâques et Noël), comme ailleurs dans le pays, les prix grimpent sensiblement et les hôtels sont vite complets. Nous vous indiquons les tarifs pratiqués en période normale. Quoique, la normalité...

Très bon marché : moins de 210 $Me (14,70 €)

AJ Pocna Hostel (plan B1, **10**) : au bout de Matamoros, sur la droite. ☎ 877-00-90. ● www.pocna.com ● Spacieuse et super bien placée, avec un accès direct à la plage. Bonne ambiance cosmopolite. Dortoirs séparés ou mixtes, avec des lits superposés, style bannette (pas bien large). En revanche, de grands placards pour laisser ses affaires (apporter un cadenas). Peu de cloison en dur, mais des moustiquaires qui permettent à l'air de circuler librement. Quelques doubles avec ventilo ou AC à prix bon marché. Jardin sympa avec des hamacs pour faire la sieste. Salle de billard, espace Internet et service de téléphone longue distance. Le soir, jeux de société sous la *palapa*, avant de se rendre au bar sur la plage jusqu'à des heures tardives. Très bon

resto pas cher (voir « Où manger ? »). Location de vélos, mobylettes ou voiturettes de golfe. On peut aussi planter sa tente un petit peu à l'écart, à l'ombre des cocotiers.

AJ Urban Hostel (plan A2, **11**) : Matamoros 9. ☎ 877-15-60. Ambiance relax pour cette AJ située dans le centre du village tenue par des Argentins. Dortoirs mixtes de 8 lits superposés (un peu entassés) ou chambres pour deux pas chères du tout. Gros tiroirs avec cadenas pour ranger ses p'tites affaires. Terrasse et grande salle de séjour où l'on s'affale par terre sur des coussins ou des banquettes basses. Bonne musique *lounge*. Cuisine collective. Le petit dej' est compris, et il est royal. Eau potable à disposition. Service de laverie.

Bon marché : de 210 à 300 $Me (14,70 à 21 €)

Hôtel Carmelina (plan B2, **12**) : av. Guerrero 4 ; entre Madero et Abasolo. ☎ 877-00-06. Prix flirtant avec la rubrique précédente. Un long immeuble mauve et blanc avec une aile en retour à chaque extrémité. Des chambres simples et petites, avec ventilateur ou AC. Celles qui disposent de 2 lits sont plus spacieuses. Propre et bien tenu. Demandez une chambre dans la partie récemment construite (côté gauche de la cour). Son gros avantage : loue des vélos à l'heure ou à la journée (même aux non-clients) à prix assez intéressants.

Hôtel Xul-Ha (plan A1, **13**) : Hidalgo 23, proche de la plage nord. ☎ 877-00-75. Une petite bâtisse blanche et bleu marine sur 2 étages. Simple et un peu vétuste, mais chambres fonctionnelles avec ventilo ou AC, bien tenues. Certaines avec un petit frigo. Accueil gentil.

Hôtel Isleno (plan B2, **14**) : à l'angle de Madero et Guerrero. ☎ 877-03-02. ● www.hotelisleno. com ● Chambres avec ventilo ou AC, avec ou sans salle de bains. Petit parfum des années 1970, mais l'ensemble est bien tenu et les chambres sont propres et claires.

Prix moyens : de 300 à 500 $Me (21 à 35 €)

Hôtel El Caracol (plan A1, **16**) : Matamoros 5. ☎ 877-01-50. Fax : 877-05-47. Un bon p'tit hôtel bien tenu. Chambres propres, bien

arrangées, avec un bel ameublement et vraiment correctes. Ventilateur et réfrigérateur dans toutes les chambres. Plus cher avec AC. Eau chaude. Préférer celles à l'étage qui sont plus lumineuses. Rapport qualité-prix imbattable en basse saison, beaucoup moins en haute saison mais essayer de négocier. Une bonne adresse malgré tout.

De chic à plus chic : à partir de 500 $Me (35 €)

🛏 *Hôtel Casa Maya (plan A1, 17) :* tout au bout de la rue Zazil-Ha, sur la droite. ☎ 877-10-24 ou et ☎ et fax : 877-00-45. ● www.kasamaya.com. mx ● Donne sur la plage. Plusieurs prix entre 460 et 1 400 $Me (32,50 à 98 €), selon le type de chambre. Et en plus, ils grimpent en été et en haute saison ; mais en période creuse, des routards ont obtenu de fortes réductions. Déco très originale et sympa pour cet hôtel de charme qui donne directement sur la plage. Un soin tout particulier est apporté au jardin avec ses petits coins repos et des hamacs dispersés un peu partout sous les cocotiers. Salon spacieux et cosy pour regarder la TV ou lire tranquillement. Deux cuisines à disposition des clients. Ici, tout est fait pour qu'on se sente comme chez soi. Choix entre des chambres ou des bungalows isolés, qui ont beaucoup de charme avec leur toit de palmes. Très calme, à condition d'éviter les chambres à côté du salon.

🛏 *Hôtel Francis Arlene (plan A1, 18) :* Guerrero 7. ☎ 877-03-10 et 08-61. ● www.francisarlene.com. mx ● De mai à mi-décembre, après négociation, les prix passent dans la catégorie précédente, notamment pour les chambres avec ventilo. Confortable, spacieux et très bien tenu mais sans aucun cachet. Certaines chambres jouissent d'un grand balcon. Mini-frigo. Préférer celles donnant sur le patio ou sur la mer.

Très chic : à partir de 1 000 $Me (70 €)

🛏 *Hôtel Cabañas Maria del Mar (plan A1, 15) :* au bout de la rue Carlos Lazo. ☎ 877-01-79 ou 02-13. ● www.cabanasdelmar.com ● Légèrement en retrait de la plage nord. Petit dej' inclus dans le prix. Plusieurs grands bungalows d'un étage au toit de palmes abritent de belles chambres très confortables avec ventilo ou AC, terrasse ou balcon. Celles côté rue ont vue sur un mur, donc pas très intéressant. Préférer celles donnant sur la piscine ou, mieux, sur la mer ! Organise des excursions sur le continent.

🛏 *Hôtel Na Balam (plan A1, 19) :* Zazil-Ha 118, sur la gauche. ☎ et fax : 877-02-79 et 04-46. ● www.na balam.com ● Superbement placé, sur la plus belle partie de la playa Norte. Une trentaine de chambres, très spacieuses et lumineuses, avec tout le confort (2 grands lits ou lit *king size*). La moitié d'entre elles ont vue sur la mer, les autres donnent de l'autre côté, autour de la piscine. Atmosphère calme et tranquille, dédiée à la détente et la relaxation. Hamacs et fauteuils bas sur chaque terrasse individuelle. Spa, salle de massage, cours de yoga, méditations à l'aube. Bar-snack agréable sur la plage où l'on se prélasse sur de grands matelas carrés. Très bon resto (voir « Où manger ? »).

Où manger ?

Bon marché : moins de 70 $Me (5 €)

|●| Sur le marché *(plan A1)*, à côté de la poste, quelques petites *loncherias,* chacune portant le nom de sa cuisinière. Cuisine familiale.

|●| *Resto du Pocna Hostel (plan B1, 10) :* voir « Où dormir ? ». Ouvert tous les jours de 9 h à 23 h. Dans une ambiance décontractée, on y

mange des spécialités mexicaines, des salades, des sandwichs... pour pas bien cher. Barbecue le dimanche soir. Sympa.

|●| **Mañana** (plan A1, 30) : à l'angle de Guerrero et de Matamoros. ☎ 860-43-47. Ouvert de 9 h à 21 h. Fermé les dimanche et lundi. Façade en bois peinte en orange vif pour ce resto-bookshop branché où tout est écrit en anglais. On peut y manger à toute heure des grillades,

salades et de la cuisine internationale. Clientèle cosmopolite, vous avez deviné.

|●| **El Poc-Chuc** (plan A2, 31) : à l'angle de Juárez et Abasolo. ☎ 877-08-89. Ouvert de 8 h à 22 h. Fermé le dimanche en basse saison. Cuisine yucatèque typique à des prix sympathiques. Goûtez à l'excellent poc-chuc, à base de viande de porc grillé. Cadre familial.

Prix moyens : de 70 à 150 $Me (5 à 10,50 €)

|●| **Picus** (plan B2, 32) : sur la plage du port, juste à gauche en descendant de l'embarcadère. ☎ 888-02-24. Ouvert tous les jours de 11 h à 22 h. Juste un petit cabanon qui ne paie pas de mine, avec des tables posées sur le sable. On mange en contemplant les bateaux qui déchargent leurs cargaisons de touristes. Pourtant, c'est l'une des adresses les plus populaires du coin, et il vous faudra parfois prendre votre mal en patience pour pouvoir vous poser. Poisson et fruits de mer exclusivement, très frais.

|●| **Velasquez** (plan A2, 33) : sur la plage, pas loin de l'embarcadère, en face de l'hôtel Vistalmar. ☎ 887-00-23. Ouvert tous les jours de 9 h à 21 h. Resto populaire sans prétention (quelques tables sous des cocotiers ou sous une grande paillote), tenu par une femme de pêcheur. Bonne cuisine. On y déguste calamars, poisson frit et grillé, pour pas cher et les pieds dans l'eau.

|●| **Angelo** (plan A1, 34) : Hidalgo, entre Mateos et Matamoros. ☎ 887-72-73. Ouvert seulement pour le dîner. Fermé le dimanche. Délicieuses pizzas cuites au feu de bois, belle carte de pâtes. Le tout sous l'œil vigilant d'Angelo, Italien pur souche. Tables en terrasse sur le trottoir. Bonne ambiance.

|●| **Bistro français** (plan A2, 35) : Matamoros 29, à l'angle de Hidalgo. Pas de téléphone. Ouvert de 8 h à 12 h et de 18 h à 22 h. Reconnaissable aux drapeaux de tous les pays qui ornent le balcon. Le patron, mexico-québécois, joue d'ailleurs sur tous les tableaux, attirant les Frenchies avec quelques plats du terroir et les Américains avec une grande enseigne Lobster House. Grillade de poisson, T-bone, brochettes de crevettes, filet mignon flambé, coq au vin... Des prix très raisonnables et une bonne cuisine font le succès de l'affaire.

Chic : plus de 150 $Me (10,50 €)

|●| **Zazil-Ha** (plan A1, 19) : c'est le resto de l'hôtel Na Balam (voir « Où dormir ? »). Au 1er étage, sous une grande palapa, dans une ambiance de charme et à la lueur des bougies.

Excellente cuisine d'inspiration végétarienne, avec de nombreux apports de la gastronomie maya. On y passe une très agréable soirée.

Où prendre le petit déjeuner ?

|●| **El Poc-Chuc** (plan A2, 31) : ouvert à partir de 8 h. Pour un petit déjeuner mexicain classique. Plu-

sieurs formules, certaines bon marché. Voir « Où manger ? ».

|●| **Café Cito** (plan A2, 41) : à l'angle

de Juárez et Matamoros. ☎ 888-03-51. Ouvert du lundi au samedi de 7 h à 14 h et le dimanche de 8 h à 14 h. Très joli cadre en bois et dans les tons de bleu. Très frais. Petites tables-vitrines remplies de coquillages. Sert de très bons petits déjeuners de 30 à 50 $Me (2,10 à 3,50 €). Crêpes et sandwichs, gaufres, crois-

sants... *cappuccino* et un bon café *espresso*. Un peu cher tout de même pour la quantité.

|●| *Bistro français* (plan A2, 35) : ouvert de 8 h à 12 h pour le petit déjeuner. Plusieurs formules à des prix raisonnables. Crêpes, croissants, yoghourts, salades de fruits... Voir « Où manger ? ».

Où manger un bon dessert ?

|●| *Color de Verano* (plan A2, 42) : av. López Mateos. ☎ 877-12-64. Ouvert du mardi au dimanche de 8 h à 12 h et de 16 h à 23 h. Un café-boutique (tous les meubles et objets de déco, faits maison, sont à vendre !) à l'atmosphère chicos et que d'aucuns trouveront un peu chichiteuse. Mais on y savoure d'excellentes pâtisseries, pour le petit déjeuner ou le *tea-time*. Tarte Paulette, tiramisù, crêpes que l'on déguste d'abord avec les yeux, mousse au chocolat, et bien d'autres. Très bon expresso. Un peu cher, mais après tout, lorsqu'on aime...

Où boire un verre ? Où sortir ?

🍷 🎵 🎶 *Bamboo* (plan A1, 50) : Hidalgo, entre Matamoros et Mateos. ☎ 877-13-55.● www.bamboo.islamujeres.info ● Ouvert de 7 h à 3 h du mat'. Musique lounge en fin d'après-midi et pour le dîner. On y vient surtout le soir pour prendre un verre. Musique *en vivo* à partir de 21 h 30 : des groupes locaux jouent des airs de salsa, cumbia, merengue. Ensuite, place à la house ou la techno. Bar bien fourni. Bière à la pression (pas chère).

🍷 🎵 🎶 *Bar du Pocna Hostel* (plan B1, 10) : voir « Où dormir ? ». Le seul bar de l'île installé sur la plage. Pour le soir exclusivement ; ferme vers 2 h ou 3 h du mat'. La bière est à un prix défiant toute concurrence, ce qui évidemment attire du monde, surtout des jeunes. Ne manquez donc pas le rendez-vous. Musique très hétéroclite : house, électronique, rythmes latinos... Bon, disons quand il n'y a pas

de faux contact ! Apportez vos CD si vous voulez les écouter.

🍷 *Om* (plan A2, 51) : Matamoros 5, à une vingtaine de mètres du *Bistrot français*. Ouvert de 19 h à minuit. Fermé le dimanche. Déco originale et sympa pour ce petit bar intime, éclairé par la douce lumière des bougies. Très beaux effets de volutes et de spirales peints sur les murs et les tables, comme des vapeurs d'alcool. On s'assoit par terre, sur des coussins ou des banquettes basses. Bière à la pression directement sur la table. Musique style *Café del Mar*, bossa nova, house, chillout.

🍷 🎵 *Fayne's* (plan A2, 52) : av. Hidalgo, en face du resto *Angelo*. Ouvert de 18 h à 2-3 h. Haute salle avec mezzanine, ouverte sur la rue. Colonnes peintes de motifs végétaux. Musique *live* ou Dj's : salsa, reggae, house, hip-hop... et super cocktails maison.

À voir. À faire

⛰ *La playa Norte* (plan A1) : au nord du village, à 5 mn à pied du *zócalo*. Sable chaud, eau turquoise (enfin selon le temps). Quoique toute proche, elle n'est pas surpeuplée. C'est à notre avis la plus belle plage de l'île.

Balade à terre

La route ouest qui mène à la pointe sud, à vélo, à scooter, ou en voiturette électrique, permet de rejoindre les autres plages de l'île. N'oubliez pas, à l'aller ou au retour, de passer par la côte est. Beaux panoramas mais dangereuse.

☡ *La plage Lancheros :* sur la côte ouest, à environ 6 km vers le sud et à 2 km avant El Garrafón (voir plus loin). C'est là que s'arrête le bus qui descend vers le sud. Bande de sable qui est devenue assez sale, avec l'abominable Cancún qui se dessine dans le fond. Juste après la statue de Ramón Bravo se trouve la *playa Paraíso.*
– Dans le coin, on trouve les restes d'un *fort* construit au début du XIXe siècle par le pirate et marchand d'esclaves Mundaca. Petit jardin botanique et zoologique. Entrée payante.

🦎 À l'extrême pointe sud de l'île se dressent un *phare* et les restes du *sanctuaire de la déesse Ixchel.* Il y a peu de temps encore, les femmes venaient ici pour demander la fertilité à la déesse. Le site, autrefois très sauvage et empreint d'une certaine magie, avait été récemment aménagé pour répondre aux sirènes mercantiles du tourisme. Petites cahutes avec artisanat et site défiguré par des sculptures pseudo-contemporaines aux couleurs bien peu discrètes. Mais Wilma, encore lui, est passé par là, et le site était toujours interdit lors de notre visite.

🦎 *Tortugranja* (la ferme des Tortues) : ☎ 877-05-95. ● www.turtlefarm. mx ● Sur la côte ouest. Prendre le bus R1 sur l'avenida Ruiz Medina. Ouvert de 10 h à 16 h. Entrée : autour de 15 $Me (1,05 €). C'est en fait un centre de reproduction des tortues. Les tortues marines peuvent peser jusqu'à 300 kg et rester environ 15 h sous l'eau sans remonter à la surface pour respirer. Les femelles pondent de 80 à 120 œufs dans un nid creusé dans la plage. Le sexe des bébés varie selon la chaleur du sable. Les œufs enfouis au plus profond, là où il fait le plus frais, donneront des mâles, tandis que les œufs plus proches de la surface formeront des femelles. Adultes, les tortues se nourrissent principalement de méduses (qu'elles confondent malheureusement souvent avec les sacs en plastique transparents, ce qui n'est évidemment pas très digeste, quand cela ne les étouffe pas).

Balade en mer

➢ Possibilité de passer l'après-midi ou la journée en bateau, avec un pêcheur. Quelques agences proposent plusieurs balades différentes, déjeuner compris. Comparez les prix avant de vous décider.

🦎 *L'île de Contoy :* toute petite île située au nord d'Isla Mujeres. C'est une réserve naturelle d'oiseaux. Hérons, frégates, pélicans, cormorans..., le bonheur des ornithologues. Apportez masque et tuba car les fonds ne sont pas mal non plus. Les petites agences de voyages du village organisent des journées sur l'île. Malheureusement, ce n'est pas donné. Voir aussi avec les clubs de plongée.

Balade sous l'eau

La plongée sous-marine est l'une des grandes attractions du coin, que ce soit en surface *(snorkelling)* ou en eau profonde. Néanmoins, les fonds marins ne sont pas aussi spectaculaires que ceux de l'île de Cozumel ou de Playa del Carmen.

🏊 *El Garrafón, la réserve de poissons tropicaux :* à l'extrême sud de l'île. ☎ 877-11-01 à 07. ● www.garrafon.com ● Gravement endommagée par le cyclone Wilma, la réserve était fermée pour une durée indéterminée lors de notre visite. Un banc de corail retenait des milliers de superbes poissons multicolores. C'était la grande destination touristique de l'île. Évidemment, tout cela avait été savamment organisé il y a quelques années, à la sauce *Disneybeach.* La balade consistait à nager dans un secteur délimité par des bouées et à observer les nombreux poissons qui vous entouraient dans une eau translucide. Pas farouches pour un poil, à croire qu'ils étaient payés.

– Plongée sous-marine au large : de nombreux clubs organisent des sorties pour plongeurs confirmés et louent le matériel. Ils proposent tous des tarifs similaires. Ce qui les distingue, c'est donc la qualité de la prestation et l'accueil. Avoir sa licence internationale. Plongées sur les récifs des environs, à l'île de Contoy, ainsi qu'à *las cuevas de los Tiburrones* (la « grotte des Requins »), découverte par Cousteau.
Si vous n'êtes pas un pro de la plongée mais que vous voulez quand même admirer la faune sous-marine, certains clubs proposent des sorties de *snorkelling.* Muni simplement d'un masque et d'un tuba, on en prend plein la vue.

■ **Aqua Adventure** *(plan A1, 7) :* Hidalgo, à côté de l'hôtel *Xul-Ha,* Local 10. ☎ 999-20-50. ● www.diveis lamujeres.com ● Attention, le local est fermé quand ils sont en mer. Plongée avec bouteille et *snorkelling.*
■ **Coral** *(plan A2, 8) :* Matamo- ros 13 A. ☎ 887-07-63 et 00-61. ● www.coralscubadivecenter.com ● Ouvert de 9 h à 22 h. Centre important, mais accueil peu personnalisé. Propose des forfaits intéressants qui incluent jusqu'à 8 plongées en 2 jours.

QUITTER L'ÎLE

Attention, si vous avez acheté un aller-retour, vous devez revenir avec la même compagnie.

LA CÔTE, DE CANCÚN À TULUM

Vendidas ! Les deux dernières plages vierges et d'accès public de la célèbre Riviera maya ont été vendues. Xcacel et Xcacelito sont tombées entre les mains d'un consortium espagnol pour construire 5 complexes hôteliers qui devraient recevoir plus de 2 400 personnes par jour.

Cette anecdote est symptomatique de ce qui s'est passé le long de cette côte, l'une des plus belles des Caraïbes avec ses 200 km de plages de sable blanc. Tout a commencé dans les années 1960, alors que la région de Cancún n'était qu'une jungle épaisse bordée de plages désertes, connues seulement de quelques pionniers qui se rendaient à Isla Mujeres ou Cozumel. La côte jusqu'à Tulum est désormais fermée au public. Propriété privée ! Certaines plages (Xcaret, Xel-Há) ont été transformées en parc d'attractions, s'accolant au passage le label écologique, histoire d'être dans le vent. De l'« écobusiness » à la sauce Disney à prix abusifs. D'autres plages sont devenues des zones résidentielles avec de somptueuses villas particulières en bordure de terrains de golf (Akumal, par exemple). Enfin, il y a les énormes complexes hôteliers qui nous obligent à supprimer des points sur la carte du *Guide du routard* et à rayer d'un trait noir de superbes plages comme Xpu-Há, Chemuyl, Playa Aventuras, Xcacel, Xcacelito...

Selon la loi mexicaine, le bord de mer est propriété fédérale (il appartient donc à tout le monde) et les propriétaires sont censés créer des accès au littoral. Petit hic, la loi n'est visiblement pas respectée. Les entrées tape-à-l'œil des *resorts* de la côte sont bien gardées. Vous avez dit loi ? Le gouvernement a bien souvent vendu des terrains à des investisseurs privés à des prix très en dessous de leur valeur cadastrale. Dernier exemple en date : début 2005, Fonatur a cédé à un promoteur privé, dans le cadre du projet Riviera Cancún, des terrains en front de mer pour le prix de 71 \$Me le m^2 alors que leur valeur commerciale est de plus de 8 000 \$Me ! Au fait, saviez-vous que le principal associé du parc Xcaret est le beau-frère de l'ex-ministre des Finances de l'État de Quintana Roo ? Cette dernière région est l'État du Mexique qui détient le record de délits en matière d'environnement. Car si, pour le routard, trouver un petit coin tranquille le long de la Riviera maya relève de la mission impossible, il partage son triste sort avec les tortues marines (notamment la tortue caguama, en voie d'extinction). Celles-ci ont coutume depuis des temps immémoriaux de venir déposer leurs œufs sur ces plages. Désormais, les bébés tortues, lorsqu'ils naissent (de nuit), se précipitent vers les hôtels, confondant les lumières de la ville avec le reflet de la lune sur la mer. Comme les routards, les tortues n'aiment ni le bruit ni la foule. Alors, au lieu de déposer leurs œufs sur la plage, elles les lâchent dans la mer où ils disparaissent aussitôt dans l'estomac des prédateurs.

Il y a une autre population qui reste sur le carreau : celle des milliers de Mexicains venus de tout le pays pour trouver du travail ici, notamment dans le bâtiment. Une fois les hôtels construits, ils se retrouvent au chômage, logés dans des banlieues insalubres construites de bric et de broc, vivotant du traficotage et des miettes de la manne touristique, avec pour dérivatif le lot habituel d'alcool et de drogue, formant ainsi de la manière la plus sûre la prochaine génération de délinquants.

Bref, Cancún n'en finit pas de grandir, et la Riviera maya ne cesse de s'étendre vers le sud. Mais combien de temps encore les touristes étrangers trouveront-ils du charme à une côte devenue inaccessible (dans tous les sens du terme) et à des villes qui n'ont plus grand-chose à voir avec le Mexique que l'on aime ?

PUERTO MORELOS

IND. TÉL. : 998

Village côtier miraculeusement préservé du tourisme de masse, Puerto Morelos ne l'a pas été par Wilma en octobre 2005. Comme pour Cancún et l'île de Cozumel, le cyclone s'y est acharné, laissant un spectacle de désolation : jetées et toitures arrachées, bâtiments éventrés, palmiers décapités... On espère vraiment qu'à la sortie de cette édition, il n'en restera plus qu'un mauvais souvenir.

Ce village de pêcheurs, fondé et peuplé par des Mayas ayant fui la guerre des Castes, est resté à l'écart des grands projets de développement touristique de la Riviera maya. Étonnant ! Peut-être parce qu'ici, le sable semble moins blanc qu'ailleurs et l'eau moins turquoise. Ou bien parce que la plage est souvent envahie par des algues dues à la barrière de corail toute proche. En revanche, ces récifs coralliens, à une encablure, font la joie des plongeurs et des amateurs de *snorkelling*.

En fait, Puerto Morelos représente une bonne alternative pour ceux qui se sentent agressés par les artifices clinquants et les abus en tout genre des destinations *show off*. Ici, le visiteur n'est pas considéré comme un portefeuille ambulant et il règne une atmosphère nonchalante et tranquille, propice au vrai repos.

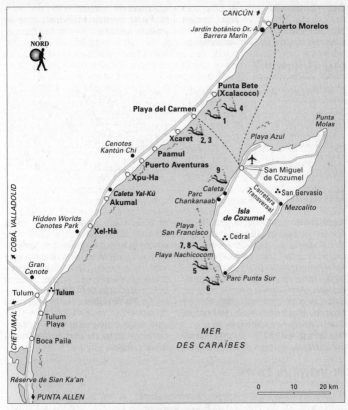

LA RIVIERA MAYA

⌇ **Nos meilleurs spots de plongée**

1 Récif Jardines
2 Récif Tortuga
3 Récif Barracuda
4 Récif Pared Verde
5 Récif Palancar
6 Récif Colombia
7 Récif Santa Rosa
8 Récif Paso del Cedral
9 Récif Paraíso

Comment y aller ?

Puerto Morelos est à 36 km de Cancún et à 30 km de Playa del Carmen.
➤ **En bus :** prendre un bus 2ᵉ classe *Mayab* qui fait la route Cancún-Tulum
(voir « Quitter Cancún »). Il s'arrête à l'embranchement. Il reste 2 km jusqu'au village, à faire à pied, en stop ou en *taxi colectivo* (camionnette).

Adresses utiles

■ *Argent :* aucune banque à Puerto
Morelos. Mais il y a un distributeur automatique *HSBC* en bordure

du *zócalo.* Accepte les cartes *Visa* et
MasterCard.
■ *Bureau de change :* au coin

droit du *zócalo* (en regardant la mer), à gauche de l'église. Ouvert tous les jours de 8 h 30 à 20 h 30. Change les euros en espèces ou chèques de voyage.

📧 *Petit centre Internet :* sur le *zócalo*, à côté du bureau de change.

Où dormir ?

🛏 🍽 *Posada Amor :* calle Javier Rojo Gomez, à une *cuadra* du *zócalo*, sur la droite quand on fait face à la mer. ☎ 871-00-33. ● pos_amor@hotmail.com ● Compter de 380 à 500 $Me (26,60 à 35 €) selon le confort (avec un grand lit ou 2 lits, ventilo ou AC) ; moins cher en basse saison. Le nom seul donne déjà envie de descendre dans cette charmante petite auberge, en pierre et coquillages, et où l'on se sent bien. Des chambres pour tous les goûts et tous les budgets. Jardin pour prendre le frais. Le resto est agréable mais la nourriture moyenne.

Où manger ?

🍽 *El Pirata :* sur le côté gauche du *zócalo* lorsqu'on regarde la mer. ☎ 871-04-89. Ouvert de 7 h à 23 h. Un petit resto bien propret et une salle qui s'ouvre sur la place du village. Carte variée. Spécialités mexicaines, hamburgers, sandwichs bien garnis... pour tous les goûts. Parfait pour se restaurer copieusement et bon marché. Accueil agréable.

🍽 *Café d'Amancia :* à l'angle droit du *zócalo* en regardant la plage.

☎ 850-41-10. Ouvert tous les jours jusqu'à 23 h. Adorable café très coloré et tenu par une jeune, sympathique et jolie Mexicaine (elle est surtout là le soir). Sandwichs, nombreux gâteaux, cafés, *licuados*. Idéal pour prendre le petit déjeuner.

🍽 *Le Marlin Bleu :* sur le côté droit du *zócalo* en regardant la mer. Cuisine à base de produits de la mer : *ceviche, tacos de camarones,* mais aussi crêpes...

À voir. À faire

🎋 *Jardín botánico Dr. Alfredo Barrera Marín :* entrée discrète, en bordure de la route 307 en direction de Playa del Carmen (du côté gauche), à 1 km de l'embranchement pour Puerto Morelos. ☎ 832-16-66. ● www.ecosur-qroo.mx ● Ouvert du lundi au vendredi de 9 h à 17 h l'été et de 8 h à 16 h l'hiver. Entrée autour de 70 $Me (5 €). Balade agréable le long de 3 km de sentier balisé serpentant au sein d'une forêt dense qui s'étend sur 60 ha. On peut y voir également de petites ruines mayas. Par temps humide, prévoir de bonnes chaussures car ça glisse pas mal.

– *Marché artisanal :* av. Rojo Gomez, à une *cuadra* du *zócalo,* sur la droite en regardant la mer. Ouvert de 9 h à 20 h. Petit centre artisanal. En principe, tous les objets en vente sont fabriqués par les artisans eux-mêmes, que l'on voit parfois œuvrer. Hamacs, couvertures, bijoux, chapeaux, tuniques...

🏖 Partir à la découverte des *plages* désertes et se la couler douce. Se renseigner avant. En direction de Playa del Carmen (vers le sud), le banc de corail s'éteint peu à peu et les algues disparaissent.

PUNTA BETE (XCALACOCO)   IND. TÉL. : 984

Plage immense (et déserte la plupart du temps) à une dizaine de kilomètres au nord de Playa del Carmen. On dirait que le sort s'acharne sur ce petit havre de tranquillité. Ce fut d'abord, il y a une quinzaine d'années, un virus qui rongea les palmiers. Ensuite, le cyclone Gilbert vint achever le peu qui restait et réduisit la largeur de la plage. Aujourd'hui, Punta Bete doit affronter la hargne des promoteurs immobiliers soutenus par les politiques. Les quelques propriétaires de campings rustiques et de bungalows résistent vaillamment. Mais jusqu'à quand ? Certains ont déjà cédé, et quelques hôtels (rien de bien méchant) se sont construits alentour. Pour les routards en mal de tranquillité, ce petit coin perdu où il n'y a rien d'autre à faire que d'admirer la mer turquoise est le remède idéal. De juillet à novembre, il n'y a pas un chat.

Comment y aller ?

À 10 km environ de Playa.

➤ **En bus :** bus *Mayab* et demander l'arrêt à l'embranchement pour Punta Bete ou Xcalacoco ; il reste 3 km à faire à pied pour rejoindre la plage.

➤ **En voiture :** accès très mal indiqué. Emprunter la petite route qui part le long du bâtiment *Coca-Cola/Cristal*. En venant de Playa, c'est juste après le *resort Caracol*. En venant de Cancún, c'est 1 km après l'hôtel *Capitan Lafitte*.

Où dormir ? Où manger ?

⚔ 🛏 🍽 **Juanitos :** prendre sur la droite quand vous arrivez à l'hôtel de luxe, puis à gauche ; en principe, c'est fléché. C'est tout au bout, sur la plage, même si au premier abord, ça semble abandonné. Compter entre 250 et 300 $Me (17,50 à 21 €) pour un bungalow très spartiate. Pas de ventilo, mais une douce brise marine. Pas vraiment d'eau chaude, mais une mer turquoise à 28 °C. Il y a quand même des moustiquaires aux portes et aux fenêtres. Et même un lit double ! Pour quelques pesos, on peut aussi planter sa tente ou louer un hamac qu'on accroche sous des petites *palapas* installées directement sur la plage. Resto sous une paillote. Demandez qu'on vous emmène pêcher et plonger sur de chouettes récifs. Location de palmes et tubas.

🛏 🍽 **Hôtel Kai-Kaana :** ☎ 877-40-00. ● www.kaikaana.com.mx ● Tout au bout de la route, le seul hôtel sur la plage. Une trentaine de chambres confortables avec AC et TV câblée, installées dans des petits bâtiments de 2 étages recouverts de palmes. Grande piscine centrale, restaurant. Proche de Playa del Carmen, pour ceux qui préfèrent s'isoler de la foule. Accueil agréable.

🍽 Pour manger, allez au resto du petit hôtel *Los Pinos*, sur la plage (à gauche de l'hôtel de luxe). Un peu cher, mais il sert une délicieuse cuisine (les chambres sont bien mais sans aucun charme).

PLAYA DEL CARMEN   1 000 000 hab.   IND. TÉL. : 984

Sa situation sur l'une des plus belles côtes des Caraïbes en a fait une station balnéaire internationale, ni plus ni moins, qui vit comme il se doit par et pour le tourisme. Ici, les hôtels naissent comme des Gremlins au contact de l'eau turquoise et les restaurants poussent comme des champignons sous le soleil. Les boutiques de souvenirs et de fringues dernière mode fleurissent le long de la *Quinta avenida,* l'avenue principale qui ne cesse de se prolonger vers le nord. La population de Playa a triplé ces dernières années, repoussant ses faubourgs jusqu'à la route côtière. Ben oui, il faut bien un peu de monde pour accueillir plus de 400 000 touristes en haute saison. Un nouveau Cancún ? Heureusement, on en est encore loin, et c'est précisément ce qui fait de Playa un choix judicieux. En basse saison (notamment en dehors des périodes de Noël et de Pâques), on peut même y passer un séjour agréable. La plage qui longe la ville est séduisante, avec son sable toujours blanc et ses eaux couleur paradis. C'est aussi le port d'embarquement des passagers pour Cozumel.

Arriver – Quitter

En minibus (taxi collectif)

➣ Service de minibus entre Playa et Tulum (camionnettes ou *combis* très confortables, avec AC). Un peu plus cher que le bus mais plus rapide. Et vous pouvez demander l'arrêt où vous voulez le long de la route. Départ quand le minibus est plein. On les prend dans la calle 2, entre l'avenida 15 et l'avenida 20.

En bus

LA CÔTE DE CANCÚN À TULUM

Terminal ADO et Riviera (plan A2) : av. Juárez, à l'angle avec l'avenida 5. ☎ 873-01-09 ou 25-05. Dessert les petites destinations comme Tulum, Cancún, ou l'aéroport : compagnies *Mayab* (2e classe), *OCC, ATS, Aeropuerto* et *Riviera-ADO* (1re classe). Consigne à bagages. On peut aussi y acheter son billet pour un bus partant de l'autre terminal.

➣ **Pour/de l'aéroport de Cancún :** 50 km. Avec *Riviera-ADO,* départ à chaque heure ronde, de 8 h à 18 h. Compter environ 70 $Me (4,90 €). Trajet : 50 mn.
➣ **Pour/de Cancún et Puerto Morelos :** 70 km. Bus *Riviera.* Départ toutes les 10 mn, de 5 h 15 à minuit. Trajet : 1 h 15.
➣ **Pour/de Chetumal :** 315 km. Départ toutes les heures, de 7 h 15 à 23 h 15 avec *Mayab.* Une dizaine de bus *Riviera* de 6 h 15 à minuit. Trajet : 5 h à 6 h.
➣ **Pour/de Tulum :** 60 km. Avec *Mayab,* départ environ toutes les heures, de 6 h à 22 h. Le bus s'arrête au carrefour (le *Crucero*) qui mène au site archéologique et bien sûr au terminal de Tulum Pueblo (à 3 km du site). Idem pour les bus *Riviera,* mais 4 départs par jour seulement. Trajet : 1 h. N'oubliez pas non plus le service de minibus (voir ci-dessus).
➣ **Pour/de Cobá :** 107 km. Deux départs avec *Riviera* en matinée. Trajet : 2 h.
➣ **Pour/de Valladolid :** 230 km. Avec *Mayab* et *ADO-Riviera,* départs à 8 h, 8 h 15, 10 h 20, 11 h 30 et 18 h 30. Trajet : 3 à 4 h (par la nationale).
➣ **Pour/depuis les autres destinations de la côte :** bus *Mayab* qui relie Tulum. Ils s'arrêtent où vous voulez : **Hidden World, Akumal, Puerto Aventuras, Paamul...**

Terminal grandes distances (plan B1) : à l'angle de l'avenida 20 et de la calle 12. ☎ 873-01-09. Pour les longues distances. Avec principalement des bus de 1re classe *ADO, Maya de Oro, ATS* et *Cristóbal Colón.* On peut acheter à l'avance son billet à l'autre terminal.

➣ **Pour/de Campeche :** 1 bus *ADO* à 10 h 20. Trajet : 9 h.
➣ **Pour/de Chetumal :** 315 km. Près de 5 bus quotidiens avec différentes compagnies, dans l'après-midi ou en soirée. Trajet : 4 h 30.
➣ **Pour/de Coba :** un bus *ADO* à 8 h.
➣ **Pour/de Mérida :** 350 km. Une dizaine de bus de 8 h 15 à minuit. Trajet : 4 h 30.
➣ **Pour/de Mexico :** 4 bus *ADO.* Trajet : 24 h.
➣ **Pour/de Palenque :** avec *ADO* et surtout *Cristobal Colón,* 4 départs par jour (dans l'après-midi ou en soirée). Trajet : 12 h.
➣ **Pour/de Valladolid :** 5 bus *ADO* qui prennent l'autoroute. Trajet : 2 h 30.
➣ Possibilité également de liaisons avec **San Cristóbal de Las Casas, Veracruz, Villahermosa** et **Puebla.**

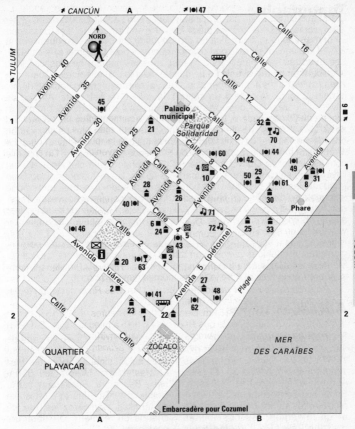

PLAYA DEL CARMEN

■ **Adresses utiles**

- **8** Office de tourisme
- ✉ Poste
- **1** Bureau de change
- **2** Banque HSBC
- **3** El Point Internet
- **4** Web Café Pata de Perro
- **5** La Taberna
- **6** Laverie
- **7** Parking Las Brisas
- **8** Phocea Riviera Maya (club de plongée)
- **9** Go Cenote (club de plongée)
- **10** Location de bicyclettes
- 🚌 Terminal de bus ADO et Riviera
- 🚌 Terminal de bus Longues distances

🛏 **Où dormir ?**

- **20** AJ Colores Mexicanos
- **21** AJ Hostel Playa
- **22** AJ Hostel El Palomar
- **23** Posada Lily
- **24** Casa Tucan
- **25** Pensión San Juan
- **26** Hôtel Nina
- **27** Posada Sian Ka'an
- **28** Hôtel La Ziranda
- **29** Posada Freud
- **30** Hôtel Maya Bric
- **31** Hôtel Colibri
- **32** Hacienda Maria Bonita
- **33** Hôtel Alhambra

🍴 **Où manger ?**

- **40** Yastas !
- **41** La Cabaña del Lobo
- **42** Dr. Taco
- **43** Restaurante Las Brisas
- **44** Babe's
- **45** El Fogon
- **46** El Sarape
- **47** La Bamba Jarocha
- **48** La Tarraya
- **49** 100 % Natural
- **50** Yaxché

🍴 **Où prendre le petit déjeuner ? Où boire un café ?**

- **60** Les Petites Merveilles
- **61** Cafe Sasta
- **62** The Coffee Press
- **63** Jugos California

🍸🎵 **Où sortir ? Où boire un verre ? Où danser ?**

- **70** La Santanera et le Miami
- **71** Mambo Café
- **72** El 69

Topographie

Le centre-ville touristique s'étend *grosso modo* entre la 15e avenue, voire la 20e, et la plage, et entre le port d'embarquement pour Cozumel et la calle 28. Les *avenues* sont parallèles à la mer ; et elles sautent de cinq en cinq : avenida 1 (primera), avenida 5 (la quinta), avenida 10 (diez), etc. Quant aux *rues (calles),* elles sont perpendiculaires ; et elles sautent de deux en deux : la calle 2 (dos), la calle 4 (la cuatro), la calle 6 (la seis), etc. Au sud de l'avenue Juárez, l'un des axes perpendiculaires à la plage importants, et proche de l'embarcadère, les rues portent des numéros impairs, et au nord pairs. La 18e rue s'appelle Constituyentes au-delà de laquelle s'alignent en bord de mer les grands hôtels de luxe. L'avenue principale de Playa, la grande artère incontournable, porte le nom de 5e avenue (rien que ça !). On l'appelle communément *la Quinta* (cinquième). En grande partie piétonne, elle est l'avenue où se concentrent la plupart des hôtels, les restos pour pigeons en goguette, les bars branchés, les boutiques de pseudo-luxe, bref, tout ce que le touriste nord-américain peut désirer. Mais aux dernières nouvelles, l'avenue 10 pourrait devenir une autre « Quinta ». Déjà, il est interdit de stationner à leurs abords et la police veille. Si vous êtes motorisé, demandez auprès de votre hôtel où stationner.

N'hésitez pas à vous éloigner de la Quinta en empruntant les rues perpendiculaires. À quelques *cuadras*, on retrouve la vraie atmosphère mexicaine. Même le *zócalo* est cent fois plus typique, avec, le soir, les familles qui viennent prendre le frais et faire jouer les mômes dans le square.

Adresses utiles

Office de tourisme *(plan A2) :* av. Juárez ; entre les av. 15 et 20. ☎ 873-28-04. Ouvert du lundi au vendredi de 9 h à 20 h 30 (17 h les samedi et dimanche). Efficace. Beaucoup de documentation. Fournit des infos sur les hôtels de la ville et de la région, les possibilités d'excursions. Peut même vous recommander un loueur de voitures. On y parle un peu le français.

✉ **Poste** *(plan A2) :* av. Juárez ; entre les av. 15 et 20, à deux pas de l'office de tourisme. ☎ 873-03-00. Ouvert du lundi au vendredi de 9 h à 17 h et le samedi de 9 h à 13 h.

■ **Bureau de change** *(plan A2, 1) :* av. Juárez, à côté du terminal des bus. Ouvert tous les jours de 8 h à 21 h, sauf le dimanche. Accepte les chèques de voyage. Nombreux autres bureaux, notamment le long de la Quinta. Comparez les taux.

■ **Banques :** HSBC *(plan A2, 2),* av. Juárez ; presque à l'angle de l'avenida 10. Ouvert du lundi au samedi de 8 h à 19 h. Change les espèces et les chèques de voyage (de 10 h à 16 h). On peut aussi retirer de l'argent au guichet avec sa carte de paiement et son passeport. Distributeurs automatiques pour cartes *Visa* et *MasterCard.* Mais aussi *Banamex, Bancomer, Scotiabank* sur la Quinta et sur l'av. Juárez à proximité du terminal. Comparez les taux de change du moment. Distributeurs également.

■ **Téléphone :** quelques *casetas de telefono larga distancia* sur l'avenida Juárez. Sinon, les centres Internet cités ci-dessous offrent également un service de téléphone longue distance.

▨ **Internet :** les centres sont très nombreux. Plus on s'éloigne de la Quinta, moins c'est cher. Voici quelques adresses qui sortent un peu du lot :

– *El Point Internet (plan A2, 3) :* av. 10, entre la 2 et la 4. Reconnaissable à sa fausse cabine téléphonique londonienne à l'entrée. Ouvert tous les jours de 8 h à 2 h 30 du matin. De beaux ordinateurs rapides, à écran plat. Ordis avec webcam et écouteurs. Dans une salle climatisée. Musique branchée et café *(americano !)* gratuit. Fait aussi téléphone et bureau de change.

– *Web Café Pata de Perro (plan B1, 4) :* calle 8 ; entre les av. 10 et 15. Ouvert du lundi au vendredi de 9 h à 23 h et le week-end de 14 h à 22 h. Sympathique et ambiance bohème. Internet et téléphone.

– *La Taberna (plan B2, 5) :* à l'angle de l'av. 10 et de la calle 4. Ouvert tous les jours de 11 h à 3 h du matin. Au fond d'un grand bar, un peu enfumé, style pub anglais. Pour profiter des *horas felices,* de 18 h à 20 h, en pianotant sur le clavier. Bière à la pression.

■ *Taxis :* ☎ 873-00-32. Pour le trajet centre-ville/aéroport de Cancún, il peut se révéler plus intéressant de prendre un taxi à plusieurs que la navette. Comparez les prix !

■ *Santé :* centre de soins *Camara Hyperbaric (hors plan par B1),* av. 10 ; entre les calles 26 et 28. ☎ 873-13-65. Très bien équipé et médecins parlant l'anglais. Service 24 h/24. Pas de problème pour être remboursé en France par la suite.

■ *Laverie (plan A2, 6) :* calle 4 ; entre les av. 10 et 15. Ouvert du lundi au samedi de 8 h à 20 h et parfois le dimanche matin. Beaucoup d'autres laveries, mais peu en self-service.

■ *Parking Las Brisas (plan A2, 7) :* à l'angle de l'av. 10 et de la calle 2. Ouvert tous les jours de 8 h à 22 h. Vous pourrez y laisser votre voiture pour une nuit ou plus, si vous prenez le ferry vers Cozumel.

■ *Location de bicyclettes (plan B1, 10) :* calle 8, entre les av. 10 et 15.

Où dormir ?

Le nombre d'hôtels augmente sans cesse, mais le nombre de touristes aussi, il est donc difficile de se loger en haute saison, notamment à Noël et à Pâques... On rappelle que les prix jouent à l'ascenseur selon les époques de l'année. Et bien sûr, chacun a ses propres saisons ! Sauf mention, on vous indique les tarifs pratiqués en période normale. Sachant qu'ils peuvent facilement tripler du jour au lendemain, ce qui rend le classement particulièrement aléatoire.

Très bon marché : moins de 210 $Me (14,70 €)

⌂ *AJ Colores Mexicanos (plan A2, 20) :* av. 15, tout près de l'office de tourisme. ☎ 873-00-65. ● turquesa delcarmen@yahoo.com.mx ● Dans une cour toute blanche, bordée d'un côté par des plantes et, en face, d'un long bâtiment à étage sur galerie. Chambres à 1 ou 2 lits d'une personne, avec salle de bains. Propre et calme. Internet compris dans le prix. Pas de petit déj'.

⌂ *AJ Hostel Playa (plan A1, 21) :* à l'angle de l'av. 25 et de la calle 8. ☎ 803-32-77. ● www.hostelplaya. com ● Ouvert 24 h/24. Deux dortoirs non mixtes avec lits superposés. Sanitaires propres et bien aménagés. Quelques chambres pour deux ou trois. Ventilos, hamacs, cuisine équipée. Grande salle commune aérée, couverte de photos, avec TV câblée, DVD/VHS, grandes tables. Ambiance jeune et routarde.

⌂ *AJ Hostel El Palomar (plan A2, 22) :* sur la Quinta (rien que ça !), en face du terminal des bus. ☎ 803-26-06. ● hostelelpalomar@hotmail. com ● On ne peut mieux située ! Petit déjeuner compris. Dortoirs non mixtes d'une quinzaine de lits superposés chacun. Et quelques chambres doubles très sympas avec petite terrasse et... vue sur la mer. La cuisine et l'espace collectifs se trouvent sur le toit, en terrasse. Panorama exceptionnel sur la baie.

Bon marché : de 210 à 300 $Me (14,70 à 21 €)

⌂ *Posada Lily (plan A2, 23) :* av. Juárez, à l'angle de l'av. 10. ☎ 873- 01-16. Presque en face du terminal des bus, très pratique, donc ; c'est son principal avantage. Un grand hôtel rose, genre motel sans charme. Propre et pas cher (avantageux pour 3 personnes). Chambres très simples avec eau chaude, ventilateur et moustiquaires.

≜ Allez voir aussi les chambres *sin baño* de la sympathique **Casa Tucan** (voir ci-dessous).

De prix moyens à chic : de 300 à 700 $Me (21 à 49 €)

Excepté les deux premières adresses, les établissements cités ici proposent plusieurs sortes de chambres, donc plusieurs tarifs. En période creuse, le rapport qualité-prix est très intéressant, mais les tarifs font un bond en haute saison.

≜ **Playalingua del Caribe** *(hors plan par B1) :* calle 20, entre les av. 5 et 10. ☎ 873-38-76. Fax : 873-38-77. ● www.playalingua.com ● Prix fixes toute l'année, petit dej' compris. Chambres clean, guillerettes et confortables, ouvertes à une clientèle extérieure à l'école selon les disponibilités. Salle de bains pour les doubles ; sanitaires communs pour les voyageurs en solo. Toutes ont l'AC et certaines jouissent d'un charmant petit balcon. Cette école de langue, qui offre donc aussi de l'hébergement, est tenue par Anne, une Française, et Renzo, un Italien avec un petit accent suisse. L'endroit est très sympa, avec un beau jardin verdoyant et une petite piscine. Vous pourrez y apprendre plein de choses (cours d'espagnol, de cuisine mexicaine, de salsa, etc.). Superbe salle de travail avec un centre Internet. Excursions le week-end dans les environs à prix imbattables. Idéal si vous voyagez seul. Réduction de 10 % sur le logement pour les lecteurs de ce guide.

≜ **Casa Tucan** *(plan A2, 24) :* calle 4, entre les av. 10 et 15. ☎ 873-02-83. ● www.casatucan.de ● Les chambres et les *cabañas* sont dispersées dans un grand jardin. Beaucoup d'arbres et de plantes, qui apportent une fraîcheur bienvenue. Au fond, belle piscine dominée par une grande fresque. Pas d'AC, mais des ventilos ; donc une clientèle plutôt européenne que nord-américaine. Des chambres pour tous les goûts : avec ou sans salle de bains, certaines avec kitchenette, très spacieuses. Chacune porte le nom du thème de sa déco. Ambiance routarde.

Calme. Une belle adresse stable. Petit resto très sympa à l'entrée, mais indépendant de l'hôtel.

≜ **Pensión San Juan** *(plan B2, 25) :* sur la Quinta, entre les calles 6 et 8 ; entrée pas facile à trouver, à l'intérieur d'une simili-galerie marchande. ☎ 873-06-47. ● www.pensionsanjuan. com ● Petit hôtel sympathique et bien tenu. Chambres simples et avenantes de 1 à 6 personnes, avec ventilo, certaines avec mini-frigo et AC. Bon rapport qualité-prix pour celles avec ventilo. Ajouter une centaine de pesos pour avoir la clim' et un lit *king size.* Pas de petit dej', mais cuisine et grande terrasse donnant sur la Quinta.

≜ **Hôtel Nina** *(plan A-B1, 26) :* calle 6, entre les av. 10 et 15. ☎ 873-22-14. ● www.eltukancondotel. com ● Chambres mignonnettes et propres, avec de belles salles de bains. Simples mais lumineuses, agrémentées d'un brin de décoration. Ventilo. Jardin avec transats. Calme. Un bon p'tit hôtel (mais trop cher en haute saison).

≜ **Posada Sian Ka'an** *(plan B2, 27) :* calle 2, tout près de la plage. ☎ 873-21-49 ou 02-02. ● www.labnah.com ● Chambres spacieuses et impeccables, avec bains et ventilo (pas d'AC), certaines avec un grand balcon ou une terrasse individuelle. Les plus chères disposent d'une kitchenette. En prime, un très beau jardin verdoyant avec transats. Il y a de l'espace, on respire, c'est calme, et pourtant on est tout proche de l'animation.

≜ **Hôtel La Ziranda** *(plan A1, 28) :* calle 4, entre les av. 15 et 20. ☎ 873-39-33. ● www.hotellaziranda.com ●

À deux pas de l'animation et pourtant très calme. Spacieuses chambres, sobres mais aux couleurs gaies, avec ventilo ou AC. Toutes ont terrasse ou balcon donnant sur des jardins intérieurs verdoyants. Impeccable. Accueil agréable. Pas de petit dej'.

≜ *Posada Freud (plan B1, 29) :* av. 5, entre les calles 8 et 10. ☎ et fax : 873-06-01. ● www.posadafreud. com ● Plusieurs catégories de chambres (donc plusieurs tarifs), toutes avec bains, la plupart avec ventilo, quelques-unes avec balcon, hamac et AC. Celles du haut, plus claires, sont bien sûr plus chères. La *posada* est située dans un passage ombragé, bordé de bars et restos, donc au cœur de la fête. Les oreilles sensibles choisiront un lieu plus calme. Un plus pour la déco originale et l'accueil sympathique. L'adresse a sa réputation, réservez à l'avance !

≜ *Hôtel Maya Bric (plan B1, 30) :* av. 5, entre les calles 8 et 10 ; passer sous le portique maya. ☎ 873-00-11. Fax : 873-20-41. ● www.mayabric. com ● Hôtel plus calme qu'on aurait pu le croire. Les chambres donnent sur un immense jardin avec piscine (pas très belle). Elles sont spacieuses et confortables (avec ou sans AC), équipées de 2 lits *matrimonial* ; mais aussi très classiques et sans vraiment de charme. La déco générale est d'ailleurs assez quelconque, mais l'ambiance est décontractée et l'accueil sympa. Parking. Une demi-heure d'accès Internet par jour inclus dans le prix. Dispose d'un centre de plongée, *Tank-Ha,* sérieux, qui offre une première leçon gratuite pour les débutants dans la piscine.

≜ *Hôtel Colibri (plan B1, 31) :* Primera, entre les calles 10 et 12 (voir plus loin, le club de plongée *Phocea Riviera Maya*). ☎ 873-12-10. ● www. rivieramaya.com ● Les *cabañas* situées dans le jardin sont moins chères que les chambres du bâtiment principal. Ces dernières, sobrement décorées de motifs peints, sont spacieuses et très confortables et, en haute saison, leur tarif flirte avec la catégorie supérieure. Réduction de 10 % pour nos lecteurs sur le prix de la chambre. Pas de petit dej', mais bar-resto, indépendant, au bout du jardin sur la plage.

Plus chic : au-delà de 700 $Me (49 €)

≜ *Hacienda Maria Bonita (plan B1, 32) :* av. 10, entre les calles 10 et 12. ☎ 873-20-51 ou 52. Fax : 873-20-49. ● www.haciendamariabonita. com ● Un hôtel de charme de style colonial, aménagé autour d'une rafraîchissante piscine. Les couleurs se mélangent et sont en harmonie, à l'extérieur comme dans les chambres. Celles-ci sont confortables, avec AC et TV câblée. Préférer celles donnant sur l'arrière et, si possible, avec balcon. Déco et service soignés. Petit parking devant l'hôtel. Un coup de cœur.

≜ *Hôtel Alhambra (plan B2, 33) :* au bout de la calle 8, en bordure de plage. ☎ 873-07-35 ou 01-800-216-87-99 (n° gratuit). Fax : 873-05-03. ● www.alhambra-hotel.net ● Les prix grimpent très vite en haute saison. Petit déjeuner inclus. L'accès à la plage est son gros atout. L'architecture hésite entre l'Inde et l'Espagne mauresque. Les 24 chambres sont super clean. Quelques-unes avec balcon et vue sur la mer (plus cher). Dommage que l'immeuble soit sonore (les chambres côté cour en particulier). Solarium sur le toit, avec vue panoramique sur la mer. Cours de yoga et massages. Le resto, sur la plage, propose de bons plats, dont de nombreux végétariens.

Où manger ?

En règle générale, sauf si vous êtes accro de pâtes et pizzas, mieux vaut éviter les restos de la Quinta (av. 5), véritables pièges à touristes qui, en plus, ont la mauvaise habitude d'ajouter 15 % de service. Ne pas hésiter à s'engager dans les rues perpendiculaires à la découverte des nouvelles petites adresses qui ouvrent périodiquement, à la cuisine moins commerciale et à l'ambiance plus chaleureuse.

Bon marché : moins de 70 $Me (5 €)

|●| **Yastas !** *(plan A1, 40)* : calle 4, entre les av. 15 et 20. Ouvert du lundi au samedi de 9 h à 17 h. Petit resto aux murs jaune et bleu, tenue par une Catalane. Bonne *comida corrida*.

|●| **La Cabaña del Lobo** *(plan A2, 41)* : av. Juárez ; à côté du terminal de bus. Fermé le lundi. Bon petit resto local aux murs recouverts, entre autres, de vieilles affiches des Folies Bergères. Carte variée de plats mexicains, pas trop épicés. Également des *tacos al pastor* (uniquement le soir), *tortas*, bananes frites *(platanos fritos)*.

|●| **Dr. Taco** *(plan B1, 42)* : av. 10, entre les calles 8 et 10. Vraiment pas cher. Pour donner une idée : trois *tacos* avec crevettes pour environ 30 $Me (2,40 €).

|●| **Restaurante Las Brisas** *(plan A-B2, 43)* : calle 4, entre les av. 5 et 10. Ouvert de 12 h à 22 h. Grande salle ouverte sur la rue, où l'on sert une cuisine mexicaine typique, sur fond de télévision. Gentille carte avec une large place faite aux poissons. On a aimé le *pescado al ajo* et les *calamares fritos*. Propose aussi des assiettes de *mariscos* pour 2 et 4 personnes et un délicieux *ceviche de mariscos y camarones* mais qui font passer la note dans les prix moyens. Ambiance familiale.

Prix moyens : de 70 à 150 $Me (5 à 10,50 €)

|●| **Babe's** *(plan B1, 44)* : calle 10, entre les av. 5 et 10. Ouvert pour le déjeuner et le dîner jusqu'à 23 h. À un moment ou à un autre, on finit par échouer ici ; dans la 1re salle qui domine la rue, ou bien au fond dans le *Budha Bar* (sic !), beaucoup plus intime. Déco sympa et bonne cuisine originale d'inspiration asiatique. Le pain fait maison est absolument exquis.

|●| **El Fogon** *(plan A1, 45)* : av. 30, à l'angle de la calle 6. Pittoresque et dans le même style que *El Sarape*. On y sert une bonne cuisine mexicaine : *tacos, quesadillas*, etc.

|●| **El Sarape** *(plan A2, 46)* : av. Juárez, entre les av. 20 et 25. ☎ 803-33-87. Ouvert tous les jours de 14 h à 5 h du matin ; pratique ! Grande salle confortable, très colorée, avec un immense écran TV. Assez bruyant, plus calme dans le petit jardin au fond. Cuisine mexicaine pur jus et plats copieux. Bonnes viandes grillées. Rassemble une clientèle de Mexicains, toutes classes confondues.

|●| **La Bamba Jarocha** *(hors plan par B1, 47)* : av. 30, entre les calles 34 bis et 35. Ouvert tous les jours de 11 h à 22 h. Un peu à l'écart du bruit, mais facilement accessible, voici un resto de *mariscos* très prisé des Mexicains. Grande salle et choix de poisson, fruits de mer, sans oublier des assortiments pour 3 à 5 personnes, et même plus ! Bon accueil.

|●| **La Tarraya** *(plan B2, 48)* : au bout de la calle 2 ; donne donc sur la plage. ☎ 873-20-40. Ouvert de 12 h à 21 h. C'est le plus ancien resto de Playa installé sur la plage. On s'installe sur la terrasse en bois, face à la mer, pour déguster un poisson grillé ou l'excellent *ceviche*. Plusieurs tables installées directement sur la plage sous les palmiers. Bonne ambiance. Service efficace. Un des meilleurs rapports qualité-prix de Playa pour manger au bord de l'eau.

|●| **100 % Natural** *(plan B1, 49)* : av. 5, entre les calles 10 et 12. ☎ 873-22-42. Ouvert tous les jours jusqu'à 23 h. Resto de chaîne. Des tables en fer forgé dans un petit jardin tropical agrémenté d'un bassin et de superbes arbres... Le murmure de la fontaine fait tout ce qu'il peut pour

couvrir l'agitation de la rue... Délicieux jus de fruits et *licuados* énergétiques qui flattent le palais (et l'ego). Les amateurs de cuisine végétarienne y sont particulièrement gâtés.

Très chic : plus de 200 $Me (14 €)

|●| *Yaxché* (plan B1, *50*) : calle 8, entre la Quinta et l'av. 10. ☎ 873-25-02. Ouvert de 12 h à minuit. Très cher, autant vous le dire tout de suite : plats autour de 120 et 160 $Me (9,60 et 13 €), plus de 700 $Me (57 €) pour quelques spécialités de la maison ! Mais si vous voulez goûter à la véritable cuisine maya, c'est là qu'il faut aller. Les recettes viennent du grand-père du patron et ont été revisitées et mises au goût du jour. C'est LE resto de l'art culinaire maya. Dans un décor élégant, bien entendu.

Où prendre le petit déjeuner ? Où boire un café ?

Beaucoup de p'tits endroits sympas pour démarrer la journée dans la bonne humeur. Mais attention tout de même à ceux tenus par des Américains ; en général, ils n'offrent que de l'insipide café *americano*.

|●| *Les Petites Merveilles* (plan B1, *60*) : calle 8, entre les av. 10 et 15. Excellente boulangerie-viennoiserie tenue par Michel.

|●| *Cafe Sasta* (plan B1, *61*) : sur la Quinta, entre les calles 8 et 10. Ouvert tous les jours de 7 h à 23 h. Déco élégante à l'intérieur de la petite salle ; des tables rondes de bistrot dans la rue. Très bons cafés de toutes sortes. On aime surtout cet endroit hors saison, quand la Quinta respire. Idéal pour un p'tit noir accompagné d'un croissant recouvert de Nutella. Bonnes pâtisseries.

|●| *The Coffee Press* (plan B2, *62*) : calle 2 ; à 100 m environ de la plage. Ouvert de 7 h 30 à 22 h 30. Fermé le dimanche et le lundi après-midi. Là encore, un petit café sympathique, en terrasse ou parmi les étagères de bouquins à l'intérieur. Excellent p'tit noir servi dans ces cafetières en verre où l'on pousse le filtre soi-même. Pour le reste, on regrettera que les gaufres soient faites avec la même pâte que les pancakes. Remarquez, ça n'a l'air de gêner que nous.

|●| *Jugos California* (plan A2, *63*) : calle 2, entre les av. 10 et 15. Ouvert de 7 h 30 à 18 h. Fermé le samedi. Une minuscule échoppe pour déguster un copieux petit dej'. Deux formules sympas : le « Tulum » avec œufs, bacon, *frijoles*, pancake et jus de fruits, et le « Playa » avec salade de fruits, toasts, jus de fruits et café. Propose aussi de nombreux milk-shakes. Clientèle locale.

Où sortir ? Où boire un verre ? Où danser ?

|♫| *La Santanera* (plan B1, *70*) : calle 12, entre la Quinta et la 10. Un des endroits branchés de Playa. Super déco complètement *space* pour le bar d'en haut (ouvert tous les soirs). La disco, en bas, ouvre surtout à partir du jeudi. Excellente musique électronique. Payant certains soirs, et malgré tout bondé. Le *Miami*, à côté, a bonne réputation également.

|♫| *Mambo Café* (plan B1-2, *71*) : calle 6, entre la Quinta et la 10. ☎ 803-26-56. Ouvre à partir de 22 h, jusqu'à 4 h du matin. Fermé le lundi en basse saison. Entrée autour de 50 $Me (3,50 €) ; gratuit pour les femmes un jour par semaine, en principe le mercredi. On y va pour danser sur de la musique tropicale *en vivo* (salsa, merengue, cumbia...). Un bon mélange de locaux et de touri-

ses. Et de tous les âges. Bonne ambiance mexicaine.

♪ *El 69* (plan B2, 72) : dans la ruelle qui rejoint la Quinta et la calle 6. Entrée du passage dans la calle 6, à côté du *Mambo Café.*

Ouvert les vendredi et samedi ; plus souvent en haute saison. Depuis des années, la seule et unique disco gay de Playa qui résiste au temps. Touristes et locaux y font des échanges interculturels.

À faire

⟋ Se dorer sur la *plage.* Ce n'est déjà pas si mal. Évitez de rester sur celles du centre-ville, souvent surchargées et de plus en plus étroites à cause des terrasses des restos. De plus, lorsque les énormes bateaux de croisière mouillent chaque jour à quelques centaines de mètres et que les ferries font la navette pour transporter des centaines (des milliers ?) de croisiéristes en ville et retour, on a des doutes sur la qualité de l'eau. Allez plutôt vers celles qui bordent la partie récente de Playa (vers le nord), après l'avenue Constituyentes *(hors plan).* Vers le sud, également de belles plages peu fréquentées. Surveiller ses affaires.

➤ *Se promener à bicyclette :* les loueurs commencent à faire leur apparition. N'oubliez pas un bon cadenas. Attention, il est interdit de circuler à vélo dans l'avenida 5 (piétonne) et sur le *zócalo.*

Plongée sous-marine

Playa del Carmen est un endroit bien connu des amateurs de plongée. Il faut dire qu'avec ses eaux turquoise et transparentes, l'endroit s'y prête à merveille. Moins de coraux qu'à Cozumel, certes. Mais les fonds marins regorgent de bancs de poissons, de mollusques et crustacés, des petits, des gros, des jaunes, des rouges, des bleus... et des tortues ! Et puis, les récifs sont à moins de 15 mn en bateau. N'oubliez pas votre brevet international.

Centres de plongée

Ce ne sont pas les clubs de plongée qui manquent ! Pendant la haute saison, on en recense une bonne trentaine. Après ? Certains disparaissent, tout simplement... Alors attention, comme partout, il y a du bon et du mauvais, des centres sérieux, d'autres peu scrupuleux... Vérifier qu'ils sont bien affiliés à l'*APSA (Asociación de Prestadores de Servicios Acuáticos),* gage d'une certaine déontologie et d'un travail de qualité. En tout cas, on a beaucoup apprécié :

■ *Phocea Riviera Maya* (plan B1, 8) : av. Primera Norte, entre les calles 10 et 12, à 30 m du phare ; enseigne peu visible, au pied de l'hôtel *Colibri* (mêmes gérants ; voir « Où dormir ? »). ☎ 873-12-10. Fax : 879-47-09. ● www.phocearivieramaya. com ● De la Quinta, descendre la calle 12 et tourner à gauche. Ouvert tous les jours de 8 h à 19 h. Ce club de plongée, à la française, est tenu par Martine et Didier, un couple de Français, membres APSA, entourés d'une équipe accueillante et pro. Ils font aussi école de plongée et for-

ment des maîtres plongeurs (PADI-SSI). Équipement fourni. Ils pourront vous emmener voir des tortues géantes, les requins-baleines et visiter de nombreux sites merveilleux. Très sérieux. Une réduction de 10 % est accordée aux porteurs de ce guide.
■ *Go Cenotes* (hors plan par B1, 9) : av. Primera, entre la 24 et la 26. ☎ 803-39-24. ● www.gocenotes. com ● Ouvert tous les jours de 8 h à 20 h. Créé par trois passionnés de plongée, le Suisse Peter, l'Argentin Patricio (il parle le français) et la Française Sophie. Un trio dynamique qui

s'est spécialisé dans les plongées dans les *cenotes* (voir ci-dessous). Mais ils organisent aussi, bien sûr, des plongées en mer, à Cozumel ou dans les récifs de Playa ainsi qu'une journée à l'île d'Holbox (de juin à septembre) pour nager avec les requins-baleines. Ils offrent un service très pro et de qualité (membre actif d'APSA), où le temps n'est pas chronométré. Idéal pour des plongées d'initiation.

Bons bateaux rapides et du super matos (avec même des baladeurs sous-marins pour écouter la musique du *Grand Bleu* en plongée). Pour nos lecteurs, réduction de 10 % sur les cours et forfaits, 15 % sur la plongée sur présentation de ce guide. Autre centre à Cocobeach d'où partent d'ailleurs leurs bateaux et où l'on peut pratiquer d'autres activités nautiques.

Nos meilleurs spots

⚓ *Récif Jardines* (carte La Riviera maya, 1) : à 15 mn au nord de Playa del Carmen. Idéal pour un baptême. On part à la découverte d'un récif (10 m de profondeur maximum) peuplé de grosses murènes vertes et sillonné par des bancs de poissons multicolores qui zigzaguent à toute vitesse ! L'eau est si transparente que depuis le bateau, on peut observer les fonds marins zébrés par les rayons de soleil qui s'animent comme des serpentins lumineux. Superbe !

⚓ *Récif Tortuga* (carte La Riviera maya, 2) : à 15 mn en bateau au sud de Playa del Carmen. Pour plongeurs Niveau 1 confirmé. Entre 15 et 25 m de profondeur. L'un des spots les plus appréciés du coin. Le spectacle, ici, ce sont les tortues marines de toutes tailles. Elles évoluent au sein d'une véritable « prairie » hérissée de grosses éponges fauves, de gorgones violettes (des coraux qui ressemblent à des éventails en dentelle) et de massifs de corail jaune moutarde, sans oublier des centaines de poissons multicolores, des bancs de carangues, etc.

⚓ *Récif Barracuda* (carte La Riviera maya, 3) : à 10 mn au sud de Playa. Pour plongeurs Niveau 1 expérimenté. À une quinzaine de mètres de profondeur, on explore une petite chaîne corallienne qui court comme un ruban le long de la côte. Le jeu consiste à repérer les nombreuses petites anfractuosités qui servent souvent de refuge, entre autres, à des bancs de poissons juvéniles multicolores, des murènes et des requins nourrices.

⚓ *Récif Pared Verde* (carte La Riviera maya, 4) : à 10 mn au nord de Playa del Carmen. Accessible plongeurs Niveau 2. À 30 m sous l'eau, un petit mur de corail orné de grosses gorgones violettes où l'on admire de multiples et superbes poissons, mais aussi, avec un peu de chance, des barracudas chasseurs et des requins nourrices.

⚓ *Les cenotes :* des millions d'années d'érosion de la pierre calcaire du Yucatán ont créé l'un des plus grands réseaux du monde de rivières souterraines et de grottes profondes. Les *cenotes* sont les ouvertures de ces cavernes qui forment ainsi d'immenses puits, d'ailleurs utilisés comme réservoirs d'eau par les anciens Mayas. Effets de lumière fantastiques grâce aux rayons du soleil, eaux d'un calme parfait, visibilité extraordinaire, silence absolu, magie de l'halocline quand l'eau douce rencontre l'eau salée... Une merveille, accessible à tous car ce sont des plongées peu profondes.

– Pour les autres spots en mer, voir le chapitre suivant, « L'île de Cozumel ».

L'ÎLE DE COZUMEL   80 000 hab.   IND. TÉL. : 987

L'île de Cozumel, avec ses 56 km de long et 17 km de large, est bien plus grande qu'Isla Mujeres. Si cette dernière est davantage un bastion français en été, Cozumel est surtout fréquentée par les Américains, qui y viennent directement en avion depuis Houston ou Miami ou en croisière. En saison, les paquebots y accostent quotidiennement pour y déverser leurs clients dans les boutiques du quai. Celui-ci revêt alors un aspect totalement surréaliste avec son invraisemblable défilé de bijouteries de faux luxe, désertes la plupart du temps. L'unique bourg de l'île, **San Miguel,** est très paisible, dès lors que l'on s'éloigne un peu du front de mer. Il y a pas mal de plages désertes et sauvages, mais il vous faudra louer un scooter (ou une voiture) pour y accéder. En octobre 2005, le cyclone Wilma a durement frappé Cozumel, laissant, comme à Puerto Morelos, un paysage de désolation. Mais lors de notre visite, chacun s'activait à tout remettre sur pied. Si vous êtes plongeur, ne manquez cette île sous aucun prétexte. Et si vous n'avez jamais osé plonger dans les eaux bleues, c'est l'occasion idéale pour faire votre baptême ! Les récifs de Cozumel sont tout simplement superbes : ils ont été déclarés « Parc marin national », ce qui entraîne une protection accrue du site et de la faune.

UN PEU D'HISTOIRE

À l'époque préhispanique, l'île abritait le sanctuaire d'Ixchel, déesse maya de la fertilité, et déjà les autochtones (les femmes enceintes notamment) s'y rendaient en pèlerinage au départ de l'actuel Playa del Carmen. C'est sans doute sur Cozumel que les Espagnols mirent pour la première fois le pied en « terre mexicaine ». De manière brutale ! Lors du naufrage d'un navire espagnol en 1511 (8 ans avant la conquête), tout l'équipage fut sacrifié par les îliens sur l'autel de la grande déesse. Il n'y eut que deux survivants : Jerónimo de Aguilar et Gonzalo Guerrero. On considère que c'est Guerrero qui est le père du métissage mexicain puisqu'il s'est marié avec une princesse locale avec qui il a eu des enfants, créant ainsi le premier mélange de sang espagnol et de sang maya. Guerrero s'est d'ailleurs tellement adapté à cette nouvelle culture (il devint un cacique au sein des Mayas) que lorsque Cortés arriva sur l'île en 1519, il décida d'y rester. Plus tard, face aux exactions des Espagnols, Guerrero choisit définitivement son camp et prit la tête de la défense maya face au conquistador du Yucatán, Francisco de Montejo (1527). Il sera finalement tué par ses compatriotes au cours de la sanglante bataille de Chetumal en 1536. Un rapport de l'époque indique, outré, que son corps était nu et peint, et qu'il ressemblait à un Indien... Quant à Aguilar, il suivit Cortés et joua le rôle de traducteur, jusqu'à ce que la Malinche entre en scène.

Aux XVIIe et XVIIIe siècles, l'île devint un repère de pirates, et par la suite un refuge pour les Mayas durant la guerre des Castes. C'est dans les années 1960 que Cousteau, explorant les fonds marins, lança la renommée de l'île dans le monde entier.

Arriver – Quitter

Comme pour Isla Mujeres, on vous conseille de laisser la voiture à Playa del Carmen.

⛴ On embarque à **Playa del Carmen.** L'embarcadère se trouve en bas du *zócalo.* Trajet : de 30 à 35 mn. Deux compagnies assurent la traversée : *Ultramar* et *Mexico Waterjets.* Elles ont les mêmes tarifs et... les mêmes horaires (!). Vous trouverez des guichets à côté de l'embarcadère et aux alentours du *zócalo.* Compter 220 $Me (15,40 €) pour l'aller-retour ; demi-tarif pour les moins de 12 ans. Départs à 6 h, 8 h, 9 h, 10 h, 11 h, 13 h, 15 h, 17 h, 18 h, 19 h, 21 h et 23 h. Dans l'autre sens, à 5 h, 7 h, 8 h, 9 h, 10 h, 12 h, 14 h, 16 h, 17 h, 18 h, 20 h et 22 h.

➤ **En avion :** une dizaine de vols quotidiens relient Cancún, avec *Aerocozumel.* ☎ 872-34-56.

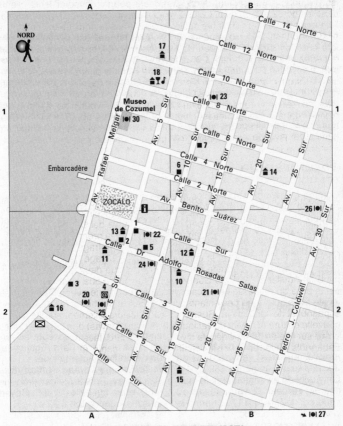

SAN MIGUEL DE COZUMEL

■ **Adresses utiles**

- **�
i** Office de tourisme
- ✉ Poste
- **1** Banque HSBC
- **2** Banque Banamex
- **3** Téléphone Calling Station
- **@ 4** Isah Net
- **5** Laverie Express
- **6** Billets d'autobus (Ticket Bus)
- **7** Rentadora Isis

🛏 **Où dormir ?**

- **10** Hôtel Saolima
- **11** Hôtel Flores
- **12** Hôtel Pepita
- **13** Hôtel Mary Carmen
- **14** B & B Tamarindo
- **15** B & B Amaranto
- **16** Hôtel Vista del Mar
- **17** Hacienda San Miguel
- **18** Hôtel Flamingo

🍴 **Où manger ?**

- **20** Coffeelia
- **21** Miss Dollar
- **22** Casa Denis
- **23** Manatí
- **24** La Choza
- **25** Sabores
- **26** Parilla La Misión
- **27** La Delicia

🍴 **Où prendre le petit déjeuner ?**

- **20** Coffeelia
- **30** Café-restaurant del Museo

🍷 🎵 **Où boire un verre ?**
Où écouter de la musique ?

- **18** Bar de l'hôtel Flamingo

Transports dans l'île

Si l'on veut sortir de la ville, c'est soit le *taxi* (demandez à consulter la liste des tarifs officiels), soit la location d'un *deux-roues.* Pratiquement un hôtel sur deux loue des scooters. Compter environ 300 $Me (21 €) par jour (casque et essence compris). En revanche, peu de location de vélos. Comparez les prix avant de choisir et faites-vous préciser ce qui est à votre charge. Attention, le port du casque est obligatoire en dehors de San Miguel, surtout pour les touristes. Pour stationner son vélo ou son scooter, il y a des zones spéciales indiquées par des panneaux. Enfin, pas de stop, car il est interdit à tout résident de l'île de prendre un touriste dans son véhicule ! Eh oui, on ne badine pas avec le syndicat des taxis !

Topographie

Comme à Playa del Carmen, les avenues sont parallèles à la mer et numérotées de cinq en cinq, et les rues perpendiculaires. L'avenue Benito Juárez, perpendiculaire à la mer et qui longe le *zócalo,* est la ligne de démarcation entre les rues nord (paires) et sud (impaires). Le quartier touristique est très concentré, délimité en gros par le quai et la 5e avenue (toujours comme à Playa) d'une part, et les rues 4 Norte et 5 Sur d'autre part. Mais la « vraie vie » de San Miguel se passe ailleurs, plus à l'est, entre les 30e et 40e av. et les rues 5 Sur et 8 Norte.

Adresses utiles

Office de tourisme *(plan A1-2) :* dans l'immeuble Plaza del Sol (bâtiment à arcades), en bordure du *zócalo,* au 1er étage. ☎ 869-02-12. On y accède en contournant le marché par l'arrière. Ouvert du lundi au vendredi de 8 h 30 à 17 h. Fermé le week-end. Peu d'infos.

Un **kiosque** également à la sortie de l'embarcadère, sur la droite *(plan A1).* Ouvert en principe du lundi au samedi de 8 h 30 à 16 h.

✉ **Poste** *(plan A2) :* à l'angle de l'avenida Rafael Melgar et de la calle 7 Sur. Ouvert du lundi au vendredi de 9 h à 18 h et le samedi de 9 h à 12 h.

■ **Banque HSBC** *(plan A2, 1) :* au coin du *zócalo,* à l'angle de la calle 1 et de l'avenida 5. ☎ 872-01-42. Ouvert du lundi au samedi de 8 h à 19 h. Change euros ou dollars, en espèces ou chèques de voyage. Distributeur automatique pour cartes Visa et MasterCard.

■ **Banque Banamex** *(plan A2, 2) :* av. 5, à côté de l'hôtel *Mary Carmen.* ☎ 872-34-11. Ouvert du lundi au vendredi de 9 h à 16 h pour le change. Au guichet, accepte les cartes *Visa* et *MasterCard.* Également un distributeur automatique.

■ **Téléphone Calling Station** *(plan A2, 3) :* av. Rafael Melgar (front de mer), entre les calles 3 et 5. Ouvert tous les jours de 8 h à 22 h.

@ **Isah Net** *(plan A2, 4) :* av. 5, entre la 3 et la 5. ☎ 872-39-11. Ouvert de 9 h (10 h le dimanche) à 23 h. Pas cher. Connexion rapide. Ordis avec webcam et écouteurs. Scanner, imprimante. Fait également téléphone longue distance. Accès Internet également à *Calling Station* (voir ci-dessus), plus cher.

■ **Laverie Express** *(plan A2, 5) :* calle Dr Adolfo Rosado Salas, entre l'avenida 5 et l'avenida 10. ☎ 872-29-32. Ouvert du lundi au samedi de 8 h à 21 h et le dimanche de 8 h 30 à 15 h. Fonctionne en self-service ou bien on peut laisser son linge.

■ **Billets d'autobus** *(plan B1, 6) :* un central de réservation *Ticket Bus* se trouve à l'angle de l'avenida 10 et de la calle 2. ☎ 872-17-06. Ouvert tous les jours de 6 h 30 à 13 h 30 et de 14 h 30 à 21 h. Infos sur les horaires, réservations et achat de billets pour les destinations desservies par *ADO, Riviera* et *Cristóbal Colón.*

■ *Rentadora Isis (plan B1, 7) :*

av. 10, entre les calles 4 et 6. Margarita propose des scooters et Coccinelle à prix intéressants.

Où dormir ?

Les hôtels se trouvent dans le bourg de San Miguel. On vous indique les prix en période normale. Heureusement, à la différence de Playa, ils ne prennent pas trop la grosse tête pendant la haute saison.

Bon marché : de 210 à 300 $Me (14,70 à 21 €)

▲ *Hôtel Saolima (plan B2, 10) :* calle Dr Adolfo Rosado Salas 260. ☎ 872-08-86. Entre les avenidas 10 et 15. Chambres bien tenues, avec bains, eau chaude et ventilo (AC pour les plus chères), disposées autour d'une allée centrale. Très intéressant à trois ou quatre (chambres assez spacieuses, avec 2 grands lits), mais reste simple et sans charme particulier. Accueil souriant.

▲ *Hôtel Flores (plan A2, 11) :* calle Dr Adolfo Rosado Salas 72 ; entrée discrète, entre deux magasins de souvenirs. ☎ 872-14-29. Fax : 872-24-75. Petit hôtel classique, sans charme. Chambres avec douche (eau chaude) et ventilo. Supplément pour l'AC ou la TV. Prendre une chambre au 2e étage. Plutôt bien tenu. Correct pour le prix.

De prix moyens à chic : de 300 à 700 $Me (21 à 49 €)

▲ *Hôtel Pepita (plan B2, 12) :* av. 15 n° 120. ☎ et fax : 872-00-98. Entre les calles 1 et Dr Adolfo Rosado Salas. Petit hôtel familial, à l'écart de l'agitation. Chambres spacieuses, impeccables, avec ventilo, AC, frigo et TV câblée, donnant sur une cour calme, toutes avec douche et toilettes. Le matin, possibilité de prendre un café. Patron charmant. Une très bonne adresse et le moins cher de sa catégorie.

▲ *Hôtel Mary Carmen (plan A2, 13) :* av. 5 n° 4. ☎ 872-05-81. ● www.cozumelisla.com/hotelmarycarmen ● À deux pas du *zócalo.* Prix intéressants pour 4 personnes. Chambres claires donnant sur une grande cour intérieure. Elles sont spacieuses, avec ventilo et AC, certaines avec moquette (!). Les salles de bains sont clean. Éviter les moins chères, vétustes. Pas de petit dej'. Accueil familial.

■ *B & B Tamarindo et Amaranto (plan B1, 14 et plan B2, 15) :* calle 4 n° 421, entre les av. 20 et 25, et calle 5, entre les av. 15 et 20. ☎ 872-36-14. ☎ et fax : 872-61-90.

● www.tamarindobb.com ● Pour l'*Amaranto* (l'annexe), s'adresser d'abord au *Tamarindo.* Prix taxe comprise. Au *Tamarindo,* c'est le style chambre d'hôtes, avec un rapport qualité-prix imbattable quelle que soit la saison et nettement meilleur que les adresses précédentes. Trois sortes de tarifs. Petit déjeuner compris en haute saison. Jolies chambres cossues, avec ventilo ou AC. Hamacs sur la terrasse. Tenu par Éliane et Jorge, un couple franco-mexicain très accueillant. Nombreuses facilités : petite cuisine collective, barbecue dans le jardin pour faire griller le poisson tout frais acheté juste à côté. L'annexe, *Amaranto,* un petit bâtiment blanc et mauve repérable à sa tourelle coiffée d'une *palapa,* est tout aussi charmante (un peu plus chère) : ravissants et confortables bungalows ainsi que 2 suites pour 4 personnes avec coin cuisine (cafetière et micro-onde) et connexion Internet sans fil, tous très confortables. Un coup de cœur pour ces 2 adresses.

Plus chic : à partir de 700 $Me (49 €)

🛏 *Hôtel Vista del Mar* (plan A2, 16) : av. Rafael Melgar, entre les calles 5 et 7. ☎ 872-05-45. Fax : 872-70-36. • www.hotelvistadelmar.com • Côté mer ou côté passage avec boutiques d'artisanat (calme la nuit), de grandes chambres joliment décorées de bois, coquillages et autres matières naturelles. Grand confort bien sûr. Espace jacuzzi pour une douzaine de personnes. Beau rapport qualité-prix dans sa catégorie.

🛏 *Hacienda San Miguel* (plan A1, 17) : calle 10, entre Rafael Melgar et 5e av. ☎ 872-19-86. • www.hacienda sanmiguel.com • À l'écart du quartier touristique et à deux pas de la mer, un bel hôtel aux tons ocre enserrant un jardin reposant avec fontaine centrale, et rappelant le style colonial. Chaleureuses chambres et suites pas si chères qu'on ne le supposerait. Très bon accueil.

🛏 *Hôtel Flamingo* (plan A1, 18) : calle 6 n° 81. ☎ 872-12-64. • www. hotelflamingo.com • Tenu par un Nord-Américain. Une vingtaine de chambres classiques mais spacieuses, avec ventilo, AC, bains (supplément TV). Pour prendre le petit déjeuner, reposant petit patio plein de verdure où murmure une jolie fontaine. Bon resto mais cher. Joli bar au rez-de-chaussée, bien fourni et très agréable pour écouter de la musique le samedi soir. Cartes de paiement acceptées.

Où dormir ailleurs sur l'île ?

🛏 *Hôtel Ventanas al Mar :* de l'autre côté de l'île, au sud-est, à une vingtaine de kilomètres de San Miguel, sur la route côtière. ☎ 044-987-111-09-96 (portable). • argelcozumel@hot mail.com • Doubles autour de 900 $Me et suites-duplex pour 4 personnes à 1 600 $Me, petit dej' inclus (63 et 112 €). Ceux qui veulent passer une nuit romantique dans cet hôtel écologique solitaire, agrippé à un rocher, prendront un taxi pour s'y faire conduire (environ 200 $Me, soit 14 €). Chambres claires et très confortables. Restaurant sur place. Plage abritée, mais mer dangereuse.

Où manger ?

De bon marché à prix moyens : de 70 à 150 $Me (5 à 10,50 €)

|●| À proximité du marché de fruits et légumes (calle Dr Adolfo Rosado Salas, entre les av. 20 et 25), plusieurs restos populaires où l'on peut manger pour une poignée de pesos.

|●| *Coffeelia* (plan A2, 20) : calle 5 n° 85. ☎ 872-74-02. Ouvert du lundi au samedi de 7 h 30 à 23 h et le dimanche matin pour le petit déjeuner. Alors là, un vrai coup de cœur ! Un drôle de nom... mais la patronne s'appelle Ofelia ; c'est une Mexicaine de la capitale venue respirer la vie à Cozumel... On aime beaucoup la simplicité et la chaleur des salles de resto et du coin salon, la gentillesse d'Ofelia qui, sous un air un peu réservé, s'efforce de faire bouger les choses, tout simplement, à sa manière, en organisant quelques soirées (ciné-club, contes et poèmes, pièces de théâtre, concours de puzzles, expos). Menu du jour à prix très raisonnable, *licuados*, salades, sandwichs, délicieuses quiches et des crêpes... hollandaises ! Très bon café. Une bonne adresse aussi pour le petit dej', dans une bonne ambiance.

|●| *Miss Dollar* (plan B2, 21) : av. 20 n° 253, entre Salas et la calle 3. ☎ 872-58-27. Ouvert tous les jours de 7 h à 23 h. Salle spacieuse avec des tables en bois d'où l'on voit la cuisine ouverte. Pour ceux qui rêvent

d'une bonne viande grillée (bœuf ou porc) à un bon prix. Également de bonnes spécialités mexicaines. Pour le déjeuner, *comida corrida* (menu) à moins de 45 $Me (3,50 €). Bon rapport qualité-prix et accueil sympa.

|●| *Casa Denis* *(plan A2, 22) :* calle 1, entre les av. 5 et 10. ☎ 872-00-67. Ouvert de 7 h (17 h le dimanche) à 23 h. Une petite baraque tout en bois et sympa comme tout, où la patine du temps a laissé son empreinte (depuis 1945). Les innombrables portraits de famille accrochés aux murs attisent la curiosité. En se contentant d'une bonne *torta* (le sandwich mexicain), l'addition restera mini. Mais pour de délicieux *tacos* et/ou des plats de la cuisine yucatèque, elle sera plus conséquente.

|●| *Manatí* *(plan B1, 23) :* à l'angle de la calle 8 et de l'av. 10. ☎ 044-987-100-07-87 (portable). Ouvert en principe de 14 h à 22 h. Fermé le dimanche. Dans une mignonne demeure en bois toute colorée, parfois embaumée par des senteurs d'encens. Des tissus indiens ornent le plafond. Si vous préférez, montez au 1er étage pour profiter de la terrasse bien aérée à l'ombre d'une *palapa*. Un endroit sympa et une douce atmosphère sereine. Mais aussi de délicieuses pâtes (au roquefort, à la carbonara...) et des plats originaux comme du poulet à la mangue ou une milanaise au vin rouge. Accueil souriant.

|●| *La Choza* *(plan A2, 24) :* à l'angle de calle Dr Adolfo Rosado Salas et de l'av. 10. ☎ 872-09-58. Ouvert midi et soir jusqu'à 22 h 30. Endroit cool, genre grande paillote ouverte aux quatre vents. Rendez-vous des autochtones comme des Américains. Bonne cuisine mexicaine avec de nombreux poissons ou viandes au grill. Cher à la carte ; on y va donc pour le menu du déjeuner au prix très raisonnable.

|●| *Sabores* *(plan A2, 25) :* av. 5, entre les calles 3 et 5. ☎ 872-00-82. Ouvert du lundi au vendredi de 12 h à 16 h. Petite maison aux murs jaune et blanc et une patronne rigolote qui prend bien soin de sa clientèle. Excellente cuisine familiale : plats du jour affichés. Jus à volonté. Très propre et vraiment pas cher.

|●| *Parilla la Misión* *(plan B1-2, 26) :* av. Pedro J. Coldwell (prolongation de l'av. 30), entre les calles 2 et 4. Grande salle rustique où l'on sert une bonne cuisine mexicaine. Buffet de légumes également.

|●| *La Delicia* *(hors plan par B2, 27) :* av. Felipe Angeles (av. 40). Daniel et Sylvie vous proposent, du lundi au vendredi, des plats du jour de cuisine internationale de 13 h à 17 h ou des crêpes de 18 h à 23 h et le dimanche à partir de 17 h. Mais aussi quiches, croque-monsieur, etc., à emporter.

Où prendre le petit déjeuner ?

|●| *Coffeelia* *(plan A2, 20).* Voir « Où manger ? ».

|●| *Café-restaurant del Museo* *(plan A1, 30) :* av. Rafael Melgar, au dernier étage du musée. ☎ 872-08-38. Sur le front de mer. Ouvert tous les jours de 7 h à 14 h. On y vient surtout pour sa terrasse perchée et idéalement placée face à la mer. Très populaire le dimanche matin : les Mexicains s'y retrouvent en famille. Prix modérés.

Où boire un verre ? Où écouter de la musique ?

♵ ♪ *Hôtel Flamingo* *(plan A1, 18) :* voir « Où dormir ? ».

À voir. À faire

♜ *Museo de Cozumel* *(plan A1) :* av. Rafael Melgar. ☎ 872-14-34 ou 75. ● www.cozumelparks.com.mx ● Ouvert tous les jours de 9 h à 17 h. Entrée :

33 $Me (2,30 €) ; gratuit pour les moins de 8 ans. Demander la brochure en français à l'entrée de la salle 1 (à rendre en fin de parcours).

La 1re salle présente de manière synthétique l'île de Cozumel, sa formation géologique, la faune et la flore terrestres. La 2e salle, plus intéressante, est consacrée aux récifs coralliens avec une énorme reproduction d'un fond sous-marin. Au 1er étage, salle n° 3, quelques sculptures et bas-reliefs de la civilisation maya (dont un magnifique masque de jade), et aussi des maquettes de vaisseaux, armes des conquistadors, sextants, scaphandres... Dans la 4e salle, quelques scènes de l'histoire récente de l'île. Au rez-de-chaussée, au fond à droite, ne pas oublier de jeter un coup d'œil sur la reconstitution d'une *casa maya*. Resto au dernier étage (voir « Où prendre le petit déjeuner ? »).

🔖 ***Les ruines de San Gervasio*** *(carte La Riviera maya) :* emprunter la carretera Transversal puis, à environ 7,5 km, petit chemin sur la gauche. Y aller en taxi ou en deux-roues (20 mn de trajet). Ouvert de 7 h à 16 h. Entrée : environ 55 $Me (3,85 €) ; gratuit pour les enfants de moins de 12 ans. San Gervasio était le sanctuaire de la déesse Ixchel, et les femmes venaient de loin pour lui demander des faveurs. Joli site maya pour une balade agréable, mais accès un peu cher pour ce que c'est.

– ***Le parc Punta Sur*** *(carte La Riviera maya) :* à 27 km de San Miguel. ● www.cozumelparks.com.mx ● Pas de bus, y aller en deux-roues ou en taxi (35 mn de trajet). Ouvert tous les jours de 9 h à 17 h. Entrée autour de 110 $Me (8 €) ; gratuit pour les moins de 8 ans. Sur le site, il existe une navette qui circule en permanence et qui vous dépose où vous voulez.

Situé à l'extrémité sud de l'île, ce grand espace naturel, qui offre de belles balades dans un environnement préservé, ravira les amoureux de la nature. Nombreux oiseaux, crocodiles, belles lagunes et superbes plages. On peut louer sur place : palmes, masque et tuba pour admirer de beaux poissons. Ne pas manquer le petit musée de la marine aménagé dans le phare. Du haut du phare, vue imprenable sur tout le sud de l'île. Pensez à l'appareil photo ! Il n'y a pas grand monde et l'on peut largement y passer la journée. Possibilité de s'y restaurer. Kayak et tour de la lagune en catamaran (non compris dans le billet d'entrée).

🏖 ***Playa Azul*** *(carte La Riviera maya) :* la plus proche du village, à 5 km vers le nord. Accès payant ou consommation. Pas très grande, mais elle porte bien son nom : la mer y est d'un bleu superbe. Resto sur la plage mais assez cher.

🏖 ***Playa San Francisco*** *(carte La Riviera maya) :* à quelques kilomètres au sud de la *laguna* Chankanaab. Longue plage de sable, malheureusement souvent bondée. Uniquement si vous n'êtes pas allergique aux scooters de mer qui se donnent rendez-vous certains jours pour de véritables rallyes !

🏖 Préférez la ***Playa del Sol,*** 500 m plus au sud. Plus belle et un petit peu moins fréquentée, quoique, ça dépend des jours...

🏖 ***Playa Nachicocom*** *(carte La Riviera maya) :* à une quinzaine de kilomètres au sud de playa San Francisco. Belle plage de sable pour passer une journée tranquille (inutile d'apporter masques et tubas). Droit d'entrée autour de 100 $Me (7 €), « convertibles » en boisson et repas. Très bon resto sous une *palapa*, mais assez cher. Il y a même une piscine.

– ***La côte est :*** plus sauvage (la route peut paraître monotone, car bordée d'une végétation quelconque) et beaucoup moins touristique que la côte ouest, avec des plages désertes et quelques bars-restos à prix moyens. Mais attention, on s'y baigne peu ou du moins avec grande prudence : les courants marins sont localement forts. Vous pouvez essayer le resto *Punta Morelas,* à environ 5 km au sud de la carretera Transversal. Le rendez-vous des surfeurs mexicains (location sur place de planches de surf). Plage naturiste tout de suite à gauche après le café *Mezcalito* (voir la *carte La Riviera maya*).

➤ Pour faire le tour de Cozumel en scooter, compter environ 3 h avec des arrêts.

➤ Nombreuses possibilités d'**excursion d'une journée en bateau** au large de l'île.

Plongée sous-marine

Pas donné, mais ça vaut franchement le coup car l'île de Cozumel recèle de splendides récifs. Ils furent découverts par Cousteau à partir de 1954. L'eau est cristalline, chaude, et la visibilité est très bonne. C'est donc extra, pour les plongeurs expérimentés comme pour les autres. À quelques mètres à peine sous l'eau, parmi les pinacles de coraux, dans des grottes, on admire une faune très riche avec de superbes crustacés (certains sont gigantesques !), des poissons multicolores qui tourbillonnent allègrement dans l'eau : poissons-anges, perroquets, papillons, trompettes, raies aigles léopards, etc. Avec un peu de chance, vous verrez le fameux poisson-chat (une espèce endémique que l'on trouve uniquement dans cette région du globe). Il y a même des requins (mais pas d'inquiétude, ce sont des requins dormeurs !). Bien sûr, interdiction absolue de remonter un quelconque souvenir du fond de l'eau, car les récifs sont préservés ! De même, les crèmes solaires non-biodégradables sont à proscrire.

Excursion d'une demi-journée en général. On gagne le récif en bateau qui vogue au gré des courants et suit tout simplement les bulles des plongeurs. Pas question de jeter l'ancre ! Compter aux environs de 450 $Me (32 €) pour 1 plongée et 650 $Me (46 €) pour 2 plongées, location de matériel non comprise.

Centres de plongée

Très nombreux clubs (plus de cent !) et boutiques qui vous dragueront ferme. Il y a de tout. N'hésitez pas à aller en voir plusieurs et à comparer leurs prestations. Parmi le grand nombre de clubs, vous pouvez contacter sans problème :

■ **Blue Note** *(hors plan par B2) :* calle 2, entre les av. 40 et 45. Réservations : ☎ 872-03-12 ou (portable) 876-68-38. ● www.bluenote.com.mx ● Un club sympa, géré par les dynamiques Véronique et Stéphane qui proposent différentes formules : initiation, plongée de nuit pour suivre les crabes et des murènes de toutes tailles, plongée sur épave, plongée dans les *cenotes,* possibilité de pas-ser des brevets (PADI, CMAS, FFESSM). Service de qualité et très bon accueil. Baptêmes à partir de 8 ans et passage de brevets junior à partir de 10 ans. Les conjoints non-plongeurs pourront louer des palmes et un masque pour faire du *snorkelling.* Réduction de 10 % (sauf sur les baptêmes) sur la plongée sur présentation de ce guide.

Nos meilleurs spots

⚓ **Récif Palancar** *(carte La Riviera maya, 5) :* au sud de l'île. Pour plongeurs à partir du Niveau 1. Très bien aussi pour ceux qui veulent rester en surface avec un masque et un tuba pendant que les copains vont faire des bulles en profondeur. Site très réputé pour ses fonds marins uniques, qui descendent rapidement. L'une des plus belles plongées de Cozumel ! Sur 5 km de long, de nombreuses grottes et d'inoubliables formations de corail « en fer à cheval ».

➤ *Récif Colombia (carte La Riviera maya, 6) :* juste au sud du récif de Palancar et à quelques encablures de l'extrémité sud de l'île. Pour débutants et confirmés. On y rencontre des tortues marines. On peut même les observer de près, car ces gentilles bêtes ne sont pas sauvages. De mars à novembre, des raies aigles léopards festoient dans les eaux cristallines. On a l'impression d'évoluer dans un véritable labyrinthe sous-marin avec de nombreuses grottes, d'innombrables pinacles de coraux.

➤ *Récif Santa Rosa (carte La Riviera maya, 7) :* au sud-ouest de l'île. Niveau 1. Pour ceux qui rêvent d'admirer d'énormes éponges ou s'aventurer dans des grottes et des tunnels avec leurs fonds de sable blanc. Sur ce site se dresse l'un des murs les plus impressionnants de l'île.

➤ *Récif Paso del Cedral (carte La Riviera maya, 8) :* au sud-ouest de l'île. Pour plongeurs Niveau 1 confirmés. Cette plongée est idéale pour ceux qui veulent venir chatouiller des milliers de poissons aux formes et aux couleurs aussi superbes qu'inattendues. Le coin de prédilection de mérous bien grassouillets et de murènes de plus de 1,5 m de long ! C'est là que vous aurez le plus de chance de vous retrouver nez à nez avec un requin dormeur (vous parlez d'une chance, vous... mais non, pas d'affolement, même s'il ne dort pas, il n'est pas dangereux pour un sou !).

➤ *Récif Paraíso (carte La Riviera maya, 9) :* à l'ouest de l'île. Idéal pour les baptêmes, mais les plongeurs confirmés adorent aussi. Aller jusqu'au petit port de Caleta, à 7 km du San Miguel, puis prendre la route sur la droite. À quelques coups de palmes de la côte, muni d'un masque et d'un tuba, on découvre un récif peu profond et très coloré qui se découpe sur un fond de sable blanc. Un véritable aquarium ! C'est là que l'on rencontre la plus grande variété de coraux et d'éponges. On peut aussi y aller en bateau. Il s'étend sur environ 1 km. Incontestablement, le meilleur endroit de l'île pour faire du *snorkelling.* Attention tout de même aux bateaux, qui sont souvent nombreux dans le coin.

LE PARC XCARET
IND. TÉL. : 984

Xcaret, c'est l'histoire, de plus en plus courante, hélas !, dans cette région du Mexique, d'un morceau d'Éden qui a vendu son âme au diable du profit. Avalé par la machine à sous du grand tourisme ! Un site dénaturé désormais. Non, pas défiguré, dénaturé : auquel on a enlevé ce qui faisait sa beauté naturelle, en voulant trop bien le coiffer.
Rappel des faits : à l'origine, c'est-à-dire pour nous jusqu'en 1989, l'endroit était une superbe petite crique rocailleuse au sud de Playa del Carmen, où le proprio des terres faisait payer un modeste droit de passage et où l'on pouvait admirer dans des eaux cristallines une multitude de poissons tropicaux. Depuis, tout a été chamboulé. Le proprio a vendu ses terres à un promoteur qui en a fait un complexe touristique, une sorte de parc d'attractions tropical. La crique a été bétonnée et empierrée. La lagune a été en partie fermée par des digues artificielles. Parasols et pédalos sont omniprésents...

Renseignements pratiques

➤ *Pour s'y rendre :* voir « Quitter Playa del Carmen ». Demandez au chauffeur de vous arrêter à l'embranchement qui conduit au site ; puis attendez la navette gratuite, qui passe toutes les 20 mn.

– Site ouvert de 8 h 30 à 22 h. ☎ 871-52-00. ● www.xcaret.net ● Entrée très chère : environ 670 $Me (47 €) ou 480 $Me (34 €) de 15 h à 21 h ; moitié prix pour les moins de 12 ans. Attention, de nombreuses activités sont en supplément !

À faire dans ce Disneylandia (version mexicaine)

– Parcourir la rivière souterraine à la *nage* (apportez vos masque et tuba, car c'est en supplément), faire de la *plongée* dans les récifs (même parenthèse), se balader à *cheval,* jouer avec les dauphins dans le *delphinarium* et se faire prendre en photo pour immortaliser cet instant *magico,* voir des tortues marines, des orchidées, des jaguars, des papillons et des oiseaux exotiques, se donner quelques frissons dans la *grotte aux chauves-souris.* La *Laguna Azul* est splendide. En revanche, les petits sites archéologiques ne valent guère tripette.

– *Côté spectacle* (le soir), c'est le summum : reproductions de cérémonies religieuses mayas, danses et musique folkloriques, jeu de pelote maya (et quand on sait que ce jeu revêtait un caractère mystique et sacré pour les anciens Mayas, ça fait quand même bizarre), etc.
Vous l'avez compris, vu le prix, ça ne vaut le coup d'y aller que si l'on y passe la journée entière.

PAAMUL

IND. TÉL. : 984

À une petite dizaine de kilomètres au sud de Xcaret (panneau sur la gauche), une charmante plage où l'on est sûr d'être tranquille, voire presque seul en basse saison. Un seul petit hôtel et, le long de la plage, un rassemblement de *trailers* américains, cachés sous de longues paillotes. Ce sont souvent des retraités nord-américains qui ont acheté d'énormes camping-cars et qui viennent ici passer les mois d'hiver au soleil et pour pas trop cher. Ils se sont organisés en une véritable petite communauté, sympathique comme tout. Il y a le resto, le club de plongée, les pêcheurs du coin... On aime bien l'ambiance. Un truc rassurant : la plage est une zone de ponte pour les tortues l'été, le coin est donc protégé. Prendre un bus *Mayab* jusqu'à l'embranchement ; c'est à environ 500 m au bout du chemin.

Où dormir ? Où manger ?

🏠 |●| *Hôtel Cabañas Paamul :* réservations à Mérida, ☎ (999) 925-94-22. Fax : (999) 925-69-13. ● www. paamul.com.mx ● Compter autour de 520 $Me (37 €) en basse saison ; grimpette sensible des prix en période de pointe. Une dizaine de jolies *cabañas* avec 2 lits, ventilo et terrasse face à la plage, ou disposées autour d'un beau jardin. Également des chambres alignées au bord de l'eau, dans des constructions récentes (en dur), avec douche, toilettes et AC. Couleurs fraîches et déco sobre. On peut aussi camper sur place (sanitaires collectifs). Le resto propose une cuisine correcte à prix moyens. Ouvert tous les jours jusqu'à 21 h. Sympa et calme garanti.

Où plonger ?

■ *Scuba-Mex :* John et Debra Everett, ☎ 875-10-66. ● divequestions@ hotmail.com ● En arrivant au parking, c'est juste en face, à côté du resto, sur la plage. Ils sont là depuis 20 ans et l'équipe est sérieuse. Certainement l'un des clubs les moins chers de la côte. Autour de 430 $Me (30 €) la plongée (équipement compris). Départs 2 fois par jour, à 9 h et 14 h. La plupart des sites se trouvent à moins de 10 mn de bateau. Propose également la location de palmes, masque et tuba. Tiens ! Jetez un coup d'œil au bord de l'eau, il y a souvent un énorme barracuda qui vient dire bonjour. Il vient là depuis plus de 10 ans.

PUERTO AVENTURAS
IND. TÉL. : 984

À 8 km d'Akumal, belle plage de sable fin, bordée de cocotiers, fermée par un récif corallien. On y accède en traversant un important complexe hôtelier et résidentiel avec belles pelouses, magasins, piscines, golf et plages aménagées. Puis traverser le hall du très chic hôtel *Puerto Aventuras*.

À faire

– La nouvelle mode pour les touristes en mal d'expériences inédites : nager avec les dauphins ! Puerto Aventuras en est devenu l'un des temples, et il y a foule au portillon. Si vous êtes tenté, on vous signale l'adresse :

■ *Dolphin Discovery :* en plein centre, difficile de le rater. ☎ 206-23-27 ou 28. À partir de 70 US$ les 45 mn passées avec les dauphins (même trip avec des lions de mer...)

– Pour ceux qui en auraient assez de la plage, allez donc faire un tour dans la forêt tropicale, aux *cenotes Kantún Chi,* à 2 km de là sur la route principale, sur la droite. ☎ 873-00-21. ● www.kantunchi.com ● Ouvert de 9 h à 17 h (18 h en été). Pour l'entrée, deux forfaits. Le *paquete 2* coûte autour de 250 $Me (18 €) ; moitié-prix pour les moins de 12 ans. Il permet simplement l'accès aux *cenotes* (apporter masque et tuba, sinon vous devrez louer le matériel). Le *paquete 1* coûte environ 400 $Me (28 €) pour les adultes, 350 $Me (25 €) pour les moins de 12 ans. Il comprend le matériel de *snorkelling* et la visite des grottes (interdite aux moins de 11 ans). Le cadre est tranquille et verdoyant. Peu de visiteurs, sans doute à cause du prix assez élevé.

AKUMAL ET CALETA YAL-KÚ
IND. TÉL. : 984

À une vingtaine de kilomètres au nord de Tulum. Akumal (« lieu des tortues ») a été rendu célèbre par la découverte d'un galion espagnol coulé en 1741 sur les récifs. Superbe baie en croissant de lune, fermée par un récif de corail qui lui donne des allures de grande piscine. C'est ici que, tous les étés, les tortues géantes viennent pondre. Sable blanc et cocotiers complètent la carte postale. La plage est en bonne partie bordée par des hôtels pas trop hauts, heureusement, et par un ensemble de maisons de vacances qui occupent la zone. Pour info (on ne sait jamais...), il y a une villa qui se loue 33 000 US$ la semaine durant les fêtes de fin d'année !
Akumal se compose en fait de 2 plages : la première par laquelle on arrive (il y a un parking). Plage étendue et très au calme, parfaitement « baignable ». Plus loin (quand on poursuit la route vers Caleta Yal-Kú), les belles résidences cachent une plage de sable plus sauvage mais avec pas mal de coraux en bord de mer.

Akumal est une halte agréable pour la journée car il n'y a pas trop de monde et le lieu n'est pas encore surfait.

À environ 2 km de la plage se trouve la *Caleta Yal-Kú*, un véritable aquarium naturel dans un somptueux environnement (ce que devait être Xcaret il y a une dizaine d'années).

Comment aller à Yal-Kú ?

➤ *En voiture :* de Playa del Carmen, prenez la route 307 vers Tulum, tournez à gauche au fléchage « Playa Akumal ». Vous tombez sur l'entrée du *resort* avec un porche gardé par un vigile. Passez sans complexe avec votre voiture et prenez tout de suite la route qui part à gauche. À environ 3 km, elle se termine en cul-de-sac sur le site de la *caleta* (crique) Yal-Kú. N'entrez pas dans le parking payant, mais laissez votre voiture à l'extérieur.

➤ *En bus :* de Playa del Carmen, prenez le bus vers Tulum et demandez au chauffeur de vous laisser au croisement « Playa Akumal » ; puis prenez un taxi au niveau du porche (négociez le prix avant) jusqu'à la plage d'Akumal (pour bronzer) ou bien la Caleta Yal-Kú (pour barboter dans l'eau avec les poissons). Vous ferez le retour à pied (environ 3 km).

Où dormir ? Où manger ?

🛏 🍴 *Posada-restaurant Que Onda :* Caleta Yal-Kú. ☎ 875-91-01. ☎ et fax : 875-91-02. • www.queon daakumal.com • Prendre à chaque fois la route qui part à gauche. Entre 700 et 1 000 $Me (49 et 70 €) la chambre selon la saison, petit dej' non compris ; tarifs dégressifs si l'on reste plusieurs nuits ou rabais lorsqu'on paie en espèces. Maribel, une sympathique Suisse italienne un peu speed et qui parle le français, propose 6 chambres toutes différentes et superbement décorées. Literie très ferme (socle en ciment). Chacune peut loger 4 personnes. Pas d'AC, mais des ventilos. Si vos moyens vous le permettent, la suite (jusqu'à 8 personnes !) est splendide. Clientèle plus européenne qu'américaine. Jardin tropical agrémenté d'une petite piscine. On est à 3 mn à pied de la crique. Et si vous êtes client, Maribel vous prêtera un masque et un tuba. Ou même une bicyclette pour aller vous balader vers la plage. Bon resto (cuisine italienne), mais assez cher. Un endroit sympa, tranquille et de bon goût.

À voir. À faire

🏊 *Caleta Yal-Kú :* ceux qui n'ont jamais fait de *snorkelling* (plongée avec masque et tuba) ne manqueront pas cette séquence découverte... les autres non plus d'ailleurs. Un petit bijou de nature, mais malheureusement de plus en plus envahi par les cars de touristes. Imaginez une lagune, tout en rochers dentelés, dans lesquels se cachent des centaines de poissons aux couleurs arc-en-ciel. Avant même de plonger, on les aperçoit déjà ; autant vous dire qu'après, le spectacle est magique ! Un gigantesque aquarium naturel ! Les poissons sont plus petits qu'à Xel-Há, mais ils sont plus nombreux et il y a moins de monde.

Laissez-nous vous expliquer la situation : toute cette pointe est bordée de superbes villas privées qui occultent l'accès à la mer. Un propriétaire d'un morceau de terrain a créé un accès organisé à la crique avec parking (à 100 m de la *Posada Que Onda*). Ouvert de 8 h à 17 h 30. Entrée : 65 $Me (4,55 €) ; moitié-prix pour les enfants. Location de gilets de sauvetage, de masques, palmes et tubas. Comme partout sur ces sites, **les crèmes solai-**

res sont à proscrire absolument si vous voulez qu'il y ait encore des poissons dans quelques années. Il faut donc apporter un tee-shirt pour ne pas griller au soleil, avec lequel on se baigne (pour se protéger le dos pendant qu'on observe les fonds).

XEL-HÁ

Lagune de 14 ha (sur un site de 84 ha en tout), très touristique, à proximité de la mer. Il s'agit d'un ensemble de minuscules lagons coralliens, aux eaux de cristal, véritable aquarium naturel (75 espèces en tout) d'une grande beauté avec son dédale de renfoncements rocailleux où s'abritent les poissons. Le plus grand lagon est accessible aux nageurs et constitue une gigantesque piscine aux eaux parfaitement calmes et à la température idéale. Une rivière d'environ 1,5 km, qu'on peut descendre en bouée (comprise dans le prix, ainsi que le gilet de sauvetage), rejoint le lagon. Demander le plan du site à l'entrée. ● www.xel-ha.com.mx ●

Renseignements pratiques

À 13 km au nord de Tulum. Demandez au chauffeur de vous laisser à l'embranchement de la route qui conduit à Xel-Há. Une navette gratuite vous conduira au site ; départ toutes les 15 mn.

– **Horaires et prix :** ouvert tous les jours de 9 h à 18 h. Entrée : deux forfaits (dans les deux cas, c'est gratuit pour les moins de 4 ans et demi-tarif pour les moins de 11 ans). Compter autour de 350 $Me (24,50 €) pour le *básico* qui inclut la bouée pour descendre la rivière et le gilet de sauvetage, et environ 650 $Me (45,50 €) pour le *todo incluido* (tout inclus), qui comprend, outre la bouée et le gilet, les palmes, masque et tuba, le casier pour la consigne et surtout (intéressant pour les morfales !) l'accès à volonté aux 5 restos du site (jusqu'à 17 h).

– **Bon plan :** venir le week-end ! le prix du forfait *básico* chute (autour de 250 $Me, soit 17,50 €) et vous êtes pratiquement seul sur le site, car les groupes ne viennent jamais ce jour-là. En revanche, pas de prix spéciaux pour le *todo incluido*. Un tuyau : si vous achetez votre billet à l'avance sur le site de Tulum (petite baraque en bois), vous obtenez une réduction de 10 %.

– **La location de masques et tubas,** ainsi que la **consigne** n'ouvrent qu'à 9 h et coûtent très cher (c'est le problème du forfait *básico*). Venir avec son propre matériel.

– Un bon point : les crèmes solaires sont interdites, écologie oblige. Vous devez laisser à la consigne votre crème classique et l'on vous donne des petits tubes de crème biodégradable à la place. Le soir, vous récupérez votre tube perso. Aux périodes humides, prévoir un antimoustiques.

– Douches, hamacs, chaises longues accessibles gratuitement.

|●| Plusieurs restos.

À voir. À faire

🐾 En général, on commence par une petite balade dans la jungle sur un sentier en dur, au tracé très agréable (plein d'iguanes), qui mène au départ de la rivière, cernée de mangroves épaisses qui dévorent le rivage. On descend ensuite la rivière sur plus d'un kilomètre, soit juché sur une grosse bouée de plastique, soit avec masque, palmes et tuba (et gilet de sauvetage), en se laissant filer au cours de l'eau. Extra. On aboutit ensuite dans le vaste lagon dont il faut explorer les rivages et les encaissements pour observer le mieux les poissons (on peut sauter de certains rochers). Bonne organisation puisque vos affaires, que vous aurez laissées au point de départ (sac fourni), seront rapportées à votre point d'arrivée. À droite du grand lagon, faites donc un tour aux abords du pont flottant (sur la droite quand on vient de la rivière), où l'on trouve de gros poissons que nourrissent régulièrement les animateurs du site. Assez impressionnant.

Une organisation impeccable et américaine, qui a relativement bien réussi à conserver toute sa beauté au site. D'autres activités sont proposées, mais à prix dément. En vrac : scaphandre *(seatrek)* pour marcher au fond de l'eau (comme Tintin !), plongée, nage avec les dauphins (ils viennent de Cuba). Si vous allez à l'un des restos, évitez les heures de pointe. En fait, le maître mot est de venir le week-end (déjà dit) et d'arriver tôt !

HIDDEN WORLDS CENOTES PARK

À quelques kilomètres au sud de Xel-Há, sur la droite de la route. ☎ 877-85-35. • www.hiddenworlds.com.mx • On vous propose ici de faire de la plongée avec masque et tuba ou de la plongée avec bouteille dans des grottes sous-marines vraiment impressionnantes, les fameux *cenotes* (le Niveau 1 suffit). Évidemment, faut pas être claustro ! Bon à savoir quand même : si le décor se révèle vraiment incroyable quand on nage entre les stalactites et les stalagmites, il y a très peu de faune dans les cavernes. *Snorkelling* autour de 450 $Me (32 €) ; c'est cher, mais on nage dans plusieurs cavernes et l'équipement est compris. Départs à 9 h, 11 h, 13 h, 14 h et 15 h. Plongée avec bouteille à 550 $Me (39 €). Départs à 9 h, 11 h et 13 h.

Pour ceux qui veulent simplement nager dans un *cenote* avec masque et tuba, allez plutôt au *Gran Cenote* dans les environs de Tulum.

TULUM   17 000 hab.   IND. TÉL. : 984

Après l'agitation de Cancún ou de Playa del Carmen, Tulum, c'est comme une grande bouffée de calme, avec sa vie paisible de village et son ambiance nonchalante sur la plage. Une étape idéale pour recharger langoureusement les batteries. C'est aussi la seule cité maya construite en bord de mer. Et quelle mer ! Bordée par une immense plage de sable blanc qui s'étend vers le sud sur des kilomètres et des kilomètres, vierge de toute construction jusqu'à Punta Allen. L'environnement est grandiose. Contrairement aux autres sites archéologiques, ici, ni pyramides imposantes ni palais gigantesques. C'est avant tout une « forteresse » (*tulum* en maya), d'où les Mayas assistèrent interloqués à l'apparition, au loin, des premières caravelles espagnoles. C'était en 1518.

Arriver – Quitter

En bus

🚌 **Terminal des bus** *(plan I) :* av. Tulum, dans le village. ☎ 871-21-22. Les deux gares routières, *ADO-Riviera* (1ʳᵉ classe) et *Mayab* (2ᵉ classe) sont presque en face l'une de l'autre. Consigne à bagages. Il

existe aussi un **arrêt de bus** situé près des ruines, au *Crucero (plan II)*. Attention, en haute saison, les bus sont vite complets ; achetez votre billet le plus rapidement possible.

➤ *Pour/de Playa del Carmen :* 60 km. Avec *Mayab,* départ chaque heure, de 8 h 30 à 22 h 30. Le bus s'arrête où vous le souhaitez le long de la route. Avec *ADO-Riviera,* une dizaine de bus (directs), de 11 h à 23 h. Trajet : 40 mn. Pensez également aux *combis* (taxis collectifs) qui passent le long de l'avenida Tulum.

➤ *Pour/de Cancún :* 135 km. Mêmes bus et mêmes horaires que pour Playa del Carmen. Trajet : 2 h. Les bus *Mayab* s'arrêtent sur demande le long de la nationale, notamment à l'embranchement pour **Puerto Morelos.**

➤ *Pour/de Cobá :* 47 km. Avec *Mayab* ou *ADO,* mêmes horaires que pour Valladolid. Trajet : 1 h.

➤ *Pour/de Valladolid :* 160 km. Avec *Mayab,* bus à 7 h, 9 h 30, 11 h et 18 h. Trajet : 2 h 30. Avec *ADO,* bus à 9 h, 12 h 20 et 14 h 30. Trajet : 2 h.

➤ *Pour/de Chichén Itzá :* 200 km. Avec *ADO,* bus à 9 h et 14 h 30. Trajet : 2 h 30.

➤ *Pour/de Mérida :* avec *Mayab,* 6 bus de 7 h 15 à 23 h. Trajet : de 8 à 9 h. Avec *ADO,* 2 bus par jour. Trajet : 4 h.

➤ *Pour/de Chetumal :* 247 km. Avec *Mayab,* une dizaine de bus de 6 h 15 à 20 h 15. Trajet : 4 h 30. Ils s'arrêtent à **Bacalar** (212 km, 2 h 45 de trajet). Avec *ADO,* bus à 10 h 15, 11 h 45, 12 h 45, 15 h 30 et 22 h. Trajet : 3 h 30.

➤ *Pour/de Palenque et San Cristóbal :* respectivement 737 km et 950 km. C'est le même bus *Cristóbal Colón.* Départs à 16 h 15 et 17 h 45. Trajets : 12 h et 16 h.

➤ *Pour/de Mexico :* 1 760 km. Avec *ADO,* 2 départs par jour. Trajet : 24 h.

En voiture

➤ *Pour/de Chetumal :* on vous conseille de conduire de jour, car sur certains tronçons de la route, il n'y a pas de lumière et les panneaux indicateurs se font rares.

➤ *Pour/de Cancún,* aucun problème, mais prudence quand même la nuit : il y a quelques bizarreries d'aménagement de la route auxquelles on n'est pas habitués.

Où loger ?

Le village de Tulum fait l'objet d'un vaste plan de développement (planifié jusqu'en 2026 !) qui est censé éviter les excès d'une croissance hystérique du style Playa del Carmen. Autrefois sans intérêt, le village est donc en pleine mutation. Concrètement, cela se traduit pour le routard par une question existentielle : où loger ? On a le choix entre la plage ou le village, distants de quelques kilomètres.

– *La plage* (Tulum Playa ; plan II) : elle est splendide, avec son sable blanc, ses eaux turquoise et ses palmiers. Une vraie carte postale. Sur plusieurs kilomètres s'y sont installés de nombreux petits hôtels qui proposent des cabanes en bois très spartiates ou bien des bungalows ultrachic. En haute saison, c'est la foule ; les prix grimpent en flèche et si l'on veut un lit, mieux vaut arriver le matin. On accède à tous ces hôtels par la route qui longe la plage. Attention, pas de bus le long de la plage, seulement des taxis (qui ont tendance à profiter de leur monopole) ou alors le stop, qui fonctionne assez bien.

Grosso modo, on distingue deux zones hôtelières. Tout près des ruines (mais accès interdit), on trouve les *cabañas* bon marché, rassemblement de routards de tous pays, tendance baba, « peace and smoke ». À l'opposé du site (en direction de Punta Allen), c'est la zone plus classe, où se sont installés les hôtels chic et parfois hors de prix.

– *Le village* (Tulum Pueblo ; plan I) : à 4 km des ruines. Il est traversé par la nationale qui s'appelle, dans le village, l'avenida Tulum, avec en son centre un terre-plein. C'est l'artère principale le long de laquelle s'étalent les com-

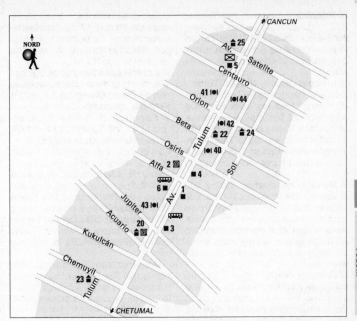

TULUM PUEBLO (PLAN I)

■ **Adresses utiles**

✉ Poste
🚌 Terminal des bus
1 Téléphone *larga distancia*
◙ 2 Internet
3 Bureaux de change
4 Banque HSBC
5 Laverie Lava Easy
6 Bicimoto (location de vélos)

⌂ **Où dormir ?**

20 The Weary Traveler Hostel

22 Hôtel Chilam Balam
23 Hôtel Don Diego de la Selva
24 Hôtel Kin-Ha
25 Villa Matisse

|◙| **Où manger ?**

40 La Palapa de Chino
41 El Mariachi
42 La Nave
43 Charlie's
44 Don Cafeto

merces, les restos et quelques hôtels. Viendront y loger ceux qui veulent savourer la vie de village et qui préfèrent le contact avec la population locale à la fréquentation des touristes. Autre avantage : les hôtels, en nombre croissant, pratiquent des prix plus décents que sur la plage. Et on trouve aussi plein de bons petits restos et des cafés bien sympas. Beaucoup d'affaires sont tenues par des Italiens, mais aussi par des Français. Pour aller à la plage, on peut louer des vélos. Une piste cyclable a été construite le long de la route qui rejoint Tulum Playa (3 km).

TULUM PUEBLO
Adresses et infos utiles

✉ *Poste (plan I) :* av. Tulum 89. Presque à la sortie du village en direction de Playa del Carmen. Ouvert du lundi au vendredi de 9 h à 16 h.

■ *Téléphone* (plan I, *1*) *:* av. Tulum ; à 50 m du terminal des bus en direction des ruines. ☎ 871-27-29. Ouvert tous les jours de 8 h à 22 h. L'une des *casetas telefónicas* les moins chères.

@ *Internet* (plan I, *2*) *:* av. Tulum ; face à la *banque HSBC*. ☎ 871-21-29. Ouvert tous les jours de 9 h à 23 h. Bonnes bécanes et personnel compétent. Vous pouvez aussi aller à l'auberge de jeunesse *The Weary Traveler Hostel* (plan I, *20*). Ouvert jusqu'à des heures avancées de la nuit.

■ *Bureaux de change* (plan I, *3*) *:* pratique ! Deux *casas de cambio* encadrent le terminal des bus. Il y en aura au moins toujours un d'ouvert. Jusque vers 21 h environ, plus tard en haute saison. Change les euros en espèces et les chèques de voyage.

■ *Banque HSBC* (plan I, *4*) *:* au milieu de l'avenida Tulum, entre le terrain de foot et le poste de police. Ouvert du lundi au samedi de 8 h à 19 h. Change les euros en espèces ou chèques de voyage (mais seulement de 10 h à 17 h). Distributeur automatique. Également une banque *Banamex* (plan II, *7*), au début de la route pour Cobá.

■ *Laverie Lava Easy* (plan I, *5*) *:* av. Tulum, à la sortie du *pueblo* en direction de Playa. Ouvert de 8 h à 20 h. Fermé le dimanche.

■ *Location de vélos Bicimoto* (plan I, *6*) *:* av. Tulum. ☎ 871-25-36. Ouvert du lundi au samedi de 8 h à 20 h et le dimanche jusqu'à 14 h. Les vélos sont bien entretenus (fait aussi atelier de réparations). Certains disposent d'un panier devant le guidon. Location à l'heure ou à la journée. Tarifs dégressifs pour plusieurs jours.

■ *Location de masques et tubas :* allez aux *cabañas Punta Piedra* (plan II, *30*) à Tulum Playa. Voir plus loin.

– Procurez-vous le journal local bimestriel *Sac-Be* qui fournit plein d'infos sur ce qu'il y a à voir et à faire le long de la côte, des plans de ville, etc.

Où dormir ?

Très bon marché : moins de 210 $Me (14,70 €)

⌂ *The Weary Traveler Hostel* (plan I, *20*) *:* av. Tulum, presque en face du terminal des bus. ☎ 871-23-90. ● www.intulum.com ● Ouvert de 7 h à 23 h. Une AJ avec des dortoirs de lits superposés, simples ou doubles. Bar et resto, mais pas de cuisine. Accès Internet. Navette gratuite pour rejoindre la plage à 9 h et 12 h dans le sens village-plage ; à 12 h 30 et 17 h dans l'autre sens. Prévoyez un cadenas pour le *locker*. Réductions sur les visites et plongée dans les *cenotes*. Ambiance bohème et décontractée. L'adresse routarde par excellence.

Prix moyens : de 300 à 500 $Me (21 à 35 €)

⌂ *Villa Matisse* (plan I, *25*) *:* av. Satellite 19, au rond-point de l'obélisque, à droite en venant de Cancún, puis à une centaine de mètres sur la droite. ☎ 871-26-36 ou 876-28-54 (portable). ● shuvinito@yahoo.com ● Petite pension ocre, cachée dans une rue calme et tenue par une dame très accueillante. Petit dej' et bicyclette inclus dans le prix. Atmosphère chambres d'hôtes. Cuisine à disposition. Excellent rapport qualité-prix.

⌂ *Hôtel Chilam Balam* (plan I, *22*) *:* av. Tulum, à 200 m du terminal des bus en direction des ruines. ☎ 871-20-42. Hôtel récent, sans charme particulier, mais avec un bon rapport qualité-prix pour la région. Grandes chambres bien tenues. Celles du rez-de-chaussée, avec AC, sont sombres. On préfère celles du 1er étage, beaucoup plus agréables.

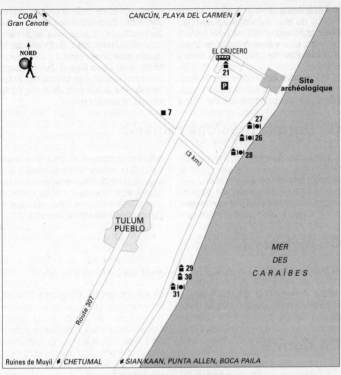

TULUM PLAYA (PLAN II)

■ Adresses utiles	27 El Paraiso
	28 Diamante K
🚌 Arrêt de bus	29 La Conchita
7 Banque Banamex	30 Cabañas Punta Piedra
	31 Zamas
⌂ Où dormir ?	
	⦿ Où manger ?
21 Hôtel Crucero	
26 Cabañas Playa Condesa	31 Zamas

Sur le plan : COBÁ / Gran Cenote — CANCÚN, PLAYA DEL CARMEN — NORD — EL CRUCERO — 21 — P — Site archéologique — ■ 7 — 27 — 26 — 28 — (3 km) — TULUM PUEBLO — Route 307 — MER DES CARAÏBES — 29 — 30 — 31 — Ruines de Muyil / CHETUMAL — SIAN KA'AN, PUNTA ALLEN, BOCA PAILA

LA CÔTE DE CANCÚN À TULUM

Chic : de 500 à 700 $Me (35 à 49 €)

⌂ **Hôtel Don Diego de la Selva** *(plan I, 23) :* à la sortie du village en direction de Chetumal, sur la droite, après le terre-plein central, un peu à l'écart de l'avenida Tulum. ☎ 984-745-93-05 ou 114-97-44 (portable). ● www.dtulum.com ● Excentré, mais ce tout récent petit hôtel de charme vaut le détour. Il est tenu par deux Français très sympas, Charlie et Stéphane, sur le principe de la chambre d'hôtes, avec donc le petit dej' com-pris. Huit belles chambres disposées autour d'un ravissant patio ver-doyant où chante une jolie fontaine. Certaines avec lit *king size.* Les plus spacieuses disposent de l'AC (plus chères). Toutes ont une grande ter-rasse individuelle qui s'ouvre géné-reusement sur le jardin. Ambiance lodge Caraïbes, avec des touches de déco mexicaine. Ici, la vie se déroule dans un calme absolu, entre la magnifique piscine, l'apéro autour du bar et le resto sous la grande *palapa* (repas du soir à la demande). Des vélos sont à disposition pour aller à la plage. Une adresse coup de cœur.

🛏 *Hôtel Kin-Ha (plan I, 24)* : Orion, entre les calles Sol et Venus. ☎ 871-23-21. ● www.hotelkinha.com ● Augmente ses tarifs en haute saison, mais négociez en période creuse. Une

dizaine de jolies chambres, simples et confortables, qui donnent sur un ravissant jardin croulant sous la végétation tropicale. Deux lits individuels ou lit *queen size*. Avec ventilo ou AC (plus cher). Deux cabanes à Tulum plage très bon marché. Les clients de l'hôtel bénéficient d'une réduction de 10 % sur les repas à la plage.

Où dormir près des ruines ?

🛏 *Hôtel Crucero (plan II, 21)* : au carrefour de la route pour le site (arrêt de bus). ☎ 871-26-10. ● www.el-crucero.com ● À 500 m des ruines et 1,5 km du village. Chambres pour 4 personnes, avec ventilo et douche, très bon

marché. Doubles avec bains bon marché. Chambres thématiques pour trois avec AC. Elles donnent sur un grand jardin à l'arrière. Internet. Excursions. Plein d'infos. Une adresse à l'ambiance et aux prix routards.

Où manger ?

Plusieurs *taquerias* sur l'avenue, à proximité des terminaux de bus.

🍽 *La Palapa de Chino (plan I, 40)* : av. Tulum, entre Osiris et Beta. Ouvert de 7 h à 23 h. Une salle en contrebas qui ne paye pas de mine, mais on y mange très bien, une combinaison originale et délicieuse de cuisine chinoise et/ou mexicaine (ou l'inverse) à des prix tout à fait corrects. Tenu par une même famille. Arcelia est aux fourneaux, Rodrigo en salle, aidé par ses deux fils dont Mike, qui baragouine quelques mots de français, surtout depuis qu'ils ont installé un présentoir de bouteilles de vin !

🍽 *El Mariachi (plan I, 41)* : av. Tulum. ☎ 871-29-72. Ouvert de 7 h à minuit. Sous une grande pergola, en plein air. Sol en gravier et tables en plastique recouvertes de nappes frappées d'un coloré « viva Mexico ». Il fallait s'y attendre, avec un nom pareil... Vous l'avez compris, cuisine on ne peut plus mexicaine. Simple mais soignée, et offrant un bon rapport qualité-prix. Pour le petit dej', plusieurs formules bon marché ; et vous pourrez profiter des premiers rayons de soleil de la journée. Autre établissement tout près de l'AJ.

🍽 *La Nave (plan I, 42)* : av. Tulum, à côté de l'hôtel *Chilam Balam*. ☎ 871-

25-92. Ouvert de 7 h à 23 h. Fermé le dimanche. Un resto italien sympa dont on fait vite son Q.G. Joli cadre. On y savoure les meilleures pizzas de Tulum, cuites au feu de bois. Également de très agréables petits dej', un peu plus originaux qu'ailleurs et accompagnés d'un délicieux *espresso*.

🍽 *Charlie's (plan I, 43)* : à droite en sortant du terminal *ADO*. ☎ 871-25-73. Ouvert de 12 h à 23 h. Fermé le lundi. Cartes de paiement acceptées. Parfait quand on arrive à Tulum avec un p'tit creux, histoire de reprendre des forces avant de passer à l'attaque (visite des ruines ou recherche d'un hôtel). Sous une belle *palapa,* resto-boutique au décor agréable et rafraîchissant. Murs incrustés de fonds de bouteilles. Bonne cuisine mexicaine à prix raisonnables.

🍽 *Don Cafeto (plan I, 44)* : av. Tulum 64. ☎ 871-22-07. Ouvert de 7 h à 23 h. Vous y rencontrerez peut-être le gouverneur de l'État, qui y a sa table réservée en permanence. Bonne cuisine mexicaine « touristisée ». Spécialités de viande de bœuf (goûtez aux *arracheras*). Pour le petit dej', plusieurs formules, mais assez chères. Si vous êtes en fonds...

TULUM PLAYA

Où dormir ?

De moins en moins d'adresses routardes. Il faut dire que les terrains se vendent bien et que de nouvelles structures hôtelières apparaissent sans ressembler toutefois à celles de Cancún.

Très bon marché : moins de 210 $Me (14,70 €)

🛏 |◉| *Cabañas Playa Condesa* *(plan II, 26)* : à environ 1,5 km des ruines. Pas de téléphone. Le seul hôtel du coin tenu par une vraie famille maya. Sept petites *cabañas* rudimentaires (il n'y a qu'une seule douche commune) mais propres, avec sol en dur, bonne literie, hamac, moustiquaire. Chambres pour trois avec bains. Pas de petit dej'. Petit resto sous une *palapa,* face à la mer. Contrairement à toutes les autres adresses, pas vraiment de plage mais un bord rocheux duquel on peut sauter dans les flots bleus (plage toute proche). Très calme. Ambiance simple et familiale.

Bon marché : de 210 à 300 $Me (14,70 à 21 €)

🛏 *Cabañas Punta Piedra (plan II, 30) :* à environ 5 km des ruines. ☎ 984-745-64-72 (portable). Cinq *cabañas* simples mais propres et avenantes, chacune bénéficiant d'une petite terrasse avec hamac. Quelques-unes avec sanitaires collectifs (eau froide), d'autres avec douche et eau chaude. Une belle chambre également avec un lit *king size* et une grande baie vitrée face à la mer. Si vous y restez plusieurs jours, on vous autorisera certainement à faire votre popote. Location de vélos, masques et tubas. Une adresse sympa.

De prix moyens à chic : de 300 à 900 $Me (21 à 63 €)

🛏 |◉| *El Paraiso (plan II, 27) :* à gauche, en arrivant de Tulum Pueblo, à environ 1 km de la bifurcation. Pas de téléphone. ● www.elparaisotulum. com ● Sur une large plage ombragée de cocotiers, un hôtel qui porte bien son nom. Il propose des *cabañas* sur pilotis ou des chambres dans des bâtiments en dur. Toutes avec bains et ventilo. Bon resto. Bar. Hamacs. Tranquille. Organise des excursions. Une de nos adresses préférées sur la plage.

🛏 |◉| *Diamante K (plan II, 28) :* à gauche, avant *El Paraiso.* ☎ 883-40-83. ● www.diamantek.com ● À partir de 500 $Me (35 €) pour une *cabaña* avec sanitaires collectifs. Un très bel espace en bordure de plage, avec des cabanes en rondins de bois et toit de palmes. Il y en a pour tous les goûts, avec ou sans salle de bains.

Et même un petit dortoir de 6 lits. C'est là qu'a été tournée *L'Île de la Tentation 2004.* Très jolie déco aux accents ethnico-africains (!). Les lits sont suspendus, idéal pour ceux qui craignent les p'tites bébêtes. Petit temple de méditation et, le soir venu, lueur chaleureuse des bougies. Le resto, très agréable, sert une cuisine succulente mais chère. Bar *lounge* installé sur les rochers, face à la mer. Ambiance cool dans un cadre chic.

🛏 *Zamas (plan II, 31) :* voir « Où manger ? ». ● www.zamas.com ● Prix qui flirtent avec la catégorie plus chic, selon la saison. Grandes *palapas* rondes avec 2 lits doubles et une autre avec un lit matrimonial (prix intéressant pour quatre). Toutes avec bains, eau chaude à l'énergie solaire. Moustiquaire sur les lits. Joli aménagement. Impeccablement tenu.

Plus chic : plus de 1 000 $Me (70 €)

🛏 *La Conchita* (plan II, 29) : vers la droite en venant de Tulum Pueblo. Pas de téléphone. Fax public : 871-20-92. ● www.differentworld.com ● Forte augmentation des prix en haute saison. Petit dej' et taxe inclus. Charmant petit hôtel avec 8 bungalows en dur, très joliment construits. Une chambre en duplex pour 4 personnes. Arrangé avec beaucoup de goût. Terrasse individuelle avec hamac. Le resto n'est ouvert que pour le petit dej' (inclus). Un endroit tranquille et harmonieux, qui donne sur une très belle plage.

Où manger ?

Peu de restos à Tulum Playa en dehors de ceux des hôtels mentionnés.

|●| *Zamas* (plan II, 31) : dans le centre de Tulum Playa. ● www.zamas.com ● Ouvert de 7 h à 22 h. Installé sur une petite pointe rocheuse, à côté d'une plage croquignolette. Tables de toutes les couleurs sous des toits de palmes, face à la mer turquoise. Très bonne cuisine. Goûtez aux *tacos* de poisson mariné à la tequila ou aux crêpes de *chaya*. Divines pizzas cuites au four à bois. Et le poisson est très frais. Un peu cher (surtout le petit déjeuner), mais le cadre est vraiment ravissant. Bon accueil. Fait aussi hôtel (voir « Où dormir ? »).

LES RUINES DE TULUM

🏛🏛🏛 Le site archéologique est à 4 km du village et à 500 m de la route. Si l'on arrive de Playa del Carmen, au premier carrefour on tombe d'abord sur le *centro turístico* (chemin sur la gauche AVANT la station *Pemex*). C'est là que l'on gare sa voiture (inutile d'aller au parking payant qui se trouve APRÈS la station *Pemex*).
Au *centro turístico*, plein de boutiques de souvenirs, toilettes, kiosque d'information, bureau des guides officiels...

UN PEU D'HISTOIRE

Ce qui rend ce site unique, c'est sa position sur une falaise dominant la mer des Caraïbes. Car en réalité, Tulum ne présente pas d'intérêt majeur, si ce n'est qu'il s'agit d'un exemple caractéristique du style décadent. En effet, la ville date de l'époque post-classique récente (entre 1250 et 1521 apr. J.-C.) ; autrement dit, elle a été construite durant le déclin de la période maya. Le prestige et la beauté de Chichén Itzá, qui perd d'ailleurs son hégémonie au profit de Tulum, ne doivent être déjà qu'un lointain souvenir pour les habitants de cette époque. On est également loin de la volonté esthétique exprimée dans les édifices d'Uxmal. Ici, les constructions sont assez grossières, les frises désalignées, et on ne trouve guère de bas-reliefs de grande finesse. Comme pour cacher les défauts de cette pauvre imitation des illustres prédécesseurs, les bâtiments étaient recouverts d'une épaisse couche de stuc peint de couleurs vives, en bleu, blanc et rouge. En fait, durant cette phase de dégénérescence, les intérêts sont bien plutôt militaires et belliqueux (les villes mayas sont en conflit permanent). Et c'est la raison pour laquelle la cité est entourée sur trois côtés par une épaisse muraille, le quatrième côté faisant face à la mer du haut d'une falaise de 12 m, défense largement suffisante. Cet accès à la mer permettait en outre de nombreux échanges commerciaux avec l'Amérique centrale. Il semble même que la ville était signalée

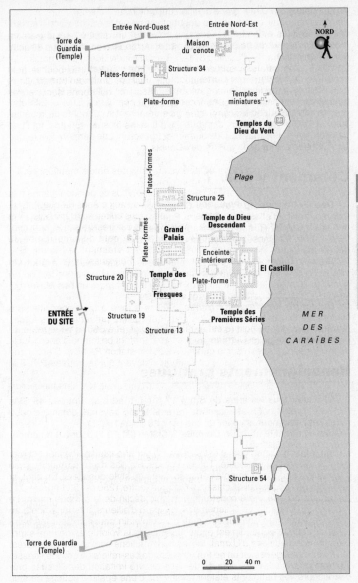

LE SITE ARCHÉOLOGIQUE DE TULUM

de nuit par un « phare » grâce à un feu qui brûlait sur l'une des tours. À l'intérieur des remparts, on trouve une cinquantaine de petits édifices, pour l'essentiel des temples et les habitations des nobles et des prêtres. La population vivait à l'extérieur et ne pénétrait dans l'enceinte sacrée que pour assister aux cérémonies.

La ville fut connue des Espagnols dès 1518 (soit un an avant le début de la conquête du Mexique par Cortés), lorsque Juan de Grijalva l'aperçut alors qu'il était en expédition le long de cette côte. Il fut tellement ébloui par la beauté de cette ville richement décorée qu'il la compara à Séville. Elle était encore habitée quand les conquistadors entreprirent la conquête de la péninsule en 1544. Ainsi, Tulum, disparue il y a à peine plus de 450 ans, fut l'une des dernières cités mayas. Ces derniers y trouvèrent une dernière fois refuge au XIXe siècle, lors de la guerre des Castes.

Comment y aller ?

➤ **Depuis Cancún ou Playa del Carmen :** pour ceux qui viennent pour la journée, inutile d'aller jusqu'à Tulum Pueblo. Les bus *Mayab* (2e classe) et certains bus *ADO-Riviera* (1re classe) s'arrêtent à l'embranchement, « El Crucero » (*plan II*). Pensez également aux taxis collectifs. Voir « Quitter Playa del Carmen ».

➤ **Depuis Tulum Pueblo :** il faut rejoindre le *centro turístico*, à 3 km du village en direction de Playa del Carmen. À pied ou en vélo, en taxi ou en *combi* (à 20 m sur la gauche du terminal). Ou bien prendre un bus *Mayab* qui va vers Cancún et demander l'arrêt aux *ruinas*.

➤ **Du centro turístico aux ruines :** 500 m à faire à pied pour atteindre l'entrée du site. Les flemmards ou ceux qui veulent préserver leurs forces pourront prendre un petit train à toutous qui fait la navette en permanence ; pour une grosse poignée de pesos.

Renseignements pratiques

– Site ouvert tous les jours de 8 h à 17 h (18 h en été). Entrée : 45 $Me (3,15 €) ; gratuit pour les moins de 12 ans. Vidéo payante, comme d'habitude. Petit train pour accéder au site pour 20 $Me (1,40 €).

– Guides parlant le français. Compter 350 $Me (24,50 €) pour 5 à 8 personnes, plus cher au-delà.

– L'idéal est de visiter le site avant 10 h, avant que les hordes de touristes venues de Cancún ne débarquent. Une autre option très agréable est d'y aller en fin d'après-midi. Peu de monde et lumière splendide. Bien souvent, on peut y rester après l'heure de la fermeture.

– Les photographes l'ont déjà deviné, Tulum est particulièrement photogénique. Simplement, on vous rappelle qu'initialement la ville s'appelait *Zamá*, autrement dit « face au lever du soleil », nom on ne peut plus évocateur pour cette cité faisant face à l'est (la mer des Caraïbes).

À voir

Attention, comme à Chichén Itzá, Uxmal et Palenque, pour cause de dégradations galopantes en raison du nombre important de visiteurs, certains monuments célèbres ne sont plus accessibles au public, mais les prix ne baissent pas pour autant. Ici, c'est le Castillo qui est fermé.

– **Les murs de l'enceinte :** ils furent édifiés pendant la dernière période d'habitation du site. Les remparts (de 4 à 7 m d'épaisseur et 3 à 5 m de haut) étaient simplement percés de 5 portes étroites. L'une d'elles s'ouvrait sur le *sacbé,* chaussée qui reliait Tulum à d'autres sites de la région, notamment Cobá. Au sommet de la muraille, il y avait un chemin de ronde où s'élevaient quelques petits temples.

– *Le temple des Fresques :* juste derrière la première structure de l'entrée. Sans doute construit au milieu du XVe siècle. C'est le plus intéressant, car il conserve un certain nombre de peintures dans des sortes de cases, un peu comme une page de B.D. Depuis peu, afin de les protéger, on ne peut plus les visiter. Sur le fronton, plusieurs sculptures de dieux.

– *El Castillo :* ne se visite plus. Nommé ainsi par les Espagnols parce que c'était l'édifice le plus grand. De fait, c'est le plus haut du site et aussi le plus célèbre. Surélevé à trois reprises au moins. Au sommet des marches, deux colonnes sculptées. Au-dessus, dans des niches, autres sculptures représentant des divinités. Ce temple religieux revêtait une importance extrême. Tous les 52 ans, les Mayas considéraient que le monde arrivait à la fin d'un cycle. Une cérémonie avait lieu, au cours de laquelle, durant 5 jours, tous les feux étaient éteints et toutes les dettes annulées. C'était en même temps la hantise de la fin et la fête du renouveau, et l'on en profitait pour embellir les pyramides.

– *Le temple du Dieu Descendant :* à gauche du Castillo. Son nom bizarre provient d'un des motifs sculptés qui apparaît au-dessus de l'entrée, présentant un dieu la tête en bas. Il n'est pas rare de retrouver ce symbole sur d'autres sites. Certains y voient le dieu abeille des Mayas (Maya l'abeille, quoi !), puisque l'apiculture était alors une activité importante. Toutes les peintures ont disparu. Remarquez aussi l'inclinaison des murs, de manière à ce que la partie haute surplombe la partie inférieure.

– *Le temple des Premières Séries* (templo de la Serie Inicial) : à droite du Castillo. Il doit son nom à une stèle trouvée à l'intérieur par l'explorateur Stephens et portant la date de 564 apr. J.-C. De quoi dérouter plus d'un archéologue, vu qu'aucun élément architectonique de la ville n'est antérieur au XIIIe siècle. Conclusion : la stèle (actuellement au British Museum de Londres) viendrait d'une autre cité. Quelques éléments sculptés sont encore visibles sur la partie supérieure de l'édifice.

– *Le temple du Dieu du Vent :* il domine la côte. À gauche de ce temple, la *maison du Cenote,* appelée ainsi car construite sur une grotte contenant de l'eau.

– *La plateforme de danse :* juste devant le Castillo. Il s'agit des ruines d'une plateforme où, pense-t-on, avaient lieu les obsèques religieuses.

À faire

⬢ Se prélasser sur la *plage,* bien sûr, qui est très belle. Possibilité de louer masques et tubas. Voir « Adresses utiles ». Pour ceux qui logent à Tulum Pueblo, voici les accès libres les plus proches : vers la gauche, à l'hôtel *El Paraiso,* vers la droite, entre les hôtels *Punta Piedra* et *La Conchita,* puis à la plage du *Zamas.* Si vous êtes véhiculé, rien ne vous empêche d'aller beaucoup plus loin vers Punta Allen, avant la réserve Sian Ka'an.

➤ *DANS LES ENVIRONS DE TULUM*

🍴🍴 *Gran Cenote :* à 3 km sur la route de Cobá. Y aller en taxi ou en *combi.* Ouvert tous les jours de 8 h à 17 h (16 h en hiver). Entrée : 50 \$Me (3,50 €). L'un des beaux *cenotes* de la région. On peut s'y baigner, faire du *snorkelling* ou de la plongée (plongeurs confirmés). Sur place, location de palmes, masques et tubas. Venir tôt le matin pour être plus tranquille.

🏃🏃 *La réserve de la biosphère Sian Ka'an :* à une douzaine de kilomètres de Tulum en allant vers la pointe de Punta Allen. Bureau d'information : *CESIAK,* à côté de l'hôtel *Crucero* (voir « Où dormir ? »). ☎ 871-24-99. ● www.cesiak.org ● Magnifique et immense parc naturel, inscrit au Patrimoine mondial de l'Unesco, et qui recouvre un territoire allant de la côte, au sud de Tulum et de Punta Allen, aux abords de la route principale. Véritable paradis des oiseaux, de la faune et de la flore abritant des ruines secrètes ainsi qu'un campement écologique expérimental d'éducation à la protection de l'environnement. Vous pourrez y passer la nuit juste pour voir le soleil se lever et observer la nature. Plusieurs types de visites sont organisées, en kayak ou en *lancha.* Un beau voyage !

🏃 *Les ruines de Muyil :* à une vingtaine de kilomètres au sud de Tulum, sur la route de Chetumal. Depuis Tulum, prendre un *combi* ou un bus *Mayab* pour Chetumal. Ouvert tous les jours de 8 h à 17 h. Entrée : environ 30 $Me (2,50 €) ; supplément pour la vidéo.

Muyil est un petit site enfoui dans la forêt, qui fut occupé dès 300 av. J.-C. et jusqu'au début du XVIe siècle. À l'entrée, un chemin sur la gauche conduit au *Palacio Rosa,* datant de la période post-classique (1250-1550). Non loin de là, du haut de ses 17 m, *El Castillo* (datant de la période classique) est l'un des édifices les plus hauts de la côte est. Il se caractérise par sa tour circulaire au sommet. Au pied du Castillo débute l'ancien *sacbe,* qui assurait une communication avec les voies maritimes. Aujourd'hui, un petit chemin de 500 m de long, très bien aménagé (avec pontons), serpente au sein d'une végétation dense (réserve de la biosphère de Sian Ka'an) et permet de rejoindre la lagune de Muyil. Très chouette balade. On peut ensuite poursuivre la visite en barque à moteur : 2 h à travers les anciens canaux construits par les Mayas. Cher mais sympa.

COBÁ

IND. TÉL. : 985

Ancienne cité maya la plus puissante du nord de la péninsule. Elle occupe un immense territoire de 70 km², mais la plus grande partie du site est complètement enfoui dans la forêt. Seules les pyramides les plus importantes sont dégagées, notamment le Nohoch Mul, une des plus hautes pyramides du Yucatán avec celle de Calakmul. De son sommet, on a tout simplement une vue admirable sur la jungle et on aperçoit çà et là quelques ruines qui émergent à peine des arbres. On devine des chefs-d'œuvre sous les tumuli. Ce qui est fascinant, c'est d'imaginer cette ville, avec son immense réseau de chaussées. Car c'est l'une des caractéristiques de Cobá que d'avoir construit un réseau dense de *sacbes,* ces « chemins blancs » surélevés qui peuvent mesurer jusqu'à 20 m de large. On en a recensé une quarantaine, certains d'une centaine de kilomètres comme le *sacbe* qui mène à la cité de Yaxún (près de Chichén Itzá). Leur hauteur, par rapport au niveau du sol, pouvait atteindre 2,50 m. Autre particularité : la présence de l'eau. Cobá doit certainement son existence aux cinq lacs qui l'entourent (rare dans cette région où l'eau se trouve en sous-sol). On y observe des crocodiles. Et on évite donc de s'y baigner, car l'attraction est réciproque...

UN PEU D'HISTOIRE

Cobá fut sans doute la plus importante des cités mayas de l'époque classique. La ville développa son influence politique et commerciale à partir de

200 apr. J.-C. pour atteindre son apogée entre l'an 600 et l'an 800. Durant cette époque, la cité maya devint une ville puissante qui dominait le nord et l'est de la péninsule. Elle contrôlait le commerce maritime de la côte et à l'intérieur des terres, utilisant comme port principal la baie de Xel Ha. Cobá fournissait en sel la ville de Tikal. Par ailleurs, elle avait scellé des alliances militaires et politiques (à travers des mariages) avec d'autres cités importantes telles que Dzibanché, Calakmul ou Tikal. L'architecture montre d'ailleurs des liens étroits avec les cités de l'actuel Guatemala. Tout tend à prouver que Cobá fut durant quelques siècles un centre de communication extrêmement important de la Méso-Amérique.

Au XVIe siècle, à l'arrivée des conquistadors, Cobá n'était déjà plus que ruines enfouies sous la jungle, et son existence passa inaperçue. Elle fut (re)découverte au XIXe siècle par les fameux archéologues Stephens et Catherwood.

Arriver – Quitter

Cobá se trouve presque à mi-distance entre Valladolid et Tulum (à 47 km de cette dernière).

➢ **En bus :** arrêt et vente de billets à l'hôtel *El Bocadito* (voir « Où dormir ? »).

– **De et pour Valladolid :** 115 km. Avec *ADO-Riviera* (1re classe), 3 départs par jour. Avec *Mayab* (2e classe), 4 départs.

– **Pour Tulum et Playa del Carmen :** 47 et 107 km. Deux départs en 1re classe et trois en 2e classe.

➢ **En voiture :** depuis Tulum, prendre la route de Valladolid (en partie refaite lors de notre passage). Sur place, parking payant. Mais on peut très bien se garer dans le village : l'entrée des ruines est à moins de 10 mn à pied.

Où dormir ? Où manger ?

🏠 |●| **Hôtel El Bocadito :** à 500 m de l'entrée des ruines et à 300 m du lac, sur l'unique rue. ☎ 852-00-52 ou 37. À partir de 120 $Me (8,40 €). Très bon marché et convenable bien qu'un peu défraîchi. Chambres avec ventilateur, toilettes et douche (eau chaude si vous avez de la chance...). Possède une grande salle de resto (ouvert tous les jours midi et soir). Cuisine correcte.

🏠 |●| **Club Med Villa Cobá - Villas Arqueológicas :** ☎ 858-15-26. Fax : 858-15-27. Autour de 820 $Me (57,50 €) la double, taxe incluse. Essayer de négocier, car ce n'est pas toujours plein. Cartes de paiement acceptées. En bordure d'un lac, à 5 mn à pied du site archéologique, un hôtel très confortable de type hacienda et aux belles couleurs chaudes. Même architecture que ceux d'Uxmal et de Chichén Itzá. Jolies chambres climatisées qui dominent le patio central où fleurissent les bougainvillées. Piscine, tennis. Bonne cuisine mexicaine et internationale à prix raisonnables.

Renseignements pratiques

– Site ouvert de 8 h à 17 h (18 h en été).

– Entrée : environ 45 $Me (3,15 €). Gratuit le dimanche. Vidéo payante.

– Guide parlant le français : compter de 250 à 450 $Me (17,50 à 31,50 €), selon la durée de la visite, pour une vingtaine de personnes.

– Prévoir environ 3 h de visite, car les ruines sont très dispersées. On peut d'ailleurs louer des vélos ou emprunter les services d'un tricycle avec chauffeur (75 $Me pour deux, soit 5,25 €). Mais venir de bonne heure, avant les cars de touristes qui monopoliseront les engins.

À voir

Un site gigantesque ! Près de 6 500 structures. On ne va pas toutes les décrire, rassurez-vous ! Très peu d'entre elles ont d'ailleurs quitté leur manteau de verdure. Mais le site sera certainement un jour l'un des plus célèbres du Mexique si des budgets se débloquent pour les fouilles archéologiques.

🚶🚶 *Grupo Cobá :* à quelques centaines de mètres de l'entrée, un petit chemin mène à droite à ce premier ensemble avec son *jeu de balle* et une *pyramide* surnommée « l'église ». Au pied de la pyramide, une stèle (stèle 11) protégée par une petite hutte. Jusqu'à peu, les Mayas du coin venaient y faire leurs dévotions et y déposer des offrandes en brûlant des cierges. En effet, le dessin représenterait une Vierge appelée Colebí, patronne des chasseurs et des paysans. Grimpette pittoresque jusqu'au sommet de la pyramide (24 m), d'où l'on découvre un superbe panorama sur la région : le lac Cobá sur la droite et le lac Macanxoc sur la gauche. Au loin, la pyramide de Nohoch Mul émerge de cet océan de verdure.

🚶 *Grupo de las Pinturas :* construit au classique tardif (de 1250 à 1500) ; ce sont donc les constructions les plus récentes de Cobá. Temple qui possède encore quelques fragments de peinture polychrome sur sa partie supérieure.

🚶🚶 *La pyramide Nohoch Mul :* à environ une demi-heure de marche de l'entrée. Superbe balade dans la jungle. Impressionnante avec ses 42 m de hauteur. C'est la plus haute pyramide de la région. Les courageux y grimperont grâce à une corde. En haut, petit temple assez simple. Vue imprenable sur la forêt et les lacs environnants.

🚶 *Grupo Macanxoc :* à 1,5 km du groupe Cobá. Sur les rives du lac du même nom. Plusieurs pyramides et des autels encore enfouis sous la végétation. Huit stèles qui commémorent des étapes du calendrier maya.

– De nombreux autres groupes sont accessibles par des chemins peu balisés ni entretenus, mais ils sont déconseillés car on risque de se perdre et de rencontrer quelques serpents.

CHETUMAL 150 000 hab. IND. TÉL. : 983

Ville sans autre intérêt que d'être sur la route du Belize et du Guatemala. Vous pourrez donc avoir à y passer la nuit. Chetumal, entièrement détruite par l'ouragan Janet en 1955, a été reconstruite selon l'urbanisme fonctionnel des années 1960, avec de grands boulevards en damier. On peut quand même en profiter pour aller admirer la mer des Caraïbes et visiter le musée, très intéressant. La nuit, l'animation se concentre le long de l'avenida Heroes et sur le front de mer.

Arriver – Quitter

En bus

🚌 *Terminal 2e classe (plan A1, 6) :* à l'angle des avenidas Belice et Colón. ☎ 832-06-39. Regroupe les compagnies de 2e classe *Mayab, Caribe* et *Sur.*

➤ *Pour/de Bacalar :* même bus que pour Tulum. Ou bien prendre un *combi* sur le Parque, en face du terminal 2e classe. Trajet : 40 mn.
➤ *Pour/de Tulum, Playa del Carmen et Cancún :* avec *Mayab,* 10 départs par jour. Trajet : respectivement 6 h, 7 h et 8 h.

➢ *Pour/de Campeche :* avec *Sur,* départs à 4 h 15 (argh !) et 14 h 15. Trajet : 8 h.

➢ *Pour/de Mérida :* avec *Mayab,* départs à 8 h, 11 h 30 et 23 h. Trajet : 8 h.

➢ *Pour/de Xpujil :* avec *Sur,* départs à 12 h 15 et 14 h 15. Avec *Caribe,* départs à 6 h 10 et 18 h 10. Trajet : 3 h.

➢ *Pour/de les sites de Kohunlich, Dzibanché, Kinichma et Chacchoben :* bus spécial de la compagnie *Caribe.* Départ à 8 h le dimanche. Il s'arrête entre 1 h et 1 h 30 sur chaque site, puis passe à Bacalar. Retour à Chetumal vers 17 h.

▭ **Terminal ADO 1re classe** *(hors plan par A-B1, 7) :* av. de los Insurgentes (prolongement de l'avenida Belice). ☎ 832-51-10. Fermé de minuit à 4 h. Assez éloigné du centre (30 mn à pied). Prendre un taxi. Il regroupe les compagnies *ADO,* *ADO GL, Cristóbal Colón* et *TRT.* Distributeur automatique. Consigne à bagages. Attention, en été, les bus sont bondés. Mieux vaut réserver son billet le plus tôt possible. On peut heureusement les acheter au terminal 2e classe du centre-ville.

➢ *Pour/de Tulum, Playa del Carmen et Cancún :* respectivement 250, 315 et 380 km. Plus rapide que les bus de 2e classe, mais fréquence moindre. Avec *ADO,* 2 départs, à 12 h et 23 h. Trajet : respectivement 3 h 30, 5 h 30 et 7 h.

➢ *Pour/de Xpujil :* avec *ADO,* 3 départs. Trajet : 2 h 15.

➢ *Pour/de Mérida :* 456 km. Avec *ADO,* 4 départs dans la journée. Trajet : 6 h.

➢ *Pour/de Campeche :* un bus *ADO* à 12 h. Trajet : 6 h.

➢ *Pour/de Villahermosa :* avec *ADO* et *TRT,* 6 départs. Trajet : 9 h.

➢ *Pour/de Palenque :* avec *Cristobal Colón,* départs à 19 h 45 et 21 h 15. Trajet : 9 h. Sinon, prendre un bus jusqu'à Escárcega ou Emiliano Zapata ; là passent de nombreux bus pour Palenque.

➢ *Pour/de San Cristóbal de las Casas :* avec *Cristobal Colón,* départs à 9 h 45, 21 h 15 et 1 h 30. Trajet : 12 h.

➢ *Pour/de Mexico (terminal Tapo) :* avec *ADO,* 3 départs. Trajet : 21 h.

Pour sortir du Mexique, n'oubliez pas votre petite (?) taxe (voir les « Généralités »). Demandez le reçu. Pensez également à garder de l'argent pour votre sortie du Guatemala (plutôt des quetzales). Des routards qui n'avaient plus un sou en poche ont ainsi passé de longues heures chaudes et mélancoliques au poste de frontière. Or, comme vous le savez, les douaniers sont un peu durs du chou-fleur dans les parages. Dans tous les cas, évitez les crises de nerf, c'est mauvais pour le foie.

Pour le Belize

➢ *Pour/de Belize City :* 160 km. Avec les bus *Novelo's,* départ toutes les heures environ entre 4 h et 18 h 30. Compter 4 h de trajet (y compris le passage à la frontière). Trois bus express, plus rapides (3 h). Une autre solution consiste à prendre les bus touristiques *Linea Dorada* ou *San Juan.* Ce sont des bus qui vont jusqu'à Flores mais s'arrêtent à Belize City. Un à deux départs quotidiens. Rapides et confortables mais chers.

À noter pour ceux qui n'ont pas de visa, qu'ils peuvent en obtenir un valable un mois à la frontière. Prorogation à faire dans une grande ville (ex : Cancún).

Pour et depuis le Guatemala

Deux solutions :

➢ *En bus direct :* liaison directe pour *Flores* (Tikal) avec la compagnie *Linea Dorada* ou *San Juan.* Un à deux départs quotidiens, vers 7 h et 15 h.

LE YUCATÁN

Trajet : de 6 h à 7 h. C'est la solution la plus onéreuse, mais on passe les 2 frontières dans le même bus !

➤ **Avec changements :** prendre un bus pour **Belize City** (voir ci-dessus), puis un autre jusqu'à la frontière du Guatemala et enfin un dernier pour **Flores.**

Adresses utiles

🛈 **Informations touristiques** (plan A1) : module d'infos sur le *Parque*, près du musée. Horaires assez fantaisistes. ● www.ciudadchetumal.com ●

✉ **Poste** (plan A2) **:** Plutarco Elias Calles, à l'angle de 5 de Mayo. Ouvert du lundi au vendredi de 8 h à 18 h et le week-end de 9 h à 12 h 30.

■ **Change :** aucune banque n'a de dollars Belize et la frontière n'est pas loin. Mais on peut en acheter dans un bureau de change ou à la frontière aux vendeurs ambulants (parfois dans le bus). C'est du pareil au même.

■ **Banque Bancomer** (plan A2, 1) **:** à l'angle des av. Obregón et Juárez. ☎ 832-02-05. Ouvert du lundi au vendredi de 8 h 30 à 16 h et le samedi de 10 h à 14 h. Change les espèces et les chèques de voyage. Distributeurs de billets.

■ **Banque HSBC** (plan A2, 2) **:** Othón P. Blanco ; presque à l'angle avec Heroes. Ouvert du lundi au samedi de 8 h à 19 h, mais change seulement jusqu'à 17 h. Accepte les euros en espèces ou chèques de voyage. Distributeur pour cartes *Visa* et *MasterCard.*

■ **Bureau de change** (plan A2, 3) **:** av. Heroes 83. À côté d'une pizzeria. Ouvert du lundi au samedi de 9 h à 14 h et de 18 h à 21 h. Change les euros, mais en espèces seulement. Vend également des dollars Belize.

■ **Téléphone larga distancia** (plan A2, 4) **:** à l'angle des av. Heroes et Zaragoza, à côté du resto *Los Milagros.* Ouvert du lundi au samedi de 8 h 30 à 14 h 30 et de 17 h 30 à 21 h.

▣ **Ciber-Netico** (plan A1, 5) **:** Heroes 173, à droite de l'hôtel *Holiday Inn.* ☎ 832-12-69. Ouvert du lundi au samedi de 8 h à minuit et le dimanche de 9 h à 23 h. Ordis très rapides. Nombreux autres centres à proximité du *Parque*, au niveau de l'av. Gandhi.

■ **Consulat du Guatemala** (hors plan) **:** Chapultepec 354. ☎ 832-85-85. Ouvert de 9 h à 17 h.

Où dormir ?

De très bon marché à bon marché : de 210 à 300 $Me (14,70 à 21 €)

🛏 **Hôtel María Dolores** (plan A2, 11) **:** av. Obregón 206. ☎ 832-05-08. Une quarantaine de chambres très simples, assez spacieuses et qui sentent bon le propre. Avec ventilo et eau chaude. Bonne literie. Accueil gentil. Parking. Bon resto en bas de l'hôtel (voir « Où manger ? »).

🛏 **Hôtel José Luis** (hors plan par A-B1, 12) **:** av. Librado E. Rivera 440 ; entre Marciano Gonzalez et av. de los Insurgentes. ☎ 832-31-36. À 10 mn à pied de la gare routière, donc pratique pour ceux qui arrivent tard et repartent tôt de Chetumal. En sortant de la gare routière, prendre l'avenida de los Insurgentes sur la gauche ; passer le rond-point ; tout droit, puis la 1re rue à droite ; l'hôtel est à deux *cuadras* de là, sur la droite. Très bon marché. Chambres pour 2, 3 ou 4 personnes avec ventilo, bains et eau chaude. Mal tenu (avoir son sac à viande). Prendre impérativement une chambre sur le côté gauche à cause du bar-restaurant mitoyen, parfois bruyant.

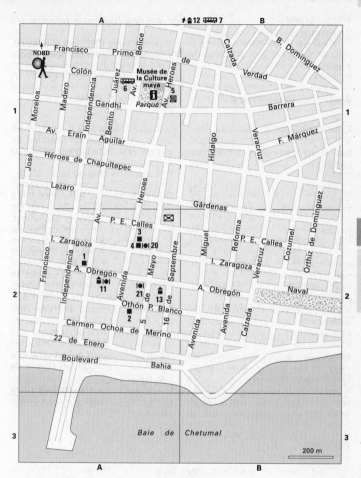

CHETUMAL

LE YUCATÁN

▪ Adresses utiles

- 🄸 Office de tourisme
- ✉ Poste
- 1 Banque Bancomer
- 2 Banque HSBC
- 3 Bureau de change
- 4 Téléphone *larga distancia*
- 🄰 5 Ciber-Netico
- 🚌 6 Terminal 2e classe
- 🚌 7 Terminal ADO 1re classe

⛺ Où dormir ?

- 11 Hôtel María Dolores
- 12 Hôtel José Luis
- 13 Hôtel Caribe Princess

🍴 Où manger ?

- 11 Sosilmar
- 20 Los Milagros
- 21 Sergio's Pizza

Prix moyens : de 300 à 500 $Me (21 à 35 €)

🛏 *Hôtel Caribe Princess (plan A2, 13) :* av. Obregón 168, près de 5 de Mayo. ☎ 832-09-00 ou 05-20. Couloirs sans âme, mais chambres lumineuses et assez spacieuses, avec lit double ou 2 lits individuels (bons matelas) ; AC, mais pas de ventilo. Demandez à voir, car si certaines distillent une agréable odeur, d'autres donnent sur des murs et sentent un peu le renfermé. Agence de voyages juste en face. Parking.

Où manger ?

De bon marché à prix moyens : de 70 à 150 $Me (5 à 10,50 €)

📷 *Los Milagros (plan A2, 20) :* av. Zaragoza, presque au coin avec Heroes. ☎ 832-44-33. Ouvert de 7 h 30 à 21 h 30 (13 h le dimanche). Une cafétéria très populaire sous les arcades. Le soir, de nombreux joueurs de domino s'y donnent rendez-vous pour des parties acharnées. Cuisine traditionnelle agréable et excellent petit dej'.
📷 *Sosilmar (plan A2, 11) :* au rez-de-chaussée de l'*hôtel María Dolores* (voir « Où dormir ? »). ☎ 832-63-80. Ouvert tous les jours de 8 h à 22 h 30. Un resto tout simple. TV non-stop. La carte est très claire et les plats généreux sont au rendez-vous. Crevettes et *caracoles* cuisinés à toutes les sauces ! Service sympathique. Trois formules pour le petit dej' : européen, américain et mexicain.

Un peu plus chic : plus de 150 $Me (10,50 €)

📷 *Sergio's Pizza (plan A2, 21) :* av. Obregón 182, à l'angle de 5 de Mayo. ☎ 832-08-82. Ouvert tous les jours jusqu'à minuit. Cadre soigné et un tantinet chic avec ses tables recouvertes de belles nappes rouges. Vraiment bon, surtout la viande et les pizzas. Sympathique carte de vins (même au verre). Réelle volonté de bien servir le client. Fréquenté par la bonne bourgeoisie « chetumalienne ».

À voir

🏛 *Le musée de la Culture maya (plan A1) :* av. Heroes. ☎ 832-68-78. En plein centre-ville. Ouvert de 9 h à 19 h (20 h les vendredi et samedi). Fermé le lundi. Entrée : 50 $Me (3,50 €). Un splendide musée quasi virtuel : peu de pièces archéologiques, mais des maquettes, des cartes, des reconstitutions et des bornes interactives. Très pédagogique. À ne pas manquer si vous êtes à Chetumal. Explique parfaitement la conception du monde selon le peuple maya (par exemple, pour le décompte du temps). Une introduction idéale avant la visite des sites archéologiques. Passionnant.

🏛 *Le malecón (plan A-B2) :* promenade agréable sur le boulevard Bahia qui longe la mer. Allez aussi y prendre un verre le soir. Nombreux bars assez sympas.

LA LAGUNE DE BACALAR
IND. TÉL. : 983

À une trentaine de kilomètres au nord de Chetumal. Ce lac de 70 km de long, composé d'eau douce et d'eau salée, doit toute sa beauté à la variété de ses tons de bleu. Un bel endroit, reposant, et une halte plus calme que Chetumal pour ceux qui veulent aller visiter les sites de Kohunlich, Calakmul ou Becán.

Où dormir ? Où manger ?

Peu d'options. Voilà quand même ce qu'on est arrivé à dénicher.

Hotelito El Paraíso : av. 1 (qui longe la lagune), à l'angle de la calle 20. ☎ 834-27-87. Quitter la route nationale, pour entrer dans Bacalar par une rue parallèle et demander « el forte », puis descendre une rue juste en face : c'est à environ 300 m. Autour de 350 $Me (24,50 €) ; mais on peut négocier en semaine hors saison. Hôtel pimpant aux tons jaune citron et bleu, bordé par une pelouse d'un beau vert tendre inclinée en pente douce vers la lagune (souvent turquoise !). Les chambres donnent sur ce paysage chatoyant. Grandes chambres nickel, avec 2 lits doubles. Salle de bains (eau chaude) et kitchenette. Ventilo. On peut aussi y planter sa tente. Location de kayaks. Très bon accueil. Dans son genre, une bonne adresse.

Restaurant El Mulato de Bacalar (resto du club de voile) : à deux pas de l'hôtel *El Paraíso*. Très bonne cuisine bien fraîche à base de poisson et fruits de mer, servie sous des *palapas* sur pilotis au-dessus de l'eau. Bon marché.

Bar-restaurant Cenote Azul : en bordure du cenote Azul (voir ci-dessous). Ouvert tous les jours jusqu'à 18 h 30. Prix moyens. Resto spécialisé dans l'accueil des groupes qui arrivent ici en car, et qui se dégrade à la vitesse grand V. Cuisine grasse pas terrible. Cependant, on peut s'y arrêter, en dehors des repas, pour prendre un verre en contemplant le *cenote,* accoudé à la longue terrasse. Les plongeurs confirmés peuvent y piquer une tête.

À voir. À faire

Cenote Azul : juste avant le village de Bacalar, sur la droite de la route. À 500 m environ de l'hôtel *Laguna.* Petit *cenote* entouré d'une épaisse végétation. Le seul accès est le bar-resto (voir ci-dessus). Baignade vraiment super dans des eaux d'un bleu profond, presque noires (90 m de profondeur). Un rappel : pas de savon, pas de crème solaire, afin de préserver la qualité des eaux.

– *Balades sur la lagune :* au club de voile (voir « Où manger ? »). Tous les jours de 9 h à 17 h.

Le fort San Felipe : au sein du village, en bordure du *zócalo.* Ouvert du mardi au dimanche de 9 h à 20 h. Entrée : environ 50 $Me (3,50 €) ; très cher pour ce que c'est. Ce fort, qui surplombe la lagune, a été construit en 1733 sur l'ordre de Don Antonio de Figueroa y Silva pour protéger le population de Bacalar contre les attaques des pirates. Petit musée.

➤ DANS LES ENVIRONS DE LA LAGUNE DE BACALAR

Kohunlich : à 69 km de Chetumal. Prendre le bus pour Escárcega et descendre à Francisco Villa ; il reste 9 km à faire en stop (pas vraiment de taxis dans le coin) ; assez galère donc. Sinon, prendre le bus *Caribe* du dimanche (voir « Quitter Chetumal ») ; renseignez-vous pour les bus du retour. Ouvert de 8 h à 17 h. Entrée : 38 $Me (2,70 €). Cette ancienne ville maya connut son apogée entre 500 et 900 apr. J.-C. Site assez concentré, qui se visite donc facilement (compter de 1 h à 1 h 30). Il possède l'un des plus beaux complexes résidentiels mayas disséminé dans un somptueux cadre verdoyant de type tropical. Avec un système hydraulique très ingénieux pour recueillir l'eau de pluie. *Pyramide des Masques,* de 14 m de haut, avec superposition de magnifiques masques en stuc.

– Pour les sites mayas de la région du Río Bec (Becán, Chicanná et Calakmul), se reporter au chapitre Campeche, rubrique « Dans les environs » au début de la partie sur la péninsule du Yucatán.

LE CHIAPAS

LES DISTANCES DANS LE CHIAPAS

Villes	Distances	Durées (en bus)
Oaxaca / Tuxtla Gutiérrez	550 km	10 h 30 à 12 h
Tuxtla / San Cristóbal	80 km	2 h
San Cristóbal / Comitán	85 km	1 h 45
Comitán / Cuauhtémoc (frontière)	85 km	1 h 30
San Cristóbal / Ocosingo	90 km	2 à 3 h
San Cristóbal / Palenque	210 km	6 à 7 h
Ocosingo / Palenque	120 km	3 à 4 h
Palenque / Campeche	365 km	6 h
Palenque / Mérida	520 km	7 h 30 à 8 h 30
Palenque / Villahermosa	135 km	2 h 30

UN ÉTAT INDIEN

Jouxtant le Guatemala, le Chiapas est une région magnifique, montagneuse, au climat rude et à la végétation luxuriante, peuplée de communautés indigènes disséminées dans la jungle.
Alors que les Indiens constituent environ 10 % de la population du Mexique, au Chiapas ils sont beaucoup plus nombreux : plus de 1 million sur une population de 3,6 millions. Ce sont pour la plupart les descendants des Mayas. Plusieurs peuples composent la population indienne du Chiapas, les plus importants en nombre étant les Tzotziles, les Tzeltales, les Choles, les Tojolabales et les Zoques. Chacun parle sa propre langue, très différente des autres, et beaucoup ne parlent pas l'espagnol. Au cœur de la *selva,* entre Ocosingo et la frontière guatémaltèque, de nombreux Indiens n'ont même jamais mis les pieds à Palenque ni à Comitán.

LES MAYAS AUJOURD'HUI

Le Chiapas est l'État le plus pauvre du Mexique. Les chiffres sont accablants. Plus de 80 % des communautés indigènes n'ont ni eau potable, ni hôpitaux, ni électricité (alors que l'État produit 30 % de l'énergie électrique du pays !). La moitié de la population souffre de dénutrition et environ 80 % des enfants souffrent de malnutrition. Le Chiapas occupe la première place du pays en termes de mortalité infantile. Le tiers des enfants n'est pas scolarisé. Des milliers de personnes vivent en dehors de leur communauté à cause de la militarisation et de l'impunité avec laquelle agissent les bandes paramilitaires (voir la rubrique « Droits de l'homme » dans les « Généralités »).
Mais le vent de la révolte souffle depuis 1994. Avec Marcos, le Chiapas s'est trouvé un porte-parole. Lire dans les « Généralités » la rubrique « Zapatistes » et le portrait de Marcos dans « Personnages ».

LES ENJEUX ÉCONOMIQUES

Et pourtant, le Chiapas est l'une des grandes sources de richesse du Mexique. C'est le 1er producteur de café, le 3e de maïs et il occupe la 2e place pour l'élevage. La région possède les plus importants gisements de pétrole et les plus grandes réserves de gaz. Mais les gouverneurs du Chiapas ont toujours soutenu les grands propriétaires, les éleveurs et les marchands de bois au détriment des communautés indigènes. Leur économie repose donc sur une agriculture de subsistance : piment *(chile)*, patate douce, haricot rouge *(frijoles)* et surtout le maïs. Quelques-uns travaillent dans les plantations de café et de canne à sucre ou bien comme *chicleros* (ceux qui récupèrent le *chicle* pour faire la gomme à mâcher). Le Chiapas est depuis 2001 au cœur du *Plan Puebla Panama* (PPP), méga-projet hérité du PRI et qui prétend développer l'économie du sud du Mexique et de l'Amérique centrale. Des milliards de dollars devraient être investis dans une région qui attire de plus en plus d'investisseurs étrangers (notamment nord-américains). Pour les laboratoires pharmaceutiques et les groupes agro-alimentaires, la biodiversité de la forêt du Chiapas est une véritable aubaine offerte sur un plateau par le gouvernement mexicain. Sans parler des autres ressources stratégiques comme le pétrole et l'uranium ou les grands projets de développement énergétique. Autant de richesses naturelles, destinées bien plus sûrement aux grands groupes industriels qu'aux indigènes qui, une fois leurs terres confisquées et privatisées, se retrouveront ouvriers dans les *maquiladoras* (usines d'assemblage) qui ne devraient pas tarder à s'installer dans la zone.

ORGANISATION SOCIALE

L'organisation sociale est très complexe : gendarmes, majordomes, capitaines, anciens du village, chamans... autant de personnages qui servent la communauté, rendent la justice, veillent au respect du calendrier, organisent les cérémonies religieuses, etc. C'est un système complètement parallèle à celui de l'État républicain. Il ne viendrait à l'idée d'aucun membre des communautés de faire appel à un tribunal officiel. Les communautés sont en fait dirigées par un conseil d'anciens.

Même l'Église n'a pu jouer son rôle habituel d'acculturation et d'intégration ; les Mayas ont été beaucoup plus récalcitrants que les autres Mexicains à intégrer le catholicisme à leur propre vision mystique. Ils vont à l'église, mais c'est pour pratiquer leur propre rituel, qui se passe allègrement de la participation sacerdotale. En réalité, les prêtres n'ont guère de pouvoir en comparaison du chaman qui jouit, lui, d'un grand prestige tout à la fois guérisseur, sorcier et devin.

VOYAGER DANS LE CHIAPAS

Du nord, on atteint le Chiapas par le Golfe du Mexique (via Veracruz) ou bien par la côte Pacifique (via Oaxaca et l'isthme de Tehuantepec). Deux portes d'entrée principales : Palenque ou Tuxtla Gutierrez, la capitale de l'État. Depuis l'inauguration en 2000 de la Fronteriza, la route qui longe la frontière guatémalteque, on peut désormais faire la boucle complète autour du Chiapas et l'accès aux sites de Bonampak et Yaxchilán est plus aisé.

En visitant le Chiapas, il faut bien souvent payer une petite taxe (5 à 10 pesos) pour accéder à certains sites naturels. Cette contribution revient soit à la communauté indigène propriétaire et gestionnaire de la zone (les fameux *ejidos*), soit à l'État quand il s'agit de parcs naturels. Le Chiapas en compte plus d'une quarantaine, qui ont été créés pour lutter contre la déforestation : Lagunas de Montebello, Cañon del Sumidero, Selva lacandona, Palenque, Montes Azules...

Si vous êtes en voiture, vous n'éviterez pas non plus les incontournables *topes,* ces ralentisseurs usants qui vous secouent tous les 100 m...

● www.turismochiapas.gob.mx ●

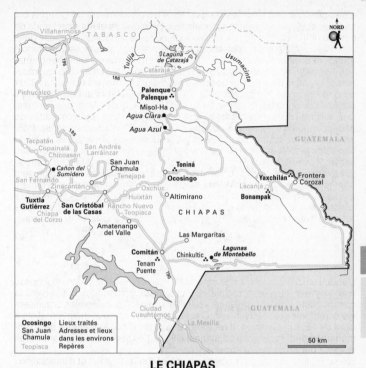

LE CHIAPAS

PALENQUE

63 200 hab.   IND. TÉL. : 916

Palenque signifie « entouré d'arbres ». En réalité, on se trouve en bordure de la jungle, au pied des montagnes du Chiapas. Une zone de transition entre les Altos et l'immense plaine qui annonce la mer. Si vous venez de San Cristóbal, vous serez surpris par le changement de température. Il fait souvent chaud et lourd à Palenque.

C'est là que se situe l'une des plus grandes cités mayas du Mexique. Une des plus belles aussi, car une des mieux conservées et sans aucun doute la plus romantique. Un temple sur chacune des petites collines, la forêt vierge autour et des nappes de brume d'où émergent des silhouettes d'un autre temps..... Un site absolument magnifique ! Pensez aussi qu'on ne voit qu'une faible partie de l'ancienne ville, le reste étant enfoui sous la végétation. Vous rencontrerez peut-être des singes, très nombreux dans la forêt.

La ville, à 8 km du site maya, offre peu d'intérêt. Elle ne constitue pas une étape désagréable, mais elle sert surtout de base pour visiter les ruines.

Comment y aller ?

Que vous veniez de Villahermosa ou de San Cristóbal de las Casas, il est très facile de rejoindre Palenque par bus (voir à ces villes). Si vous venez de

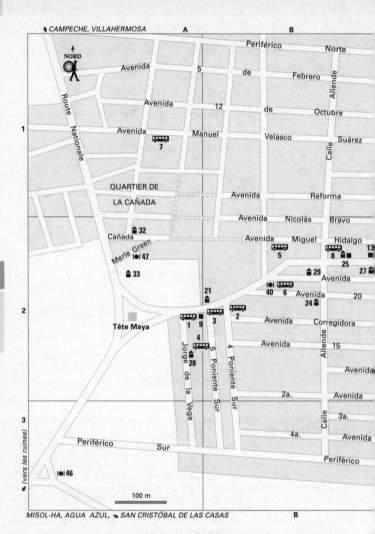

CAMPECHE, VILLAHERMOSA

NORD

Route Nationale

Avenida

Avenida

Avenida 7

Manuel

Periférico

de Febrero

de Octubre

Velasco

Norte

Allende

Calle

Suárez

QUARTIER DE
LA CAÑADA

Cañada 32

Merle Green

47

33

Avenida

Avenida Nicolás Bravo

Avenida Miguel Hidalgo 13

5

8 25 27

29

Reforma

Tête Maya

21

1 9 3

4

28 5

Jorge de la Vega

Poniente Sur

Poniente Sur

40 6

2

24

Avenida

Avenida

Avenida

Avenida

Avenida

20

Corregidora

15

Allende

Calle

Avenida

Avenida

2a. 3a.

4a. Avenida

Periférico Sur

46

Periférico

100 m

MISOL-HA, AGUA AZUL, SAN CRISTÓBAL DE LAS CASAS

LE CHIAPAS

(vers les ruines)

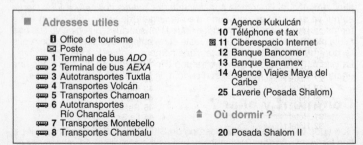

Adresses utiles

- Office de tourisme
- Poste
- 1 Terminal de bus *ADO*
- 2 Terminal de bus *AEXA*
- 3 Autotransportes Tuxtla
- 4 Transportes Volcán
- 5 Transportes Chamoan
- 6 Autotransportes Río Chancalá
- 7 Transportes Montebello
- 8 Transportes Chambalu
- 9 Agence Kukulcán
- 10 Téléphone et fax
- 11 Ciberespacio Internet
- 12 Banque Bancomer
- 13 Banque Banamex
- 14 Agence Viajes Maya del Caribe
- 25 Laverie (Posada Shalom)

Où dormir ?

- 20 Posada Shalom II

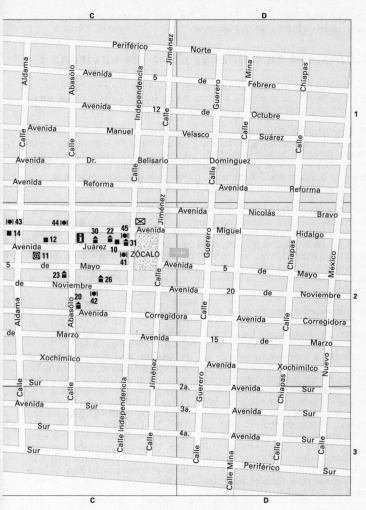

PALENQUE (VILLE)

21 Hôtel Avenida
22 Hôtel Ambar
23 Posada Kin
24 Posada Nacha'n-Ka'an
25 Posada Shalom
26 Posada Canek
27 Hôtel Regional
28 Hôtel Santa Elena
29 Hôtel Kashlan
30 Hôtel Casa de Pakal
31 Hôtel Chan-Kah
32 Hôtel Maya Tulipanes

33 Hôtel Maya Palenque

|◉| Où manger ?

40 La Mexicana
41 Mara's
42 Las Tinajas
43 Mexico Lindo
44 Café de Yara
45 Restaurant Maya
46 La Selva
47 Saraguato's

Comitán, inutile de repasser par San Cristóbal. Prenez le bus jusqu'à Ocosingo, puis un autre jusqu'à Palenque.

Comment se déplacer dans les environs ?

➢ **Pour le site archéologique :** aucun souci pour rejoindre les ruines, à 8 km de la ville. Bien sûr, il y a la marche ou le stop. Le plus rapide est de prendre un *combi* de la compagnie *Chambalu*.

■ **Transportes Chambalu** *(plan ville, B2, 8) :* calle Allende, presque à l'angle de l'avenida Juárez. ☎ 345-28-49. Départs toutes les 10 mn à partir de 6 h du matin. Descendre au terminus, c'est-à-dire à l'entrée du site, et non pas au musée, que vous visiterez à la fin. Dernier départ du site vers 18 h. On peut aussi attraper la camionnette sur la route entre Palenque-ville et *las Ruinas* (du stop payant, quoi...).

➢ **Pour Misol-Ha, Agua Clara et Agua Azul :** de nombreuses agences proposent une excursion qui combine les trois sites, mais on est soumis à des horaires assez contraignants. L'avantage est de pouvoir voir les trois endroits dans la même journée, mais on a un peu l'impression de faire des visites-marathon. L'autre solution est d'y aller par ses propres moyens en prenant les minibus de la compagnie *Transportes Volcán* (voir ci-dessous). Dans ce cas, choisissez de faire seulement un ou deux sites dans la journée, et partez tôt.

■ **Transportes Volcán** *(plan ville, A-B2, 4) :* calle 5ª Poniente Sur, presque au coin avec Juárez. Ce sont des *combis* qui vont à Ocosingo. Ils vous laisseront à l'embranchement de la route qui mène au site que vous souhaitez. Il reste quelques kilomètres à faire en stop ou à pied (évitez la marche dès que la nuit tombe). Si vous êtes plusieurs et que le chauffeur est sympa, ce dernier pourra faire un effort et pousser jusqu'au site même. Départ toutes les 30 mn environ. Voir les détails dans « Quitter Palenque ».

■ **Transportes Chambalu** *(plan ville, B2, 8) :* voir les coordonnées ci-dessus. Trois excursions dans la journée, à 9 h, 10 h et 12 h. On reste 30 mn à Misol-Ha, 30 mn à Agua Clara et 3 h à Agua Azul.

■ **Agence Kukulcán** *(plan ville, A-B2, 9) :* av. Juárez, tout près du terminal de bus *ADO*. ☎ 345-15-06. ● www.kukulcantravel.com ● Plusieurs forfaits différents. L'excursion « cascades » part à 9 h avec retour à 16 h 30. On reste 1 h à Misol-Ha, 30 mn à Agua Clara et 3 h à Agua Azul. L'agence organise également le transport jusqu'à Bonampak, Yaxchilán et même jusqu'à Tikal au Guatemala.

Adresses utiles

ℹ **Office de tourisme** *(plan ville, C2) :* à l'angle des av. Juárez (l'avenue principale) et Abasolo. ☎ 345-03-56. Ouvert du lundi au samedi de 9 h à 21 h et le dimanche de 9 h à 13 h.

✉ **Poste** *(plan ville, C2) :* près du *zócalo*. Ouvert du lundi au vendredi de 9 h à 16 h et le samedi de 9 h à 13 h.

■ **Téléphone et fax** *(plan ville, C2, 10) :* une *caseta telefonica* se trouve av. Juárez 13. Ouvert de 6 h à minuit.

◎ **Ciberespacio Internet** *(plan ville, C2, 11) :* av. Juárez, presque en face de la banque *Bancomer*. Ouvert de 8 h à 22 h 30. Plusieurs autres centres Internet en ville. On vous cite celui-ci pour ses grands écrans plats équipés de webcam et d'écouteurs. Pour l'air conditionné, allez à celui d'à côté.

■ *Bancomer* (plan ville, C2, 12) : av. Juárez. Ouvert du lundi au vendredi de 8 h 30 à 16 h et le samedi de 10 h à 15 h. Change les euros et les dollars en espèces et en chèques de voyage. Distributeur automatique.

■ *Banamex* (plan ville, B2, 13) : av. Juárez ; à 50 m de la *Bancomer*. Ouvert du lundi au vendredi de 9 h à 16 h. Ne change que les dollars en espèces. Distributeur.

■ *Laverie* : service efficace à la Posada Shalom (plan ville, B2, 25), sur Juárez 156.

■ *Billets d'avion* (plan ville, C2, 14) : l'agence de voyages *Viajes Maya del Caribe*, spécialisée dans la billetterie aérienne, se trouve sur Hidalgo, en face du resto *Mexico Lindo*. ☎ 345-25-68 et 16-81. Pour acheter vos billets d'avion au départ de Villahermosa ou de Tuxtla Gutiérrez puisqu'il n'y a plus de vol depuis Palenque.

Où dormir ?

La ville de Palenque est loin d'avoir le charme de son site archéologique. Nous, on vous conseille d'aller dormir le long de la route qui mène aux ruines : c'est moins pratique qu'au centre, mais l'expérience d'une ou deux nuits dans la jungle est inoubliable. Si vous choisissez de rester en ville mais que vous souhaitez du calme, prenez un hôtel dans le verdoyant quartier Cañada.

Près des ruines

Des hôtels de toutes catégories sont disséminés le long de la route qui mène au site. Pour la desserte de ces différents endroits, des *combis* indiquant « Ruinas » passent régulièrement sur la route. Pour les repas, il faudra retourner en ville ou se contenter du restaurant de l'hôtel. Mention spéciale pour le lieu-dit *El Panchán,* un espace en pleine jungle où se sont rassemblés des hôtels sympas et pas chers et quelques restos. On loge dans des cabanes en bois ou bien on suspend son hamac sous une paillote. Très bonne ambiance cosmopolite. N'oubliez surtout pas l'insecticide. À environ 4,5 km de la ville ; entrée sur la gauche, au niveau de l'arche qui marque l'entrée du parc naturel de Palenque. Demander l'arrêt au chauffeur du minibus. ● www.elpanchan.com ●

Très bon marché : moins de 210 $Me (14,70 €)

⚄ 🏠 *Chato's Cabañas :* au lieu-dit El Panchán (voir ci-dessus l'introduction). ☎ 341-48-46. Un coin de forêt chéri des routards. Cabanes en bois avec ou sans *baño* à des prix très cool. Espace où accrocher son hamac. L'endroit est un concentré de tropiques, avec sa rivière marron et sa végétation luxuriante. Plein de jolies fleurs. Si c'est complet, on vous enverra de l'autre côté de la route, au *Jaguar,* où les cabanes sont un peu plus confortables.

⚄ 🏠 *Rakshita's :* au lieu-dit El Panchán (voir ci-dessus l'introduction). ● www.rakshita.com ● Les cabanes, avec *baño privado,* sont éparpillées dans la jungle. Vous entendrez sûrement et verrez peut-être les singes hurleurs. On peut aussi suspendre son hamac ou dormir dans un dortoir de 5 personnes (pas cher du tout). Ambiance très néo-bab new age. Si c'est complet, allez voir à côté, au *Jungle Palace,* où les cabanons disposent de petites terrasses qui donnent sur la rivière. Crème antimoustiques obligatoire ! En face, *Las Margaritas* propose de jolis bungalows plus confortables, en dur avec salle de bains, plus chers évidemment.

De bon marché à plus chic : de 210 à 850 $Me (14,70 à 60 €)

Camping Mayabel : le plus proche des ruines, à 6 km de Palenque-ville. ☎ 345-07-98. Un grand camping et *trailer park* avec plusieurs sortes d'hébergement. Quelques cabanes *sin baño,* avec des sanitaires collectifs (pas toujours très propres). Également des chambres sympas avec ventilo (plus cher), et dans la catégorie encore au-dessus, des bungalows avec salle de bains et AC. Là encore, on peut accrocher son hamac sous des petites *palapas* (ou en louer). Grande piscine. Plein de routards du monde entier. Accueil pas toujours très cordial, mais bonne ambiance le soir, au resto.

La Aldea : à 3 km de Palenque-ville et à 4,5 km des ruines. ☎ 345-16-93. • www.laaldeapalen que.com • Un endroit fort agréable, en hauteur et en pente, donc avec une très belle vue. Les bungalows, construits en *adobe* et toits de palmes, sont joliment arrangés. Ils sont dispersés dans le parc, et disposent chacun d'une petite terrasse individuelle où pend un hamac. Ceux sans salle de bains sont très bon marché. Tout en haut du jardin, de très beaux bungalows confortables ont été construits récemment (prix chic). Superbe décoration moderne légèrement zen. Salle de bains nickel et air conditionné. Calme assuré. Le resto est très agréable, sous une *palapa*. Petite piscine, mais une plus grande est en projet. Une adresse qu'on apprécie pour son mélange des genres.

Dans le quartier Cañada

C'est un quartier de Palenque, enfoui sous la végétation tropicale, à 10 mn à pied du centre. Idéal pour ceux qui sont en voiture.

Plus chic : de 800 à 1 100 $Me (56 à 77 €)

Hôtel Maya Tulipanes (plan ville, A2, 32) : Cañada 6. ☎ 345-02-01. Fax : 345-10-04. Hôtel de style vaguement maya. Chambres nickel avec AC, douche, téléphone et TV. Piscine, bar karaoké, connexion Internet sans fil. Parking. Offre souvent des réductions. N'hésitez pas à marchander, surtout en période creuse.

Hôtel Maya Palenque (plan ville, A2, 33) : en face de la tête de maya monumentale *(la cabeza maya),* mais l'entrée se fait par derrière, calle Merle Green. ☎ 345-07-80 et 90. Fax : 345-09-07. • www.bestwestern. com • Fait partie de la chaîne *Best Western.* Hôtel international standard, pour les adeptes du « sans surprise ». Chambres avec tout le confort (AC, TV câblée, téléphone), certaines avec lit *king size.* Piscine. Bar et resto.

Au centre-ville

Les hôtels du centre sont bon marché mais souvent peu attractifs, bien que ça s'améliore lentement. Il faut savoir qu'en haute saison – Noël, Pâques, juillet et août – les prix doublent. Le reste du temps, on peut négocier à la baisse.

Très bon marché : moins de 210 $Me (14,70 €)

Posada Shalom II (plan ville, C2, 20) : à l'angle de Corregidora et Abasolo. ☎ 345-26-41. Plus excentré que son grand frère, le *Shalom* (voir plus bas). C'est sans doute pour ça que les chambres y sont moins chères, alors même qu'elles sont plus spacieuses et plus calmes (éviter quand même celles donnant sur la rue). On s'approche donc d'un excellent rapport qualité-prix. Cher pour celles avec AC.

🛏 *Hôtel Avenida (plan ville, B2, 21) :* Juárez 173, en face du terminal de bus *AEXA.* ☎ 345-05-98. Chambres simples et vieillissantes, avec ventilo et *baño,* mais pas cher. Comptez le double si vous voulez l'AC. Avec lit *matrimonial* ou 2 lits individuels. Préférer celles qui donnent sur la cour. Souvent complet en saison. Surprenante piscine à l'arrière (ouverte aux non-résidents pour 25 $Me). Parking.

🛏 *Hôtel Ambar (plan ville, C2, 22) :* av. Juárez 14, tout près du *zócalo.* ☎ 345-00-92. Hôtel sans charme, mais on y est accueilli avec gentillesse. Entrée discrète, puis on grimpe un escalier recouvert de petits carreaux de céramique. Attention, certaines chambres sont petites. Ventilo et douche chaude. Prix corrects en saison creuse, mais trop cher en haute saison. Également un dortoir avec des lits individuels autour de 70 $Me (5 €) par personne. Parking.

Bon marché : de 210 à 300 $Me (14,70 à 21 €)

🛏 *Posada Kin (plan ville, C2, 23) :* Poniente Sur 1. ☎ 345-17-14. Chambres très claires, peintes en blanc, avec ventilo et lit matrimonial. Un chouia plus cher pour avoir 2 lits. Certaines disposent d'un petit balcon. Un peu bruyant, mais demandez une chambre au fond. Petit resto pour un petit dej' très bon marché. Propose des tours pour Misol-Ha, Agua Azul et Agua Clara. Une bonne adresse.

🛏 *Posada Nacha'n-Ka'an (plan ville, B2, 24) :* av. 20 de Noviembre 25, au niveau d'Allende. ☎ 345-47-37. Récent, propre et agréable. Tout simple aussi mais très sympa. Chaque chambre dispose de sa salle de bains avec eau chaude. Certaines sont très lumineuses. Au dernier étage, grand dortoir de 9 lits (autour de 50 $Me par personne, soit 3,50 €). Service de laverie. Petit resto pour le petit dej'. Bon rapport qualité-prix. En plus, le patron est super accueillant.

🛏 *Posada Shalom (plan ville, B2, 25) :* av. Juárez 156. ☎ 345-09-44. Chambres simples mais propres, avec salle de bains et ventilo. Plus cher avec la clim'. Consigne à bagages. Bon accueil. Service de laverie (ouvert même aux non-clients). Une des valeurs sûres de Palenque.

🛏 *Posada Canek (plan ville, C2, 26) :* av. 20 de Noviembre 43. ☎ 345-01-50. Une vingtaine de chambres vastes et bien tenues, avec ventilo et salle de bains. Très propre. Si on est seul, possibilité de dormir en dortoir pour environ 60 $Me (4,20 €) par personne. La proprio, qui parle le français, est charmante. De l'étage, belle vue sur les montagnes.

🛏 *Hôtel Regional (plan ville, B2, 27) :* av. Juárez 119. ☎ 345-01-83. Chambres avec ventilo, disposées autour d'un patio ouvert. Pour l'AC, il faut prendre une chambre pour trois, presque deux fois plus chère. Fresques d'un goût moyen dans certaines chambres, mais ça égaye. Éviter celles donnant sur la rue.

🛏 *Hôtel Santa Elena (plan ville, A2, 28) :* derrière le terminal *ADO,* calle Jorge de la Vega. ☎ 345-10-29. Jolies chambres, agréables et assez confortables, avec 1 ou 2 lits *matrimonial* et TV. Demandez-en une tout au fond de la cour, sinon vous jouirez de l'agréable bruit des autobus en train de faire tourner leur moteur. Et visitez-en plusieurs avant de vous décider.

🛏 *Hôtel Kashlan (plan ville, B2, 29) :* 5 de Mayo 105. ☎ 345-02-97. Fax : 345-03-09. Le plus cher de sa catégorie, mais réduction sur présentation de ce guide. Et on peut négocier en basse saison. Les petites chambres, propres, donnent sur de petites cours intérieures. En visiter plusieurs, car elles sont vraiment inégales. TV, ventilo ou AC. Une laverie se trouve juste en face ; et le *combi* pour les ruines est à deux pas. En dépannage, car on n'a pas affaire à du sensationnel...

Prix moyens : de 300 à 500 $Me (21 à 35 €)

🛏 *Hôtel Casa de Pakal* (plan ville, C2, 30) : av. Juárez, à 50 m du *zócalo*. ☎ 345-03-93. Une quinzaine de chambres joliment arrangées et propres, avec un lit individuel et un lit double dans chacune. Matelas neufs. Comme d'habitude, évitez la rue. Petit resto en bas de l'hôtel. Prix très corrects et qui ne jouent pas au yoyo selon les saisons.

🛏 *Hôtel Chan-Kah* (plan ville, C2, 31) : Independencia. ☎ 345-03-18. Fax : 345-04-89. En plein centre, face au *zócalo*. On paie l'emplacement. Nettement plus cher que l'hôtel *Casa de Pakal*. Les chambres sont bien insonorisées. Elles sont assez jolies et bien fraîches. Bon confort. Petits balcons qui donnent sur l'affreux *zócalo*. Ascenseur. Pas de piscine. Parking.

Où manger ?

Près des ruines, au lieu-dit El Panchán

Tous les hôtels de la route qui mène aux ruines disposent d'un resto. Au lieu-dit El Panchán, il y en a même plusieurs ; voir l'introduction « Où dormir près des ruines ? ».

|●| *Don Mucho :* ☎ 341-48-46. Le resto le plus branché de la jungle ! Ouvert de 7 h 30 à 22 h 30. Mais n'y allez pas trop tard si vous voulez du choix. C'est pris d'assaut. Tous les routards qui logent dans le coin s'y retrouvent pour l'un des trois repas de la journée. Carte sympa qui navigue entre l'Italie et le Mexique, avec des prix tout doux. Délicieuses pâtes fraîches et du pain complet fait maison que l'on tartine avec du beurre à l'ail. On y va aussi pour les pizzas cuites au feu de bois : sans mentir, les meilleures de Palenque, allez, du Chiapas ! (Attention, pas de pizza le lundi, jour de deuil.) Le soir, des groupes de rock ethnique viennent chauffer l'ambiance. À l'unanimité, le meilleur endroit de Palenque.

|●| *Rakshita's :* traverser le *Don Mucho* et enfoncez-vous un peu plus dans la jungle. Ouvert de 7 h à 20 h. Petit resto complètement ouvert sur la *selva*. Il y a même une terrasse presque suspendue au-dessus de la végétation, entre les lianes et les plantes grimpantes. Petite carte toute simple avec quelques salades, hamburger végétarien, *tacos* de soja. Délicieux cocktails de jus de fruits. Et surtout un pain intégral exquis et des viennoiseries faites maison. Divin ! Menu du jour. Musique *space*. Voir aussi « Où dormir ? ».

Dans le quartier Cañada

|●| *Saraguato's* (plan ville, A2, 47) : Merle Green 18, à côté du grand hôtel *Maya Palenque* ; compter 15 mn à pied depuis le *zócalo*. ☎ 345-27-18. Ferme vers 23 h 30. Dans ce quartier verdoyant et tranquille, loin de la chaleur étouffante du centre-ville, on mange sous une grande paillote, fraîche et bien aérée. Trois menus différents de 40 à 95 $Me (2,80 à 6,70 €) qui proposent une bonne cuisine mexicaine et internationale. À la carte, essayez la brochette de bœuf. *Hora feliz* (happy hours) de 19 h à 21 h pour les cocktails ; c'est donc parfait pour l'apéro avant de dîner.

Au centre-ville

Bon marché : moins de 70 $Me (5 €)

Le soir, autour du *zócalo,* vous trouverez des petits *puestos* où, contre quelques pesos, vous pourrez déguster de bons *tacos.*

|●| *La Mexicana (plan ville, B2, 40) :* av. Juárez, juste avant l'embranchement avec la calle 5 de Mayo. Pas de téléphone. Ouvert de 7 h à 22 h 30. Quatre menus complets entre 45 et 80 $Me (2,80 et 5,60 €). Petite salle agréable en contrebas, joliment décorée (ça change !). Tables en bois et de drôles de chaises bien sympathiques. Le soir, éclairage doux. Carte très complète de cuisine mexicaine. Également plusieurs formules pour le petit déjeuner (bon café).

|●| *Mara's (plan ville, C2, 41) :* à l'angle de Juárez et du *zócalo.* ☎ 345-25-78. Ouvert de 7 h à 23 h. Trois menus différents pour le déjeuner autour de 50 $Me (3,50 €). Grande salle fréquentée par les touristes et quelques tables sur le trottoir qui sont prises d'assaut. Carte variée écrite en espagnol et en anglais. Quelques bonnes salades mixtes très copieuses.

Prix moyens : de 70 à 150 $Me (5 à 10,50 €)

|●| *Las Tinajas (plan ville, C2, 42) :* av. 20 de Noviembre 41. Ouvert de 7 h à 23 h. On peut manger dehors, sous une véranda offrant des tables en bois encadrées par des bancs rustiques. Cuisine mexicaine copieuse et savoureuse mais seulement à la carte. Petit dej'. Service efficace. Très bien.

|●| *Mexico Lindo (plan ville, C2, 43) :* av. Hidalgo, près du croisement avec la calle Aldama. ☎ 345-27-61. Ouvert de 7 h à 23 h. Grande salle à la décoration mexicaine typique. Coloré, propre, ordonné et kitsch. Surtout fréquentée par des Mexicains. Grand choix de plats à des prix intéressants, et assiettes très copieuses : spécialités de poisson et crevettes. Goûtez à la *piña de mariscos al gratín,* un demi-ananas rempli de fruits de mer et gratiné au fromage. C'est très bon.

|●| *Café de Yara (plan ville, C2, 44) :* à l'angle de Hidalgo et Abasolo. ☎ 345-02-69. Ouvert de 7 h à 23 h. Un café-resto à la jolie déco sous le signe de la cafetière. Il y en a toute une collection. Grand bar en bois en demi-cercle. Parfait pour se sustenter dans la journée avec une bonne salade composée. Quatre menus différents, plus chers qu'ailleurs, mais c'est de la bonne cuisine qu'on peut accompagner d'un ballon de rouge ! On y vient aussi pour boire un verre en fin d'après-midi. Les amateurs de bon café y viendront prendre leur petit déjeuner.

|●| *Restaurant Maya (plan ville, C2, 45) :* au coin d'Hidalgo et du *zócalo.* ☎ 345-00-42. Ouvert de 7 h 30 à 23 h. Un classique de la ville depuis 1958, face au *zócalo.* Au mur, une horrible fresque censée représenter une cité maya (?). Large carte où se mélangent les spécialités de viande, poisson et les *antojitos mexicanos : quesadillas, tacos, enchiladas* (un délice !) et *burritas.* En plus, *comida corrida* pour le déjeuner, et parfois le soir. Service efficace. On peut aussi y prendre le petit dej' : plusieurs formules excellentes.

De chic à plus chic : plus de 230 $Me (16 €)

|●| *La Selva (plan ville, A3, 46) :* à la sortie de la ville, en direction des ruines. ☎ 345-03-63. Ouvert tous les jours de 11 h 30 à 23 h 30. C'est le resto gastro de la ville. *Róbalo al ajo* (bar à l'ail), *pescado relleno de maris-*

cos (daurade fourrée aux fruits de mer), *filete de res jacarandas* (bœuf flambé au brandy et Grand Marnier), langouste, etc. Service un peu coincé, mais cadre feutré et agréable : grande cabane tropicale, avec toit de palme, décorée avec goût. Parfois, orchestre et chanteurs. Accepte les cartes de paiement.

LES RUINES DE PALENQUE

UN PEU D'HISTOIRE

Alors que la première civilisation maya florissait plus au sud, sur les hauts plateaux du Guatemala actuel et la côte Pacifique, le site de Palenque n'en était qu'à ses balbutiements. Ce n'est que quelques siècles plus tard que la cité commença à se développer, durant l'époque classique (300 à 600 apr. J.-C.), avant de connaître son apogée entre 600 et 700 ans. Cette période correspond au très long règne du roi Pacal qui fit construire la plupart des édifices importants, notamment la pyramide du *temple des Inscriptions* avec, à l'intérieur, la fameuse crypte funéraire qui lui servira de sépulture. L'architecture, dite classique, est très différente de celle d'Uxmal (style puuc) ou de Chichén Itzá. Palenque n'a d'ailleurs pas les proportions monumentales de ces deux dernières, ce qui laisse penser que son rôle politique n'était que secondaire. Cette période correspond pourtant aux grandes avancées de la civilisation maya comme la fausse voûte, le calendrier, l'écriture hiéroglyphique. À l'approche de ses 100 ans, le grand Pacal meurt enfin. Son fils Chan-Bahlum (Jaguar-Serpent) lui succède et poursuit l'œuvre de son père. L'histoire de Palenque est marquée par le règne de ces deux souverains éclairés, qui sont d'ailleurs honorés par de nombreux bas-reliefs. Peu après la mort de Chan-Bahlum, la cité entre dans sa phase de déclin. La civilisation de Palenque s'éteint à la fin du Xe siècle pour des raisons encore mystérieuses et disparaît durant presque huit siècles aux yeux des hommes et du monde.

Les chimères des aventuriers

La recherche archéologique maya a commencé de manière très originale et Palenque, en particulier, a fait l'objet de toutes sortes de fantasmes. Le baron Jean-Frédéric Waldek, faux noble mais vrai grognard napoléonien, s'intéressa au site dès 1830. Cet excentrique séjourna deux ans au milieu des pyramides, écrivant un livre et dessinant les édifices selon une interprétation toute personnelle. Il prit l'effigie d'un dieu pour un éléphant, et dota les personnages mayas de bonnets phrygiens ! N'empêche, c'est grâce à lui que le site de Palenque fut connu en Europe, même si cela donna lieu à toutes sortes de rumeurs sur l'origine de la cité, certains y voyant l'Atlantide, d'autres un avatar de la civilisation égyptienne.

À la même époque, l'Anglais Lord Kingsborough dilapida sa fortune à essayer de prouver que les Mayas descendaient des dix tribus perdues d'Israël ! Neuf énormes volumes furent nécessaires à l'édification de sa thèse. Faute d'acheteurs, il ne put faire face aux créances des imprimeurs, qui le firent jeter en prison, où il mourut. Stephens, diplômé du New Jersey, s'attribua le titre d'envoyé spécial des États-Unis auprès de la Fédération d'Amérique centrale. Son travail fut plus sérieux, mais sa fonction l'obligea à régler des différends locaux, tâche délicate qui le contraignit à une fuite mouvementée.

Avant la fin du XIXe siècle, un autre Français, Le Plongeon, tenta de faire admettre que les Mayas étaient les descendants et les héritiers de l'Atlantide (et re !). Il affirma même qu'ils avaient, voilà dix mille ans, un réseau... télégraphique, ayant cru découvrir l'image de fils électriques sur un linteau sculpté.

Les premiers travaux d'entretien des monuments furent entrepris vers 1940.

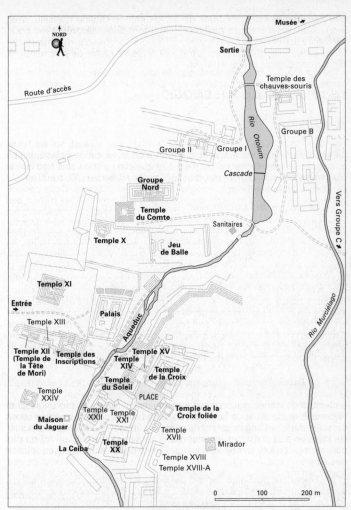

PALENQUE (SITE)

LE CHIAPAS

Informations pratiques

– À 8 km de la ville. Pour y aller, voir plus haut « Comment se déplacer dans les environs ? ».

– Le site est ouvert tous les jours de 8 h à 17 h (attention, le musée, lui, est fermé le lundi). Les billets sont vendus jusqu'à 16 h. Mieux vaut y aller le plus tôt possible, à cause de la chaleur et des flots de touristes (dès 9 h). Spectacle magique quand la brume matinale enveloppe les ruines.

– Entrée : 45 $Me (3,15 €) ; gratuit pour les moins de 13 ans. Supplément vidéo. Prévoir également une dizaine de pesos par personne pour l'entrée au

Parc naturel. Ne pas y aller trop chargé : pas de consigne sur place. Quelques petits restos et les inévitables boutiques de souvenirs. Panneaux explicatifs en espagnol, anglais et tzeltal. Guides accrédités, dont certains parlent le français : compter environ 650 $Me (46 €) de 1 à 7 personnes pour 2 h de visite.

– Prévoir 2 h à 2 h 30 de visite pour le site, sans compter le musée. On conseille de commencer par la visite des ruines et de terminer par le musée d'où l'on peut reprendre le minibus pour la ville.

À voir

La végétation tropicale a littéralement englouti cette cité abandonnée. La partie du site actuellement dégagée ne représente qu'une petite fraction de l'ensemble de la zone archéologique, qui s'étend dans la forêt, peut-être sur une longueur de 6 à 8 km.

Le temple des Inscriptions : le premier édifice important en entrant sur la droite. Rénové, il se dresse au sommet d'une pyramide de 22 m, appuyée contre une colline naturelle, mais il est interdit d'y grimper (on peut demander une autorisation en basse saison). Il doit son nom aux textes qui couvrent les murs et les piliers. Pas moins de 617 glyphes qui en font l'un des textes les plus longs du monde maya. En 1949, les archéologues font une découverte capitale en mettant au jour un escalier secret qui descend à l'intérieur de la pyramide. Ils mettront 3 ans à le dégager, avant de découvrir la fameuse crypte funéraire qui se révélera une mine d'informations. Elle contient en effet le tombeau du grand roi Pacal (VIIe siècle), c'est-à-dire un sarcophage de 13 tonnes dont les magnifiques bas-reliefs symbolisent la mort de Pacal et son retour à la vie. À l'intérieur du caveau, on a trouvé de magnifiques bijoux en jade et un inestimable masque mortuaire. Les pièces de ce trésor sont exposées au musée national d'Anthropologie de Mexico, à l'intérieur d'une reproduction de la chambre funéraire.

Le Palais (Palacio) : grimpette obligatoire. D'en haut, très belle vue sur le temple des Inscriptions. Au sommet de cette vaste plateforme s'élève un ensemble d'édifices qui furent construits en plusieurs étapes. Les plus anciens disparurent sous des remblais lors de l'érection des plus récents. C'est un vrai labyrinthe de tunnels souterrains auquel on accède par un escalier dans un trou (c'est très très humide). Certains patios conservent de très belles frises. La tour (rénovée) a été construite pour l'observation du soleil et des astres.

Le temple du Soleil (templo del Sol) : sur une très jolie place qui est dominée par trois temples ravissants. Le Templo del Sol est un superbe édifice construit à la fin du VIIe siècle sur un haut soubassement pyramidal à 4 étages. À l'intérieur, on trouve un autel qui commémore la naissance et la montée sur le trône (684 apr. J.-C.) du seigneur Serpent Jaguar II. Il se situe sur la droite, en face du roi Pacal.

Le temple XIV : petit temple restauré. À l'intérieur, magnifique bas-relief représentant une scène d'offrande dans laquelle une femme agenouillée tend une statuette d'un dieu à un seigneur. Cela pourrait représenter un hommage à Chan-Bahlum (revenant de l'au-delà) et sa mère.

Le temple de la Croix (templo de la Cruz) : construit par Chan-Bahlum, c'est la plus haute structure de la place et l'une des plus hautes du site. Il faut absolument y monter pour avoir une splendide vue d'ensemble sur le Palais et la jungle en arrière-plan. Doit son nom à un bas-relief en forme de croix que l'on a retrouvé à l'intérieur. Rien à voir avec la croix chrétienne (malgré quelques rumeurs persistantes), mais plutôt la représentation symbolique de l'arbre de vie, la *ceiba* (arbre tropical à l'écorce lisse et dont les racines restent très en surface), fait d'un serpent horizontal surmonté d'un oiseau, peut-être un quetzal. L'original est au musée national d'Anthropologie de Mexico.

🕯 *Le temple de la Croix foliée (templo de la Cruz foliada) :* fait face au temple du Soleil. Il est adossé à une colline. Sur un bas-relief, on peut voir une fois de plus les deux souverains Pacal et son fils Chan-Bahlum, sans doute à l'occasion de la passation de pouvoir. La croix est faite d'épis de maïs ornés de têtes humaines.

🕯 *Le jeu de pelote (juego de pelota) :* on n'a pas retrouvé les indispensables anneaux par lesquels il fallait faire passer la balle de caoutchouc et qui normalement sont en pierre. On suppose que ceux-ci étaient en bois.

🕯🕯 *Le temple du Comte (templo del Conde) :* le comte étant en réalité le baron Waldek (voir ci-dessus « Un peu d'histoire. Les chimères des aventuriers »») qui, semble-t-il, avait choisi cet édifice pour installer ses pénates et ses cartons à dessins. Parmi les édifices mis au jour, c'est l'un des plus anciens, construit vers 640. Caractéristique de l'architecture de Palenque. Sous le sol du portique, on a retrouvé des offrandes funéraires.

🕯 *Le groupe nord :* c'est un ensemble de 5 temples installés sur une même plateforme.

🕯 *Le chemin qui mène au musée :* il longe la rivière et descend la colline jusqu'au musée. Superbe balade dans la forêt, peuplée de nombreux vestiges, comme le *groupe B,* des ruines qui émergent de leur gangue de verdure. Sur le sentier, vous tomberez sur une petite cascade, dans un site très agréable, mais il est désormais interdit de s'y baigner.

🕯 *Le temple des chauves-souris (templo de los Murciélagos) :* perdu dans la jungle et recouvert de mousse. Totalement Indiana Jones et romantique à souhait.

🕯🕯 *Le musée :* sur la route qui mène à l'entrée du site, avant le parking. Ouvert de 9 h à 16 h. Fermé le lundi. Accès avec le billet d'entrée du site. Il renferme des antiquités intéressantes, découvertes ici même : des bijoux en jade et en obsidienne, de superbes céramiques, dont un magnifique dieu du Soleil, et une collection unique d'encensoirs merveilleusement décorés, dans lesquels les Mayas brûlaient du copal et des gouttes de sang pour ce rituel d'éparpillement. Un complément indispensable à la visite du site.

➤ *DANS LES ENVIRONS DE PALENQUE*

Les trois sites suivants se situent sur la très belle route qui va à San Cristóbal. À 18 km pour Misol-Ha, 50 km pour Agua Clara et 64 km pour Agua Azul, le plus éloigné de Palenque. Pour y aller, voir plus haut « Comment se déplacer dans les environs ? ». N'oubliez pas votre maillot de bain !

🕯 *La cascade de Misol-Ha :* entrée : 2 paiements successifs de 5 et 10 $Me par personne. Chute d'eau de 30 m qui tombe dans un très beau bassin. On s'y baigne sans problème. Allez aussi faire un tour derrière la cascade, mais en saison des pluies, quand le débit est à son plus fort, mieux vaut y aller en maillot de bain (nous, on a essayé tout habillé et franchement, on vous le déconseille !). Tout au bout, on pénètre dans une grotte assez profonde. Se munir d'une lampe de poche : fossiles incrustés dans la roche. C'est un peu court si l'on y va avec une excursion organisée : on ne reste que 30 mn ou 1 h sur le site. En effet, la cascade n'est qu'un prétexte ; l'idéal est de se balader le long de la rivière, de se baigner, de jouir de l'endroit. Resto-bar sur le parking. Si vous y allez par vos propres moyens, évitez de parcourir à pied le tronçon depuis la route principale jusqu'à la cascade (cas d'agression signalés). Faites du stop.

🏃🏃 ***Agua Clara :*** entrée : 10 $Me (0,70 €). Un magnifique site naturel qui n'a pas encore été dénaturé comme les deux autres. Il s'agit de la même rivière que celle d'Agua Azul, mais 10 km en aval. On retrouve donc cette superbe couleur bleu turquoise. Mais ici, pas de cascade, le río Xumulha se contente de couler tranquillement. Ce qui apparemment attire moins les foules. On peut se baigner facilement grâce à de petites plages, mais comme le dit la pancarte, baignade interdite si vous êtes en état d'ébriété ! Bon, même à jeun, faites quand même attention au courant. Grande passerelle suspendue à la *Cocodrile Dundee* qui permet de passer sur l'autre rive. L'endroit idéal pour passer quelques heures bucoliques. Mieux vaut donc y aller par ses propres moyens.

🏃 ***Agua Azul :*** compter 1 h à 1 h 30 de voiture. Entrée : 2 paiements successifs de 5 et 10 $Me par personne. Ajouter 20 $Me (1,40 €) pour le parking. Magnifique suite de cascades qui se déversent dans des vasques successives. En général, les eaux sont d'un bleu turquoise lumineux. Mais si vous venez après les orages tropicaux (en août) et jusqu'en octobre-novembre, l'« azul » tirera plutôt vers le « café » et la vue des eaux boueuses sera décevante. Le site a dû être aussi beau que les cascades de Semuc Champey, près de Cobán au Guatemala. Mais en 2005, le pire est arrivé : le site a été aménagé à coup de béton. Immense parking et une chaîne ininterrompue de boutiques de souvenirs et de gargotes qui s'étendent le long de la rivière sur plus de 1 km. Et il est prévu la construction d'un hôtel en amont, au niveau du canyon. Beaucoup de monde en haute saison. Baignade possible.
Si l'on ne veut pas revenir à Palenque, reprendre l'après-midi, au croisement, le bus pour San Cristóbal qui part de Palenque (vérifier les horaires).

QUITTER PALENQUE

En bus

🚌 ***Terminal ADO 1ʳᵉ classe*** *(plan ville, A2, 1) :* av. Juárez ; à l'entrée de la ville. ☎ 345-13-44. On y trouve les bus de 1ʳᵉ classe *ADO,* ceux de *OCC (Cristóbal Colón)* et les bus luxueux de *ADO GL.* N'hésitez pas à acheter votre billet dès votre arrivée. En haute saison, le bus du soir pour Mérida est pris d'assaut.

➤ ***Pour Campeche :*** avec *ADO,* départs à 8 h et 21 h. Avec *ADO GL,* bus à 23 h. Trajet : 6 h.
➤ ***Pour Mérida :*** 520 km. Mêmes bus et horaires que pour Campeche. Quelques bus supplémentaires l'été. Trajet : 7 h 30 à 8 h.
➤ ***Pour Cancún :*** avec *ADO,* départ à 20 h. Trajet : 13 h.
➤ ***Pour Villahermosa :*** 135 km. Avec *ADO,* une dizaine de bus de 7 h à 21 h. Trajet : 2 h 30.
➤ ***Pour San Cristóbal de las Casas (via Ocosingo) :*** 210 km. Avec *OCC,* départs à 9 h 30, 11 h 45 et 14 h 15. Et 2 bus *ADO GL* par jour. La route est très sinueuse mais absolument magnifique. Choisir un siège à gauche. Voyage de jour recommandé. Trajet : 5 h à 6 h.
➤ ***Pour Tulum :*** avec *ADO,* départ à 20 h. Trajet : 10 h.
➤ ***Pour Oaxaca :*** avec *ADO,* départ à 17 h 30. Trajet : 15 h.

➤ **Pour Mexico :** 1 050 km. Avec *ADO,* départs à 18 h, 20 h et 21 h. Trajet : 12 h à 13 h.

🚌 **Terminal AEXA** *(plan ville, B2, 2) :* av. Juárez, au coin avec la calle | 4 Poniente Sur. Bus aussi confortables que ceux d'*ADO* et moins chers.

➤ **Pour San Cristóbal de las Casas (via Ocosingo) :** 210 km. Cinq départs par jour entre 7 h 45 et 23 h. Ils poursuivent sur **Tuxtla Gutiérrez.** Trajet : 5 h à 6 h.

🚌 **Terminal Autotransportes Tuxtla 2ᵉ classe** *(plan ville, B2, 3) :* | av. Juárez, au coin avec la calle 5 Poniente Sur.

➤ **Pour Mérida :** départ à 19 h 30. Continue jusqu'à **Cancún.** Bus assez confortable pour une 2ᵉ classe. Trajet : 9 h.
➤ **Pour Campeche :** même bus que pour Mérida. Trajet : 6 h 30.

🚌 **Transportes Volcán** *(plan ville, A-B2, 4) :* calle 5 Poniente Sur, presque au coin avec Juárez. C'est la compagnie qui assure la ligne Palenque-Ocosingo, pour ceux par exem- | ple qui veulent aller visiter le site de **Toniná.** On peut demander l'arrêt aux embranchements pour **Misol-Ha, Agua Clara** et **Agua Azul.**

➤ **Pour Ocosingo :** départ toutes les 30 mn environ (quand la camionnette est pleine, 7 ou 8 passagers), de 4 h à 18 h. Trajet : 3 h.

🚌 **Transportes Chamoan** *(plan ville, B2, 5) :* Hidalgo 177 ; un peu excentré. Ce sont des *combis* qui desservent la frontière guatémaltèque et la *selva* lacandone. Le gros avantage de cette compagnie, c'est que les minibus ne restent pas seu- | lement sur la route principale. Par exemple, pour **Yaxchilán,** le *combi* va jusqu'au village de Frontera Corozal. Pour **Bonampak,** le *combi* vous laissera le plus proche possible, à l'entrée de Lacanjá Chansayab.

➤ Départ pratiquement à chaque heure ronde, entre 5 h et 16 h. Évitez les derniers départs car une partie du trajet se fera dans l'obscurité. Trajet : 2 h 30 à 3 h.

🚌 **Autotransportes Rio Chancalá** *(plan ville, B2, 6) :* av. 5 de Mayo 120. Comme le précédent, assure les liaisons avec la zone frontière du Guatemala, mais les *combis* restent sur la route principale. Pour **Bonampak,** la camionnette s'arrête seule- | ment à l'embranchement *(Crucero San Javier)* et il faut poursuivre en taxi ou en stop. Pour **Yaxchilán,** même topo : le *combi* s'arrête à l'embranchement *(Crucero Corozal)* mais ne va pas jusqu'à Frontera Corozal.

➤ Départ toutes les heures, de 4 h à 14 h 40. Trajet : 2 h 15 à 2 h 45.

🚌 **Transportes Montebello** *(plan ville, A1, 7) :* av. Manuel Velazco Suárez ; près du marché. ☎ 345-12-60. Ce sont des *combis* qui vont de Palenque à **Comitán** en prenant la route qui longe la frontière, donc en grande partie à travers la jungle. Ils passent par les embranchements | *Crucero San Javier* (pour Bonampak), *Crucero Corozal* (pour Frontera Corozal), puis les ruines de El Planchón, Benemerito, Lagunas de Montebello... Trajet : 7 h 30 jusqu'à Montebello (village de Tziscao), 8 h 30 à 9 h jusqu'à Comitán.

➤ Départ à 4 h 15, 5 h 45, 7 h 15, 8 h 45 et 10 h 15.

Vers le Guatemala

Le plus simple, et aussi le plus intéressant, est de passer par le village frontalier de Frontera Corozal et donc de franchir le fleuve Usumacinta – qui sert de frontière entre le Mexique et le Guatemala – en hors-bord. Cela permet de visiter au passage les sites de *Bonampak* et de *Yaxchilán* avant de poursuivre sur Flores au Guatemala (pour le site de *Tikal*).

Tout d'abord, il faut se rendre à **Frontera Corozal** (180 km de Palenque) avec les compagnies de transport *Chamoan*, *Río Chancalá* ou *Montebello* (voir plus haut). Ensuite, de Frontera Corozal, il y a deux manières de rejoindre Tikal :

– *La solution classique :* vous prenez une *lancha* (assez cher) qui, après 45 mn de remontée du fleuve Usumacinta, arrive à la ville frontière guatémaltèque de **Bethel**. Passage à la douane (très rudimentaire), où vous pouvez changer votre argent. Petite taxe d'entrée à payer (prévoir autour de 30 $Me – 2,10 €). Puis un bus (départ à 12 h, 14 h et 16 h) vous conduit à **Flores** *(Tikal)* en 4 à 5 h.

– *La solution économique :* celle-ci consiste à traverser le fleuve (donc la frontière) en *lancha* pour se rendre en face, au village **La Técnica**. De là, prendre l'unique bus pour Flores qui part à 11 h (trajet : 5 h 30). Donc, embarquez à Frontera Corozal vers 10 h pour ne pas louper le bus. En général, les locaux déconseillent cette solution car, bien sûr, la traversée en barque est beaucoup moins rentable que d'aller jusqu'à Bethel.

– *Par agence :* en principe, on gagne du temps et on évite les tracasseries éventuelles. Essayez l'agence *Kukulcán* (voir les coordonnées plus haut dans « Comment se déplacer dans les environs ? »).

BONAMPAK ET YAXCHILÁN

Au cœur du territoire des Indiens lacandons, deux anciennes cités mayas perdues en pleine jungle. L'intérêt de ces deux sites archéologiques réside autant dans le parfum d'aventure pour y accéder que les ruines elles-mêmes. Yaxchilán, niché dans une anse du fleuve Usumacinta, n'a aucun accès par voie terrestre : on doit emprunter une pirogue à moteur.

À partir de Palenque, on peut visiter les deux sites dans la même journée, mais partez à l'aube. Si vous êtes moins pressé, une nuit sur place est possible et c'est même très sympa, surtout si vous souhaitez explorer un peu la jungle où vivent les Lacandons. Enfin, c'est également un point de passage obligé pour ceux qui veulent rejoindre Tikal au Guatemala.

LES LACANDONS

Eux-mêmes se dénomment Hala'ch Uinic, les « vrais hommes ». Ils semblent tout droit sortis d'un paysage de Narnia, avec leur longue tunique blanche et leurs longs cheveux tombant sur les épaules. C'est l'une des tribus les plus mystérieuses de la culture maya. Les Indiens lacandons ne sont plus très nombreux, à peine 500. Selon leur langue, ils seraient d'origine maya-yucatèque, et auraient traversé le fleuve Usumacinta au XVIIe siècle pour se réfugier dans cette immense jungle. Grâce à elle, ils ont pu rester isolés de la civilisation, vivant en petites communautés de quelques familles semi-nomades. Ils pratiquaient la culture sur brûlis et se déplaçaient au gré de l'appauvrissement des sols, vivant aussi de la chasse et de la cueillette. Dans les années 1950 a commencé l'exploitation systématique de la forêt, avec d'abord l'arrivée des forestiers (comme la *Vancouver Plywood Company*), puis des paysans à la recherche de terres. Chassés de leur habitat traditionnel, les Lacandons ont été regroupés par le gouvernement dans trois hameaux : Naja, Mensabok et Lacanjá Chansayab, la communauté la plus ouverte au monde extérieur. Mais l'avenir de cette ethnie reste fragile.

Arriver – Quitter

De Palenque, compter 2 h 15 pour *Crucero San Javier (Bonampak)* et 3 h pour *Frontera Corozal (Yaxchilán)*. On peut y aller soit par une agence (excursion de 1 ou 2 jours qui inclue les deux sites et des balades dans la jungle), soit par ses propres moyens. Dans ce cas, on recommande de prendre le minibus des *Transportes Chamoan*. Voir « Quitter Palenque » et le paragraphe « Vers le Guatemala ».

➤ *De Palenque à Bonampak :* 150 km. En général, les minibus déposent leurs passagers à l'embranchement de San Javier, à 12 km des ruines. Les *combis Chamoan* vont en principe 2 km plus loin, jusqu'à l'entrée de la réserve. Ensuite, il reste encore 10 km à faire à travers la réserve avant d'atteindre l'entrée du site : sur ce tronçon, le transport est assuré par les Lacandons... moyennant 70 à 75 \$Me (environ 5,50 €) ! Bon, c'est sûrement bénéfique pour la communauté, mais un peu chérot quand même... Pour y couper, on peut marcher (compter 2 h) ou mieux, louer un vélo (compter 50 \$Me, soit 3,50 €).

➤ *Pour Yaxchilán :* il faut reprendre la route principale pour aller au village de *Frontera Corozal* (à 27 km de Bonampak). La plupart des minibus s'arrêtent au carrefour de *Crucero Corozal*, à 16 km de Frontera Corozal. Seuls les *combis* de la compagnie *Chamoan* vont jusqu'au village, et même parfois jusqu'à l'embarcadère. De là, on prend une jolie pirogue colorée qui descend le fleuve Usumacinta jusqu'au site archéologique. Le Guatemala se trouve sur l'autre rive. Premier départ vers 7 h 30 et dernier départ vers 14 h 30. Il y a deux embarcadères, l'officiel et celui de l'hôtel *Escudo Jaguar,* mais les prix sont identiques (et affichés). Pour un aller-retour, compter 660 \$Me (46,50 €) de 1 à 3 personnes, 960 \$Me (67,50 €) de 5 à 7 personnes et 1 300 \$Me (91 €) pour 10 personnes. Donc, prévoyez une petite attente, le temps que d'autres routards arrivent afin de pouvoir vous regrouper. La *lancha* attend sur le site durant 2 h et vous ramène à Frontera Corozal (45 mn de traversée à l'aller, 1 h au retour, à cause du courant). Il n'est pas rare d'apercevoir de gros crocos sur le bord de la rivière.

BONAMPAK

Où dormir ? Où manger à Lacanjá Chansayab ?

Le village le plus proche de Bonampak est *Lacanjá Chansayab* (à 6 km du croisement San Javier), en lisière d'une immense forêt vierge qui a été constituée en réserve naturelle et attribuée aux Lacandons qui en sont donc les administrateurs. Les Lacandons du hameau se sont reconvertis dans un tourisme qui se veut écolo grâce à l'appui du gouvernement. Ce dernier a financé la construction de logements chez des familles qui sont aussi formées à l'accueil et aux us et coutumes (notamment alimentaires) des voyageurs. Il y a donc une demi-douzaine de *campamentos,* comme on les appelle ici, qui disposent tous de bungalows et blocs sanitaires identiques.

🛏 |●| *Campamento Ya'ajche' :* sur la route qui mène à Lacanjá Chansayab, surveillez les panneaux du côté droit. Vous verrez d'abord celui du *campamento Tucán Verde* puis celui du *Ya'ajche'.* Vous êtes dans la famille de Martin Chankin Yuk, un Lacandon ouvert et aimable. Bel environnement très bucolique, avec une jolie chaumière entourée de fleurs, au bord d'une rivière. Compter 250 $Me (17,50 €) environ pour le bungalow en dur, très confortable, avec ventilateur, salle de bains (eau chaude) et terrasse. La cabane rustique qui donne sur la rivière revient à environ 60 $Me (4,50 €). On peut aussi suspendre son hamac pour une poignée de pesos. Sanitaires collectifs très corrects. On mange sur place la cuisine familiale.

🛏 |◉| *Río Lacanjá :* au carrefour, prendre sur la gauche, tout au bout du chemin. ☎ 678-42-95 (à San Cristóbal). ● www.ecochiapas.com ● Le plus connu des *campamentos* parce qu'il est associé avec *Explora*, une agence d'écotourisme et d'aventure. Mais l'accueil, par de jeunes Lacandons (déjà blasés ?), est froid et distant ; et les prix sont beaucoup plus élevés qu'ailleurs, sans aucune raison. Certaines cabanes (pour deux) sont au bord d'une rivière vrombissante, d'autres sont des dortoirs avec des lits superposés (environ 100 $Me par personne, soit 7 €). Resto.

Les ruines de Bonampak

Site ouvert tous les jours de 8 h à 16 h 45. Entrée : 33 $Me (2,30 €) ; gratuit pour les moins de 13 ans. Si on y ajoute le coût du transport à travers la réserve (voir plus haut), c'est un site qui finalement revient très cher alors que son seul véritable intérêt réside dans des fresques murales qui sont superbement reproduites au musée national d'Anthropologie de Mexico (on les voit d'ailleurs bien mieux que *in situ*). Prévoir 1 h de visite.

C'est seulement en 1947 que ce site de 4 km^2 a été découvert. Bonampak était sans doute déjà habité en l'an 600 av. J.-C., mais l'âge d'or de la ville date de la période classique tardive, de 600 à 800 apr. J.-C.

Sur la grande place se dresse une admirable stèle de 5 m de haut représentant le roi Chaan Muan II. Mais l'élément phare du site se trouve perché sur l'acropole : c'est le *temple des Peintures* qui contient les célèbres fresques murales qui ont apporté tant d'infos sur la vie des Mayas. La palette, utilisant des pigments végétaux et minéraux, présente une incroyable variété de tons. Dans la 1re chambre, les peintures racontent la consécration de l'héritier du trône. Dans la 2e, on assiste à une bataille et à la torture des prisonniers, et dans la 3e, à une cérémonie festive (avec sacrifice desdits prisonniers). Noter aussi les superbes linteaux de porte sculptés (il faut s'accroupir pour pouvoir les observer).

À faire à Lacanjá Chansayab

– *Balade dans la jungle :* l'excursion classique (3 h) consiste à aller jusqu'à un petit temple qui émerge soudain de la végétation tropicale. C'est le seul édifice visible de l'ancienne cité maya de Lacanjá, la rivale de Yaxchilán (pas de fouilles au programme, faute de budget). Ensuite, on passe par la ravissante *cascade Ya Toch Kusam* pour une baignade bien méritée. Le grand pied ! On peut y aller avec un guide lacandon ou bien tout seul. Dans ce dernier cas, partez du petit centre touristique au bout du village ; demandez la direction du « Museo ». Dans tous les cas, vous n'échapperez pas au paiement d'une petite contribution pour bénéficier du sentier. Une autre balade de 2 h 30 mène à la *laguna de Lacanjá* (guide obligatoire cette fois).

– *Rafting :* en pleine jungle, on descend des rapides durant 5 h. Minimum de 4 personnes. Voir avec le *club Explora* au *campamento Río Lacanjá* (voir plus haut). Organise aussi des expéditions de plusieurs jours.

YAXCHILÁN
Où dormir ? Où manger ?

🛏 |●| *Escudo Jaguar :* à Frontera Corozal, sur la rive du fleuve, à 3 mn à pied de l'embarcadère principal. ☎ 01-(201)-250-80-57. ● http://mx. geocities.com/hotel_escudojaguar ● On loge dans de confortables bungalows rose bonbon. Autour de 150 $Me (11 €) avec des sanitaires collectifs, environ 500 $Me (35 €) avec salle de bains individuelle (moins cher en basse saison). Souvent des groupes. Resto sympa sous une grande *palapa,* qui sert de la bonne cuisine.

Les ruines de Yaxchilán

Site ouvert de 8 h à 16 h 30. Entrée : 45 $Me (3,15 €). Attention, il faut acheter le billet d'entrée avant d'embarquer. Prévoyez également de l'eau et surtout une lotion antimoustiques. Attention, la dernière *lancha* repart du site vers 17 h.

Les ruines se cachent sur la rive du fleuve Usumacinta, qui délimite à cet endroit la frontière avec le Guatemala. L'environnement est fascinant. Quelques magnifiques édifices émergent de leur écrin de verdure, d'énormes *ceibas* poussent sur l'escalier monumental qui monte à la Grande Acropole, au détour d'un sentier on découvre le fleuve, et si on lève la tête, on aperçoit des singes hurleurs qui passent de liane en liane. La ville a d'abord été soumise à Tikal avant d'acquérir son autonomie en 526. Peu à peu, elle s'est imposée dans la région et a étendu son hégémonie entre 680 et 810 de notre ère, sous les règnes de Bouclier-Jaguar, puis de son fils Oiseau-Jaguar. C'est le site du Mexique qui contient le plus grand nombre d'inscriptions ; ce sont en partie de superbes bas-reliefs finement sculptés sur les linteaux des portes qui racontent l'histoire de toute la dynastie Jaguar. Drôle d'endroit pour des sculptures qui obligent aujourd'hui à s'agenouiller sous chaque porte et à lever la tête ! Au Xe siècle, la ville s'éteint, puis elle est engloutie par la jungle.

Les premiers explorateurs, l'Anglais Alfred Maudslay et le Français Désiré Charnay, découvrent les ruines en 1882. Mais ce n'est qu'en 1935 que commenceront les véritables fouilles.

🚶 *Édifice 19 :* jolie structure, appelée aussi le labyrinthe parce que c'est un vrai dédale de petites pièces obscures aux plafonds voûtés, reliés par d'étroits couloirs qui représentent le cheminement dans l'inframonde.

🚶🚶 *Gran Plaza :* très belle perspective en pénétrant sur cette grande place cérémonielle (60 x 500 m) encadrée par des petits temples. Sur le côté gauche (côté fleuve), le traditionnel *jeu de pelote* (édifice 14) que vous savez désormais reconnaître au premier coup d'œil. À côté, se trouve l'*édifice 12,* assez délabré, dont six des huit linteaux sont exposés au British Museum et au musée national d'Anthropologie de Mexico. Le même sort a été réservé aux trois magnifiques linteaux de l'*édifice 23* (en face).

🚶 *Stèle 1 :* au milieu de la place, elle est brisée en deux. Sculptée en 766, elle représente le roi Oiseau-Jaguar qui réalise un autosacrifice en se perçant les mains avec des aiguilles, laissant perler le sang.

🚶 *Stèle 11 :* jonchée sur le sol, abandonnée là en 1964 après une tentative avortée de la transporter en avionnette au musée de Mexico ; jugée trop lourde. Elle représente la passation de pouvoir (frappement du bâton) entre Bouclier-Jaguar qui, à 93 ans, laisse (enfin !) le trône à son fils Oiseau-Jaguar (en 741).

🏃🏃🏃 *Édifice 33 :* sans conteste le plus beau monument du site. On y accède par un imposant et magnifique escalier, défoncé par les racines des arbres. Il ressemble aux temples de Palenque, avec sa crête faîtière. Bas-reliefs sur la dernière marche d'accès qui représente des scènes de jeu de pelote. Penchez-vous sous les portes pour admirer les linteaux, le mieux conservé étant celui de la porte de droite. À l'intérieur du temple, on découvre une statue du roi Oiseau-Jaguar, décapité, sa tête gisant sur le sol. Ne la remettez surtout pas en place. Ce serait la fin du monde, du moins selon la croyance des Lacandons, puisque les jaguars célestes descendaient sur terre pour y dévorer les vivants...

🏃 *Grande Acropole et Petite Acropole :* pour accéder à la *Gran Acrópolis* (3 structures assez abîmées), prenez le sentier qui grimpe derrière l'édifice 33. Ou bien allez directement à la *Pequeña Acrópolis* (quelques linteaux intéressants). De là, vous redescendrez vers l'entrée du site et l'embarcadère. En chemin, vous aurez sans doute la chance d'apercevoir des singes.

À voir à Frontera Corozal

🏃 *Le Musée ethnographique :* un peu avant l'embarcadère principal, sur la gauche de la route. Ouvert tous les jours de 8 h à 18 h, mais horaires flexibles. Entrée : environ 30 $Me (2,10 €). En attendant le bateau, jetez donc un œil aux trois petites salles sympathiques. La première est consacrée à la vie quotidienne des Lacandons, la deuxième contient de superbes stèles en provenance du site maya Dos Kaobas (non ouvert au public). Et dans la troisième, exposition sur la biodiversité de la région. On peut y admirer, grâce à un microscope, la *schismatica lacandona,* une fleur unique au monde qui ne pousse que dans cette forêt.

OCOSINGO
30 000 hab.   IND. TÉL. : 919

Petite ville perdue à 900 m d'altitude et à mi-chemin entre San Cristóbal et Palenque. Ocosingo a été le théâtre d'affrontements entre l'armée et les zapatistes lors du soulèvement de janvier 1994. Les habitants semblent compenser la relative morosité ambiante par un goût prononcé pour les façades colorées. En tout cas, c'est une bonne base pour visiter le l'étonnant et magnifique site maya de Toniná.

Arriver – Quitter

En bus

🚌 *Terminal de bus Cristóbal Colón et ADO :* sur la route principale, au bout de la 4ª Norte Poniente. ☎ 673-04-31. Ce sont tous des bus *de paso,* et les horaires sont donc approximatifs. En haute saison, il est préférable d'acheter ses billets à l'avance. En temps normal, vous n'aurez pas de problème pour avoir une place.

➤ *Liaison avec Palenque :* au total, 5 départs entre 9 h et 21 h 30. Trajet : 3 h.

➤ *Liaison avec San Cristóbal :* au total, 6 départs entre 6 h et 17 h. Trajet : 2 h.

➤ *Liaison avec Comitán :* pas de bus direct. En voiture, pas besoin de repasser par San Cristóbal. Compter 2 h de trajet.

🚌 *Terminal de bus AEXA :* presque en face du précédent. Ce sont également des bus de 1re classe.

➤ *Liaison avec Palenque :* 3 passages de bus par jour.

Adresses utiles

■ *Banque Banamex :* sur le *zócalo,* à côté de l'hôtel *Central.* Change uniquement les dollars en espèces. À Ocosingo, les euros, on ne connaît toujours pas ! Distributeur de billets.

▣ *Cybercafé :* il y en a plus que d'hôtels ! Autour du *zócalo* et au début de la calle Central Norte.

Où dormir ?

Bon marché : de 210 à 300 $Me (14,70 à 21 €)

🛏 *Hospedaje Esmeralda :* Central Norte 14, à côté du *Margarita.* ☎ 673-00-14. Un *B & B* qui croule sous la végétation. Proprio nord-américain. Les chambres qui partagent la salle de bains ne sont pas trop chères.

🛏 *Hôtel Central :* sur le *zócalo.*

☎ 673-00-24. Rénové, tout à fait confortable et des prix raisonnables.

🛏 *Hôtel Margarita :* Central Norte 19. ☎ 673-02-80 et 12-15. Derrière l'hôtel *Central.* Plus cher que le précédent, mais les chambres sont très spacieuses avec une bonne literie. Bon accueil. Parking.

Où manger ?

Bon marché : moins de 70 $Me (5 €)

🍽 *Los Arcos :* sur le *zócalo,* sous les arcades. Populaire.

🍽 Quelques *comedores* s'étirent près des arrêts de bus, route principale.

Prix moyens : de 70 à 150 $Me (5 à 10,50 €)

🍽 *Las Delicias :* le resto de l'hôtel *Central.* Ouvert de 7 h à 23 h. Agréable terrasse sous des arcades qui donne sur le *zócalo.* Idéal pour un petit déjeuner illuminé par les premiers rayons du soleil. Bien aussi pour les autres repas.

🍽 *El Desvan :* de l'autre côté du *zócalo,* en face du *Central.* ☎ 673-01-17. Ferme vers 23 h. Au 1er étage ; bénéficie donc de la vue sur les montagnes et la place. Pizzas relativement correctes et plats mexicains.

➤ **DANS LES ENVIRONS D'OCOSINGO**

LES RUINES DE TONINÁ

Dans un environnement de toute beauté, ce site est très original. Il se présente sous la forme d'une gigantesque pyramide adossée à une colline. Une vraie ville verticale de 80 m de haut. On la visite grâce à des centaines de marches ! Niveau après niveau, on trouve des habitations, des bâtiments officiels, 8 palais et 13 temples. Le tout à 1 000 m d'altitude, dans la chaleur tropicale. Ouf ! Une fois tout en haut, paysage de folie... mais qui se mérite ! Une vue exceptionnelle à 190° sur les montagnes environnantes.

Le site a été exploré dans les années 1970 par la mission archéologique française de P. Becquelin et C.F. Baudez. Mais le vrai travail de rénovation n'a eu lieu qu'à partir des années 1980 (il se poursuit toujours) et l'ouverture des ruines au public est donc récente. Le magnifique musée a été inauguré en 2000. Il renferme de sublimes pièces découvertes sur place : statues et bas-reliefs, masques et calendriers.

UN PEU D'HISTOIRE

Les habitants de Toniná étaient un peuple super belliqueux, voire agressif. Avec leur puissante armée, ils ont même réussi à capturer le roi de Palenque (Kan-Xul) qu'ils ont offert en sacrifice. La décapitation était chez eux une véritable obsession. Avec une hache d'obsidienne, ils coupaient la tête aussi bien des statues que des vivants ; parmi ces derniers, les vainqueurs du jeu de pelote dont la tête était offerte aux dieux et qui se transformaient alors en étoile.

La cité a été habitée dès le Préclassique et elle a connu ses heures de gloire entre 600 et 900 apr. J.-C. Mais peu après, elle a subi une invasion ennemie, et après la mutilation des sculptures et des inscriptions, elle a été rapidement abandonnée. Elle fut à nouveau habitée un moment avant d'être définitivement oubliée des hommes à partir de 1250.

Informations pratiques

– Site ouvert tous les jours de 9 h à 15 h 30 ; musée ouvert de 8 h à 17 h (mais attention, fermé le lundi). Entrée : 33 $Me (2,30 €). Uniquement des guides hispanophones disponibles et leur laïus n'est guère passionnant. En revanche, ils sont utiles parce qu'ils signalent les endroits intéressants. Si vous faites la visite seul, soyez attentif aux paillotes qui protègent des bas-reliefs et des sculptures.

Compter 1 h 30 à 2 h de visite pour le site. Et au moins une demi-heure pour le musée, voire plus pour les passionnés.

– **Pour y aller :** le site se trouve à 14 km de la ville. Des *combis* (peu nombreux) partent du marché (demandez ceux qui vont *a las ruinas*). Attention, le dernier revient avant 16 h. Un taxi peut valoir le coup (pas plus de 70 $Me, demander le prix avant). En voiture, prendre vers l'est depuis le centre-ville.

À voir

⚑ **Jeu de pelote** *(juego de pelota)* **:** très grand (plus de 72 m de long). Sous les cercles en pierre (les paniers de basket !), on a découvert des fosses contenant des lames d'obsidienne qui servaient pour le sacrifice du vainqueur. D'ailleurs, on peut voir non loin de là une base en pierre qui servait d'autel pour les sacrifices.

⚑⚑⚑ **Acropole :** impressionnant spectacle que ce centre cérémoniel construit tout en hauteur, surtout quand on songe que l'on voit seulement la partie centrale, d'autres ruines se cachant sous la colline de part et d'autre. On compte 7 terrasses. À son apogée, quelque 3 000 personnes vivaient ici.

⚑⚑ **Palacio del Inframundo :** appelé aussi le Palais de la Nuit. C'est un dédale de labyrinthes que l'on parcourt dans l'obscurité puisqu'ils représentent l'inframonde. Au détour d'un couloir, des petites fenêtres cruciformes montrent simplement la direction de la lumière, mais n'éclairent pas. Dans une des pièces, se trouve une belle statue d'un seigneur maya.

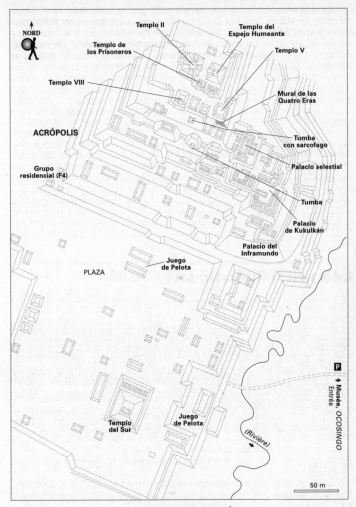

LE SITE DE TONINÁ

🍖 *Palacio de Kukulkán :* il occupe la 4ᵉ et la 5ᵉ terrasse. C'est un ensemble complexe d'édifices qui servaient de résidence pour les notables, mais aussi de bâtiments administratifs ou de magasins et même de prisons pour les seigneurs étrangers capturés, en attendant l'heure du sacrifice. Noter sur la droite le système de drainage et de récupération des eaux de pluie.

🍖🍖🍖 *Mural de las Cuatro Eras :* découvert en 1990. Il s'agit d'un magnifique bas-relief de 16 m sur 4 m qui illustre en quatre scènes, à la manière d'un codex, la cosmogonie du peuple de Toniná. Les têtes à l'envers représentent des soleils qui regardent le ciel. Sur la gauche, observez la Mort qui prend par les cheveux la tête décapitée de Kan-Xul, le fils de Pacal et roi de Palenque, qui fut sacrifié à l'issue d'un jeu de pelote.

❊❊ *Le musée :* il contient de magnifiques pièces provenant des ruines. L'édifice lui-même, à la très belle architecture, a été conçu par l'archéologue en chef Juan Yadéun, et il est bourré de références à la mythologie maya. Le bâtiment du bas, par lequel on entre, représente l'inframonde où sont donc exposées les sculptures des prisonniers de guerre et les morts. On passe ensuite dans un patio intérieur qui rappelle le jeu de pelote, avant de pénétrer dans le bâtiment supérieur (en hauteur) qui représente le supramonde, c'est-à-dire le monde des vivants et des gouvernants. Les sculptures étaient décapitées pour marquer la transition d'une époque à une autre, symbole de l'abandon des valeurs de l'ère antérieure.

Où manger près du site ?

❙❉❙ *Toniná Kayab :* sur la gauche, à 50 m après la sortie du parking. ☎ 670-80-99. Installez-vous dehors, à une table posée sur l'herbe, face à la vue absolument splendide sur la vallée d'Ocosingo ; demandez que l'on vous prépare une grande salade composée... et vous serez au paradis !

SAN CRISTÓBAL DE LAS CASAS
250 000 hab.   IND. TÉL. : 967

La plus vieille cité espagnole de l'État du Chiapas (1528) a changé de nom pour rendre hommage à l'évêque missionnaire Bartolomé de Las Casas, défenseur des Indiens. Des rues étroites, des arcades et des maisons basses aux fenêtres grillagées de fer forgé font de cette magnifique ville un endroit très agréable pour passer quelques jours. San Cristóbal conserve encore tout son charme de vieille cité provinciale de l'époque coloniale, avec ses demeures sévères mais aristocratiques qui ressemblent à celles d'Oaxaca ou d'Antigua au Guatemala.

La ville a un caractère cosmopolite tout à fait surprenant. On croise dans les rues aussi bien des étrangers (observateurs internationaux, membres d'ONG, routards de tous pays) que des Indiens tzotziles qui descendent de leurs montagnes pour venir vendre leurs produits au marché, l'un des plus fascinants du pays. Bref, une ville très intéressante et très culturelle, dans un cadre agréable.

Hors saison, se munir de vêtements chauds, car on est à 2 140 m d'altitude, et le soir, ça caille !

Arriver – Quitter

➤ Liaisons avec *Comitán* (1 h 30 de trajet) ou *Tuxtla Gutiérrez :* pensez aux *combis* de 9 à 12 places regroupés aux abords du terminal des bus Cristóbal Colón. Très pratique, rapide et pas plus cher que le bus. Départ quand la voiture est pleine (ça se remplit très vite). Le chauffeur crie à la volée la destination. Tendez l'oreille.

➤ Pour le *Guatemala,* certaines agences de voyages organisent le trajet en minibus climatisé jusqu'à *Panajachel.* On s'inscrit et il faut attendre que le nombre maximum de voyageurs soit atteint. Solution confortable et rapide. Compter 7 h de trajet.

En bus

En haute saison et pour les longs trajets, mieux vaut acheter votre billet de bus dès votre arrivée si vous ne voulez pas être bloqué 2 ou 3 jours.

🚌 **Terminal 1re classe Cristóbal Colón** (hors plan par A3, **1**) : à l'extrémité de Insurgentes, à 10 mn à pied de l'église San Francisco. | ☎ 678-02-91. Regroupe les compagnies *Cristóbal Colón (OCC)* et la très luxueuse *ADO GL*. Consigne.

➤ **De et pour Mexico** (terminal Norte ou Tapo) : avec OCC, 6 départs entre 16 h 10 et 22 h 10. Avec *ADO GL*, bus à 17 h et 19 h. Trajet : 18 h.
➤ **De et pour Puebla :** avec *OCC*, 4 départs de 16 h à 22 h 10. Avec *ADO GL*, départs à 17 h et 19 h. Trajet : 12 h.
➤ **De et pour Puerto Escondido (via Pochutla) :** avec *OCC*, départs à 18 h 15 et 21 h. Trajet : 16 h (13 h pour Pochutla).
➤ **De et pour Oaxaca :** 650 km. Avec *OCC*, départs à 17 h 20 et 22 h. Avec *ADO GL*, bus à 20 h. Trajet : 10 h.
➤ **De et pour Palenque :** 200 km. Avec *OCC*, 7 départs de 7 h à 23 h. Avec *ADO GL*, départs à 16 h 30 et 17 h. Trajet : 6 h ; plus par mauvais temps. Choisir le côté droit pour prendre des photos.
➤ **De et pour Villahermosa :** avec *OCC*, départs à 10 h 55 et 22 h 45. Avec *ADO GL*, bus à 21 h 45. Trajet : 8 h 30 environ.
➤ **De et pour Campeche :** avec *OCC*, départ à 19 h. Avec *ADO GL*, départ à 17 h. Trajet : 13 h.
➤ **De et pour Tuxtla Gutiérrez :** 90 km. Avec *OCC*, une quinzaine de départs de 8 h 50 à 19 h 45. Avec *ADO GL*, 4 départs dans l'après-midi. Trajet : 2 h.

🚌 **Terminal AEXA** (hors plan par A3, **3**) **:** en face du terminal Cris- | tóbal Colón. ☎ 678-61-78. Bus confortables de 1re classe.

➤ **De et pour Palenque (via Ocosingo) :** 3 à 4 départs quotidiens. Trajet : 6 h.

🚌 **Terminal 2e classe Transportes Tuxtla** (hors plan par A3, **4**) **:** Ignacio Allende 27, juste avant d'arri- | ver au boulevard extérieur Pino Suárez. ☎ 678-48-69.

➤ **De et pour Tuxtla Gutiérrez :** 3 départs par jour. Trajet : 2 h.
➤ **De et pour Palenque (via Ocosingo) :** 2 départs par jour. Trajet : 6 h.

En avion

Il n'y a plus de vol commercial jusqu'à nouvel ordre. Il faut aller à Tuxtla. Voir « Adresses utiles ».

Adresses utiles

🛈 **Office de tourisme de l'État** (Sectur ; plan A2) **:** Miguel Hidalgo 1 B. ☎ 678-65-70 et 14-67. Ouvert du lundi au vendredi de 8 h à 20 h, le samedi de 9 h à 20 h et le dimanche de 9 h à 14 h. Bonnes infos sur le Chiapas, mais aussi sur la ville. En règle générale, mieux fourni en docu- | mentation que l'office municipal.
🛈 **Office de tourisme municipal** (plan A2) **:** dans le Palacio Municipal, sur le *zócalo*. ☎ et fax : 678-06-65. Ouvert du lundi au vendredi de 8 h à 20 h et le week-end de 9 h à 20 h.
✉ **Poste** (plan A2) **:** Ignacio

LE CHIAPAS

Allende 3. Ouvert du lundi au vendredi de 9 h à 19 h et le samedi de 9 h à 13 h.

@ **Services Internet :** la ville en est truffée ! La présence des étrangers y est pour beaucoup, mais les jeunes Mexicains s'y sont vite mis. Ils ont pour exemple Marcos qui, depuis son trou caché dans la jungle, réussit à communiquer avec le monde entier grâce au Net. Chercher dans la rue Real de Guadalupe, il y en a un paquet. Mais attention, tous n'ont pas des claviers adaptés au français. On vous en signale un, *Fast-Net Cybercafé (plan B2, 1)*, Real de Guadalupe 15 D ; ☎ 678-54-67. Ouvert tous les jours de 9 h à 22 h 30. Bonnes bécanes actualisées et rapides.

■ *Banque HSBC (plan A2, 2) :* Diego de Mazariegos 6. Ouvert du lundi au samedi de 8 h à 19 h. Change les euros et les dollars en espèces ou en chèques de voyage de 8 h à 17 h (sauf le samedi). Distributeur.

■ *Banque Banamex (plan A2, 3) :*

■ **Adresses utiles**

- 🛈 Offices de tourisme
- ✉ Poste
- 🚌 1 Terminal 1re classe *Cristóbal Colón*
- 🚌 2 Minibus pour San Juan Chamula
- 🚌 3 Terminal *AEXA*
- 🚌 4 Terminal 2e classe *Transportes Tuxtla*
- @ 1 Fast-Net Cybercafé
- 2 Banque HSBC
- 3 Banque Banamex
- 4 Agence Mexicana de Aviación
- 5 Centro cultural El Puente
- 75 Centre de médicine maya

🛏 **Où dormir ?**

- 10 Backpackers Hostel
- 11 Posada Juvenil
- 12 Hostal Los Camellos
- 13 Hostal Qhia
- 14 Posada Mexico Hostel
- 15 Hôtel San Martín
- 16 Posada Santiago
- 17 Posada Tepeyac
- 18 Posada Dominynnicos
- 19 Posada Belén
- 20 Hôtel Fray Bartolomé de Las Casas
- 21 Hôtel Real del Valle
- 22 Casa Margarita
- 23 Hôtel Jardines del Centro
- 24 Hôtel San Cristóbal
- 25 Posada Jovel
- 26 Posada Los Morales
- 27 El Paraíso
- 28 Hôtel Parador Mexicanos
- 29 Hôtel Plaza Santo Domingo
- 30 Hôtel Casavieja
- 31 Hôtel Holiday Inn
- 74 Hôtel du musée Na Bolom

🍽 **Où manger ?**

- 40 Marché San Francisco
- 41 El Gato Gordo
- 42 Madre Tierra
- 43 El Caldero
- 44 Bugambilias
- 45 El Fogón Coleto
- 46 La Casa del Pan
- 47 Mayambé
- 48 La Pera
- 49 Italiano da Angelo
- 50 Crêperie
- 51 La Parrilla
- 52 Restaurant Pierre

🍸 **Où prendre un café ?**

- 60 Café La Selva
- 61 Café Museo Café

🍸 ♪ ♫ **Où boire un verre ? Où écouter de la musique ? Où danser ?**

- 5 El Puente
- 22 Casa Margarita
- 62 Cocodrilo
- 63 Revolución et Circo
- 64 Blue

🍴 **À voir**

- 70 Église Notre-Dame-de-Guadalupe
- 71 Musée de l'Ambre
- 72 Musée des Cultures populaires
- 73 Museo del Jade
- 74 Na Bolom
- 75 Centro de Desarollo de la Medicina Maya
- 76 Taller Leñateros

🛍 **Achats**

- 80 SNA Jolobil
- 81 J'Pas Joloviletik
- 82 Casa de las Artesanías de Chiapas
- 83 Marché artisanal
- 84 Librairie Chilam Balam (Casa Utrilla)
- 85 Librairie El Mono de Papel

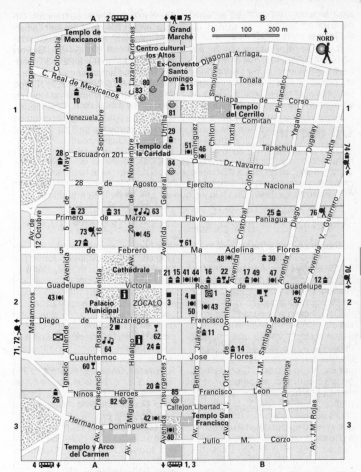

SAN CRISTÓBAL DE LAS CASAS

face au *zócalo,* presque au coin avec Real de Guadalupe. Ouvert du lundi au vendredi de 9 h à 16 h et le samedi de 10 h à 14 h. Change les euros et les dollars. Distributeur.

■ *Centre médical :* Cuauhtémoc 5. ☎ 678-10-77 ou 15-78. Plusieurs médecins généralistes et des spécialistes dans pratiquement tous les domaines.

■ *Centro de Desarollo de la Medicina Maya (hors plan par A1, 75) :* av. G. Blanco 10, colonia Morelos. ☎ 678-54-38. Ouvert du lundi au vendredi de 9 h à 18 h et les samedi

et dimanche de 10 h à 16 h. Collectif de médecins qui pratiquent la médecine maya. On peut aller s'y faire soigner ou acheter des remèdes.

■ *Laverie :* comme pour les centres Internet, la ville en est pleine. Surtout dans la rue Real de Guadalupe.

■ *Agence Mexicana de Aviación (plan B2, 4) :* Belisario Domínguez 2 B. ☎ 678-93-09. Ouvert du lundi au vendredi de 9 h à 20 h et le samedi de 10 h à 15 h. Pas de vol au départ de San Cristóbal. Depuis Tuxtla, vol quotidien pour Oaxaca, Mérida et Cancún et 5 vols par jour pour Mexico. Transport à l'aéroport de Tuxtla organisé.

■ **Centro cultural El Puente** (plan B2, 5) : Real de Guadalupe 55. ☎ 678-37-23. Ouvert de 9 h à 23 h. Fermé le dimanche. Ce centre culturel organise des cours de langues (espagnol, tzotzil et tzeltal). Salle de ciné pour des films de réalisateurs mexicains ou des documentaires sur la situation politique du Mexique et du Chiapas en particulier (en principe, séances à 18 h et 20 h, pas cher du tout). Resto végétarien et cafétéria. Centre Internet.

– **Schools for Chiapas :** pour étudier dans les communautés mayas. Voir le site ● www.schoolsforchiapas.org ●

Où dormir ?

N'oubliez pas qu'en haute saison, les prix des hôtels (et de quelques AJ) grimpent de 20 à 25 %. La difficulté consiste à déterminer la haute saison : en principe quand la ville se remplit de touristes, pour le moins à Noël, Pâques et aux vacances d'été. On vous indique les prix en période normale.

Très, très bon marché : moins de 120 $Me (8,40 €)

⌂ **Backpackers Hostel** (plan A1, 10) : Real de Mexicanos 16. ☎ 674-05-25. ● www.mundomaya.com.mx/backpackers ● Fait partie du réseau Hostelling International ; réduction de 10 % pour les porteurs de la carte ISIC. Dortoirs de 5, 8 ou 10 lits (mixtes ou non). Les portefeuilles mieux garnis pourront choisir une chambre double avec ou sans salle de bains. Un vrai lieu routard plutôt fréquenté par les Anglo-Saxons. C'est sympa, propre, fleuri, avec en prime un carré de pelouse pour prendre le petit dej' (inclus dans le prix !). Internet et cours de salsa gratuits. Le soir, musique *en vivo* autour d'un feu de camp.

⌂ **Posada Juvenil** (plan B2, 11) : Juárez 2. ☎ 678-76-55. Plusieurs *dormitorios* de 4 à 8 personnes, mixtes ou séparés. Quelques chambres doubles pas chères du tout. Douches avec eau chaude, très propres. Coin cuisine. *Lockers.* Salon TV. Bonne ambiance routard pour cette AJ privée.

⌂ **Hostal Los Camellos** (plan B2, 12) : Real de Guadalupe 110. Pas de téléphone. ● www.loscamellos.over-blog.com ● Une petite AJ tenue par deux Français adorables, Béné et Steph. Plusieurs dortoirs gentiment arrangés de 4 lits. Et quelques chambres avec ou sans salle de bains. On peut faire sa tambouille dans une grande cuisine et on mange dans le jardin qui sert aussi pour prendre le soleil dans un hamac. Une maison où l'on se sent bien.

⌂ **Hostal Qhia** (plan A-B1, 13) : Tonalá 5. ☎ 678-05-94. Petite AJ de charme tenue par Rodolfo. Beaucoup plus tranquille que les autres. Et ici, tout est propre et impeccable. On entre dans une cour ravissante avec sa fontaine au milieu où nagent des tortues heureuses. Quelques petits dortoirs mixtes et 3 chambres, dont une avec salle de bains. Cuisine spacieuse avec même un four. Sur le toit, immense terrasse pour jouir du soleil et de la vue ; et un grand salon où se vautrer sur des coussins devant la cheminée. Petit dej' inclus. Une adresse coup de cœur.

Très bon marché : moins de 210 $Me (14,70 €)

⌂ **Posada Mexico Hostel** (plan B3, 14) : av. Josefa Ortiz 12, à l'angle de Dr. Jose Flores. ☎ 678-00-14. ● www.hostellingmexico.com ● Réduction de 10 % pour les détenteurs de la carte ISIC. Grande AJ. C'est la plus chère de toutes, mais le service est de qualité et très pro grâce à un staff en uniforme ! Très aimable. Deux dortoirs d'une douzaine de lits chacun et quelques chambres avec ou sans salle de bains. C'est un vrai dédale de courettes, avec soudain, au détour d'un petit chemin, une superbe vue sur les montagnes. Grande cuisine, salon TV, Internet gratuit, location de vélos. Petit déjeuner inclus que l'on prend sous une belle véranda.

🛏 *Hôtel San Martín* (plan A2, 15) : Real de Guadalupe 16. ☎ et fax : 678-05-33. ● www.travelbymexico. com/chis/sanmartin ● Tout en longueur. Chambres sur 2 étages, autour d'un patio. Celles des petites cours du fond sont plus claires mais plus froides en hiver. Préférer celles du dernier étage. Sympa, propre et accueil souriant. Service de laverie

et Internet. Bon rapport qualité-prix.
🛏 *Posada Santiago* (plan B2, 16) : Real de Guadalupe 32. ☎ 678-00-24. Toutes les chambres ont leur salle de bains, mais l'eau chaude joue parfois les Arlésiennes. Assez sombre mais correct. Préférer celles du 3e étage, qui bénéficient même d'une petite vue. Pas cher du tout.
🛏 *Posada Tepeyac* (plan B2, 17) : Real de Guadalupe 40. ☎ 678-01-18. Encore et toujours en cours de rénovation depuis déjà pas mal d'éditions ! Trois catégories de prix, avec ou sans *baño* et TV. Choisissez une chambre neuve avec la salle de bains refaite à neuf (eau chaude).

Bon marché : de 210 à 300 $Me (14,70 à 21 €)

🛏 *Posada Dominynnicos* (plan A1, 18) : Real de Mexicanos 1 D. ☎ 674-05-34. ● www.travelbymexico.com/chis/dominnycos ● Presque en face de l'église Santo Domingo. Un petit hôtel récent joliment décoré. Petites chambres un peu sombres mais guillerettes, avec lit matrimonial, salle de bains moderne et literie neuve. Superbe vue depuis la terrasse sur le toit. Bon rapport qualité-prix en basse saison (pourvu que ça dure !).
🛏 *Posada Belén* (plan A1, 19) : plazuela de Mexicanos 2. ☎ 678-74-86. Un peu excentré, mais superbement situé sur une adorable petite place toute tranquille, juste en face de l'église de Mexicanos. L'hôtel est récent et dispose donc d'installations modernes et de lits confortables. Jolie déco dans l'esprit *rústico coloniâl*. Rien à redire sur les chambres, avec parquet ou moquette. Trois *suites* donnent sur la place. Parking. Une bonne adresse.

🛏 *Hôtel Fray Bartolomé de Las Casas* (plan A2, 20) : Niños Heroes, à l'angle avec Insurgentes. ☎ 678-09-32. Fax : 678-35-10. L'entrée ne paie pas de mine ; du coup, le grand et beau patio intérieur n'en est que plus impressionnant. Les anciennes chambres, qui ne disposent de l'eau chaude que de 7 h à 22 h, rentrent dans cette rubrique. Les autres, rénovées, avec moquette, sont beaucoup plus confortables (eau chaude 24 h/24 cette fois) mais nettement plus chères.
🛏 *Hôtel Real del Valle* (plan A2, 21) : Real de Guadalupe 14. ☎ 678-06-80. Fax : 678-39-55. ● hrvalle@mundomaya.com.mx ● Immense et superbe plante verte grimpante dans le lobby. À part ça, peu de charme et atmosphère un brin tristounette. Pourtant, les chambres, presque cosy, sont propres et les matelas confortables. Éviter celles du rez-de-chaussée qui n'ont pas été rénovées. Parking.

Prix moyens : de 300 à 500 $Me (21 à 35 €)

🛏 *Casa Margarita* (plan B2, 22) : Real de Guadalupe 34. ☎ 678-09-57. Fax : 678-78-32. Bien rénové de fond en comble. Chambres disposées autour d'un grand patio ouvert, avec salle de bains moderne. Celles avec TV sont au même prix et sont

plus grandes que les autres. Bon petit resto où, le soir, on écoute des groupes (reggae, rock... ; voir « Où boire un verre ?... »). Également une petite agence de voyages sur place qui propose des excursions à des prix avantageux. Le moins cher de sa catégorie.

▲ *Hôtel Jardines del Centro (plan A2, 23)* : 1 de Marzo 29. ☎ 678-81-39. ● www.hotelesjardines.com ● Assez mignon. La grande véranda-salon, avec son parquet et ses poutres en bois, fait face à un ravissant patio fleuri. Chambres confortables au mobilier un peu désuet. TV et téléphone. Au choix, lit *king size* ou 2 lits *matrimonial* (plus cher). Beaucoup de plantes. Parking.

▲ *Hôtel San Cristóbal (plan A2, 24)* : av. Insurgentes 3. ☎ 678-68-81. Fax : 678-50-78. Charmant petit hôtel colonial à deux pas du *zócalo*, avec patio intérieur joliment décoré et une fontaine. Très beau balcon en bois. Chambres agréables et spacieuses, pas avares de boiseries. Accueil souriant. Un peu bruyant parfois. Resto.

▲ *Posada Jovel (plan B2, 25)* : Flavio Paniagua 28. ☎ 678-17-34. ● www.mundochiapas.com/hotelposadajovel ● Le petit hôtel bon enfant et familial d'autrefois n'est plus qu'un lointain souvenir. En s'agrandissant grâce à l'annexe d'en face, sont apparus les problèmes dans l'accueil. Cela dit, tout est fait pour les routards :

Internet, laverie, horaires de bus, excursions dans les parages, balades à cheval... Les chambres de la maison principale (partie ancienne) sont les moins chères (« Bon marché »). Celles de l'annexe donnent autour d'un joli jardin. Déco pas toujours d'un goût heureux, mais elles sont spacieuses et confortables.

▲ *Posada Los Morales (plan A2-3, 26)* : Ignacio Allende 17, au bout de Niños Heroes. ☎ 678-68-81. Dans un immense parc à la végétation débridée, cet hôtel a été entièrement rénové en 2006. Il est composé de plusieurs petits édifices adossés à une colline qui domine la ville. Superbes vues évidemment, mais gros travail pour les mollets, surtout si vous avez une chambre tout en haut (beaucoup d'escaliers). Les chambres sont joliment peintes dans le style rustique et aménagées avec des meubles anciens (le proprio est antiquaire). La salle à manger du resto ressemble à une ancienne pension de famille dans un manoir de Douarnenez : boiseries, lustres en cristal et des vitrines pleines de coupes poussiéreuses. Une adresse un peu excentrée mais originale.

Chic : de 500 à 700 $Me (35 à 49 €)

▲ *El Paraíso (plan A2, 27)* : av. 5 de Febrero 19. ☎ 678-00-85. Fax : 678-51-68. ● www.hotelposadaparaiso.com ● Superbe petit hôtel colonial de 12 chambres, spacieuses et décorées avec goût. Choisir l'une des 2 chambres qui ouvrent sur le jardin ou bien parmi celles donnant sur la rue ; les autres n'ont pas de fenêtre. Magnifique *pasillo* intérieur mis en bois, donnant sur un merveilleux patio fleuri. Excellent restaurant sur place avec des prix qui restent raisonnables par rapport à la qualité de la cuisine. Bon accueil. Une adresse de charme. Mieux vaut réserver en haute saison.

▲ *Hôtel Parador Mexicanos (plan A1, 28)* : av. 5 de Mayo 38. ☎ 678-15-15 ou 00-55. ● www.hparador.com.mx ● Du genre motel chic, tout en profondeur, avec les voitures stationnées au milieu. Les chambres sont

confortables, lumineuses et calmes, avec moquette et mobilier rustique. Une flopée de services : laverie, coffre-fort, accès Internet, resto. Intéressera les amateurs de tennis : les proprios ont réussi à caser un court au fond du parking !

▲ *Hôtel Plaza Santo Domingo (plan A1, 29)* : av. General Utrilla 35. ☎ 678-19-27. Fax : 678-60-33. ● www.hotelplazasantodomingo.com ● En face de l'église de la Caridad. Dans une belle demeure du XIXe siècle, aux toits de tuiles. Charmant patio ouvert dans lequel trône un énorme palmier. Chambres confortables, peintes de couleurs vives et joyeuses, avec moquette et TV câblée. Certaines disposent d'un lit *king size*. Bar, resto, laverie, parking. Seul point faible : le petit déjeuner. Mais une jolie adresse, au calme.

🛏 **Hôtel Casavieja** (plan B2, **30**) : Adelina Flores 27. ☎ 678-68-68. ● www.casavieja.com.mx ● Une magnifique demeure construite en 1740, déclarée Monument historique. Très belle architecture coloniale de montagne, avec des toits de vieilles tuiles, des dalles anciennes au sol et de grands corridors aux balustrades en bois d'où l'on aperçoit les montagnes alentours. Près de 40 chambres confortables avec tous les services nécessaires ; lumineuses pour celles qui donnent sur le superbe jardin principal. Beaucoup de calme. Une adresse de style en dehors des sentiers battus.

Plus chic : plus de 750 $Me (53 €)

🛏 **Hôtel Holiday Inn** (plan A2, **31**) : 1 de Marzo 15. ☎ 678-00-45. Fax : 678-05-14. ● www.hotelesfarrera. com ● Si vous êtes en voyage de noces ou si vous voulez reconquérir votre dulcinée, c'est l'adresse idéale... Déjà, la façade attire l'œil, avec ses hautes fenêtres soulignées par des frises d'*azulejos*. C'est un ancien hôtel de charme racheté par la chaîne hôtelière. Très belle déco coloniale, un peu trop léchée parfois (la patte américaine sans doute). Magnifique patio avec colonnes en bois sculpté, mosaïques et plantes tropicales. Grandes chambres au confort *Holiday Inn*. Solarium, salle de sport et resto chic

viennent compléter le tout.

🛏 **Hôtel du musée Na Bolom** (hors plan par B1, **74**) : pour les infos pratiques, se reporter à la rubrique « À voir ». Une adresse originale dans un cadre magnifique. Une quinzaine de chambres toutes différentes et superbement décorées. Cheminée et bois (offert). On n'a pas le service d'un hôtel de cette gamme de prix, mais on loge dans un cadre de rêve ,et on aide l'association. Réserver, car il y a quelquefois des groupes d'études qui occupent toutes les chambres. On peut aussi y aller pour un délicieux dîner autour d'une immense table commune (réserver la veille).

Où manger ?

Bon marché : moins de 70 $Me (5 €)

🍴 **Marché San Francisco** (plan A3, **40**) : à côté de l'église San Francisco. À l'intérieur du bâtiment, c'est pour les gourmands : de nombreux stands proposent des tas de friandises et des confiseries plus délicieuses les unes que les autres. On se croirait au pays de Hansel et Gretel ! D'autres *puestos* offrent du punch, à base de plusieurs fruits. On déguste tout ça au milieu des stands d'artisanat. À l'extérieur, quelques gargotes pour prendre le petit déjeuner ou manger des *tacos* en regardant les ouailles sortir de la messe...

🍴 **El Gato Gordo** (plan B2, **41**) : Real de Guadalupe 20. ☎ 678-83-13. Ouvert de 13 h à 22 h 30. Fermé le mardi. Très chouette resto, rendez-vous des routards, des artistes et des révolutionnaires en herbe. Bon menu

à prix imbattable (autour de 26 $Me, soit 2 €). Et aussi de bonnes spécialités à la carte, bon marché. On y mange bien, dans un cadre sympa, en refaisant le monde sous l'œil du Che, de peintures et caricatures. Bonne musique et, le soir, souvent des *musicos* locaux ou de passage. Génial.

🍴 **Madre Tierra** (plan A3, **42**) : av. Insurgentes 19. ☎ 678-42-97. Ouvert de 8 h à 22 h. Leur menu complet est une bonne affaire. Resto semi-végétarien. On mange dans le patio en plein air, ou dans une salle comme chez mémé. Prenez une *ensalada especial* : ça déborde de l'assiette ! Les lasagnes, quiches et gâteaux sont également délicieux. Le pain est super bon : il vient de la boulangerie bio d'à côté (même maison). Petits déjeuners.

|●| *El Caldero* (plan A2, 43) : av. 5 de Mayo 4. Pas de téléphone. Ouvert de 10 h à 22 h. Fermé le mercredi (sauf en haute saison). Petit resto très cool au concept original : il ne sert que des *caldos*, c'est-à-dire des soupes. Elles sont toutes délicieuses et les prix super bas : 35 $Me (2,50 €). Qui dit mieux ? Elles sont servies dans un grand bol en terre cuite. Et ça cale parfaitement bien pour une demi-journée. Goûtez au traditionnel *pozole* à base de viande de porc ou à la soupe *Mole de Olla*, avec des morceaux de bœuf, des légumes, un peu de piment, de l'avocat, de l'oignon et un filet de citron. Les végétariens ne sont pas en reste avec un *caldo* spécial de légumes. Idéal en hiver quand il fait froid. Et comme dessert, ne ratez surtout pas l'excellent chocolat chaud.

|●| *Bugambilias* (plan B2, 44) : Real de Guadalupe 245 (attention, entrée peu visible). ☎ 631-30-78. Ouvert de 7 h à 23 h. Un p'tit estaminet bien chaleureux, avec ses tables en bois, ses poutres au plafond et la cuisine ouverte qui donne sur la salle. Petite carte compréhensible avec des plats sans prétention, mais bien préparés. Bon menu du jour autour de 40 $Me (2,80 €). Très bien pour l'un des trois repas de la journée.

|●| *El Fogón Coleto* (plan A2, 45) : av. 20 de Noviembre 5 (l'Andador). ☎ 678-01-13. Ouvert de 9 h à 17 h et de 18 h à minuit. La typique *taquería* vaguement enfumée. Pour manger des *tacos* sous toutes ses formes. Les *tacos al pastor* ne sont pas chers du tout. N'oubliez pas d'ajouter de l'oignon, de la coriandre et de l'ananas. Ceux qui supportent le piment ajouteront de la sauce verte ou rouge (attention quand même !), les autres un peu de jus de citron. Sympa, et surtout des prix beaucoup plus décents qu'à *La Salsa Verde* d'à côté.

Prix moyens : de 70 à 150 $Me (5 à 10,50 €)

|●| *La Casa del Pan* (plan B1, 46) : au bout de la calle Belisario Domín-guez, à l'angle de Dr Navarro. ☎ 678-58-95. Ouvert de 8 h à 22 h. Fermé le lundi. Resto végétarien. Le cadre est charmant. Plein de rou-tards tendance *new age*. Petits déjeuners, salades composées, pâtes, sandwichs, pâtés aux légu-mes... Pour faire quand même un peu mexicain, on a ajouté un *comal* où s'affaire une autochtone pour la préparation des *tortillas*. Boutique de produits bio et vente de pain com-plet. Musique certains soirs.

|●| *Mayambé* (plan B2, 47) : Real de Guadalupe 66. ☎ 674-62-78. Ouvert de 9 h 30 à 23 h. Ici, on se croirait transporté au Moyen-Orient. Spécia-lités grecques et libanaises, des cur-rys végétariens venus tout droit d'Inde et des plats d'origine thaïe. La cuisine est délicieuse. Bonne ambiance et, bien sûr, musique du *Buddha Bar*. Le service est excessivement lent. Heu-reusement, on peut patienter en des-sinant sur les nappes en papier avec des pastels mis à disposition des clients. Avis aux artistes : certaines œuvres sont accrochées au mur. Petit salon avec des tables basses et des coussins pour ceux qui désirent man-ger au ras du sol.

|●| *La Pera* (plan B2, 48) : Adelina Flores 23, presque à l'angle de Cris-tóbal Colón. ☎ 678-12-09. Ouvert de 13 h à 23 h. Très bien pour le déjeu-ner ou le soir. Carte sympathique avec des pommes de terre au four ou au gril, les poivrons rouges à l'huile d'olive et de bonnes salades composées. Délicieux sandwichs copieux (dénommés « baguettes ») qu'on peut accompagner d'un verre de vin. Musique latino. Le soir, du jeudi au samedi, musique *en vivo* (*trova, bohemia,* jazz...). Belle offre de tequilas et de cocktails. Bonne ambiance.

|●| *Italiano da Angelo* (plan B2, 49) : Real de Guadalupe 40. ☎ 678-49-46. Ouvert de 14 h à 22 h 30. Fermé le lundi (sauf en haute sai-son). Le chef italien (Angelo, évi-demment !) prépare devant vous de délicieuses pizzas bien croquantes. Également d'abondants plats de pâtes savoureuses.

|●| **Crêperie** (plan B2, **50**) : Benito Juárez 6 B. ☎ 631-55-14. Ouvert de 12 h à 23 h. Fermé le mercredi. Non, non, le jovial et dynamique Bruno n'est pas breton mais originaire de Périgueux ! Il s'affaire en même temps à ses poêles et en salle. Heureusement, le resto est riquiqui. On y déguste de délicieuses pâtes faites maison. Les crêpes salées sont présentées à la mode mexicaine, c'est-à-dire recouvertes de sauce. Goûtez la crêpe aux pommes et au beurre de cacahuète : un vrai délice.

Chic : de 150 à 250 $Me (10,50 à 17,50 €)

|●| **La Parrilla** (plan B1, **51**) : av. Belisario Domínguez, à l'intersection avec Dr Navarro. ☎ 674-62-14. Ouvert de 13 h 30 à 23 h. Jolie déco avec cheminée et collection de pistolets accrochés au mur. C'est la Mecque des carnivores. Assez connu des Mexicains et des touristes, qui y viennent nombreux déguster la délicieuse viande grillée au charbon de bois. Très bon service, et les prix restent raisonnables.

|●| **Restaurant Pierre** (plan B2, **52**) : Real de Guadalupe 73. ☎ 678-72-11. Ouvert de 13 h à 22 h 30. Fermé le lundi. Pour ceux qui ont le mal du pays. Cuisine provençale savoureuse servie dans le patio fleuri ou près de la cheminée. On se sent comme à la maison. Entrecôte au porto ou choisissez le lapin cuit au feu de bois, à l'huile d'olive et au thym. Pierre, Marseillais d'origine, est terriblement bavard et très distrait, c'est d'ailleurs ce qui fait son charme.

Où prendre un café ?

🍸 **Café La Selva** (plan A2, **60**) : Crescencio Rosas 9, à l'angle avec Cuauthemoc. ☎ 678-72-44. Ouvert de 9 h à 23 h. Une très belle maison coloniale mâtinée d'Art déco pour la façade ! On y déguste toutes les variétés de café produites dans l'État du Chiapas (de culture biologique), et on peut même en acheter. On s'installe dans une immense salle ou bien, s'il fait bon, dans le patio intérieur. On peut y aller pour le petit déjeuner et commander un croissant fourré au jambon et au fromage, ou bien une pâtisserie. Un peu cher, mais c'est bon et agréable, surtout si vous êtes au régime *cafe americano* depuis plusieurs semaines !

🍸 **Café Museo Café** (plan A-B2, **61**) : Adelina Flores 10. ☎ 678-78-76. Ouvert de 9 h à 21 h. Fermé le dimanche. L'endroit parfait pour goûter le café du Chiapas tout en s'instruisant sur l'origine du café et son histoire dans le Chiapas grâce à un petit musée. Trois salles avec des photos anciennes et des explications en espagnol. L'endroit est géré par la coopérative des petits producteurs de café du Chiapas (17 000 paysans). Et bien sûr, le café est en vente sous le label « commerce équitable ». Très bien aussi pour le petit déjeuner.

Où boire un verre ? Où écouter de la musique ? Où danser ?

🍸 **El Puente** (plan B2, **5**) : Real de Guadalupe 55. Voir « Adresses utiles ». Le bar est ouvert de 12 h à 23 h. Fermé le dimanche. Ce centre culturel possède un bar sympa qui sert de bons cocktails à des prix raisonnables. Parfois de la musique *en vivo*.

🍸 **Cocodrilo** (plan A2, **62**) : sur le zócalo, à l'angle d'Insurgentes ; c'est le bar de l'hôtel *Santa Clara*. ☎ 678-11-40. Ouvert de 8 h à minuit. Bar très sympa, avec parfois de la zique live. Consos un peu chères, mais on profite d'une belle salle avec des poutrelles au plafond et des portraits de Frida Kahlo aux murs. Excellen-

LE CHIAPAS

tissimes *tacos*. Mais où est donc le crocodile ? Là-bas, épinglé au mur du fond. Bof !

🍷 🎵 *Casa Margarita* (plan B2, 22) : Real de Guadalupe 34. Attenant à l'hôtel du même nom (voir « Où dormir ? »). Ferme à minuit, voire 1 h. C'est le rendez-vous des routards qui s'attablent autour d'une bière. Le soir, à partir de 21 h, groupes reggae, salsa et flamenco... Restauration légère.

🍷 🎵 🎶 *Revolución* et *Circo* (plan A2, 63) : le premier se trouve à l'angle de 20 de Noviembre et 1 de Marzo et le second de l'autre côté de la rue. Ces deux concurrents et néanmoins confrères ouvrent vers 8 h et ferment en général vers 2 h ou 3 h. Selon les soirs, l'ambiance passe de l'un à l'autre. Le concept est assez similaire : des groupes de rock se déchaînent dans une chaude ambiance. Cool et relax. Mezzanine très agréable au *Revolución* pour siroter une bière à la pression. Le *Circo* propose de bons cocktails et ouvre sa grande salle du fond le week-end.

🎵 🎶 *Blue* (plan A2, 64) : Crecencio Rosas 2, à l'angle de Diego Mazariegos. Ouvre vers 21 h, jusqu'à 3 h. Une bonne disco. Ça commence par de la musique *en vivo* : rock, reggae, hip hop... Ensuite, musique électronique ou techno. Bonne ambiance cool, jeune et hétéroclite. Gay friendly.

À voir. À faire

🚶🚶🚶 *Andador eclesiástico* (plan A1-2-3) : c'est le nom donné à la rue piétonne qui traverse la ville du nord au sud. Il suit le tracé de Miguel Hidalgo puis de 20 de Noviembre, démarrant au sud avec le Templo del Carmen pour aboutir à l'église Santo Domingo en passant par le *zócalo* et la cathédrale. Une jolie promenade agréable, avec beaucoup de monde à toute heure du jour et de la nuit. Quelques beaux édifices et de vénérables demeures.

🚶 *Arco del Carmen* (plan A3) : au sud du centre historique. Jouxte le *Templo del Carmen*. C'est une tour qui coupe carrément la rue en deux. Les religieuses ont réussi à la faire construire en 1677 pour éviter de rompre leurs vœux d'enfermement. Belle construction aux accents mudéjars.

🚶 *La cathédrale* (plan A2) : sur le *zócalo*. Appelée aussi *Notre-Dame-de-l'Annonciation,* elle a été édifiée au XVIe siècle. Allure massive et façade ocre d'un baroque indigène assez typique. À l'intérieur, plafond de bois sculpté.

🚶🚶🚶 *L'église Santo Domingo* (plan A1) : au bout de la calle 20 de Noviembre. Magnifique façade de style plateresque, chef-d'œuvre de dentelle de pierre. À l'intérieur, les murs sont recouverts de panneaux de bois sculpté doré, incrustés de peintures religieuses et de statues. Le couvent attenant a été abandonné par les dominicains en 1859, et après la Révolution il a servi de prison puis de bibliothèque.

🚶🚶 *L'église Notre-Dame-de-Guadalupe* (hors plan par B2, 70) : au bout de la rue du même nom, en haut d'un grand escalier ; en surplomb d'une jolie place bien tranquille. Elle présente peu d'intérêt d'un point de vue architectural, mais c'est un lieu de pèlerinage pour les habitants de la région. Sert de prétexte à une jolie promenade, avec en prime, un panorama exceptionnel sur la ville depuis le parvis de l'église.

🚶 *Le grand marché* (plan A-B1) : au nord du centre historique. Monter l'avenida General Utrilla. A lieu tous les jours. Y aller le matin de bonne heure. L'un des plus beaux du Mexique. Les Indiens y viennent pour vendre leurs fruits ou leurs fleurs. Comme au marché artisanal, ne pas prendre de photos sans autorisation : les réactions peuvent être assez hostiles ; de la part des Indiens, c'est le souci de préserver leur dignité dans une société qui les rejette.

🚶🚶 *Le musée de l'Ambre* (Museo del Ambar ; hors plan par A2, 71) : Diego de Mazariegos, au pied de l'église de la Merced. ● www.museodelambar.

com.mx ● Ouvert de 10 h à 14 h et de 16 h à 19 h. Fermé le lundi (sauf en haute saison). Entrée : 20 $Me (1,40 €). Installé dans un ancien couvent du XVIIIe siècle. L'idée de ce très beau musée est née pour sauver le couvent qui était en ruines. Les bénéfices servent à sa restauration. Grâce à une fiche explicative en français, vous saurez tout sur l'ambre. Et vous apprendrez à le différencier du plastique. Quelques trucs : sous la flamme d'un briquet, le véritable ambre brûle mais ne goutte pas. À la lumière des ultraviolets, il change de couleur. Très belle collection d'œuvres d'art ciselées dans l'ambre. On peut même observer au microscope un moustique vieux de plus de 25 millions d'années ! Petit film sur les techniques d'extraction (demander à voir la vidéo en français). Visite très intéressante. Lire aussi le paragraphe sur l'ambre dans la rubrique « Achats ».

🕴 *Le musée des Cultures populaires* (hors plan par A2, *72*) : Diego de Mazariegos, presque en face de l'église de la Merced. Ouvert du mardi au samedi de 9 h à 14 h et de 17 h à 20 h. Entrée symbolique. Présentation des costumes traditionnels des communautés indigènes du Chiapas (le costume est la marque d'appartenance à un village). À part ça, rien. Le néant ! On se demande ce que signifient les mots « culture populaire » pour le gouvernement de l'État du Chiapas.

🕴 *Museo del Jade* (plan A2, *73*) : av. 16 de Septiembre 16. ☎ 678-11-21. ● www.eljade.com ● Ouvert du lundi au samedi de 12 h à 21 h 30 et le dimanche de 10 h à 18 h. Entrée : 30 $Me (2,10 €). À l'intérieur d'une boutique. Petit musée privé consacré au jade et qui sert en fait de produit d'appel pour le magasin. Répliques de bijoux en jade des cultures mésoaméricaines. Reproduction (assez moche) de la tombe du roi Pacal de Palenque. Un peu cher tout de même.

🕴 *Centro Cultural de los Altos* (plan A1) : Lazaro Cardenas. ☎ 678-16-09. À l'intérieur de l'ex-couvent Santo Domingo. Ouvert du mardi au dimanche de 10 h à 17 h. Entrée : 33 $Me (2,30 €). Petit musée sur l'histoire maya. Mieux vaut lire l'espagnol.

🕴🕴 *Na Bolom* (hors plan par B1, *74*) : av. Vicente Guerrero 33. ☎ 678-14-18. ● www.nabolom.org ● Ouvert tous les jours de 10 h à 18 h (mais pas de visite guidée le lundi). Entrée : 35 $Me (2,80 €) plus 10 $Me pour la visite guidée (non obligatoire, mais recommandée). Celle-ci a lieu en espagnol à 11 h 30 et en espagnol et anglais à 16 h 30. Possibilité de loger ici et d'y venir dîner (voir « Où dormir ? »). L'association Na Bolom occupe une superbe demeure de la fin du XIXe siècle. Elle fut créée en 1951 par l'archéologue danois Franz Blom et par Gertrude Duby, Suisse nationalisée mexicaine, qui a consacré une partie de sa vie à la protection des Lacandons. Photographe, elle a pris des milliers de clichés de 1942 à 1987. Depuis sa mort, en 1993, *Na Bolom* poursuit sa mission de promotion de la culture des Lacandons et accueille chercheurs et ethnologues dans l'une des plus importantes bibliothèques sur l'histoire maya (plus de 9 000 livres). Collection d'objets d'art : figurines, instruments de musique... La bibliothèque est provisoirement fermée à la consultation.

Les gains de la fondation servent à des programmes d'aide à la communauté lacandone. Ils organisent aussi des excursions à San Juan Chamula.

🕴🕴 *Centro de Desarollo de la Medicina Maya* (Centre de médecine maya ; hors plan par A1, *75*) : av. Gonzalez Blanco 10, colonia Morelos. ☎ 678-54-38. Du grand marché, c'est à 10 mn à pied, tout droit vers le nord (on traverse un no man's land de semi-bidonvilles). Ouvert du lundi au vendredi de 10 h à 18 h et le week-end de 10 h à 16 h. Entrée : 20 $Me (1,40 €). On peut aller s'y faire soigner ou acheter des remèdes, et bien sûr visiter le musée. On y apprend la richesse et l'étendue de cette médecine millénaire. Jardin médicinal. Demander à lire le manuel explicatif en français, très pédagogique. Et ne manquez pas la vidéo sur l'accouchement, un document unique.

🕯 *Taller Leñateros (plan B2, 76) :* Flavio Paniagua 54. ☎ 678-51-74. Ouvert du lundi au vendredi de 10 h à 20 h et le samedi de 9 h à 14 h. Atelier d'artisans qui fabriquent du papier. Fondé par une Nord-Américaine. On peut visiter l'atelier dans l'arrière-boutique. La pâte à papier est fabriquée à partir de plantes séchées, des morceaux de tissu, des vieux papiers et des cartons... du vrai recyclage ! Ils publient des livres de poésie maya sous la même forme que les codex, ainsi que des cahiers et carnets de toutes tailles. Cartes postales et petites boîtes. Ça fait des cadeaux originaux et magnifiques – même s'ils coûtent bonbon...

🕯 Aller jeter un coup d'œil au *cimetière* : à 2 km, sur la route de Tuxtla-Gutiérrez. Ferme à 19 h. Pittoresque, coloré, étonnant par la variété des formes et styles des tombes.

Achats

Il y a pas mal de choses à rapporter de San Cristóbal. Sachez qu'une grande part de l'artisanat textile provient du Guatemala. Sinon, les cuirs (qui sentent le fauve pendant longtemps) et les ponchos courts sont caractéristiques du coin.

– Bien sûr, c'est aussi l'endroit tout indiqué pour acheter des souvenirs à l'effigie de Marcos et du mouvement zapatiste (poupées armées, T-shirts...).

– *L'ambre :* depuis la découverte d'un important gisement d'ambre situé près du petit village de Simojovel, le Chiapas est la seule région d'Amérique latine, avec la République dominicaine, où l'on peut extraire cette fameuse résine millénaire. L'ambre est en effet une résine végétale fossilisée (quand il brûle, il dégage une odeur d'encens). En Europe du Nord, autre zone de production, la résine est issue de diverses variétés de conifères ayant peuplé la terre voici 40 à 50 millions d'années. Au Chiapas, elle est issue de légumineuses. Dans certaines pièces d'ambre, on peut voir des insectes pétrifiés (certains, même, en pleine séance de galipettes !). Quant aux fameux scorpions incrustés dans l'ambre, en réalité il n'y en a que 5 ou 6 exemplaires dans le monde, et ils valent plus de 20 000 dollars pièce. L'ambre était déjà très apprécié à l'époque préhispanique et le Chiapas devait reverser comme tribut une partie de la production à la capitale de l'empire aztèque où les nobles l'utilisaient sous forme de bijoux. Aujourd'hui, les scientifiques s'y intéressent également beaucoup, car on y aurait trouvé l'un des ADN les plus anciens. L'ambre du Chiapas, l'un des plus beaux du monde selon les spécialistes, décline toute une gamme de couleurs : jaune, orangé, miel, marron, le plus recherché et le plus cher étant le rouge.

Pour acheter de l'ambre, parcourez les boutiques de la *calle Real de Guadalupe,* ainsi qu'aux abords du *marché.* N'achetez pas d'ambre dans la rue, il sera sûrement bidon. Vous pouvez aller au musée de l'Ambre, ils donnent toutes les astuces pour reconnaître le vrai du faux à tous les coups !

◈ *SNA Jolobil (plan A1, 80) :* coopérative de femmes mayas artisans, à l'intérieur du couvent Santo Domingo. ☎ 678-71-78. Entrée à gauche de l'église. Ouvert de 9 h à 14 h et de 16 h à 18 h. Fermé le dimanche. *Huipiles,* vêtements brodés, serviettes, tapisseries et poteries venant des villages avoisinants. Très cher mais de qualité. On est certain qu'il s'agit d'une production régionale et non guatémaltèque.

◈ *J'Pas Joloviletik (plan A1, 81) :* av. general Utrilla 43. ☎ 678-28-48. Ouvert du lundi au samedi de 9 h à 14 h et de 16 h à 19 h, et le dimanche matin. Coopérative de femmes d'origine tzotzil. Essentiellement des tissus et des broderies. Très belles pièces : nappes, *huipiles,* housses de coussins, *rebozos* (châles), sacs et ceintures...

⚜ **Casa de las Artesanías de Chiapas** *(plan A3, 82)* : Niños Heroes, à l'angle de Miguel Hidalgo (Andador). Ouvert du lundi au samedi de 10 h à 21 h et le dimanche matin. Magasin d'État pour la diffusion de l'artisanat du Chiapas. Mis à part les textiles, pas grand-chose de caractéristique. Mais vous y trouverez sûrement un souvenir à ramener à votre chef de bureau.

⚜ **Marché artisanal** *(plan A1, 83)* : sur le parvis de l'église Santo Domingo et à ses abords. C'est là que vous viendrez pour acheter vos souvenirs. Négocier ferme. Pour les objets du culte zapatiste, sachez que la cagoule en laine « made in Chiapas » est de moins en moins tendance. En revanche, les petites poupées de rebelles sont encore très *fashion*.

⚜ **Librairies :** on vous en cite deux. *Chilam Balam (plan A1, 84),* av. Utrilla 33, dans la superbe Casa Utrilla. ☎ 678-04-86. Ouvert tous les jours de 9 h à 20 h. Beaux livres – en anglais et espagnol – sur le Chiapas, la culture maya, les zapatistes. S'adresser à Gérard pour les balades à cheval dans les parages. *El Mono de Papel (plan A3, 85),* callejón Libertad, à côté de l'église. Petite librairie avec livres, journaux et revues, CD et posters, publications zapatistes et d'ONG.

Fêtes à San Cristóbal et dans les environs

– **24 juin :** fête à San Juan Chamula. Voir plus loin « Les villages tzotziles ».
– **25 juillet :** la grande fête annuelle de San Cristóbal (le saint patron des chauffeurs). La nuit, des pèlerins montent jusqu'à l'église en haut de la colline avec des torches.
– **28 août :** fête de la Sainte-Rose à San Juan Chamula. Environ 3 jours.
– **19 et 20 novembre :** fête de la Révolution. Elle prend une saveur toute particulière au Chiapas. Défilé des écoliers en costume zapatiste. Les gens mangent et boivent sous les arcades du *palacio municipal*.
– **12 décembre :** fête de Notre-Dame-de-Guadalupe. Les festivités commencent en fait déjà deux jours avant. La ville connaît alors une animation dingue : fête foraine, processions, feux d'artifice, pétards toute la nuit, etc. Programme à l'office de tourisme.

➤ DANS LES ENVIRONS DE SAN CRISTÓBAL

➤ **Balades à cheval :** il faut réserver la veille. En général, un départ le matin. On peut se renseigner à l'hôtel *Margarita,* à la *Posada Jovel* (voir « Où dormir ? ») ou à la librairie *Chilam Balam* (voir « Achats »).

🚶 **Le marché de San Juan Chamula :** voir plus bas « Les villages tzotziles ».

🚶 **Les grottes** *(grutas)* **:** la randonnée à cheval est super. Compter 4 h. Déconseillé à ceux qui n'ont pas des fesses de cavalier entraîné. Partez avec un guide (voir l'office de tourisme) et évitez les objets précieux ! On peut aussi y aller en bus (départ du terminal 2ᵉ classe).

LES VILLAGES TZOTZILES

San Cristóbal est dans une vallée boisée, mais où il fait parfois frais. Il y pleut pratiquement tous les soirs en été. N'oubliez donc pas votre imper lors de balades aux alentours. Les villages les plus touristiques sont *San Juan Chamula* (10 km au nord-est) et *Zinacantán* (même route).
– Compter une demi-journée pour visiter les deux villages.

– Il est interdit de photographier à l'intérieur de l'église ainsi que pendant les cérémonies et les fêtes religieuses (attention, on a vu des touristes mexicains se faire confisquer leur appareil photo ; à l'intérieur de l'église, rangez votre appareil). Par contre, pas de problème pour photographier le marché. Si vous prenez des plans rapprochés de personnes, demandez l'autorisation.
– Ne pas donner d'argent aux enfants qui mendient. En réalité les Chamulas vivent assez correctement, grâce à leurs terres mais aussi et bien sûr grâce à la manne touristique.
– Si vous souhaitez un guide, voir, à San Cristóbal, à la *Casa Na Bolom* ou à l'office de tourisme.

San Juan Chamula *(50 000 hab.)*

Pour y aller, prendre un minibus, après le marché sur la gauche *(hors plan par A1, 2),* Lázaro Cárdenas. On part quand il est plein. Dernier retour vers 18 h. On peut aussi y aller à cheval (balade magnifique). C'est un village qui a littéralement vendu son âme au tourisme ; au sens propre du terme puisque c'est en fait leur mysticisme et leurs croyances religieuses que les Chamulas enseignent aux visiteurs ; moyennant pesos bien entendu. L'ambiance du village pourra donc vous paraître factice, voire agressive. Sachez aussi que ces dernières années, plus de 30 000 Chamulas ont été expulsés de leur propre commune pour s'être opposés à la mainmise religieuse et politique des caciques du PRI.

La grande attraction ethnologico-touristique du coin, c'est bien sûr l'église. Arrivé à San Juan Chamula, il faut se rendre au bureau du tourisme (sur la droite quand on fait face à l'église) pour obtenir une autorisation de visite, moyennant 15 $Me (1,10 €). Conservez le ticket qui est aussi valable pour la visite du musée.

Les Tzotziles pratiquent leur propre religion, mais en se servant des instruments du culte catholique importé ici par les jésuites espagnols. Pas de bancs, des aiguilles de pin jonchent le sol. Ils vénèrent leurs propres dieux sous les traits des statues de saints baroques espagnols. Le Christ a été remplacé par San Juan portant dans ses bras un mouton, l'animal sacré des Tzotziles. Des miroirs fixés à leur cou servent aux fidèles à voir le reflet de leur âme. Dans un brouhaha incessant d'incantations et de prières, les dévots allument des bougies, fument, discutent ou jouent de la musique. Le fidèle psalmodie et communique avec le dieu en consommant du *posh*, une eau-de-vie à base de canne à sucre, un vrai tord-boyaux. En principe, il ne prend qu'une gorgée qu'il recrache aussitôt en soufflant pour évacuer les esprits maléfiques. Mais au passage, il en profite pour avaler un p'tit gorgeon. Ne vous étonnez donc pas si vous avez l'impression que certains fidèles sont ivres. Ce n'est pas qu'une impression. Depuis quelques années cependant, l'alcool traditionnel est fortement concurrencé par... Coca-Cola et Pepsi-Cola ! Ces sodas pétillants présentent un gros avantage : ils font roter ce qui permet d'extirper le mal encore plus rapidement. Presque de la concurrence déloyale ! Ne soyez donc pas surpris si vous voyez de vieilles Indiennes boire du Pepsi-Cola en priant.

🚶 *Museo etnográfico :* derrière la mairie. En principe, le ticket d'entrée pour l'église permet l'accès à ce petit musée construit en adobe, le matériau traditionnel des maisons mayas. Exemples de costumes, outils et ustensiles de la vie quotidienne et instruments de musique.

🚶🚶 *Le marché :* se tient le dimanche sur la grande place (sauf pendant le Carême, où il a lieu le vendredi). Très vivant et coloré. Du monde aussi. Y aller avant 9 h 30, car l'activité décline vite. Présence des caciques locaux en grand uniforme avec leur canne et leur chapeau aux turbans multicolores, copies conformes de la statue sur la place.

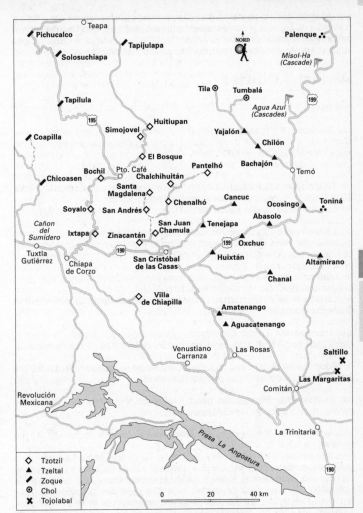

LES VILLAGES MAYAS

LE CHIAPAS

Zinacantán

Là aussi, il faut payer pour voir. Village moins fréquenté que San Juan. L'église y est beaucoup moins spectaculaire. En revanche, le petit musée ethnographique est assez intéressant. C'est aussi là que vous pourrez voir des femmes en train de tisser à la manière traditionnelle.

COMITÁN   105 200 hab.   IND. TÉL. : 963

À moins de 2 h de San Cristóbal, Comitán constitue une agréable étape près de la frontière guatémaltèque. Il fait bon se promener sur son large *zócalo* aux accents coloniaux, cerné de belles arcades aux piliers de bois. Sa vie culturelle, la clémence de ses températures (avec ses 1 600 m d'altitude, il fait quand même moins froid qu'à San Cristóbal en hiver) et la proximité des lagunes de Montebello en font une ville pleine d'attraits.

Arriver – Quitter

En bus

🚌 **Terminal 1re classe Cristóbal Colón** *(hors plan par A2, 3)* : bd Belisario Domínguez 43. ☎ 632-09-80. Depuis et pour le centre, prendre la calle 4 Sur Poniente. On peut y aller à pied si l'on n'est pas trop chargé. Consigne et agence *Banamex* avec distributeur de billets.

➤ **Liaison avec San Cristóbal :** 85 km. Une quinzaine de départs de 7 h à 20 h, environ toutes les heures le matin. Trajet : 1 h 30.
➤ **Liaison avec Tuxtla Gutiérrez :** 170 km. Mêmes bus que pour San Cristóbal. Trajet : 3 h 30.
➤ **Liaison avec Ocosingo (et Palenque) :** 88 km. Pratique, car ça évite de repasser par San Cristóbal. Départ de Comitán vers 13 h 50 et 21 h 15 (éviter ce dernier bus pour ne pas voyager de nuit). À Ocosingo, départs fréquents pour Palenque. Trajet : 2 h 15.
➤ **Liaison avec Mexico :** 3 départs dans l'après-midi et 1 bus le soir. Avec la luxueuse *ADO GL,* un départ vers 15 h. Trajet : 20 h.
➤ **Liaison avec Cuauhtémoc (frontière du Guatemala) :** 80 km. Environ 6 départs quotidiens. Trajet : 2 h.

🚌 **Transportes Tuxtla Gutiérrez** *(hors plan par A1, 4)* : bd Belisario Domínguez 90. Depuis le centre, prendre la calle 2 Norte Poniente.

➤ **Pour Tuxtla Gutiérrez :** départs toutes les 30 mn environ, de 4 h à 20 h. Attention, ils ne passent pas par San Cristóbal.

🚌 **Transportes Montebello** *(plan A2, 5)* : av. 2 Poniente Sur 23 (appelée aussi Victor Aranda). ☎ 632-08-75.

➤ **Liaison avec les lagunas de Montebello :** départs toutes les 20 mn environ, de 5 h à 17 h 30. Trajet : 1 h 30 à 2 h.
➤ **Liaison avec Palenque, via Las Nubes, Yaxchilán et Bonampak :** il y a quelques années, pour faciliter les déplacements de l'armée et surveiller l'immigration clandestine, la route qui longe la frontière guatémaltèque a été asphaltée. On peut donc désormais rejoindre Palenque par cette route, la fameuse Fronteriza, qui traverse la jungle lacandonne, et en profiter pour s'arrêter aux sites de Yaxchilán (demander l'arrêt à Frontera Corozal) et de Bonampak (demander l'arrêt au Crucero San Javier). Ce sont des minibus, les mêmes que pour Montebello. Environ 5 départs quotidiens dans la matinée. Trajet : environ 8 h pour Palenque.

Liaison avec le Guatemala

La frontière ferme vers 21 h. Côté mexicain, il faut d'abord s'arrêter au poste de Cuauhtémoc et faire tamponner son passeport pour la sortie. De là, des *colectivos* ou taxis vous conduiront au poste de La Mesilla. On s'acquitte d'un petit droit d'entrée (aux dernières nouvelles, 30 $Me – 2,10 € – pour 90 jours), puis il faut choper un bus pour Huehuetenango. Cette frontière est une vraie passoire : ça fourmille de commerçants et de locaux qui passent la barrière en toute quiétude, avec leurs sacs pleins de marchandise. Un bazar rigolo.

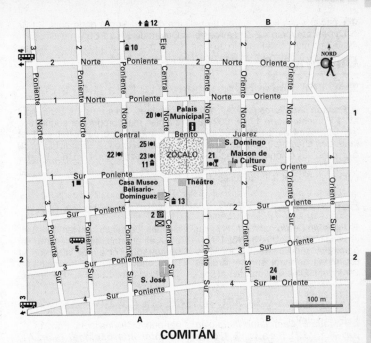

COMITÁN

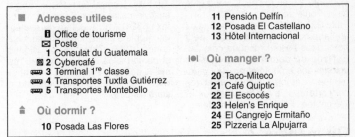

■ **Adresses utiles**

- **i** Office de tourisme
- ⊠ Poste
- 1 Consulat du Guatemala
- @ 2 Cybercafé
- 🚌 3 Terminal 1ʳᵉ classe
- 🚌 4 Transportes Tuxtla Gutiérrez
- 🚌 5 Transportes Montebello

🛏 **Où dormir ?**

- 10 Posada Las Flores

- 11 Pensión Delfín
- 12 Posada El Castellano
- 13 Hôtel Internacional

|●| **Où manger ?**

- 20 Taco-Miteco
- 21 Café Quiptic
- 22 El Escocés
- 23 Helen's Enrique
- 24 El Cangrejo Ermitaño
- 25 Pizzeria La Alpujarra

LE CHIAPAS

Une fois dans le bus, on traverse une région superbe et fertile (mangues, papayes, melons...). Vous venez de quitter le monde des Pullman 1ʳᵉ classe avec TV pour celui de bus déglingués, sans aucun confort.

Adresses utiles

i *Office de tourisme (plan B1) :* à droite du palais municipal, au n° 6. ☎ 632-40-47. Ouvert en principe tous les jours de 9 h à 19 h.

⊠ *Poste (plan A2) :* av. Central Sur 45 (entre calles 2 et 3 Sur). Ouvert en semaine de 9 h à 15 h.

■ *Banques :* autour du *zócalo,* distributeurs de billets. La *Bancomer* est ouverte du lundi au vendredi de 8 h 30 à 16 h et le samedi de 10 h à 14 h. Change les dollars.

■ *Consulat du Guatemala (plan A1, 1) :* 1 Sur Poniente 26, au coin avec Victor M. Aranda. ☎ 632-26-69. Ouvert du lundi au vendredi de

9 h à 17 h.
📧 *Cybercafé (plan A2, 2) :* à l'angle

de Central Sur et de la calle 2 Sur.
Ouvert de 9 h à 22 h.

Où dormir ?

Très bon marché : moins de 210 $Me (14,70 €)

🏠 *Posada Las Flores (plan A1, 10) :* av. 1 Poniente Norte 17. ☎ 632-33-34. Charmant petit hôtel très bien tenu. Les chambres donnent autour d'un patio aux colonnes bleues, avec une petite fontaine au milieu. Jolies portes en bois et toits de tuiles. Les chambres, avec ou sans *baño,* sont simples mais propres et souriantes, avec même une petite table et sa chaise. Au choix, 2 lits individuels ou un lit *matrimonial.* Une bonne adresse.

Bon marché : de 210 à 300 $Me (14,70 à 21 €)

🏠 *Pensión Delfín (plan A1, 11) :* sur le *zócalo.* ☎ 632-00-13. Hôtel sympathique, superbement placé. Les chambres donnent sur un jardinet verdoyant. Elles sont propres et spa-cieuses (certaines sont lambrissées, d'autres au mobilier vieillissant). Un bémol pour l'éclairage au néon et l'eau chaude parfois capricieuse. Très bien pour 1 ou 2 nuits. Parking.

Prix moyens : de 350 à 450 $Me (24,50 à 31,50 €)

🏠 *Posada El Castellano (hors plan par A1, 12) :* calle 3 Norte Poniente 12, entre l'av. Central et la av. 1 Poniente Norte. ☎ 632-33-47. Fax : 632-01-17. ● www.posadaelcastellano.com.mx ● Ravissant petit hôtel dans l'esprit rustique colonial. Enfilade de deux jolis patios avec colonnades en bois et plantes grimpantes. Chambres mignonnes et très confortables, avec ventilateur et TV câblée. Resto avec petit déjeu-ner-buffet tous les jours. Parking.
🏠 *Hôtel Internacional (plan A1, 13) :* av. Central Sur 16, à l'angle avec la calle 2 Sur Poniente. ☎ et fax : 632-01-10. À 200 m du *zócalo.* Immeuble d'angle construit dans les années 1960. Chambres classiques et confortables avec moquette. Les salles de bains sont peu à peu réno-vées. Sans charme mais bien tenu et sans histoire.

Où manger ?

Bon marché : moins de 70 $Me (5 €)

🍴 *Taco-Miteco (plan A1, 20) :* av. Central Norte 5. Ouvert jusqu'à 22 h. Resto populaire qui propose une *comida corrida* pas chère du tout et de bons plats locaux dont les photos sont épinglées aux murs.
🍴🍷 *Café Quiptic (plan B1, 21) :* sur le *zócalo,* à côté de l'église Santo Domingo. ☎ 632-40-70. Ouvert de 8 h 30 à 23 h. Sandwichs *(tortas),* salades et bons snacks pour trois fois rien, et dans un cadre assez classe. Extra pour sa terrasse installée sous d'imposantes arcades en pierre. On y boit du bon café en dégustant de savoureuses pâtisseries. Idéal aussi pour le petit déjeuner (plusieurs for-mules copieuses).
🍴 *El Escocés (plan A1, 22) :* av. Poniente Sur 7. ☎ 632-10-95. C'est le resto de l'hôtel *Real Balún Canán.* Ouvert de 7 h à 23 h. Atmosphère un peu désuète et cossue. Menu assez complet et bon marché pour le déjeu-ner. À la carte, on passe à des prix moyens. Bonnes viandes servies à toutes les sauces.

Prix moyens : de 70 à 150 $Me (5 à 10,50 €)

|●| *Helen's Enrique* (plan A1, 23) : sur le *zócalo*. ☎ 632-17-30. Terrasse sous les arcades, bien agréable aux beaux jours. La cuisine est correcte, mais seulement à la carte. Délicieuses eaux de fruits (aguas de fruta).

|●| *El Cangrejo Ermitaño* (plan B2, 24) : calle 4 Sur Oriente 22, au 1er étage. ☎ 703-88-15. Ouvert de 8 h à 17 h, donc surtout pour le déjeuner. Fermé le mardi. Un peu excentré, mais le détour vaut la peine pour ce resto spécialisé dans les poissons et les fruits de mer. Déco simple mais très bonne cuisine. Crevettes (camarones) grillées, à l'ail ou en cocktail. Goûtez aussi au *queso fundido con* *mariscos* : on dirait une délicieuse fondue aux fruits de mer. Patron accueillant et service aimable.

|●| *Pizzeria La Alpujarra* (plan A1, 25) : sur le *zócalo*. ☎ 632-20-00. Ouvert de 13 h 30 à 22 h 30. Excellentes pizzas servies avec de l'huile d'olive. Quatre tailles différentes, et on peut même choisir les ingrédients. Pâtes fraîches aux saveurs méditerranéennes. Et même des assiettes de charcuterie et de fromage accompagnées d'un exquis pain fait maison. Dommage qu'il n'y ait pas de vin pour accompagner tout ça (aucune vente d'alcool). Les prix doux consolent.

À voir

🕯 *Casa Museo Belisario-Domínguez* (plan A1) : av. Central Sur 35. Ouvert du lundi au samedi de 10 h à 18 h 45 et le dimanche de 9 h à 12 h 45. Entrée : 5 $Me. C'est la maison du grand héros de Comitán. Imaginez un peu ! À la fin du XIXe siècle, le jeune Belisario part faire ses études de médecine en France. De retour au pays, il sera le premier médecin de la ville, s'abstenant de faire payer les plus pauvres. Il devient sénateur du Chiapas et, dans un discours célèbre, il critique les exactions du nouveau président Huerta. Pas content du tout, ce dernier le fait assassiner en 1913. Depuis, la ville s'appelle officiellement Comitán Domínguez.
La visite est intéressante et rigolote. On voit la pharmacie, les instruments de médecine et des tas d'invitations officielles et de diplômes comme celui de la Faculté de Médecine de Paris (1889). La bibliothèque contient quelques beaux livres reliés de Voltaire et Montesquieu (en français, s'il vous plaît !).

🕯 *La Maison de la Culture et son petit musée archéologique* (plan B1) : à côté du café *Quiptic*. L'entrée se fait par la calle 1 Sur Oriente. Ouvert du mardi au dimanche de 10 h à 17 h. Entrée gratuite. Quelques pièces archéologiques en provenance des hauts plateaux du Chiapas et des sites mayas de Chinkultic et de Tenam Puente.

➤ DANS LES ENVIRONS DE COMITÁN

🕯 *Tenam Puente* : à 12 km de Comitán, en direction de Cuauhtémoc. Entrée : 25 $Me (1,75 €). Habitée entre les IVe et XIIIe siècles, cette cité marque une étape de transition entre la culture toltèque tardive et les Mayas. Entre les principaux monuments, on peut voir la grande pyramide orientée au sud-est.

LES LAGUNES DE MONTEBELLO IND. TÉL. : 963

À une soixantaine de kilomètres de Comitán et à 150 km de San Cristóbal. Dans la forêt se cachent plus d'une cinquantaine de petits lacs dont les eaux, toutes différentes selon leur situation, composent une extraordinaire palette de couleurs, du violet au vert émeraude. Rassurez-vous, on n'en voit réellement qu'une quinzaine. N'y aller que s'il fait beau, de préférence le matin à cause de la pluie l'après-midi (en saison). Et avec de bonnes chaussures. Beaucoup de marche à pied car les lacs sont assez éloignés les uns des autres.

Arriver – Quitter

➢ *De Comitán :* prendre un minibus au terminal *Transportes Montebello* (voir à Comitán la rubrique « Arriver - Quitter »). Attention, bien choisir votre *combi,* car une fois à l'intérieur du parc naturel, la route se divise en deux branches. Les minibus qui indiquent « Lagos » (lacs) prennent la route de gauche. Si vous souhaitez aller à Tziscao, il faut prendre la route de droite (appelée aussi la Fronteriza). Demander quels sont les minibus qui y vont. Le dernier *colectivo* quitte les lacs vers 17 h 30. Depuis Tziscao, on peut attraper le lendemain le minibus qui va à Palenque via Bonampak et Yaxchilán.

Où dormir ? Où manger ?

🛏 |●| *El Pino Feliz :* ☎ 102-10-89. Situé en dehors du parc national de Montebello, à 3 km avant l'entrée, le long de la route sur la gauche. En *combi,* demandez l'arrêt au chauffeur ; ils connaissent. Cette petite halte modeste, située au milieu des pins, est tenue par Bertha. Chambres doubles autour de 150 $Me (10,50 €) avec sanitaires communs, mais eau chaude. Literie correcte. Bonne ambiance tranquille et chaleureuse et cuisine familiale. Pour encore moins cher, demander une chambre à l'*Orquidea,* l'ancien hôtel créé par la mère de Bertha (un peu à l'abandon).

🛏 |●| *Hôtel et Cabañas Tziscao :* ☎ 633-52-44. Prendre un *combi* depuis Comitán jusqu'au village de Tziscao qui se trouve à l'intérieur du parc de Montebello. Puis, à pied, aller tout au bout du village, tourner à droite pour descendre vers le lac et continuer jusqu'au bout du chemin. Si vous voulez être sûr d'être tranquille, c'est là qu'il faut aller. Petit hôtel, au fond d'un adorable village plein d'enfants souriants et de porteuses d'eau, situé sur la rive du lac. Grandes chambres rudimentaires avec salle de bains (eau chaude) pour environ 250 $Me (17,50 €) ou bien de sympathiques bungalows en bois sous les pins, face au lac (300 $Me environ, soit 21 €). Resto sur place ou bien aller à l'entrée du village (une petite trotte quand même). Environnement magnifique.

🛏 |●| Si vous avez pris la route de gauche, il est aussi possible de dormir près du lac *Bosque Azul* : *cabañas* sans confort, on se lave dans le lac. On peut se sustenter à l'un des quelques étals rudimentaires qui bordent le parking.

🛏 |●| *Parador-Museo Santa María :* sur la route qui mène aux lacs de Montebello, à 13 km avant l'entrée du parc national. Prendre un embranchement sur la droite, c'est indiqué. ☎ 632-51-16. ● www.paradorsantamaria.com. mx ● Une somptueuse hacienda du XIXe siècle reconvertie en hôtel de luxe, magnifiquement décorée avec des œuvres d'art religieux. La chapelle a d'ailleurs été transformée en petit musée d'art sacré avec de superbes pièces de l'époque coloniale. Si vous êtes motorisé, n'hésitez pas à y faire un tour. Du resto, très chic évidemment, vue magnifique.

À voir

🚶🚶 *Les lacs :* mini-taxe pour accéder au parc national de Montebello. Après l'entrée du parc, la route se divise en deux branches.

– La branche de gauche, longue de 3 km, dessert les *lagunas de Colores,* aux jolies teintes, depuis le bleu tendre de la *laguna Agua Azul,* la plus lointaine, jusqu'au violet de la *laguna Agua Tinta,* en passant par le vert émeraude de la *laguna Esmeralda.* Au bout de cette branche, une grotte assez étonnante dans laquelle les Indiens pratiquent encore le culte de la fertilité (fleurs devant les stalagmites et papier rouge sur les stalactites). C'est la grotte de San José (voir plus loin).

– Par la branche de droite, vous atteindrez un autre groupe de lacs, plus espacés. La *laguna de Montebello,* à près de 4 km de la bifurcation sur la gauche, est comme enchâssée dans la forêt, à 1 485 m d'altitude (entrée payante pour les voitures). Ne manquez pas non plus de vous rendre jusqu'à **Dos Lagunas,** à 14 km (entrée payante pour les voitures). En prime, découvrez l'admirable *laguna Tziscao,* à droite, à 9,5 km, au pied de laquelle se trouve le village du même nom.

➤ À la belle saison, possibilité de faire des balades en radeau ou en kayak sur les lacs.

🍴 *La grotte de San José :* on y accède à partir de la *laguna Bosque Azul,* la dernière de la branche de gauche. C'est d'ailleurs le terminus du *combi.* Quelques maisons, un parking et des petits restos pour casser la graine. De jeunes enfants vous assailliront pour vous proposer de vous y accompagner, à pied (pour une poignée de pesos) ou à cheval. On peut aussi s'y rendre tout seul, mais pas de fléchage. Compter une vingtaine de minutes.
Tout au fond du parking, prendre un petit chemin qui descend. En bas du chemin, à 400 m des panneaux, vous passerez devant le très bel arc de pierre qui surplombe la rivière, *Paso del Soldado* ; le bruit de l'eau vous dirigera. Si vous continuez sur la droite après le croisement, vous atteindrez la célèbre grotte sauvage et sacrée de San José, à l'intérieur de laquelle se trouve un petit lac. Une lampe de poche et de bonnes chaussures sont nécessaires. Pour le retour, les *combis* passent régulièrement.

🍴 *Les ruines de Chinkultic :* à 60 km de Comitán, sur la route qui mène aux lacs de Montebello ; bifurcation sur la gauche à 10 km avant l'entrée du parc. Entrée : 32 $Me (2,30 €). Belles stèles. De là, le point de vue que l'on découvre est magnifique. On domine un *cenote,* puits naturel, aux parois abruptes.

TUXTLA GUTIÉRREZ   568 000 hab.   IND. TÉL. : 961

À 1 000 km de Mexico. On y passe en allant de Tehuantepec à San Cristóbal, mais on peut fort bien s'arranger pour n'y faire qu'un arrêt. La capitale de l'État du Chiapas est une ville moche et bruyante mais finalement pas si désagréable avec son côté provincial. À 550 m d'altitude, le climat est semitropical et il fait chaud, même en hiver durant la journée. C'est aussi la cité de la *marimba* (xylophone mexicain). Sachez que ce qu'il y a de mieux à faire, c'est la visite du *cañon del Sumidero* et, pour les amateurs, celle de l'intéressant zoo récemment rénové.

Arriver – Quitter

En bus

🚐 *Minibus reliant Chiapa de Corzo à Cañon del Sumidero* (plan A2, 1) : à l'angle de la calle 2 Oriente

Sur et la av. 2 Oriente Sur. ☎ 611-26-56 et 615-53-01.
🚐 *Omnibus de Chiapas* (plan B2,

2) : à l'angle de la calle 8 Oriente Sur et l'av. 3 Sur Oriente. ☎ 611-26-56 et 614-61-46. Vans *(Surburban)* confortables d'environ 8 places. Très pratique et rapide pour rejoindre San Cristóbal.

➤ *Liaison avec San Cristóbal de las Casas :* avec *Omnibus de Chiapas,* départs toutes les 20 mn de 5 h à 22 h. Trajet : 1 h 20.

🚌 **Terminal 1re classe** *(plan A1, 3) :* à l'angle de la calle 2 Poniente Norte et de l'av. 2 Norte Poniente. ☎ 612-51-22. Bus des compagnies *ADO* et *Cristóbal Colón (OCC).* Consigne.

➤ *Liaison avec San Cristóbal :* une quinzaine de départs de 5 h à minuit. Belle route de montagne. Choisir un siège du côté gauche. Trajet : 1 h 30 à 2 h.
➤ *Liaison avec Palenque :* 6 départs entre 5 h 30 et minuit. Trajet : 9 h.
➤ *Liaison avec Comitán :* 9 bus entre 5 h et 22 h. Également 3 bus de et pour *Cuauhtémoc* (la ville-frontière). Trajet : 4 h.
➤ *Liaison avec Tapachula* *(autre poste frontière pour le Guatemala) :* 10 départs entre 6 h et 23 h 30. Trajet : 9 h.
➤ *Liaison avec Oaxaca :* 3 départs quotidiens. Trajet : 10 h 30.
➤ *Liaison avec Veracruz :* 2 départs, vers 21 h et minuit. Trajet : 10 h.
➤ *Liaison avec Mexico :* 8 départs entre 18 h et minuit. Trajet : 17 h.

En avion

✈ **Aéroport Francisco Sarabia** *(Terán ; hors plan par A1) :* calzada E. Zapata, à 15 mn du centre. ☎ 671-53-11. Pas de bus pour l'aéroport. Prendre un taxi.

➤ *Liaison avec Mexico :* plusieurs vols par jour avec *Mexicana* et *Aviacsa.*
➤ *Liaison avec Oaxaca :* un vol quotidien avec *Click Mexicana.*
➤ *Liaison avec Villahermosa-Mérida-Cancún.*
➤ Également des vols pour **Tapachula.**

Adresses utiles

▤ *Office gouvernemental de tourisme* (SECTUR ; hors plan par A1) : bulevar Belisario Domínguez 950, dans le bâtiment Plaza de las Instituciones. ☎ 613-93-96 à 99. Ouvert du lundi au vendredi de 8 h à 20 h.
▤ *Office municipal de tourisme* (hors plan par A1) : av. Central Poniente 544, dans l'immeuble Balanci, 4ᵉ étage. ☎ 614-83-83 ; ext. 111 et 112. ● www.tuxtla.gob. mx ● Ouvert du lundi au vendredi de 8 h à 16 h et le samedi de 8 h à 13 h. En général, module d'information touristique au coin du *zócalo,* à l'angle de la calle Central et de l'av. Central *(plan A1).* Ouvert tous les jours de 9 h à 18 h.

✉ *Poste* (plan A1) : dans le *Palacio Federal.* Ouvert du lundi au vendredi de 9 h à 17 h et le samedi jusqu'à 13 h.
▪ *Change* : sur l'av. Central, autour du *zócalo,* nombreux distributeurs de billets. Pour le change des euros et des dollars, allez à *HSBC* ou à *Bancomer.*
▪ *Internet* (plan A1, 4) : calle 3 Oriente 114. Ouvert du dimanche au jeudi de 8 h 30 à 2 h du matin, le vendredi de 9 h à 18 h et le samedi de 7 h à 22 h. Gros centre sur 2 étages. Quelques ordis avec webcam. D'autres cybercafés un peu partout dans le centre.

TUXTLA GUTIÉRREZ

■ **Adresses utiles**

- 🛈 Offices de tourisme
- ✉ Poste
- 🚌 **1** Minibus pour Chiapa de Corzo
- 🚌 **2** Omnibus de Chiapas
- 🚌 **3** Terminal 1re classe
- 🖳 **4** Centre Internet

🏠 **Où dormir ?**

- **10** Hôtel La Posada
- **11** Hôtel Plaza Chiapas
- **12** Hôtel Jas

- **14** Hôtel Avenida
- **15** Hôtel San Marcos
- **16** Posada del Rey
- **17** Hôtel Maria Eugenia

🍽 **Où manger ?**

- **20** La Parrilla Norteña
- **21** La Casona
- **22** Las Pichanchas

🍽 **Où prendre le petit déjeuner ?**

- **17** Resto de l'hôtel Maria Eugenia

Où dormir ?

Spécial fauchés : de 100 à 150 $Me (7 à 10,50 €)

🏠 *Hôtel La Posada* (plan A2, 10) : av. 1 Sur Oriente 555. ☎ 612-15-79. | Hôtel sympa pour les budgets riquiqui, vraiment pas cher pour les chambres avec *baño* collectif. Les chambres donnent sur une cour où la pompe à eau et les rires des enfants (la vie de famille, quoi !) résonnent fortement. Mais c'est suf-fisamment propre pour y passer une nuit. En général, eau froide, mais il y a quelques chambres avec eau chaude (pas plus cher).

Très bon marché : moins de 210 $Me (14,70 €)

🛏 *Hôtel Plaza Chiapas* (plan A1, 11) : av. 2 Norte Oriente 299. ☎ 613-83-65. Bon rapport qualité-prix pour ces chambres avec douche (eau chaude) et ventilo. Propre, à défaut d'être folichon. Le coin est un peu bruyant. Parking.

Bon marché : de 210 à 300 $Me (14,70 à 21 €)

🛏 *Hôtel Jas* (plan A2, 12) : calle Central Sur 665. ☎ 612-15-54. Dans un quartier populaire et vivant. Bien tenu et assez propre. Chambres avec ventilo. Au choix, lit double ou 2 lits (plus cher). Eau chaude, TV et téléphone. Pas désagréable pour une nuit.

🛏 *Hôtel Avenida* (plan A1, 14) : av. Central Poniente 224. ☎ et fax : 612-08-07. Chambres très simples, avec douche, TV et ventilo. En demander une qui donne sur la cour, car l'ave-nue est très bruyante. Café et petit centre Internet en bas de l'hôtel.

🛏 *Hôtel San Marcos* (plan A1-2, 15) : à l'angle de l'avenida 1 Sur Oriente et de la calle 2 Oriente Sur. ☎ 613-19-40. Fax : 613-18-87. Très central, derrière la cathédrale. Immeuble moderne de 4 étages sans ascenseur. Chambres avec ventilo, TV et téléphone ; ou AC (mais beaucoup plus cher). Le plus avenant de cette rubrique mais aussi le plus cher.

Prix moyens : de 300 à 420 $Me (21 à 30 €)

🛏 *Posada del Rey* (plan A1, 16) : calle 1 Oriente Norte 310, à l'angle avec la 2 Norte Oriente. ☎ 612-29-24. Hôtel moderne dans un immeuble de 7 étages avec ascenseur. Chambres souriantes, mais les salles de bains auraient besoin d'une petite révision. En revanche, lits confortables. AC, téléphone, TV. Cafétéria en bas de l'hôtel.

Plus chic : à partir de 800 $Me (56 €)

Les hôtels de classe internationale (*Camino Real, Holiday Inn...*) se trouvent bulevar Belisario Domínguez, la grande route qui prolonge l'avenida Central vers l'ouest. Il reste, dans le centre-ville :

🛏 *Hôtel Maria Eugenia* (plan A1, 17) : av. Central Oriente 507. ☎ 613-37-67 à 71 ou 01-800-716-01-49 (n° gratuit). Fax : 613-28-60. ● www.mariaeugenia.com.mx ● Plus de 80 chambres claires avec balcon, certaines avec lit *king size*. Demandez-en une le plus haut possible. Tout le confort d'un 4-étoiles. Piscine. Resto frais et propret au rez-de-chaussée. Bar *El Nucú* avec musique *en vivo* le soir. Parking.

Où manger ?

Quelques restaurants derrière la cathédrale. Ce n'est pas de la gastronomie, mais l'endroit est agréable et l'on voit défiler le tout Tuxtla (houla !). Très bien aussi pour le petit dej' ou pour prendre un verre jusqu'à 23 h-minuit.

Bon marché : moins de 70 $Me (5 €)

|●| *La Parrilla Norteña (plan B2, 20) :* av. Central Oriente 1169, à l'angle de 11 Oriente Norte. ☎ 612-38-82. Ouvert de 7 h 30 à 5 h du matin. Très grande salle genre hangar, avec fresques murales (pas très réussies !) et ventilos au plafond. *Quesadillas* et *tacos al pastor* de bonne taille. Bœuf grillé ou en brochettes, excellent et copieux. Accueil souriant et détendu.

Prix moyens : de 70 à 150 $Me (5 à 10,50 €)

|●| *La Casona (plan A1, 21) :* av. 1 Sur Poniente 134. ☎ 612-75-34. Ouvert tous les jours de 7 h 30 à 22 h. Large carte de plats mexicains et de cuisine internationale. En pre-nant le menu du jour, on s'en sort autour de 65 $Me (4,60 €). Au son de la *marimba,* dans une belle maison ancienne. Sol en pierre et tables en bois. Atmosphère chaleureuse.

Chic : de 150 à 250 $Me (10,50 à 17,50 €)

|●| *Las Pichanchas (plan B2, 22) :* av. Central Oriente 837. ☎ 612-53-51. Ouvert de 8 h à minuit. Dans une cour, sous de drôles de toits de tuiles. Nombreuses spécialités mexicaines (goûter la *sopa de chipilín*). Mais les Mexicains y viennent surtout pour les joueurs de *marimba* pendant les repas. Et bien sûr pour les danses folkloriques qui ont lieu tous les soirs à partir de 21 h. Ambiance maracas et chemises à fleurs, donc. Mais une bonne adresse.

Où prendre le petit déjeuner ?

|●| *Resto de l'hôtel Maria Eugenia (plan A1, 17) :* voir « Où dormir ? ». Un copieux buffet servi pour le petit dej' entre 7 h et 12 h, autour de 85 $Me (6 €) ; un peu plus cher le week-end. Si vous y prenez un autre repas, évitez surtout les pizzas du style marshmallow et cuites au micro-ondes.

À voir

🍴 *Le zócalo et la cathédrale (plan A1) :* situés dans un secteur piéton agréable, surtout le soir. Ils sont le centre et le cœur de cette ville sans grand attrait. Des musiciens s'y produisent le dimanche soir. Les 48 clochetons de la cathédrale (curieuse bâtisse du XVIe siècle modernisée) carillonnent toutes les heures en même temps que défilent les statues de saints sur l'un des niveaux de l'édifice.

🍴 *Parque de la Marimba (hors plan par A1) :* en bordure de l'avenida Central Poniente, à 8 *cuadras* du centre. Des groupes de *marimbas* s'y produisent tous les jours, en général entre 18 h 30 et 21 h.

🍴🍴 *Le musée régional d'Anthropologie et d'Histoire (plan B1) :* à côté du théâtre de la ville. ☎ 612-04-59. Ouvert de 9 h à 16 h. Fermé le lundi. Entrée : 33 $Me (2,30 €). Sculptures, céramiques, figurines mayas, etc. Intéressante section maya. La section retraçant la conquête espagnole et l'Indépendance est quant à elle très passable.

🍴 *Le musée de Paléontologie (plan B1) :* en face du précédent. Ouvert en semaine de 10 h à 17 h et le week-end de 11 h à 17 h. Entrée : 10 $Me (0,70 €). Récent petit musée.

🎬 *Le zoo Miguel Alvarez del Toro* (*Zoomat ; hors plan par B2*) : calzada Cerro-Hueco, El Zapotal. ☎ 614-47-65 et 47-01. ● www.ihne.chiapas.gob. mx/zoomat/ ● Accessible par le périphérique sud. On peut prendre le minibus n° 60 qui indique « Zoológico » sur la 1 Oriente Sur, entre 7 et 8 Sur, mais le plus rapide est le taxi. Ouvert de 8 h 30 à 16 h (hiver) ou 17 h (été). Entrée : 20 \$Me (1,40 €). Gratuit si vous entrez avant 10 h, et le mardi toute la journée. Visites guidées payantes (pas cher) à 9 h, 10 h 30, 11 h 30 et 13 h. Durée : 2 h 30.

Zoo rouvert en 2003 après d'importants travaux de rénovation. C'est l'un des plus beaux du Mexique, centré sur la faune du Chiapas. Les animaux y sont en semi-captivité. C'est aussi une promenade très agréable sur un parcours de 2,5 km dans une mini-jungle. On y voit des tapirs, des lynx, des pumas et de beaux spécimens de crocodiles... et quelques animaux exceptionnels comme le jaguar noir ou le fameux quetzal (l'oiseau totem du Guatemala). Ne manquez pas la « Casa nocturna » qui est plongée dans l'obscurité pour pouvoir observer les oiseaux nocturnes. Dans les deux *herpetarios,* des serpents rares comme le boa du Chiapas ou le serpent volant *(serpiente voladora)* qui se déplace tellement rapidement de branche en branche qu'on croit qu'il vole. Et puis, levez les yeux vers la cime des arbres : vous apercevrez peut-être les singes hurleurs dont les cris retentissent dans la forêt.

➤ DANS LES ENVIRONS DE TUXTLA GUTIÉRREZ

LE CAÑON DEL SUMIDERO

➤ *Comment y aller :* prendre un minibus pour Chiapa de Corzo (voir à Tuxtla la rubrique « Arriver - Quitter »). Il vous laisse sur le *zócalo,* et de là, descendre vers les quais pour prendre la *lancha.* À noter qu'il existe un autre embarcadère, *Cahuare,* à l'entrée de Chiapa de Corzo, mais un peu plus cher et la balade est plus courte.

– *Infos pratiques :* la balade en bateau coûte 100 \$Me (7 €) par personne. Les *lanchas* ne partent que quand elles sont pleines (15 à 20 personnes), soit 20 à 30 mn d'attente selon les saisons. Premier départ vers 8 h 30 ou 9 h, dernier départ vers 16 h ou 17 h (été). Pour aller au parc écotouristique, compter autour de 300 \$Me (21 €) entre le transport en *lancha* et l'entrée du parc. Nombreux restos au niveau de l'embarcadère.

– Prévoir un protecteur solaire (le soleil tape très fort), une bouteille d'eau et un blouson léger si vous y allez en fin d'après-midi.

Le canyon est situé à une quinzaine de kilomètres de Tuxtla, sur la route de San Cristóbal. L'embarcadère principal se trouve dans le joli village de Chiapa de Corzo. Sur le *zócalo* de cette petite ville de 70 000 habitants, ne manquez surtout pas la magnifique fontaine du XVᵉ siècle, *La Pila,* de style mauresque. Puis on prend une *lancha* (grand bateau à moteur) pour une balade de 2 h sur le río Grijalva, entre les parois d'un impressionnant défilé (le fleuve se jette dans le golfe du Mexique au niveau de Villahermosa). La *lancha* va jusqu'au barrage puis revient à son point de départ (84 km au total). On se retrouve au fond d'une gigantesque faille qui atteint jusqu'à 1 000 m de hauteur. Impressionnant et beau spectacle ! Avant la construction du barrage et de l'usine hydro-électrique, les eaux étaient tumultueuses, alors qu'aujourd'hui la profondeur atteint 250 m d'eau par endroits.

Au cours de la balade, on admire, outre la végétation, une poignée de crocodiles gris endormis sur la rive, de nombreux oiseaux pêcheurs, la grotte du Silence (aucun écho à l'intérieur), celle des Couleurs, puis le fameux « Sapin de Noël », une paroi rocheuse érodée par une chute d'eau de 800 m et recouverte de mousse. Une merveille de la nature !

Il existe aussi un *parque ecoturístico* (même société que Xcaret dans le Yucatán) auquel on accède également en *lancha* : escalade, rappel, location de kayaks, tyrolienne, restos... Sans grand intérêt ! ● www.sumidero.com ●

LA CÔTE PACIFIQUE SUD

TEHUANTEPEC   50 000 hab.   IND. TÉL. : 971

Tehuantepec est le nom d'une ville mais surtout celui d'un isthme qui sépare l'Atlantique du Pacifique sur une distance de 225 km à vol d'oiseau. C'est une région plate et tropicale, mais venteuse. Encadrée de montagnes, la région constitue le point de rencontre de trois plaques tectoniques. Sur la route, la végétation (et les cheveux !) penche à l'ouest en raison du vent. Depuis l'aube des temps, les femmes de la région de Tehuantepec ont développé une société matriarcale originale au sein de laquelle elles ont un grand pouvoir, ce qui au pays du « machisme » mérite d'être souligné. Vêtues de la traditionnelle « tehuana » (ensemble brodé de fleurs) et les épaules couvertes d'un châle de couleur vive, elles sont aussi les gardiennes de la culture et des traditions locales.

La peintre Frida Kahlo fit de la *tehuana* son vêtement préféré, de grande portée symbolique. C'est elle qui, dans les années 1930 et avec son compagnon Diego Riveira, guida à Tehuantepec le poète surréaliste André Breton. En 1931, le cinéaste russe Sergueï Eiseinstein séjourna également à Tehuantepec où il tourna une scène (très belle) nommée « Sandunga » pour son film inachevé *Que Viva Mexico*.

Ville étape sur la route du Pacifique et du Chiapas, Tehuantepec est peu connue mais mérite par ses particularismes ethnographiques que l'on s'y intéresse.

UN PEU D'HISTOIRE

Le rêve d'un canal interocéanique

Sept ans à peine après la découverte de la mer du Sud (le Pacifique) par Balboa, le conquistador espagnol Angel Saavedra propose en 1520 de percer l'isthme de Tehuantepec pour y ouvrir un canal permettant aux navires de passer de l'Atlantique au Pacifique. En 1523, Hernán Cortés fait lever les plans de ce même isthme de Tehuantepec pour la construction d'un canal, mais l'empereur Charles Quint lui répond qu'il n'a pas découvert le Nouveau Monde pour soutirer de l'argent à l'Espagne, mais bien pour lui en rapporter ! L'idée du canal interocéanique de Tehuantepec est oubliée pendant plus de quatre siècles, au profit de Panama. Aujourd'hui, voilà que ce projet sort des tiroirs de l'histoire, sous forme de ligne ferroviaire géante capable d'acheminer des marchandises en conteneurs d'un océan à l'autre. Le gouvernement mexicain se montre hostile à l'idée de ce grand chantier – qu'il se fasse par voie d'eau ou par le rail – qui « risquerait » de couper le Mexique en deux (avec un Chiapas rebelle au sud !).

Arriver – Quitter

En bus

🚌 *Terminal de bus :* sur la droite à la sortie de la ville en direction de Juchitan.

➤ *De et pour Mexico :* 6 bus par jour avec *Cristóbal Colón*, ou *ADO GL*.

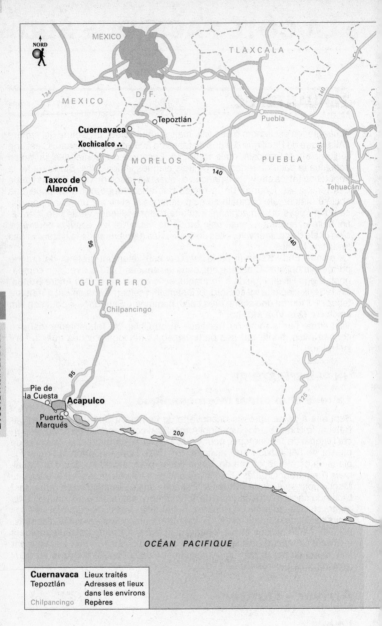

LA CÔTE PACIFIQUE SUD

NORD

MEXICO

TLAXCALA

134

MEXICO

D.F.

○ Tepoztlán

Cuernavaca ○

Puebla

Xochicalco ⛬

MORELOS

PUEBLA

140

150

Taxco de Alarcón ○

Tehuacán ○

95

140

140

GUERRERO

Chilpancingo

125

95

Pie de la Cuesta ○

Acapulco

Puerto ○ Marqués

200

OCÉAN PACIFIQUE

Cuernavaca	Lieux traités
Tepoztlán	Adresses et lieux dans les environs
Chilpancingo	Repères

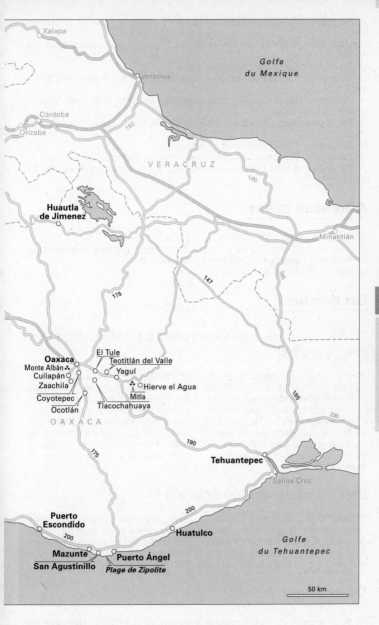

LA CÔTE PACIFIQUE SUD

➤ *De et pour Puebla :* 3 bus par jour en 1re classe et 1 bus en 2e classe. Environ 11 h de trajet.

➤ *De et pour Oaxaca :* une dizaine de bus 1re classe et 5 bus ordinaires. De 4 h à 5 h de trajet.

➤ *De et pour Huatulco :* 1 bus par jour.

➤ *De et pour Puerto Escondido :* 1 bus de nuit et 1 bus l'après-midi. Environ 5 h de trajet.

➤ *De et pour Puerto Ángel :* 1 bus avec *Cristóbal Colón* tôt le matin. Compter 4 h à 5 h de trajet.

➤ *De et pour San Cristóbal :* compter 7 h de trajet, mais changement à Tuxtla.

➤ *De et pour Tuxtla Gutiérrez :* 2 bus par jour.

➤ *De et pour Veracruz :* 2 bus (matinée, soirée). Compter 8 h de trajet.

➤ *De et pour Salina Cruz :* bus avec *ADO,* toute la journée. Arrêt près du *zócalo.*

Adresses utiles

✉ *Poste :* sur le *zócalo.* Ouvert du lundi au vendredi de 8 h à 15 h.

■ Plusieurs *banques (Banamex)* et distributeurs de billets sur la place centrale.

🖳 Quelques *centres Internet* près de la place.

Où dormir ?

De bon marché à prix moyens : de 210 à 300 $Me (14,70 à 21 €)

🛏 *Hôtel Oasis :* Ocampo 8, à une *cuadra* du *zócalo.* ☎ 715-00-08. Hôtel bien situé et bien tenu. Chambres correctes, avec bains, moustiquaire, ventilo ou AC et TV. Elles sont au rez-de-chaussée ou en étage, accessibles par une galerie extérieure. Resto, cafétéria et parking.

🛏 *Hôtel Donaji :* av. Juárez 10. ☎ 715-00-64. ● hoteldonaji@hotmail. com ● Autour d'un patio, chambres sans prétention mais propres, avec salle de bains, ventilo ou AC, TV couleur. Petite piscine. Éviter les chambres côté rue, parfois bruyante le matin. Plus confortable et un poil plus cher que le précédent. Accueil sympa.

Chic : à partir de 700 $Me (49 €)

🛏 *Hôtel Calli :* carretera Cristóbal Colón 790 (sur la gauche à la sortie de la ville vers Juchitan). ☎ 715-00-85. Construction moderne de 2 étages, autour d'un vaste jardin tropical avec une belle piscine. Chambres confortables avec salle de bains, TV câblée, AC et moustiquaires aux fenêtres. Accueil et service aimables. Bon petit déjeuner. Resto, parking.

Où manger ?

🍽 Pour manger très bon marché, allez au 1er étage des *halles couvertes,* à côté du *zócalo.*

🍽 *Restaurant Scaru :* callejon Leona Vicari 4, proche de l'hôtel *Donaji.* ☎ 715-06-46. Ouvert tous les jours de 8 h à 23 h. Repas à partir de 60 $Me (4,50 €). Dans une maison coloniale du XVIIIe siècle, décorée de belles fresques murales. Patio cou-

vert d'une *palata*. Cuisine tradition- | et avenant. Bons petits dej'. Ce serait
nelle, plats copieux, service efficace | la meilleure table de la ville.

À voir

🦎 *Le marché aux iguanes :* surtout de mars à avril, entre 9 h et 13 h environ, sur la voie ferrée le long du marché couvert.

🦎 *Le marché de l'or :* à l'intérieur du marché couvert.

Fêtes

– La plus importante se déroule le 26 décembre. Les femmes revêtent alors
des tenues superbes, jupes et *huipiles* brodés. Couleurs magnifiques. Riches
parures de bijoux en or et argent.
– Nombreuses fêtes au cours de l'année, qui sont souvent prétexte aux
fameuses *tiradas de frutas,* au cours desquelles les femmes lancent des
fruits sur les hommes et les enfants.

OAXACA (prononcer « oaraca ») 500 000 hab. IND. TÉL. : 951

À 500 km au sud-est de Mexico, la capitale de l'État d'Oaxaca s'étire dans une
vallée perchée à 1 500 m d'altitude, encadrée de montagnes. Son centre historique, inscrit au Patrimoine culturel de l'Humanité depuis 1987, est un remarquable exemple d'architecture coloniale espagnole. La *cantera,* pierre verte
typique de la région, donne un cachet particulier aux monuments et aux édifices
religieux érigés par les dominicains. Oaxaca est une ville pleine de charme, où
il fait bon flâner dans les rues piétonnes bordées de maisons basses aux façades peintes de couleur vive. Derrière chaque porte, l'œil curieux entrevoit un
patio fleuri, des arcades imposantes, un cloître paisible ou une fontaine rieuse.
Ajoutez à cela qu'Oaxaca est aussi le berceau d'une des plus anciennes
civilisations préhispaniques, la civilisation zapotèque, qu'elle compte deux
sites archéologiques magnifiques, et vous comprendrez pourquoi les touristes adorent cette halte tranquille. N'hésitez pas à consacrer plusieurs jours à
la découverte de son patrimoine, en profitant de la douceur du climat. Au fait,
n'oubliez pas que vous êtes au pays du mezcal.

UN PEU D'HISTOIRE

En 1529, Hernán Cortés fut nommé par la Couronne espagnole *marqués del
Valle de Oaxaca.* Mais il choisit Cuernavaca comme lieu de résidence et ne
mit jamais les pieds à Oaxaca, l'ingrat ! La région a donné au Mexique deux
présidents de la République : l'Indien Benito Juárez, représentant des indigènes et protagoniste de la Réforme, et le dictateur Porfirio Díaz (voir la
rubrique « Personnages » dans les « Généralités »).

Adresses utiles

Infos touristiques, représentations diplomatiques

🛈 *Office de tourisme gouverne-* | l'angle des rues García Vigil et Inde-
mental (SEDETUR ; plan A2, 2) : à | pendencia, en face du jardin de l'Ala-

meda. ☎ 516-01-23. Hôtesses compétentes et efficaces. Autre adresse : calle Murguia 206 *(plan B2, 3)*. ☎ 514-05-73, • www.gobiernodeoaxaca.gob.mx • Ouvert tous les jours de 8 h à 20 h, dimanche inclus. Plan de ville, calendrier des festivités. Infos sur le *programme Yu'u* (voir « Où dormir dans les environs ? »). Ont en projet de déménager avenida Juárez 703, mais rien de sûr encore.

🅱 **Office de tourisme municipal** *(plan A1) :* García Vigil 517. ☎ 514-66-44. Fax : 514-65-50. • www.oaxacainfo.gob.mx • Près du couvent Santo Domingo. Ouvert du lundi au vendredi de 9 h à 15 h et de 16 h à 20 h. Pauvre et mal documenté.

Adresse presque inutile.

■ *Centre de protection du touriste (CEPROTUR) :* dans le bâtiment de *SEDETUR (plan B2, 3)*, calle Murguia 206. ☎ 514-21-55. Ouvert tous les jours de 8 h à 21 h. Pour tout problème de vol, perte de papiers, agression...

■ *Alliance française (plan A2, 7) :* av. Morelos 306. ☎ et fax : 516-39-34. Ouvert du lundi au vendredi de 9 h à 13 h et de 16 h à 20 h. Revues françaises, expos, vidéo-club et évidemment cours de français.

■ *Consulat canadien :* Pino Suárez 700, local 11 B. ☎ 513-37-77.

■ *Consul honoraire de France :* 3

■ Adresses utiles

🅱 **2** Office de tourisme gouvernemental (SEDETUR)
   3 Centre de protection du touriste (CEPROTUR)
✉ Poste
✈ Aéroport
🚌 **4** Terminal de bus 1ʳᵉ classe
🚌 **5** Terminal de bus 2ᵉ classe
   6 Ticket Bus
   7 Alliance française
▨ **8** Mega Plaza
▨ **9** Mega Plaza
▨ **10** Punto.com
  11 Banamex
  12 Bancomer
  13 Agence de voyages Micsa et Ticket Bus
  14 El Rincón del Libro
  15 Expediciones Sierra Norte
  16 Hertz
  17 Budget
  18 Clínica Portirita
  19 Laverie Azteca
  20 Mexicana et Aerocaribe
  21 Aeromexico
  22 Aerotucán
  23 Clínica hospital Carmen doctores Tenario

🛏 **Où dormir ?**

  30 AJ Magic Hostel
  31 Hostel Luz de Luna-Nuyoo
  32 Youth Hostel Plata-Gelatina
  33 AJ Hostal Santa Isabel
  34 Hôtel El Refugio
  35 Hostal Fernanda
  36 Hôtel Lupita
  37 Hôtel Posada Chocolate
  38 Hôtel La Cabaña
  39 Posada Margarita
  40 Posada del Carmen
  41 Posada El Chapulín
  42 Hôtel Emperador
  43 Hôtel El Pasaje
  44 Hôtel Trebol
  45 Hôtel Principal
  46 Hôtel Antonio
  47 Hôtel Valle de Oaxaca
  48 Hôtel Las Golondrinas
  49 Hôtel Mesón del Rey
  50 Hôtel Real de Antequera
  51 Hôtel Oaxacalli
  52 Hôtel Francia
  53 Hôtel Marqués del Valle
  54 Ex Convento San Pablo
  55 Casa Conzatti
  56 Paulina Youth Hostel
  57 Hôtel Aurora
  58 Chambres d'hôtes Las Mariposas

🍴 **Où manger ?**

  70 Mercado 20 de Noviembre et mercado Juárez
  71 Tito's
  72 Café-restaurant Alex
  73 Tizón - Mixtacos
  74 Hippocampo's
  75 La Flor de Loto
  76 Casa Elpidia
  77 La Biznaga
  78 María Bonita
  79 Marisquerias La Red
  80 Gaia
  81 Pizza Nostrana
  82 Kyoto
  83 La Casa de la Abuela
  84 Café-bar El Jardín et El Asador Vasco
  85 Como Agua pa' Chocolate
  86 Hostería de Alcalá
  87 Restaurant Zandunga
  88 Restaurante del Hotel Camino Real
  89 El Escapulario

🍴 **Pour les sucrés**

  38 La Soledad
 100 La Luna
 101 Pastelería Bamby
 102 Tartamiel
 103 Pastelería La Vasconía
 104 Chocolate Mayordomo

🍷🎵🎵 **Où boire un verre ? Où sortir ?**

 110 Decano
 111 La Nueva Babel
 112 Fandango
 113 Hipótesis Café
 114 La Casa del Mezcal
 115 La Tentación
 116 Candela

🍴◉■ **À voir. Artisanat. Culture**

  88 Hôtel Camino Real
 130 Iglesia San Felipe Meri
 131 Instituto de Arte gráfico
 132 Cerro del Fortín
 133 Grand marché du samedi
 134 Mercado de Artesanías
 135 Artesanías e Industrias Populares (ARIPO)
 136 Mujeres Artesanías de las Regiones de Oaxaca (MARO)
 137 Casa de las Artesanías
 138 La Cava
 139 Arte Popular - Fonart
 140 Teatro Alcalá
 141 Centro cultural Ricardo Flores Magón
 142 Tienda del Papel de Oaxaca

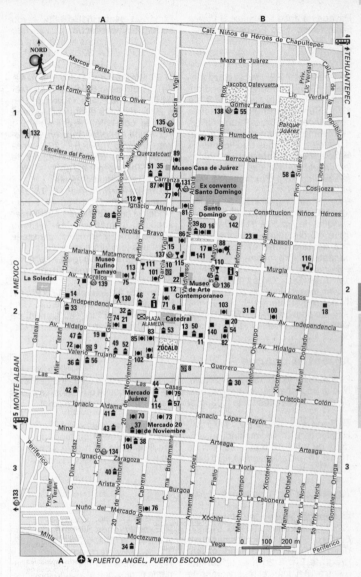

OAXACA

Privada de Jose L. Alavez, 5 Planta Baja, Fracc. San Felipe del Agua. | ☎ 515-21-84 ou 513-16-88. • rob san@prodigy.net.mx •

Services

⊠ **Poste** *(plan A2)* : sur la plaza Alameda. Ouvert du lundi au vendredi de 8 h à 19 h et le samedi de 9 h à 13 h. Superbes photos colorisées des années 1950 de Raoul Yañez, représentant les femmes de la région dans leurs costumes traditionnels.

@ **Téléphone et Internet** : ici, toutes les *casetas telefónicas de larga distancia* disposent d'ordinateurs avec accès Internet.

– *Mega Plaza (plan B2, 8)* : Guerrero 100, près du *zócalo.* Ouvert tous les jours de 7 h 30 à 21 h. Une vingtaine d'ordinateurs, plusieurs cabines de téléphone et consigne à bagages. Cadre moche.

– *Mega Plaza (plan A2, 9)* : à l'angle des rues Diáz Ordaz et Trujano. Ouvert tous les jours de 8 h à 21 h 30. Téléphone et Internet.

– *Punto.com (plan A2, 10)* : Garcia Vigil 212. Ouvert du lundi au samedi de 8 h à 20 h.

■ **El Rincón del Libro** *(plan A2, 14)* : jardín de la Soledad 1. ☎ 516-44-08. Face à l'église. Ouvert de 10 h à 20 h, du lundi au samedi. Bonne librairie, coin cafétéria et Internet.

■ **Clinica hospital Carmen, doctores Tenario** *(plan B2, 23)* : Abasolo 215. Le docteur Horacio de Jesus Tenario parle l'anglais. Personnel compétent et gentil.

■ **Clinica Portirita** *(plan B2, 18)* : av. Morelos 1308. ☎ 516-58-45. La clinique est ouverte 24 h/24. En dernier secours, le médecin María-Elena Molina parle le français, mais elle n'est pas toujours disponible.

■ **Consigne à bagages** : de nombreux centres Internet offrent cette possibilité.

■ **Laverie Azteca** *(plan A2, 19)* : av. Hidalgo 404B (à l'angle de J.P. Garcia). Ouvert du lundi au samedi de 8 h à 20 h. Prix en fonction du poids. Rapide.

Argent et change

Plusieurs banques autour du *zócalo,* qui disposent toutes de distributeurs de billets. Pour changer au guichet, beaucoup plus de queue que dans les *casas de cambio* (ouvertes toute la journée dans les rues autour du *zócalo*).

■ **Banamex** *(plan B2, 11)* : av. Hidalgo 821. Ouvert du lundi au vendredi de 9 h à 16 h et le samedi de 10 h à 14 h. *Cajero automático* dans 5 de Mayo.

■ **Bancomer** *(plan A2, 12)* : García Vigil 105. Ouvert du lundi au vendredi de 9 h à 16 h et le samedi de 10 h à 14 h.

Agences de voyages, transports

■ **Agence de voyages Micsa** *(plan B2, 13)* : Valdivieso 106. ☎ 516-27-00. Fax : 516-74-75. • micsavjs@prodigy.net.mx • Ouvert du lundi au vendredi de 9 h à 20 h et le samedi jusqu'à 19 h. Infos et réservations de vols. Attenante au local de l'agence, une antenne de *Ticket Bus.*

■ **Tierraventura Turismo** : Abasolo 217. ☎ 501-13-63. • www.tierraventura.com • Ouvert du lundi au vendredi de 10 h à 16 h. Spécialisée en écotourisme. Excursions en petits groupes. Randos à pied, à

cheval ou à vélo.

■ **Expediciones Sierra Norte** *(plan A2, 15)* : N. Bravo 210. ☎ 514-82-71. • www.sierranorte.org.mx • Agence sérieuse pratiquant un tourisme écologique et alternatif respectueux de la nature et des cultures indigènes. Excursions, service de guides, réservations de logements dans les communautés indiennes de la région d'Oaxaca.

■ **Ticket Bus** *(vente de billets de bus 1ʳᵉ classe ; plan A-B2, 6)* : calle Valdivieso 2 (derrière la cathédrale).

☎ 515-12-48. N° gratuit pour réservations et infos : ☎ 01-800-702-80-00. ● www.ticketbus.com.mx ● Ouvert du lundi au samedi de 8 h à 22 h et le dimanche de 8 h à 21 h. Autre point de vente à côté de l'agence de voyages *Micsa* (voir plus haut). Super pratique. On peut acheter les billets de bus du terminal de 1re classe et donc réserver à l'avance, ce qui est vivement recommandé en période de fêtes. Toutes les compagnies de 1re classe sont représentées. De plus, on a l'avantage de disposer de tous les horaires en même temps.

■ *Hertz* (plan B2, 16) : Labastida 115, dans la cour d'accès à la *Posada Margarita*. ☎ 516-24-34. À l'aéroport, ☎ et fax : 511-54-78. ● www.hertz.com.mx ● Ouvert de 8 h à 13 h et de 16 h à 19 h.

■ *Budget* (plan B2, 17) : 5 de Mayo 315, juste en face de l'hôtel *Camino Real*. ☎ 516-44-45. Fax : 513-16-38. Ouvert de 8 h à 13 h et de 16 h à 19 h.

Où dormir ?

En été, durant les fêtes de Noël et pendant la Semaine Sainte, beaucoup de touristes : pensez à réserver votre hébergement. Arriver plutôt en fin de matinée, car pour trouver une chambre après 16 h, c'est la galère. On indique donc un maximum d'adresses. La saison la plus chère à Oaxaca s'étend du 15 juillet au 15 septembre et fin décembre, lors de la période de Noël. Mieux vaut alors réserver pour les hôtels de la catégorie « Prix moyens » et au-delà.

Très bon marché : moins de 210 $Me (14,70 €)

La plupart des hôtels très bon marché se trouvent dans la partie sud-ouest de la ville, à quelques *cuadras* du *zócalo* et autour du *mercado 20 de Noviembre*. Ils sont dans l'ensemble simples et propres, mais souvent un peu bruyants, vu l'animation et la circulation dans le quartier. On trouve aussi plusieurs auberges de jeunesse.

Aire pour les camping-cars

⚏ *Oaxaca Trailer Park* (hors plan par B1) : Violetas 800, à l'angle de Heroica Escuela Naval Militar, colonia Reforma. ☎ 515-03-76. Au nord de la ville, à 3 km du centre. Pour s'y rendre, bus « Volcanes » du centre-ville. Ouvert toute l'année. Correct mais assez cher : tente à 100 $Me (7 €), camping-car à 200 $Me (14 €). Sol dur et non en terre. Possibilité de laver son linge. Douches chaudes.

Auberges de jeunesse et hôtels économiques

🛏 *Paulina Youth Hostel* (plan A2, 56) : Trujano 321. ☎ 951-516-20-05. ● www.paulinahostel.com ● Lit à 125 $Me (8,50 €), chambre double à 300 $Me (21 €), petit déjeuner inclus. Une auberge de jeunesse spacieuse (sans doute la plus moderne, la plus grande) et très bien aménagée, autour d'un patio intérieur où glouglioute une fontaine. Sanitaires collectifs très propres. Casiers pour les sacs, Internet, mais pas de laverie.

🛏 *Hostel Luz de Luna-Nuyoo* (plan B2, 31) : av. Juárez 101. ☎ 516-95-76. ● www.geocities.com/luznuyoo ● Demander Juan Carlos, qui parle le français. Trois dortoirs pour filles et deux pour garçons dans une maison toute peinte de jaune et de bleu. Chaque dortoir dispose d'un lavabo et de toilettes. Douches communes. Possibilité de dormir dans des hamacs autour de la fontaine du patio ou dans deux petits cabanons (2 personnes) sur le toit. Location de vélos, cuisine collective, laverie gratuite, casiers métalliques fermés pour les sacs, excursions écotouristiques et mur d'escalade.

▪ *AJ Magic Hostel* (plan B3, **30**) : Fiallo 305 ; à deux *cuadras* du *zócalo*. ☎ 516-76-67. ● www.magic hostel.com.mx ● Lit en dortoirs de 6, 10 et 14 personnes à 70 $Me (4,90 €) et quelques chambres de 4 personnes, réparties autour de deux petits patios, dans une ancienne maison coloniale. *Baños* communs sous les étoiles (ou sous le soleil). Coin cuisine. Service de laverie. Location de films (sur TV). Accès Internet payant. Terrasse sur le toit avec des hamacs. Ambiance décontractée et cosmopolite.

▪ *Youth Hostel Plata-Gelatina* (plan A2, **32**) : av. Independencia 504. ☎ 514-93-91. Lit à 70 $Me (4,90 €). Deux dortoirs vétustes et 4 chambres de 2, 3 ou 4 lits. Dans une maison relax et sympa, où tout se passe à la bonne franquette. Petit coin cuisine, Internet, ping-pong, billard, petite terrasse avec hamacs.

▪ *AJ Hostal Santa Isabel* (plan A2, **33**) : Mier y Terán 103, à l'angle d'Independencia, en contrebas de l'église de La Soledad. ☎ 514-28-65. Lits en dortoir très corrects pour le prix ou chambres doubles très ordinaires mais suffisantes. Sanitaires propres et rénovés. Casiers avec cadenas. Location de vélos, Internet. Sert le petit déjeuner.

▪ *Hôtel Posada Chocolate* (plan A3, **37**) : Mina 212. ☎ 516-38-07. Une adresse originale, qui ravira les amateurs du *chocolate*. En effet, la *posada* est installée au-dessus de l'atelier-magasin où l'on fabrique le chocolat selon la tradition locale (voir plus loin « Pour les sucrés »). Vendu en vrac ou en paquet, il se déguste dans le patio. Petites chambres sur deux étages, certaines avec TV. Douches et toilettes communes. Terrasse sur le toit, avec vue sur la ville.

▪ *Hostal Fernanda* (plan A1, **35**) : Jesus Carranza 112. ☎ 516-21-04. ● www.hostalfernanda.com ● Ambiance familiale pour cette charmante et paisible maison à deux pas de Santo Domingo. Petits dortoirs de 2 à 8 lits, impeccables. Petit dej' (inclus) servi dans le patio. Petits prix et accueil très sympa.

▪ *Hôtel La Cabaña* (plan A3, **38**) : Mina 203. ☎ 516-59-18. Situé dans la rue des boutiques de chocolat. Chambres avec ou sans *baño*, à 1 ou 2 lits, propres mais sans fenêtre. Douches sur le palier.

De bon marché à prix moyens : de 210 à 300 $Me (14,70 à 21 €)

▪ *Hôtel Lupita* (plan A2, **36**) : Díaz Ordaz 314. ☎ 516-57-33. Hôtel bien tenu, qui propose des chambrettes simples mais en bon état et récemment repeintes. Une partie d'entre elles disposent d'une TV et d'une petite salle de bains toute neuve, les autres d'un lavabo.

▪ *Posada Margarita* (plan B2, **39**) : plazuela Labastida 115. ☎ 516-28-02. Bien située et calme, près de l'église Santo Domingo. Petite pension nichée tout au fond d'une jolie cour où sont installées des galeries d'artisanat. La plupart des chambres ont leur salle de bains ; trois autres moins chères, tout en haut de la *posada,* se partagent la salle d'eau sur le palier. Eau chaude toute la journée. Accès Internet. En saison, il est prudent de réserver.

▪ *Posada del Carmen* (plan A3, **40**) : 20 de Noviembre 712. ☎ 516-17-79. Dans le quartier du marché. Chambres sans fenêtre mais avec ventilateur et salle de bains, distribuées sur plusieurs étages autour du patio. Propreté irrégulière. Personnel gentil, possibilité de laisser ses bagages.

▪ *Hôtel El Refugio* (plan A3, **34**) : Miguel Cabrera 604. ☎ 514-27-18. Un peu plus loin du centre. *Posada* aux couleurs vives, propre et accueillante. Chambres disposées autour d'une longue cour intérieure. Douches et toilettes communes pour celles du bas, très bon marché.

À l'étage, les chambres ont une salle de bains individuelle (2 fois plus chères) et un ventilateur.

🛏 *Posada El Chapulín* (plan A3, 41) : Aldama 317. ☎ 516-16-46. • hotelchapulin@hotmail.com • Proche du mercado 20 de Noviembre, mais calme. La famille qui tient cette petite *posada* mériterait la palme d'or de la gentillesse. D'ailleurs, les murs de l'entrée en témoignent ! Une petite dizaine de chambres, coquettes et très propres, avec salle de bains, TV et ventilo. Accueil chaleureux. Accès Internet. Coin cuisine et laverie. Terrasse avec vue sur Monte Albán à l'horizon.

🛏 *Hôtel Emperador* (plan A3, 42) : Díaz Ordaz 408. ☎ 516-30-89. Chambres rudimentaires pour 1 à 6 personnes, dont les prix varient selon la capacité. Elles longent un grand hall couvert et assez sombre, un peu bruyant quand il y a du monde. Les salles de bains sont minuscules. Propre. Accueil sympa. On peut laisser ses bagages à la réception.

🛏 *Hôtel El Pasaje* (plan A3, 43) : Mina 302. ☎ 516-42-13. Bonne maison sérieuse avec une cour ouverte agrémentée de plantes. Petites chambres simples mais bien propres, certaines donnant sur la rue. Eau chaude 24 h/24 et TV.

Prix moyens : de 300 à 550 $Me (21 à 39 €)

🛏 *Hôtel Aurora* (plan A3, 57) : Bustamante 212. ☎ 516-41-45. Central, proche du *zócalo*, cet hôtel à la façade ancienne cache un intérieur moderne, fonctionnel et calme, avec des chambres carrelées et coquettes (douche-w.-c.) dans un bâtiment en ciment situé à l'arrière. Bon accueil et rapport qualité-prix convenable pour l'emplacement.

🛏 *Chambres d'hôtes Las Mariposas* (plan B1, 58) : Pino Suarez 517. ☎ et fax : 515-58-54. • www.mexonline.com/mariposas.htm • Style se situant entre le *B & B* et la maison de charme. Des papillons – thème cher à la propriétaire – ornent les murs de ce petit hôtel organisé autour d'un patio rose et fleuri, avec des chambres plus claires à l'étage (nos préférées). Bon accueil. Petite cuisine collective, Internet.

🛏 *Hôtel Trebol* (plan A3, 44) : Flores Magon 201. ☎ 516-12-56. • hoteltrebol@prodigy.net.mx • Face au mercado Benito Juárez. Autour d'un agréable patio à arcades, des chambres modernes et spacieuses avec TV, téléphone, salle de bains. Resto, parking.

🛏 *Hôtel Principal* (plan B2, 45) : 5 de Mayo 208. ☎ et fax : 516-25-35. Vieux charme colonial : jolie cour intérieure, escalier en fer forgé, plantes vertes. Chambres vastes, d'aspect monacal, hautes de plafond et un peu vétustes, avec *baño* décoré d'*azulejos*. Certaines chambres sont plus agréables que d'autres : demandez à voir.

🛏 *Hôtel Antonio* (plan A2, 46) : av. Independencia 601. ☎ 516-72-27. Fax : 516-36-72. Central et agréable. Chambres réparties autour de 2 patios. Préférer celles du haut, plus claires. Toutes sont joliment décorées et ont une salle de bains impeccable. TV, téléphone. Cafétéria.

🛏 *Hôtel Valle de Oaxaca* (plan A2, 47) : Díaz Ordaz 208. ☎ 514-52-03. Fax : 516-28-05. • luivalle@prodigy.net.mx • Grande bâtisse sur 2 étages. Chambres assez vastes avec TV et ventilo. Celles du 2e étage sont plus claires et plus calmes. Terrasse. Resto. Parking.

🛏 *Hôtel Las Golondrinas* (plan A2, 48) : Tinoco y Palacios 411. ☎ 514-32-98. • lasgolon@prodigy.net.mx • Une enfilade de trois jardins croulant sous la végétation (bananiers, arbustes, fleurs), avec fontaines et bancs de pierre. Dispersées tout autour, des chambres confortables, certaines avec lit *king size*. On prend le petit dej' au milieu des plantes et des chants d'oiseaux. Un havre de calme et de charme connu des voyageurs américains.

🛏 *Hôtel Mesón del Rey* (plan A2, 49) : Trujano 212. ☎ 516-00-33. Fax : 516-14-34. • mesonrey@prodi gy.net.mx ● Chambres avec TV, téléphone, ventilo et moquette, donc calmes. Salle de bains individuelle.

Resto. Mais tout ça ne fait quand même pas une « maison de roi » !

Chic : de 500 à 800 $Me (43 à 56 €)

🛏 *Hôtel Oaxacalli* (plan A1, 51) : Porfirio Díaz 600. ☎ 516-80-60. ● http://mx.geocities.com/hoteloaxacalli ● À côté de Santo Domingo, une superbe maison blanche tenue par un couple franco-mexicain, lui architecte, elle artiste-peintre. Autour de la fontaine, le patio décoré de céramiques et peintures murales donne sur la vingtaine de chambres immaculées, spacieuses, avec un mobilier personnalisé en bois. TV, minibar, prise Internet, belle salle de bains. Tout le confort et le charme d'une demeure de caractère. Terrasse avec vue sur la ville, salon de thé.

🛏 *Hôtel Francia* (plan A2, 52) : 20 de Noviembre 212. ☎ 516-48-11. Fax : 516-42-51. Vieil hôtel rénové, avec deux patios dont l'un a conservé ses arcades et son style colonial. Chambres avec téléphone et TV. Resto.

Plus chic : de 800 à 1 200 $Me (56 à 84 €)

🛏 *Hôtel Marqués del Valle* (plan A2, 53) : portal de Claveria ; le zócalo. ☎ 514-06-88. Fax : 516-99-61. ● www.hotelmarquesdelvalle.com.mx ● Emplacement idéal, à côté de la cathédrale. Une fois l'ascenseur pris, on se retrouve dans une étonnante galerie : balcons, couloirs, plafond en verre... Une centaine de belles chambres, confortables et spacieuses, sur 4 étages. Même prix avec ventilo ou AC. Certaines avec balcon donnant directement sur la place ; avec double vitrage, donc pas de problème de bruit. Préférer celles du 3e étage. Resto, agence de voyages.

🛏 *Hôtel Real de Antequera* (plan B2, 50) : av. Hidalgo 807. ☎ et fax : 516-40-20. ● www.oaxaca-mio.com/real.htm ● À quelques mètres du zócalo. Entrée discrète. Une trentaine de chambres, impeccables, donnant sur la rue (un peu bruyantes) ou sur l'intérieur (petites fenêtres). Grande cour intérieure couverte, avec arcades, où l'on peut prendre le petit dej'. TV, téléphone et ventilo. Resto.

🛏 *Ex Convento San Pablo* (plan B2, 54) : Fiallo 102. ☎ 516-49-14. Fax : 514-08-60. ● www.hotelsanpablo.com ● Superbe hôtel installé dans un couvent du XVIe siècle. L'endroit dégage des ondes apaisées. Réparties autour d'un majestueux patio, les cellules monacales ont été aménagées en une vingtaine de suites élégantes, décorées avec goût. Une adresse de charme, originale et séduisante. Parking.

🛏 *Casa Conzatti* (plan B1, 55) : Gómez Farias 218. ☎ 513-85-00. ● www.oaxacalive.com/conzatti/ ● Sur une jolie place paisible, un bel hôtel à l'architecture coloniale. Ancienne résidence du naturaliste et botaniste C. Conzatti. Une quarantaine de chambres, spacieuses et douillettes. Mobilier et déco oaxaqueña. Très confortable. Éviter les chambres donnant sur le bar, moins tranquilles. Petit déjeuner servi dans le charmant patio. Resto.

Où manger ?

Bon marché : moins de 70 $Me (5 €)

🍽 *Mercados* (les marchés ; plan A3, 70) : une excellente option pour manger de la nourriture typique, le *mercado Juárez* et le *mercado 20 de Noviembre,* installés l'un en face de l'autre. Ils ferment vers 20 h, mais on peut y aller pour un petit déjeuner à la mexicaine dès 9 h ou pour le déjeuner. L'ambiance est plus animée au marché 20 de Noviembre, les restos y sont plus nombreux et plus clean. On peut y goûter les fameuses *chapulines* (sauterelles grillées) ou prendre un bon *desayuno* chez **Ma Alejandra.** Faites-y un tour de toute façon pour l'ambiance. Spécialités et souvenirs bon marché.

|◉| **Tito's** *(plan A2, 71)* : García Vigil 116. ☎ 516-73-79. Ouvert de 8 h à 23 h 30. Cafétéria avec *comida corrida, torteria,* bar, le tout bien tenu, sympa. Bons petits dej'.

|◉| **Café-restaurant Alex** *(plan A2, 72)* : Díaz Ordaz 218. ☎ 514-07-15. Ouvert tous les jours de 7 h à 22 h (13 h le dimanche). Dans le jardinet au fond des salles de droite, on mange en compagnie des perroquets, perruches et du toucan de la maison. Propose une bonne cuisine traditionnelle dans une salle style années 1970 ventilée, au personnel aimable.

|◉| **El Escapulario** *(plan B1, 89)* : García Vigil 617. ☎ 516-46-87. Ouvert jusqu'à 23 h 30. Plats à partir de 20 \$Me (1,40 €). Une boutique de souvenirs au rez-de-chaussée, le resto à l'étage (ouvrant sur la rue) tenu par de gentilles demoiselles qui servent une cuisine locale honnêtement préparée.

|◉| **Tizón - Mixtacos** *(plan A3, 73)* : Aldama 105. Ouvert de 14 h à 3 h du matin, voire plus tard le week-end.

Idéal, donc, pour les fêtards noctambules ayant un petit creux avant d'aller au lit. Une *taquería* classique, dans un décor plutôt moche. Mais on y mange de bons *tacos al pastor* (*tacos* garnis de viande de porc cuite à la broche, de morceaux d'ananas et d'oignon haché).

|◉| **Hippocampo's** *(plan A2, 74)* : av. Hidalgo 503. ☎ 516-41-39. Ouvert de 8 h à 23 h. ☎ 516-41-39. Resto-hangar populaire, dispensant de bons petits plats pas chers et des *tortas* (sandwichs mexicains) consistants. *Comida corrida* de 13 h à 17 h. Accueil chaleureux. Le petit dej' (formule de base) est incroyablement copieux.

|◉| **La Flor de Loto** *(plan A2, 75)* : av. Morelos 509. ☎ 514-39-44. Ouvert tous les jours de 8 h à 22 h (21 h le dimanche). Salle à arcades. Clientèle de Mexicains, de touristes, plus quelques vieux routards qui ont oublié de repartir. Plats végétariens et spécialités mexicaines. Bon menu à petit prix.

|◉| **Casa Elpidia** *(plan A3, 76)* : Miguel Cabrera 413. ☎ 516-42-92. Ouvert de 8 h à 18 h. Fermé le dimanche. Vous risquez fort de passer devant sans le voir, car l'enseigne est discrète. Pourtant, ça fait longtemps que ce resto enchante les voyageurs. Dans un jardin tropical, quelques tables pour déguster le menu du jour : *botanas* (choix de petits apéritifs délicieux), une soupe, un premier plat, une viande, un dessert et un café ! Un endroit familial et paisible, à l'écart de l'agitation.

Prix moyens : de 70 à 150 \$Me (5 à 10,50 €)

|◉| **Restaurant Zandunga** *(plan A1, 87)* : García Vigil, angle avec Jesus C. 105. ☎ 951-516-27-02. Ouvert tous les jours, sauf le dimanche, jusqu'à 23 h. *Garnachas, zandunga, tamales, totopos* : non, ce ne sont pas des formules de magie noire, mais les noms des plats concoctés avec soin par l'adorable Aurora, qui sert une savoureuse cuisine de l'isthme de Tehuantepec. Salle ouvrant sur la rue, décorée de peintures de Martha Toledo, sa sœur, qui parfois vient chanter pour les convives ou exposer ses photos sur

les communautés indiennes. Bon accueil, prix raisonnables, maison habitée par de bonnes vibrations !

|◉| **La Biznaga** *(plan A1, 77)* : García Vigil 512. ☎ 516-18-00. Ouvert de 9 h à 23 h. Patio intérieur couvert par un vélum, artisanat exposé sous les arcades, c'est encore plus agréable le soir, soit pour dîner – délicieuse cuisine métissée –, soit pour boire un verre plus tard. Accueil et service dynamiques.

|◉| **María Bonita** *(plan B1, 78)* : Acalá 706 B. ☎ 516-72-33. Ouvert du mardi au samedi de 8 h 30 à 21 h

et le dimanche de 9 h à 18 h. Depuis six générations, ce petit resto met un point d'honneur à perpétuer la cuisine de grand-mère. Goûter les spécialités à base de *mole negro* et le *pollo salsa calabaza* (poulet aux fleurs d'aubergines). Murs peints soulignés de frises florales.

|●| Marisquerias La Red (plan A3, 79) **:** à l'angle des rues Las Casas et Bustamante 200. ☎ 514-88-40. Ferme à 20 h 30. Six adresses en ville pour cette mini-chaîne de restos de poisson et fruits de mer. Plats copieux. Bonne adresse. Rien à dire, si ce n'est : « Allez-y ! »

|●| Gaia (plan B2, 80) **:** Abasolo (ou plazuela Labastida) 115. ☎ 516-70-79. Dans le patio précédant la *Posada Margarita.* Ouvert jusqu'à 21 h. Fermé le dimanche. Excellent resto végétarien. Menus différents chaque jour. Petit déjeuner et succulents jus de fruits ou de légumes, la spécialité de la maison. Tables dans le patio.

|●| Pizza Nostrana (plan B2, 81) **:** Acalá 501, à l'angle d'Allende. ☎ 514-07-78. Ouvert tous les jours jusqu'à 23 h. Mignon petit resto italien. Une dizaine de tables. Vieilles photos d'Italie aux murs. Pizzas savoureuses et beau choix de pâtes.

|●| Kyoto (plan B2, 82) **:** Fiallo 114. ☎ 514-33-04. Ouvert de 13 h à 23 h. Fermé le mardi. Petit resto de spécialités japonaises tenu par le sympathique Alfonso. Il a succédé à son frère, qui avait ouvert ce resto au retour d'un séjour au Japon. Cadre zen et bonne cuisine. Sushi bar et karaoké à l'étage.

|●| La Casa de la Abuela (plan A2, 83) **:** av. Hidalgo 616. ☎ 516-35-44. Ouvert tous les jours de 13 h à 22 h (plus tard en été). C'est au 1er étage et les fenêtres donnent sur le *zócalo.* Vous l'avez compris, c'est tout à fait touristique. Arriver tôt pour avoir une table avec vue (on y va surtout pour ça !). Cadre joliment décoré. On y sert des spécialités locales, ni pires ni meilleures qu'ailleurs.

|●| Café-bar El Jardín (plan A2, 84) **:** portal de Flores 10. Sur le *zócalo,* en dessous de l'*Asador Vasco.* Carte complète et variée : plats, *tortas* (sandwichs), desserts. Bon menu servi de 13 h à 18 h. Grande salle prolongée d'une terrasse sur la place.

Chic : de 150 à 250 $Me (10,50 à 17,50 €)

|●| Como Agua pa' Chocolate (plan A2, 85) **:** Hidalgo 612, au 1er étage (entre Almeida et le *zócalo*). ☎ 516-29-17. Ouvert tous les jours de 9 h à 23 h. Kanna, la jeune et talentueuse propriétaire, propose une succulente cuisine régionale et internationale, avec quelques plats végétariens et de délicieux desserts flambés. Chaque mois, une recette tirée du célèbre livre qui a donné son nom au restaurant est à l'honneur. Bons petits déjeuners.

|●| Hostería de Alcalá (plan A-B2, 86) **:** Alcalá 307. ☎ 516-20-93. Ouvert de 8 h à 23 h. Patio intérieur avec fontaine, où l'on peut goûter aux *entomatadas con tasajo* et à la soupe aztèque.

|●| El Asador Vasco (plan A2, 84) **:** portal de Flores 11. ☎ 514-47-55. Sur le *zócalo,* au-dessus du café *El Jardín.* Ouvert de 13 h à 23 h 30. Arriver tôt ou réserver pour avoir une table en bordure de terrasse et profiter de la vue. Immenses salles et grandes tables avec une déco qui rappelle l'origine basque du proprio. Gastronomie régionale et internationale, qui séduit touristes et *Oaxaqueños.*

Très chic : à partir de 250 $Me (17,50 €)

|●| Restaurante del Hotel Camino Real (plan B2, 88) **:** 5 de Mayo 300. ☎ 516-06-11. Ne cherchez pas ce sublime hôtel dans la rubrique « Où dormir ? » : vu le prix des chambres, votre budget risquerait d'en souffrir. Magnifique, car situé dans un ancien couvent (cf. « À voir »). Cuisine gastronomique dans un cadre enchanteur sur fond de musique classique.

En après-midi comme en soirée, on peut aller siroter une *piña colada* au bord de la piscine (bar *Las Novicias*, entrée un peu plus bas dans la rue).

Pour les sucrés

|●| *La Soledad* (plan A3, 38) : Mina 212. ☎ 516-38-07. Amer, doux, à la cannelle, aux amandes, à la vanille, le chocolat est vendu en vrac ou emballé. Qualité et prix intéressants. Derrière, un patio et quelques tables pour déguster un vrai chocolat chaud : 10 délicieuses variétés. Et les accros seront contents d'apprendre que l'on peut même y loger (voir « Où dormir ? »)!

|●| *Chocolate Mayordomo* (plan A3, 104) : à l'angle des rues Mina et 20 de Noviembre. On peut y acheter du chocolat ou déguster un chocolat chaud. Assez cher.

|●| *La Luna* (plan B2, 100) : Morelos 1105. Une pâtisserie mexicaine comme il y en a beaucoup d'autres. Grand choix de croissants, gâteaux, palmiers, brioches et pains en tout genre à des prix ridicules ! On se sert soi-même, avec une pince, en remplissant de grands plateaux.

|●| *Pastelería Bamby* (plan A2, 101) : à l'angle de García Vigil et Morelos. Ouvert de 6 h à 21 h. Fermé le dimanche. Même style que l'adresse précédente. Grande variété de gâteaux secs, sablés, feuilletés, etc.

|●| *Tartamiel* (plan A2, 102) : Trujano 118. ☎ 516-73-30. À deux pas du *zócalo*. Ouvert du lundi au samedi de 7 h à 20 h 45 et le dimanche de 12 h à 19 h 30. Chaîne de pâtisseries fondée par une Française (il y en a 4 à Oaxaca). De bons petits gâteaux et croissants à emporter.

|●| *Pastelería La Vasconia* (plan B2, 103) : av. Independencia 907. ☎ 516-26-77. Ouvert tous les jours de 7 h (7 h 30 le dimanche) à 21 h 30. Grand choix de gâteaux et viennoiseries en tout genre. On peut déguster sur place dans la jolie salle du fond, en consommant une boisson chaude.

Où boire un verre ? Où sortir ?

Ｙ *Decano* (ex-Café-bar Comala ; plan B2, 110) : 5 de Mayo 210. Ouvert tous les jours à partir de 8 h. Encore une bonne adresse. Un petit bar chaleureux, fréquenté par une clientèle hétéroclite. Large éventail de breuvages, *nachos* et sandwichs. Bons petits dej'. Expos photos, *happy hours* tous les jours. Le nouveau café *Comala*, plus chic, se trouve García Vigil 416.

Ｙ *La Nueva Babel* (plan A2, 111) : Porfirio Díaz 224. Ouvert de 16 h à minuit. Chouette bar à vin. Joli et sympa. Vins nationaux, chiliens et mexicains. Demandez lesquels sont servis au verre. Canapés et guacamole. Animations parfois le soir : groupes rock, jazz, théâtre, lecture de poèmes.

Ｙ *Fandango* (plan A1-2, 112) : Porfirio Díaz, à l'angle de Allende. Très vite bondé en soirée. Clientèle jeune et sympa. Aux murs, affiches de Zapata, du Che et des zapatistes. Bonne musique.

Ｙ *Hipótesis Café* (plan A2, 113) : av. Morelos 511 A. Ouvert de 18 h à 3 h. Sympa pour prendre un verre. Goûtez au *Tobala* (sorte de *mezcal*, spécialité de la maison). Rendez-vous des étudiants et artistes de la ville. Mezzanine sympa.

Ｙ *La Casa del Mezcal* (plan A3, 114) : Miguel Cabrera ; en face du marché municipal. Ouvert tous les jours jusqu'à 2 h (22 h le dimanche). Pour s'amuser au son du hard rock. Bar en bois sculpté. Comme partout, on boit le *mezcal* après avoir croqué une tranche de citron vert avec du sel de *gusano*, de couleur orangé que l'on peut acheter au marché.

Ｙ♪ *La Tentación* (plan A-B2, 115) : Matamoros 101. Du jeudi au samedi, ce bar dansant accueille des groupes de salsa, de *merengue* et de *cumbia*. Bonne ambiance mais l'espace est petit. Cocktails et *mezcals*.

♟ ♪ *Candela (plan B2, 116) :* Murguia 413, à l'angle de Pino Suárez. ☎ 514-20-10. Ce resto-galerie-salle de danse, tranquille dans la journée, se transforme en salon de *baile* le soir. On y danse de 22 h à 2 h du matin (plus tard le week-end). Droit d'entrée ; plus cher en fin de semaine.

Où acheter des spécialités locales ?

■ *Le chocolat :* c'est une des grandes spécialités de la région. Il y a tout un choix de boutiques au sud du *marché 20 de Noviembre (plan A3)*, notamment rue Mina. Suivez l'odeur ! On peut l'acheter sous différentes formes, en boule, tablette ou poudre. Dans ce dernier cas, on le moud devant vous dans des antiques machines : les graines de cacao sont broyées avec du sucre, de la cannelle et des amandes. Pour en acheter ou déguster un chocolat chaud, voir plus haut la rubrique « Pour les sucrés ».

■ *Le café :* dans la même zone, de nombreuses petites échoppes vendent du café d'Oaxaca.

■ *Le mezcal :* en vente libre avant qu'un décret en autorise la vente uniquement en magasin, pour limiter les dégâts et le trafic d'alcool frelaté (voir « Artisanat »).

■ *Le fromage d'Oaxaca :* fromage à pâte cuite de couleur crème et au goût assez fade. Achetez-le au marché. Il se présente sous forme d'une grosse ficelle roulée en pelote. C'est un des fromages les plus répandus dans le pays, utilisé dans les *quesadillas,* les *tortas* et de nombreux plats mexicains.

■ *Le mole negro :* la version oaxaquénienne du fameux *mole* inventé à Puebla. Les piments sont différents et c'est ce qui lui donne cette couleur sombre, presque noire qui le distingue des autres *moles*. Le secret réside dans les ingrédients et surtout les piments dont il existe des centaines de variétés... Remarquez, au bout d'un moment, on commence à s'apercevoir qu'ils ne piquent pas au même endroit : certains sur les lèvres, d'autres en haut du palais, d'autres au fond de la gorge, etc. Mais de là à leur donner un nom...

À voir

🍴🍴 *Le zócalo (plan A2) :* c'est la place principale, bordée au sud par le *Palacio de Gobierno* (siège de l'État d'Oaxaca), reconstruit de nombreuses fois à la suite de tremblements de terre. Groupes de *mariachis* en soirée aux terrasses des restos et parfois orchestres folkloriques les samedi soir et dimanche midi, au kiosque central. Les Mexicains âgés dansent le *danzón*.

🍴 *Catedral (plan A2) :* sur le jardin de l'Alameda, juste à côté du *zócalo*. Construite par les dominicains à partir de 1544, mais elle ne fut pas achevée avant la première moitié du XVIIIe siècle. De plus, elle a été plusieurs fois endommagée par des tremblements de terre et restaurée à maintes reprises. Vaut surtout pour sa façade (début XVIIIe siècle) de style baroque, avec ses bas-reliefs, et la coupole à l'intérieur. Elle est peu chargée, contrairement à d'autres édifices religieux.

🍴 *Mercado Juárez (plan A3) :* 20 de Noviembre et Las Casas. On y trouve de tout. Boutiques groupées par spécialités. Un vrai plaisir que de faire un petit tour à la mercerie pour acheter du fil et une aiguille. Superbe spectacle le soir dans le jeu des lumières, la fureur de la rue.

🍴🍴 *Iglesia Santo Domingo (plan B2) :* ouvert de 7 h à 13 h et de 16 h à 20 h. Magnifique église baroque construite par les dominicains venus à la demande de Cortés pour convertir les Indiens. Édifiée à la fin du XVIe siècle, c'est l'un des plus beaux exemples de l'architecture dominicaine. Les murs de l'église ont été conçus pour résister aux tremblements de terre. Ceux-ci n'ont pas bougé ; en revanche, l'intérieur a été endommagé au XIXᵉ siècle, quand l'église a servi de quartier général (et d'écurie !) à l'armée. Orientée vers l'ouest comme la majorité des églises dominicaines, sa façade d'inspiration renaissance contraste avec l'exubérance du baroque de l'ornementation intérieure : stucs dorés et peintures. Au fond : les ors rutilants du retable principal. Dans l'allée de droite, la splendide *chapelle du Rosario* (construite au XVIIIᵉ siècle) avec sa statue de la Vierge somptueusement vêtue. Remarquez aussi, à l'entrée de l'église, au-dessus de votre tête, le très bel arbre généalogique de saint Dominique de Guzmán, fondateur de l'ordre des dominicains. La Vierge qui est à la tête de l'arbre fut ajoutée au XIXᵉ siècle, pour plus de vraisemblance probablement. Pour les photos de la façade, venir en fin d'après-midi pour profiter du soleil couchant.

🎥🎥🎥 *Ex convento Santo Domingo* *(plan B1)* **:** à côté de l'église. Ouvert du mardi au dimanche de 10 h à 19 h (16 h 15 dernier billet). Entrée : 38 $Me (2,70 €). Audioguide (anglais ou espagnol) pour 50 $Me de plus. Installé dans l'ancien potager, le jardin botanique montre la diversité de la flore de l'État d'Oaxaca. Les fouilles ont révélé les systèmes d'irrigation, de drainage et les bassins utilisés à l'époque.

Le couvent fait partie de l'ensemble culturel composé de l'église, de la bibliothèque et du jardin botanique. Il abrite le musée des Cultures d'Oaxaca, consacré à l'histoire, l'art et la culture de la région. La restauration du couvent, qui a duré plusieurs années, est une belle réussite. L'entrée se fait par le cloître, avec ses quatre galeries voûtées, ses arcades et sa fontaine centrale. La disposition des espaces et les styles architecturaux du couvent sont semblables à ceux du Moyen Âge en Europe.

Les œuvres sont en grande partie exposées dans les anciennes cellules des moines. Chaque espace est consacré à un thème précis : cultures millénaires, villes préhispaniques, la rencontre des deux mondes, culture indienne, etc. N'oubliez pas, bien sûr, le trésor de la tombe nº 7 de Monte Albán dans la salle III : colliers de jade, orfèvrerie (diadèmes et plumes en or), os gravés et ciselés, traduisent l'importance de l'art funéraire pendant la période préhispanique. Également une section d'art religieux avec de très belles pièces, dont un archange du XVIIᵉ siècle en bois sculpté.

Avant de partir, jeter un œil dans la belle bibliothèque Burgoa, qui renferme plus de 20 000 ouvrages. Certains livres portent, marqué au fer rouge, le blason du couvent auquel ils appartenaient, pour éviter les vols. Broderies, tissages, vannerie, objets domestiques, poteries, masques, costumes, musique, cet immense musée est à visiter en priorité avant de partir à la découverte d'Oaxaca.

🎥🎥 *Iglesia de La Soledad* *(plan A2)* **:** sise sur une vaste et très jolie place, jouxtant le Palacio Municipal et en face d'une école des Beaux-Arts. Cette belle église (1682-1690) est dédiée à la patronne de la ville, la Vierge de La Soledad (fêtée le 18 décembre). Magnifique façade sculptée à la manière d'un retable baroque. Derrière l'église, petit *musée* rigolo de bric-à-brac religieux (ouvert tous les jours sauf le jeudi, de 8 h à 14 h). Plein de babioles kitsch et une belle collection d'ex-voto (peintures naïves qui décrivent la scène qui a donné lieu au miracle, accompagnées d'un petit texte rendant grâce à la Vierge).

🎥 *Iglesia San Felipe Meri* *(plan A2, 130)* **:** église baroque du XVIIᵉ siècle, avec façade de style plateresque. Beaux retables intérieurs.

🎥 *Museo de Arte Contemporaneo* *(plan B2)* **:** Alcalá 202. ☎ 514-28-18. Ouvert de 10 h 30 à 20 h. Fermé le mardi. Entrée modeste. Dans une très belle maison fin XVIIᵉ siècle. Expositions temporaires de photos et peintures.

🎨 *Museo de los Pintores* (plan A2) : angle des rues García Vigil et Independencia, dans la même édifice qui abrite l'office de tourisme. Ouvert tous les jours sauf le lundi, de 10 h à 20 h. Entrée : 20 $Me (réduction étudiants). Expositions temporaires sur des peintres d'Oaxaca.

🎨 *Instituto de Arte gráfico* (plan A-B1, 131) : Alcalá 507. ☎ 516-20-45. Ouvert de 9 h 30 à 20 h. Fermé le mardi. Le petit musée, dans une maison coloniale qui appartient à Toledo, abrite une collection nationale de gravures à l'eau-forte, dont l'une représente la Mort armée d'une faucille.

🎨 *Museo Casa de Juárez* (plan A-B1) : García Vigil 609. ☎ 516-18-60. Ouvert du mardi au vendredi de 10 h à 19 h et les samedi et dimanche de 10 h à 17 h. Fermé le lundi. Entrée : 30 $Me (2,10 €). Maison où le président Benito Juárez vécut une dizaine d'années durant sa jeunesse. Une petite visite qui ne vous apportera pas grand-chose de plus, mais agréable. Meubles coloniaux, manuscrits, photos, souvenirs, etc.

🎨🎨 *Museo Rufino Tamayo* (plan A2) : Morelos 503, à l'angle de Timoco y Palacios. ☎ 516-47-50. Ouvert tous les jours sauf le mardi, de 10 h à 14 h et de 16 h à 19 h. Visite guidée gratuite en anglais les mercredi et vendredi à 17 h. Entrée : 30 $Me (2,10 €) ; réduction étudiants. Collections d'art préhispanique du célèbre peintre (natif de la ville et membre de la « bande des quatre » avec Orozco, Rivera et Siqueiros). Intérêt exceptionnel. Remarquablement présenté.

🎨🎨 *L'hôtel Camino Real* (plan B2, 88) : 5 de Mayo 300. Près de Santo Domingo. L'un des hôtels les plus extraordinaires d'une célèbre chaîne mexicaine. Il s'agit d'un ancien couvent, converti en hôtel de luxe avec énormément de goût. Visite autorisée à condition de ne pas être trop crasseux. Une série de petits patios intérieurs à faire rêver. Voir la chapelle et les lavoirs. La piscine est merveilleusement installée... dans le cloître.

🎨 Toutes les *cours intérieures* des hôtels, banques, etc., dans *Alcalá.* Visiter la *bibliothèque publique ;* là aussi, très jolis patios en série.

🎨 *Cerro del Fortín* (plan A1, 132) : pour avoir une vue d'ensemble de la ville, il faut grimper sur la colline Fortín. Prendre la rue Crespo vers le nord jusqu'à rencontrer l'immense escalier sur la gauche (en face de l'hôtel *Parador Crespo*). Bonne grimpette jusqu'à l'auditorium en plein air. On peut encore pousser plus haut, jusqu'au planétarium. Promenade agréable, mais dommage que la vue soit gâchée, voire occultée, par des arbres et d'énormes antennes de radio-télé diffusion.

Artisanat

L'artisanat de la région est particulièrement riche. Chaque village environnant possède sa spécialité. Tapis de laine *(sarapes)* à Teotitlán del Valle, poteries noires à San Bartolo Coyotepec, animaux en bois sculpté et peint à San Martín Tilcajete, nappes et habits traditionnels brodés fabriqués un peu partout dans l'État. Production importante d'objets en vannerie et de chapeaux de paille ou en palme.

🛍 *Le grand marché du samedi* (hors plan par A3, 133) : cet important *tiangui* (marché) est situé juste derrière le *mercado de Abastos,* à côté du terminal de bus de 2ᵉ classe (au bout de la rue Mina). On y trouve absolument de tout, depuis les bricoles en plastique à trois sous jusqu'au cochon de lait ou les chevrettes. Profusion de fruits, de légumes, d'herbes et épices. Grand espace consacré aux poteries. Seulement deux ou trois allées pour l'artisanat, surtout des céramiques, des chapeaux et des vêtements. On vous laisse découvrir tout ça. De toute façon, si vous voulez tout voir, vous vous perdrez sûrement. C'est carrément immense.

⚜ **Mercado de Artesanías** *(plan A3, 134)* **:** García, à l'angle de Zaragoza. Ouvert tous les jours de 9 h à 20 h. Céramiques, poteries noires, tapis (chers), tissages, *huipiles, sarapes* et animaux en bois peint. On voit les Indiennes tisser. Très jolies robes brodées.

⚜ **Artesanías e Industrias Populares** *(ARIPO ; plan A1, 135)* **:** García Vigil 809. ☎ 514-40-30. Ouvert du lundi au vendredi de 9 h à 20 h, le samedi de 10 h à 17 h et le dimanche de 10 h à 13 h. Appartenant à l'État, ce centre offre un panorama de l'artisanat de l'État d'Oaxaca. Dans une grande et belle maison coloniale. Expo et vente d'objets de qualité. Plus cher qu'au marché, mais authenticité garantie.

⚜ **Mujeres Artesanías de las Regiones de Oaxaca** *(MARO ; plan B2, 136)* **:** 5 de Mayo 204. ☎ 516-06-70. Ouvert tous les jours de 9 h à 20 h. Caverne d'Ali Baba de l'artisanat local appartenant à une association de femmes artisans.

⚜ **Casa de las Artesanías** *(plan A2, 137)* **:** Matamoros 105, à l'angle de García Vigil. ☎ 516-50-62. Ouvert du lundi au samedi de 9 h à 21 h et le dimanche de 10 h à 19 h. Association regroupant 80 associations et ateliers familiaux.

⚜ **La Cava** *(plan B1, 138)* **:** Gomez Farias 212 B (à côté de l'hôtel *Conzatti*). ☎ 515-23-35. Pour rapporter le meilleur *mezcal* dans de belles bouteilles et de bons vins du continent sud-américain. Excellent rapport qualité-prix, doublé d'un accueil sympa et des conseils d'un spécialiste pour faire son choix.

⚜ **Arte Popular - Fonart** *(plan A2, 139)* **:** Crespo 114 (entrée par Morelos). ☎ 516-57-64. Ouvert tous les jours de 10 h à 19 h. Artisanat régional. Jolies pièces.

⚜ **Tienda del Papel de Oaxaca** *(plan B2, 142)* **:** Constitución 110. Ouvert du lundi au vendredi de 10 h à 17 h et le samedi de 10 h à 16 h. Vente de papier fait à la main, à base de fibres naturelles et sans produits polluants. L'atelier s'autofinance et les bénéfices sont investis dans des projets de reforestation et dans des programmes culturels et éducatifs. Plusieurs artistes mexicains (dont Francisco Toledo) y ont participé et ont composé de superbes livrets ou cahiers avec leurs dessins. Beau mais assez cher.

Fêtes

– **Fête de la Guelaguetza :** depuis des siècles, les deux derniers lundis de juillet (ou parfois d'août), les Indiens ont pris l'habitude de célébrer les *lunes del cerro* (« lundis de la colline »). Attention, tout a lieu le matin. Le nom de cette fête, *guelaguetza* en zapotèque signifie « offrande ». Chaque communauté profite de cette occasion pour fêter un événement important dans la vie de l'un de ses membres, et celui-ci, à son tour, prend l'engagement solennel d'agir de même avec d'autres si l'occasion se présente. Les Indiens viennent des sept régions entourant Oaxaca. Toutes ces communautés, n'ayant pas les moyens de fêter les naissances, mariages et enterrements dans le faste qu'elles souhaitent, réunissent leurs efforts depuis des générations. C'est un spectacle incroyable de couleurs, danses folkloriques et costumes extraordinaires. Chaque groupe effectue les danses et rites qui lui sont propres. Une grande fête, aujourd'hui payante (le portefeuille des touristes est bien utile pour financer ces réjouissances) mais qui a gardé son caractère populaire. Il est prudent d'acheter ses billets, assez chers, plusieurs jours à l'avance à l'office de tourisme. Les places en haut de l'amphithéâtre sont gratuites, mais pour être très bien placé, il vaut mieux payer et arriver au moins 2 h à l'avance, avec son chapeau, de l'eau, etc.

– **Fête traditionnelle :** à partir du samedi précédant le 3e lundi de juillet et au début de l'hiver, sur la *plaza*, à côté de la cathédrale. On y mange des galettes de maïs frites, trempées dans une tasse de chocolat chaud à la cannelle ; il faut ensuite casser la tasse et faire un vœu.

LA CÔTE PACIFIQUE SUD

– *Fiesta de los Rabanos* (fête des Radis) : le soir du 23 décembre, sous les arcades du *zócalo*. Magnifique exposition de crèches réalisées avec des produits de l'agriculture uniquement (essentiellement des radis). Tous les villages des alentours y participent. Ambiance très sympa. Beaucoup de monde en ville, d'où de gros problèmes d'hébergement à cette époque.

Culture et loisirs

Oaxaca est réputée pour être l'une des villes du Mexique où la scolarisation et l'ouverture à la culture ont été les plus poussées. Nombreuses bibliothèques et salles de lecture pour enfants.

■ *Casa de la Cultura Oaxaqueña :* Gonzalez Ortega 403. Ancien couvent de style colonial. Concerts presque tous les soirs (programme à l'office de tourisme).
■ *Teatro Alcalá* (plan B2, 140) : angle Armenta y López et Independencia. Théâtre construit au début du XXᵉ siècle dans le style français.

Nombreux concerts. En profiter pour admirer la somptueuse décoration Belle Époque et l'escalier de marbre.
■ *Centro cultural Ricardo Flores Magón* (plan B2, 141) : Alcalá 302. Dans la rue piétonne. Nombreux concerts et récitals par des artistes locaux.

➤ DANS LES ENVIRONS D'OAXACA : LES CITÉS ZAPOTÈQUES ET MIXTÈQUES

MONTE ALBÁN

⚜⚜⚜ Posé au sommet de la colline du Jaguar, à 2 000 m d'altitude, le site domine toute la vallée d'Oaxaca. Apparu en tant que centre culturel en 500 av. J.-C., Monte Albán est le résultat du regroupement de plusieurs hameaux pour former une ville, les Zapotèques ayant choisi de s'installer sur les sommets des montagnes pour être plus près de leurs dieux. Symbole de la force, de la puissance et de l'influence de ce peuple, Monte Albán est un ensemble exceptionnel dont l'apogée se situe entre 350 et 550 apr. J.-C. Grand centre politique, économique, culturel et, bien sûr, spirituel du monde zapotèque, Monte Albán était aussi un centre d'étude astronomique, cosmogonique et scientifique.
Utilisées pour la première fois au Mexique vers 1860 par l'explorateur et photographe français Désiré Charnay, les photographies des sites et leur étude ont facilité bon nombre de découvertes archéologiques. Situé sur la partie la plus haute, le centre cérémoniel occupe une immense esplanade artificielle qui offre une vue panoramique de toute beauté sur les montagnes environnantes. Révélé au début du XIXᵉ siècle, le site a été inscrit au Patrimoine culturel de l'Humanité en 1987. Visiter Monte Albán, c'est entrer dans un site sacré qui impose un profond respect.

UN PEU D'HISTOIRE

Nous sommes au centre de la Méso-Amérique. C'est dire la situation stratégique de Monte Albán, au cœur des échanges commerciaux et culturels,

1 Tombe n° 104 (fermée)	**7** Structure IV
2 Jeu de pelote	**8** Stèle n° 18
3 Palacio	**9** Plateforme nord et patio Hundido
4 Plate-forme sud	
5 Stèles ornées	**10** Entrée, musée/cafétéria/consigne
6 Monument des « Danseurs » (Los Danzantes)	

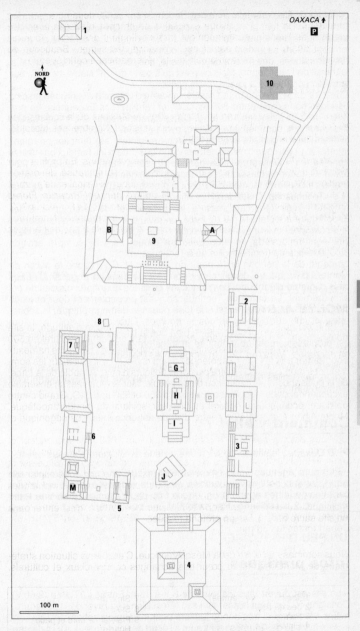

OAXACA

NORD

1

10

B

A

9

2

8

7

G

H

6

I

M

3

5

J

4

100 m

LE SITE DE MONTE ALBÁN

bénéficiant ainsi des influences de Teotihuacán, des Mayas et même des Olmèques. De fait, la vallée fut occupée très tôt. On trouve les premières traces humaines à partir de 8000 av. J.-C. Aux alentours de 2500 av. J.-C., les populations se sédentarisent, l'agriculture apparaît, ainsi que les premières céramiques, des miroirs de magnésite, des objets en coquillage et, déjà, le travail de l'obsidienne. Mais ce n'est qu'à partir du VIIᵉ siècle av. J.-C. que la vallée commence à jouer un rôle politique.

L'histoire de Monte Albán (en réalité, la vallée d'Oaxaca) est divisée en cinq périodes comprises entre 800 av. J.-C. et l'arrivée des Espagnols. La première période (jusqu'en 150 av. J.-C.) se caractérise par une intensification des échanges commerciaux : nacre, pyrite et jade. La société est déjà relativement bien organisée avec sa hiérarchie religieuse, ses temples, ses dignitaires. On pense que c'est de cette époque que datent les fameux bas-reliefs appelés les « Danseurs ». La période III, qui s'étend de l'an 300 à 750 apr. J.-C. (période classique), est celle de l'apogée de la civilisation zapotèque et de la ville de Monte Albán, dont le prestige n'a d'égal que celui de Tikal et de Teotihuacán. Cette dernière influence fortement Monte Albán, comme on peut le voir dans l'architecture, les fresques et les céramiques. Si les Zapotèques adoptent le jeu de balle, en revanche les Mayas s'approprient leur calendrier et leur système d'écriture. Les édifices et les pyramides de la cité sont recouverts de stuc peint en rouge. La ville compte environ 35 000 habitants (moitié moins qu'à Teotihuacán).

Le début de la période IV (à partir de 750 apr. J.-C.) marque le déclin de Monte Albán, qui va devoir céder son rôle de capitale au profit d'autres cités. Comme d'habitude, on n'a aucune certitude quant aux causes de cet effondrement. La chute de Teotihuacán y est probablement pour quelque chose. Mais on évoque aussi une forte poussée démographique, la sécheresse et une surexploitation des ressources. Quoi qu'il en soit, la culture zapotèque entre en décadence et, bien que la cité ne soit pas détruite, elle est progressivement abandonnée et transformée en centre cérémoniel et en nécropole. Vers l'an 1200 (période V), les Mixtèques débarquent et introduisent l'orfèvrerie. Zaachila et Mitla sont désormais les capitales de la région, mais elles n'atteindront jamais la splendeur et le rayonnement de Monte Albán.

Comment y aller ?

➢ **D'Oaxaca :** le site se trouve à une dizaine de kilomètres au sud-ouest.

– Plusieurs agences vous emmènent en excursion (voir « Adresses utiles »). Insistez pour savoir combien de temps vous est accordé sur le site, car avec certaines agences on y reste trop peu de temps (pour une visite classique, 2 h suffisent). Par exemple, des bus partent de l'hôtel *Rivera Ángel,* Mina 518, à l'angle de Díaz Ordaz. ☎ 516-53-27 ou 514-31-61. Départ toutes les 30 mn.

Infos pratiques

– Le site est ouvert tous les jours de 8 h à 18 h. Entrée : 37 $Me (2,60 €). Consigne où l'on peut laisser son sac. C'est bien d'y arriver dès l'ouverture : moins de monde et très bonne lumière pour les photographes.

– Pour la visite des tombes (elles sont à l'écart des pyramides), il faut demander une autorisation par écrit au directeur de l'*INAH* ou téléphoner au ☎ 516-12-15 pour plus d'informations. Apporter sa lampe de poche. La *tombe nº 104 (1)* a été fermée à la suite de dégradations.

– À l'entrée du site, le musée contient une importante collection archéologique, d'énormes monolithes sculptés et des grandes stèles. Les objets en céramique, pierre, os, coquillages faisaient partie des offrandes placées dans les tombes. Le trésor de la tombe n° 7, découvert en 1932, est exposé au musée du couvent Santo Domingo.

À voir

Le centre cérémoniel orienté nord-sud se compose d'une esplanade *(plaza Central),* genre piste d'atterrissage d'environ 300 m de long sur 200 m de large, occupée par une douzaine de bâtiments et plateformes. On entre par le nord et on peut faire le circuit dans le sens qu'on veut, soit en commençant par la plateforme nord *(9)* ou bien par le jeu de pelote *(2),* à gauche en entrant.

– *Le jeu de pelote (2) :* en forme de « I » majuscule, il servait pour commémorer les cycles de la vie et les saisons de l'année. Des disques solaires taillés dans la pierre ornaient les panneaux de la façade. Comme tous les *juegos de pelota* de la région, il n'a pas d'anneaux sur les côtés, contrairement aux jeux mayas. Mais où donc faisaient-ils passer la balle, ces diables de Zapotèques ? En revanche, la pierre ronde au centre servait sans doute au rebond du début de jeu.

– *Le Palacio (3) :* certainement une construction résidentielle réservée à quelque dignitaire, d'où son nom de « palais ». Chambres qui donnent sur un patio central avec un oratoire. Seul bâtiment d'habitation sur l'esplanade, on y accède par un escalier monumental, plus large que la façade.

– *La plateforme sud (4) :* monumentale, comme son vis-à-vis. Il faut absolument la gravir pour bénéficier d'une vue unique sur l'ensemble du site. L'intérieur est loin d'avoir été totalement exploré, et on ne connaît guère les entrailles de ce monument. Sur trois angles de la base, on a retrouvé de curieuses offrandes et des **stèles ornées** de dessins et de glyphes. Ne manquez pas celles du coin gauche en redescendant *(5).* Dommage qu'on n'ait toujours pas pu déchiffrer les inscriptions.

– En continuant sur la gauche de la plateforme, on atteint la **structure M,** composée d'un édifice à deux étages, d'une cour et d'une pyramide surmontée par un temple.

– *Los Danzantes (6) :* un édifice qui doit son nom aux magnifiques et non moins célèbres dalles sculptées de figures humaines découvertes en 1806 et qu'on a pris pour des danseurs. Elles représentent des personnages datant de 500 à 100 avant l'ère chrétienne, sans doute olmèques, dont les visages peuvent être comparés à ceux des célèbres têtes monumentales du parc de Villahermosa ou du musée de Jalapa. En revanche, ce sont loin d'être des danseurs : la plupart d'entre elles représentent des silhouettes nues, trapues, dans des positions grotesques. Ce ne sont pas les théories qui manquent. Certains archéologues estiment qu'il s'agit de captifs destinés aux sacrifices (ils sont nus, signe d'infamie), alors que d'autres, n'oubliant pas le caractère sacré de la cité, refusent cette interprétation guerrière et préfèrent y voir l'expression d'un culte à la fertilité, voire d'un culte phallique d'origine olmèque. D'autres, enfin, pensent que ces stèles servaient à une école de médecine et marquent le début d'un système d'écriture.

– *La structure IV (7) :* un ensemble construit selon la même disposition que la structure M : deux édifices unis par de larges escaliers. Au centre du patio se trouve un sanctuaire. À la droite de la construction, la **stèle n° 18 (8),** en piteux état depuis qu'elle s'est brisée et qu'on a tenté de recoller les morceaux. Ne faites pas semblant de déchiffrer les hiéroglyphes, ils sont devenus illisibles.

– *La plateforme nord (9)* **:** destinée à l'activité cérémonielle qui rythmait la vie quotidienne. On gravit courageusement l'escalier de 37 m de large pour arriver à un portique aux colonnes mal conservées. Derrière se cache le *patio Hundido (9),* encadré par les *édifices* A et B.

– *Le groupe central (G, H, I, J)* **:** au centre de l'esplanade, les trois *édifices (G, H et I)* formaient le principal lieu public de la cité. Un peu à l'écart, le *monticule J* devait servir d'observatoire astronomique. Sa pointe en éperon avait un rapport avec le soleil à son zénith (l'ombre des fidèles disparaissait et, avec elle, leur âme ; vous imaginez le pouvoir des prêtres...). Sur la façade à droite et à gauche de la porte, de nombreux glyphes non déchiffrés. Ce monticule-observatoire est traversé par un couloir couvert de dalles, dont l'accès est fermé par une porte cadenassée. C'est dans le bâtiment H que l'on a retrouvé le fameux masque de jade en forme de chauve-souris qui est exposé au Musée national d'Anthropologie de Mexico.

MITLA

Sur la route de Mitla, plusieurs arrêts possibles. Évidemment, tout dépend du temps dont on dispose. Après la visite de Mitla, sur le chemin du retour, on trouve dans l'ordre d'apparition : les ruines de Yagul, Tlacolula et son marché du dimanche, Teotitlán del Valle pour ses tapis, le monastère dominicain de Tlacochahuaya et enfin l'arbre de Tule (voir plus loin la description de ces endroits).

Comment y aller ?

➤ *En bus d'Oaxaca* **:** le site de Mitla est à 40 km à l'est d'Oaxaca. Pour s'y rendre, prendre un bus de la compagnie *Oaxaca-Istmo* (environ 1 h). Départ toutes les 10 mn du *terminal de 2ᵉ classe (hors plan par A3, 5)* à partir de 6 h, guichet porte 8 (à l'ouest de la ville, au bout de Las Casas, après le *periférico,* une grande bâtisse moderne). On vous dépose au village, à 500 m des ruines environ. Plusieurs agences en ville organisent des excursions.

À voir

Mitla est un petit village indien. Le site est ouvert de 8 h à 17 h. Entrée : 29 $Me (2 €). Arriver avant 11 h pour éviter la foule. Au centre trône une magnifique église coloniale aux dômes peints en rouge. Autour, des haies de cactus candélabres... L'église s'élève dans la cour sud du *groupe du Curé.* C'est là que se trouve le site archéologique, composé également du *groupe des Colonnes* et du *groupe de l'Arroyo.*
Mitla, ou *Mictlán,* dérive de la langue náhuatl et signifie « endroit des morts ». En langue zapotèque, le site s'appelait *Lyoabaa,* le « lieu de repos ». La construction des bâtiments ouverts au public (palais et lieux administratifs) s'est étalée entre 950 et 1521 apr. J.-C.

🚶 *Le groupe des Colonnes* (derrière l'allée qui relie l'église au marché d'artisanat) est le plus intéressant : grands patios, panneaux de motifs géométriques, corridors et dédales de salles parfaitement conservées. Dans l'une des cours, des galeries souterraines mènent à d'étonnantes tombes de plan cruciforme. Dans la tombe au nord de la cour, vous verrez tout le monde passer ses bras autour d'une colonne. C'est la colonne « de la vie », qui permet de savoir combien de temps il vous reste à vivre. Bon, en fait, personne ne sait trop comment on fait le calcul.

🕯 *Le marché* du village est également intéressant. On peut s'y procurer de magnifiques tapis, des sacs et des *sarapes*.

🕯 *Les ateliers de tissage* sont à l'entrée de Mitla, ainsi que le *museo Frissell* d'art zapotèque (près du *zócalo*), dans lequel se trouvent surtout des figurines.

– À Mitla, ne pas oublier de goûter au *mezcal*. Dans certaines boutiques, la dégustation est gratuite (et il y a beaucoup de boutiques...).

À voir encore dans les environs

🕯 *Le site de Yagul :* sur la route de Mitla, une petite zone archéologique, zapotèque et contemporaine de Mitla. Ouvert tous les jours de 8 h à 17 h. Très beau paysage avec une vue superbe sur la vallée. Mais les ruines elles-mêmes sont très simples, le très grand stade du jeu de pelote étant la partie la plus remarquable. *Attention :* le bus vous dépose à 2 km du site. Prévoir des boissons, car il n'y a rien à boire sur place.

🕯 *L'arbre de Tule :* sur la route de Mitla, à 10 km d'Oaxaca. Situé sur une place devant l'église du village de Santa Maria del Tule. Ouvert tous les jours de 7 h à 19 h. Entrée : 3 $Me. Cet arbre exceptionnel mesure 58 m de circonférence, 42 m de hauteur, et il aurait environ 2 000 ans d'âge. Un colosse impressionnant unique en son genre, mais on en trouve d'autres de cette espèce, en moins gros, dans la région. Vers la fin août, célébration de l'arbre. Appelé Ahuehuete ou Sabino (mais son nom scientifique est Taxodium Mucronatum), l'arbre fut parfois en péril. Un commerçant voulut même l'abattre pour le débiter en planches, mais les Indiens s'y opposèrent et le sauvèrent.

🕯 *Tlacochahuaya :* toujours sur la route de Mitla, à une vingtaine de kilomètres d'Oaxaca et à 1 km de la route, vous découvrirez un beau petit village sans trop de touristes. Son église et son vieux monastère du XVIᵉ siècle valent le détour. Toute l'ornementation a été réalisée par les Indiens zapotèques, d'où ce curieux mélange de styles.

🕯 *Teotitlán del Valle :* encore un peu plus loin, à 25 km d'Oaxaca. Village spécialisé dans le tissage de la laine et du coton. Certains tisserands travaillent encore avec les pigments naturels et les motifs traditionnels zapotèques. Superbes tapis, châles, couvertures. Tarifs en dollars pour les *gringos*, alors parlez français (ou mieux, espagnol !) et les prix deviendront plus raisonnables. N'hésitez pas à marchander ; ici, ça fait partie du jeu. Petit marché couvert sympa, au centre du village. Plusieurs fois par an a lieu la *danse de la Plume*, très pittoresque. Le 1ᵉʳ week-end de septembre, une autre fête : les *rencontres des langues et des cultures zapotèques*.

🕯 *Hierve el Agua :* à 13 km après Mitla, accessible par un mauvais chemin de terre (compter 1 h environ). Véhicule tout terrain conseillé. Des minibus assurent la navette pour la somme de 25 $Me (1,75 €), au départ de Mitla. Entrée du site : 10 $Me (moins de 1 €). Le site de Hierve consiste en deux grandes cascades pétrifiées composées de carbonate de calcium. Ceux qui connaissent le site de Pamukkale en Turquie y verront une similitude. Des petites sources d'eau carbonée alimentent des piscines naturelles qui sont aménagées pour la baignade. On peut y nager. Possibilité aussi de camper sur place.

🕯 *Cuilapán :* vers le sud-ouest, sur la route de Zaachila (voir ci-après « Les marchés indiens »). Ruines d'un des plus grands monastères mexicains. Superbe. Le 25 juillet, fête du village.

🍖 *Coyotepec :* village à 12 km au sud d'Oaxaca sur la route d'Ocotlán (bus toutes les 30 mn en partant du terminal de 2ᵉ classe). C'est là que sont façonnées les célèbres poteries en terre cuite noire qui foisonnent dans la région. Les artisans font visiter leurs ateliers, et c'est moins cher qu'en ville.

Les marchés indiens

– *Zaachila :* au sud-ouest d'Oaxaca, à 18 km. Marché le jeudi. Arriver tôt le matin si l'on veut se balader dans le marché aux animaux (à l'entrée du village). Pour les fans de la civilisation zapotéco-mixtèque, petit site archéologique sur l'emplacement de la dernière capitale des Zapotèques. Pour y aller, bus au terminal 2ᵉ classe toutes les 20 mn à partir de 6 h. Au retour, on peut s'arrêter au *monastère de Cuilapán* et reprendre le bus suivant.
– *Ocotlán :* à 30 km d'Oaxaca, vers le sud. Marché le vendredi. Poteries de terre rouge, ustensiles de cuisine en bois, etc.
– D'autres marchés indiens sont accessibles en bus pour la journée : *Miahuatlán, Zimatlán* et *Alvarez, San Pedro* et *San Pablo Etla.*
– *Tlacolula :* à 32 km au sud-est ; il faut prendre le bus pour Mitla. Marché le dimanche à partir de 9 h. C'est celui que nous préférons, authentique et coloré. Les Indiennes viennent y proposer leurs fruits et légumes. Artisanat, tissages, nourriture, on y trouve de tout et c'est moins cher qu'à Oaxaca. Peu fréquenté par les touristes. Également à voir, la très belle *église* avec sa petite chapelle baroque. Tlacolula est aussi un bon endroit pour goûter au *mezcal.* Mais la capitale mondiale de ce puissant breuvage se trouve quelques kilomètres plus loin, dans le village de Santiago de Matatlán.

QUITTER OAXACA

En bus

N'oubliez pas le service **Ticket Bus,** au centre-ville, où l'on peut acheter ses billets à l'avance. Voir « Adresses utiles » au début du chapitre « Oaxaca ».
● www.ticketbus.com.mx ●

🚌 *Terminal de 1ʳᵉ classe (hors plan par B1, 4) :* calzada Niños Heroes de Chapultepec 1023. Au nord de la ville. Compter vingt bonnes minutes à pied depuis le *zócalo ;* remonter Juárez, puis tourner à droite. Consigne à bagages « Guarda Plus », ouverte 24 h/24.
■ *Compagnie ADO :* ☎ 515-17-03.
■ *Compagnie OCC (Omnibus Cristóbal Colón) :* ☎ 515-12-14.

➤ *Pour Mexico – Terminal Tapo :* avec ADO, 12 départs par 24 h, mais quelques-uns ne sont pas directs. Avec *Cristóbal Colón,* 1 départ à minuit. Avec *ADO GL* (plus luxueux), 6 départs quotidiens, et 3 départs de plus le week-end. Et enfin 6 bus quotidiens avec la compagnie *UNO,* luxueuse et chère (environ 480 $Me, soit 33,60 €, le billet). Compter 6 h de trajet avec un bus direct.
➤ *Pour Mexico – Terminal Tasqueña (au sud) :* avec *Cristóbal Colón,* 4 bus par jour. Deux bus par jour avec *ADO GL.*
➤ *Pour Mexico – Terminal Norte :* avec *ADO,* 5 départs entre 9 h 30 et 1 h 30 du matin. Compter 6 h 30 de trajet. Deux bus en soirée avec *ADO GL.*
➤ *Pour Puebla :* avec *ADO,* 7 départs quotidiens. Avec *Cristóbal Colón,* 1 bus par jour. Avec *ADO GL,* bus à 16 h 30. Compter 4 h 30 de trajet.
➤ *Pour Pochutla (Puerto Ángel) :* avec *Cristóbal Colón,* 4 départs par jour. Compter 9 h de trajet, contre 6 h à 7 h avec les bus du terminal de 2ᵉ classe.

En effet, ces derniers traversent directement la sierra pour rejoindre la côte, route montagneuse très sinueuse mais plus directe qu'en passant par l'isthme.

➤ *Pour Puerto Escondido :* mêmes bus que pour Pochutla. Compter 10 h 30 de trajet. Même remarque que ci-dessus.

➤ *Pour Veracruz :* avec *ADO,* 3 départs par jour. Avec *ADO Plus,* 1 départ en soirée.

➤ *Pour Tehuantepec :* 17 départs par jour, de 7 h à 1 h 55 du matin, avec *Cristóbal Colón.* Un bus quotidien le soir avec *ADO Plus.* De 4 h à 5 h de trajet.

➤ *Pour Tuxtla Gutiérrez :* avec *Cristóbal Colón,* départs à 19 h, 21 h, 22 h 15. Un bus en soirée avec *ADO Plus.* De 11 h à 12 h de trajet. Réserver à l'avance en haute saison.

➤ *Pour San Cristóbal de Las Casas :* avec *Cristóbal Colón,* départs à 19 h et 21 h. De 11 h à 12 h de trajet.

➤ *Pour Palenque :* avec *ADO,* départ à 17 h. Environ 15 h de trajet.

➤ *Pour Villahermosa :* avec *ADO,* 3 départs par jour. Au moins 12 h de trajet.

➤ *Pour Mérida :* avec *ADO,* 1 départ hebdomadaire (le dimanche). Environ 22 h de trajet. Passe par ***Campeche.***

➤ *Pour Cuautla (liaison avec Cuernavaca) :* 3 bus par jour avec *SUR.* De 8 h à 9 h de trajet.

🚌 *Terminal de 2ᵉ classe* (hors plan par A3, 5) : au bout de la rue Las Casas, au-delà du *periférico,* près du grand marché. C'est de là que partent les bus pour toutes les villes des environs. On peut y aller à pied si l'on n'est pas trop chargé, c'est à 20 mn du centre. Cafétérias, téléphone *larga distancia* et consigne « Guarderia de Equipaje » située en face des guichets de *Fletes y Pasajes,* ouverte de 6 h à 21 h. Terminal plus désorganisé que celui des 1ʳᵉ classe. Très difficile d'obtenir des horaires exhaustifs et précis. En plus, ils changent assez souvent. Bref, vous aurez compris comment interpréter les horaires indiqués ci-dessous.

➤ *Pour Mitla :* avec les compagnies *Oaxaca-Istmo* (porte 9) et *Fletes y Pasajes* (porte 21), bus toutes les 10 mn de 6 h à 22 h. Durée : 1 h.

➤ *Pour Tehuantepec :* bus toutes les 30 mn. Durée : 5 h.

➤ *Pour Tlacolula :* les mêmes que ceux qui vont à Mitla.

➤ *Pour Zaachila :* bus toutes les 10 mn entre 6 h et 22 h. Départ et billets porte 27.

➤ *Pour Pochutla (Puerto Ángel) :* les bus prennent la route de montagne. Toute une aventure. Déconseillé aux émotifs et aux routardes enceintes. Pour les autres, des souvenirs pour les longues soirées d'hiver. Avec les bus du terminal de 1ʳᵉ classe, la route est beaucoup plus rectiligne mais beaucoup plus longue. En gros, 6 h contre 9 h de trajet. Avec *Oaxaca Pacífico* (porte 24), 9 départs par jour, de 5 h à 16 h 30 ; durée : 7 h. Avec *Estrella del Valle* (porte 24 également), départs toutes les heures, dès 4 h et jusqu'à 17 h, et 1 bus le soir pour Puerto Ángel. Avec *Oaxaca Istmo* (porte 8), 2 départs quotidiens.

➤ *Pour Puerto Escondido :* la grande majorité des bus qui vont à Puerto Escondido sont les mêmes que pour Pochutla et s'arrêtent donc dans cette ville. Compter 8 h de trajet.

➤ *Pour Tuxtla Gutiérrez :* avec *Fletes y Pasajes* (porte 21), 5 départs par jour, de 5 h à 21 h. De 10 h à 12 h de trajet.

➤ *Pour Huautla :* avec *Fletes y Pasajes* (porte 21), départs à 13 h 30 et 20 h. Durée : 8 h de trajet.

➤ *Pour Cuautla* (à 1 h de Cuernavaca) *:* 3 départs par jour avec *Fletes y Pasajes.* Compter 7 h de trajet.

➤ *Pour Mexico :* avec des arrêts un peu partout, dont Cuautla et Puebla. Trois départs quotidiens, entre 7 h et minuit, avec *Fletes y Pasajes.* Environ 7 h 30 de trajet. Évidemment plus long qu'en 1re classe, mais le charme de la musarde.

En avion

✈ *L'aéroport* (hors plan par A3) est à 10 km de la ville. Il abrite une annexe de l'office de tourisme *(SEDETUR)*, mais pas de distributeur de billets.
➤ *Minibus pour l'aéroport :* sur la plaza Alameda, entre la poste et l'hôtel *Monte Albán (plan A2).* ☎ 514-43-50. Bureau ouvert de 9 h à 14 h et de 17 h à 20 h. Pas de réservation téléphonique. Il suffit d'y aller la veille, de réserver sa place, et ils passent en minibus vous chercher à votre hôtel. Compter 29 \$Me (2 €). Le taxi coûte 2 fois plus cher.
➤ Pour les courageux, il existe un bus Oaxaca-aéroport, mais il s'arrête 350 m avant, au carrefour *La Raya.* Faire signe au chauffeur. Ce bus se prend en face du terminal 2e classe. Durée : 40 mn + 5 mn de marche.

Compagnies aériennes

■ *Mexicana (plan B2, 20) :* Fiallo 102, à l'angle d'Independencia. ☎ 516-84-14. À l'aéroport : ☎ 511-52-29 ou 01-800-502-20-00 (n° gratuit). ● www.mexicana.com. mx ● Ouvert de 9 h à 19 h (18 h seulement les samedi et dimanche). Quatre vols quotidiens pour *Mexico*, 1 vol pour *Tuxtla*, 2 vols pour *Puerto Escondido* et *Huatulco.* Vue superbe sur le Popocatépetl (à droite) et les ruines de Monte Albán (à gauche).
■ *Aerocaribe (plan B2, 20) :* même adresse et même numéro de téléphone que *Mexicana.* ● www.aerocaribe.com ● Dessert *Huatulco* (1 vol quotidien), *Puerto Escondido* (5 vols par semaine), *Tuxtla Gutiérrez* (3 vols quotidiens), *Villa Hermosa, Mérida, Cancún, Tikal* (aéroport de Flores au Guatemala), et même *La Havane* à Cuba.

■ *Aeromexico (plan A2, 21) :* Hidalgo 513. ☎ 516-37-65 et 10-66 ou 01-800-021-40-00 (n° gratuit). ● www.aeromexico.com ● Ouvert du lundi au vendredi de 9 h à 18 h 30 et le samedi de 9 h à 17 h 30. À l'aéroport, ouvert de 6 h à 20 h, le dimanche également. Cinq vols quotidiens pour *Mexico* (1 630 \$Me, soit 115 €, le billet aller) et 3 vols par semaine pour *Tijuana.*
■ *Aerotucán (plan A-B2, 22) :* Alcalá 201. ☎ 501-05-30. ● www.aerotucan.com ● Avionnettes pour *Puerto Escondido* (environ 1 210 \$Me, soit 85 €, le billet aller) et *Huatulco* (environ 1 330 \$Me, soit 95 €).
■ *Aviacsa :* Pino Suárez 604. ☎ 518-45-55. À l'aéroport : ☎ 511-50-39. ● www.aviacsa.com.mx ●

HUAUTLA DE JIMENEZ

Ce fut un banquier de New York, *R. Gordon Wason,* qui révéla au monde l'existence du chamanisme dans la sierra Mazatèque, au sud de Puebla, près de Tehuacán. Au début de 1953, il entreprit un voyage au lointain village de Huautla de Jimenez, dans l'État d'Oaxaca. Les expériences de divination réalisées par les guérisseurs s'étant révélées passionnantes, Wason revint dans la sierra Mazatèque en 1955, accompagné d'un photographe, et il fit alors la connaissance de la célèbre guérisseuse María Sabina, Indienne Mazatèque qui jouissait d'un prestige extraordinaire dans la région. Grâce à elle, l'Américain pénétra dans un monde à peine connu de l'Occident.

MARÍA SABINA

Le vendredi 22 novembre 1985 s'éteignit, à l'hôpital d'Oaxaca, la célèbre María Sabina, à l'âge de 97 ans. Cette petite Indienne, mince et vigoureuse, « reine du champignon hallucinogène », fut la guérisseuse la plus prestigieuse du Mexique et, cependant, elle continuait à vivre comme toute Indienne Mazatèque, avec peu d'argent et de multiples obligations familiales. Deux fois veuve, elle fut mariée la seconde fois au sorcier Marcial Calvo dont elle soutira certains rudiments du chamanisme, en dépit de son opposition et de ses « jalousies professionnelles ». Après la mort de celui-ci, elle se consacra au chamanisme et son nom se répandit sur toute la sierra mazatèque, attirant les croyants, les ethnologues et les curieux. Elle reçut notamment la visite de John Lennon, Mick Jagger, Bob Dylan... On lui attribuait des pouvoirs extraordinaires, capables de guérir les malades, de prédire l'avenir et de dialoguer avec les obscures puissances de la nature.
Nombreux chamans à Huautla, qui poursuivent la tradition chamanique.

HUATULCO

IND.TÉL. : 958

Une station balnéaire sortie de nulle part ! Elle a poussé comme un champignon le long de cette côte jusqu'alors déserte. Imaginez la jungle épaisse, les plages inaccessibles, vierges, et puis soudain, un aéroport international, de larges avenues au gazon bien tondu, un golf, des hôtels dans le style « resort ».
Au début des années 1980, les autorités mexicaines ont décidé de créer ici une station balnéaire afin de désengorger Cancún et Acapulco. Et les grandes sociétés de l'hôtellerie de s'installer, ravies, sur les plages des petites baies aux eaux limpides. C'est ainsi que l'on fonde une ville et qu'on rajoute un point sur la carte.
Il est prévu 30 000 chambres d'hôtel pour l'an 2010... Mais cet ambitieux projet a du mal à décoller. On se retrouve pratiquement seul sur de longs boulevards déserts gardés par des rangées de palmiers bien alignés.

LA CÔTE PACIFIQUE SUD

35 KM DE LITTORAL, 9 BAIES

Huatulco est une zone côtière accrochée à la sierra qui glisse doucement dans le Pacifique. Du nord au sud, neuf baies s'étendent sur les 35 km du littoral. Chaque baie correspond à une zone hôtelière dont le standing varie de 3 à 5 étoiles. Le village ancien de Huatulco existe bel et bien, en retrait de la mer, autour du quartier de *La Crucecita*. Ce centre-ville quadrillé par des rues se coupant à angle droit apporte une note un peu humaine et authentique. Là se trouve le marché, le *zócalo,* les magasins pour touristes et les hébergements bon marché.

Arriver – Quitter

Huatulco se trouve à 110 km de Puerto Escondido, à 40 km de Pochutla et à 147 km de Salina Cruz. D'Oaxaca, compter 280 km via Pochutla et 400 km via Salina Cruz.
Les bus arrivent au village de *La Crucecita*. De là, des *peseros* vous conduiront aux principales baies.

En bus

🚌 *Terminal Cristóbal Colón :* Gardenia 1201, à l'angle de Cocotillo. ☎ 587-02-61.
➤ *De et pour Mexico (terminal Tapo) :* 2 bus l'après-midi et en soirée. Trajet : environ 14 h.
➤ *De et pour Oaxaca :* 3 bus par jour. Trajet : environ 8 h.
➤ *De et pour Puerto Escondido :* 2 bus par jour. Trajet : 40 mn.
➤ *De et pour Tehuantepec :* 6 bus par jour. Trajet : 3 h.
➤ *De et pour Puebla :* 1 bus par jour. Même itinéraire et compagnie que pour aller à Mexico. Trajet : environ 12 h.
➤ *De et pour San Cristóbal de Las Casas et Tuxtla :* 2 bus par jour dont un de nuit. Compter 12 h de trajet.
➤ *De et pour Veracruz :* 1 bus par jour. Trajet : environ 10 h.

🚌 *Terminal Estrella Blanca :* à l'angle de Gardenia et Palma Real. ☎ 587-01-03.
➤ *De et pour Acapulco et Puerto Escondido :* 8 bus par jour, de 5 h 30 à 17 h 30.
➤ *De et pour Salina Cruz :* 3 bus par jour. Trajet : 2 h 30.

En avion

✈ *L'aéroport de Santa Maria Huatulco* est à 18 km de la ville, en direction de Pochulta.

■ *Mexicana :* ☎ 587-02-23 ou 43. Vols quotidiens de et pour *Mexico*.

■ *Aeromexico :* ☎ 01-800-021-40-00 (n° gratuit). Vols quotidiens de et pour *Mexico* et *Oaxaca*.

Adresses utiles

🛈 *Office de tourisme :* Benito Juárez, Bahía de Tangolunda. ☎ 581-01-77. Fax : 581-01-76. ● www.oaxaca.gob.mx/sedetur ● Ouvert du lundi au samedi de 9 h à 17 h. Pour récupérer une carte de la zone et quelques infos pratiques.
■ *Station-service Pemex :* angle bd Chahue et av. Oaxaca.

Où dormir ?

De bon marché à prix moyens : de 210 à 300 $Me (14,70 à 21 €)

🛏 *Posada Leo :* Bugambilia 302 (à l'angle de Cocotillo), La Crucecita. ☎ 587-26-01. Dans une *posada* familiale, tenue avec soin par un aimable couple, 6 chambrettes simples et propres, avec salle de bains, AC ou ventilo. Donnent sur la rue ou sur le jardin.

🛏 *Posada San Agustín :* av. Carrizal 1102 (à l'angle de Macuil), La Crucecita. ☎ 587-03-68. Murs blanc et bleu, épicerie au rez-de-chaussée, chambres accueillantes, propres et carrelées, avec salle de bains et ventilateur.

Prix moyens : de 300 à 450 $Me (21 à 31,50 €)

🛏 *Posada Palma Real :* Palma Real 7, La Crucecita. ☎ 587-17-38.
Bâtiment jaune d'un étage donnant sur un petit jardin public. Une

adresse accueillante, agréable et bien située. Chambres confortables, avec TV et AC. Le patron tient un petit resto à côté.

🛏 **Busanvi I :** Carrizal 601, à la hau-teur de Cocotillo, La Crucecita. ☎ 587-00-56. Chambres bien tenues, avec petits balcons côté rue. Ventilo ou AC. Service d'excursions à l'accueil.

Où manger ?

– **Mercado :** à un bloc du *zócalo*. Plusieurs cantines où manger de bons petits plats de poisson et de cuisine locale. Et plein de jus de fruits tropicaux et de glaces.

🍴 **Tostado's Grill :** Flamboyan 306. ☎ 587-16-97. Sur le *zócalo*, près d'un cybercafé, une terrasse agréable et une salle meublée (piano, chaises en bois) avec un peu plus de recherche que la moyenne. Salades à partir de 40 $Me. *Mariscos,* plats locaux.

🍴 **Oasis :** Bugambilla, angle avec Flamboyan. ☎ 587-00-45. Près du *zócalo*. Peu de choix mais que du bon, à partir de 32 $Me (2,30 €) le plat. Petite salle ventilée prolongée par une terrasse.

Où boire un verre ?

La vie nocturne se concentre autour du *zócalo*. Quelques bars à Santa Cruz et les grands hôtels proposent régulièrement des animations et *happy hours.*

🍸 **La Crema :** sur la plaza de Crucecita. Ouvert à partir de 19 h. Au 1er étage. Fréquenté par les jeunes du coin. Grand bar bourré de jolis fauteuils ronds et de tables basses. Lumière tamisée. Déco très hétéro-clite. Très bonne musique rock, reggae et groupes nationaux. Et bien sûr, une ribambelle alléchante de cocktails. Sympa et souvent remuant en soirée.

Les plages

📷 Tout le problème, ici, est de choisir sa plage. Il y en a 36 ! Toutes aussi belles les unes que les autres. Attention, la baignade n'y est pas toujours sans risques, les eaux du Pacifique sont parfois dangereuses. Se renseigner avant de choisir. Les plus fréquentées sont bien sûr celles qui ont les eaux les plus paisibles : **Tangolunda, Santa Cruz, La Entrega, Maguey.** La **baie de Cacaluta** a une petite île qui protège des vents dominants. Possibilité de visiter les baies en bateau. Excursion à la journée à partir du port de Santa Cruz, le tarif se négocie sur place. Éviter les agences de tourisme, c'est trop cher et en groupe avec horaires fixes.

📷 À l'est, la **baie Conejos** comporte 3 plages : *Punta Arena, Conejos* et *Tejoncitó.* Encore plus loin, la *Bocana del Río,* à l'embouchure de la rivière.

PUERTO ÁNGEL   10 000 hab.   IND. TÉL. : 958

Un charmant petit port de pêche dans une échancrure de la côte Pacifique, à une cinquantaine de kilomètres à l'ouest de Huatulco. Avec sa jetée, son môle et quelques barques de pêcheurs qui se dandinent tranquillement dans une petite baie où nonchalance rime avec bonhomie et amabilité. À l'inverse de ses deux voisins (Huatulco au sud et Puerto Escondido au nord), Puerto

Ángel a conservé sa tranquillité et reste de taille humaine. Pas de grands hôtels style « resort » à l'américaine, pas de tours et d'immeubles comme à Cancún, mais un modeste village qui vit de la pêche et du tourisme.

Arriver – Quitter

Tous les bus s'arrêtent au village de *Pochutla,* à une quinzaine de kilomètres de Puerto Ángel. Des camionnettes bâchées, où l'on s'entasse avec les locaux, font sans cesse le trajet jusqu'à Puerto Ángel, Zipolite et Mazunte. C'est la solution la moins chère. À défaut, on prend un taxi *colectivo* (il faut attendre qu'il se remplisse).

En bus

🚌 *Terminal Estrella Blanca :* av. Lázaro Cárdenas. ☎ 584-03-80. Bus 1re classe.
➤ *Pour Mexico :* 1 bus de luxe en fin d'après-midi. Trajet : 12 h.
➤ *De et pour Acapulco et Puerto Escondido :* 2 bus ordinaires. Trajet : 8 h.
➤ *De et pour Bahías de Huatulco et Salina Cruz :* 8 bus entre 9 h et 19 h. Trajet : 40 mn.

🚌 *Terminal Estrella del Valle :* bus 2e classe.
➤ *De et pour Oaxaca :* 4 bus directs entre 6 h et 23 h.
➤ *De et pour Mexico :* 2 bus par jour.

🚌 *Transportes rapidos de Pochutla :* face au *terminal de Estrella Blanca.*
➤ *De et pour Salina Cruz et Juchitan :* bus toutes les 15 mn, de 5 h 45 à 15 h 30.

🚌 *Terminal Cristóbal Colón :* av. Lázaro Cárdenas. ☎ 584-02-74. Bus très confortables 1re classe.
➤ *De et pour Mexico :* 1 bus en soirée. Trajet : 14 h.
➤ *De et pour Oaxaca :* 3 bus par jour. Trajet : 8 h.
➤ *De et pour Puerto Escondido :* dès 6 h du matin et jusqu'à 20 h, un bus toutes les 40 mn.
➤ *De et pour Tehuantepec :* 4 bus par jour. Trajet : 4 h.
➤ *De et pour San Cristóbal de Las Casas et Tuxtla :* 2 bus dans la soirée. Compter 12 h de trajet.
➤ *De et pour Huatulco :* même ligne que pour Puerto Escondido.

Par la route

➤ *D'Acapulco :* c'est la route du Pacifique, qui passe par Puerto Escondido. Compter 7 h à 9 h de trajet en bus. En revanche, ceux qui sont en voiture éviteront de faire cette route de nuit, pour des raisons de sécurité. Vous pourrez même vous arrêter à *Playa Ventura,* à 2 h d'Acapulco, entre Marquelia et Las Peñas, pour une étape baignade dans les vagues du Pacifique, plus filet de poisson grillé à l'ombre d'une *palapa.*
➤ *D'Oaxaca :* 5 h à 8 h de trajet dans la montagne. Attention : paradoxalement, les bus de 2e classe mettent moins de temps parce qu'ils prennent la route directe qui traverse la sierra par une route magnifique et très sinueuse. Les bus 1re classe mettent plus de temps, mais la route est plus facile. Voir « Quitter Oaxaca ». Par ailleurs, il existe des petites compagnies privées qui font le trajet avec des minibus très confortables. Compter 5 h à 5 h 30 de route. *Eclipse 70,* par exemple, fait une huitaine d'allers-retours quotidiens. Renseignements à Oaxaca : ☎ 516-10-68 ; à Pochutla : ☎ 584-06-40.
➤ *De Mexico :* du terminal Tasqueña, les bus partent le soir et arrivent le lendemain matin vers... disons 10 h, 11 h, parfois midi.

En avion

✈ Cette zone de la côte Pacifique compte deux aéroports : *Huatulco* et *Puerto Escondido*. Pour Puerto Ángel, préférez ce dernier. Il vous restera environ 1 h 30 de route. Si vous arrivez à l'aéroport de Huatulco, sachez que les taxis sont très chers. Marchez plutôt jusqu'à la route principale et de là, attrapez le bus pour Pochutla.

Adresses utiles

🛈 *Informations touristiques :* kiosque sur la droite du parking à l'entrée de la jetée sur la *Playa Principal*. Ouvert tous les jours sauf le dimanche, de 9 h à 14 h et de 17 h à 20 h, le samedi de 9 h à 13 h.

✉ *Poste :* à gauche du môle *Playa Principal* en regardant la mer. Ouvert de 9 h à 15 h, du lundi au vendredi.

▪ *Change :* il faut aller à Pochutla. Plusieurs banques dans la rue principale, avec distributeurs de billets. Bureau de change à Zipolite. À Puerto Ángel, on peut faire du change dans plusieurs hôtels et restos, mais seulement avec des dollars.

Où dormir ?

Enfouis dans une dense végétation tropicale, la plupart des hébergements sont accrochés aux flancs de la sierra. Il n'y a pas toujours d'eau chaude, et la vue sur la baie est souvent masquée par les arbres ou les constructions en parpaings. Ventilo, clim' et moustiquaire sont très appréciables à Puerto Ángel, où la température est élevée !

LA CÔTE PACIFIQUE SUD

Très bon marché : moins de 210 $Me (14,70 €)

🏠 *Glady's :* ☎ 584-30-50. Au-dessus de l'hôtel *Soraya* (voir plus loin). Dans une maison particulière, des chambres proprettes, certaines avec salle de bains. Accueil affable.

🏠 *Casa de Huéspedes Leal :* ☎ 584-30-81. En face de la base navale, à côté de la *posada Gundi y Tomas*. Difficile de trouver moins cher. Chambres avec douches communes. Simplicité et gentillesse pour cette adresse à l'ambiance familiale.

De bon marché à prix moyens : de 210 à 300 $Me (14,70 à 21 €)

🏠 *Posada Canta Ranas :* Tenieite José Azueta. ☎ 584-31-29. Sur la gauche du chemin de terre, en venant de la mer, après l'hôtel *Buena Vista*. À flanc de colline, une belle *posada* bien tenue, avec chambres spacieuses, confortables et très propres. Vaste terrasse avec hamacs. Accueil souriant.

🏠 *Posada Anahi :* ☎ 584-30-89. Petite *posada* le long de la rue qui conduit à la Playa de Pantéon. Quelques jolies chambrettes avec salle de bains. Internet, fax, parking. Accueil sympa.

🏠 *Casa de Huéspedes Gundi y Tomas :* ☎ 584-30-68. ● www.puertoangel-hotel.com ● Au-dessus de la base navale et de la *Casa Leal*. Ça grimpe dur, mais l'endroit reste agréable. Les chambres sont enfouies dans la verdure, dispersées sur plusieurs niveaux. Déco inspirée des sites archéologiques. Douches et sanitaires communs, moustiquaires et ventilos. Coin hamacs bien peinard. Petit dej' sur la terrasse.

🛏 *Hôtel Casa Arnel :* Teniente José Azueta 666. ☎ 584-30-51. Dans une maison familiale bien tenue et agréable, 5 chambres propres et coquettes, avec ventilo et salle de bains impeccable. Hamacs sur la terrasse. Petit dej', Internet, fax, coin lessive.

🛏 *Hôtel Puesta del Sol :* en sortant de Puerto Ángel, sur la route de la plage du Panteón, sur la droite de la route principale ☎ et fax : 584-30-96. • www.puertoangel.net • Une bonne adresse juchée sur une butte, non loin de la route, avec plusieurs options, depuis la chambre à lit double avec toilettes collectives (économique) à celle avec salle de bains, eau chaude et terrasse. Toutes avec ventilo, moustiquaire, parfois l'AC. On peut y prendre le petit dej'. Terrasse ombragée où l'on s'étend dans un hamac. Salon de lecture. Coin pour faire sa lessive.

Prix moyens : de 300 à 450 $Me (21 à 31,50 €)

🛏 *Villa Serena Florencia :* Virgilio Uribe, face à la baie principale. ☎ et fax : 584-30-44. • jerojamin@hotmail.com • Demandez le sympathique Jero, qui parle bien le français. Il tient son hôtel-restaurant avec soin et en famille, l'améliorant au fil des ans. Disposées autour d'un patio intérieur calme, les chambres sont équipées de douche-w.-c. et de ventilateur. Petit supplément pour l'AC. Fait aussi restaurant : très bonne cuisine familiale et locale. Au bar, délicieux cocktails élaborés par Jero qui a roulé sa bosse avant de revenir au pays.

🛏 *Hôtel La Cabaña :* playa del Panteón. ☎ 584-31-05. À 50 m de la plage, un petit hôtel balnéaire avec de grandes chambres confortables avec bains ; certaines avec balcons. Terrasse ensoleillée et spacieuse.

🛏 *El Rincón Sabroso :* ☎ 584-30-95. Prendre l'escalier qui grimpe sur la colline, un peu à droite de l'hôtel *Villa Serena Florencia,* dans le virage. Chouettes petites chambres avec bains, ventilo, hamac en terrasse. Vue sur la baie entre les branches de cocotiers. Bien tenu.

Chic : à partir de 450 $Me (31,50 €)

🛏 *Hôtel Soraya :* José Vasconcelos. ☎ et fax : 584-30-09. Juste audessus du port. Vue sur la baie depuis le 1er étage de l'hôtel. Chambres comme il faut, avec ventilo ou AC, salle de bains et TV. Grande terrasse où se balancent des hamacs. Petit dej' inclus. Resto. Parking.

🛏 *Hôtel Buena Vista :* calle Teniente Jose Azueta. ☎ 584-31-04. Sur le côté gauche du chemin de terre qui dessert la pension *Canta Ranas.* Petite pension perchée sur sa butte couverte de végétation tropicale, abritant des chambres propres, aménagées avec goût : mobilier traditionnel, salle de bains avec *azulejos.* Quelques bungalows individuels. Resto sur la terrasse.

Plus chic : plus de 700 $Me (49 €)

🛏 *Hôtel Bahia de la Luna :* playa Boquilla. ☎ 589-50-20. • www.bahiadelaluna.com • À partir de 850 $Me (66 €) la chambre double, selon le confort et la saison. Repas (dîner seulement) autour de 70 $Me (6 €). À une douzaine de kilomètres au sud de Puerto Ángel, dans une superbe baie isolée, cernée de collines et de jungle. Un chemin rocailleux long de 4 km aboutit à cette incroyable playa Boquilla, un bout du monde ! On peut aussi y arriver en bateau par la mer, c'est plus facile et plus surprenant. Une dizaine de bungalows enfouis sous les arbres et décorés dans le style « rustique-chic » par George « Campos », une personnalité chaleureuse, ancien cadre du *New York Times* et vétéran du Vietnam. Il est aidé par ses sympathiques associés suisses francophones, Reto,

Fabienne, Beat et Andrea. Restaurant sur la plage, sous une *palapa* couverte de feuilles de palmes.

Snack à midi. Cuisine étudiée et inventive avec des plats mexicains et européens.

Où manger ?

|●| *Tiburón Dormido et Viricoco :* tenus par la même famille depuis plus de 45 ans. Les pieds dans le sable, au milieu de la playa Principal (quasi en face de la *Villa Serena Florencia*). Fréquentés par les habitués de Puerto Ángel. Prix raisonnables. On vous sert les poissons pêchés du matin.

|●| *Maca :* au port, tout au début de la jetée sur la gauche. Ce sont les gens du coin qui viennent ici. Comme partout, poisson et fruits de mer. L'accueil y est charmant et le service impeccable. Ambiance et cocktails au bar du 1er étage. Une bonne adresse.

|●| *Beto's :* dans une maison sur la colline avant l'embranchement qui descend à la playa del Panteón. Ouvert de 16 h à minuit. Cuisine locale bon marché. L'endroit est populaire et l'on y vient pour les *camarones*. Accueil jovial, grande terrasse.

|●| *Restaurants Susy et Cordelia's :* sur la playa del Panteón. Fruits de mer, *ceviche* de langouste, soupes, poissons, etc. Ces deux adresses sont plus chères et un peu plus chic que les restos de la playa Principal. Notre préférence va au *Cordelia's.* ☎ 584-31-09.

|●| *Rincón del Mar :* sur la promenade en bord de mer (Andador turisticó), qui sépare la playa del Panteón de la playa Central (plus proche de celle-ci). Ouvert à partir de 17 h. Un excellent petit resto, perché en haut de la falaise. Quelques tables posées sur la terrasse d'où la vue est bouchée par une construction et par la végétation. Trois charmantes chambres pour s'endormir avec le chant des vagues.

À faire

– Pour les lève-tôt, si vous vous rendez vers 5 h près des barques sur la plage, vous trouverez sans doute un pêcheur pour vous embarquer. Prix à négocier. Pour les autres, le mieux est de se prélasser dans un hamac ou, *con mucha calma,* d'explorer les plages des alentours.

– *Excursions avec Byron (Adventure Boat) :* playa del Panteón, hôtel *Angel del Mar.* ☎ 584-31-15. Byron n'est pas le fils d'un lord anglais mais un connaisseur de l'océan, connu de tous, qui organise des balades en mer pour observer la faune (tortues, dauphins, baleines parfois). Plongée en cours de promenade. Bon accueil et prix raisonnables.

La plage d'Estacahuite : sable fin, rochers, eau bleue. C'est une toute petite crique, hélas assez sale. De très beaux fonds pour les amateurs de plongée. Pour y aller, sortir de Puerto Ángel en direction de Pochutla et, 100 m plus loin, prendre la piste sur la droite. Environ 1 km à pied.

La plage de la Boca Vieja : à 35 km de Puerto Ángel, en direction de Huatulco. Juste après le pont de Coyula, vous prendrez un petit chemin de terre (20 mn environ) avant de découvrir une plage déserte la plupart du temps.

ZIPOLITE

IND. TÉL. : 958

La longue plage de Zipolite, à une dizaine de kilomètres au nord de Puerto Ángel, est toujours aussi belle, même si la grande cocoteraie a cédé la place à une nuée de *posadas* pour routards, en bois, bambous et palmes. Dans certaines, on peut planter sa tente ou dormir dans un hamac. D'autres se sont faites plus cossues, surtout après le passage de Paulina en 1997, qui a pratiquement tout détruit. Les habitants ont reconstruit en troquant le bois contre des briques. Et ce que tout le monde craignait est arrivé : quelques hôtels en dur sont apparus. Du coup, la clientèle a changé.

Zipolite rassemble désormais une population disparate : d'anciens babs, des disciples zen qui méditent devant la lune rousse, des noctambules préférant la musique électronique de l'*Iguana Azul* au son des vagues, des gays venus de la capitale, les traditionnels nudistes, des familles qui descendent de la sierra mazatèque pour voir la mer durant les vacances scolaires, bien sûr totalement « textiles ». Tolérance est le mot d'ordre, et l'ambiance reste toujours relax et décontractée. Très peu de monde hors saison, la plage est quasi déserte. En revanche, ça se remplit fortement durant les vacances de Noël et la semaine de Pâques.

UN PEU D'HISTOIRE

La réputation de Zipolite est née dans les années 1970, après la parution d'un article dans le journal anglophone *Mexico City*. À l'époque, la plage n'était fréquentée que par des hippies et des routards au long cours en quête de liberté et de paradis artificiels. Mais ce « paradis perdu » allait gagner une réputation sulfureuse, devenant l'une des rares plages du Mexique où l'on pouvait pratiquer le nudisme. Puis, par la suite, une des seules *gay friendly* pour de nombreux jeunes Mexicains découvrant la liberté des mœurs.

CONSEILS

La mer est dangereuse en raison des contre-courants particulièrement puissants qui poussent au large. Ne pas s'éloigner du bord et s'assurer d'avoir toujours pied. Les gens du coin l'appellent d'ailleurs la *playa de los Muertos*. De fait, durant les vacances, les nageurs-sauveteurs ne chôment pas. Ici, le Pacifique a bien usurpé son nom !

Arriver – Quitter

Quand on arrive dans la région, tous les bus s'arrêtent à Pochutla. De là, il faut prendre une camionnette bâchée ou un taxi collectif qui passe par Puerto Ángel, Zipolite, San Agustinillo puis Mazunte.

Adresses utiles

■ **Laverie :** à la *Posada Navidad*, face à la *Posada San Cristóbal*. Deux autres laveries dans la même rue.
@ **Internet :** 4 centres Internet dans la rue principale du village.
■ **Change :** à côté de la *Posada Navidad*.

Où dormir ? Où manger ?

On peut planter sa tente ou louer un hamac dans l'une des *posadas* qui bordent la plage, mais visitez les douches et les toilettes avant de vous décider. Pour manger, pensez à aller dans le hameau, en retrait de la plage. Quelques très bonnes surprises.

Très bon marché : moins de 210 $Me (14,70 €)

🏠 |●| *Lo Cosmico :* proche du *Shambhala*. ● www.locosmico.com ● Tenu par Antonio, dans un coin retiré et tranquille de la plage. Plusieurs styles de *cabañas* bien construites, avec un plancher solide. Douches et toilettes communes. Et pour le petit dej', les délicieuses crêpes du restaurant.

🏠 |●| *Hôtel Lyoban :* ☎ 584-86-62.

● www.lyoban.com.mx ● Au sud de la plage de Zipolite, à gauche de la route principale qui vient de Puerto Ángel. Chambres confortables, équipées de ventilo et moustiquaire. Salle de bains commune. Resto-bar avec coin salon et musique. Très agréable pour siroter un jus de fruits frais l'après-midi. Billard, ping-pong. *Gay friendly.*

De bon marché à prix moyens : de 210 à 300 $Me (14,70 à 21 €)

🏠 |●| *Shambhala (Casa de Gloria) :* tout au fond de la plage, à droite en regardant la mer, sur la colline. Lit en dortoir à 60 $Me (4,20 €). Superbe endroit pour la vue sur la plage. Venue des États-Unis, Gloria, la grande prêtresse des lieux, s'est installée sur son « rocher magique » en 1970. À son arrivée, cette *pasionaria* dormait sur une dalle de pierre encadrée par les vertèbres d'une baleine échouée sur la plage ! C'est aujourd'hui une plateforme de méditation qui domine l'océan. Chambres avec une vue somptueuse, dans des cabanes simples et propres, certaines spacieuses, d'autres minuscules, et de grands dortoirs aux lits couverts d'une moustiquaire. Resto à dominante végétarienne (40 $Me le repas, soit environ 3 €) et alcool interdit.

Prix moyens : de 300 à 450 $Me (21 à 31,50 €)

🏠 |●| *El Hongo :* sur la plage, au milieu du coin animé. Tenu par un couple franco-mexicain. Quelques chambres très simples, peu chères, et un coin hamacs. Même si vous ne logez pas là, venez prendre un repas dans le resto installé sous la *palapa*. À la carte, des poissons, des crêpes et des salades.

🏠 |●| *Bungalows Las Casitas :* du chemin menant au *Shambhala*, prendre un sentier sur la droite. Fax : 584-31-51. ● www.las-casitas.net ● Une adresse plantée sur la colline, excentrée de la plage. Des chambres agréables et confortables, avec bains. Petite touche italienne dans la déco. Cuisine à disposition.

🏠 |●| *Posada et hôtel San Cristóbal :* dans la rue principale de Zipolite. ☎ 584-31-91. Une partie des chambres se trouve côté plage, les autres dans l'hôtel de l'autre côté de la rue. Celles de l'hôtel (plus chères), réparties sur 2 étages, sont neuves et confortables, avec salle de bains privée et ventilo. Les chambres côté plage sont dans un bâtiment en bois et en dur, touchant le jardin, mais elles sont plus petites, plus sommaires et donc moins chères. Petit resto sur le sable.

🏠 |●| *L'Alchimista :* sur la plage, entre *Lo Cosmico* et *Shambhala*. L'adresse « chic » de la plage. Sous les arbres en bord de plage, des petits bungalows aux murs blancs et aux toits de palmes abritent de jolies chambres avec moustiquaire, ventilateur, et déco tropicale. Le soir, au resto, c'est féerique, quand les bougies sur les rochers sont allumées. Très bons plats de poisson et savoureuses pizzas cuites au feu de bois.

À faire

◺ *La playa del Amor :* petite crique abritée, à l'extrémité gauche de la plage principale quand on regarde la mer. On l'atteint par un escalier construit dans le rocher. Surnommée ainsi parce que deux amoureux désespérés se seraient jetés à la mer du haut d'un rocher.

SAN AGUSTINILLO
IND. TÉL. : 958

À une dizaine de kilomètres de Puerto Ángel, après Zipolite. La même camionnette que vous avez prise pour Zipolite vous mènera jusqu'ici et à Mazunte.

Où dormir ? Où manger ?

Plusieurs *cabañas* le long de la plage principale, où l'on peut loger et manger le poisson pêché du matin.

Palapa Kali : tenu par un jeune couple. Quelques chambres rudimentaires mais propres, abritées par un toit de *palapa,* avec un bon lit, protégé d'une moustiquaire, et un ventilo. Douches et toilettes communes. Une centaine de pesos pour deux. Resto.

Palapa Olas Altas : ☎ 589-82-70. Petites chambres avec juste un lit et un ventilo. Mêmes prix que la *Palapa Kali.*

Palapa Lupita : terrasse les pieds dans le sable, face à la mer. Goûtez au *huachinango a la veracruzana* (sorte de gros rouget grillé avec une sauce à base de tomates, petits oignons et légumes). Noix de coco fraîche à boire sur place.

Rancho Cerro Largo : à mi-chemin entre Zipolite et San Agustinillo. ● ranchocerrolargo@yahoo.com. mx ● Dans un virage, prendre la piste en direction de la mer. Compter 750 $Me (52,50 €) pour une chambre double, petit dej' et dîner inclus. Tout en haut d'une énorme falaise qui domine le Pacifique. En contrebas, la plage immense et déserte. Un escalier taillé dans la montagne y descend et dessert quelques bungalows propres, aménagés avec goût. Confort sommaire, mais la vue est splendide. On mange une nourriture semi-végétarienne, autour de la table commune. Réservation conseillée en haute saison.

MAZUNTE
IND. TÉL. : 958

Un peu plus loin sur la même route, après San Agustinillo, à une douzaine de kilomètres de Puerto Ángel. Adorable petit village lové au fond d'une baie. Il rivalise désormais avec Zipolite en attirant ses anciens amoureux déçus qui semblent trouver ici une atmosphère plus vraie.

Mazunte a longtemps vécu de la pêche et surtout du commerce de la tortue de mer. Face à la menace d'extinction, les autorités en ont interdit la chasse en 1990. Du coup, pour survivre, le bourg s'est reconverti dans l'écotourisme avec pour nouvel étendard la protection de la tortue marine. Un centre de la tortue a même été créé. De juillet à décembre, les plages d'Escobilla, Barra de la Cruz et Morro Ayuta deviennent les principaux sites de ponte des tortues golfines.

Où dormir ? Où manger ?

Très bon marché : moins de 210 $Me (14,70 €)

Carlos Einstein : face à la plage, dans le même coin que *El Agujón,* mais on y accède par une petite ruelle. Tenu par un ancien bourlingueur affable et cordial. Dans un grand espace pratiquement en plein air, une file de lits protégés par des moustiquaires. Un coin est prévu également pour planter sa tente ou suspendre son hamac. Rudimentaire, donc, mais propre. Cuisine commune. Le petit dej' est compris.

🏠 |●| *El Agujón :* playa Rinconcito. ☎ 584-30-81. Au bord de la plage. Bungalows simples et propres avec eau chaude et ventilateur. Sous une *palapa,* bon petit resto les pieds dans le sable.

🏠 |●| *Posada del Arquitecto :* face à *El Agujón.* Grandes cabanes à quelques mètres de la plage. Quel-

ques-unes plus chères avec douche individuelle. Resto. Possibilité de planter sa tente.

|●| *Restaurant-boulangerie Armadillo :* callejon del Armadillo, camino Al Rinconcito. En venant de Zipolite, après l'église et le terrain de foot, prendre à gauche le chemin de la playa Rinconcito (au niveau de la *tienda Jemeli*), puis aussitôt après cette intersection, prendre à droite sur le callejon del Armadillo. Béatrice et Raul tiennent ce petit resto où ils servent une bonne cuisine locale avec une touche d'originalité : soupes, pâtes, *tortas,* poissons, salades (pain maison). Fait aussi galerie d'art.

De bon marché à prix moyens : de 210 à 300 $Me (14,70 à 21 €)

🏠 *Cabañas Balamjuyuc :* ● www.balamjuyuc.com ● En venant de Puerto Ángel, traverser Mazunte, direction playa Rinconcito, ensuite monter à droite jusqu'au cimetière, puis à gauche tout droit jusqu'à l'entrée. C'est fléché depuis le bas. Cabanes doubles, avec ou sans vue sur la mer, à respectivement 230 et 180 $Me (16,50 à 12,60 €) la nuit. *Tapanco* de 2 à 5 personnes *(concha)* : 350 $Me

(24,50 €) pour deux. Nouvelles cabanes sous *palapa* : 90 $Me (6,30 €) pour 1 personne, 140 $Me (10 €) pour 2. Tentes tout équipées (matelas et draps), avec hamac, à 60 $Me (4,20 €) par personne. Quelques bungalows « écolos » (matériaux écologiques, énergie solaire, recyclage de l'eau) conçus par un couple de sympathiques Français installés sur la « montagne du Jaguar ».

À voir. À faire

🏃 *Centro mexicano de la Tortuga* (musée de la Tortue) : ☎ 584-30-55. Ouvert du mercredi au samedi de 10 h à 16 h 30 et le dimanche de 10 h à 14 h 30. Entrée : 15 $Me (1,10 €). Visite guidée. Le musée de la Tortue fait partie du vaste programme de protection des tortues marines, classées parmi les animaux en voie d'extinction. Il en existe 11 espèces dans le monde, et 10 d'entre elles se reproduisent le long de la côte mexicaine. Les 18 aquariums présentent les variétés de tortues marines mexicaines et 4 espèces de tortues d'eau douce. Jardin, infos et cafétéria.

🏊 *Playa Ventanilla :* à environ 3 km après le village, une piste sur la gauche (c'est indiqué). Le nom de la plage, *ventanilla* (« petite fenêtre »), vient de la forme du rocher planté en face de la plage dans la mer.

🏃 *Cooperativa Ecoturística La Ventanilla :* ☎ et fax (collectif), (958) 584-05-49. Accueil à l'entrée de la plage de 7 h à 18 h. Environ 40 $Me (3 €) par personne pour une *balade en barque* dans la mangrove à la découverte de la faune locale dans son habitat naturel (crocodiles, iguanes, coatis et de nombreux oiseaux). Promenade sur un îlot où l'on peut voir un *cocodrilario,* où des bébés crocos sont protégés en attendant d'être remis en liberté dans la lagune. Autre option, une *promenade à pied guidée,* de 1 h 30 aller-retour. Pour y aller, prendre un *colectivo* ou un taxi.

PUERTO ESCONDIDO

38 000 hab.   IND. TÉL. : 954

Ancien petit port de pêche enfoui dans les cocotiers, devenu aujourd'hui une station balnéaire fréquentée par les familles mexicaines, les surfeurs américains (leur secteur préféré est la *playa de Zicaleta)* et ceux qui aiment la plage en général. Un site de réputation internationale, qui accueille deux épreuves du circuit mondial de surf. Plus grande et plus urbanisée que Puerto Ángel, havre de paix comparé à la trépidante Acapulco, Puerto Escondido peut être une bonne étape sur le littoral pacifique. Si le cœur vous en dit, vous pouvez lire, sous votre parasol, *Puerto Escondido* (éd. Christian Bourgois), roman policier de Pino Cacucci dont l'action se déroule en grande partie ici.

Arriver – Quitter

En avion

✈ *Aéroport (hors plan par A1) :* ☎ 582-3051. Pour s'y rendre, prendre un taxi.

➢ *Pour/de Oaxaca :* avec *Aerotucán,* ☎ 582-34-61. Un vol par jour ; 45 mn de trajet. *Aerovega :* av. Pérez Gasga, à l'angle de Marina Nacional (à côté du kiosque d'infos touristiques). ☎ 582-01-50 ou 51. Vols quotidiens.

➢ *Pour/de Mexico :* avec la *Cie Click Mexicana,* 1 vol par jour. Durée : 50 mn. ● www.clickmx.com ●

En bus

La gare routière (terminal *Central Camionera*) se trouve au nord de la ville, calle Norte 4 A, à l'angle avec la carreterra 131 *(hors plan par B1, 4).* À deux rues du marché, il regroupe les trois principales compagnies : *Estrella del Valle, Estrella Blanca, Estrella Roja.* La compagnie *Cólon* garde son propre terminal.

🚌 *Compagnies Estrella del Valle et Oaxaca Pacifico (hors plan par B1, 4) :* av. Hidalgo et 1^{era} Oriente. ☎ 582-00-50.

➢ *Pour/de Oaxaca :* environ 5 départs par jour, de 7 h 30 à 22 h 45. Bus 1re classe ou *ordinarios.* Compter 6 h à 7 h de trajet.

🚌 *Compagnie Estrella Blanca (hors plan par B1, 4) :* ☎ 582-201-27 ou 582-201-06.

➢ *Pour/de Mexico :* 2 bus de luxe directs en fin de journée. Compter 12 h de voyage. Arrivée le lendemain matin.

➢ *Pour/de Acapulco :* 1 départ toutes les heures, de 4 h à 15 h. Environ 8 h de trajet.

➢ *Pour/de Pochutla et Huatulco :* 4 départs en 1re classe et 7 départs en 2e classe.

🚌 *Compagnie Estrella Roja (hors plan par B1, 4).* ☎ 582-06-03.

➢ *Pour/de Oaxaca :* 3 bus de 1re classe. Environ 7 h de trajet.

🚌 *Compagnie Cristóbal Colón (plan C1, 5) :* 1^{era} Norte et 1^{era} Oriente. ☎ 582-10-73. Bon rap- | port qualité-prix pour cette compagnie. Bus très confortables, à peine plus chers que les autres.

➤ *Pour/de Tehuantepec :* 4 bus par jour. Trajet : environ 5 h 30.
➤ *Pour/de Huatulco :* bus toutes les 40 mn, de 6 h à 19 h 20.
➤ *Pour/de Tuxtla Gutiérrez :* 2 bus quotidiens. Trajet : 12 h.
➤ *Pour/de San Cristóbal de las Casas :* 3 bus. Trajet : 13 h.
➤ *Pour/de Oaxaca :* 3 bus par jour. Trajet : 10 h.
➤ *Pour/de Puebla :* 1 bus en fin d'après-midi. Trajet : environ 14 h.
➤ *Pour/de Mexico* (Tapo y Norte) : 1 départ par jour. Trajet : environ 16 h.
Même route que pour Puebla.

En voiture

➤ *De Puerto Escondido à Oaxaca :* 325 km via Pochutla et 260 km via
Sola de Vega. De 6 h à 7 h de route.
➤ *De Puerto Escondido à Acapulco :* 400 km (minimum 6 h de route).
Attention aux *vibradores* ou *topes*, les célèbres dos-d'âne rarement signalés
et placés en entrée ou sortie de village. Parfois, quelques contrôles de l'armée
pour des questions de sécurité. Route à éviter la nuit.
➤ *De Puerto Escondido à Mexico DF :* environ 900 km (au moins 12 h de
route).

Topographie

La vieille ville consiste en une rue piétonne (calle Alfonso P. Gasga) bordée
de commerces et de restos, au pied d'une petite colline où passe la route
nationale Carretera Costera. Au nord de celle-ci s'étend une ville mexicaine
classique, quadrillage horizontal de rues qui se coupent toutes à angle droit.
Plus au sud-est se déroule une très longue plage de sable (Zicatela) sur
plusieurs kilomètres, tandis qu'au nord-ouest la côte plus découpée abrite
plusieurs petites plages moins accessibles.
– *Un conseil avisé :* évitez de vous promener seul sur les plages le soir,
même si c'est assez tentant.

Adresses utiles

❒ *Office de tourisme* (plan C2) :
kiosque au début de la rue piétonne.
☎ 582-01-75. ● ginainpuerto@yahoo.
com ● Ouvert du lundi au vendredi
de 9 h à 14 h et de 16 h à 18 h et le
samedi de 10 h à 14 h. Gina, la responsable, vous renseigne en français. Nombreuses infos.
✉ *Poste* : à l'angle de 7 Norte et
Oaxaca ; dans le haut du village.
Ouvert du lundi au vendredi de 8 h à
16 h. On peut aussi acheter des timbres et poster ses lettres dans la rue
piétonne.
■ *Police touristique* (plan C2, 2) :
av. Pérez Gasga. ☎ 582-34-32. Sur
la droite avant le début de la rue piétonne.
◙ *Centres Internet* : plusieurs dans
la rue piétonne et à Zicatela.

■ *Change* : *Banamex,* av. Pérez
Gasga 905. Ouvert du lundi au
samedi de 10 h à 15 h et de 17 h 30
à 21 h et le dimanche de 10 h à 15 h.
Guichet automatique. *HSBC* et *Bancomer,* plus haut dans le village ; guichet automatique également. Quelques bureaux de change dans Pérez
Gasga (taux moins avantageux).
■ *Taxis* : ☎ 582-09-90 et 00-95.
■ *Location de voitures* : *Alamo,* av.
Pérez Gasga 113. ☎ 582-30-03.
Budget, bd Benito Juárez, à l'angle
de l'av. Montealban, à l'entrée de la
ville, à Bacocho. ☎ 582-03-12. Fax :
582-03-15.
■ *Laverie automatique* (plan C2,
3) : av. Pérez Gasga 405. ☎ 540-56-
17. Ouvert tous les jours de 8 h à
20 h. Prix au poids.

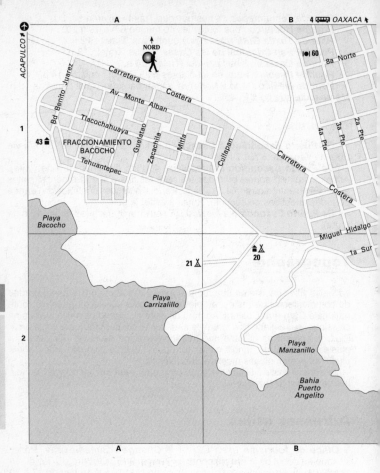

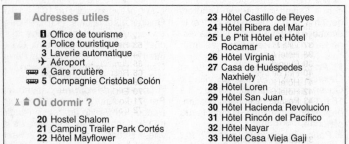

■ **Adresses utiles**

🛈 Office de tourisme
2 Police touristique
3 Laverie automatique
✈ Aéroport
🚌 4 Gare routière
🚌 5 Compagnie Cristóbal Colón

⛺ 🏠 **Où dormir ?**

20 Hostel Shalom
21 Camping Trailer Park Cortés
22 Hôtel Mayflower
23 Hôtel Castillo de Reyes
24 Hôtel Ribera del Mar
25 Le P'tit Hôtel et Hôtel Rocamar
26 Hôtel Virginia
27 Casa de Huéspedes Naxhiely
28 Hôtel Loren
29 Hôtel San Juan
30 Hôtel Hacienda Revolución
31 Hôtel Rincón del Pacífico
32 Hôtel Nayar
33 Hôtel Casa Vieja Gaji

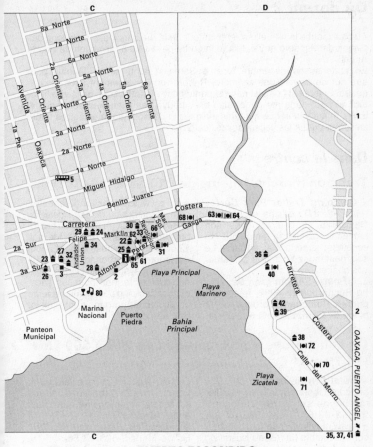

PUERTO ESCONDIDO

34 Cabañas Pepe
35 Cabañas Estación B
36 Hôtel Vicky
37 Villa María del Mar
38 Hôtel Arco Iris
39 Bungalows Acali
40 Flor de María
41 Hôtel Kootznoowoo
42 Hôtel Santa Fe
43 Posada Real

🍽 Où manger ?

31 Danny's Terrace
40 Flor de María

60 Marché
61 Restaurant Alicia
62 Vitamina T
63 Herman's Best
64 Doña Claudia
65 Junto al Mar
66 Restaurant San Ángel
68 Altro Mundo
70 El Cafecito
71 Los Tios
72 Café Mango's

🍸🎵 Où sortir ?

80 Los Tarros

Où dormir ?

Au choix, dans la ville elle-même, autour de la rue principale, ou le long des plages de Marinero et Zicatela, à la sortie de la ville en direction de Puerto Ángel.

En haute saison (décembre, Noël, et Semaine sainte) arriver le matin pour être sûr de trouver une chambre. Préférer un hébergement avec moustiquaire. Si tout est complet dans la partie basse et touristique de la ville, aller tout en haut de la rue principale ; on y trouve des chambres bon marché. Enfin, il faut savoir que les tarifs indiqués ci-dessous augmentent en haute saison et durant les vacances mexicaines.

Dans le centre

Très bon marché : moins de 210 $Me (14,70 €)

☒ **Camping Trailer Park Cortés** (plan A2, 21) : proche de la playa Carrizalillo. On peut accrocher son hamac ou planter sa tente sous les cocotiers, avec la mer en face. Le soir, demandez au patron de garder vos affaires.

☒ ▤ **Hostel Shalom** (plan B2, 20) : bd Benito Juárez 4082, fraccionamiento Rinconada (proche de la plage de Carrizalillo). ☎ 582-32-34.

● www.puertoescondidohostel. com ● Membre du réseau *Hostelling International*. Lit en dortoir ou chambres doubles (de 180 à 300 $Me, soit 12,60 à 21 €, selon le confort). Tout est propre et fonctionnel. Sert le petit déjeuner (payant). Coin cuisine, laverie, casiers fermés pour les sacs, espace camping pour planter la tente ou accrocher un hamac, bar, resto. Bon accueil.

De bon marché à prix moyens : de 210 à 300 $Me (14,70 à 21 €)

▤ **Hôtel Mayflower** (plan C2, 22) : andador Libertad (ruelle en escalier qui donne sur la rue piétonne). ☎ 582-03-67. Fax : 582-04-22. ● www.mayflowerpuertoescondido. com ● Membre du réseau *Hostelling International,* cet hôtel propose différents types de chambres. Dortoirs amples et bien conçus, de 3 ou 7 lits, chacun avec salle de bains. Quelques chambres plus chères, avec TV et balcon. Coin cuisine, Internet gratuit, bar, billard, mais pas de laverie.

▤ **Hôtel Castillo de Reyes** (plan C2, 23) : av. Pérez Gasga 201. ☎ 582-04-42. Grandes chambres propres et claires, avec eau chaude et ventilo. Très bon rapport qualité-prix. Agréable et bien tenu mais pas de vue sur la mer, ni de petit déjeuner.

▤ **Hôtel Ribera del Mar** (plan C2, 24) : Felipe Merklin 205, après l'hôtel *San Juan* en descendant la rue, juste au-dessus de l'église. ☎ et fax : 582-04-36. Chambres très propres, dis-

persées autour d'un patio verdoyant. Les nos 15 et 27 disposent d'une vue sur la baie. Moustiquaires aux portes et aux fenêtres, TV.

▤ **Hôtel San Juan** (plan C2, 29) : Felipe Merklin 503. ☎ 582-05-18. Fax : 582-06-12. ● www.hotelsanjuan. cjb.net ● En descendant de la station de bus vers la plage, près du croisement. Derrière la façade rose, un hôtel calme et frais, égayé par de nombreuses plantes. Moustiquaires, TV, ventilo ou AC. Chambres en étages. Terrasse avec vue sur la mer. Ambiance familiale. Petite piscine.

▤ **Cabañas Pepe** (plan C2, 34) : calle Felipe Merklin 101. ☎ 582-20-37. Face à l'hôtel *San Juan*. Sur un flanc de colline dominant le centre-ville, dans une cour intérieure ombragée, quelques chambres nettes et bien tenues (douches-w.-c., ventilo) dans un bâtiment sobre et pas désagréable, avec vue sur la baie. Accueil aimable.

Prix moyens : de 300 à 500 $Me (21 à 35 €)

🛏 *Hôtel Virginia (plan C2, 26) :* camino al Faro 104. ☎ 582-01-76. ● luisbramlett@yahoo.com ● En face du *Nayar*. Sur un flanc de colline, modeste hôtel qui a le mérite d'être à l'écart de l'agitation. Jolies chambres propres avec bains, ventilo et TV. Vue sur la baie car elles ouvrent sur une galerie au 1er étage.

🛏 *Casa de Huéspedes Naxhiely (plan C2, 27) :* av. Pérez Gasga 301 (un peu plus haut que l'hôtel *Nayar*). ☎ 582-30-65. Modestes et petites chambres très propres, avec salle de bains privée et ventilo.

🛏 *Hôtel Loren (plan C2, 28) :* av. Pérez Gasga 507 (à côté du *Nayar*). ☎ 582-00-57. Fax : 582-05-91. Central et tranquille. Chambres confortables, certaines avec balcon, équipées de ventilo ou AC (plus chères) et TV. Jolie piscine bien entretenue. Parking.

🛏 *Hôtel Rocamar (plan C2, 25) :* av. Pérez Gasga 601. ☎ 582-03-39. À l'entrée de la rue piétonne, au cœur de l'animation. Chambres autour d'un petit patio intérieur, sans prétention mais agréables,

avec TV, ventilo ou AC.

🛏 *Le P'tit Hôtel (plan C2, 25) :* andador Soledad 379. ☎ 582-31-78. ● mi chelkobryn@utopia.com ● Doubles de 320 à 450 $Me (22,50 à 31,50 €) environ, selon le confort. Situé en plein centre-ville, en retrait de la rue commerçante, il est composé d'une série de bungalows étagés sur un flanc de colline. Chambres aux couleurs de la terre mexicaine, chaudement décorées, équipées de douche-w.-c., ventilo ou AC. Bon accueil d'un couple franco-mexicain, affable et cordial. Projet de bistrot et de petite piscine.

🛏 *Hôtel Hacienda Revolución (plan C2, 30) :* andador Revolución 21 (ruelle donnant sur la rue piétonne). ☎ et fax : 582-18-18. ● www.hacien darevolucion.com ● Une adresse de charme dans une belle demeure coloniale autour d'une cour pavée, ornée de plantes tropicales. Au choix, des bungalows d'une capacité de 3 personnes, avec terrasse privée et hamac, ou quelques chambres doubles. Jolies salles de bains égayées d'*azulejos*. Resto italien dans le jardin où l'on prend le petit dej'.

Chic : de 500 à 700 $Me (35 à 49 €)

🛏 *Hôtel Rincón del Pacífico (plan C2, 31) :* av. Pérez Gasga 900, au milieu de la rue piétonne. ☎ 582-00-56. Fax : 582-18-12. Donne sur la plage. Chambres avec ventilo ou AC (plus chères). Nos préférées : les nos 27 et 28. Peut être un peu bruyant le soir, car entourée de bars. Fait aussi resto au sous-sol, le *Danny's Terrace* (voir « Où manger ? »).

🛏 *Hôtel Nayar (plan C2, 32) :* av. Pérez Gasga 407. ☎ 582-01-13. Fax : 582-03-19. ● hotelnayar@pro digy.net.mx ● Dans la rue principale (2 entrées). Petit hôtel discret, aux

chambres claires et propres, certaines avec balcon. Demandez-en une au 1er étage, avec vue sur la mer. Ventilo (plus cher avec AC). Bon rapport qualité-prix. Parking. Cafétéria avec vue sur la baie.

🛏 *Hôtel Casa Vieja Gaji (plan C2, 33) :* av. Pérez Gasga. ☎ 582-14-54. Heureusement, la majorité des chambres de ce petit hôtel sont situées à l'arrière, ce qui les préserve du tintamarre qui règne parfois dans la rue piétonne. Chambres décorées avec soin, avec bains et ventilos ou AC (avec supplément).

Plages de Zicatela et Marinero

Très bon marché : moins de 210 $Me (14,70 €)

🛏 *Cabañas Estación B (hors plan par D2, 35) :* à 4,5 km environ du cen-

tre-ville, à l'extrémité sud de la playa de Zicatela, face à la mer. Après le resto *Los Tíos,* continuer encore 2 km. Chambres simples mais propres, ambiance conviviale, coin cuisine (on y mange bien), jardin.

De bon marché à prix moyens : de 210 à 300 $Me (14,70 à 21 €)

▲ *Hôtel Vicky (plan D2, 36) :* entrée playa Marinero, face à l'hôtel *Flor de María.* ☎ 582-05-56. Simplicité et tranquillité sous les cocotiers. Chambres bien tenues, avec douche-w.-c. et ventilo.

▲ *Villa María del Mar (hors plan par D2, 37) :* calle del Morro, playa Zicatela. ☎ 582-10-91. À 250 m environ avant l'hôtel *Kootznoowoo,* à gauche du chemin de terre longeant la plage, quand on vient de la ville. Des bungalows en dur, simples mais spacieux, avec toilettes, ventilateur et vue sur jardinet. Petite piscine.

Prix moyens : de 300 à 500 $Me (21 à 35 €)

▲ *Flor de María (plan D2, 40) :* 1ª entrada, playa Marinero. ☎ 582-05-36. Fax : 582-26-17. ● www.mexonline.com/flordemaria.htm ● À l'entrée de la plage de Marinero, une belle maison coloniale. Sur le toit, terrasse, hamacs, bar et une petite piscine avec vue sur la plage. Autour d'un beau patio, de jolies chambres fraîches, spacieuses et agréablement décorées. Bon resto (voir « Où manger ? »). Un coup de cœur pour cette adresse pleine de charme, d'un bon rapport qualité-prix et tenue par un couple fort sympathique.

Chic : de 500 à 700 $Me (35 à 49 €)

▲ *Bungalows Acali (plan D2, 39) :* devant la playa de Zicatela, peu après l'hôtel *Santa Fe.* ☎ 582-07-54 et 02-78. Autour d'une piscine, un ensemble de bungalows en bois pour 2 à 4 personnes. Du plus simple au plus confortable avec cuisine, bains, AC et terrasse. Divers tarifs. Petit parking. Attention aux noix de coco sur la carrosserie de la voiture.

▲ *Hôtel Kootznoowoo (hors plan par D2, 41) :* entre la calle del Morro et la *carretera,* tout au bout de la playa Zicatela. ☎ 582-32-51 ou 01-800-509-23-99 (n° gratuit). ● kootznoowoo@prodigy.net.mx ● À l'extrémité sud de Zicatela (l'asphalte ne vient pas jusque-là) ; à quelques minutes du « centre » et à 150 m de la plage. Hôtel moderne sur 3 étages, abritant de belles chambres confortables, avec bains, TV, ventilo ou AC. Piscine entourée d'un jardin fleuri. Terrasse sur le toit avec hamacs face à la mer. Resto où prendre le petit dej'. Excellent accueil.

Plus chic : plus de 700 $Me (49 €)

▲ *Hôtel Arco Iris (plan D2, 38) :* calle del Morro, face à la plage Zicatela, environ 100 m après le *Santa Fe.* ☎ et fax : 582-04-32 ou 14-94. Réserver à l'avance, car les surfeurs s'y installent pour toute la saison. Grosse bâtisse de couleur orange aux chambres propres, avec ventilo, bains, et balcon donnant sur la mer. Certaines ont une cuisine. Celles du 1er étage sont plus chères. Piscine, resto, massages zapotèques.

▲ *Hôtel Santa Fe (plan D2, 42) :* calle del Morro, s/n. ☎ 582-01-70. Fax : 582-02-60. ● www.hotelsantafe.com.mx ● Le 1er hôtel qui fait le coin en arrivant sur la playa de Zicatela. Bel établissement moderne, construit dans le style colonial. Chambres cossues et joliment décorées. Certaines avec cuisine et salon. Jardins agréables avec 3 piscines et palmiers.

Resto sous une grande véranda suré-levée de style colonial qui donne sur la mer (excellentes pâtes). Au choix, des chambres standard, des bunga-lows et une « master ».

Dans le quartier de Bacocho

🏠 *Posada Real* *(plan A1, 43)* : bd Juárez. ☎ 582-01-33 ou 01-800-719-52-36 (n° gratuit). ● www.posa dareal.com.mx ● Dans le quartier résidentiel de Bacocho. Hôtel affilié à *Best Western,* possédant une cen-taine de chambres, disposées dans des ailes surplombant la mer. Resto avec vue sur le jardin tropical. Pis-cine intérieure très agréable. Grand parking.

Où manger ?

La partie touristique de Puerto Escondido se concentre autour de la rue pié-tonne *(adoquín)*, assez bruyante le soir. Vous y trouverez toutes sortes de restaurants qui, côté mer, ont une terrasse sur la plage.

Dans le centre

Bon marché : moins de 70 $Me (5 €)

|●| *Le marché* *(plan B1, 60)* : au nord de la ville, en grimpant la rue princi-pale. Petits restos avec une cuisine typique d'Oaxaca *(mole negro)* et de délicieux jus de fruits.

|●| *Restaurant Alicia* *(plan C2, 61)* : av. Pérez Gasga. Si les routards aiment bien cet endroit, ce n'est pas pour son aspect de hangar ou ses chaises en plastoc, mais en raison du menu, qui propose du poisson bien frais à un prix sage. Nombreux plats de spaghettis également. Sert des petits déjeuners copieux.

|●| *Vitamina T* *(plan C2, 62)* : av. Pérez Gasga ; en face du resto *Ali-cia.* À l'arrière, quelques tables en plein air, dispersées autour d'une petite fontaine. *Tacos* et plats mexi-cains pas chers.

|●| *Herman's Best* *(plan D1, 63)* : av. Pérez Gasga 609. Ouvert tous les jours de 8 h à 22 h. Le jovial Herman dirige cet excellent resto familial niché sous une *palapa.* Sur le mur, une grande photo d'Herman avec quelques années de moins, exhibant un énorme thon fraîchement pêché. Et comme aux fourneaux il se défend tout aussi bien, vous pourrez dégus-ter ici de bons plats mexicains à l'ail et de savoureux poissons.

|●| *Doña Claudia* *(plan D1, 64)* : av. Pérez Gasga, à côté de *Herman's Best.* Ne sert qu'à midi seulement. Un honnête petit resto sans ambition mais qui propose une cuisine mexi-caine goûteuse et familiale.

Prix moyens : de 70 à 150 $Me (5 à 10,50 €)

|●| *Danny's Terrace* *(plan C2, 31)* : av. Pérez Gasga 900. ☎ 582-02-57. Situé au sous-sol, côté plage, de l'hôtel *Rincón del Pacífico.* Ouvert tous les jours jusqu'à 23 h. Restau-rant avec terrasse couverte et vue sur la plage. Cuisine mexicaine de bon aloi à prix raisonnables.

|●| *Junto al Mar* *(plan C2, 65)* : av. Pérez Gasga 600. ☎ 582-12-72. À droite au début de l'*adoquín.* Endroit réputé pour son poisson. Ter-rasse devant la plage.

|●| *Restaurant San Ángel* *(plan C2, 66)* : un peu plus loin, à gauche, opposé à la mer. Resto italo-mexicain, comme ses voisins, mais on y mange plutôt bien. Le même patron a ouvert *Los Crotos,* côté plage, plus cher.

Chic : de 150 à 250 $Me (10,50 à 17,50 €)

|●| *Altro Mundo* (plan D1, 68) : av. Pérez Gasga 609. Ouvert de 18 h à minuit. Décor *ranchero* pour l'un des meilleurs restos italiens de Puerto Escondido. Plats de pâtes aux fruits de mer, délicieux poissons et pizzas. L'endroit est agréable et reposant, gentiment aéré par les ventilos.

À Zicatela et playa Marinero

Bon marché : moins de 70 $Me (5 €)

|●| *Café Mango's* (plan D2, 72) : calle del Morro, s/n. Située au bord de la route et près de la plage. Ouvert tous les jours jusqu'à 23 h 30. Sorte de grande *palapa* abritant un café-resto. On y sert des sandwichs (pain fait maison), des salades, des pâtes et du bon café expresso.

|●| *El Cafecito* (plan D2, 70) : face à la plage de Zicatela. L'endroit est souvent plein. Le rendez-vous des surfeurs et touristes au petit dej', qui viennent engloutir croissants et viennoiseries avant d'aller cabrioler sur les vagues. Bon café. Carte variée, jus et salades. Jazz certains soirs.

Prix moyens : de 70 à 150 $Me (5 à 10,50 €)

|●| *Flor de María* (plan D2, 40) : à Marinero, dans l'hôtel du même nom (voir « Où dormir ? »). Salle ouverte à côté du patio avec une belle fresque murale. Cuisine savoureuse avec spécialités mexicaines, italiennes et internationales. L'une des meilleures tables du coin.

|●| *Los Tios* (plan D2, 71) : sur la plage de Zicatela, presque au niveau d'*El Cafecito*. Ouvert tous les jours. Notre préféré. Tout est bon et copieux avec un vaste choix : salades, tartes, et plats mexicains bien mijotés. Présentoir de fruits et légumes comme chez l'épicier du coin et quelques tables sur l'herbe face à la plage.

Où sortir ?

|♫| *Los Tarros* (plan C2, 80) : Marina Nacional 401. Café-bar qui se transforme en disco dès qu'il y a du monde. On s'y trémousse sur de la musique latino, pop et house.

À voir. À faire

⌂ Ne rien faire se révèle bien sûr une saine activité. **Attention :** pour les amateurs de baignades, sachez que les plages Marinero et surtout Zicatela ainsi que Bacocho sont TRÈS DANGEREUSES, à cause du ressac très fort. La *plage* principale de la baie *(playa Principal)* est relativement sûre, tout comme la *playa Manzanillo, Puerto Angelito* et la *playa Carrizalillo* accessible par des escaliers (des *lanchas* vous y emmènent depuis la plage principale). À Zicatela, vous pourrez passer la journée (location de chaises longues, *palapas*), mais, on insiste, y faire trempette avec précaution et en restant collé au bord. Les maîtres-nageurs-sauveteurs surveillent le centre de la plage de 7 h 30 à 18 h. C'est l'une des plus belles plages de Puerto Escondido, longue de 3 km. Allez-y de bonne heure, pour admirer les prouesses des surfeurs. Zicatela est mondialement réputée pour ses énormes vagues. Concours international de surf en août *(World Master Championship)* et national en novembre.

– **Surf :** location, ventes, vêtements, leçons... Plusieurs magasins le long de Zicatella pour amateurs et pros.

– **Pêche au thon :** aller à la coopérative de pêche, derrière le kiosque d'infos touristiques. Les prix sont affichés.

➤ **Balade en bateau :** pour aller voir les tortues, s'adresser à la coopérative des pêcheurs, sur la droite de la plage principale en regardant la mer ; compter environ 320 $Me (23 €) pour le bateau.

➤ **Excursions à la journée** dans les environs. Notamment à la *laguna Manialtepec* ou aux *lagunas de Chacahua* pour les amateurs d'oiseaux (à 15 km de Puerto Escondido). Voir au kiosque d'infos touristiques.

– **Le coucher de soleil** sur la grande plage de Zicatela. C'est gratuit.

– Surtout, ne pas manquer de monter en haut de la ville, situé au-dessus de l'arrêt de bus. Peu de touristes et animé le soir. Artisanat, hébergement, restos, tout est moins cher pour une qualité équivalente (marché Benito Juárez).

– **Festival Costeño de Danza :** festival de danse indienne, tous les week-ends de novembre ; 350 danseurs originaires du Chiapas, du Michoacán et du Guerrero. Infos : ☎ 582-01-75.

ACAPULCO
1,5 million d'hab. IND. TÉL. : 744

Bien sûr, Acapulco est la station balnéaire la plus fréquentée du pays, surtout par les habitants de la capitale, proximité oblige (à 4 h de route). Depuis les cyclones de 2005 qui ont ravagé quelques-unes des stations balnéaires de la côte mexicaine des Caraïbes, Acapulco, plus protégée des intempéries, voit son activité touristique s'accroître. Pourtant la réalité n'a plus grand-chose à voir avec les clichés paradisiaques de la ville qui firent longtemps fantasmer les acteurs et les stars d'Hollywood des années 1950. N'est-ce pas ici (vieille ville) que le célèbre Orson Welles tourna *La Dame de Shanghai* (en 1947) ? On ne va plus à Acapulco uniquement pour ses plages mais plutôt pour faire la fête sous la lumière des *sunlights*. Ici, c'est la nuit que ça se passe. Le jour, on se contente de promener un regard curieux sur ce qui est l'une des plus belles baies du monde, en sirotant un « Coco loco » sur l'immense plage bordée par les tours des hôtels. Les Nord-Américains viennent pour des séjours bon marché *« sea, sun and drinks »*. Tandis que dans les bidonvilles, sur les hauteurs de la colline, les habitants vivent dans des conditions précaires.

UN PEU D'HISTOIRE

Histoire oubliée d'une incroyable liaison maritime

Pendant 250 ans (de 1565 à 1815), le *galion de Manille* a assuré la liaison maritime Acapulco-Manille à travers l'océan Pacifique. Ce bateau espagnol à voiles était équipé de 3 à 4 mats, pesait 300, 600 ou 2 000 tonnes et pouvait embarquer jusqu'à 150 personnes (on dirait aujourd'hui un cargo mixte) et des monceaux de marchandises. En 1527, *Alvaro de Saavedra* découvrit la route aller, réussissant la deuxième traversée de l'océan Pacifique, après celle de Magellan en 1520. Saavedra relia Zihuatanejo (port situé à 236 km au nord d'Acapulco) et Tidore, aux îles Moluques, surnommées « L'Épicerie ».
Mais voilà : aucun marin ne savait comment revenir des Philippines pour gagner Acapulco à travers l'immense l'océan ! Ce n'est qu'en 1565 qu'*Andres*

de Urdaneta parvint à découvrir la route du retour (la *tornavuelta*). Une fois la boucle effectuée, la liaison maritime devint régulière et annuelle. La traversée durait environ 100 jours à l'aller (un peu plus de 3 mois), mais le retour prenait plus de temps : 180 jours soit 6 mois. Il fallait affronter les dangers d'une mer encore inconnue, les tempêtes redoutables, et les attaques des pirates. Le galion de Manille quittait Acapulco en mars-avril, pour atteindre Manille vers juin-juillet, puis il repartait pour Acapulco en août, en évitant la saison des typhons.

Acapulco, ancienne porte commerciale vers l'Asie

Le commerce entre la Nouvelle-Espagne (aujourd'hui le Mexique) et l'Asie a contribué à rapprocher ces deux continents séparés par le plus grand océan du monde. Grâce à cette incroyable navigation, des plantes et des denrées alimentaires du Mexique ont été introduites en Asie, comme les haricots, le maïs, la vanille, le tabac, ainsi que le cacao, le sucre, le vin, l'huile d'olive et de nombreuses plantes médicinales. On ne le sait pas, mais le Mexique a ainsi influencé la cuisine, la langue et l'architecture des Philippines.

L'influence alimentaire et culturelle s'est faite aussi dans l'autre sens. Des produits et des marchandises venus des Philippines et d'Asie ont été introduits au Mexique : des porcelaines chinoises, du mobilier hispano-philippin, le riz (on en mange beaucoup au Mexique), le piment, la cannelle, sans oublier des fleurs orientales comme les camélias, les gardénias et les chrysanthèmes. La tradition mexicaine des combats de coqs vient aussi d'Asie.

Quand le Mexique reliait l'Orient et l'Occident

Débarquées au port d'Acapulco, les marchandises orientales partaient vers l'intérieur du Mexique, à dos de mules, jusqu'aux villes de Valladolid (Morelia aujourd'hui), Patzcuaro, Puebla et Jalapa. Une autre voie, le chemin royal *(camino real),* allait d'Acapulco à Mexico par Chilpancingo. Il servait d'itinéraire aux convois de mules portant ces marchandises jusqu'à la capitale, où elles étaient revendues dans des boutiques du *zócalo*. Le reste des marchandises était acheminé ensuite jusqu'au port de Vera Cruz, sur la côte atlantique, puis transporté par la mer jusqu'en Espagne. Ainsi, une théière en porcelaine de Chine venue de Canton ou un grain de poivre des îles Moluques pouvait accomplir un périple équivalent presque aux deux tiers du diamètre de la planète avant d'arriver sur les quais de Séville !

FÊTES ET FESTIVALS

Ce sont les périodes de forte invasion touristique. On y trouve moins facilement un logement et les prix grimpent aussi haut que les tours des hôtels de l'avenue côtière. Outre Noël (à partir du 20 décembre) et surtout la semaine de Pâques, citons la foire du Tourisme en avril, le festival d'Acapulco pendant une semaine au mois de mai, le festival de *Cine francés* en novembre durant 4 jours, la fête de la Vierge de la Guadalupe à partir du 11 décembre... Dates précises à l'office de tourisme.

Arriver – Quitter

En bus

En période de rush, il est prudent de réserver. On peut le faire dans certains grands hôtels et à l'office de tourisme. Également, 2 bureaux *Estrella de Oro* et *Estrella Blanca* à proximité du *zócalo*. Les bus qui empruntent l'autoroute sont plus chers mais le gain de temps est appréciable.

🚌 **Terminal Estrella de Oro** *(plan général, D1, 2)* : av. Cuauhtémoc 1490. ● www.estrelladeoro.com. mx ● À la hauteur de Wilfrido Mas- | sieu. Infos de 9 h à 19 h au ☎ 485-87-58 ou 05. Pour y aller du centre, prendre un bus « Garita Laja » ou « Cine Rio Base ».

➤ **Pour Mexico (terminal sud Tasqueña) :** plusieurs classes. Avec les services de 1re classe « Primera » et « Servicio plus », départ toutes les heures à partir de 6 h jusqu'à 2 h du matin. Le service « Diamante » (super luxe) compte 6 départs quotidiens. Trajet : de 5 h à 6 h 30.

➤ **Pour Taxco :** 6 à 7 départs quotidiens, de 7 h 10 à 18 h 10. Trajet : environ 3 h 30, par Chilpancingo.

➤ **Pour Cuernavaca :** 28 départs par jour, de 3 h 45 à 19 h 40. Trajet : 4 h.

➤ **Pour Querétaro :** 2 départs par jour. Trajet : environ 8 h.

➤ **Pour Lázaro Cárdenas :** 12 départs par jour, de 4 h 20 à 16 h 20.

🚌 **Terminal Estrella Blanca et Futura** *(plan général, B1, 1)* : av. Ejido 47. ☎ 469-20-28 à 30. Pour y | aller, prendre un bus indiquant « Ejido » en face du *Sanborn's,* près du *zócalo*.

➤ **Pour Mexico :** choisissez bien, pour arriver à Mexico, votre terminal, Tasqueña (sud) ou terminal Norte. Départ toutes les heures en 1re classe. Également 3 départs quotidiens avec le service de luxe « Ejecutivo ». Trajet : de 5 h à 6 h selon le standing.

➤ **Pour Puerto Escondido :** départ toutes les 2 h. Trajet : 8 h. Éviter de faire le trajet de nuit.

➤ **Pour Taxco :** avec *Estrella Blanca* et *Cuauthémoc* (la moins chère), 3 départs quotidiens. Trajet : de 4 h à 5 h.

➤ **Pour Cuernavaca :** 7 départs par jour. Trajet : 4 h.

➤ **Pour Puebla :** 7 départs quotidiens. Trajet : 7 h.

➤ **Pour Lázaro Cárdenas :** départ toutes les heures avec *Futura* en service ordinaire (divers arrêts). Huit départs quotidiens en service « Primera ». Voyez aussi la compagnie *Cuauthémoc,* meilleur marché. Trajet : 7 h.

➤ Également des bus pour **Querétaro, Guadalajara, Huatulco...**

En avion

✈ **L'aéroport** *(hors plan général par G5)* est à une vingtaine de kilomètres du centre-ville, en direction de Puerto Marqués et d'Acapulco Diamante. ☎ 435-20-60. Nombreuses destinations nationales et nord-américaines. Le plus simple est de faire ses réservations dans les agences de voyages ou à l'office de tourisme.

– Y aller en taxi : pour une course, compter maximum 200 $Me (14 €).

– Possibilité d'être pris à son hôtel par une navette de minibus. Prendre rendez-vous 24 h avant : se renseigner à la réception de son hôtel.

– Possibilité de prendre 2 bus : prendre celui devant le centre commercial Mexicana sur la *costera* (environ 3,50 $Me) et demander au chauffeur de vous arrêter à la Gloretia de Puerto Marquéz. Puis 2e bus marqué *aeropuerto,* de l'autre côté de la rue (3,50 $Me).

■ **Mexicana :** Centro Comercial La Gran Plaza. ☎ 01-800-502-20-00 (n° gratuit). À l'aéroport : ☎ 486-75-85.

■ **Aeromexico** *(plan général, C2,* | *9) :* costera M. Alemán 286. ☎ 01-800-021-40-50 (n° gratuit) ou 485-15-97 (bureau). ● www.aeromexico. com ● Ouvert du lundi au samedi de 9 h à 18 h. Fermé le dimanche.

Topographie

La ville est divisée en 3 secteurs : la *vieille ville* avec des petits immeubles anciens datant des années 1950, la grande zone hôtelière ou *Acapulco Dorado* avec ses installations nautiques, sa vie nocturne et autres divertissements et, au-delà de la baie, vers le sud, le *nouvel Acapulco,* qui inclut *Punta Diamante,* peuplé de millionnaires et dans lequel la Municipalité investit une grande part des impôts locaux au détriment du reste...

Adresses utiles

ℹ️ *Office de tourisme (plan général, G-H2) :* costera M. Alemán 4455 ; dans le *Centro de Convenciones.* ☎ 481-11-60. • www.securturguerrero. gob.mx • Ouvert du lundi au vendredi de 8 h à 15 h 30. Adresse inutile par sa pauvreté en informations. Mauvais plans de la baie et de la ville.

ℹ️ *Bureau d'assistance aux touristes (Procuradora del turista) :* bâtiment sur la droite devant le *Centro de Convenciones.* ☎ 484-44-16. Ouvert tous les jours de 8 h à 23 h. On y parle l'anglais et parfois le français. Adresse qui peut être utile, soyons justes, mais n'y aller qu'en cas de pépin : perte, vol et abus en tout genre.

✉️ *Poste (zoom, B2) :* costera M. Alemán 215. Ouvert du lundi au vendredi de 8 h à 17 h 30 et le samedi de 9 h à 13 h. Un petit bureau accolé au *Sanborn's,* à quelques *cuadras* du *zócalo,* dans le centre-ville.

@ *Centres Internet :* nombreux centres partout dans la ville.

◾ *Banques :* un peu partout dans la ville, avec leurs guichets automatiques et change de devises. Ouvert en général du lundi au vendredi de 9 h à 17 h et parfois le samedi matin. À signaler, sur le *zócalo,* une *Bancomer (zoom, B3, 8).* Au niveau de la plage Hornos, pas loin de l'hôtel *Aca Bay,* une *Banamex (plan général, C2, 7).* Au niveau de la plage Condesa, un groupe de 3 banques : *HSBC, Serfín* et *Banamex (plan général, E1, 6).*

◾ *Change :* de nombreux bureaux de change tout au long de l'avenue côtière, la costera Miguel Alemán. Ouverts plus tard que les banques, mais taux parfois moins intéressants.

◾ *Consulat du Canada :* ☎ 484-13-05 et 06.

◾ *Consulat de France :* Casa dos Consulados. ☎ 481-25-33. Dans le *Centro de Convenciones.* Ouvert du lundi au vendredi de 9 h à 15 h.

◾ Il existe une bonne dizaine de *loueurs de voitures,* présents à l'aéroport et en ville.
– *Hertz (plan général, E1, 4) :* costera M. Alemán 137, à côté de l'hôtel *Monaco.* ☎ 485-89-47. À l'aéroport : ☎ 466-91-72.
– *Budget :* costera M. Alemán ; sous l'hôtel *Emporio.* ☎ 481-24-33. À l'aéroport : ☎ 466-90-03. N° gratuit : ☎ 01-800-700-17-00.
– *Avis (plan général, E1, 4) :* costera M. Alemán 139, à côté de *Hertz.* ☎ 484-57-20. À l'aéroport : ☎ 466-91-90. N° gratuit : ☎ 01-800-288-88-88.
– *Alamo :* costera M. Alemán 2148, juste avant d'arriver à la base navale. ☎ 484-33-05.

◾ *Supermarchés :* deux énormes supermarchés l'un à côté de l'autre, la *Bodega Aurrera* et la *Bodega Gigante,* sur la costera M. Alemán *(plan général, D2, 5).* Ouvert jusqu'à 22 h.

◾ *Laveries :* il y en a plusieurs près des hôtels que nous indiquons dans le centre *(vieil Acapulco).*

Où dormir ?

Les tarifs changent selon les saisons. Les prix indiqués ci-dessous (pour 2 personnes) sont valables pour la basse saison *(temporada baja).* En haute saison (en gros : décembre, avril, dans une moindre mesure de juillet à la mi-août et pendant la période des fêtes – voir plus haut), les prix s'envolent. Ça peut doubler pour les hôtels de catégorie moyenne ou supérieure.

Nos adresses les plus sympathiques et économiques se trouvent autour du *zócalo,* dans le vieil Acapulco *(zoom).* Pour ceux qui veulent dormir plus chic ou qui veulent être au centre de la vie nocturne, il faut loger dans la zone *Dorado (plan général).* Il y a plein d'hôtels du genre tour-avec-vue-sur-la-baie. On vous en cite quelques-uns. S'il n'y a vraiment pas grand monde, on peut même négocier à la baisse, surtout en dehors des week-ends.

Campings

⚊ *Playa Suave Trailer Park (plan général, C2, 20) :* costera M. Alemán 276. ☎ 485-14-64. À côté de l'hôtel *Aca Bay,* mais l'entrée principale se trouve dans la rue derrière, Nuñez de Balboa. Conçu pour les mobile homes, mais on peut aussi y « planter » sa tente... enfin, façon de parler : c'est totalement asphalté ! Prévoyez donc des matelas pneuma-

tiques. C'est le seul camping en ville, avec un peu d'ombre, des prises d'eau potable et des sanitaires.
⚊ Un autre camping, *El Coloso,* se trouve près de l'aéroport.
⚊ À Pie de la Cuesta (20 km d'Acapulco) se trouve un autre camping. Voir plus loin « Dans les environs d'Acapulco ».

Très bon marché : moins de 210 $Me (14,70 €)

⚊ *Casa de Huéspedes Aries (zoom, B3, 21) :* Quebrada 30. ☎ 483-24-01. Petites chambres sommaires mais bien tenues. Toutes

n'ont pas de salle de bains, mais c'est l'une des adresses les moins chères d'Acapulco. Pour les fauchés donc.

De bon marché à prix moyens : de 210 à 300 $Me (14,70 à 21 €)

Ils sont tous situés dans le vieil Acapulco.

⚊ *Casa de Huéspedes Sutter (zoom, B3, 22) :* Benito Juárez 12. ☎ 482-23-96. Autour d'une petite cour intérieure, chambres sans prétention mais propres, équipées de ventilos et d'une petite salle de bains. Elles donnent sur cette cour ou sur la rue.
⚊ *Hôtel Asturias (zoom, B3, 24) :* Quebrada 45. ☎ et fax : 483-65-48. ● gerardomancera@aol.com ● Bon rapport qualité-prix. Agréable, accueillant et bien tenu. Abrite des chambres avec salle de bains, quelques-unes avec AC et TV, plus chères. Petite piscine au milieu du patio.
⚊ *Hôtel Santa Lucía (zoom, B3, 23) :* av. Adolfo López Mateos 33. ☎ 482-04-41. Les chambres côté rue sont un peu bruyantes. Préférer

celles au dernier étage. Avec 1 ou 2 lits, au choix, donc 2 tarifs.
⚊ *Hôtel California (zoom, B3, 25) :* La Paz 12. ☎ 482-28-93. Rien à voir avec le célèbre *Hôtel California* chanté par les Eagles. Chambres simples mais correctes et calmes, communiquant avec une galerie sur 2 étages.
⚊ *Hôtel Paola (zoom, B3, 26) :* Azueta 16. ☎ 482-62-43. Un petit hôtel très ordinaire. Grandes chambres avec ventilos et douches. Préférer celles qui donnent sur la cour, plus protégées du soleil et du bruit. Terrasse sur le toit, avec un petit bassin pour faire trempette (style pataugeoire). Resto avec *comida corrida* au rez-de-chaussée.

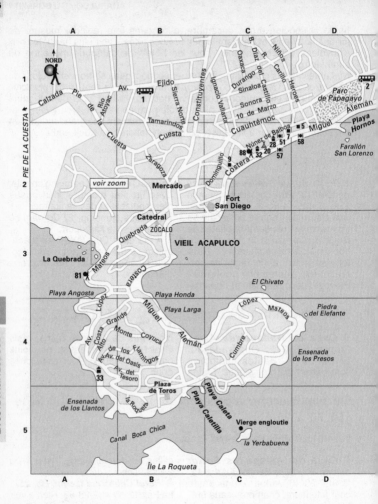

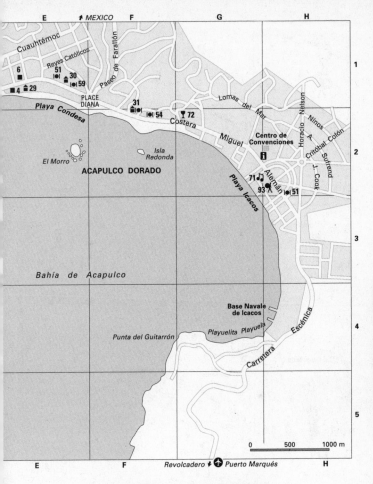

ACAPULCO (PLAN GÉNÉRAL)

32 Hôtel Aca Bay
33 Hôtel Los Flamingos

Où manger ?
51 100 % Natural (3 adresses)
54 Jovito's
57 La Bella Italia
58 Le Sirocco
59 Los Metates

Où prendre le petit déjeuner ?
31 El Nopal

Où boire un verre ? Où danser ?
71 Nina's
72 Relax

À voir. À faire
81 Symphonie du Soleil
88 Petit marché d'artisanat Noa Noa
93 CICI

Adresses utiles

✉ Poste
8 Banque Bancomer

⌂ Où dormir ?

21 Casa de Huéspedes Aries

22 Casa de Huéspedes Sutter
23 Hôtel Santa Lucía
24 Hôtel Asturias
25 Hôtel California
26 Hôtel Paola
27 Hôtel Misión

Prix moyens : de 300 à 500 $Me (21 à 35 €)

⌂ *Hôtel Misión* (zoom, B3, **27**) :
Felipe Valle 12. ☎ 482-36-43. Fax :
482-20-76. ● hotelmision@hotmail.
com ● À deux pas du *zócalo*, cette

charmante demeure coloniale
cache une oasis de paix (sans
télé) autour d'un patio fleuri. Chambres fraîches décorées avec goût,

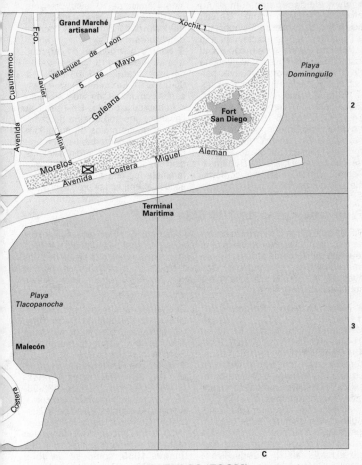

ACAPULCO (ZOOM)

|◉| Où manger ?		⛾ Où boire un verre ?

50 Marisol
52 Opera Vatel Delicatessen
53 El Nopalito
55 Mariscos Nacho's
56 El Amigo Juan

70 El Galeón

⛾ Où boire un bon café ?

73 Café Loma Verde

LA CÔTE PACIFIQUE SUD

équipées de salles de bains avec *azulejos* et de ventilateurs. Bon rapport qualité-prix. Petit déjeuner sous les manguiers.

Chic : de 500 à 700 $Me (35 à 49 €)

🛏 *Hôtel El Cid (plan général, C2, 28) :* costera M. Alemán 248. ☎ 485-13-12 ou 11-80 ou 01-800-003-52-43 (n° gratuit). Fax : 485-13-87.

● www.elcidacapulco.com ● Au niveau de la plage Hornos. Un édifice blanc classique de 3 étages, qui a l'avantage d'être exactement à la « frontière » entre le vieil Acapulco et la zone Dorado. Plus d'une centaine de chambres confortables, avec balcon et AC. Resto et piscine. Parking.

▤ *Hôtel Monaco (plan général, E1, 29) :* costera M. Alemán 137. ☎ 485-64-15. Fax : 485-65-18. En plein centre de la zone Dorado, entre le terminal de bus *Estrella de Oro* et la place *(glorieta) Diana.* Côté plage, en face des banques *HSBC* et *Banamex.* Accueil sympa, chambres confortables avec frigo, TV, AC. Piscine, par-king. Remise de 10 % sur présentation de ce guide. Cabinet médical (le médecin parle le français), location de voitures.

▤ *Sand's (plan général, E1, 30) :* costera M. Alemán 178. ☎ 484-22-60 à 64 ; n^{os} gratuits : ☎ 01-800-710-98-00 ou 01. Fax : 484-10-53. ● www.sands.com.mx ● Bien situé, au centre d'Acapulco Dorado. En retrait de l'avenue, une soixantaine de chambres et moitié moins de bungalows agréables et confortables, entourés de verdure. AC, TV, jardin d'enfants, piscine, squash et resto. Ambiance familiale les fins de semaine. Bon accueil et fréquentes promotions.

Plus chic : plus de 700 $Me (49 €)

Situés côté plage le long de la costera M. Alemán, les hôtels classés « luxe » ne manquent pas. Les services et prestations ne sont pas toujours à la hauteur des tarifs, même promotionnels. Certains ne servent pas de jus de fruits frais au petit dej', un comble au Mexique. Mais si vous cherchez une piscine avec vue sur mer, et une *piña colada* servie par un garçon en veste blanche sur la plage, alors allez-y.

▤ *Hôtel Romano Palace (plan général, F1-2, 31) :* costera M. Alemán 130. ☎ 484-77-30 ou 01-800-090-15-00 (n° gratuit). Fax : 484-79-95. ● www.romanopalace.com.mx ● Une tour bien située, juste en face de la plage Condesa et du saut à l'élastique. Environ 250 chambres, très confortables (AC et TV) joliment décorées avec vue sur la baie. Suites avec cuisine. Belle piscine. Intéressant à plusieurs : le prix est le même de 1 à 4 personnes (mais double en haute saison). Musique live le samedi. Resto de cuisine italienne.

▤ *Hôtel Aca Bay (plan général, C2, 32) :* costera M. Alemán 266. ☎ 485-82-28 ou 01-800-714-27-62 (n° gratuit). Fax : 485-07-74. ● www.hotel-acabay.com.mx ● Une grande tour blanche, entre le vieil Acapulco et la zone Dorado, en face de la plage Hornos. Plus d'une centaine de chambres. Tout confort, avec balcons et vue imprenable sur la baie.

Demandez-en une tout en haut. Piscine, resto, bar, change. Parking gratuit. Musique live en fin de semaine. Agence de voyages et pharmacie. Service de plage gratuit.

▤ *Hôtel Los Flamingos (plan général, A4, 33) :* av. López Mateos. ☎ 482-06-90 ou 91. Fax : 483-98-06. ● www.flamingosacapulco.com ● À quelques minutes à pied de la Quebrada. Construit dans les années 1930, ce fut l'ancienne résidence des stars du « Hollywood Gang » des années 1950, composé de John Wayne, Cary Grant, Johnny Weissmuller (Tarzan à l'écran), lequel est d'ailleurs mort à Acapulco en 1984. Une galerie de photos retrace cette époque glorieuse. Chambres avec vue sur l'océan et superbe coucher de soleil. Bonne cuisine et tarifs très abordables en basse saison. Au bar, savourez le cocktail maison « Coco Loco », inventé pour les stars hollywoodiennes. Piscine extérieure.

Où manger ?

C'est dans le *vieil Acapulco* qu'on trouve les restos les moins chers et même d'excellentes surprises. Beaucoup sont regroupés le long de Benito Juárez *(zoom, B3).*

Bon marché : moins de 70 $Me (5 €)

|●| *Marisol* (zoom, B3, *50*) : La Paz 7. Un des nombreux petits restos de la rue La Paz. Une bonne *comida corrida,* servie en portions généreuses et à prix record, qui attire chaque jour une clientèle d'habitués.

|●| *El Nopalito* (zoom, B3, *53*) : La Paz 230. ☎ 482-12-76. À côté de l'*Opera Vatel.* Resto populaire et familial. La clientèle du quartier apprécie cette adresse conviviale à la cuisine simple et généreuse.

|●| *100 % Natural :* une chaîne de restaurants semi-végétariens. Plusieurs sur la costera Miguel Alemán. On vous en indique trois : l'un à côté de l'hôtel *El Cid (plan général, C2, 51),* l'autre près de l'hôtel *Sand's (plan général, E1, 51),* et encore un à l'angle d'Andrea Doria, dans la zone Dorado *(plan général, H2, 51).* Généralement ouverts de 7 h à minuit. Grand choix de cocktails de fruits, *licuados,* salades mixtes originales.

Prix moyens : de 70 à 150 $Me (5 à 10,50 €)

|●| *Opera Vatel Delicatessen* (zoom, B3, *52*) : La Paz 6. ☎ 483-46-54. Un restaurant-pâtisserie français à deux pas du *zócalo.* Chantal, la mère, et Nathalie, la fille, reçoivent avec le sourire dès 8 h 30 pour le petit dej'. Viennoiseries, jus de fruits et vrai café. Plats du jour variés, salades, sandwichs baguette pour les petit creux. C'est tout bon et fait maison. Un régal ! Vins français.

|●| *Los Metates* (plan général, E1, *59*) : costera M. Alemán, presque à l'angle avec Vicente Yanez Pinzon, face à l'hôtel *Plaza Suites.* ☎ 484-36-46. Un restaurant qui existait déjà avant le développement urbain et la construction des tours. Terrasse ventilée sur avenue bourdonnante, bonne cuisine à prix doux, service rapide et professionnel. Spécialité : *el Molcajete.*

|●| *Jovito's* (plan général, F2, *54*) : costera M. Alemán 116. Dans la zone Dorado. C'est au 1er étage. Ferme vers 22 h. Variété considérable de *tacos* de poisson et de fruits de mer. On peut déguster des *tacos* de crevettes à l'ananas ou au *nopal* (cactus) et goûter aux dizaines de

sauces différentes. Les noctambules qui arriveraient trop tard iront 100 m plus bas, au resto *Tacos Orientales,* une bonne adresse pour la nuit.

|●| *Mariscos Nacho's* (zoom, B3, *55*) : Benito Juárez, à l'angle d'Azueta. ☎ 482-28-91. Ouvert de 10 h à 21 h. Sans aucun doute l'un des meilleurs restos du quartier. Salle aérée au 1er étage. Comme ses voisins, sert des *ceviches,* crevettes, *huachinangos* (succulent poisson du Pacifique, rare donc cher) et *robalos.* Goûtez l'une des spécialités, comme le poulpe *a la nacho.* Bonne ambiance et bon service.

|●| *El Amigo Juan* (zoom, B3, *56*) : Benito Juárez. ☎ 482-56-52. Ouvert jusqu'à 23 h. Grande salle ouvrant sur la rue. Carte variée, spécialités de poisson et de fruits de mer, excellente soupe de *mariscos* (épicée) et poulpe à toutes les sauces.

|●| *La Bella Italia* (plan général, C2, *57*) : sur la plage Hornos, en face de l'hôtel *El Cid. Mariscos* et spécialités italiennes à des prix sympathiques sous une grande *palapa.*

Chic : de 150 à 250 $Me (10,50 à 17,50 €)

|●| *Le Sirocco* (plan général, D2, *58*) : costera M. Alemán, en face du supermarché *La Bodega Aurrera,* sur la plage Hornos, moins urbanisée. ☎ 485-94-90. Ouvert de 13 h 30 à

minuit. Une grande *palapa* de palme, bien tenue. Serveurs attentifs. Cuisine espagnole : tapas, fruits de mer et une grande variété de délicieuses paellas.

LA CÔTE PACIFIQUE SUD

Où prendre le petit déjeuner ?

⏹ *El Nopal* (plan général, F1-2, 31) : costera M. Alemán 132. ☎ 484-88-89. Zone Dorado, coincé entre les deux tours de l'hôtel *Tortuga* et du *Romano Palace*. Ouvert de 8 h à 22 h. Idéal pour ceux qui logent dans le coin. Plusieurs formules à partir de 30 $Me (2,10 €). En terrasse. Et puisque vous êtes là, allez jeter un œil au lobby du *Tortuga*, recouvert de haut en bas de plantes qu'on appelle ici des *teléfonos* (!).

⏹ *100 % Natural :* voir « Où manger ? ». Délicieux pain complet fait maison.

⏹ *Opera Vatel :* voir « Où manger ? ».

Où boire un bon café ?

🍸 *Café Loma Verde* (zoom, B3, 73) : Hidalgo 8, à l'angle avec la calle Felipe Valle. ☎ 482-31-73. Ouvert tous les jours de 9 h à 21 h (17 h le samedi). Petite salle, quelques tables, une bonne odeur de café. On y sert l'expresso classique ou, plus original, du café à l'anis ou à la tequila.

Où boire un verre ? Où danser ?

Ici, ce ne sont ni les bars ni les discos qui manquent. Acapulco Dorado vit surtout la nuit... Autant vous prévenir, l'entrée de ces hauts lieux de l'allégresse nocturne est chère : minimum 250 $Me (17,50 €).

🍸 *El Galeón* (zoom, B3, 70) : José María Iglesias 8. ☎ 480-00-01. Ouvert l'après-midi et jusqu'à 5 h du matin. Dans le centre, près du *zócalo*, vous pourrez écluser quelques tequilas au café. Son nom rappelle le fameux galion de Manille. Bonne ambiance, qui s'échauffe avec les heures qui passent. On peut aussi y manger.

🍸 Les gays auront le choix, notamment entre le *Relax* (plan général, G2, 72), Lomas del Mar 4, et, à deux *cuadras* de là, le *Demas*. Le lendemain, allez soigner votre gueule de bois sur la plage gay, la plage Condesa (la comtesse !), au pied du saut à l'élastique. Votre migraine n'y résistera pas.

🎵 *Nina's* (plan général, G-H2, 71) : costera Alemán, face au *Centro de Convenciones* et non loin du *Hard Rock Café*. Entrée : environ 200 $Me (14 €). La moins chère de toutes les boîtes. On y sert de la bonne musique tropicale *en vivo*. Populaire et chaude ambiance (l'alcool à volonté y est pour beaucoup). Show vers 1 h 30. Super pour les fans de salsa.

🎵 *Baby'O* (plan général, G2) : costera Alemán 22. ☎ 484-74-74. ● www.babyo.com.mx ● La plus chère d'Acapulco : 35 US$ (environ 25 €) pour les hommes, et 7 US$ pour les femmes. Elle résiste aux années et réussit à passer les modes. Une légende de la nuit mexicaine. Luxueuse boîte de nuit pour la jeunesse dorée, où l'on est traité comme un VIP. La musique est variée, pas uniquement techno, pour plaire à toutes les oreilles.

🎵 *Palladium* (plan général, H4-5) : Escenica s/n, après la base navale, sur les hauteurs, dans le quartier de Las Brisas. ☎ 446-54-90. ● www.palladium.com.mx ● Proche de l'*Enigma*, une autre disco connue. Prenez un taxi. Compter environ 35 US$ par personne pour l'entrée. Deux soirs par semaine, appelés « lady's night », c'est demi-tarif pour les femmes. Cela donne le droit de boire autant que l'on veut. C'est une des plus belles discothèques du Mexique et un des grands mythes d'Acapulco. Vue fantastique sur la baie d'Acapulco. Éclairages dernier cri, musique techno dominante, feux d'artifice vers 3 h du mat', boissons à volonté...

À voir

🎥🎥🎥 **Les « plongeurs de la mort » à la Quebrada** (clavadistas ; plan général, A3) : impressionnante crique rocheuse dominée par de hautes falaises (35 m), d'où des garçons du pays (certains ont à peine 15 ans) effectuent le « plongeon de la mort ». La terrasse de l'hôtel *Mirador* n'est pas le meilleur endroit pour assister au spectacle. Il vaut mieux prendre le petit escalier qui descend vers la mer jusqu'à une plateforme. Arriver assez tôt pour avoir une place aux premières loges. Il y a du monde !
Entrée de la plate-forme : 30 $Me (2,10 €), pourboire aux plongeurs en plus à la sortie après le spectacle. Pour voir le même spectacle depuis la terrasse de l'hôtel *Mirador* : compter 120 $Me (8,50 €). Renseignements : ☎ 483-14-00.
Vous verrez de près les plongeurs grimper sur les rochers et prier un instant avant de plonger. Le risque n'est pas, en fait, de plonger, mais qu'une fois dans la mer, une grosse vague projette le nageur contre les rochers. La technique consiste, en effet, à plonger au moment où la vague remonte pour profiter de la brusque montée du niveau de l'eau. La « sauterie » est très organisée. Les *clavadistas* plongent à heures fixes : 13 h, 19 h 30, 20 h 30, 21 h 30 et 22 h 30 (avec des torches pour cette dernière séance).

🎥 **La Symphonie du Soleil** (plan général, A3, 81) : amphithéâtre d'où l'on peut admirer le coucher du soleil, à deux pas de la Quebrada.

🎥 Aller aussi à la **capilla de La Paz,** chapelle œcuménique surmontée d'une croix blanche, celle-là même qui est illuminée la nuit et qui se voit de partout. Entrée en principe libre, de 10 h à 12 h et de 16 h à 18 h, mais des gardiens semblent obliger les touristes à faire les deux cents derniers mètres en taxi pour « préserver la tranquillité des habitants ». De là-haut, vue magnifique sur la baie. Brume de chaleur en fin d'après-midi sur Acapulco.
– *Pour s'y rendre*, prendre le bus sur Miguel Alemán qui indique « CICI » ou « Base » et descendre juste après l'hôtel *Las Brisas* (attention : se renseigner auprès du chauffeur sur l'itinéraire ou prendre le bus à la hauteur de Wall Mart). Ensuite, bonne grimpette sous un soleil de plomb à travers un quartier style Beverly Hills, mais quelle récompense à l'arrivée ! Cette adorable chapelle fut érigée par un couple de riches pacifistes. Dans le parc : des plantes tropicales, le calme, une invitation à méditer sur l'agitation d'en bas.
– Plus facile, monter à l'assaut des terrasses des grands hôtels. Enfin une vision d'ensemble de la baie d'Acapulco ! Deux options : soit demander gentiment à la réception (on ne vous le refusera pas) ; soit traverser le hall d'un pas décidé (ou nonchalant au choix) jusqu'aux ascenseurs, direction dernier étage.

🎥 Dans la vieille ville, sur l'agréable *zócalo* ombragé, voir cette curieuse **cathédrale** (zoom, B2-3) de style byzantin ou mauresque ou encore navette spatiale. Les avis sont partagés !

🎥🎥 **Le fort San Diego** (zoom, C2) : dernier vestige de la ville du XVIIᵉ siècle, construit de 1615 à 1617 sur les plans de l'ingénieur hollandais Adrian Boot. En forme d'étoile à 5 branches, il servait à protéger la baie et les galions espagnols contre les attaques des pirates. Dès 1528, Acapulco fut la seule porte commerciale avec l'Asie, jalousement gardée par la couronne d'Espagne.

🎥🎥 **Le musée d'Histoire d'Acapulco :** dans le fort San Diego. Ouvert du mardi au dimanche de 9 h 30 à 18 h. Entrée : 33 $Me (2,30 €). Explications en espagnol et en anglais. Le musée occupe une quinzaine de salles (les anciennes salles de garde du fort) dans les murailles. Y est présentée l'histoire du commerce entre la Nouvelle-Espagne (aujourd'hui le Mexique) et les Philippines, et notamment l'étonnante histoire du galion de Manille qui assura la liaison Acapulco-Manille pendant 250 ans (voir plus haut la rubrique « Un peu d'histoire »). Remarquables objets venus pour la plupart d'Asie : vases, vaisselle, éventails, porcelaines et monnaies chinoises, kimono et sabre japonais, chasubles et étoffes de Manille, coffres et mobilier de style hispanophilippin. La *Sala Comercio* explique bien l'influence de l'Orient sur la Nouvelle-Espagne (et vice versa) à travers des coutumes mexicaines : *lozas poblanas* de Talavera, art des meubles laqués de la région de Patzcuaro, vêtements aux filigranes d'or, tradition populaire de la « *China Poblana* ». En outre, il existe des restes de peuplement asiatique dans la région de Puebla, et sur la Costa Chica (entre Acapulco et Puerto Ángel).

🍴 *L'Île de la Roqueta et la Vierge engloutie* (plan général, A-B-C5) : l'île abrite un zoo. Du phare, vue splendide sur la baie. Sur place, on peut également louer masque et tuba pour nager avec les poissons. Pour y aller, on prend un bateau sur la pointe qui sépare les deux plages de la Caleta et de la Caletilla (voir plus bas pour celles-ci). Les bateaux ont en principe un fond transparent et passent au-dessus de cette curieuse Vierge immergée dans les eaux. La balade dure une dizaine de minutes. Assurez-vous de l'heure du dernier bateau qui part de l'île (en principe à 17 h).

🍴 *Le petit marché d'artisanat Noa Noa* (plan général, C2, 88) : à l'intersection de costera M. Alemán et Diego Hurtado de Mendoza. De l'artisanat ou plutôt des souvenirs. Ce n'est pas à Acapulco que vous ferez vos plus beaux achats, à moins que vous ne cherchiez le ravissant petit voilier en coquillages pour offrir à tante Adélaïde.

🍴 *Le grand marché d'artisanat* (zoom, B2) : le long de Velazquez de León et Cuauhtémoc. Même genre que le précédent. Nombreuses boutiques. Fermeture vers 20 h pour la plupart d'entre elles.

À faire

➤ *Promenade en bateau :* avec les bateaux *Fiesta, Yate Hawaino* et autre *Bonanza*. Très chers et très touristiques. Ils parcourent toute la baie, ce qui, tout compte fait, est assez monotone. Le départ se fait sur le *malecón* au niveau de la plage *Tlacopanocha (zoom, B3)*. La nuit, à partir de 22 h, vous pourrez y danser sur de la musique tropicale *en vivo* tandis que le bateau fera des ronds dans la baie...

– *Les activités de plage* se sont multipliées : parachute ascensionnel (départs sur les plages Hornos ou Condesa), saut à l'élastique (*salto bonji*, sur la plage Condesa, en face de l'hôtel *Tortuga*), etc.

– *L'hôtel Acapulco Princess :* plage de Revolcadero. À 10 km environ du centre, sur la route de l'aéroport, à Acapulco Diamante. L'un des plus luxueux d'Acapulco. L'édifice principal est censé rappeler une pyramide aztèque. Plusieurs *piscines* à des températures différentes. L'une d'entre elles est immense, entourée de palmiers, avec des rochers et une cascade. Derrière, se niche un bar. Location de matelas pneumatiques. Le *coco loco* prend alors un goût d'éternité.
➤ Pour se rendre au *Princess,* prendre un bus marqué « Puerto Marqués », descendre à l'intersection de la route allant vers Puerto Marqués et faire du stop jusqu'à la plage de Revolcadero (ne pas s'attendre à une très belle plage).

Pour les enfants

➤ *CICI (plan général, G-H2, 93) :* costera M. Alemán, à côté du *Hard Rock Café.* ☎ 484-82-10. Ouvert toute l'année de 10 h à 18 h. Prix de l'entrée :

100 $Me (7 €) ; gratuit pour les moins de 12 ans. De plus, il faut obligatoirement payer pour les *cencillas* (bouée double : 30 $Me, soit 2,10 € ; simple : 25 $Me) et la consigne ! C'est un parc d'attractions aquatiques : vagues artificielles, toboggans, etc. Spectacles de phoques et dauphins 2 fois par jour. Pour nager et se faire photographier avec les dauphins, il faut débourser un supplément de 800 $Me (56 €).

Les plages

L'activité principale reste tout de même de changer de plage (il y a le choix) pour trouver sa préférée. Les plus vastes sont, bien sûr, dans la baie, mais on ne vous garantit pas la pureté de l'eau. Ni côté port, ni même du côté des grands hôtels.

⌇ *La plage de la Condesa (plan général, E1-2) :* la plus cosmopolite et la plus branchée. Fréquentée par la bourgeoisie mexicaine et les Nord-Américains. Vagues assez fortes. Méfiance !

⌇ *La Caleta et la Caletilla (plan général, B-C5) :* au pied de falaises, près de la vieille ville. Plus familiales, avec plein d'enfants partout. Entre les deux plages, un aquarium géant à visiter et l'embarcadère pour l'île de la Roqueta.

⌇ *La plage de Los Hornos (plan général, D1-2) :* la classique, au centre de la baie. Bien balisée et surveillée.

> ## DANS LES ENVIRONS D'ACAPULCO

🚶 *Puerto Marqués :* vers le sud, à une vingtaine de kilomètres sur la route de l'aéroport. Une jolie baie aux eaux calmes. Plusieurs restos sur la plage. Possibilité de sports nautiques. L'ambiance est populaire et familiale.
➤ Pour y aller, les *peseros* indiquant « Puerto Marqués » passent régulièrement sur la costera M. Alemán, ou prendre un taxi.

🚶 *Pie de la Cuesta :* vers le nord, un gros village à une quinzaine de kilomètres du centre, coincé sur une étroite péninsule. D'un côté, l'océan et ses vagues énormes, de l'autre, les eaux calmes de l'immense lagune de Coyuca.
➤ Pour y aller, prendre un taxi (prix à négocier) ou un bus sur la costera M. Alemán, au niveau de la poste principale mais côté mer. Bus toutes les 30 mn de 6 h à 21 h. Compter environ 45 mn de trajet en bus.
Il est de tradition d'y aller voir le coucher de soleil. On y vient aussi le dimanche en famille et l'on passe sa journée attablé dans l'un des nombreux restos de fruits de mer qui donnent sur la plage. Mais c'est aussi un endroit bien sympa pour ceux qui veulent fuir les néons et le « zimboumboum » d'Acapulco.
– Il y a plusieurs possibilités d'hébergement (*posadas* et *cabañas,* du rustique au grand confort). Vous aurez aussi le choix entre côté mer ou côté lagune. C'est celle-ci que vous préférerez pour nager. La mer est dangereuse. De toute façon, vous n'aurez que la rue à traverser pour passer d'un côté à l'autre.

🏕 *Camping Trailer Park :* playa Pie de la Cuesta. ☎ 460-00-10. Fax : 460-24-57. ● acatrailerpark@yahoo.com.mx ● Compter autour de 250 $Me (17,50 €) la nuit pour 2 personnes et 1 voiture. Ce petit camping aligne une partie de ses emplacements en bord de mer et quelques autres sous les palmiers de la lagune de Coyuca. Très jolie vue. Quelques bungalows aussi, pour 2 ou 4 personnes, de 350 à 450 $Me (24,50 à 31,50 €).

🏠 *Villa Roxana :* playa Pie de la Cuesta 302. ☎ 460-32-52. Compter de 300 à 400 $Me (21 à 28 €) la chambre double la moins chère. Bien situé, à 50 m de la plage, ce petit hôtel tranquille propose une quinzaine de chambres avec salle de bains et ventilo. Quelques-unes ont un coin cuisine. Jolis jardins, piscine et hamacs. Bons petits dej'.

▪ *Villa Nirvana :* playa Pie de la Cuesta 302. ☎ 460-16-31. Fax : 460-35-73. ● www.lavillanirvana.

com ● Derrière la *Villa Roxana*. Compter de 300 à 600 $Me (21 à 42 €) la chambre double, selon le confort et la vue (mer). Plus proche du sable que son voisin, le *Nirvana* dispose de quelques chambres avec vue sur la mer. Mini-apparts, certains avec cuisine. Piscine, pelouse et transats. Très bon accueil de Daniel et Pamela.

➤ *Promenade à cheval :* sur la plage.

➤ *Promenade en bateau :* très belle balade sur la lagune, au milieu des oiseaux et de la végétation tropicale. C'est là que notre ami Stallone a tourné *Rambo*. La durée du *paseo* (jusqu'à 5 h) et les tarifs sont à discuter.

🍴 *Au-delà de Pie de la Cuesta :* après le camp militaire, la route continue sur la péninsule jusqu'au hameau de *La Barra de Coyuca,* qui marque l'extrémité du cordon littoral. Si vous voulez encore plus de tranquillité, c'est par là qu'il faut aller. La route longe sur plusieurs kilomètres une immense plage déserte. De-ci, de-là, quelques *posadas* en dur où vous pourrez dormir, manger, « hamaquer », isolé du monde. Certains bus venant d'Acapulco vont jusqu'à La Barra. Sinon, on peut prendre un *combi* à Pie de la Cuesta en direction de La Barra. Demandez au chauffeur de vous arrêter là où vous voulez.

▪ |◉| *K Chitos :* à mi-chemin entre Pie de la Cuesta et La Barra de Coyuca. Compter environ 160 $Me (11,50 €) pour deux. Quelques chambres sympas au bord du sable, avec

l'océan pour seul horizon et le bruit des vagues pour vous endormir. On y mange des filets ou des *quesadillas* de poisson. Il y a même une petite piscine sympa.

TAXCO

100 000 hab.   IND. TÉL. : 762

Comment en vouloir à Taxco d'être devenue une ville touristique ? C'est la contrepartie inévitable de son charme colonial et des centaines de boutiques qui se consacrent au commerce de l'argent. Alors, autant profiter sans arrière-pensée ni amertume des enchantements de cette ville classée Monument national. Car rien ni personne ne peut venir gâcher le bonheur de se perdre dans ce labyrinthe de ruelles et d'escaliers qui dévalent les pentes raides des collines entre les maisons blanches aux toits de tuiles. Taxco n'est pas caractéristique du Mexique profond, mais c'est l'une des plus jolies villes du pays. On conseille de la visiter en semaine car le week-end, c'est souvent bondé. De toute façon, dès que l'on quitte un peu le centre, on rencontre de moins en moins de touristes, et plus on grimpe, plus rares se font les voitures, la plaie de ce Montmartre tropical.

L'ARGENTERIE

Quand les Espagnols arrivèrent dans la région en 1522, ils cherchaient de l'étain pour couler des pièces d'artillerie. C'est de l'argent que découvrirent les prospecteurs de Cortés. Mais, bien entendu, ces premiers filons furent vite épuisés. Il faudra attendre le XVIIIe siècle et l'arrivée d'un aventurier aragonais, *Jean-Joseph de Laborde* (plus connu sous son nom mexicain José de la Borda), qui fit fortune en découvrant et en exploitant la mine de

San Ignacio, près de la ville. La prospection reprit de plus belle, les gisements s'épuisèrent à nouveau et l'on oublia Taxco.

Depuis une cinquantaine d'années, la ville est redevenue un centre artisanal très actif, où plus de 1 500 artisans fabriquent des bijoux, des pièces d'orfèvrerie, de la vaisselle. Paradoxe, les mines ne produisent pratiquement plus rien depuis longtemps. L'argent provient d'autres régions du Mexique (le pays reste le premier producteur mondial). C'est le Canadien William Spratling qui, dans les années 1930, a relancé l'activité en fondant le premier atelier et en créant des bijoux d'après des modèles indiens. Taxco devait ainsi devenir la capitale de l'argent.

Arriver – Quitter

En bus

Deux terminaux de bus à Taxco, situé à une dizaine de minutes à pied du centre. Pour un départ le dimanche en fin d'après-midi, mieux vaut réserver à l'avance. L'autoroute pour Cuernavaca offre un magnifique et rare panorama sur le couple de majestueux volcans qui dominent Mexico : le Popocatépelt et l'Ixtlaccihuatl (la femme endormie) qui culminent à 5 000 m.

▭ **Terminal Estrella Blanca** *(plan B3, 1) :* ☎ 622-01-31.
➤ **De et pour Mexico :** 1 bus toutes les heures, entre 5 h et 20 h. Durée : 2 h 30.
➤ **De et pour Cuernavaca :** même bus que pour Mexico.
➤ **De et pour Acapulco :** 4 bus quotidiens, entre 8 h et 18 h 30 (4 h 30 de trajet).
➤ **De et pour Toluca :** 1 bus toutes les 40 mn, entre 5 h 30 et 18 h 30. Durée : 2 h 30.
➤ **De et pour Puebla :** 1 bus direct à 16 h. Durée : 4 h 30. Sinon, il faut changer à Cuernavaca et continuer avec la compagnie *Estrella Roja*.
➤ **De et pour Oaxaca :** si l'on veut éviter Mexico, il faut changer à Puebla. De Puebla, un bus toutes les heures avec Oaxaca.

▭ **Terminal Estrella de Oro** *(plan A4, 2)*
➤ **De et pour Mexico :** 5 départs de 7 h à 18 h. Durée du trajet : 2 h 40.
➤ **De et pour Cuernavaca :** 5 départs entre 9 h 15 et 18 h 30, dont 2 en 2e classe. Trajet : 1 h 30 à 1 h 45.
➤ **De et pour Acapulco :** 2 bus le matin avec un 1er départ à 7 h 10, 2 bus en milieu de journée et 1 bus en fin d'après-midi, à 18 h 10. Trajet : 4 h.

Adresses utiles

ⓘ **Bureaux du tourisme :** deux officines mal situées, à chaque extrémité de la ville. Une au nord, sur l'avenue de Los Plateros (ex-Kennedy), à côté de la station-service « coloniale » *Pemex (plan B1).* ☎ 622-07-98 ou 19-86. Ouvert tous les jours de 9 h à 19 h. L'autre au sud, à l'entrée de la ville en venant d'Acapulco *(hors plan par A4)*, avant le terminal *Estrella de Oro.* Plan de la ville, et quelques infos pratiques.

■ **Consigne :** avec casier fermé à clé au terminal *Estrella Blanca (plan B3, 1).*

✉ **Postes :** dans le centre, il y a un bureau de poste dans l'immeuble du *Palacio Municipal (plan A3).* Ouvert du lundi au vendredi de 9 h à 15 h et le samedi de 9 h à 13 h. Un autre est situé sur l'avenue de Los Plateros (ex-Kennedy ; *plan A4*), à 50 m du terminal *Estrella de Oro.* Une boîte aux lettres se trouve sur le *zócalo.*

■ **Bancomer** *(plan A4, 3) :* Cuauhtémoc (ou Matamoros) ; presque à l'angle de la plazuela San Juan.

Ouvert du lundi au vendredi de 8 h 30 à 16 h et le samedi de 10 h à 14 h. Distributeur automatique, change les euros et les dollars. Chèques de voyage acceptés, mais seulement le matin.

■ *Distributeur automatique :* banque *HSBC*, sur le *zócalo*, à droite du bar *Berta* (plan A3, **41**). Aux guichets de cette banque, on ne change pas les euros.

▣ *Internet (plan A3, 5) :* Juan Ruiz de Alarcón 8. Un peu plus bas que l'hôtel *Posada de Los Castillo.* Ouvert tous les jours de 11 h à 22 h.

■ *Laverie (plan A3, 4) :* il faut porter son linge chez des particuliers qui tiennent un petit commerce calle Delicias 4. C'est la ruelle qui monte en face de la banque *Santander.* Ouvert tous les jours jusqu'à 18 h.

■ *Apprendre l'espagnol :* au *CEPE (Centro de Enseñanza para los Extranjeros),* qui dépend de l'UNAM ; à l'ex-hacienda *El Chorillo,* près de Los Arcos (l'ancien aqueduc). Renseignements à Taxco : ☎ 622-01-24 ; ou à Mexico : ☎ 5622-2470. Voir « Apprendre l'espagnol » dans la rubrique « Adresses utiles » de Mexico.

Où dormir ?

Moins d'hôtels qu'on ne pourrait le penser à Taxco. Et surtout, aucun vraiment très bon marché. En contrepartie, ils sont pour la plupart très agréables et bien tenus. Et les prix restent raisonnables, sauf en haute saison et le week-end ; réservation fortement conseillée. Éviter les chambres sur rue à cause de la circulation intense.

Prix moyens : de 300 à 500 $Me (21 à 35 €)

▣ *Pensión Santa Anita (plan B3, 12) :* av. de Los Plateros 320. ☎ 622-07-52. À 100 m à gauche en sortant du terminal des bus *Estrella Blanca* ; à 10 mn à pied du centre. À partir de 300 $Me (21 €) la double. Bon accueil. Chambres sombres et simples mais propres et correctes (douche-w.-c.).

▣ *Casa de Huéspedes Arellano (plan A3, 11) :* Pajaritos 23. ☎ 622-02-15. Au cœur même du marché, sur une petite place, en bas de grands escaliers, face au marché des

■ **Adresses utiles**

- 🄷 Bureaux du tourisme
- ✉ Postes
- 🚌 1 Terminal Estrella Blanca
- 🚌 2 Terminal Estrella de Oro
- 3 Bancomer
- 4 Laverie
- ▣ 5 Internet

🛏 **Où dormir ?**

- 11 Casa de Huéspedes Arellano
- 12 Pensión Santa Anita
- 13 Hôtel Emilia Castillo
- 14 Hôtel Los Arcos
- 15 Hôtel Melendez
- 16 Posada San Javier
- 17 Hôtel Loma Linda
- 18 Hôtel Agua Escondida
- 19 Hôtel Santa Prisca
- 20 Posada de los Balcones

🍽 **Où manger ? Où prendre le petit déjeuner ?**

- 30 Marché et snack El Arco
- 31 Borda's Café
- 32 Pozolería Tía Calla et Pizzeria Mario
- 33 Café Sasha
- 35 Restaurant de la Posada de la Misión
- 36 Restaurant La Casona

🍷 **Où boire un verre ?**

- 40 La Concha Nostra
- 41 Bar Berta

🍴 ▣ **À voir. Achats**

- 30 Marché
- 32 Museo de la Platería
- 50 Museo Guillermo Spratling
- 51 Église de Santa Prisca
- 52 Halle des grossistes en argent

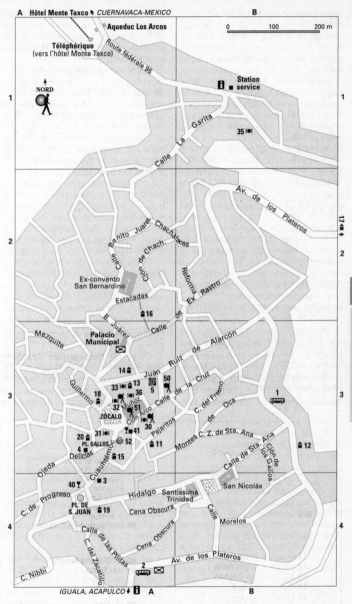

A **Hôtel Monte Taxco** ↖ *CUERNAVACA-MEXICO*

Aqueduc Los Arcos

Téléphérique
(vers l'hôtel Monte Taxco)

Route fédérale 95

B

0   100   200 m

NORD

Station service

Calle La Garita

35

Av. de los Plateros

17

Benito Juárez
Chachalacas

Ción de Chach.

Ex-convento
San Bernardino

Estacadas

Reforma

Ex Rastro

B. Juárez

Calle de

16

Mezquite

Palacio Municipal

Calle Ruíz de Alarcón

Guillermo

14

Juan Ruíz de Alarcón

@

50

18   36   13

33

32   51

Ción Arco

C. del Fresno

Munóz

Calle de la Cruz

C. del Fresno

ZÓCALO

41   30

Pajaritos

de Oca

31

52

Montes C. Z. de Sta. Ana

20   11

PL. GALLOS

4

Delicias

15

Ción de los Gallos

12

Calle de Sta. Ana

San Nicolás

Oieda

Cuauhtémoc

3

40

Hidalgo   Santíssima Trinidad

PL. DE S. JUAN

19

Cena Obscura

Calle

Morelos

C. de Progreso

Calle de las Pilitas

Cena Obscura

C. del Zacatulo

C. Nibbi

2

Av. de los Plateros

IGUALA, ACAPULCO ↓ A

B

LA CÔTE PACIFIQUE SUD

TAXCO

argentiers. Pour trouver, il faudra demander. Sur trois étages, la maison de la famille Arellano sert de douillet refuge à prix sages. Des plantes vertes, des terrasses avec transats. Pour les routards en solo, chambre-dortoir de 6 lits. Chambres doubles très bien tenues, au mobilier spartiate, avec douches communes impeccables (sur le palier). Quatre chambres ont une salle de bains (plus chères).

■ *Hôtel Emilia Castillo* (plan A3, 13) : Juan Ruiz de Alarcón 7. ☎ 622-13-96. • www.hotelemiliacastillo.com • Juste à côté, le café *Sasha* pour l'*espresso* du matin (voir « Où manger ? »). Agréable petit hôtel avec de jolies chambres, propres et confortables, décorées d'un mobilier en bois peint. Salles de bains avec *azulejos*. Celles qui donnent sur la rue sont un peu bruyantes, les autres un peu sombres mais calmes. Accueil jovial et bon rapport qualité-prix. Pas de stationnement.

■ *Hôtel Los Arcos* (plan A3, 14) : Juan Ruiz de Alarcón 4. ☎ 622-18-36. • www.hotellosarcos.net • Juste en face du précédent, un bel édifice du XVIIe siècle avec un certain cachet. Central mais très tranquille, patio entouré d'arcades, superbe terrasse avec vue sur la vallée. Chambres agréables, propres, claires et bien arrangées, certaines avec une jolie vue sur les toits. La no 18 a une belle vue. Point Internet. Réduction pour le parking.

■ *Hôtel Melendez* (plan A3, 15) : Cuauhtémoc (ou Matamoros), à 30 m du *zócalo*. ☎ 622-00-06. Style années 1950, déco religieuse (le patron est un catholique fervent). Éviter les chambres au sous-sol. La no 19 dispose d'une terrasse et d'une belle vue, c'est la plus chère. Seulement si tout est complet ailleurs.

■ *Posada San Javier* (plan A2, 16) : les 2 entrées ne sont pas faciles à dénicher ; l'entrée principale se trouve Estacadas 32, c'est-à-dire la ruelle qui descend en face de l'église *Ex-convento San Bernardino* ; un autre accès se fait par Ex-Rastro. ☎ 622-31-77 et 02-31. • posadasanjavier@hotmail.com • Un très bon rapport qualité-prix pour Taxco. Superbe hôtel à l'architecture néo-coloniale organisé autour de plusieurs patios verdoyants et calmes. Chambres de tailles différentes, donnant sur les jardins fleuris. Les nos 6, 7 et 8 disposent d'une jolie vue. Restaurant, cafétéria sur terrasse. Parking et piscine. Réserver au moins 15 jours à l'avance, surtout le week-end et en haute saison.

Chic : de 500 à 700 $Me (35 à 49 €)

■ *Hôtel Agua Escondida* (plan A3, 18) : plaza Borda 4. ☎ 622-07-26 et 11-66. • www.aguaescondida.com • Ne vous fiez pas à la petite entrée qui donne sur le *zócalo*. C'est un agréable dédale de couloirs, d'escaliers et de terrasses imbriquées les unes dans les autres. Chambres confortables, parfois petites mais décorées avec soin. Sur la plus haute des terrasses, bar-restaurant en plein air où l'on sirote une *margarita* en surplombant l'église Santa Prisca (ouvert de 12 h à 23 h), et une piscine sur le toit. Restaurants *La Hacienda* et *Chula Vista*. Internet 30 mn gratuit, et parking public payant non loin de là. Un peu cher tout de même, surtout le week-end.

■ *Hôtel Loma Linda* (hors plan par B2, 17) : av. de Los Plateros. ☎ 622-02-06. • www.hotellomalinda.com • Excentré et assez loin du centre-ville ; prendre un *combi*. Plus de 60 chambres confortables (douche-w.-c.) et lumineuses, toutes avec terrasse individuelle et vue. Des nos 109 à 117, vue impressionnante sur la vallée. Éviter les 3 chambres côté rue. Piscine et parking.

■ *Hôtel Santa Prisca* (plan A4, 19) : plazuela de San Juan. ☎ 622-09-80. • htl_staprisca@yahoo.com • Grand patio central recouvert de plantes, sur lequel donnent les chambres. Elles sont calmes et bien équipées. Du toit-terrasse, vue sur l'église du même nom. Superbe suite no 26 avec cheminée.

■ *Posada de los Balcones* (plan

A3, 20) : sur la plazuela de los Gallos, n° 5. ☎ 622-02-50. Depuis le *zócalo,* prendre la petite rue qui monte. Un hôtel accueillant, installé dans l'ancienne *Casa de la Moneda* (maison de la monnaie) édifiée en 1705. Plus d'une vingtaine de chambres confortables et chaleureuses portant des noms régionaux. Peintures murales et mobilier mexicain. Quelques-unes donnent sur la rue, avec un charmant balcon ; les choisir de préférence. Notre préférée : la chambre *Ometepec,* qui donne sur Santa Prisca.

Où manger ?

Quelques restos autour du *zócalo.* Il suffit de regarder en l'air pour les identifier à leur terrasse qui donne sur l'église Santa Prisca.

Bon marché : moins de 70 $Me (5 €)

|●| *Le marché (plan A3, 30) :* une source inépuisable, où l'on peut manger pour pas cher. Dans le coin des *fondas,* par exemple (demander *el lugar de las fondas).* Un endroit aéré et très sympa, où l'on peut découvrir les plats traditionnels de la cuisine mexicaine. Au même endroit, quelques *panaderías,* avec du pain chaud et frais. Les amateurs de viande doivent absolument aller au fond du marché dans le coin de la *carne* (demander *el lugar de los chivos).* Ils y mangeront du chevreau *(chivo)* cuit selon la manière traditionnelle de la *barbacoa* : la viande est recouverte de feuilles de maguey et cuite dans un four creusé dans la terre. Pour goûter à la *pansita* (l'estomac du chevreau), il faut aller chez **El Cuate Guizado,** le meilleur resto du marché. On la déguste avec du piment *(chile),* de la *salsa roja* et du sel.

|●| *El Arco (plan A3, 30) :* Arco 7. Ferme à 18 h. Dans la ruelle du marché, un local minuscule qui sert des jus de fruits, des sandwichs, des *tacos* et des *tortas.* On mange debout ou assis devant le présentoir, ou au 1er étage dans la petite salle.

|●| *Borda's Café (plan A3, 31) :* plaza Borda 6 *(zócalo).* Ouvert tous les jours de 8 h à 23 h. Au 1er étage d'une maison donnant sur la place par le patio de las Artesanías, sur le *zócalo,* entre la *Pozolería Tía Calla* centrale, un petit bar-snack tenu par Ephraïm, un aimable monsieur qui parle le français. On y sert de bonnes salades, des *enchiladas,* des petits plats goûteux et économiques, ainsi qu'un bon café expresso.

|●| *Pozolería Tía Calla (plan A3, 32) :* sur le *zócalo,* à gauche de l'église. ☎ 622-56-02. Ouvre vers 13 h 30 et jusqu'à 22 h environ. Fermé le mardi. Grande salle en sous-sol, du genre *cantina,* au décor banal. Y aller le jeudi, jour traditionnel, pour goûter au *pozole,* l'un des plats phares de la cuisine mexicaine : une soupe de maïs avec de la viande. On y ajoute au dernier moment de l'oignon, des morceaux de *tortilla* frite ou du *chicharón,* de l'origan. Ambiance populaire garantie.

|●| *Café Sasha (plan A3, 33) :* Juan Ruiz de Alarcón 1, au 1er étage. En face de l'hôtel *Los Arcos,* à côté de l'hôtel *Posada de Los Castillos* (voir « Où dormir ? »). Ouvert tous les jours de 8 h à minuit. Y aller de préférence le soir : lumières tamisées et bougies. Salades composées, pâtes et plats végétariens et délicieux desserts. Pour les routards musicos, percussions à disposition. Certains soirs, musique *en vivo* (salsa, electro, reggae). Très bien aussi pour l'*espresso* du matin. Prix corrects.

LA CÔTE PACIFIQUE SUD

Prix moyens : de 70 à 150 $Me (5 à 10,50 €)

|●| *Pizzeria Mario (plan A3, 32) :* plaza Borda 1. ☎ 622-77-97. Entrer

et l'église ; prendre sur la gauche et monter un escalier. Ouvert tous les jours jusqu'à minuit. Petite pizzeria discrète, avec une terrasse donnant sur la place. Mario Esquivel, l'aimable patron, est le fils du musicien Juan Garcia Esquivel (1918-2002), une des figures les plus marquantes des musiques excentriques des *fifties*, qui fut surnommé « le Van Gogh de la Space age Pop », le « Duke Ellington Mexicain » ou « Dr Jekyll de l'orchestration ». La pièce d'entrée lui est dédiée.

Chic : de 150 à 250 $Me (10,50 à 17,50 €)

|●| ***Restaurant de la Posada de la Misión** (plan B1, 35) :* av. de Los Plateros ; à 100 m du bureau de tourisme Nord. ☎ 622-55-19. À 15 mn à pied du centre, ou prendre un *combi*. Une adresse de charme. Superbes jardins et piscine dominée par un imposant mural de O'Gorman. Depuis la salle de resto, vue sur la ville et l'église Santa Prisca. Cuisine mexicaine et internationale. Les chambres de l'hôtel sont hors de prix, et seules celles du bâtiment *Guerrero* jouissent vraiment d'une belle vue sur Taxco.

Où prendre le petit déjeuner ?

|●| ***Restaurant La Casona** (del Angel Inn ; plan A3, 36) :* Celsa Muñoz 4 ; c'est la rue qui longe l'église Santa Prisca sur la gauche. ☎ 622-55-25. Au 1er étage. Ouvert tous les jours de 8 h à 22 h 30. Surtout, ne pas s'installer en salle, mais monter tout en haut et s'installer sur la 2e terrasse (celle du fond). De là, on jouit d'une vue exceptionnelle sur Taxco. On vient d'ailleurs ici pour ça, histoire de commencer la journée en beauté. Trois formules de petit dej' à des prix différents. Pour les autres repas, c'est trop cher pour ce que c'est.

Où boire un verre ?

☖ ***La Concha Nostra** (plan A4, 40) :* plaza de San Juan ☎ 622-79-44. Dans la même patio que l'hôtel *Casa Grande.* Ouvert de 8 h à 1 h du mat', parfois plus tard le samedi soir. Salle au 1er étage, donnant sur la plazuela de San Juan, avec même quelques tables aux balcons. Tenu par un Italien qui propose naturellement des pizzas et des lasagnes à prix corrects. Bons petits dej'. Musique *en vivo* (souvent du rock) le samedi soir. Cadre chaleureux et bonne ambiance.

☖ ***Bar Berta** (plan A3, 41) :* sur le *zócalo,* près de Santa Prisca. Ouvert de 10 h à 20 h. Le plus ancien bar de Taxco, fondé en 1930 par Mme Berta Estrada. C'est là qu'elle a inventé son cocktail maison, « la Berta », à base de tequila, jus de citron, miel, feuille de poire et eau minérale. Avec un peu de chance, vous trouverez une table libre sur le balcon.

À voir. À faire

🗡 ***Le zócalo** (plan A3) :* agréablement ombragé par des lauriers d'Inde et bordé de vénérables maisons, dont celle du fameux propriétaire de mines, José de la Borda, la ***Casa Borda.*** Édifiée en 1759, cette demeure coloniale de trois étages abrite aujourd'hui la *Casa de la Cultura,* qui accueille expositions et événements culturels (sur la gauche en regardant l'église).

🗡🗡🗡 ***L'église de Santa Prisca** (plan A3, 51) :* sur le *zócalo.* Érigée aux frais de José de la Borda, grâce aux revenus que lui procurait la mine de San

Ignacio. « Dios da a Borda, Borda da a Dios » (Dieu donne à Borda, Borda donne à Dieu), avait coutume de dire ce mécène. Une bonne idée, car l'église, terminée en 1758, est un chef-d'œuvre de style churrigueresque (baroque mexicain). Façade baroque à l'exubérance tropicale à l'extérieur ; retables sculptés et décorés à la feuille d'or à l'intérieur. L'un des plus beaux monuments d'art religieux. N'oubliez pas d'aller voir la sacristie, derrière l'église.

➤ *Se balader dans les ruelles :* dur, dur, pour les mollets... mais on est récompensé par les superbes points de vue que l'on découvre au détour d'une ruelle *(callejón).* Au petit matin, ou le soir quand la chaleur est tombée, c'est un ravissement. Prendre n'importe quelle rue qui monte, par exemple, au-dessus de l'hôtel *Agua Escondida.*

Panorama sur Taxco : les nostalgiques des sports d'hiver pourront prendre le *téléphérique* (30 $Me aller-retour, soit 2,10 €, entre 7 h 40 et 19 h) qui monte à l'hôtel le plus luxueux du coin, le *Monte Taxco,* situé sur une colline en face de la ville. Vue superbe sur la vallée. Pour accéder à la station du téléphérique *(plan A1),* prendre un minibus marqué « Los Dos Arcos ». Y monter à pied demande du temps, alors on peut prendre un minibus sur la place de San Juan *(plan A4),* qui indique « Panorámica », le nom du quartier le plus élevé. Taxi ou *combi* vous amènent au pied de la statue du Christ pour un panorama spectaculaire sur Taxco et la vallée, à découvrir l'après-midi. Redescendre à pied en flânant dans les ruelles pentues (compter 30 mn) ou en taxi.

– On peut aussi se contenter de grimper à pied jusqu'à l'*église de la Guadalupe.* Prendre la ruelle qui monte depuis le *zócalo,* puis la rue Guadalupe. Beau point de vue à l'arrivée et peu de touristes.

Le marché (plan A3, 30) : un autre lieu très animé, un dédale sur plusieurs niveaux. Très authentique, surtout le samedi, jour de la cohue. Des fruits et des légumes, des fleurs, des masques et des pièces en bois polychrome, le coin des vendeurs de bijoux en argent, de l'artisanat... Voir aussi « Où manger ? ».

Museo de la Platería (plan A3, 32) : dans le Patio de las Artesanías, dont l'entrée donne sur le *zócalo,* à gauche de l'église. À l'intérieur, prendre à gauche comme pour aller à la *pizzeria Mario* ; c'est tout au fond. Ouvert tous les jours de 9 h à 18 h. Un tout petit musée privé, intéressant surtout pour les vrais amateurs du travail de l'argent. Quelques belles pièces primées.

Museo del Arte Virreinal ou *Casa Humboldt (plan B3) :* Ruis de Alarcón 12. Ouvert du mardi au dimanche de 10 h à 18 h. Entrée : 20 $Me (1,40 €). Cette maison du XVIIIᵉ siècle (belle façade de style mudéjar) abrite une petite collection de meubles et d'objets d'époque de la vice-royauté. Également quelques œuvres d'art sacré, provenant des églises de Taxco. Le baron Humboldt, l'un des premiers explorateurs du Mexique, y a passé une nuit en 1803, après plusieurs mois de voyage en Amérique centrale. Voir le paragraphe qui lui est consacré dans les « Généralités ».

Museo Guillermo Spratling (plan A3, 50) : Porfirio Delgado 1. ☎ 622-16-60. Ouvert du mardi au samedi de 10 h à 17 h et le dimanche de 9 h à 15 h. Entrée : 33 $Me (2,30 €) ; gratuit le dimanche et les jours fériés. Du nom de ce Canadien débarqué à Taxco au début du XXᵉ siècle pour y relancer le travail de l'argent. Il a légué à l'État son immense collection d'objets précolombiens. Le musée en expose une partie (le reste est au Musée national d'Anthropologie de Mexico). Quelques belles pièces bien mises en valeur. Au sous-sol, expos temporaires d'artistes locaux.

Fêtes

– *Deuxième semaine de janvier :* fête de la sainte patronne de la ville, Santa Prisca, avec grand feu d'artifice, et tout et tout. La veille, concours et bénédiction des animaux qui se présentent en costume, même les cochons. Intéressant, car beaucoup d'habitants des alentours descendent en ville à cette occasion.

– *Le 2 novembre :* el *día del Jumil.* Le *jumil* ? C'est un insecte du genre petit cafard. Tous les ans, des milliers migrent à Taxco et s'installent durant le mois de novembre dans les forêts des alentours, spécialement sur la colline Huixteco. Les habitants de la ville y vont aussi. On campe, on chasse le *jumil* sous les feuilles et on s'en régale. On le déguste vivant ou l'on en fait une sauce pour les *tacos.* Ça doit certainement être très bon pour la santé, vu que ce charmant coléoptère est particulièrement riche en iode et bourré de protéines.

– *Début décembre :* fête de l'Argent ; à la mexicaine : avec majorettes, chanteurs et concerts sur le *zócalo,* courses d'ânes, etc. Mais surtout, concours des plus belles œuvres en argent et exposition. Et puis le clou de la *feria :* l'élection de Miss Plata, avec sa ravissante couronne... en argent, bien sûr !

Achats

🌀 *Masques :* on en trouve un peu partout à Taxco.

🌀 *Artisanat :* marché d'artisanat qui s'étend de plus en plus, dans les ruelles qui descendent derrière l'église Santa Prisca. Beaucoup d'objets en bois : des masques, des saladiers et des couverts, de très jolis mobiles, des soleils... Idéal pour l'achat de souvenirs.

🌀 *L'argent :* en veux-tu, en voilà. L'argent, *la plata,* est partout. Avec plus de 300 boutiques, autant dire que vous aurez de quoi faire si vous voulez toutes les visiter. Sans compter le marché, où se trouvent rassemblés des étals de bijoux ; ainsi que la *halle des grossistes (plan A3, 52),* en contrebas du *zócalo,* juste au début de Cuauhtémoc. Prendre la ruelle qui descend au pied de la banque San-

tander et pénétrer dans le *pasaje Santa Prisca.* Trois étages. Plus on descend, plus les prix baissent. Pour l'argent véritable, ils acceptent de vendre au détail. C'est nettement moins cher que dans les boutiques.

– Le métal utilisé à Taxco est un alliage d'argent et de cuivre. La proportion légale est de 92,5 % d'argent. D'où le poinçon « 925 » qui doit obligatoirement apparaître. En réalité, de nombreuses boutiques – celles qui tiennent à leur réputation et qui exportent – proposent un alliage de 95 %, voire plus. Bien entendu, il y a aussi quelques escrocs. Que cela ne vous arrête pas, le marché de l'argent est très contrôlé à Taxco. Et encore une fois, une boutique qui a pignon sur rue n'a aucun intérêt à tromper la clientèle.

LE SITE DE XOCHICALCO

Entre Taxco et Cuernavaca. L'un des plus beaux sites archéologiques du centre du Mexique. Inscrit au Patrimoine de l'Humanité en 1999, il n'est pas encore très connu et on se promène pratiquement seul à travers les ruines de cette ancienne ville fortifiée installée sur une colline. La vue sur la vallée est splendide. Le site est ouvert tous les jours de 9 h à 17 h. Entrée autour de 37 $Me (2,60 €).

UN PEU D'HISTOIRE

Plus les recherches avancent, plus les archéologues sont convaincus que la cité-État de Xochicalco eut une importance considérable. En seulement 200 ans, entre les VIIe et IXe siècles, elle parvint à dominer, grâce à sa position stratégique, une grande partie du couloir méso-américain jusqu'à la mer, soumettant de nombreuses villes qui lui payaient tribut. À son apogée, elle comptait plus de 30 000 habitants. La chute de Teotihuacán et la période d'instabilité politique qui suivit obligèrent les peuples à construire des villes faciles à protéger. Ce fut le cas de Xochicalco et, à la même époque, de El Tajín et de Cholula (près de Puebla). Xochicalco fut donc édifiée sur les hauteurs, selon une urbanisation parfaitement planifiée. Les grandes constructions datent de 700 apr. J.-C. Les bâtisseurs sont allés jusqu'à modifier la topologie de la colline avec des murs de soutènement pour construire des terrasses, tracer les avenues et les places, creuser des escaliers et élever des murailles défensives. Malgré son côté forteresse, Xochicalco entretenait de nombreux contacts avec l'extérieur, ayant même des relations commerciales avec les Mayas. C'était une métropole riche et cosmopolite. C'est autour de l'an 900 que Xochicalco s'éteint brutalement (décidément, c'est une habitude !). Selon les dernières découvertes, une terrible famine aurait provoqué une révolte du peuple contre le pouvoir dirigeant, particulièrement autocratique et étouffant. En quelques semaines, il y eut des milliers de morts, la ville fut saccagée et incendiée. Un véritable massacre. Les quelques survivants abandonnèrent la cité à l'oubli.

Comment y aller ?

➤ **En bus :** deux options depuis Cuernavaca. Soit prendre un bus *Autobuses verdes de Morelos* sur la place du marché principal *(plan Cuernavaca B2, 5)* qui indique « Temixco ». Soit prendre un bus *Pullman de Morelos (plan Cuernavaca A3, 1)* en direction de Miacatlán. Demander l'arrêt au chauffeur à l'embranchement pour Xochicalco. Dans ce dernier cas, il reste 2 km à faire à pied ou en *combi*. Compter 40 mn de trajet. Pour repartir, inutile de redescendre au musée. Le bus passe devant la sortie du site.

À voir

🎌 *Le musée :* c'est là qu'on achète le billet pour l'ensemble du site. Bâtiment à la belle architecture moderne et contenu très instructif. Également une cafétéria et une librairie. Ensuite, on grimpe à la zone archéologique proprement dite.

🎌🎌 *Le jeu de pelote nord (juego de pelota) :* très bien conservé. Les anneaux où devait passer la balle étaient accrochés le long de murs verticaux. En haut, il y avait des tribunes pour les spectateurs de haut rang. En contrehaut, une *citerne,* et en face, le *temazcal,* ce fameux bain de vapeur qui servait sans doute aux joueurs pour se purifier avant le jeu sacré.

🎌 *L'Acrópolis :* c'est la partie la plus haute de la ville. Là, les gouvernants avaient leurs demeures.

🎌🎌🎌 *La pyramide des serpents à plumes :* sur la place. Le clou du site. Sa base est recouverte de bas-reliefs qui représentent 8 serpents qui, bien sûr, ont été interprétés comme étant des représentations de Quetzalcóatl. L'édifice aurait été érigé pour commémorer une réunion de prêtres-astronomes venus de toute la Méso-Amérique, et durant laquelle le calendrier préhispanique fut modifié. Ce qui est sûr, c'est que Xochicalco était un grand centre astronomique.

🎌 *Les souterrains :* s'y trouve un observatoire astronomique qui permettait d'observer les mouvements du soleil. Du 30 avril au 15 août, durant 105 jours, le soleil pénètre par une « cheminée » qui forme comme un puits de lumière. Essayez d'y être entre 12 h 30 et 13 h, surtout les 14-15 mai et 28-29 juillet.

Le rayon de soleil apparaît à un moment précis et projette sur le sol une trajectoire tout aussi précise.

CUERNAVACA
1 million d'hab.   IND. TÉL. : 777

Situé à 1 h 20 en bus au sud de Mexico, à 1 550 m d'altitude. On l'appelle la ville au « printemps éternel ». Son climat exceptionnel en a d'ailleurs fait, depuis l'époque préhispanique, le lieu de villégiature des habitants de la capitale. Déjà Moctezuma y avait son palais, que Cortés détruisit pour y construire le sien. Aujourd'hui, les classes aisées – politiciens, industriels et... narcotrafiquants – viennent y passer le week-end, protégés des regards indiscrets par les hauts murs de leur résidence secondaire. Certes, le centre-ville est animé et agréable, mais les choses ont quand même bien changé depuis l'avant-guerre, alors que Cuernavaca (*Cuauhnahuac* en aztèque) servait de cadre au livre culte de Malcolm Lowry, *Au-dessous du volcan*. On ne vient plus guère ici pour s'enivrer sur les traces du consul, mais plutôt pour se reposer à l'ombre des bougainvillées avant d'aller visiter le site archéologique de Xochicalco, les haciendas de la région et les villages traditionnels des montagnes splendides et mystérieuses du Tepozteco.

Un bon truc pour ceux qui terminent leur voyage et vont prendre l'avion : on peut éviter une nuit à Mexico en prenant depuis Cuernavaca un bus direct pour l'aéroport.

¡ VIVA ZAPATA !

Pendant la révolution, un petit fermier métis, Emiliano Zapata (né à Anenecuilco le 8 août 1879), parvint à lancer une puissante révolte paysanne, à partir de l'État de Morelos. Zapata avait déjà contribué à la chute de Porfirio Díaz, quand il reprit les armes contre ses successeurs qui n'appliquaient pas la grande réforme agraire promise. Occupant d'immenses territoires dans la montagne, menaçant Cuernavaca, il fut le maître de la sierra jusqu'en 1919, lorsque, attiré dans un guet-apens à l'hacienda de San Juan Chinameca, près de Cuautla, il fut assassiné (le 10 avril 1919). Son souvenir, perpétué par de nombreuses chansons populaires (*corridos*), est resté encore très vivace dans la mémoire des *peones* du Morelos et des paysans mexicains en général. Les passionnés de la Révolution mexicaine pourront aller à Tlaltizapán (une expédition !). À l'intérieur du musée (gratuit), ils verront armes et *sombreros,* ainsi que les culottes de Zapata. Quant à sa maison natale, à Anenecuito, elles conseillée aux seuls inconditionnels.

Arriver – Quitter

En bus

Pour l'achat des billets, voir aussi la rubrique « Adresses utiles ».
➢ **Pour/de l'aéroport de Mexico :** aller au terminal *Pullman de Morelos,* dit **La Selva** (plan B1, 2). S'y rendre en taxi, surtout si vous êtes chargé. Départ toutes les heures environ, de 4 h à 19 h 30 (moins de départs le dimanche). Très pratique et fiable. Réserver son billet à l'avance. Compter 1 h 45 de trajet.

Terminal Pullman de Morelos (plan A3, 1) : à l'angle d'Abasolo et Netzahualcoyotl. ☎ 318-69-85 et 04-82. ● www.pullman.com.mx ● C'est le plus pratique pour la capitale. Consigne ouverte tous les jours (s'adresser aux guichets).

➤ *Pour/de Mexico* (*terminal Tasqueña*) *:* bus toutes les 15 mn, de 5 h 15 à 22 h. Trajet : 1 h 20. Quatre tarifs différents selon le confort.
➤ *Pour/de Jojutla :* départ toutes les 30 mn, entre 6 h et 22 h 16. Durée : 1 h.
➤ *Pour/depuis le lac de Tequesquitengo et l'hacienda Vista Hermosa :* prendre un bus en direction de Tilzapotla ; départs à 15 h, 17 h 50, 18 h 50 et 20 h.

▭ *Terminal Estrella Roja* (*plan B3-4, 3*) *:* à l'angle de Galeana et | Cuauthemotzin. ☎ 318-59-34.

➤ *Pour/de Puebla :* bus toutes les heures, entre 5 h et 19 h. Compter 2 h 40 de trajet.
➤ *Pour/de Cuautla :* bus toutes les 15 mn, de 6 h à 22 h. Moins de 2 h 30 de trajet.
➤ *Pour/de Oaxaca :* changer à Puebla. On peut aussi aller à Puebla et attraper la correspondance. C'est un peu plus confortable, vu que le bus passe par l'autoroute ; mais dans les deux cas, la durée du trajet est sensiblement la même : de 6 h à 7 h.

▭ *Terminal Estrella Blanca* (*plan A2, 4*) *:* Morelos Norte 329. ☎ 312- | 81-90 et 26-26. Consigne à bagages ouverte 24 h/24.

➤ *Pour/de Mexico* (*terminal Tasqueña*) *:* 5 bus par jour, de 7 h à 18 h. Trajet : 1 h 20.
➤ *Pour/de Mexico* (*terminal Norte*) *:* bus à partir de 8 h du matin.
➤ *Pour/de Acapulco :* bus toutes les 2 h, entre 8 h et 18 h. Trajet : 4 h.
➤ *Pour/de Taxco :* bus toutes les heures, de 7 h à 21 h. Trajet : 1 h 30.
➤ *Pour/de Toluca :* bus toutes les 30 mn, de 5 h à 19 h 45. Durée : 2 h 30.

▭ *Terminal ORO* (*hors plan*) *:* sur le bulevar Cuanahuac. ☎ 320-27- | 48. En dehors du centre. Prendre un taxi.

➤ *Pour/de Puebla :* départ à chaque heure à partir de 6 h jusqu'à 20 h. Trajet : 3 h 30. Plus quelques bus de *gran turismo* qui mettent 3 h.

Adresses utiles

▤ *Office de tourisme* (*plan B2-3*) *:* av. Morelos Sur 187. ☎ 314-39-20. S'appelle *Modulo de Informacion Turistica* (petit pavillon peint en couleur orange). Situé à gauche du restaurant *Hidalgo* quand on tourne le dos au Palacio Cortés. Ouvert du lundi au vendredi de 9 h à 18 h. Assez bien documenté. Le week-end, parfois un module d'info sur le *zócalo*.
✉ *Poste* (*plan B2*) *:* sur le *zócalo*, dans sa partie sud, à l'entrée du grand escalier. Ouvert du lundi au vendredi de 9 h à 15 h et le samedi de 9 h à 13 h.
@ *Café Internet* (*plan B3, 9*) *:* Las Casas 8. Dans la rue piétonne qui prolonge la petite place Zacate. Ouvert du lundi au samedi de 9 h à 22 h et le dimanche de 10 h à 19 h.

■ *Change* (*plan A2, 6*) *:* au bureau de change *Gesta*, à l'angle de Tejada et de Matamoros. Ouvert du lundi au vendredi de 9 h à 18 h et le samedi de 9 h à 14 h.
■ *Distributeurs automatiques :* pour les cartes *Visa* et *MasterCard*, dans toutes les banques autour du *zócalo*.
■ *Alliance française* (*plan A2, 8*) *:* Rayón 32. ☎ 314-09-21 et 318-45-88. Entre Morelos et Alvaro Obregón. Ouvert tous les jours de 9 h à 20 h et le samedi de 10 h à 14 h. Parfois, des événements culturels.
■ *Vente de billets de bus* (*plan B3, 7*) *:* bulevar Juárez 29 A ; presque à l'angle avec Cuautemotzin. ☎ 312-14-63 et 318-06-04. C'est un petit local juste à côté de l'agence de

voyages *Aresky* ; ne pas confondre, donc. Ouvert du lundi au vendredi de 9 h à 14 h et de 16 h à 19 h et le samedi de 9 h à 14 h. Très pratique pour acheter ses billets de bus, au départ de Cuernavaca ou même de Mexico. Quelle que soit votre destination, on vous indiquera toutes les possibilités et les tarifs. Commission entre 8 et 15 $Me (0,60 à 1 €).

■ *Consigne à bagages :* au terminal de bus *Estrella Blanca* (plan A2, 4).

Où dormir ?

Attention, non seulement il est difficile de trouver une chambre pendant le week-end, mais en plus les hôtels ont la mauvaise habitude, vu l'affluence, d'augmenter les prix du vendredi au dimanche. Conclusion : mieux vaut venir à Cuernavaca en semaine.

Très bon marché : moins de 210 $Me (14,70 €)

▲ *Casa de Huéspedes Marilu* (plan A2, 10) : Aragón y León 10. ☎ 318-97-38. Pension calme et toute simple. Chambres avec ou sans salle de bains, assez propres. Préférer celles du 1er étage, un peu plus claires. Les salles de bains sont rudimentaires, mais on peut s'en contenter.

De bon marché à prix moyens : de 210 à 300 $Me (14,70 à 21 €)

▲ *Hôtel Colonial* (plan A2, 12) : Aragón y León 19. ☎ 318-64-14. Petit hôtel mignon et calme, rénové dans le style colonial. Les chambres (TV et ventilo), peu nombreuses, donnent sur un agréable patio fleuri. Souvent complet le week-end. Bon rapport qualité-prix.

▲ *Hôtel Los Canarios* (plan A1, 15) : Morelos Norte 369. ☎ 313-44-44. Un ancien hôtel de luxe rénové dans un standard économique. Deux petits bâtiments bas en face à face dans une cour intérieure. Chambres spacieuses et bien équipées (douche-w.-c.), avec petit salon.

■ **Adresses utiles**

- ℹ Office de tourisme
- ✉ Poste
- 🚌 1 Terminal Pullman de Morelos
- 🚌 2 Terminal La Selva
- 🚌 3 Terminal Estrella Roja
- 🚌 4 Terminal Estrella Blanca
- 🚌 5 Bus pour Xochicalco
- 6 Bureau de change Gesta
- 7 Vente de billets de bus
- 8 Alliance française
- @ 9 Café Internet

▲ **Où dormir ?**

- 10 Casa de Huéspedes Marilu
- 11 Hôtel América
- 12 Hôtel Colonial
- 13 Hôtel Juárez
- 14 Hôtel España
- 15 Hôtel Los Canarios
- 16 Hôtel Bajo el Volcán
- 17 Hôtel Las Mañanitas

🍽 **Où manger ? Où prendre le petit déjeuner ?**

- 17 Restaurant de l'hôtel Las Mañanitas
- 30 Marché
- 31 Las Gorditas de Frijol
- 32 El Sazón de la Abuela
- 33 Restaurant Taxco
- 34 La Espiga
- 35 Restaurant La Maga Café
- 36 Pizzeria Marco Polo
- 37 La Strada
- 38 La Casa Hidalgo
- 39 Cafeona
- 40 La India Bonita

🍸 **Où boire un verre ?**

- 41 Los Arcos
- 42 Bars de la plaza del Zacate

⚜ **Achats**

- 50 Marché d'artisanat

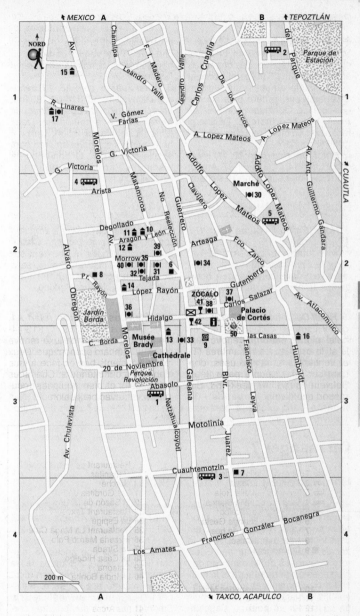

LA CÔTE PACIFIQUE SUD

CUERNAVACA

Prix moyens : de 300 à 500 $Me (21 à 35 €)

🛏 **Hôtel España** (plan A2, **14**) : Morelos 190. ☎ 318-67-44. Le moins cher de sa catégorie. Les chambres se trouvent au 1er étage et donnent sur un vaste atrium à ciel ouvert. Chambres sur l'arrière plus calmes que côté rue. Quelques chambres sin baño, très bon marché. Délicieux resto avec un menu pas cher. Accueil jovial et souriant.

🛏 **Hôtel América** (plan A2, **11**) : Aragón y León 14. ☎ 318-61-27. Autour d'un patio intérieur calme, des chambres simples et propres, avec douche-w.-c., TV et ventilo, certaines un peu sombres (certaines aussi sans fenêtre).

🛏 **Hôtel Juárez** (plan A3, **13**) : Netzahualcoyotl 19. ☎ 314-02-19. Tout près du terminal de bus Pullman de Morelos et de la cathédrale. Deux tarifs (lit double ou 2 lits). Un petit hôtel tranquille. Les chambres sont spacieuses. La n° 11 donne sur la piscine à l'arrière du bâtiment. Accueil nonchalant.

Plus chic : plus de 700 $Me (49 €)

🛏 **Hôtel Bajo el Volcán** (plan B3, **16**) : Humboldt 19. ☎ 318-75-37. ● www.tourbymexico.com/bajoelvolcan ● Les prix incluent le petit déjeuner. C'est dans cette maison bourgeoise transformée aujourd'hui en hôtel que Malcom Lowry a écrit son roman Au-dessous du volcan. Chambres sympathiques qui ouvrent sur un jardin avec piscine. Grande salle de resto agréable. Un hôtel tranquille et sans histoire. Parking.

Beaucoup plus chic : à partir de 2 700 $Me (189 €)

🛏 **Hôtel Las Mañanitas** (plan A1, **17**) : Ricardo Linares 107. ☎ 362-00-00. ● www.lamananitas.com.mx ● Appartient à la chaîne Relais et Châteaux. Le grand luxe dans le cadre splendide d'une hacienda. Un superbe parc exotique parsemé d'œuvres d'art moderne, où se promènent paons, aigrettes, flamants roses. Chambres somptueuses, mobilier d'époque, collections d'objets et d'œuvres d'art. On peut se contenter d'y manger ou d'y prendre un verre dans le jardin pour jouir de ce petit coin de paradis au centre-ville.

Où manger ?

Bon marché : moins de 70 $Me (5 €)

🍽 **Le marché** (plan B2, **30**) : plusieurs fondas avec des comidas corridas correctes. Pour y aller, c'est déjà toute une aventure. Depuis le zócalo, il faut remonter un peu Guerrero et tourner à droite dans l'un des passages qui pénètrent dans le marché aux vêtements et aux bricoles ; ensuite, traverser ce labyrinthe, puis on passe sur un pont où s'agglutinent d'autres points de vente, et enfin on y est. Ambiance garantie.

🍽 **Las Gorditas de Frijol** (plan A2, **31**) : Morrow. Fermé les samedi et dimanche. Tout petit, tout propre, bon et agréable. Idéal pour le déjeuner.

🍽 **El Sazón de la Abuela** (plan A2, **32**) : Comonfort 13 bis. ☎ 310-20-71. Ouvert de 9 h à 18 h. Fermé le mercredi. Dans une ancienne maison du XIXe siècle, 2 grandes salles agréables où l'on est très bien reçu. Bonne cuisine espagnole et mexicaine. La paella est délicieuse. Sinon, 2 menus à des prix très corrects.

🍽 **Restaurant Taxco** (plan A-B3, **33**) : Galeana 12. ☎ 318-22-42. Ouvert tous les jours de 8 h à 20 h. Surtout pour le petit dej' et le déjeuner. Resto typique de cuisine mexicaine qui rencontre un franc succès auprès des classes moyennes du quartier. Cuisine savoureuse. Plusieurs *comidas corridas* à tous les prix. Ne manquez pas les *tortillas,* faites maison. Devant vous !

|●| *La Espiga* (plan B2, *34*) *:* Guerrero ; près du *zócalo.* Grande pâtisserie où l'on trouve toutes sortes de viennoiseries. Au sous-sol, une cafétéria de type self-service pour le petit dej' ou le déjeuner.

Prix moyens : de 70 à 150 $Me (5 à 10,50 €)

|●| *Restaurant La Maga Café* (plan A2, *35*) *:* Morrow 9 ; au 1er étage. ☎ 310-04-32. Fermé le lundi. Joli cadre pour une délicieuse cuisine mexicaine. Formule buffet pour le déjeuner. Il y en a donc pour tous les goûts. Le soir, c'est plutôt pour y siroter un verre en dégustant des *antojitos* mexicains. De bons chanteurs et musique *en vivo* les vendredi et samedi soir, avec donc un droit d'entrée.

Chic : de 150 à 250 $Me (10,50 à 17,50 €)

|●| *Pizzeria Marco Polo* (plan A2, *36*) *:* Hidalgo 30 ; au 1er étage. ☎ 312-34-84. En face de la cathédrale. Ouvert tous les jours de 13 h à 22 h 30 (minuit les vendredi et samedi). Une grande pizzeria. Le week-end, c'est bourré à craquer et il faut attendre un peu, à moins d'avoir réservé. Il est vrai que les pizzas sont délicieuses (cuites au feu de bois). Si l'on a la chance d'avoir une table sur le balcon, jolie vue sur la cathédrale.

|●| *La Strada* (plan B2, *37*) *:* Salazar 3. ☎ 318-60-85. Dans la rue piétonne qui descend sur le côté gauche du Palacio de Cortés. Ouvert tous les jours sauf le lundi. Le dimanche, ferme à 18 h. Un resto italien servant une délicieuse cuisine, dans une cour intérieure agrémentée d'une fontaine. Chanteur le soir.

|●| *La Casa Hidalgo* (plan B2, *38*) *:* Hidalgo 6. ☎ 312-27-49. Sur la partie sud du *zócalo* ; on entre soit par Hidalgo, soit par le *zócalo.* Une adresse de charme, de préférence pour le soir (réserver une table en terrasse). Belle bâtisse rénovée avec une décoration contemporaine élégante. On mange à l'intérieur ou en terrasse au pied du *zócalo,* face au Palacio de Cortés. Nouvelle cuisine mexicaine excellente. Service impeccable.

|●| *Restaurant de l'hôtel Las Mañanitas* (plan A1, *17*) *:* voir « Où dormir ? ». Pour un repas grand style dans un décor idyllique. Cela se paye cher mais sans regrets.

Où dormir très chic ? Où manger dans les environs ?

L'État de Morelos compte un nombre impressionnant d'haciendas (près de 60), autrefois dédiées à la culture de la canne à sucre. La plupart ont été transformées en *balnearios* (centres de villégiature avec piscines, toboggans, jeux aquatiques, etc.), d'autres sont carrément abandonnées. Quelques-unes sont devenues des hôtels de grand luxe, avec toute la splendeur que vous pouvez imaginer : anciens aqueducs qui dérivent l'eau jusqu'aux piscines, allées bordées de palmiers royaux, végétation tropicale débordante, et bien sûr ambiance on ne peut plus coloniale.

▲ |●| *Hacienda de Cortés* *:* c'est la plus accessible depuis Cuernavaca, à 15 mn du centre en taxi, dans la *colonia* Atlacomulco. ☎ (777) 315-88-44. Chambres doubles autour de 2 450 $Me (environ 200 €) ;

- 10 % en semaine. Magnifiques, décorées dans un style colonial, elles donnent sur le beau jardin central ou sur de charmants patios intérieurs. Très calme. On mange dans une splendide salle voûtée où s'entremêlent les murs et les troncs des arbres. Belle piscine.

📷🍽 *Hacienda de Cocoyoc :* à une trentaine de kilomètres de Cuernavaca. ☎ (735) 356-22-11. ● www.cocoyoc.com.mx ● En voiture, prendre la route en direction de Cuautla jusqu'à Cocoyoc. Doubles à partir de 1 300 $Me (91 €).Trop grande pour avoir du charme, malgré les belles piscines desservies par des aqueducs. C'est surtout une bonne étape déjeuner pour ceux qui descendent sur Acapulco en voiture.

📷🍽 *Hacienda San José Vista Hermosa :* à San José Vista Hermosa (km 7,5). ☎ (734) 345-53-61. ● www.haciendavistahermosa.com ● Situé près du lac Tequesquitengo, à 40 km environ au sud de Cuernavaca par l'autoroute. Juste après le péage, prendre en direction de Tequesquitengo ; l'hacienda se trouve à 5 mn avant d'arriver au lac. Ou prendre un bus *Pullman de Morelos* en direction de Tilzapotla et demander l'arrêt. La plus somptueuse hacienda de toutes. Elle fut fondée en 1529 par Hernan Cortés. Exposition de vieux carrosses et de peintures du XVIe siècle, écuries, aqueduc surplombant la piscine, etc. Pour ceux qui sont en voiture, c'est une autre étape idéale entre Mexico et Acapulco pour un repas-baignade ou, pourquoi pas, une nuit coloniale...

Où prendre le petit déjeuner ? Où boire un verre ?

🍽 *La India Bonita (plan A2, 40) :* Morrow 15. ☎ 318-69-67. Ouvert tous les jours de 7 h à 22 h (le samedi de 9 h à 23 h et le dimanche jusqu'à 17 h). Plusieurs formules entre 40 et 65 $Me (2,80 à 4,60 €). Traduisez « La belle Indienne », c'est-à-dire l'amante autochtone de l'empereur Maximiliano quand il venait se la couler douce à Cuernavaca. Superbe cadre à la végétation débordante. Très agréable pour le petit dej', qui est servi de 8 h 30 à 12 h.

🍸 *Los Arcos (plan B2, 41) :* sur le *zócalo*, côté sud, près de la poste. Terrasse agréable et ombragée, pour boire un verre. Groupes de musiciens le soir, les clients se mettent à danser.

🍽 *Cafeona, un rincón de Chiapas (plan A2, 39) :* Morrow 6. ☎ 318-27-57. Ouvert de 8 h à 21 h. Fermé le dimanche. Quelques plats et un menu sympa pour le déjeuner, et du bon café au percolateur. Ambiance détendue.

🍸 Sur la petite *plaza del Zacate (plan B2-3, 42)* et dans la jolie rue piétonne qui la prolonge, vous trouverez quelques *bars* animés avec des tables à l'extérieur. Le soir, les jeunes y viennent gratouiller la guitare. Le week-end, c'est encore plus animé, avec la présence de chanteurs *(bohemia)* et musique *en vivo*. Avec le *zócalo*, c'est le seul endroit où vous trouverez du monde une fois la nuit tombée.

À voir. À faire

➤ Pour les flemmards, petit *train touristique* pour la visite du centre. Départs en face du Palacio de Cortés à 11 h 15, 13 h 15, 15 h 15 et 17 h 15.

🍴 *Le zócalo (plan B2) :* très ombragé, très frais. Bordé par la façade du *Palacio del Gobierno*. Musique des *mariachis* le 1er mardi soir de chaque mois, sous l'horrible statue de Benito Juárez. De l'autre côté de la rue, au kiosque central, vous pourrez écouter l'*orchestre local* le jeudi soir et parfois le samedi soir.

🎋🎋 *La cathédrale* (plan A3) : massive et austère, elle a été construite par les franciscains entre 1529 et 1552. Elle est bordée par une imposante chapelle ouverte qui permettait de célébrer la messe pour les masses indiennes qui n'osaient pas entrer à l'intérieur. Grandes fresques murales racontant le martyre de San Felipe de Jesús. À la suite des deux tremblements de terre de 1999 qui ont endommagé le toit, on ne peut malheureusement plus monter en haut du clocher. Dans le jardin, deux autres églises, dont le temple de la Tercera Orden de San Francisco, avec sa façade du XVIIIᵉ siècle (1723) réalisée par des Indiens.

🎋🎋 *Palacio de Cortés* (plan B2) : ☎ 312-81-71. Ouvert du mardi au dimanche de 9 h à 18 h. Entrée : 33 $Me (2,30 €). Le palais forteresse fut construit vers 1522 par Cortés, sur les ruines de l'ancien palais d'été de l'empereur aztèque Moctezuma. Hernan Cortés n'y séjournait que lorsqu'il passait à Cuernavaca. Il fut pendant longtemps la propriété des descendants de Cortés. Il a servi aussi de résidence à Porfirio Díaz. Aujourd'hui, il abrite le *musée régional Cuauhnahuac,* qui retrace l'histoire de l'État de Morelos. Salles sur la Conquista (armures d'époque), objets relatifs au galion de Manille (appelé aussi la Nao de China), cartes des Philippines au XVIIIᵉ siècle. La salle consacrée à Hernan Cortés présente un buste en bronze du conquistador. Explications intéressantes sur le système colonial hispanique (*encomiendas,* esclavage). Également de splendides fresques de Diego Rivera sur l'histoire du Mexique.

🎋🎋 *Jardín Borda* (plan A2-3) : entrée par la rue Morelos. Ouvert de 10 h à 17 h 30. Fermé le lundi. Entrée : 30 $Me (2,10 €) ; réductions. Entrée gratuite le dimanche. C'est l'ancienne « maison secondaire » du couple impérial, Maximilien et Charlotte. On se promène dans les jardins qui ont été aménagés par Manuel de la Borda, le fils de José qui construisit la cathédrale de Taxco. Visite de la maison avec ses pièces meublées. Parfois des concerts le soir dans les jardins.

🎋🎋 *Le musée Brady* (plan A3) : Netzahualcoyotl 4. ☎ 318-85-54. Ouvert du mardi au dimanche de 10 h à 18 h. Entrée : 30 $Me (2,10 €). Porte le nom de son ancien propriétaire, un collectionneur avisé qui rapporta dans cette belle demeure coloniale des objets d'art du monde entier.

🎋 Éventuellement, vous pouvez aller jeter un coup d'œil à la *pyramide de Teopanzolco,* à 5 mn du centre en taxi. Pyramide double, comme à Tenayuca, au nord de Mexico. Ne vaut pas forcément le détour.

Achats

⊛ *Le marché d'artisanat* (plan B2-3, 50) : à droite du Palacio de Cortés. Ouvert tous les jours jusqu'à 20 h environ. Grande variété d'artisanat de la région et de l'État de Guerrero et beaucoup de bijoux en argent de Taxco.

➤ DANS LES ENVIRONS DE CUERNAVACA

🎋🎋🎋 *Tepoztlán :* à 1 h 30 de Cuernavaca. Prendre un bus depuis le terminal Estrella Roja : départs à partir de 6 h du matin, toutes les 15 mn. Arrêt au péage de l'entrée du village, puis taxi ou 30 mn de marche. Un joli village au pied de l'imposant et splendide massif montagneux du Tepozteco. Dans les années 1970, les hippies ont commencé à débarquer, entraînant derrière eux la vague touristique, les galeries d'artisanat et des boutiques de bric-à-brac ésotérique. Marché le samedi. Beaucoup de monde le week-end, mais beaucoup de charme aussi. Belles balades à faire dans les montagnes sacrées des alentours. C'est là que serait né Quetzacóatl en 843 av. J.-C. Mais attention, les gens du coin racontent que des forces occultes protègent l'accès au berceau du dieu-serpent... Pour manger, plusieurs restos ; on vous conseille *Los Colorines,* av. del Tepozteco 13 (☎ 395-01-98).

➤ L'ascension jusqu'à la **pyramide du Tepozteco** est plus classique et parfaitement balisée. Ça grimpe dur, mais la balade est superbe. Comptez 1 h si vous avez un bon pas (et si vous ne fumez pas !). Attention, le site ferme à 16 h 30. On paie en arrivant au sommet (environ 30 $Me, soit 2,10 €). La pyramide est dédiée à Tepoztécatl, l'un des dieux de l'ivresse et du *pulque,* cette boisson séculaire produite à partir de la fermentation du *maguey.* D'en haut, vue splendide sur la vallée et le village.

MORELIA
900 000 hab. IND. TÉL. : 443

À 300 km de Mexico et 200 km de Querétaro, Morelia est une magnifique ville coloniale qui mérite une visite. Toute de pierre rose vêtue, à la mode toulousaine, elle renferme d'authentiques merveilles architecturales. Elle a d'ailleurs été déclarée Patrimoine de l'Humanité en 1991, ce qui a poussé la municipalité à supprimer, comme à Puebla, les vendeurs ambulants sur les places. On peut donc admirer tranquillement les façades du XVIIIe siècle et pénétrer dans les patios des édifices publics où l'on découvre arcades sculptées, colonnades et fontaines octogonales. Longtemps ville de province endormie (il y avait même un couvre-feu), Morelia s'est réveillée de sa torpeur. Elle est redevenue le grand centre culturel de la région et compte une forte population estudiantine. Attention, à près de 2 000 m d'altitude, il y fait frisquet l'hiver.

UN PEU D'HISTOIRE

La ville s'appelait encore Valladolid quand, au milieu du XVIe siècle, elle fut peuplée par une cinquantaine de familles issues de la noblesse espagnole. Dès lors, « la ville des conquistadors » n'eut de cesse de vouloir ravir la primauté à sa rivale Pátzcuaro, la cité indienne qui était protégée par le fameux évêque Vasco de Quiroga. Mais une fois le « défenseur » des Indiens Purepechas mort, les dés étaient jetés : Valladolid obtint le siège de l'évêché et, plus tard, le titre de capitale de l'État de Michoacán. Quant au nom de « Morelia », il a été donné en 1828 en l'honneur de Morelos, le héros de l'indépendance natif de la ville.

Arriver – Quitter

En bus

🚌 **Terminal de autobuses (TAM) :** sur le périphérique, au nord-ouest de la ville, en face du stade de foot. Ultramoderne. Composé de 3 bâtiments : sur la droite, le **terminal A** pour les bus de 1re classe ; au fond, le **terminal B** pour les bus de 2e classe ; sur la gauche, le **termi- nal C** pour les destinations locales.
■ **Réservations Primera Plus :** ☎ 334-10-81 et 01-800-375-75-87 (n° gratuit).
■ **Réservations ETN** (compagnie de luxe) : ☎ 334-10-59 et 01-800-800-38-62 (n° gratuit).

Terminal A (1re classe)

➢ **Pour/de Mexico** (terminal Poniente-Observatorio) : toutes les 30 mn avec Autovías. Toutes les 45 à 60 mn avec ETN. Trajet : 4 h.
➢ **Pour/de Mexico** (terminal Norte) : toutes les heures avec Primera Plus. Trajet : 5 h 15.
➢ **Pour/de Querétaro :** une dizaine de bus par jour avec Primera Plus. Trajet : 3 h 30 à 4 h.
➢ **Pour/de Guadalajara :** une douzaine de bus dans la journée avec Primera Plus et Autovías. Attention, tous ne prennent pas l'autoroute. Bien pré-

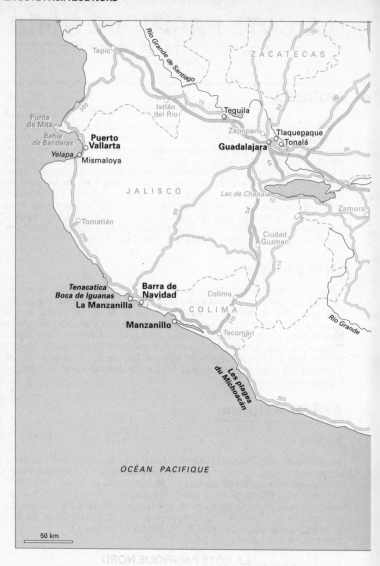

ciser *por la autopista*. Avec *ETN*, 6 bus par jour. Trajet : 3 h 30 (par l'auto-route) et de 5 h à 6 h 30 par la route nationale *(por la libre)*.

➤ *Pour/de San Luis Potosi :* une dizaine de départs avec *Primera Plus*. Trajet : 6 h.

Terminal B (2e classe)

➤ *Pour/de Pátzcuaro :* toutes les 30 mn avec *Purhépechas (Ruta Paraíso)*. Trajet : 1 h.

LA CÔTE PACIFIQUE NORD

➤ *Pour/de Cuitzeo :* toutes les 20 mn avec *Flecha Amarilla*. Trajet : 35 mn.

➤ *Pour/de Mexico* (terminal Poniente-Observatorio) *:* une quinzaine de départs avec *Alegra*. Trajet : 5 h 30 à 6 h.

➤ *Pour/de Mexico* (terminal Norte) *:* toutes les 40 mn avec *Flecha Amarilla*. Trajet : 6 h.

➤ *Pour/de Guadalajara :* toutes les 90 mn avec *Flecha Amarilla*. Trajet : 5 h.

LA CÔTE PACIFIQUE NORD

Adresses utiles		14 Hôtel El Carmen

■ Adresses utiles

- **🛈** Office de tourisme
- **✉** Poste
- **@** Startel
- **1** Banque HSBC

🛏 Où dormir ?

- 10 Hostel Allende
- 11 Hôtel Fenix
- 12 Hôtel Colonial
- 13 Hôtel Mintzicuri et Posada Don Vasco

14 Hôtel El Carmen
15 Hôtel Concordia
16 Hôtel d'Atilanos
17 Hôtel Casino et Hôtel Catedral
18 Hôtel de la Soledad

🍴 Où manger ?

- 17 Onix
- 30 Stands de nourriture
- 31 Super Cocina Las Rosas
- 32 Govinda's
- 33 El Tragadero

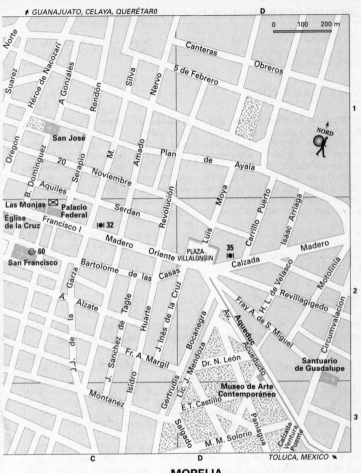

MORELIA

34 Boca del Río
35 El Chato Carbajal
36 Bizancio
37 La Casa del Portal
38 Las Mercedes

Où boire un verre ? Où sortir ?

50 Café del Conservatorio
51 La Azotea
52 El Rincón de los Sentidos

Où prendre le petit déjeuner ?

17 Resto de l'hôtel Casino
37 La Casa del Portal
52 El Rincón de los Sentidos

Achats

60 Casa de las Artesanías
61 Mercado de Dulces et Artesanía

LA CÔTE PACIFIQUE NORD

Comment rejoindre le centre-ville ?

➢ À l'arrivée à la gare routière, prendre le *colectivo* « Morelia 30 » ou un microbus qui indique « Centros comerciales ». Ils passent toutes les 10 à 15 mn devant les 3 terminaux.

Adresses utiles

▮ *Office de tourisme* (plan B1) : Nigromante 79 ; dans le Palacio Clavijero. ☎ 317-23-71. Ou bureau général : ☎ 312-80-81. Ouvert du lundi au samedi de 9 h à 19 h et le dimanche de 9 h 30 à 15 h. Bien documenté, avec même (parfois) quelques dépliants en français ! On peut y demander certains horaires des bus.

✉ *Poste* (plan C2) : Madero Oriente 369. À l'intérieur du Palacio Federal. Ouvert du lundi au vendredi de 9 h à 18 h et le samedi matin.

@ *Startel* (plan B1) : portal Galeana 157. ☎ 313-13-24. Sous les arcades face à la cathédrale, entre Zaragoza et Benito Juárez. Ouvert tous les jours de 8 h à 23 h. Service de téléphone et centre Internet.

▮ *Banque HSBC* (plan B1-2, 1) : Madero Oriente 24. Ouvert du lundi au samedi de 8 h à 19 h. Change les euros ou les dollars. Une *Banamex* se trouve en face. Distributeurs de billets dans toutes les banques de la rue.

Où dormir ?

Comme pour les restos, peu de choix dans la catégorie des prix moyens. Certains hôtels augmentent leurs tarifs en période de pointe.

Très bon marché : moins de 210 $Me (14,70 €)

🛏 *Hostel Allende* (plan A1, 10) : Allende 843. ☎ 312-22-46. Une deuxième jeunesse pour cet hôtel transformé en AJ. Plusieurs tarifs selon le confort et réduction de 10 % avec la carte ISIC. Tout bleu et jaune, avec une volière dans le patio. Quelques petits dortoirs pour les routards solitaires. Les chambres individuelles ont été repeintes et les sanitaires revus et corrigés. Cuisine collective. Seul petit hic : chauffage solaire, donc à la saison des pluies, l'eau chaude manque. Ambiance cool. L'un des moins chers de la ville.

🛏 *Hôtel Fenix* (plan A1, 11) : Madero Poniente 537. ☎ 312-05-12. Attention, l'enseigne est très discrète. Cadre correct. Chambres simples sans fenêtre, peinture écaillée, mais l'ensemble est propre. Demander absolument une chambre à l'arrière, à moins de dormir avec des boules Quies.

Bon marché : de 210 à 300 $Me (14,70 à 21 €)

🛏 *Hôtel Colonial* (plan B1, 12) : 20 de Noviembre 15, à l'angle avec Morelos Norte. ☎ 312-18-97. Belle bâtisse avec poutres et colonnes. Demandez une chambre du fond, donnant sur la cour ouverte, car elles disposent de fenêtre et sont nettement plus agréables que les autres.

🛏 *Hôtel Mintzicuri* (plan B2, 13) : Vasco de Quiroga 227. ☎ 312-06-64. Le nom signifie « repos » en dialecte purépecha. De fait, c'est assez calme et bien tenu. Jolie façade clairsemée d'*azulejos*. Chambres correctes et propres, donnant sur une grande cour ouverte qui sert de parking. Il y a même, intégrés à l'hôtel, des bains turcs. Attention, les réservations par téléphone sont rarement prises en compte. S'il n'y a plus de place, allez juste en face, à la ***Posada Don Vasco*** (☎ 312-14-84). Même genre et tarifs similaires.

Prix moyens : de 300 à 500 $Me (21 à 35 €)

🛏 ***Hôtel El Carmen*** *(plan B1, 14) :* Eduardo Ruiz 63. ☎ 312-17-25. Fax : 314-17-97. Sur une jolie place tranquille, en face de l'ancien couvent del Carmen, aujourd'hui Centre culturel du Michoacán. Les chambres à lit *matrimonial* sont petites et souvent sans fenêtre. Celles à 2 lits sont plus spacieuses mais beaucoup plus chères. Demandez-en une qui donne sur la place. Évitez celles du rez-de-chaussée, moches. Bref, demandez à voir.

Chic : de 500 à 700 $Me (35 à 49 €)

🛏 ***Hôtel Concordia*** *(plan B1, 15) :* Valentin Gomez Farías 328. ☎ 312-30-52. Moderne et propre, sans rien d'exceptionnel. Très sonore. Mais avec sa cinquantaine de chambres, vous êtes sûr d'avoir de la place. Cafétéria.

🛏 ***Hôtel d'Atilanos*** *(plan A2, 16) :* Corregidora 465. ☎ 312-01-21.

Décor un peu vieillissant, mais ça reste confortable et propre. Les chambres donnent sur la rue (les fenêtres ne s'ouvrent pas) ou sur le patio intérieur (couvert) avec ses plantes vertes et sa fontaine en panne depuis des années. Quelques-unes avec lit *king size*.

Plus chic : de 800 à 1 000 $Me (56 à 70 €)

🛏 ***Hôtel Casino*** *(plan B1, 17) :* Portal Hidalgo 229, sous les arcades, en face du *zócalo*. ☎ 313-10-03 et 13-28 ou 01-800-450-21-00 (n° gratuit). ● www.hotelcasino.com.mx ● Pour être aux premières loges. Grand hôtel classique qui s'est un peu amélioré depuis sa reprise par la chaîne *Best Western*. Chambres relativement confortables, avec cafetière individuelle. Si vous donnez sur le *zócalo*, vous aurez le soleil le matin. Côté patio intérieur, les chambres sont plus sombres. Resto (voir aussi « Où prendre le petit déjeuner ? ») et parking. Si c'est complet, allez à l'*hôtel Catedral* (☎ 313-04-06), juste à côté, qui propose des tarifs similaires pour des chambres vieillissantes mais spacieuses et plus calmes que celles de l'*hôtel Casino*. Entrée par la rue Zaragoza.

🛏 ***Hôtel de la Soledad*** *(plan B1, 18) :* Zaragoza 90, à deux pas du *zócalo*. ☎ 312-18-88 ou 01-800-716-01-89 (n° gratuit). ● www.hsoledad.com ● Hôtel plein de charme dans une ancienne demeure coloniale. Magnifique patio fleuri agrémenté d'une très belle fontaine et de vieux carrosses. Chambres spacieuses, aménagées avec goût. Deux tarifs selon le patio sur lequel on donne, très intéressant à plusieurs. Une jolie adresse, mais éviter les quelques chambres sur rue (bruyantes).

Où manger ?

Bon marché : moins de 70 $Me (5 €)

🍴 ***Stands de nourriture*** *(plan B2, 30) :* sur Corregidora, en descendant du *zócalo* ; en plein air, sous les arcades de l'église San Agustín. Atmosphère popu et très sympa, parfois de la musique, de l'ambiance toujours. Et c'est bon !

|●| *Super Cocina Las Rosas* *(plan B1, 31)* **:** à l'angle de Guillermo Prieto et Santiago Tapia. Pas de téléphone. Ouvert tous les jours de 8 h 30 à 16 h 30. Un petit local sympathique, modeste mais avenant. On mange au milieu des fourneaux où mijotent les marmites en terre. Bonne cuisine familiale typique avec un menu pas cher.

|●| *Govinda's* *(plan C2, 32)* **:** Madero Oriente 549, un peu après la poste ; au 1er étage. ☎ 313-13-68. Ouvert pour le déjeuner seulement. Un végétarien bon marché et sympathique dans un décor semi-oriental. Plusieurs menus.

|●| *El Tragadero* *(plan B2, 33)* **:** Hidalgo 63 ; dans la rue piétonne qui descend derrière la cathédrale. ☎ 313-00-92. Ouvert tous les jours de 7 h 30 à 23 h ; ferme plus tôt le dimanche. Cadre assez chaleureux. Resto bondé au déjeuner. Cuisine très appréciée par les autochtones. Bon menu très accessible. Sert également des petits dej'.

Prix moyens : de 70 à 150 $Me (5 à 10,50 €)

|●| *Boca del Río* *(plan A-B1, 34)* **:** Gomez Farías 185, à l'angle de Tapia. ☎ 313-86-91. Ouvert de 9 h à 19 h. Salle clean. Très bons *ceviches* de poisson, de poulpe et de crevettes. Cher à la carte (normal, il s'agit de fruits de mer). Le menu est correct et abordable, mais peu copieux. Service lent.

|●| *El Chato Carbajal* *(plan D2, 35)* **:** Madero Oriente 1017. ☎ 312-96-05. Ouvert de 13 h à 21 h. Un peu éloigné du centre (15 mn à pied), mais les amateurs de viande n'y couperont pas. On y mange en plein air de délicieuses entrecôtes grillées au feu de bois. Les *tortillas* sont faites à la main. Ambiance sympa, avec vue sur l'aqueduc.

Chic : de 150 à 250 $Me (10,50 à 17,50 €)

|●| *Bizancio* *(plan A2, 36)* **:** Corregidora 432. ☎ 317-45-98. Ouvert de 14 h à 23 h. Fermé le dimanche soir et le lundi. Un bon resto italien dans une ancienne demeure coloniale. Très beau cadre, sobre et chaleureux. Pas de pizzas, mais de délicieuses pâtes et des viandes comme un médaillon de veau au jambon de Parme (*jamón serrano*) et aux épinards. Musique *lounge* et ambiance branchée. Le bar, avec sa magnifique collection de verreries, ouvre à partir de 19 h.

|●| *La Casa del Portal* *(plan B1, 37)* **:** Guillermo Prieto 30. ☎ 313-48-99. Ouvert de 8 h 30 à 22 h (23 h les vendredi et samedi). Ne vous fiez pas à l'entrée : on passe à travers des stands de souvenirs avant de monter au 1er étage. Là, vous découvrirez une véritable caverne d'Ali Baba remplie d'antiquités. Même les papiers peints doivent dater de l'époque porfirienne. La maison a été habitée par un président du Mexi-

que. On mange parmi des meubles de style colonial ou Art déco. Un incroyable mélange. Et tout est en vente ! Le vaisselier des années 1950, le buffet rococo ou votre assiette peinte façon Miró. En plus, on mange bien. Un endroit étonnant, pour le plaisir des yeux et du palais. Allez-y au moins pour prendre un verre au bar de la terrasse sur le toit. Très belle vue sur le *zócalo*.

|●| *Onix* *(plan B1, 17)* **:** Portal Hidalgo 261, presque au coin avec G. Prieto ; sous les arcades, à côté de l'*hôtel Casino*. ☎ 317-82-90. Ouvert de 9 h à 23 h 30 ; beaucoup plus tard le week-end. Le resto-bar branché de Morelia. Déco contemporaine et mobilier design avec des chaises rouges au dossier dont vous ne verrez pas le bout. La cuisine est au diapason de cette ambiance néobaroque : de l'autruche à la mangue, des scorpions croustillants à souhait, du crocodile d'Australie. Heureusement, la carte propose des plats plus classiques et moins douloureux pour le portefeuille. On peut aussi y venir prendre un verre, accoudé au bar chromé, face à un splendide miroir en onyx. Choix de cocktails exotiques. Bonne musique.

Plus chic : plus de 250 $Me (17,50 €)

|●| *Las Mercedes* (plan A1, **38**) : León Guzmán 47. ☎ 312-61-13. Ouvert de 13 h 30 à minuit. Fermé le dimanche soir. Somptueuse déco qui marie la pierre coloniale, les sculptures sacrées et des éclairages ultracontemporains. En hiver, la cheminée crépite. Belle carte de viandes ; mais goûtez aussi à l'exquise truite *(trucha)* à la portugaise. Pour un dîner chic dans un cadre élégant.

Où prendre le petit déjeuner ?

|●| *Resto de l'hôtel Casino* (plan B1, **17**) : voir « Où dormir ? ». Ouvre à 8 h. Formules petit dej' plus chères que la moyenne mais agréables pour le plaisir de démarrer la journée sous les arcades, face au *zócalo*, en compagnie des premiers rayons du soleil. Le petit dej' continental est bon marché.
|●| *La Casa del Portal* (plan B1, **37**) : plusieurs formules originales à des prix décents. Papaye au fromage blanc, céréales, *hot cakes,* crêpes à la fleur de courgette. Voir « Où manger ? ».
|●| *El Rincón de los Sentidos* (plan A1, **52**) : voir « Où boire un verre ? ». Petit dej' servi de 9 h à 13 h. Les classiques œufs à la *mexicana*, mais aussi des gaufres *(wafles)* ou des croissants garnis *(cuernitos)*.

Où boire un verre ? Où sortir ?

Ⓨ *Café del Conservatorio* (plan B1, **50**) : Tapia 363 ; juste en face de la belle église Santa Rosa. ☎ 312-86-01. Ouvert de 9 h 30 à 21 h 30 ; le week-end, de 13 h à 22 h. Tables en terrasse sur une jolie place ombragée. Étudiants et intellos viennent y prendre leur *espresso*. Délicieux et copieux sandwichs, croissants garnis, pâtisseries... Cher mais agréable.
Ⓨ ♪ *La Azotea* (plan B2, **51**) : c'est le bar du luxueux hôtel *Los Juaninos*, Morelos Sur 39, presque au coin avec Madero. ☎ 312-00-36. Ouvert de 13 h à minuit ; plus tard les vendredi et samedi (entrée payante à partir de 21 h ces jours-là). On prend l'ascenseur pour monter au dernier étage de cet ancien palais épiscopal de la fin du XVIe siècle. De la terrasse, vue somptueuse sur la cathédrale et magnifique perspective de la rue Madero. Idéal pour prendre un verre face au coucher du soleil sur les collines qui entourent la ville. Belle carte de tequilas et de cocktails. Le soir, clientèle de yuppies mexicains. Musique live du mercredi au samedi soir. Cher.
Ⓨ ♪ *El Rincón de los Sentidos* (plan A1, **52**) : Madero Poniente 485. ☎ 312-29-03. Ouvert de 9 h à minuit (2 h du jeudi au samedi). Un immense café-bar musical sur 2 étages, dans un de ces anciens palais qui bordent l'avenue Madero. Belle déco. Plusieurs salles et des recoins cachés où l'on s'écroule sur des poufs. Clientèle jeune et hétéroclite, désinhibée par les éclairages tamisés. Du jeudi au samedi soir, musique *trova* en début de soirée, puis des groupes de rock. Petite restauration. Et des prix tout aussi sympas que l'endroit.

À voir

➤ *Le tranvía touristique :* pour visiter la ville en bus. Tous les jours sauf le lundi. Départ toutes les 30 mn (sauf à l'heure du déjeuner) depuis le *zócalo*, à l'angle de Madero Poniente et Abasolo. Plusieurs parcours, de 45 mn à 2 h (avec arrêts). ☎ 317-38-33.

– Pour les marcheurs, voici une petite *boucle baroque* à travers le centre historique. Suivez le guide !

🐾🐾 *La cathédrale* (plan B1-2) : au milieu de la place d'Armes (le *zócalo*). Elle a été commencée en 1660 et achevée une centaine d'années plus tard. Un mélange de baroque et de néoclassicisme. Levez les yeux : les coupoles recouvertes d'*azulejos* se découpent sur le ciel bleu. De superbes photos à faire. L'intérieur laissera plus indifférent. Fonts baptismaux en argent, un orgue imposant (4 600 tuyaux) construit en Allemagne et un Christ en pâte de maïs du XVIe siècle portant une couronne en or offerte par Philippe II d'Espagne.

🐾 *Palacio de Gobierno* (plan B1) : en face de la cathédrale. Un ancien séminaire construit en 1770. Du beau baroque. Splendides peintures murales du peintre Alfredo Zalce sur l'histoire du Mexique.

🐾 *Museo de Arte colonial* (plan B1) : Juárez 240. ☎ 313-92-60. Entrée gratuite. Musée riquiqui. Pour les fanas de crucifix.

🐾 *L'église del Carmen* (plan B1) : sise sur une place charmante et sereine. Elle appartenait à l'ancien couvent des moines carmélites qui abrite aujourd'hui la *Casa de la Cultura.* Entrée par Morelos 485. Jetez un œil à l'intérieur de cet imposant ensemble architectural. Pour y rencontrer la jeunesse locale. Expos temporaires.

🐾🐾 *Santa Rosa* (plan B1) : cet ancien couvent des religieuses dominicaines occupe tout un pâté de maison, face à une très jolie place. C'est aujourd'hui un conservatoire de musique. Très belle façade (remarquez les gargouilles) et splendide retable churrigueresque à l'intérieur de l'église.

🐾🐾 *Palacio Clavijero* (plan B1) : entrée par Nigromante 79. Colossal et magnifique ensemble architectural du XVIIe siècle. A servi entre autres de collège jésuite. Aujourd'hui, il abrite la bibliothèque de l'Université du Michoacán. Immense cour en pierre rose ornée d'une fontaine centrale octogonale.

🐾 *Colegio de San Nicolás de Hidalgo* (plan B1) : fondé en 1580, ce fut la première université du continent américain. Morelos y usa ses fonds de culotte. Il sert toujours de lycée aujourd'hui.

🐾 *Palacio municipal* (plan A-B1-2) : angle Allende et Galeana. Bel édifice baroque construit en 1781 pour y installer une fabrique de tabac. Superbe patio avec de très belles arcades.

🐾 *Museo michoacáno* (plan B2) : Allende 305 et Abasolo. ☎ 312-04-07. Ouvert du mardi au samedi de 9 h à 19 h et le dimanche de 9 h à 14 h. Fermé le lundi. Belle demeure baroque. Le musée retrace l'histoire de l'État du Michoacán depuis l'époque préhispanique jusqu'à la présidence de Lázaro Cárdenas (1934-1940), un enfant du pays. Petite collection d'antiquités précolombiennes et mobilier colonial. Fresque murale d'Alfredo Zalce sur l'histoire du Mexique.

🐾 *Palacio de Justicia* (plan B1-2) : Allende et Abasolo. L'un des plus anciens bâtiments de la ville, mais restauré en 1885. Petit musée sur l'histoire de la ville. Et encore une immense fresque murale de Agustín Cárdenas qui domine l'escalier central.

🍴 Prenez la rue piétonne Hidalgo pour passer devant l'église *San Agustín* *(plan B2)* avec sa belle et sobre façade platéresque.

🍴 *Museo Morelos (plan B2) :* Morelos Sur et Aldama (ou Soto Saldaña). ☎ 313-26-51. Ouvert tous les jours de 9 h à 19 h. Pour les passionnés de l'histoire de l'indépendance du Mexique. C'est ici qu'habita le célèbre héros Morelos, qui donna son nom à la ville et à un État. À ne pas confondre avec sa maison natale, qui se trouve à côté de San Agustín.

🍴 Remontez ensuite vers la plaza Valladolid. *San Francisco (plan C2)* est la plus vieille église de la ville. Attenante à la *Casa de las Artesanías* (voir la rubrique « Achats »).

🍴🍴🍴 *Santuario de Guadalupe (plan D2-3) :* pour y aller, prendre la rue Madero Oriente. On arrive à un charmant quartier bien tranquille que l'on traverse en empruntant la *chaussée Fray Antonio de San Miguel.* Construite en 1732, cette ravissante rue pavée et piétonne est bordée d'anciennes maisons de campagne des XVIIIe et XIXe siècles. L'église vaut vraiment le déplacement. On dirait une géode : un extérieur banal et moche, mais à l'intérieur, on découvre un joyau. Un feu d'artifice de couleurs vives. Les plafonds et les murs sont peints en rouge, jaune et fuchsia. Les frises, aux motifs arabisants, sont dorées. Ça brille de partout. Un surprenant et somptueux mélange de baroque et d'art populaire. En repartant, jetez un œil sur l'*aqueduc,* superbement illuminé le soir.

Achats

⚜ *Casa de las Artesanías (plan C2, 60) :* à côté de l'église San Francisco. Ouvert de 10 h à 20 h. Fermé le dimanche après-midi. Exposition d'objets et de meubles du Michoacán. Des ateliers d'artisans sont installés au 1er étage.

⚜ *Mercado de Dulces et Artesanía (plan B1, 61) :* le long de Gomez Farias, sous les arcades du Palacio Clavijero. Pour les gourmands. L'artisanat est moche et de mauvaise qualité, mais l'abondance et la variété des *dulces* (friandises) est un régal pour les yeux et les papilles. Goûtez à l'*ate* (sorte de pâte de fruits) et aux *chongos,* une combinaison de lait, sucre, cannelle et miel.

➤ *DANS LES ENVIRONS DE MORELIA*

🍴 *Cuitzeo :* à 35 km au nord de Morelia, sur la route de Guanajuato. Prendre un bus au Terminal B. Village tranquille au bord du lac du même nom. Enfin, lac, façon de parler. Disons plutôt désert de sable. Ben oui, à force d'y puiser ! Le lac est désormais à sec la plus grande partie de l'année. Cuitzeo vaut donc surtout pour le très beau *monastère* augustinien du XVIe siècle, du genre de celui d'Acolmán (ouvert tous les jours sauf jours fériés). On s'y balade tout seul à travers les cellules des novices en songeant aux Indiens moinillons découvrant cette religion venue d'ailleurs.

PÁTZCUARO
50 000 hab.   IND. TÉL. : 434

On ne peut imaginer villes plus différentes que Morelia et Pátzcuaro. La première, créole, géométrique, jolie mais sans mystère ; la seconde, indienne, vivante, perchée à 2 140 m d'altitude entre le plus beau lac du Mexique et les forêts de pins, vivant de ses marchés et du tourisme national. Dans ce village de montagne à l'architecture coloniale pleine de charme, on est au cœur de la terre des Indiens Purépechas, les Tarasques, comme les ont appelés les Espagnols. Ils ont toujours résisté à l'envahisseur, notamment aux attaques des Aztèques. Cependant, les Espagnols ont réussi à s'imposer, d'abord avec l'horrible et cruel Nuño de Guzmán, et ensuite avec l'évêque Vasco de Quiroga (*tata Vasco* pour les intimes) qui, nourri des idéaux utopisto-humanistes de Thomas More, organisa les indigènes en communautés « communistes » avant l'heure. Il les incita à développer leur propre artisanat, ce dont personne ne se plaindra. La région est donc une grande productrice d'artisanat, et les boutiques et les galeries d'art ont fleuri ces dernières années à Pátzcuaro.

EL DÍA DE LOS MUERTOS

Les 1er et 2 novembre se déroule, dans les villages du lac de Pátzcuaro, l'émouvante et traditionnelle cérémonie religieuse *del día de los muertos,* le « jour des morts ». Les gens du pays honorent leurs disparus avec solennité et ferveur. Les cimetières sont en fête. On place sur les tombes de magnifiques autels de fleurs. Puis, dans la nuit du 1er au 2 *(la noche de los muertos),* les femmes apportent les offrandes (pain des morts et victuailles) qu'elles déposent sur de petites nappes. Parfois, des groupes de musiciens viennent jouer sur les tombes les airs préférés du défunt.

Chaque village a ses propres rites. Sur l'île de Janitzio, la plus connue, la cérémonie s'est reconvertie en fête touristique, avec, durant toute la nuit, un va-et-vient de bateaux surchargés de visiteurs... avec l'impression amère que cette célébration séculaire est piétinée par les bateliers, les restaurateurs et les vendeurs de souvenirs. Préférez d'autres îles ou bien les hameaux du rivage comme Tzurumutaro, Tzintzuntzán et Ihuatzio. L'office de tourisme régional publie une brochure qui décrit le programme des manifestations dans chaque village.

Arriver – Quitter

En bus

🚌 *Le terminal* (hors plan par A3) se trouve à une quinzaine de minutes à pied du centre. Le taxi n'est pas vraiment utile, sauf si vous êtes très chargé. À l'arrivée, on peut aussi attraper un *combi* qui indique « Centro » sur l'avenue principale. ☎ 342-00-52.

➤ *Pour/de Santa Clara del Cobre :* toutes les 15 mn avec *Autobuses del Occidente.* Trajet : 20 mn.

➤ *Pour/de Tzintzuntzan :* toutes les 15 mn avec *Ruta Paraíso (Erandi).* Trajet : 40 mn.

➤ *Pour/de Morelia :* toutes les 15 mn avec *Ruta Paraíso (Purhepechas).* Trajet : 1 h.

➤ *Pour/de Guadalajara :* 1 bus vers midi avec *Autovías.* Trajet : 4 h.

➤ *Pour/de Mexico* (terminal Poniente-Observatorio) : avec *Autovías,* une dizaine de bus (via Morelia quand le bus n'est pas plein). Trajet : 5 h. Et un bus pour le *Terminal Norte* (via Morelia). Trajet : 5 h 30.

➤ *Pour/de Uruapán :* toutes les 20 mn avec *Ruta Paraíso (Purhepechas)* par la nationale. Trajet : 1 h 20. Toutes les heures par l'autoroute avec *Galeana.* Trajet : 50 mn.

➤ *Pour/de Lázaro Cárdenas :* un bus de 2e classe vers 11 h avec *Ruta Paraíso.* Trajet : 8 h à 9 h. Il passe par la nationale, très sinueuse. Mieux vaut aller à Uruapán et prendre un bus qui passe par l'autoroute (beaucoup plus rapide). Voir ci-dessous « Le volcan Paricutín ».

Adresses utiles

▮ *Office de tourisme régional (plan B2, 1)* : Buenavista 7. ☎ 342-12-14. ● www.turismomichoacan.gob.mx ● Ouvert du lundi au samedi de 9 h (ou 10 h) à 14 h et de 17 h à 19 h, ainsi que le dimanche matin. Bien informé. Cartes et dépliants. Venez ici si vous avez des problèmes de logement, on vous dirigera chez l'habitant.

▮ *Office de tourisme municipal (plan A2, 2)* : sur la plaza Vasco de Quiroga, à côté de l'hôtel *Los Escudos*. ☎ 342-00-69. Ouvert du lundi au samedi de 9 h à 15 h et de 16 h à 20 h et le dimanche de 9 h à 14 h. Brochures et plan de la ville, mais n'en demandez pas plus.

✉ *Poste (plan A-B1)* : Obregón 13. Ouvert du lundi au vendredi de 9 h à 16 h et le samedi matin.

▮ *Téléphone :* un peu partout dans la ville. La *caseta telefónica Computel (plan B1, 3)*, sur la place San Agustín, à côté de la bibliothèque, est ouverte de 6 h à minuit.

▮ *Banque HSBC (plan B2, 4)* : Iturbe, à côté de l'hôtel *Rincón de Josefa*. Ouvert du lundi au vendredi de 8 h à 19 h et le samedi matin. Change les euros en espèces ou chèques de voyage.

▤ *Meganet (plan A2, 5)* : Benito Mendoza. Ouvert tous les jours de 10 h à 22 h. Plein d'ordinateurs partout et même des jeux vidéo. Ambiance jeune et sympa.

▮ *Laverie (hors plan par A2, 6)* : Terán 16. ☎ 342-39-39. Ouvert de 9 h à 21 h. Fermé le dimanche.

Où dormir ?

Le 8 juillet (fête de Notre-Dame de la Salud), pendant la fête des morts et à Pâques, il est difficile de trouver une chambre. Réservez longtemps à l'avance. Si vous êtes en carafe, adressez-vous à l'office de tourisme régional ; ils devraient pouvoir vous dégoter une chambre chez l'habitant. Durant ces périodes, les tarifs augmentent. En revanche, on peut négocier en basse saison.

Très bon marché : moins de 210 $Me (14,70 €)

🛏 *Posada La Rosa (plan A1-2, 10)* : sur la place San Agustín ; coincé entre les hôtels *Concordia* et *San Agustín* ; au 1er étage. Accueil bougon, voire désagréable. Les chambres avec salle de bains commune sont parmi les moins chères de la ville. Propres et correctes, elles donnent sur une grande cour calme en plein air. Sanitaires succincts. Celles avec *baño* sont également bon marché.

Bon marché : de 210 à 300 $Me (14,70 à 21 €)

🛏 *Hôtel Valmen (plan B1, 11)* : Lloreda 34. ☎ 342-11-61. Un hall d'entrée un peu tristounet, où donnent des chambres simples mais propres et très bien tenues, avec douche. Un bon petit hôtel.

🛏 *Hôtel San Agustín (plan A1, 12)* : sur la plaza San Agustín ; à l'angle du marché. ☎ 342-04-42. Au 2e étage ; entrée par le resto. Chambres sans luxe mais largement suffisantes. Celles qui donnent sur le marché sont les plus agréables car elles disposent de fenêtre.

Prix moyens : de 300 à 500 $Me (21 à 35 €)

🛏 *Posada de la Salud (hors plan par B2, 13)* : Serrato 9. ☎ 342-00-58. Un peu excentré, derrière la basilique. Très bien tenu. Chambres pimpantes, lumineuses et propres, donnant sur deux patios fleuris. Préférez celui du fond. Mais de toute façon, une très bonne adresse.

▪ *Posada de los Angeles* (plan B1, 14) : Titere 17. ☎ 342-24-40. Dans une ruelle charmante, un joli petit hôtel très calme. Chambres bien arrangées et proprettes, avec des coins terrasse. Beaucoup de plantes. Agréable.

Chic : de 500 à 700 $Me (35 à 49 €)

▪ *Posada San Rafael* (plan A2-3, 15) : sur la plaza Principal (ou Vasco de Quiroga). ☎ 342-07-70. Très bel hôtel de style colonial. Une centaine de chambres bien arrangées, desservies par d'immenses corridors. La plupart ont été rénovées : à demander en priorité. Un bon rapport qualité-prix pour ces dernières. Du resto, jolie vue sur la place, mais la cuisine n'est pas à la hauteur.

▪ *Hôtel Los Escudos* (plan A2, 16) : sur la plaza Principal. ☎ 342-01-38. Beaucoup plus cher que le précédent. Un joli hôtel colonial avec deux patios fleuris. Belles chambres rustiques et chaleureuses, certaines avec cheminée. Bien agréable l'hiver, quand il fait froid. Également une annexe à côté.

Plus chic : au-dessus de 700 $Me (49 €)

▪ *Hôtel Fiesta Plaza* (plan A1, 17) : sur la plaza San Agustín. ☎ 342-52-80 et 25-16. ● www.hotelfiestaplaza.com ● Un très bel hôtel récent qui ressemble à un gros chalet de montagne. Une soixantaine de jolies chambres confortables, avec des salles de bains nickel.

▪ *Posada La Basílica* (plan B2, 18) : Arciga 6. ☎ 342-11-08. En face de la basilique. Sept chambres magnifiques avec parquet et cheminée, autour d'une terrasse qui domine le village. Vue absolument splendide. Personnel très sympathique. Également des chambres au rez-de-chaussée, moins belles et moins chères (voir « Où manger ? »).

Où manger ?

On fait tout un plat du célèbre *pescado blanco* (poisson blanc) ; non seulement il n'est pas vraiment savoureux, mais en plus le lac n'en contient plus et c'est donc désormais du poisson d'élevage. En revanche, n'hésitez pas à

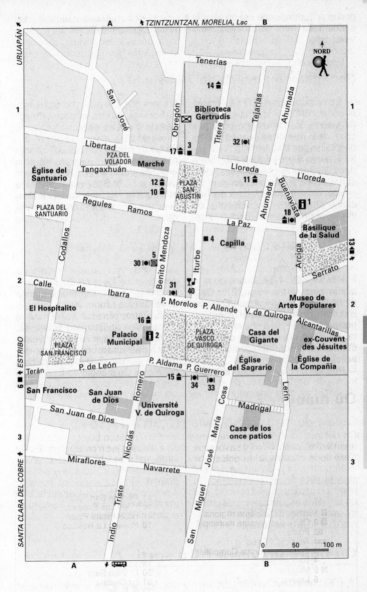

PÁTZCUARO

goûter à la délicieuse soupe tarasque *(sopa tarasca)* et aux *corundas,* des sortes de *tamales* servis avec une crème aux oignons. Pas très fin, mais ça cale bien.

Bon marché : moins de 70 $Me (5 €)

|●| **Le marché** *(plan A1) :* à l'entrée et sur le côté droit du marché, plein de stands où l'on mange pour pas cher des immenses *quesadillas* dégoulinantes d'huile.

|●| **El Viejo Sam** *(plan A2, 30) :* Mendoza 2. Dans la même maison qui abrite un café Internet, au fond du couloir. Ouvert tous les jours de 10 h à 22 h. Une grande salle décorée de vieilles photos jaunies. Plein de hamburgers que l'on peut choisir fourrés au fromage, au lard, au poulet et nappés de diverses sauces. Ambiance jeux vidéo.

|●| **La Casona** *(plan A2, 31) :* sur la plaza Vasco de Quiroga, au coin avec Mendoza. ☎ 342-11-79. Ouvert de 8 h à 22 h. Salle plutôt plaisante et de jolies nappes sur les tables. Bon menu copieux et agréablement servi.

Prix moyens : de 70 à 150 $Me (5 à 10,50 €)

|●| **El Buho** *(plan B1, 32) :* Tejarias 8. ☎ 342-14-39. Ouvre pour le déjeuner et ferme vers 22 h. Petit endroit sympathique et tranquille, où l'on mange de bonnes pizzas. Bon accueil.

|●| **La Escalera Chueca** *(plan B3, 33) :* sur la plaza Vasco de Quiroga, au coin avec Coss. ☎ 342-02-90. Ouvert de 8 h 30 à 22 h. Fermé le mercredi. Un bon menu de cuisine régionale (dont le prix augmente le week-end). Pas de salle ; on mange dehors, sous les arcades, face à la magnifique place. Dommage que ce soit à l'ombre l'après-midi.

|●| **El Patio** *(plan B2-3, 34) :* sur la plaza Vasco de Quiroga. ☎ 342-42-40. Ouvert de 8 h à 22 h. Une valeur sûre à Pátzcuaro. Joli décor chaleureux et soigné. Poisson blanc bien cuisiné et plats copieux. Également des petits dej', assez chers, mais on est installé en terrasse, sur la place.

Chic : de 150 à 250 $Me (10,50 à 17,50 €)

|●| **Tekare** *(plan B2, 18) :* c'est le resto de la *Posada La Basílica* (voir « Où dormir ? »). Ouvert seulement pour le petit dej' et le déjeuner. Du resto, on domine la ville et une partie du lac, dans une ambiance de chalet de montagne. Panorama somptueux, d'où le nom du resto qui signifie « mirador » en purépecha. Petite carte, mais une bonne sélection de plats régionaux, dont le *pescado blanco.* Goûtez aussi au bouillon *(caldo)* créé par Doña Carmelita, une ancienne cuisinière qui a travaillé ici durant plus de vingt ans.

Où boire un verre ? Où sortir ?

🍸 🎵 **El Viejo Gaucho** *(plan B2, 40) :* Iturbe 10. ☎ 342-03-68. Ouvert du mardi au samedi de 18 h à minuit. Une salle doucement éclairée à la bougie, parcourue d'épaisses tables en bois. Les peintures naïves côtoient de grandes marionnettes en papier mâché qui virevoltent dans les airs. Musiciens le soir, des chanteurs s'accompagnant à la guitare ou des groupes de musique latino-américaine. Belle carte de boissons à prix serrés. On peut aussi y déguster une bonne cuisine argentine. Très sympa.

À voir. À faire

🏃🏃🏃 *Plaza Vasco de Quiroga* (appelée aussi *plaza Mayor* ou *Principal* ; *plan A-B2*) : plantée d'arbres centenaires et entourée d'arcades et de fort belles demeures coloniales, notamment la *casa del Gigante* avec son beau portique. C'est notre place préférée au Mexique. Vraiment belle. Au centre, une statue de Vasco de Quiroga, premier évêque du Michoacán, nommé en 1536 et considéré comme un grand protecteur des Indiens.

🏃🏃 *Plaza San Agustín* (*plan A-B1-2*) : appelée officiellement *plaza Gertru-dis Bocanegra*, du nom d'une héroïne locale de l'Indépendance. Plus populaire que la précédente (le marché est juste à côté). Jetez un œil dans l'ancienne église transformée en *bibliothèque* (*plan B1*). Sur le mur du fond : imposante fresque de Juan O'Gormán qui raconte l'histoire du Michoacán.

🏃 *Basílica de la Salud* (*plan B2*) : elle domine la ville de son imposante architecture néoclassique. Construite à partir du XVIe siècle sur des plans de Vasco de Quiroga. De nombreuses restaurations l'ont aidée à survivre aux tremblements de terre et aux guerres civiles. Elle fut la cathédrale de Pátzcuaro jusqu'au transfert de l'évêché à Morelia, en 1580. L'intérieur laisse assez froid. Au-dessus de l'autel trône la *Virgen de la Salud,* une statue en pâte d'épi de maïs du XVIe siècle (technique préhispanique). Elle est extrêmement vénérée par les Tarasques, qui viennent lui rendre hommage le 8 de chaque mois. Sur la gauche en entrant, le mausolée qui contient les restes de Don Vasco.

🏃🏃 *Museo de Artes populares* (*musée des Arts populaires ; plan B2*) : ouvert de 9 h à 19 h (13 h le dimanche). Fermé le lundi. Entrée payante. Installé dans les bâtiments de l'ancien collège Saint-Nicolas, qui a été fondé en 1540 par Vasco de Quiroga (encore lui !) pour former les jeunes Indiens. Remarquez le sol fait avec des os d'animaux. Le musée abrite une très belle collection d'objets d'arts populaires de la région.

🏃 Plusieurs autres belles églises, à voir dans l'ordre ou dans le désordre : *Santuario de Guadalupe* (*plan A1-2*), *El Hospitalito* (*plan A2*) qui est, paraît-il, la plus vieille de Pátzcuaro, *San Francisco* (*plan A2-3*) et sa très belle porte ouvrant sur le cloître, *San Juan de Dios* (*plan A3*) avec son ancien hôpital adjacent, *El Sagrario* (*plan B2-3*) et, en face, l'*église de la Compagnie de Jésus* (*plan B2*) et son couvent qui abrita les jésuites avant leur expulsion et qui accueille désormais la Maison de la Culture.

Achats

Si vous avez un camion, vous pourrez toujours rapporter lit, chaises et buffets. Sinon, vous trouverez certainement d'autres merveilles à votre goût. Entre autres spécialités du coin :
– *les lacas :* petits meubles et objets laqués avec des motifs floraux colorés rehaussés de peinture à l'or ou au bronze. La minutie du travail est telle qu'un grand plateau peut demander jusqu'à deux mois de travail.
– *Le maque :* également des motifs floraux et des oiseaux, mais cette fois avec une technique préhispanique qui vient surtout des Purépechas d'Uruapán. On a retrouvé des plateaux en maque datant de 250 av. J.-C. en parfait état ! Vous pouvez donc acheter, c'est du solide. Tous les ingrédients utilisés sont naturels. Sur un fond noir, les motifs sont d'abord évidés avec une sorte de cutter, puis ils sont remplis avec une couleur en poudre (cochenille, terre ou fleur) mélangée à de la poussière de quartz. D'où sa résistance une fois sec. Cette mixture est appliquée avec la paume de la main à l'aide d'une huile extraite d'un vers (le *chía*) ce qui donne cet aspect lisse et brillant.

LA CÔTE PACIFIQUE NORD

Ils ne sont plus que quelques artisans à pratiquer cet art. Mario Agustín Gaspar est l'un d'eux. Allez le voir travailler dans son atelier, dans le premier patio de la *Casa de los 11 patios* (voir ci-dessous). Il a appris cette technique à l'âge de 12 ans. Superbe travail. Un plateau de 50 cm de diamètre demande 4 à 5 mois de travail.

– *Le cuivre :* tradition artisanale du village de Santa Clara del Cobre. Vases, assiettes, pichets, marmites, etc. Voir plus loin.

– *Le bois sculpté :* meubles, coffres, cadres... Surtout une tradition de Tzintzuntzan (voir plus loin).

🌊 *Casa de los 11 patios* (plan B3) : bel ensemble de cours et d'escaliers, ancien couvent de Dominicains. Un vrai labyrinthe, aujourd'hui consacré à l'artisanat local. On y voit des artisans œuvrer et, bien sûr, on peut acheter. Ne manquez pas, dans le deuxième patio (le plus beau), la salle de bains des nonnes : un véritable jacuzzi... en pierre sculptée !

🌊 *Le marché* (plan A1) : l'animation y est maximale entre 9 h et 14 h. Des Indiens y viennent vendre leurs produits, surtout des fruits et des légumes. Un peu d'artisanat médiocre. En fouillant un peu, on peut tomber sur quelques babioles marrantes.

🌊 *Le marché de las Ollas* (plan A2) : autrement dit des marmites, pots et autres récipients en terre. Il se tient le vendredi toute la journée sur la place San Francisco. Pour les amateurs de poterie.

➤ *DANS LES ENVIRONS DE PÁTZCUARO*

➤ *Cerro del Estribo :* pour les marcheurs, balade très sympa à travers les pins jusqu'à cet ancien volcan. Partir de la rue Ponce de León *(plan A2),* sortir du village en traversant la route principale, continuer toujours tout droit (ça grimpe), puis passer devant l'église *El Calvario,* qu'on laisse sur sa gauche. Compter 1 h de marche jusqu'au sommet. Il paraît qu'il y a au moins 387 marches (392 selon certains) pour arriver en haut. Vue splendide sur le lac. Accès en voiture également.

🍃 *Le lac de Pátzcuaro et ses îles :* une trentaine de villages et de hameaux sont installés sur les rives et les îlots du lac. Ils ont longtemps vécu de la pêche : le fameux *pescado blanco* (poisson blanc). Mais cette activité s'est largement réduite. Lors du tremblement de terre de 1985, le niveau d'eau a brutalement baissé, et depuis lors, le lac est chaque année moins profond. Ajoutez à cela la pollution, ainsi que l'absence d'un véritable projet de préservation de la part des autorités, et ce qui fut l'un des plus beaux lacs du Mexique ne vit plus que de sa réputation. Les pêcheurs, dont on voit la gravure sur les billets de 50 pesos, jettent encore leur fameux filet papillon, mais ils n'attrapent plus que les touristes.

La célèbre *île de Janitzio* a malheureusement vendu son âme au tourisme. Le village, construit à flanc de coteau est mignon, mais les horribles boutiques et les sollicitations permanentes lui ont fait perdre tout son charme. Cela dit, si vous êtes là, n'hésitez pas à grimper à l'intérieur de l'immense et disgracieuse statue de Morelos qui domine le lac. Vue magnifique.

Si vous êtes allergique à la foule, surtout en période de fêtes, allez plutôt vous balader sur les autres îles : *Yunuen, Pacanda* et *Tecuena* (ou Tecuén). Il n'y a rien, ni monument, ni magasins de souvenirs, rien que le lac, les montagnes, des chiens hagards, quelques pirogues glissant en silence sur une eau sans couleur et, pour les cœurs sensibles, des larmes pour pleurer sur cet immense gâchis.

➤ *Pour y aller :* le lac est à 4 km de Pátzcuaro. Prendre un *combi* indiquant « Lago » ou « Muelle » sur la place San Agustín (il y en a tout le temps), qui vous déposera à l'embarcadère principal. De nombreux bateaux desservent Janitzio et les autres îles. Billet valable pour le retour. Départ quand la vedette est pleine.

🏠 La communauté indienne de l'île de Yunuen administre de très chouettes *cabanes*. Elles sont construites en bois et bien conçues. L'idéal pour une retraite spirituelle. Infos : ☎ 342-44-73.

🚶 *Tzintzuntzan* : à 18 km de Pátzcuaro. On y trouve les vestiges de l'ancienne capitale de l'empire des Purépechas. Leur dernier chef, Tanganxoan II, a été brûlé vif par le conquistador Nuño de Guzmán. Pas grand-chose à voir et c'est très en ruine. La grimpette jusqu'au site archéologique vaut surtout pour le magnifique panorama sur le lac. Dans le bourg, joli couvent franciscain du XVIe siècle, assez mal en point. Les jeunes du village le restaurent lentement. Marché d'artisanat. Surtout du bois sculpté et des poteries, moins cher qu'à Pátzcuaro.

🚶 *Santa Clara del Cobre* : à 16 km de Pátzcuaro, un village entièrement consacré au travail du cuivre *(cobre)*. Nombreuses boutiques avec leur atelier au fond. Dans la calle Pino Suarez, allez visiter les ateliers de Casa Felicitas et celui de El Portón. Les pièces sont montées à coup de marteau, remises au feu et encore quelques coups de marteau avant d'être à nouveau chauffées. Et ainsi de suite. Un simple pichet demande une douzaine de jours de fabrication !

LE VOLCAN PARICUTÍN

IND. TÉL. : 452

C'était plat et il y avait des champs de maïs. Aujourd'hui, il y a un volcan de plus de 400 m de hauteur et un énorme champ de lave noire. C'est en 1943 que le Paricutín s'est éveillé et a décidé d'engloutir les villages alentour (non, non, ne pleurez pas, l'éruption a duré plusieurs années et les habitants ont eu le temps de fuir). Seul le clocher d'une église émerge, fixé dans la lave, prisonnier du temps. Surréaliste comme un tableau de Magritte. Le spectacle est splendide. On peut aller jusqu'à l'église ou pousser jusqu'au cratère, à pied ou à cheval. Le site, entouré de montagnes couvertes de sapins, est vraiment magnifique. Ici, quasiment pas de voitures. On se trimballe à cheval. Les habitants parlent le purépecha. Au moins, avec votre espagnol balbutiant, vous n'aurez pas de complexes. Au fait, sachez que bonjour se dit « nashki ».

Comment y aller ?

Le point de départ pour le volcan est le petit village tarasque de *Angahuán* (5 000 hab.), à 2 380 m d'altitude. En venant de Pátzcuaro ou de Lázaro Cárdenas, il faut d'abord se rendre à *Uruapán* (la grande ville du coin) et, de là, prendre la correspondance pour Angahuán. Départ toutes les 50 mn environ avec 2 compagnies. Trajet : 40 à 45 mn.

À l'arrivée du bus, vous serez assailli par les guides et loueurs de chevaux. Si vous voulez simplement aller à l'*église* à pied (4 h aller et retour), vous n'en aurez pas besoin. Il suffit de traverser le village, de passer à côté du petit centre écotouristique *Las Cabañas* et de suivre le chemin.

Si vous préférez le *sommet du volcan,* encore fumant et tout chaud (2 800 m d'altitude), sachez qu'à pied, c'est une vraie randonnée d'une journée (plus de 8 h aller-retour, avec passage à l'église au retour). L'ascension du cratère est hard. Les vrais routards pourront y aller sans guide, mais partez tôt, car bonjour les détours ! À cheval, c'est super sympa, même pour les cavaliers inexpérimentés. Dur, dur pour les fesses le lendemain. Compter alors de 6 h à 8 h, car le passage à l'église est prévu dans la balade.

Où dormir ? Où manger ?

On peut loger à Uruapán. Mais le plus sympa est encore de dormir à **Anga-huán,** dans cet authentique village tarasque perdu dans la montagne.

⬛ |●| **Chez José Perucho :** demandez, tout le monde le connaît. Numéro communal : ☎ 525-03-83. José et son épouse Rita, au rythme des rentrées d'argent, ont construit au milieu de leur jardin une maisonnette : 4 chambres et 2 salles de bains. Celle du bas a une cheminée, génial en hiver. Vue superbe sur le village et le volcan. Au milieu des odeurs de sapin et de feu de bois. Vraiment sympa. Pour les randonnées au volcan (à pied ou à cheval),

demandez à son copain Cornelio de vous accompagner.

⬛ |●| **Las Cabañas :** tout au bout du village, sur la route qui mène à l'église. ☎ 203-85-27. Centre géré par la communauté. Des dortoirs et des grandes chambres (très froides en hiver). Demandez à dormir dans le *troje*, la petite cabane en bois, typique de l'architecture locale. Du resto, vue magnifique sur le volcan et le champ de lave.

QUITTER URUAPÁN

🚌 **La central camionera d'Uruapán :** à 15 mn du centre, au nord-est de la ville.

➤ **Pour Pátzcuaro (et Morelia) :** toutes les 15 mn. Trajet : 50 mn (par l'autoroute) et 1 h 20 (nationale).

➤ **Pour Lázaro Cárdenas :** 6 bus dans la journée avec *Parhikuni* (1re classe) qui passent par l'autoroute. Trajet : 4 h. Départ toutes les heures avec *Ruta Paraíso* (2e classe) par la nationale (ça tourne beaucoup !). Trajet : 6 h 30, mais la route est magnifique.

LÁZARO CÁRDENAS   135 000 hab.   IND. TÉL. : 753

Si vous baguenaudez dans la région, c'est fort possible que vous finissiez par échouer ici. Mais franchement, vous n'aurez pas grand-chose à faire dans cette ville portuaire, moderne, industrielle et particulièrement laide. À part prendre le bus à la découverte des magnifiques plages désertes de la côte du Michoacán.

Où dormir ?

⬛ **Hôtel Delfín :** av. Lázaro Cárdenas 1633. ☎ 532-08-92. Dans l'avenue principale de la ville, presque en face de la *central camionera Galeana*. À une *cuadra* de l'office de

tourisme (à l'*hôtel Casablanca*) et à 10 mn du *zócalo* (appelée *Pergola* par les autochtones). Chambres très bien tenues, avec ventilo ou AC. Et il y a même une piscine.

QUITTER LÁZARO CÁRDENAS (Ouf !)

Pas de quoi avoir des états d'âme. On part vers le nord, le sud ou l'intérieur des terres. Les trois petites gares routières ne sont pas loin les unes des autres. Le terminal *Galeana (Ruta Paraíso)* est sur Lázaro Cárdenas (l'avenue principale). Le terminal *Linea Plus* est en face. *Estrella Blanca* se trouve sur Francisco Villa.

➤ **Pour Acapulco** (où l'on change pour Mexico) **:** terminal Estrella Blanca. Départs assez fréquents. Trajet : 6 h en bus de 1re classe ; 7 h avec l'*ordinario*.

➤ **Pour Uruapán, Pátzcuaro et Morelia :** au terminal Galeana (*Ruta Paraíso*). Pour *Uruapán*, départs assez fréquents. Trajet : 6 h en bus de 2e classe, contre 3 h 30 à 4 h pour les 1re classe qui prennent l'autoroute (*por la autopista*). Certains bus poursuivent sur *Morelia*. Pour *Pátzcuaro,* changez à Uruapán.

➤ **Pour Manzanillo :** quelques départs au terminal Galeana et au terminal Linea Plus. Trajet : 6 h.

➤ **Pour les plages du Michoacán :** au terminal Galeana. Prendre un bus *Michoacános* qui va jusqu'à Caleta (départs très fréquents). Pour les plages plus au nord, prendre un bus pour Manzanillo ou Colima. Dans les deux cas, demandez au chauffeur l'arrêt à la plage de votre choix.

– *CONSEIL :* évitez de circuler de nuit sur la route qui va à Manzanillo. Elle est plutôt déserte.

LES PLAGES DU MICHOACÁN

Vers le nord, jusqu'à Manzanillo, ce sont 260 km de côte quasiment vierge. Le Pacifique d'un côté, les montagnes de l'autre. Çà et là, au détour d'un virage, on découvre un petit hameau de pêcheurs niché au fond d'une crique, ou alors une immense plage déserte, territoire des tortues qui viennent y pondre à la saison des pluies.

▷ **La Soledad :** à 53 km de Lázaro Cárdenas. Petite crique de sable gris avec quelques paillotes où l'on déguste des langoustes. Quelques chambres à louer.

▷ **Caleta :** à 67 km. Bourgade de pêcheurs au fond d'une anse, qui se transforme en petite station balnéaire pendant les vacances. Plusieurs hôtels. Appréciée des familles mexicaines.

▷ **Nexpa :** à 72 km. Immense plage ouverte sur le Pacifique. C'est le rendez-vous des surfeurs. Ambiance jeune et cosmopolite.

▷ **Pichilinguillo :** à 115 km. Une centaine de pêcheurs vivent ici, sur cette ravissante plage bordée par des eaux tranquilles. Peu connue et très peu fréquentée, c'est pourtant l'une de nos préférées. *Don Luis,* sur la plage, propose quelques chambres en dur. Très sommaires, mais avec une vue magnifique. À l'aube, on part à la pêche, et la nuit, on plonge pour chasser la langouste ou le poulpe. Vous avez compris ce qu'il y a au menu. Accompagné de noix de coco remplies à ras bord. Grottes sous-marines à visiter.

▷ **Maruata :** 3 h de bus depuis Lázaro Cárdenas (160 km) ou depuis Manzanillo. La plus belle baie de la côte du Michoacán, avec 4 superbes plages séparées par d'énormes rochers. De mai à août, les tortues viennent y pondre. La communauté indigène nahuatl qui vit ici s'est organisée en réserve pour la tortue et protège le site contre les promoteurs. On loge dans des cabanes rustiques au toit de palme ou on plante sa tente sous une *palapa*. Fréquentée par des jeunes Mexicains, quelques néo-hippies et des routards au long cours. Maruata, c'est un peu le Zipolite d'il y a 30 ans.

MANZANILLO
IND. TÉL. : 314

C'est souvent le cas des stations balnéaires au Mexique : la zone hôtelière est déconnectée de la ville ancienne. Manzanillo en est un bon exemple.

D'un côté, la ville avec son port marchand ; de l'autre, à 15 km, les plages et les hôtels à la queue leu leu. Entre les deux, on dépense beaucoup d'argent en taxis ou beaucoup de temps en bus. De plus, Manzanillo n'a ni le cachet de Puerto Vallarta ni le fun d'Acapulco. Bon, vous l'avez compris, on n'aime pas beaucoup cette ville. Ce qui nous a motivés pour trouver d'autres endroits autour. Certains paradisiaques.

Où dormir ? Où manger ?

Voici deux adresses dans la ville ancienne. Pour se rendre à la *zona hotelera*, des *colectivos* font la navette.

🏠 *Hôtel Emperador :* Balbino Davalos 69. ☎ 332-23-74. À gauche du *zócalo* en regardant le port. Entrée par un resto. Sympa et très bon marché.

🏠 |●| *Hôtel Colonial :* Mexico 100. ☎ 332-10-80. Plus confortable et plus cher. Sonore mais, de toute façon, c'est le seul de sa catégorie en ville. Resto délicieux.

QUITTER MANZANILLO

En bus

🚌 *La central camionera* est à 15 mn du centre.
➤ *Pour Barra de Navidad :* grande fréquence. Trajet : 1 h 30.
➤ *Pour Guadalajara :* bonne fréquence. Trajet : 4 à 5 h.
➤ *Pour Puerto Vallarta :* bonne fréquence. Trajet : 5 h 30 à 6 h.
➤ *Pour Lázaro Cárdenas :* quelques bus. Trajet : 6 h.

BARRA DE NAVIDAD

6 500 hab.   IND. TÉL. : 315

À 60 km au nord de Manzanillo et à 275 km de Puerto Vallarta. Charmante petite station balnéaire, coincée entre la mer et une lagune. On la préfère de beaucoup à Melaque, sa voisine. Des maisons blanches, des rues pavées, des pélicans et des vagues... une ambiance paisible, troublée entre mi-novembre et fin avril par les Canadiens et les Américains qui colonisent la ville. À faire : promenades dans les rues piétonnes, bronzette sur la grande plage qui borde la ville et balades en bateau sur la lagune. Pour les sportifs, surf et pêche au gros. Allez voir aussi le Christ aux bras ballants, dans la petite église de Barra. Lors du cyclone de 1971, ses bras sont tombés, ce qui, selon les habitants, a épargné la ville.

Arriver – Quitter

En bus

🚌 *Les petites gares routières* se trouvent dans le village, non loin l'une de l'autre. *Primera Plus :* Veracruz 228. ☎ 355-52-65. Et la compagnie chic *ETN :* Veracruz 273. ☎ 355-84-00.

➤ *Pour/de Manzanillo :* avec *Primera Plus,* départ toutes les heures en 2e classe et quelques bus de 1re classe. Trajet : 1 h 30.
➤ *Pour/de Puerto Vallarta :* avec *Primera Plus,* une douzaine de bus. Trajet : 4 h en 1re classe, 5 h 30 en 2e classe.

➤ **Pour/de Guadalajara :** avec *Primera Plus,* une douzaine de bus. Trajet : 5 h 30 en 1re classe, 6 h 30 en 2e classe. Avec *ETN,* quelques bus par jour. Trajet : 5 h.

➤ **Pour/de Mexico :** avec *Primera Plus,* un départ l'après-midi (on voyage de nuit). Trajet : 12 h 30.

Adresse utile

🛈 **Office de tourisme :** Jalisco 67. ☎ 355-51-00. ● www.bdenavidad. com ● Ouvert du lundi au vendredi de 9 h à 17 h ; parfois le week-end en haute saison. Plan de la ville.

Où dormir ?

Les prix font un bond en haute saison (décembre, Pâques et les ponts). Le reste du temps, essayez de négocier.

🏠 **Hôtel Caribe :** Sonora 15. ☎ 355-59-52. Chambres avec bains. Sommaires mais propres. Tranquille et sympa, dans le centre du village. Bon marché, mais si vraiment vous n'avez plus un peso en poche, allez au **Mama Laya,** à 100 m (Veracruz 69).

🏠 **Hôtel Delfin :** Morelos 23. ☎ 355-50-68. Fax : 355-60-20. Prix moyens.

Bel hôtel très bien tenu et calme. Chambres douillettes et coquettes, avec ventilo. Tout est très propre. Adorable terrasse où prendre le petit déjeuner. Petite piscine. Une bonne adresse. Si c'est complet, allez en face, au **Sand's.** Dans tous les cas, allez prendre un verre au bord de la piscine, au coucher du soleil, face à la lagune. Un grand moment !

Où manger ?

Plein de restos de fruits de mer. Côté lagune pour le déjeuner, côté mer pour le coucher du soleil.

🍴 **Veleros :** Veracruz 64 ; côté lagune. ☎ 355-59-07. Ouvert toute l'année de 12 h à 23 h. Très jolie vue. Excellent poisson frais. Crevettes panées ou en brochettes.

🍴 **Ambar :** Jalisco, à l'angle de Veracruz ; au 1er étage. ☎ 355-81-69. Ouvert seulement le soir. Fermé de début mai à fin octobre. Tenu par Verónica, une Française dynamique et sympa. Salades originales, très bons plats de poisson et spécialités du Périgord. Sans oublier les fameuses crêpes... que l'on savoure sur de jolies terrasses aérées. À 100 m de là, sur Legazpi (côté mer), Verónica a ouvert un autre resto, **Ambar del mar.** Cuisine italienne, cette fois. Belle carte de pâtes et de délicieuses pizzas cuites au feu de bois. En principe, ouvert toute l'année.

Où prendre le petit déjeuner ?

🍴 **El Horno Francés :** Sinaloa 18. ☎ 355-81-90. Ouvert de 8 h à 21 h. Fermé de début mai à mi-novembre. Ils ont atterri ici un beau jour avec leur camping-car en provenance du Canada. Coup de foudre, ils sont restés. Lui est boulanger, elle décoratrice. Christine et Émeric, tous deux français, ont ouvert une boulangerie dans un local rikiki mais bien sympathique. Si vous cherchez de vraies baguettes au Mexique, venez ici. Et dès l'aube, de délicieux croissants tout droit sortis du four. Quelques petites tables installées en terrasse sur le trottoir, recouvertes de nappes provençales. On y prend de divins petits dej'. Même les locaux ont succombé. C'est tout dire.

Où boire un verre ?

▼ *La Azotea :* Legazpi 152 ; au 1ᵉʳ étage. ☎ 355-50-29. Ouvert de 18 h 30 à 2 h. Joli bar sur une grande terrasse couverte d'un toit en palme. Excellents cocktails et jus de fruits. Bonne musique et chouette ambiance. Certains soirs, quand le monde afflue, ça déménage !

LA MANZANILLA
IND. TÉL. : 315

À 20 km au nord de Barra, un petit coin génial, très peu connu et super cool. Des Canadiens s'y sont installés et le village se développe (très) lentement. Mais ici, la vie reste une longue baie tranquille. Les pêcheurs pêchent, les crocodiles lézardent dans la lagune, les dauphins plongent à quelques mètres de la plage. Et le samedi soir, on danse sur la place du hameau.

➤ *Pour y aller :* à Barra de Navidad, prenez un bus urbain devant le terminal de *Primera Plus* indiquant « La Manzanilla ». Ou bien un bus 2ᵉ classe pour Puerto Vallarta et demandez l'arrêt au chauffeur. Il vous déposera à l'embranchement. Il reste 2 km à faire à pied ou en stop.
– Infos sur la ville : ● www.lamanzanilla.com ●

Où dormir ? Où manger ?

▤ *La Posada de La Manzanilla :* Concha Molida 12. À 100 m de la plage. Pas de téléphone. Un petit hôtel coloré et agréable au milieu des hibiscus. Les chambres sont un peu délabrées, mais le gérant est très sympa et c'est vraiment pas cher, surtout hors saison, en négociant un peu. On peut utiliser la cuisine.

▤ *La Puesta del Sol :* au bout du village, du côté gauche en regardant la mer. ☎ 351-50-33. Sympa aussi. Plus récent, plus confortable, plus propre. Et plus cher (prix dégressifs pour plusieurs jours). Cuisine collective.

|●| *Martin's :* tout au bout du village, juste avant l'hôtel *Puesta del Sol.* ☎ 351-51-06. Parfois fermé en été. On s'installe en terrasse, au 1ᵉʳ étage, dans un cadre ravissant et bien aéré. Superbe vue sur la baie. Pour savourer une salade au roquefort (sic !) suivie d'un parfait à la liqueur de menthe (re-sic !).

TENACATITA ET BOCA DE IGUANAS
IND. TÉL. : 315

Pendant qu'on y est, voilà deux autres coins de paradis qui donnent sur la même baie.

◿ *Tenacatita* est l'une des plus belles plages de la côte Pacifique. Déserte la plupart du temps, sauf à Noël, Pâques et au mois d'août. Sur la plage, quelques paillotes où l'on mange le poisson pêché le matin. La nuit, à la saison des pluies, vous pourrez voir les tortues. Sinon, vous trouverez bien quelqu'un pour vous emmener à la pêche sous-marine. Ici, tout le monde est sympa. Mais dépêchez-vous, les vautours rôdent. Déjà quelques petits hôtels en dur ont fait leur apparition (snif !).

➤ *Pour y aller :* à 30 km au nord de Barra. Depuis *Barra* ou *Manzanillo,* prendre un car en direction de Puerto Vallarta. Demander l'arrêt à *Agua Caliente* ; il reste 6 km à faire à pied. Le matin et en fin d'après-midi, vous trouverez sûrement une voiture pour vous déposer à la plage.

➤ *Pour y dormir :* on plante sa tente sans problème sur la plage, à l'ombre d'une *palapa.*

■ *Hôtel Paraíso :* sur la plage. ☎ 355-59-20. Récent. Chambres avec bains. Négocier en basse saison.

⌇ À *Boca de Iguanas,* l'immense plage s'ouvre sur le Pacifique. C'est superbe et quasi désert. Ce n'est même pas un village.

➤ *Pour y aller :* même route que pour Tenacatita, mais demander l'arrêt à la bifurcation qui mène à Boca de Iguanas ; il reste 3 km à faire à pied ou en stop.

⚊ Au bout de la route, vous trouverez seulement 2 campings au milieu des cocotiers. Le premier que vous verrez, *Boca Beach,* est tenu par Jean-Michel, un ancien routard qui a atterri ici il y a plus de 20 ans. Mais il est très souvent maintenant dans son petit hôtel d'Autlán (● www.geocities.com/theonlybeach ●). Si vous n'avez pas de tente, vous pourrez loger dans 2 petites chambres rudimentaires ou dans des bungalows (beaucoup plus chers).

PUERTO VALLARTA   350 000 hab.   IND. TÉL. : 322

Si l'on arrive par le sud, les bus traversent des petits villages écrasés sous la chaleur. Comme un léger frisson d'aventure sous les tropiques. Chemises collant à la peau, rues défoncées, maisons basses aux toits de palme, enseignes rouillées, *mamas* langoureusement allongées dans des hamacs et donnant le sein à leur bébé... Depuis Guadalajara, la route traverse la Sierra Madre et entame sa descente vers les terres chaudes, *las tierras calientes.* Le climat et la végétation changent peu à peu, l'atmosphère devient lourde et humide, apparaissent les plantations de canne à sucre, les bananeraies et enfin les cocotiers. Pendant la saison des pluies, les averses transforment les rues en bourbier. Surgit enfin Puerto Vallarta et son immense baie avec sa végétation luxuriante qui dévale des collines jusqu'au bord de mer.
Près de 20 % de la population active de Puerto Vallarta est composée d'Américains et de Canadiens ! Cependant, la ville est loin d'avoir atteint les proportions d'Acapulco. Et c'est bien plus beau. Le village, séparé en deux par une petite rivière, a conservé tout son charme, colonial du côté nord, plus populaire du côté sud. De toute part, on aperçoit les collines recouvertes de jungle épaisse. Une des rares stations balnéaires du Mexique où le front de mer n'est pas gâché par les tours des hôtels. On aime beaucoup Puerto Vallarta, son ambiance tranquille et ouverte. Pour en profiter pleinement, évitez les périodes de rush, surtout Pâques et Noël.

JOHN HUSTON À PUERTO VALLARTA

Dans ses mémoires, le cinéaste John Huston écrit : « À partir de 1975, j'ai passé la majeure partie de ma vie dans l'État de Jalisco, au Mexique. Lorsque j'y suis venu pour la première fois, il y a une trentaine d'années, Puerto Vallarta était un village de pêcheurs qui comptait à peine deux mille âmes. (...) Par la suite, je suis revenu souvent à Vallarta ; en particulier en 1963, pour y tourner *La Nuit de l'iguane.* Ce film révéla au monde l'existence de mon village, et les touristes d'accourir. » On trouve une statue du metteur en scène sur l'île Cuale.

Arriver – Quitter

Le terminal des bus et l'aéroport sont situés à une dizaine de kilomètres au nord de la ville *(hors plan par B1)*. Bien desservis par les *bus urbains* que l'on prend sur Pino Suárez au niveau du parc Lázaro Cárdenas *(plan A3, 10)* ou bien à l'angle d'Insurgentes et Madero *(plan B2)*. Grimper dans un de ceux qui indiquent « Ixtapa », « Las Mojoneras » ou « Las Juntas », parfois « Aeropuerto » (le terminal des bus se trouve après l'aéroport).

En bus

▄▄▄ À l'arrivée, si on veut éviter de prendre le taxi pour rejoindre le centre, il faut marcher jusqu'à l'avenue principale, la traverser et prendre un bus qui indique « Centro ».

Vous pouvez acheter vos billets en ville si vous voyagez avec le groupe *Estrella Blanca* (plusieurs petites compagnies), *Primera Plus* (1re classe) ou la très chic *ETN*. Voir les « Adresses utiles ».

➤ *Pour/de Guadalajara :* très grande fréquence avec *Estrella Blanca* (*Futura* et surtout *Pacífico*), *Primera Plus* et *ETN*. Trajet : 5 h ; 6 h 30 avec les bus 2e classe.

➤ *Pour/de Mexico (terminal Norte) :* départs le soir pour des trajets de nuit avec *Estrella Blanca* et *Primera Plus*. Et avec *ETN* dont les sièges se transforment en couchette (cher, mais on arrive à dormir !). Trajet : 12 h.

➤ *Pour/de Barra de Navidad et Manzanillo :* toutes les heures avec *Cihuatlan*. Trajet : respectivement 5 h 30 et 6 h 30.

➤ *Pour/de Los Mochis (Canyon du Cuivre) :* avec *TAP* (1re classe), 5 départs dans la journée. Trajet : 12 h.

En avion

✈ *Aéroport :* ☎ 221-13-25 et 12-98. Attention, le taxi en direction du centre-ville est très cher. On peut prendre un taxi collectif (même guichet que les taxis) ou le bus qui passe sur l'avenue. Plusieurs compagnies aériennes :

■ *Aeromexico :* dans la zona hotelera, centre commercial Plaza Genovesa, local 2 et 3. ☎ 224-27-77. Et à l'aéroport : ☎ 221-10-55. Vol direct pour *Mexico, Guadalajara* (avec *Air Litoral*) et *Los Angeles*.

■ *Mexicana :* dans la zona hotelera, centre commercial Las Glorias, local G-18. ☎ 224-89-00. Vol direct pour *Mexico*.

■ *Continental Airlines :* à l'aéroport. ☎ 221-10-25 et 22-12. Direction les *États-Unis*.

■ *American Airlines :* à l'aéroport. ☎ 221-16-54.

Adresses utiles

🄸 *Office de tourisme (plan A2) :* à l'angle du *zócalo* et de Juárez. ☎ 226-80-80 (*extensión* 233). Ouvert du lundi au vendredi de 8 h à 16 h, et parfois le samedi. Distribue un plan très pratique et donne des tas d'infos.

✉ *Poste (plan A-B1-2) :* Mina 188. ☎ 222-18-88.

■ *Change et banques :* nombreux petits bureaux de change. Les banques sont regroupées autour du *zócalo*, au nord du río Cuale. Avec distributeurs de billets. *Banamex (plan A2, 1) :* sur le *zócalo* ; ouvert du lundi au vendredi de 9 h à 16 h et le samedi matin. *Bancomer (plan B2, 2) :* à l'angle de Mina et Juárez ; ouvert du lundi au vendredi de 8 h 30 à 16 h 30 et le samedi matin.

■ *American Express (plan B1, 3) :* à l'angle de Morelos et Abasolo.

☎ 223-29-55. Ouvert du lundi au vendredi de 9 h à 18 h et le samedi matin.

■ **Consulat canadien :** dans la zone hôtelière. ☎ 293-00-99 et 28-94.

■ **Billets de bus :** on n'est pas obligé d'aller au terminal pour réserver ses billets de bus. On peut les acheter en ville.

– *Estrella Blanca (plan B3, 4) :* à l'angle de Badillo et Insurgentes. ☎ 222-66-66. Ouvert du lundi au samedi de 8 h à 21 h.

– *Primera Plus et ETN (plan A3, 5) :* Lázaro Cárdenas 260. ☎ 223-29-99. Ouvert tous les jours de 9 h à 14 h et de 16 h à 19 h.

@ **The Net House** *(plan A3, 6) :* Vallarta 232. ☎ 222-69-53. Ouvert de 8 h à 2 h du mat'. Un vrai café Internet sympa.

■ **Laverie Blanquita** *(plan B2, 7) :* Madero 407. En face du resto *Gilmar*. Ouvert de 8 h à 20 h. Fermé le dimanche. Plein d'autres dans le quartier.

Où dormir ?

La ville est partagée en deux parties par la rivière Cuale. Les hôtels se situent plutôt du côté sud. Nous indiquons les prix pour la basse saison, en gros de mai à octobre. En haute saison (de décembre à Pâques), les prix grimpent, passant parfois du simple au double. Réservation impérative à Noël et à Pâques.

Très bon marché : moins de 210 $Me (14,70 €)

■ **Hôtel Azteca** *(plan B2, 20) :* Madero 473. ☎ 222-27-50. Cour ombragée sur laquelle donnent les chambres. Très propre. Carafe d'eau à disposition. Ventilo. Demander une chambre à l'étage.

■ **Hôtel Ana Liz** *(plan B2, 21) :* Madero 429. ☎ 222-17-57. Petit hôtel tranquille. Même genre que l'*Azteca* ; et mieux que le *Bernal* d'à côté. Ambiance familiale et sympathique.

Bon marché : de 210 à 300 $Me (14,70 à 21 €)

■ **Hôtel Villa del Mar** *(plan B2, 22) :* Madero 440. ☎ 222-07-85. Sans doute le plus agréable de la rue, et donc souvent complet. Chambres bien aménagées, avec ventilo et carafe d'eau. Plus cher avec balcon sur rue. Bon rapport qualité-prix.

■ **Hôtel Hortencia** *(plan B3, 23) :* Madero 336. ☎ 222-24-84. Petit hôtel charmant et bien entretenu. Chambres fraîches et agréables, avec salle de bains rénovée. Le patron adore bavarder avec les clients, et sa fille aussi. Évitez les chambres du rez-de-chaussée.

Prix moyens : de 300 à 500 $Me (21 à 35 €)

■ **Hôtel Yasmin** *(plan A3, 25) :* B. Badillo 168. ☎ 222-00-87. Attention, l'enseigne est discrète. Joli cadre, avec des terrasses, idéales pour prendre le frais le soir. Beau patio intérieur agrémenté de nombreuses plantes. Chambres avec ventilo ou AC (plus chères). Bon rapport qualité-prix pour les chambres les moins chères.

■ **Hôtel La Posada de Roger** *(plan A3, 26) :* B. Badillo 237. ☎ 222-06-39 et 08-36. • www.posadaroger. com • Prix fluctuants selon les saisons. Piscine au 2e étage. Un peu bruyant mais très agréable. C'est l'un des préférés des Américains. Avec bar et resto.

Plus chic : au-dessus de 700 $Me (49 €)

🛏 **Hôtel Rosita** (hors plan par B1, 27) : dans la partie nord de la ville, tout au bout du *malecón* (front de mer), au coin avec 31 de Octubre. ☎ et fax : 223-00-00 ou ☎ 01-800-326-10-00 (n° gratuit). ● www.hotelrosita.com ● Très bien situé. Plus d'une centaine de chambres, dont la moitié avec vue *al mar*. Moderne et tout confort. Ventilo ou AC. Belle piscine face à la mer, bar et resto. Une bonne affaire en basse saison.

🛏 **Hôtel Los Cuatro Vientos** (plan B1, 28) : dans la partie nord de la ville, Matamoros 520. ☎ 222-01-61. ● www.cuatrovientos.com ● Les prix incluent le petit dej'. Un petit hôtel d'une quinzaine de chambres, niché dans la vieille ville, sur les hauteurs. Cadre intime et chaleureux. C'est là que Richard Burton et Elizabeth Taylor se retrouvaient pour vivre leur amour passionné alors que Vallarta n'était qu'un village de pêcheurs. Chambres joliment arrangées dans le style rustique. Celles du 2e étage ont une vue magnifique sur le village et la baie (à réserver à l'avance). Petite piscine, resto et surtout un superbe bar-terrasse sur le toit, qui offre un panorama exceptionnel. Fleuri et très calme.

Encore plus chic : plus de 1 200 $Me (84 €)

🛏 **Hôtel Molino de Agua** (plan A2, 29) : Vallarta 130. ☎ 222-19-07 ou 01-800-466-54-66 (n° gratuit). Un hôtel magnifique le long de la rivière et avec accès à la plage. Les bunga-lows sont dispersés dans un grand et merveilleux jardin tropical. Plusieurs chambres et suites ont vue sur la mer. Piscine très agréable, bar et resto.

■ Adresses utiles

- 🛈 Office de tourisme
- 🚌 Terminal de bus
- ✈ Aéroport
- ✉ Poste
- **1** Banque Banamex
- **2** Banque Bancomer
- **3** American Express
- **4** Estrella Blanca
- **5** Primera Plus et ETN
- @ **6** The Net House
- **7** Laverie Blanquita
- **8** Embarcadère
- **9** Bus pour les plages du sud
- 🚌 **10** Bus pour le terminal de bus et l'aéroport

🛏 Où dormir ?

- **20** Hôtel Azteca
- **21** Hôtel Ana Liz
- **22** Hôtel Villa del Mar
- **23** Hôtel Hortencia
- **25** Hôtel Yasmin
- **26** Hôtel La Posada de Roger
- **27** Hôtel Rosita
- **28** Hôtel Los Cuatro Vientos
- **29** Hôtel Molino de Agua

|●| Où manger ?

- **40** Marché
- **41** Dianita
- **42** Gilmar
- **43** Planeta Vegetariano
- **44** Una Página en el Sol
- **45** Pietro
- **46** Asaderos
- **47** Karpathos
- **48** Pipi's
- **49** La Dolce Vita
- **50** El Palomar de los Gonzales

|●| Où prendre le petit déjeuner ?

- **26** Fredy's Tucan
- **43** Planeta Vegetariano
- **44** Una Página en el Sol

🍸 ♫ Où sortir le soir ?

- **60** Bar Zoo
- **61** Hard Rock Café
- **62** Carlos O'Brians
- **63** Roxy
- **64** Paco Paco

⚉ Achats

- **40** Marché d'artisanat
- **70** Galerie Huichol Collection

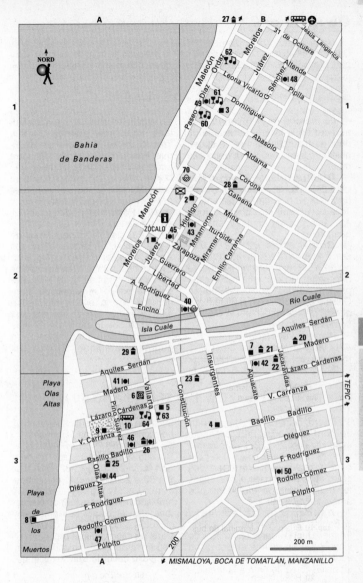

PUERTO VALLARTA

Où manger ?

Deux zones animées le soir : d'une part le *malecón* (le front de mer) ; d'autre part, la calle Olas Altas au sud de la ville, beaucoup moins « zimboumboum ».

Bon marché : moins de 70 $Me (5 €)

|●| **Le marché** *(plan B2, 40) :* juste au nord de la rivière, au niveau du pont de Insurgentes. Au 1er étage, plusieurs stands où l'on mange pas mal.

|●| **Dianita** *(plan A3, 41) :* Madero 243. Pas de téléphone. Ouvert de 8 h à 18 h. Fermé le dimanche. Très bon menu pas cher du tout. Apprécié par les commerçants du quartier.

|●| **Gilmar** *(plan B2, 42) :* Madero 418. ☎ 222-39-23. Ouvert jusqu'à 23 h environ. Fermé le dimanche. Un bon p'tit resto sans prétention, idéal pour le déjeuner. Cuisine correcte. Il est d'ailleurs fréquenté par les autochtones. *Comida corrida* très bon marché.

|●| **Planeta Vegetariano** *(plan B2, 43) :* dans la partie nord de la ville, Iturbide, à l'angle avec Hidalgo. ☎ 222-30-73. Ouvert de 8 h à 22 h.

Un végétarien situé dans le vieux Vallarta, un quartier plein de charme. Très joli cadre et accueil sympathique. Formule buffet à prix très serré pour les 3 repas de la journée. Très bonne cuisine. Une adresse coup de cœur. Mais les fumeurs devront aller dehors pour s'en griller une.

|●| **Una Página en el Sol** *(plan A3, 44) :* à l'angle d'Olas Altas et Dieguez. Pas de téléphone. Ouvert de 7 h à minuit. Le rendez-vous des Américains, et on les comprend. L'endroit est sympa avec ses petites tables sur le trottoir et sa bibliothèque à l'intérieur. On y vient pour manger sur le pouce une délicieuse salade composée ou un copieux sandwich chaud bien garni. Très bons *licuados* aux fruits tropicaux. Un endroit stratégique. Et des prix sages.

Prix moyens : de 70 à 150 $Me (5 à 10,50 €)

|●| **Pietro** *(plan A2, 45) :* dans la partie nord, Zaragoza 245, à l'angle avec Hidalgo. ☎ 222-32-33. Ferme vers 22 h 30. Salle spacieuse pour cette *fonda* italienne qui sert des pâtes et de délicieuses pizzas cuites au feu de bois, le tout dans une ambiance mexicaine.

|●| **Asaderos** *(plan A3, 46) :* B. Badillo 223. Ouvert de 14 h à 23 h. Fermé le lundi. Pour les amateurs de viande. On en mange autant qu'on veut pour un prix fixe. Steak ou poulet grillé, côtes de porc à la braise...

Musique *en vivo* le soir. Attention, les boissons ne sont pas comprises.

|●| **Karpathos** *(plan A3, 47) :* Rodolfo Gomez 110 ; face à l'*hôtel San Marino.* ☎ 223-15-62. Ouvert de 8 h 30 à 23 h. Un resto grec (rarissime au Mexique). Agréable ambiance méditerranéenne, dans les tons bleu et blanc. Les plats sont copieux et la moussaka délicieuse. Dans un cadre frais et reposant, un peu en retrait de l'animation. Également une carte de cuisine italienne.

Chic : de 150 à 250 $Me (10,50 à 17,50 €)

|●| **Pipi's** *(plan B1, 48) :* à l'angle de Pipila et G. Sanchez. ☎ 223-27-67. Ouvert tous les jours de 11 h à 23 h. Le resto de fruits de mer branché du moment. C'est la cohue le soir. Très

bonne cuisine et plats copieux. Goûtez à la savoureuse *margarita* à la framboise.

|●| **La Dolce Vita** *(plan B1, 49) :* sur le *malecón*, à côté du *Hard Rock*

Café. ☎ 222-38-52. Là aussi, on doit souvent faire la queue le soir pour avoir une table. Il est vrai que les pizzas, cuites au feu de bois, sont absolument divines. Terrasse avec vue sur le mer.

Plus chic : plus de 250 $Me (17,50 €)

|●| ***El Palomar de los Gonzales*** (*plan B3, 50*) : Aguacate 425. ☎ 222-07-95. Prendre la rue Aguacate vers la colline et monter un long escalier ardu avant d'arriver à cet élégant « pigeonnier » qui propose une délicieuse cuisine raffinée. Un endroit de charme. Vue splendide sur la ville et la baie. Pour assister au coucher de soleil, arriver tôt et s'installer au bord de la petite piscine en sirotant une *piña colada*.

Où prendre le petit déjeuner ?

|●| ***Fredy's Tucan*** (*plan A3, 26*) : Badillo 237. Le resto de *La Posada de Roger* (voir « Où dormir ? »). Ouvre à 7 h 30. *Pancakes, waffles, peanut's butter,* etc. Bref, tout à fait mexicain.

|●| ***Planeta Vegetariano*** (*plan B2, 43*) : voir « Où manger ? ». Ouvre à 8 h. Formule buffet vraiment bon marché, servie jusqu'à midi. Très sympa pour démarrer la journée.

|●| ***Una Página en el Sol*** (*plan A3, 44*) : voir « Où manger ? ». Ouvre dès 7 h. Très bon café, *espresso* ou *cappuccino*. Même l'*americano* est parfaitement buvable. Le tout accompagné de pain grillé en feuilletant le journal du matin.

Où sortir le soir ?

Avec la plage, c'est la deuxième activité essentielle ici. Vous pouvez démarrer la soirée sur le *malecón*, autrement dit le front de mer, qui se trouve au nord de la rivière. Là, vous trouverez bien une charmante Américaine (ou un charmant Américain) qui vous indiquera la dernière boîte à la mode.

🍸 ♫ Une solution plus rapide consiste à aller directement au *Hard Rock Café* (*plan B1, 61*), au *Carlos O'Brians* (*plan B1, 62*) ou au très branché *Bar Zoo* (*plan B1, 60*), qui sont tous les trois sur le *malecón*, à quelques mètres l'un de l'autre. On y danse... de plus en plus au fur et à mesure que la nuit avance. Plusieurs kilomètres de queue à l'entrée durant les vacances et ambiance proche de l'hystérie collective.

🍸 Dans la partie sud de la ville, l'atmosphère est plus soft. L'animation se trouve surtout calle Vallarta : quelques bars un peu lourdingues avec *mariachis*. Allez plutôt au bar-disco *Roxy* (*plan A3, 63*) : Vallarta 217. Fermé le dimanche. Bons groupes de rock et ambiance sympa. Pas de *cover* et la bière n'y est pas chère.

♫ Quant aux gays, ils seront aussi heureux qu'à Acapulco. Le plus simple pour eux est d'aller tout droit au fameux bar-disco *Paco Paco* (*plan A3, 64*) : Vallarta 278. Le bar (en terrasse sur le toit) ouvre dès la fin d'après-midi. Là, se rencarder sur la suite des opérations.

À voir. À faire

🚶🚶 ***Balade dans la ville :*** dans la partie nord, la vieille ville qui surplombe la cathédrale est pleine de charme. Rues pavées de cailloux ronds, terrasses fleuries, abondance de bougainvillées multicolores, toits de tuiles rouges et, au détour d'un escalier, de superbes vues sur la baie. N'oubliez pas votre appareil photo.

🕏 *La place principale* (zócalo ; plan A2) : au nord de la rivière, avec sa *cathédrale* coiffée d'une reproduction géante de la couronne de l'impératrice Charlotte. Du 1ᵉʳ au 12 décembre (le jour de la fête nationale de la Guadalupe), elle est illuminée comme un gros gâteau d'anniversaire, et le soir, les corporations de la ville viennent en procession y faire leurs dévotions.

🕏 En bord de mer, le *malecón* (la Promenade des Anglais locale) est un point de passage obligé pour admirer le coucher de soleil.

🕏 *L'île Cuale :* avec ses boutiques de souvenirs et ses restos très chic et hors de prix. Promenade très agréable.

Achats

Les occasions de se laisser tenter ne manquent pas. Les boutiques et les galeries d'art sont nombreuses. Certaines proposent de magnifiques objets d'artisanat huichol (voir plus loin le chapitre « Real de Catorce »).

🌐 *Galerie Huichol Collection* (plan B1, 70) : sur le *malecón*, en face de la statue de l'hippocampe (le symbole de Vallarta). ☎ 222-01-82. Pour le plaisir des yeux, de l'imaginaire, et pour stimuler les méandres souterrains de l'inconscient archaïque.

🌐 *Marché d'artisanat* (plan B2, 40) : le plus grand se trouve au marché municipal, dans le prolongement d'Insurgentes, juste après le pont, au rez-de-chaussée et au 1ᵉʳ étage.

Les plages

Cette baie immense (la plus grande du Mexique) compte de nombreuses plages. Dans la ville même (plan A3), deux belles plages pour les flemmards, où l'on peut se baigner sans risque : la *playa Olas Altas* et la *playa de los Muertos.* Sur cette dernière, il y a un petit *embarcadère* (plan A3, 8) pour prendre le bateau-taxi ou partir à la pêche.

Vers le sud

C'est là que se trouvent les plus belles plages. Pour s'y rendre, prenez le colectivo au square Lázaro Cárdenas (plan A3, 9), dans la rue V. Carranza. Départ toutes les 10 à 15 mn. Ces colectivos vont jusqu'à Boca de Tomatlán, mais ils s'arrêtent où vous voulez le long de la splendide route côtière.

◿ *Mismaloya :* la plus célèbre et le coin favori des cinéastes. À la suite de Huston, c'est Bebel qui est venu tourner ici Le Magnifique. Et plus tard, Schwarzy a joué les Predators, un peu plus haut dans la forêt vierge. Au bout de la plage, on peut visiter les restes de bâtiments qui apparaissent dans La Nuit de l'iguane : prenez le sentier côtier jusqu'à l'iguane en ciment.

➤ Si la plage vous ennuie, l'alternative consiste à partir dans les montagnes à travers la forêt vierge. La balade classique, c'est de grimper jusqu'à l'*Eden,* un resto au bord d'une rivière, sur les lieux du tournage de Predators, d'où la carcasse d'hélicoptère. On peut y aller à pied (environ 5 km) et revenir en taxi ; ou l'inverse. Un petit conseil : prévoyez de ne rien consommer à l'*Eden.* C'est de la pure arnaque.

➤ Même balade mais à cheval : allez au ***Rancho Manolo,*** un loueur de chevaux installé à Mismaloya, sous le pont de la route côtière. ☎ 228-00-18 (le matin) et ☎ 222-36-94 (l'après-midi). Pour plus de sécurité, on peut réserver les chevaux la veille. Compter 3 h aller-retour jusqu'à l'*Eden,* trempette dans la rivière comprise. Les bons cavaliers se donneront encore plus de frissons d'aventure avec une randonnée de 9 h dans la montagne.

△ ***Boca de Tomatlán :*** un peu plus loin sur la route, à 17 km de Vallarta. Une charmante petite crique où il n'y a pas encore d'hôtel. Seulement quelques paillotes où l'on déguste des fruits de mer. C'est aussi là que l'on peut prendre un hors-bord *(lancha)* pour les plages qui suivent.

△ ***Las Ánimas, Quimixto et Yelapa :*** trois plages idylliques auxquelles on n'accède guère qu'en bateau, et qui accueillent durant la journée les cargaisons de touristes en provenance de Puerto Vallarta. Prendre le bateau-taxi à l'*embarcadère (plan A3, 8)* de la plage de los Muertos vers 10 h et 11 h ; mais c'est assez cher. La solution la plus économique est d'aller en bus jusqu'à Boca de Tomatlán et, de là, prendre une *lancha* qui vous conduira à la plage de votre choix. En haute saison, c'est très organisé et le prix du passage est élevé. En basse saison, on peut négocier. Ou, mieux, faire la traversée avec la barque de ramassage scolaire. *Conseil :* si c'est possible, ne prenez pas le retour, vous déciderez sur place. Mais renseignez-vous auparavant de l'heure de passage des dernières *lanchas* ; sinon, ce sera dodo sur la plage.
– ***Las Ánimas :*** c'est la plus proche (donc le moins cher pour y aller) et aussi la plus jolie et la plus tranquille. Les bateaux de croisière n'y débarquent pas trop. Belle balade à pied pour rejoindre la plage de Quimixto, en longeant la côte (1 h de marche).
– ***Quimixto :*** ravissante également, et déjà un peu plus fréquentée. Mais en marchant un peu, vous trouverez sans difficulté un p'tit coin désert rien que pour vous. Cascade dans la jungle à 30 mn à pied ou à cheval.
– ***Yelapa :*** la plage la plus éloignée. Depuis Vallarta, compter 45 mn en bateau-taxi. C'est la plus touristique, et le petit village est squatté par une colonie de riches Américains. On peut y loger (un hôtel sur la plage et d'autres plus modestes que le village), et le soir, quand les bateaux touristiques sont partis, c'est très sympa.

Vers le nord

△ ***Chacala :*** à 1 h 30 au nord de Vallarta. Un petit village de pêcheurs de 300 âmes, installé au fond d'une anse parfaite. Magnifique plage bordée par une immense palmeraie. Ambiance douce et paisible. Quelques mini-hôtels, mais on peut aussi dormir chez l'habitant grâce à l'association *Techos de Mexico* (● www.laneta.apc.org/techosdemexico ●). Allez chez Aurora : de la terrasse, vue sublime sur la baie. Et pour partir à la pêche, visiter les grottes sous-marines ou suivre les baleines (de décembre à février), allez chercher Oscar (bavard et très sympa) sur le môle du petit port (ou chez lui, casa Mirador).
➤ *Pour y aller :* bus jusqu'à Las Varas. Demandez au chauffeur de vous laisser avant l'entrée de ce bourg, à l'embranchement pour Chacala. Il reste 9 km, en taxi collectif ou en stop. Le hameau se trouve au bout, sur la droite, vers le port.

GUADALAJARA   3,5 millions d'hab.   IND. TÉL. : 33

Ville test pour la prononciation, Guadalajara cherchera aussi à tester votre condition physique. La deuxième conurbation du Mexique (5 à 6 millions d'habitants) est aussi la ville de la musique et de la danse. C'est le berceau des *mariachis,* qui sont nés ici, moulés dans leur costume super-sexy et coiffés de leur grand chapeau rond, le fameux *sombrero* mexicain. Et puis il y a la célèbre *tequila,* produite dans le village du même nom, à quelques kilomètres de là. Rien d'étonnant, donc, à ce que Guadalajara aime faire la fête. On ne s'en plaindra pas.

En se promenant dans le centre historique, on ne peut s'empêcher de penser à Nuño de Guzmán, le plus brutal et le plus cruel des conquistadors, qui massacra une bonne partie des Indiens, fit venir ses petits copains espagnols et fonda la ville. Cela dit, le centre historique, avec ses rues piétonnes, recèle de belles maisons coloniales et quelques magnifiques édifices publics. Les quatre places qui se succèdent, de la cathédrale à l'Hospicio Cabañas, constituent une impressionnante réalisation architecturale, désormais consacrée à de très agréables promenades.

– En octobre, nombreuses manifestations culturelles, concerts et événements festifs.

Arriver – Quitter

En bus

Gare routière : pour y aller, prendre le bus urbain n° 275, le bus TOUR (n° 706) ou le bus Cardenal (n° 709). Ils passent toutes les 15 mn environ sur 16 de Septiembre, à l'angle avec Prisciliano Sánchez (*plan II, D5, 2*). Compter 30 mn de trajet. Navette entre les 2 terminaux toutes les 10 mn.

Renseignements sur les destinations et les horaires à l'office de tourisme.

Achat des billets *Primera Plus, ETN* et *Omnibus de Mexico* à

AGUASCALIENTES, ZACATECAS, SALTILLO

MÉXICO, QUERÉTARO, MORELIA, SAN LUIS POTOSÍ

LA CÔTE PACIFIQUE NORD

GUADALAJARA (PLAN I)

l'agence de voyages *Turismo Son-risa* (voir « Adresses utiles »).

■ *Flecha Amarilla* (la compagnie la moins chère) *et Primera Plus :*

☎ 36-19-45-33, 36-00-02-70 et 36-00-03-98.

■ *ETN :* le grand luxe ! ☎ 36-00-00-25 et 04-48.

➢ *Pour/de Mexico :* une dizaine de compagnies assurent des départs jour et nuit pour la capitale. Trajet : de 7 h à 8 h. Prendre un bus de nuit ; avec *ETN* par exemple, les sièges se transforment en couchette (cher).

➢ *Pour/de Manzanillo :* avec, entre autres, *Flecha Amarilla, Primera Plus* et *ETN.* Départ toutes les heures environ. Trajet : 5 h.

➢ *Pour/de Puerto Vallarta :* avec, entre autres, *Primera Plus, Futura* et *ETN.* Départ toutes les 30 mn environ. Trajet : 5 h 30.

➢ *Pour/de Morelia :* au moins 4 compagnies, dont *Primera Plus* et *ETN.* Départ toutes les heures environ. Attention, certains bus prennent la nationale (trajet : de 4 h à 5 h), d'autres l'autoroute (trajet : 3 h).

➤ *Pour/de Zacatecas :* avec, entre autres, *Chihuahuense, Futura* et *Turistar.* Départ toutes les 30 mn environ. Trajet : 4 h 45.

➤ Également des bus pour et de *Querétaro, San Miguel de Allende, Guanajuato,* etc.

En avion

✈ *Aéroport international (hors plan I par B2) :* ☎ 36-88-53-76. Pour s'y rendre, prendre le bus *ATASA* qui passe à la *Central Antigua (plan I, B2, 1)* à chaque heure ronde + 10 mn. Compter 40 mn de trajet.

■ *Aeromexico (plan II, D5, 5) :* Corona 196, à l'angle avec Madero. ☎ 36-13-69-90. À l'aéroport : ☎ 36-88-56-66. Ouvert du lundi au samedi de 9 h à 18 h.

➤ Avec *Aeromexico,* vols pour de très nombreuses villes du Mexique, via Mexico pour les villes du sud.

➤ *Pour/depuis les États-Unis :* vols avec *Aeromexico, Mexicana, Continental, American* et *Delta Airlines.*

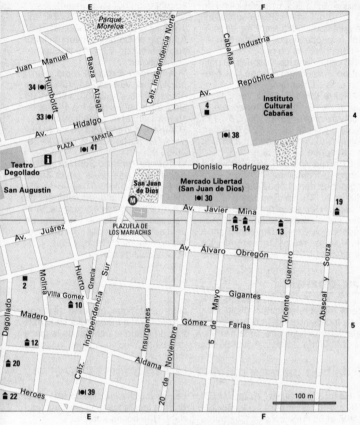

GUADALAJARA (PLAN II)

Comment rejoindre le centre ?

➤ *Depuis le terminal de bus :* la gare routière *(Nueva Central Camionera)* est située à une dizaine de kilomètres au sud-est, en direction de Tlaquepaque. Des bus urbains font la navette avec le centre historique.

➤ *Depuis l'aéroport :* à 20 km au sud de la ville. Le taxi coûte très cher. Prendre le bus *ATASA* à la sortie des vols nationaux, en face de l'hôtel *Sun.* Il passe à chaque heure ronde de 6 h à 18 h. Un bus urbain passe au même endroit toutes les 30 mn. Dans les deux cas, descendre au parc Agua Azul, en face de la Casa de Artesanías *(plan I, B2, 1)* ; puis prendre n'importe quel bus urbain indiquant « Centro ».

Adresses utiles

🅸 *Office de tourisme (plan II, E4) :* Morelos 102. ☎ 36-68-16-00 ou 01. N° gratuit : ☎ 0800-363-22-00.

● www.buscajalisco.com.mx ● Sur la plaza Tapatía, derrière le théâtre Degollado. Ouvert du lundi au vendredi de 9 h à 20 h et le week-end de 9 h à 13 h. Les employés sont sympas. Ils vous indiqueront les spectacles à ne pas louper et vous donneront les horaires de bus.

– En vente dans les kiosques, le petit hebdo *Público*, qui évoque des événements du moment.

✉ **Poste** (plan II, D4) : Venustiano Carranza 16. Tout près du *zócalo*.

@ **Cybercafé** (plan II, C5, 1) : Madero 413. ☎ 36-14-62-87. Ouvert du lundi au vendredi de 8 h à 21 h et le samedi de 10 h à 18 h.

■ **Change** (plan II, E5, 2) : plusieurs bureaux de change sont regroupés dans López Cotilla, entre Milina et 16 de Septiembre. Ils acceptent les euros (espèces seulement) et les dollars (espèces et chèques de voyage). Ouverts jusque vers 19 h, même le samedi. Le dimanche, il y en aura sans doute au moins un qui sera ouvert.

■ **Banamex** (plan II, D5, 3) : av. Juárez 237. ☎ 36-79-32-52. À l'angle de Corona. Ouvert du lundi au vendredi de 9 h à 16 h. Guichet automatique.

■ **American Express** (hors plan I par A1) : av. Vallarta 2440 (plaza Los Arcos). ☎ 36-30-02-00. Ouvert du lundi au vendredi de 9 h à 14 h et de 16 h à 17 h, et le samedi matin.

■ **Alliance française** (hors plan I par A1-2) : López Cotilla 1199. ☎ 38-25-55-95.

■ **Agence Turismo Sonrisa** (plan II, F4, 4) : en bas de la plaza Tapatía 63. ☎ 36-18-96-01 et 36-17-25-11. Ouvert du lundi au vendredi de 9 h à 19 h et le samedi jusqu'à 14 h. Personnel compétent. En outre, on peut acheter ici les billets de bus pour les compagnies *Primera Plus*, *ETN* et *Omnibus de Mexico*.

Où dormir ?

Deux zones relativement distinctes : le centre historique, à l'ouest de la calzada Independencia (à ne pas confondre avec la calle Independencia) ; et le quartier très populaire de la rue Mina, près du grand marché et de la place des Mariachis. Le soir, évitez de vous y trimbaler avec vos malles Vuitton...

Très bon marché : moins de 210 $Me (14,70 €)

▨ **Hôtel Occidental** (plan II, E5, 10) : Villa Gómez 17. ☎ 36-13-84-06 et 08. Très correct. Chambres lumineuses et propres, avec salle de bains (eau chaude). De nouveaux lits ont fait leur apparition. Accueil souriant. Une bonne adresse.

Bon marché : de 210 à 300 $Me (14,70 à 21 €)

▨ **Hôtel Posada San Pablo** (plan II, C5, 11) : Madero 429 ; attention, pas d'enseigne à l'extérieur. ☎ 36-14-28-11. Dans une vaste maison tranquille, chambres très spacieuses, avec ou sans bains. Préférer celles donnant sur la terrasse du 1er étage. Tout est très propre. La patronne veille au grain depuis plusieurs décennies. Laverie.

▨ **Hôtel Latino** (plan II, E5, 12) : Prisciliano Sánchez 74. ☎ 36-14-44-84 et 62-14. Bon petit hôtel, propre et confortable. Chambres avec *baño*, certaines avec lit *king size*. Seul problème : l'hôtel est vite complet et on ne peut pas réserver. Arriver tôt.

▨ **Hôtel Mexico 70** (plan II, F4-5, 13) : Mina 230. ☎ 36-17-99-78. Chambres sommaires mais convenables, avec bains. Ne laisse pas un souvenir impérissable, mais c'est le moins cher de cette catégorie. Si c'est complet, allez voir son clone, l'*hôtel San Jorge*, un peu plus haut dans la rue (même proprio).

▨ **Hôtel Imperial** (plan II, F4-5, 14) : Mina 180. ☎ 35-86-57-18. Bien tenu. Grandes chambres proprettes, avec salle de bains moderne. Évitez celles donnant sur la rue. Bonne literie et TV.

▤ *Hôtel Ana Isabel* (plan II, F4-5, **15**) : Mina 164. ☎ 36-17-79-20. Les chambrettes s'alignent sur 2 étages autour d'un hall intérieur. Très correctes, avec bains. Propre.

Prix moyens : de 300 à 500 $Me (21 à 35 €)

▤ *Hôtel Sevilla* (plan II, C5, **16**) : Prisciliano Sánchez 413. ☎ 36-14-91-72 et 93-54. Entièrement rénové. Chambres nickel et bonne literie. Salle de bains moderne, ventilo, TV câblée et téléphone. Ascenseur, cafétéria et parking. Les chambres à un lit double offrent un excellent rapport qualité-prix. Petit hic : on entend la disco d'à côté dans certaines chambres. À part ça, une bonne option.

▤ *Hôtel Posada San Rafael* (plan II, C5, **17**) : López Cotilla 619. ☎ 36-14-91-46. Dans une grande maison construite pour une famille française en 1750. Admirez les frises au plafond (6 m de hauteur !). Une douzaine de chambres spacieuses, disposées autour d'un calme et plaisant patio. Certaines sont rénovées et disposent d'une salle de bains moderne ; donc 2 tarifs. Service de laverie et accès Internet.

▤ *Hôtel Posada Regis* (plan II, D5, **18**) : Corona 171. ☎ 36-14-86-33 et 36-13-30-26. Entrée discrète, à côté d'un immense parking. Une splendide demeure fin XVIIIe, à la magnifique déco un peu défraîchie. Chambres spacieuses, avec des plafonds dont vous ne verrez pas le bout. Évitez celles donnant sur la rue. Le tout reste plein de charme et en assez bon état. Grande véranda bourrée de plantes.

▤ *Hôtel Azteca* (plan II, F4, **19**) : Mina 311. ☎ 617-74-65. Hôtel moderne et confortable pour un quartier très populaire. Chambres avec ventilo, TV câblée, téléphone. Terrasse sur le toit. Ascenseur, parking et resto. Bon rapport qualité-prix pour les chambres à lit *matrimonial,* cher pour celles à 2 lits.

Chic : de 500 à 700 $Me (35 à 49 €)

▤ *San Francisco Plaza* (plan II, E5, **20**) : Degollado 267. ☎ 36-13-89-54, 89-66 et 89-71. Fax : 36-13-32-57. Belle bâtisse. Plus de 70 chambres disposées autour de plusieurs patios. Très spacieuses et confortables, avec de beaux meubles en bois. Tous les services de cette catégorie. Grand resto sous les arcades en pierre. Formule buffet tous les jours pour le petit déjeuner. Bon rapport qualité-prix.

▤ *Don Quijote* (plan II, E5, **22**) : Heroes 91. ☎ 36-58-12-99. Fax : 36-14-28-45. Au bout de Maestranza. Joli hôtel de style colonial. Bien entretenu. Chambres confortables, avec parquet et carrelage. Salles de bains de bonne taille. Petit resto.

Où manger ?

Bon marché : moins de 70 $Me (5 €)

|●| *Mercado Libertad* (ou San Juan de Dios ; plan II, F4, **30**) : au 1er étage, des dizaines de stands de nourriture où l'on peut manger correctement, dans une ambiance unique. Bien se faire préciser les prix avant de commander.

|●| *Mercado Corona* (plan II, C4, **31**) : à l'angle de Hidalgo et Santa Monica. Plus petit que le précédent, mais atmosphère plus familiale, plus liée au quartier. Goûtez aux *tacos* de chez *Rizo*. Miam ! N'oubliez pas de monter au 1er étage pour les herbes médicinales.

|●| *Café Madrid* (plan II, D5, **32**) : av. Juárez 262. ☎ 36-14-95-04. Ouvert de 7 h 30 à 22 h 30. Dans le plus pur style Formica des années 1960. Très sympa le matin pour un bon petit

déjeuner (céréales, salades de fruits, jus naturels). De plus, un vrai *espresso* ! En journée, bonne et copieuse *comida corrida*. Clientèle d'habitués.

|●| *Los Cantaritos* (plan II, E4, 33) : Humboldt 67. ☎ 36-13-51-74. Petit resto de quartier ouvert à partir de 8 h et pour le déjeuner. Fermé le dimanche. Les employés du coin s'y bousculent. Et pour cause : on y sert une appétissante *comida corrida*, copieuse et pas chère. Avec, en plus, quelques tables en terrasse. Si c'est complet, allez juste à côté, à *El Pinguino* ; même style.

|●| *Las 2B* (plan II, E4, 34) : Humboldt 105. Ouvert du lundi au vendredi dans la journée. Encore un resto plébiscité par les employés du voisinage à l'heure du déjeuner. Cuisine familiale, variée et servie généreusement. Petits prix.

|●| *Villa Madrid* (plan II, C5, 35) : à l'angle de López Cotilla et E.G. Martinez. ☎ 36-13-42-50. Ouvert de 12 h 30 à 21 h. Fermé le dimanche. Cadre rafraîchissant, avec des montagnes de fruits tropicaux. Viande, hamburgers, salades composées... et un magnifique choix de jus de fruits, de *licuados* et de yaourts maison aux fruits.

|●| *Aquarius* (plan II, C5, 36) : Priscillano Sánchez 416. ☎ 36-13-62-77. En face de l'hôtel *Sevilla*. Ouvert pour le déjeuner seulement. Fermé le dimanche. Resto végétarien où l'on sert un bon et copieux menu. Non-fumeurs.

Prix moyens : de 70 à 150 $Me (5 à 10,50 €)

|●| *Café Madoka* (plan II, C5, 37) : E. Gonzalez Martínez 78. ☎ 36-13-06-49. Ouvert tous les jours de 8 h à 22 h 30. Dans un décor désuet à souhait, une cafétéria immense, proposant quinze sortes de cafés et plein de plats sympas. Ambiance animée et service longuet. Les vieux Mexicains viennent y jouer aux dominos ou lire le journal. Le « vrai » Mexique comme il se fait de plus en plus rare.

|●| *Las Sombrillas del Cabañas* (plan II, F4, 38) : en bas de la plaza Tapatía, face à l'ex-hospicio Cabañas. ☎ 36-18-69-66. Ouvert tous les jours de 10 h à 21 h. Touristique mais bien agréable avec ses nombreuses tables en terrasse sous des parasols. Spécialités mexicaines et *tostadas*. Grand choix de *molcajetes*, la spécialité de la maison. Ballet folklo-rique les samedi et dimanche à partir de 16 h.

|●| *Nuevo León* (plan II, E5, 39) : calzada Independencia 223. ☎ 38-25-78-27. Ouvert tous les jours de 11 h à 23 h. Très bon resto, proposant du chevreau au gril à un prix raisonnable.

|●| *La Chata* (plan II, D5, 40) : Corona 126. ☎ 36-13-05-88. Ouvert tous les jours de 8 h à minuit. Toujours du monde. Ça en dit long sur la qualité des spécialités mexicaines qu'on y mange.

|●| *Tacos Providencia* (plan II, E4, 41) : Morelos 86 (partie piétonne) ou plaza Tapatía. ☎ 36-13-99-14. Pour manger de délicieux *tacos* dans le superbe cadre d'une vaste maison de style colonial. Les autres plats sont quelconques et chers.

Où prendre le petit déjeuner ?

|●| *Panadería Danés* (plan II, C5, 50) : à l'angle de Madero et Donato Guerra. ☎ 36-13-44-01. Ouvert tous les jours de 9 h à 21 h. Plein de délicieux *panes dulces* (viennoiseries) et même des croissants, *cuernitos*, c'est-à-dire « petites cornes ».

|●| Petit dej' servi jusqu'à midi (accompagné d'un bon café !) au *Café Madrid*, à *La Chata* et au *Café Madoka* (cher tout de même pour ce dernier). Voir « Où manger ? ».

Où boire un verre ? Où danser ?

♪ La Mutualista *(plan II, C5, 60) :* Madero 553, à l'angle de 8 de Julio. Ouvert dans l'après-midi et jusque tard le soir. Fermé le dimanche. Quand une ancienne *cantina* réservée aux commis voyageurs de la ville devient une boîte branchée ! Concerts de rock le samedi soir. Ambiance d'enfer.

♪ Terraza Oasis *(plan II, D5, 61) :* sur Morelos (partie piétonne), entre Colón et Galeana. ☎ 36-13- 82-85. Entrée par une sorte de galerie commerciale ; ne pas confondre avec le resto d'à côté, du même nom. Ouvert tous les jours de 11 h à 21 h 30. Une immense salle au 2ᵉ étage, qui domine la rue. Ici, c'est le règne du Mexique populaire comme vous ne le goûterez que dans le nord du pays. À partir de 18 h, oui, en plein après-midi, un orchestre se met à jouer, et la salle de s'ébranler. Jeunes fiancés, retraités, couples déparellés se bousculent sur la piste de danse. À ne pas rater. En plus, les prix sont aussi cool que l'ambiance.

♪ La Maestranza *(plan II, D5, 62) :* Maestranza 179. ☎ 36-13-58-78. Ouvert de midi à minuit (plus tard le week-end). Un immense bar au décor chaleureux. Clientèle de trentenaires dans le vent. On y va surtout pour prendre un verre le soir et pour y danser entre les tables.

♪ Caudillos *(plan II, D5, 63) :* Priscillano Sánchez 407, à l'angle avec Ocampo. Ouvert tous les soirs à partir de 20 h. L'une des nombreuses boîtes gays de Guada. Entrée gratuite et conso super bon marché. Toujours plein à craquer.

À voir

➤ **Visite guidée** à pied du centre historique. Départ le samedi matin à 10 h 15, en face de l'entrée du Palacio Municipal. Compter 2 h 30 de parcours. Gratuit.

Catedral *(plan II, D4) :* sa construction se termina en 1618, mais les tours furent reconstruites deux siècles plus tard à la suite d'un tremblement de terre. Intérieur néoclassique sans grand charme.

Palacio Municipal *(plan II, D4) :* ouvert du lundi au vendredi de 9 h à 20 h. Visite gratuite. Fresque murale de Flores, élève d'Orozco. Cinq parties sur l'histoire mexicaine.

Palacio de Gobierno *(plan II, D4-5) :* ouvert tous les jours de 9 h à 20 h. Entrée gratuite. Magnifique façade (1774) pour le siège du gouvernement de l'État de Jalisco. À l'intérieur, célèbre peinture murale d'Orozco, de 400 m², qui domine l'escalier central. Au centre d'une humanité écrasée par les tragédies, les guerres, la religion hypocrite et les idéologies totalitaires, se dresse l'homme pur et incorruptible : Hidalgo, le grand héros initiateur de la Révolution mexicaine. De sa main puissante, il éclaire le chemin avec une torche. Impressionnant. Dans la salle du Cóngrès, autre fresque qui illustre l'abolition de l'esclavage par Hidalgo.

Museo regional *(plan II, D4) :* Liceo 60. À côté de la cathédrale, face à la place de la Rotonda de los Hombres Ilustres. Ouvert du mardi au samedi de 9 h à 17 h 30 et le dimanche de 9 h à 17 h. Entrée : 32 $Me (2,30 €) ; gratuit pour les étudiants. Département archéologique important et peintures régionales des XVIIIᵉ et XIXᵉ siècles.

Teatro Degollado *(plan II, E4) :* de style néoclassique. Ouvert en principe aux visites de 10 h à 14 h. Fermé le dimanche. Plafond peint par Orozco, qui s'est inspiré d'un des cantiques de *La Divine Comédie* de Dante. Ballet folklorique le dimanche à 10 h : deux heures de spectacle de qualité.

🏃🏃🏃 *Instituto Cultural Cabañas* (ex-Hospicio ; plan II, F4) : ☎ 38-18-28-00. Ouvert du mardi au samedi de 10 h à 18 h et le dimanche de 10 h à 15 h. Entrée pas chère ; 50 % de réduction pour les étudiants. Imposant édifice néoclassique (1810), déclaré Patrimoine de l'Humanité par l'Unesco. Rien moins que 23 patios ! Il servit d'orphelinat durant de nombreuses années. Dans la chapelle, magnifiques fresques d'Orozco peintes en 1937. Au total, 53 peintures et 2 ans de travail. Les explications du guide valent vraiment la peine, car chaque peinture recèle des effets d'optique incroyables. La pièce maîtresse par exemple, *El Hombre de fuego*, est une véritable prouesse technique : bien que peint sur la surface concave de la coupole, « l'Homme de feu » paraît complètement droit. Des bancs permettent de se coucher pour mieux admirer les fresques du plafond.

🏃🏃 *Les églises* (plan II) : la tournée des *templos* est un bon prétexte pour se balader dans les rues du centre historique. Très belles façades pour certaines : *San Felipe Neri, Santa Monica, Jesús Maria, Arenzazú* (splendides retables dans cette dernière, mais l'église est souvent fermée)...

🏃 *Museo de la Ciudad* (plan II, C4) : Independencia 684. ☎ 36-58-37-06. Ouvert du mardi au samedi de 10 h à 17 h et le dimanche jusqu'à 14 h 30. Entrée à prix symbolique. L'histoire de la ville depuis sa fondation en 1542. Intéressant.

🏃🏃 *Museo de las Artes populares* (plan II, D4) : San Felipe 211. ☎ 36-14-38-91. Ouvert du mardi au samedi de 10 h à 18 h et le dimanche matin. Entrée gratuite. Bon aperçu de la variété de l'artisanat de la région : verre soufflé, magnifiques objets en terre cuite, ex-voto, art des Indiens Huicholes... Vous verrez aussi des boules de Noël, une tradition du village de San Julian. Une salle est consacrée à la *charrería* : costumes des cavaliers, somptueuses selles et harnais en cuir.

🏃 *Plazuela de los Mariachis* (plan II, E5) : l'ancien royaume des *mariachis* a bien perdu de sa superbe. Ambiance mi-glauque mi-touristique. Mais c'est là que vous viendrez pour offrir quelques chansons à votre dulcinée. Tout autour s'étend un quartier très chaud le soir. Plein de *cantinas* d'où s'échappent des flots de musique. La tequila coule éperdument, les corps des danseurs évoluent dans une chaleur moite, chemises et robes collent à la peau. Vous pariez combien que Blaise Cendrars et Charles Bukowski sont passés par là ?

🏃 *Mercado Libertad* ou *San Juan de Dios* (plan II, F4) : immense (3 étages) ! Pas d'artisanat, mais ambiance unique.

➤ DANS LES ENVIRONS DE GUADALAJARA

🏃🏃 *Tlaquepaque* : à 15 mn du centre-ville. Prendre le bus n° 275 dans la rue 16 de Septiembre, à l'angle avec Priscilliano Sánchez (plan II, D5, **2**). Il existe également des bus « spécial touristes », bleus, beaucoup plus chers. Descendre quand on voit un panneau qui indique « Tlaquepaque » sur la gauche.
Un très joli village colonial, qui vous ravira les mirettes. Ici, l'artisanat s'est élevé au rang de l'art : de très belles pièces qui valent le coup d'œil mais évidemment très chères. Beaucoup de galeries d'art. Vous pourrez toujours aller voir les deux superbes églises, vous promener dans les ruelles et autour du *zócalo*, parce que ça, c'est gratuit. De même le *musée de la Céramique*, dans la rue piétonne, ouvert de 10 h à 18 h (15 h le dimanche).

🏃 *Tonalá* : petit village pas loin de Guada. Bus n°s 275 ou 231 à prendre dans la rue 16 de Septiembre (plan II, D5, **2**), comme pour Tlaquepaque ; compter 35 mn de trajet.

Tonalá est réputé pour ses céramiques et poteries à des prix défiant toute concurrence. Marché les jeudi et dimanche. C'est immense, populaire, et il n'y a pas de touristes. Vous pourrez faire de très bonnes affaires.

🎬 *Tequila :* à 60 km de Guada. Des bus partent toutes les 20 mn de l'ancienne station de bus, la *Central Antigua (plan I, B2, 1).* On peut aussi y aller en train, avec le *Tequila Express.* Très cher, et ambiance pigeons en goguette.

Village dédié à la boisson nationale ; désormais célèbre dans le monde entier. La consommation a été multipliée par 15 entre les années 1970 et 2000 ! À tel point que la région a connu une grave crise de sous-production de l'agave bleu, dont on tire le précieux nectar (voir le chapitre « Boissons » dans les « Généralités »). À Tequila, rien moins que 18 distilleries, dont les deux leaders nationaux *Cuervo* et *Sauza*. Imaginez un instant que le fantasme de Salman Rushdie dans *La terre sous ses pieds* (Plon, 1999) devienne réalité et qu'à la suite d'un séisme, les rues de Tequila se transforment en fleuve d'alcool... Visite des usines ; avec dégustation à la clé, évidemment. Très touristique.

Peut-être plus authentique, une autre distillerie se visite à Amatitán (sur la route, le bus pour Tequila s'y arrête), l'*Hacienda San Jose del Refugio* (☎ 39-42-39-00). L'hacienda elle-même est magnifique – cour ombragée, patio, une bibliothèque fascinante – et la visite plus complète. On peut même voir les cuves de fermentation et finir par une généreuse dégustation (hic !).

LA CÔTE PACIFIQUE NORD

QUERÉTARO

480 000 hab.   IND. TÉL. : 442

Première grande ville coloniale à 220 km au nord de Mexico, Querétaro séduit par sa beauté lumineuse, ses ruelles et ses places romantiques, la gentillesse de ses habitants... et ses quelque 3 000 édifices historiques ! Le centre est un délice, les demeures coloniales aux couleurs chaudes bordent des rues piétonnes, pavées d'énormes dalles, et des places ombragées, qui rivalisent de charme. Le soir, les innombrables dômes et clochers s'illuminent et toutes les générations sortent pour leur balade vespérale. Vous l'aurez compris, Querétaro est une escale de charme dans le circuit des villes coloniales, et un lieu prisé des habitants de la capitale ; les hôtels sont donc souvent complets le week-end et en période de fête. Mieux vaut réserver pour ne rien perdre de son plaisir...

Arriver – Quitter

En bus

🚌 **Le terminal** se trouve Prolongación Luis Vega y Monroy 800. ☎ 229-01-81 et 82. Assez loin du centre, mais de nombreux minibus font la liaison. Il est divisé en deux parties distinctes :
– l'édifice A, pour les bus de 1re classe et de luxe : *Primera Plus* (☎ 211-40-01), *ETN* (☎ 229-00-19), *Omnibus de México* (☎ 229-03-29) ;
– l'édifice B, pour les bus bon marché et les petites destinations : *Flecha Amarilla* (☎ 211-40-01), *Estrella Blanca* (☎ 229-02-02).

➤ **De et vers Mexico :** station de bus *Norte*. Départs en permanence avec plusieurs compagnies : *Estrella Blanca, ADO, Futura*... Plus confortable et plus rapides : *Primera Plus* et *Omníbus de Mexico*. Et encore plus chic : *ETN*. Compter 2 h 40 à 3 h 30 de trajet.
– Avec *ETN* et *Primera Plus,* départ pour le terminal de bus *Norte* toutes les 30 mn environ, de 4-5 h du matin à 23 h. À noter : de 2 h du mat' à 18 h, *Primera Plus* assure chaque heure une liaison avec l'aéroport international.
➤ **De et vers San Miguel de Allende :** très bonnes fréquences ; départ toutes les 30 mn en 2e classe. Avec *ETN*, départs à 13 h, 15 h 30, 19 h 30 et 21 h 20. Trajet : 1 h.
➤ **De et vers San Luis Potosí :** liaisons fréquentes avec toutes les compagnies de 2e classe. Également 3 départs tôt le matin, puis toutes les heures environ de 8 h 45 à 18 h avec *Primera Plus*. Avec *ETN*, départs à 13 h et 17 h. Trajet : 2 h 30 à 3 h 30.
➤ **De et vers Guanajuato :** liaisons quotidiennes fréquentes en 2e classe. Avec *Primera Plus*, départs à 8 h 30, 11 h 30 et 17 h 30. Trajet : 2 h 30.
➤ Également des liaisons fréquentes avec **Guadalajara** et **Morelia**. Et n'hésitez pas à demander la destination de votre choix.

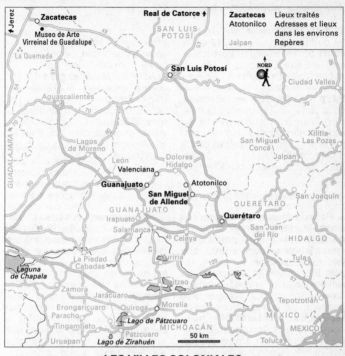

LES VILLES COLONIALES

Adresses utiles

Office de tourisme *(plan B1) :* Pasteur Norte 4. ☎ 238-50-00. ● www.queretaro.gob.mx/turismo ● À deux pas de la plaza de Armas. Ouvert tous les jours de 9 h à 20 h. Plan de la ville et infos sur les spectacles du moment.

✉ **Poste** *(plan A2) :* Arteaga 5. Ouvert du lundi au vendredi de 8 h à 18 h et le samedi de 9 h à 13 h.

■ **Change :** *Mercantil Divisas (plan A2, 1),* Juárez Sur 58. Ouvert du lundi au samedi de 9 h à 18 h. Ou *Cambio Express (plan A1, 2),* av. Corregidora 10 Sur. Sinon, distributeurs de billets dans toutes les banques du centre (cartes *Visa* et *MasterCard*), notamment *Bancomer* et *Banamex* sur le jardín Zenea.

■ **Vente de billets de bus** *(plan A1, 3) :* à l'agence *Viajes Opalo,* Juárez 20. Ouvert du lundi au vendredi de 10 h à 14 h et de 16 h à 20 h et le samedi de 10 h à 13 h. Compagnies représentées (1re classe uniquement) : *ETN, Primera Plus, ADO* et *UNO.*

@ **Cyber Space** *(plan A1, 4) :* Juárez 22. En face de la plaza Constitucíon, à l'intérieur de la « Casa Blanca ». Ouvert du lundi au vendredi de 9 h 30 à 21 h 30 et le weekend de 10 h à 21 h.

Où dormir ?

Les hôtels bon marché se sont nettement améliorés ces dernières années, et on trouve dans le centre quelques hôtels sympas à prix raisonnables. Réservation vivement recommandée le week-end, obligatoire durant les vacances de Noël et Pâques.

Très bon marché : moins de 210 $Me (14,70 €)

▨ *Jirafa Roja Hostel (plan B1, 10) :* 20 de Noviembre 72. ☎ 212-48-25 et 51-33. ● www.jirafarojahostel. com ● Entre Dr. Lucio et Manuel Acuña. Compter 10 mn à pied pour rejoindre le centre ; trajet agréable. Petite réduction pour les détenteurs de la carte ISIC ou *Hostelling International*. Voici une petite AJ accueillante, joliment décorée, propre et confortable. Chambres de 4 à 8 personnes avec lits superposés. Deux petites salles de bains commu-

nes. Belle cuisine à disposition, casiers pour les objets de valeur, salon TV et vidéo, accès Internet, laverie. Terrasse sur le toit.
▨ *Hôtel del Marques (plan A1, 11) :* Juárez Norte 104. ☎ 212-04-14 et 05-54. Presque à l'angle avec Universidad. Couloirs tristounets et moquettes usagées. L'ensemble est vieillot et assez défraîchi, mais les chambres et les salles de bains sont correctes, et c'est propre.

Bon marché : de 210 à 300 $Me (14,70 à 21 €)

▨ *Posada Mesón de Matamoros (plan A1, 12) :* andador Matamoros 8. ☎ 214-03-75. ● posadamatamoros@hotmail.com ● Dans une jolie ruelle piétonne, au calme. Un petit hôtel moderne aux chambres simples mais bien arrangées dans un style rustico-colonial, presque pimpantes. Évitez quand même celles du rez-de-chaussée, sombres et manquant d'aération. Tarifs très raisonnables et accueil relax. Un bon rapport qualité-prix. Réservation conseillée.

▨ *Posada Acueducto (plan A2, 15) :* Juárez Sur 64. ☎ 224-12-89. Petit hôtel agréable et tranquille, joliment décoré dans les tons jaune et violet. Chaque chambre est différente. Celles du rez-de-chaussée disposent d'un lit *king size,* mais les salles de bains ne sont pas folichonnes. Préférez les chambres du 1er étage, plus belles et claires, avec des salles de bains modernes. Une adresse bien tenue et idéalement située, d'un excellent rapport qualité-prix.

Prix moyens : de 300 à 500 $Me (21 à 35 €)

▨ *Hôtel Hidalgo (plan A1, 13) :* Madero 11. ☎ 212-00-81 et 81-02. ● www.hotelhidalgo.com.mx ● À 50 m du jardín Zenea. Vieille demeure coloniale entièrement rénovée. Une quarantaine de chambres donnant sur une belle cour à arcades. Moquette et matelas neufs, ventilo, TV couleur. Et des petites salles de bains fringantes. L'ensemble conserve quelques beaux vestiges, une jolie fontaine au centre du patio et les murs couverts d'*azuleros* dans l'entrée. Resto attenant, pratique pour le petit dej'.

▨ *Hôtel Plaza (plan A1, 14) :* Juárez 23. ☎ 212-11-38. Sur la place du jardín Zenea (appelé aussi parc Obregón) ; entrée discrète, à droite de la *Bancomer*. Plusieurs types de chambres, avec salle de bains, TV et téléphone. Certaines sont petites, d'autres donnent sur la place, avec même un petit balcon (plus cher). Éviter celles du rez-de-chaussée ou celles sans vue, sombres et un peu tristounettes. Un hôtel sans aucun charme mais bien tenu et confortable (bonne literie).

Chic : de 500 à 700 $Me (35 à 49 €)

▨ *Hôtel Señorial (plan A1, 16) :* Guerrero 10 A. ☎ 214-37-00. ● hotelsenorial@prodigy.net.mx ● Un grand édifice moderne avec un certain cachet, dans un quartier calme. Rien de colonial, mais l'hôtel est très

convenable et bien tenu. Sanitaires impeccables, AC et téléphone. Restaurant et parking. Une bonne adresse dans cette catégorie, avec de nombreuses chambres, donc pratique en cas d'affluence.

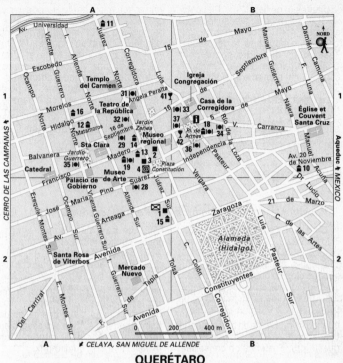

QUERÉTARO

■ **Adresses utiles**

ℹ Office de tourisme
✉ Poste
1 Mercantil Divisas
2 Cambio Express
3 Vente de billets de bus
@ 4 Cyber Space

▲ **Où dormir ?**

10 Jirafa Roja Hostel
11 Hôtel del Marques
12 Posada Mesón de Matamoros
13 Hôtel Hidalgo
14 Hôtel Plaza
15 Posada Acueducto
16 Hôtel Señorial
18 Mesón de Santa Rosa
19 La Casa de la Marquesa

|◉| **Où manger ?**

18 Restaurant de l'hôtel Mesón de Santa Rosa
19 Restaurant de l'hôtel La Casa de la Marquesa
28 Café del Fondo
29 El Super Yogurt
31 La Mariposa
32 Ibis Natura
33 Los Compadres
34 Creperia La Estación
35 El Arcángel
36 El Mesón de Chucho El Roto
37 La Casona

▼ **Où boire un verre ?**

41 Cyrano – Cafe Galeria
42 Cuadros

Beaucoup plus chic : plus de 1 000 $Me (70 €)

▲ **Mesón de Santa Rosa** *(plan B1, 18)* : Pasteur Sur 17, sur la plaza de Armas (appelée aussi plaza de la Independancia). ☎ 224-26-23. Fax : 212-55-22. ● www.mesonsantarosa. com ● Une somptueuse demeure du XVIIᵉ siècle d'une beauté rare, avec patios à arcades, bassins, profusion de plantes et de fleurs, mobilier colonial. Les chambres, des suites pour la plupart, sont toutes dignes de figurer dans un magazine de décoration. Resto dans un cadre enchanteur (buffet gargantuesque le dimanche jusqu'à 14 h) et même une petite piscine.

🏠 *La Casa de la Marquesa* (plan A1, *19*) : Madero 41. ☎ 212-00-92. Fax : 212-00-98. ● www.lacasadelamarquesa.com ● À côté de l'église Santa Clara. Tarifs hors catégorie, mais à voir absolument, faute de pouvoir y passer la nuit... Magnifique demeure baroque du XVIIIe siècle, largement teintée d'inspiration mauresque. Un véritable palais des Mille et Une Nuits, avec une vingtaine de suites splendides. Quelques chambres-musées d'un luxe extrême. On peut prendre un verre ou un café dans le sompteux lobby, au son du piano. Superbe restaurant, mais très cher. Attention à ne pas se faire refiler une chambre dans l'annexe.

Où manger ?

Très bon marché : moins de 70 $Me (5 €)

|●| *Café del Fondo* (plan A2, *28*) : Pino Suárez 9. ☎ 212-05-09. Ouvert tous les jours de 7 h 45 à 22 h. Dans une vieille maison coloniale, plusieurs salles colorées et conviviales. Diverses formules pour le petit dej' et aussi un bon menu du jour, avec un grand choix d'entrées et de plats. Toutes sortes de cafés « spéciaux » pour les gourmands. Brûlerie de café dans l'entrée et affiches d'événements culturels, notamment ceux de l'Alliance française. Bonne atmosphère, service jeune et décontracté.

|●| *El Super Yogurt* (plan A1, *29*) : calle 16 de Septiembre. Ouvert tous les jours de 9 h à 19 h. Petite gargote sympathique pour petit déjeuner ou pour se rafraîchir le gosier. Milk-shakes, jus de fruits frais ou yaourt au muesli. Bien aussi pour un déjeuner rapide, avec des sandwichs et salades préparés sous vos yeux, à manger sur place ou à emporter.

Prix moyens : de 70 à 150 $Me (5 à 10,50 €)

|●| *La Mariposa* (plan A1, *31*) : Angela Peralta 7. ☎ 212-11-66. Près du théâtre. Ouvert tous les jours de 8 h à 21 h 30. Une institution depuis 65 ans ! Un joyeux rendez-vous des familles où, dans un décor désuet à souhait, les serveuses en blouse bleue layette et tablier blanc œuvrent tranquillement malgré l'affluence. La clé du succès : de bons plats frais et copieux, à prix démocratiques. Fait aussi pâtisserie et glacier, avec un comptoir bien fourni.

|●| *Ibis Natura* (plan A1, *32*) : Juárez Norte 47. À 50 m du jardin Zenea. Ouvert tous les jours de 8 h 30 (9 h le dimanche) à 21 h 30. À l'entrée, petite épicerie bio aux étagères et comptoir en bois, genre pharmacie à l'ancienne. Un certain charme rétro pour ce restaurant végétarien qui propose une cuisine savoureuse et saine. Menu pas cher et copieux. Idéal pour reposer les intérieurs en déroute...

|●| *Los Compadres* (plan B1, *33*) : andador 16 de Septiembre 46. ☎ 212-98-86. Un petit resto populaire bien appréciable dans ce coin très touristique. On s'installe sur les bancs en bois et on coche soi-même son menu, avec au choix toute une variété d'*antojitos* et de *tapas,* du *pozole* ou des plats complets de viande. Le tout est cuit *illico presto* sous vos yeux ébahis, et servi dans la minute, prêt à être englouti avec délices ! Pas d'alcool, mais de grandes jarres d'*agua fresca* et des sodas.

|●| *Creperia La Estación* (plan B1, *34*) : andador Venustiano Carranza 6. ☎ 212-37-35. Ouvert à partir de 13 h pour le déjeuner et jusque vers 23 h. Fermé le mardi. Dans une charmante ruelle tranquille, qui part

en biais depuis la rue 5 de Mayo. Un tout petit resto où l'on mange entre copains dans une ambiance chaleureuse. Juan, le patron, adore les Français et sert de délicieuses crêpes et des plats d'inspiration méditerranéenne, comme une savoureuse salade grecque.

De chic à plus chic : de 150 $Me à plus de 250 $Me (10,50 à 17,50 €)

|●| **El Arcángel** (plan A1, 35) : Guerrero 1, à l'angle de Madero, face à la place Guerrero. ☎ 212-65-42. Ouvert tous les jours de 8 h à 22 h (21 h 30 le dimanche). Menu complet pour le déjeuner (à partir de 14 h) avec dessert et boissons incluses (110 $Me, soit 8 €). Jolie déco de bistrot chic pour ce resto aux murs ocre et beige, aux tables en bois vernis et vieux carrelage. L'archange, du haut de sa niche, veille à la bonne tenue des serveuses vêtues de noir et d'un petit tablier blanc en dentelles. Pour se mettre au vert, petite cour intérieure remplie de plantes. Dans l'assiette, toute une variété de *huevos* pour le petit dej', de bons plats mexicains, mais aussi de délicieuses pizzas et des salades.

|●| **El Mesón de Chucho El Roto** (plan B1, 36) : Libertad 60, sur le côté sud de la plaza de Armas. ☎ 212-42-95. Ouvert de 8 h à 23 h. Pour le plaisir de manger en terrasse face à la prestigieuse et splendide *plaza*. Cadre agréable et ombragé, service efficace, voire empressé... Carte impres-sionnante de petits déjeuners et cuisine internationale mexicanisée.

|●| **La Casona** (plan B1, 37) : andador 5 de Mayo 39, dans la partie piétonne. ☎ 224-27-60. Ouvert du mardi au samedi de 11 h à 23 h (18 h le dimanche). Fermé le lundi. Hôtel particulier du XVIIIe siècle d'une grande beauté austère, malgré ses airs baroques. L'empereur Maximilien y a séjourné en 1864 ainsi que Porfirio Díaz. Les tables sont dressées dans le patio central, sous d'énormes voûtes en pierre. À vrai dire, le lieu ne se prête guère aux secrets d'alcôve, ni aux parades amoureuses, mais on y déguste une cuisine mexicaine de bon aloi. Les vendredi et samedi, un petit orchestre de musique latino chauffe l'ambiance. En semaine, on déjeune au son du piano.

|●| Pour un vrai dîner de charme, n'oubliez pas le restaurant de l'*hôtel Mesón de Santa Rosa* (plan B1, 18) et le restaurant de l'*hôtel La Casa de la Marquesa* (plan A1, 19). Voir « Où dormir ? ».

Où boire un verre ?

♟ **Cyrano – Cafe Galeria** (plan A-B1, 41) : andador Pasteur 21. ☎ 214-59-35. Ouvert tous les jours de 11 h à 23 h. Une jolie réussite que ce *Cyrano*-là ! Les larges tentures blanche et grenat au plafond, les meubles, la vaisselle et les objets design donnent le ton à ce bàr tendance *lounge*. Snacks et menu le midi, mais on y vient d'abord pour la sélection de tequilas et de cocktails, sans oublier les savoureux cappuccino et thés parfumés.

♟ **Cuadros** (plan B1, 42) : andador 5 de Mayo 16. ☎ 212-04-45. Ouvert à partir de 20 h et *hasta morir* ! Fermé le lundi. Ambiance jeune et musique live, en général des chanteurs de *trova* avec quelques intermèdes de rock mexicain. Belle carte de cocktails. La bière est à un bon prix. Droit d'entrée (pas trop cher) du jeudi au samedi.

À voir

➤ Possibilité de visiter le centre historique en **train touristique tranvía** (espagnol et anglais). Trois parcours au choix. Départ devant l'office de tourisme tous les jours sauf le lundi, à 9 h, 10 h, 11 h, 16 h, 17 h et 18 h. Compter 30 $Me (2,10 €) ; réductions.

🏃🏃 *L'église Santa Clara de Jesus (plan A1) :* plaza Guerrero. Ouvert de 9 h à 13 h et de 17 h à 19 h. L'extérieur plutôt sobre ne laisse rien supposer du délire baroque-churrigueresque, cher au XVIIe siècle, de l'intérieur. Les murs sont entièrement tapissés de retables d'une exubérance folle. De plus, l'étroitesse de cet édifice tout en longueur et la perspective plongeante des ornements dorés et des statues colorées donnent l'impression d'être complètement submergé...

🏃🏃 ***Museo de Arte** (plan A1-2) :* Allende Sur 14. ☎ 212-23-57. À côté de l'église San Agustín. Ouvert de 10 h à 18 h. Fermé le lundi. Entrée : 20 $Me (1,40 €). Un superbe musée à la scénographie soignée, dans l'un des plus somptueux bâtiments baroques de la ville, ancien couvent de l'église San Augustín. Les salles, distribuées autour d'un patio entièrement sculpté, présentent des toiles du XVIe au XIXe siècle, dont une remarquable collection de peintures religieuses (artistes mexicains et européens). En contraste avec cette collection assez austère, des expos temporaires d'art contemporain. Jeter un œil au passage à la librairie, bien approvisionnée.

🏃🏃 ***Museo regional** (plan A1) :* Corregidora Sur 3. ☎ 212-20-31. À côté de l'église San Francisco. Ouvert de 10 h à 19 h. Fermé le lundi. Entrée : 33 $Me (2,30 €). Dans un ancien monastère franciscain commencé au XVIe siècle et achevé au XVIIIe siècle, d'où les différences de styles. Superbes cours intérieures ornées de colonnes sculptées. Les nombreuses salles présentent un vaste panorama de l'histoire de la région, à travers une riche collection de peintures religieuses, de mobilier baroque, quelques pièces archéologiques et des objets préhispaniques. L'accent est surtout mis sur l'évangélisation du pays et la vie des « frères martyrs », la colonisation espagnole, puis l'indépendance.

🏃 *L'église et le couvent Santa Cruz (plan B1) :* ouvert du mardi au samedi de 9 h à 14 h et de 16 h à 18 h et le dimanche de 9 h à 16 h 30. Son histoire mouvementée remonte à sa création vers 1650, à l'emplacement même d'un combat qui opposa Espagnols et Indiens. Une apparition miraculeuse de saint Jacques aurait donné un sacré coup de main aux premiers pour soumettre les seconds. Une statue relate cet événement sur la place de l'église. Pendant longtemps, de nombreuses missions partirent d'ici, puis Maximilien d'Autriche en fit sa place forte, avant d'y être emprisonné. Aujourd'hui, une petite communauté de franciscains y réside.

🏃 *Casa de la Corregidora (plan B1) :* c'est le bel édifice qui domine la plaza de Armas. Aujourd'hui siège administratif, on y entre moyennant un sourire aux gardes en faction. Rien de bien éblouissant esthétiquement parlant, mais ce lieu est capital dans l'histoire du Mexique. En effet, c'est ici que Joséfa Ortiz (la *Corregidora*), femme du gouverneur de l'époque, informa les leaders indépendantistes de leur arrestation imminente, alors qu'ils préparaient l'insurrection de 1810. Le bâtiment servit aussi de prison : on peut voir, dans l'une des cours, deux petites niches creusées dans le mur, destinées à mettre au piquet les prisonniers indisciplinés. Au-dessus, la potence pour l'étape suivante...

🏃 *L'église Santa Rosa de Viterbos (plan A2) :* à l'angle d'Arteaga et d'Ezequiel Montes. L'extérieur ressemble à un gigantesque décor de théâtre. L'intérieur est splendide, bel exemple d'art baroque du XVIIIe siècle, avec des retables enrichis de tableaux.

🏃 *L'aqueduc (hors plan par B1-2) :* à 15 mn à pied du centre. Prendre l'avenue Zaragoza vers l'est jusqu'à tomber sur l'*acueducto*. Au XVIIe siècle, un homme tombe fou amoureux d'une nonne qui exige de lui, comme preuve de son amour, qu'il fasse construire un aqueduc pour alimenter la ville en eau potable. La preuve est longue de 1 280 m et sa construction dura 9 ans !

🏃 *Cerro de las Campanas (hors plan par A1) :* petite colline à l'ouest de la ville, où fut exécuté l'empereur Maximilien d'Autriche en 1867. Prendre la rue Morelos toujours tout droit. Joli parc avec une chapelle construite par le gouvernement autrichien et un petit musée. Là-haut, belle vue sur les montagnes environnantes.

Fêtes et manifestations

– *Les callejoneadas :* si vous êtes là un samedi, rendez-vous à 20 h sur la plaza de Armas *(plan B1)* pour une *callejoneada* ; dans les pas d'une dizaine de musiciens costumés, vous parcourez le centre historique en musique. Gratuit et super ambiance.
– *Concerts :* chaque dimanche entre 19 h et 21 h, dans le jardin Zenea (orchestre à vent).

SAN MIGUEL DE ALLENDE   120 000 hab.   IND. TÉL. : 415

Située à 1 850 m d'altitude, cette belle ville coloniale a charmé de nombreux artistes étrangers dans les années 1940, séduits par cette lumière particulière due au sol riche en quartz et cette douceur de vivre teintée d'exotisme. Aujourd'hui, San Miguel est surpeuplée de *gringos* vieillissants, attirés par le calme de cette merveille classée Monument historique, avec ses rues empierrées et bordées de superbes maisons seigneuriales, ses galeries d'art et ses boutiques d'antiquités. Du coup, le charme du vieux centre colonial est un peu gâché par la surabondance de restos chic, bars branchés et boutiques d'artisanat. L'hiver, sachez qu'il fait aussi froid le soir qu'à Mexico, si ce n'est plus. Mais éviter si possible la haute saison d'été, la ville est alors envahie de touristes.

Arriver – Quitter

En bus

🚌 *Terminal de bus (hors plan par A2) :* ☎ 152-00-84. À quelques kilomètres du centre, mais des taxis et bus urbains font la navette toute la journée. Départs en face de l'église de la Salud *(plan C1, 2)*. Les compagnies de 1re classe sont *ETN* (☎ 152-64-07), la plus luxueuse, et *Primera Plus* (☎ 152-50-43 et 00-84), également très confortable. La compagnie *Flecha Amarilla* (☎ 152-73-23) n'affrète que des bus de 2e classe (ils sont moins confortables et surtout font plusieurs arrêts). *Herradura de Plata* (☎ 152-07-25) a des bus de 2e classe mais aussi de 1re.
– Si vous voyagez avec *Primera Plus,* vous pouvez acheter vos billets dans le centre-ville (voir « Adresses utiles »).

➤ *De et vers Atotonilco :* départ depuis le centre-ville *(plan C1, 2),* toutes les 20 mn. Trajet : 30 mn.
➤ *De et vers Dolores Hidalgo :* départ toutes les 15 mn avec *Flecha Amarilla,* entre 7 h 30 et 22 h. Toutes les 40 mn avec *Herradura de Plata,* entre 7 h et 0 h 30. Trajet : 40 mn.
➤ *De et vers Guanajuato :* à une centaine de kilomètres. Avec *ETN,* départs à 8 h 45 et 16 h 15. Avec *Primera Plus,* 4 départs, de 7 h 15 à 17 h 30. Avec

LES VILLES COLONIALES

MORELIA, GUANAJUATO ↓

■ **Adresses utiles**

🛈 Office de tourisme municipal
🛈 Office de tourisme de l'État
✉ Poste
🚌 2 Bus pour la gare routière et Atotonilco
3 Laverie Arco Iris
4 Bus Primera Plus
📶 5 Café Internet

🏛 **Où dormir ?**

10 Hôtel Parador San Sebastián
11 Casa de Huéspedes
12 Hôtel Quinta Loreto
13 Hostal Alcatraz
14 Hôtel Vista Hermosa Taboada
15 Posada Carmina
16 Hoteles Aristos
17 Hôtel Posada Los Insurgentes
18 La Mansión del Bosque

NORD

LES VILLES COLONIALES

SAN MIGUEL DE ALLENDE

|◉| Où manger ?		35 Restaurant El Correo		51 Tío Lucas

|◉| Où manger ?

- 18 La Mancíon del Bosque
- 30 Tacos
- 31 El Capri Cenadoria
- 32 Café Olé-Olé
- 33 Café de la Parroquia
- 34 Restaurant El Tomato

- 35 Restaurant El Correo
- 36 Restaurant Aquí es México
- 37 La Alborada
- 38 La Posadita

Y Où boire un verre ?

- 50 Leonardos – Bar du resto Mama Mía

- 51 Tío Lucas

⚐ À voir

- 60 Museo histórico de San Miguel
- 61 Escuela de Bellas Artes
- 63 Oratorio de San Felipe Neri

Servicios Coordinados, départ à 19 h 50. Avec *Flecha Amarilla,* 5 départs, de 7 h 15 à 19 h 50. Trajet : 1 h 30.

➤ *De et vers Guadalajara :* avec *Primera Plus,* départs à 7 h 15, 10 h, 12 h 45 et 17 h 30. Avec *ETN,* départs à 8 h 45 et 16 h 15. Avec *Servicios Coordinados,* départ à 19 h 50. Trajet : 5 h à 6 h.

➤ *Depuis Mexico :* 285 km. Départs fréquents depuis le Terminal Norte. En 1re classe : départs à 10 h 05, 10 h 45, 13 h 20 et 17 h avec *ETN* ; départs à 7 h, 11 h et 17 h 40 avec *Primera Plus* ; départs à 15 h 55 et 23 h avec *Herradura de Plata.* Entre 3 h 30 et 4 h de trajet. En 2e classe : départs toutes les 40 mn avec *Flecha Amarilla* et *Herradura de Plata.* Environ 4 h 30 de trajet.

➤ *Vers Mexico (terminal Norte) :* avec *Primera Plus,* départs à 9 h 40 et 16 h. Avec *ETN,* départs à 7 h, 12 h, 15 h et 18 h. Toujours en 1re classe, avec *Herradura de Plata,* départs à 6 h et 13 h. Trajet : 3 h 30 à 4 h. Avec *Flecha Amarilla,* départ toutes les 40 mn de 7 h 20 à 20 h, et 2 directs à 9 h 40 et 16 h.

➤ *De et vers Querétaro :* avec *ETN,* départs à 7 h, 15 h et 18 h. Environ 1 h de trajet. Avec *Primera Plus,* départs toutes les 40 mn de 7 h 20 à 20 h. Avec *Flecha Amarilla* et *Herradura de Plata,* ce sont les mêmes bus que pour Mexico (toutes les 40 mn).

➤ *De et vers San Luis Potosí :* avec *Flecha Amarilla,* départs à 7 h 30, 9 h, 11 h, 12 h 20, 15 h, 17 h 40 et 18 h 45. Environ 4 h de trajet.

Adresses utiles

La place principale de San Miguel, comme souvent, porte différents noms. Officiellement plaza de Allende, on la connaît encore sous les appellations plaza Principal ou plaza Mayor. Pour simplifier, on l'appellera *zócalo.*

🛈 *Office de tourisme municipal (plan C2) :* sur le *zócalo,* à côté du Palacio municipal. ☎ 152-09-00. ● www.sanmiguelallende.gob.mx ● Ouvert du lundi au vendredi de 8 h 30 à 20 h et le week-end de 10 h à 17 h 30. Accueil plutôt inefficace, mais une foule de brochures et un petit plan de la ville.

🛈 *Office de tourisme de l'État (plan C2) :* dans l'atrium de l'église du *zócalo.* ☎ 152-65-65. ● www.guana juato.gob.mx ● Ouvert du lundi au vendredi de 10 h à 19 h, le samedi jusqu'à 16 h et le dimanche jusqu'à 12 h. Brochures sur les principales villes de l'État de Guanajuato.

✉ *Poste (plan C2) :* Correo 18.

▪ *Change :* un peu partout, ainsi que plusieurs distributeurs automatiques autour du *zócalo.* La banque *Bana-mex,* à l'angle du *zócalo* et de la rue Canal, change les dollars, euros et *travellers.*

@ *Cybercafés :* un peu partout dans la ville. On vous en indique un proche de la laverie, au n° 10 de la calle Mesones : *Café Internet (plan C1, 5).* Ouvert du lundi au samedi de 11 h à 21 h.

▪ *Consigne :* au terminal de bus.

▪ *Laverie Arco Iris (plan C1, 3) :* dans le passage Allende, au niveau du n° 5 de la calle Mesones. Ouvert du lundi au vendredi de 9 h à 14 h et de 16 h à 19 h et le samedi de 9 h à 14 h.

▪ *Bus Primera Plus (plan C2, 4) :* Sollano 11, près du *zócalo.* ☎ 152-50-43. Ouvert tous les jours de 9 h à 17 h. Bureau de vente et de réservation des billets de cette compagnie.

Où dormir ?

Il est déjà difficile de trouver une chambre le week-end, ça devient une vraie galère durant les ponts, les fêtes, à Noël et pendant la semaine de Pâques. Il faut alors impérativement réserver à l'avance.

Très bon marché : moins de 210 $Me (14,70 €)

🛏 *Hostal Alcatraz* (plan C1, 13) : Relox 54. ☎ 152-85-43. ● alcatraz hostal@yahoo.com ● Petite auberge de jeunesse accueillante et fort bien tenue, qui n'a rien d'une prison ! Cette maison moderne dispose de 25 lits en dortoirs de 4 à 6 personnes, salles de bains impeccables et salon TV (petit balcon sur la rue pour certaines chambres). Cuisine commune, accès Internet, etc. L'atmosphère est sûre et conviviale. Une bonne adresse routarde à 5 mn du *zócalo*. Possibilité de louer une chambre double dans une maison proche de l'auberge (compter 240 $Me, soit 17 €), se renseigner sur place.

Bon marché : de 210 à 300 $Me (14,70 à 21 €)

🛏 *Hôtel Parador San Sebastián* (plan C1, 10) : Mesones 7. ☎ 152-70-84. Très bon hôtel dans le style colonial avec un joli patio égayé par des plantes vertes et des canaris. Les chambres sont dotées d'un lit *matrimonial* et de salles de bains impeccables. Certaines sont plus claires, à l'étage. Toutes sont propres et confortables. Accueil très sympathique. Une bonne adresse simple et calme, certainement la meilleure dans cette catégorie.

🛏 *Casa de Huéspedes* (plan C1, 11) : Mesones 27. ☎ 152-13-78. L'entrée est peu engageante, à côté d'une boucherie, mais l'hôtel est au 1er étage, dans un environnement de plantes vertes. Très rudimentaire mais propre. En outre, la patronne est accueillante. Au choix, 2 lits individuels ou un lit *matrimonial*. Salle de bains individuelle avec eau chaude. Une adresse simple mais conviviale.

Prix moyens : de 300 à 500 $Me (21 à 35 €)

🛏 *Hôtel Quinta Loreto* (plan C1, 12) : Loreto 15. ☎ 152-00-42. Fax : 152-36-16. Juste à côté du marché d'artisanat. Les chambres, sans effet de déco particulier mais impeccablement propres, sont alignées autour d'un jardin tranquille et ravissant. Spacieuses et agréables, malgré quelques petits détails qui laissent à désirer. Celles avec TV sont plus chères. Petit restaurant, très pratique pour le petit dej' en terrasse. Parking. Un bon rapport qualité-prix.

🛏 *Hôtel Posada Los Insurgentes* (plan B2, 17) : Hernández Macías 92. ☎ et fax : 152-02-83. Un peu excentré, à 10 mn à pied du centre. Agréable maison de style colonial, dotée d'une dizaine de chambres distribuées autour d'un petit patio arboré. Elles sont décorées de façon assez sommaire mais restent fraîches, propres et confortables. Accueil simple et familial. Une bonne adresse dans cette catégorie.

🛏 *Hôtel Vista Hermosa Taboada* (plan C2, 14) : Cuna de Allende 11. ☎ 152-00-78. Dans la ruelle qui longe l'église de la Parroquia. L'entrée ne paye pas de mine, mais les chambres, distribuées autour d'un patio aux 1er et 2e étages, sont nettement plus agréables. Trois tarifs en fonction du confort : les chambres les moins chères ont une déco assez sommaire et des sanitaires défraîchis, mais elles restent plutôt agréables, lumineuses et propres ; d'autres ont été rénovées mais n'ont pas de vue – ni parfois de fenêtre ; les plus chères sont rénovées, tout confort, avec fenêtre sur la ruelle Allende. Petit détail pour les frileux : elles sont toutes dotées d'une petite cheminée. Tout serait parfait si cet hôtel n'augmentait pas ses tarifs en été et durant les périodes festives.

Beaucoup plus chic : au-dessus de 700 $Me (49 €)

🛏 *La Mansión del Bosque* (plan C3, 18) : Aldama 65. ☎ et fax : 152-02-77. ● www.infosma.com/mansion ● Dans un quartier agréable, à côté du parc Benito Juárez. Une vingtaine de chambres personnalisées, décorées avec goût. Ensemble coloré et tarabiscoté, constitué de petits recoins, terrasses et escaliers emmêlés. Salon cosy plein de bouquins, salle à manger très chaleureuse, tout ici s'apparente à une maison d'hôtes de charme. La propriétaire, une *charming lady* américaine, fera tout pour rendre votre séjour agréable. Elle organise aussi des stages de peinture et accueille les non-pensionnaires pour le petit dej' (30 $Me, soit 2,10 €) ou le dîner (120 $Me, soit 8,50 €). Une étape sereine et reposante.

▲ *Posada Carmina* (plan C2, 15) : Cuna de Allende 7. ☎ 152-88-88. Fax : 152-10-36. ● www.posadacarmina.com ● À côté de l'église de la Parroquia. Superbe maison coloniale avec un patio sur lequel donnent une dizaine de chambres spacieuses et décorées avec goût. Trois d'entre elles donnent sur la ruelle tranquille. Une chambre immense au rez-de-chaussée pourra intéresser ceux qui se fichent de la vue. Ceux qui préfèrent le confort moderne au charme de l'ancien opteront pour une chambre dans l'annexe récente. Resto dans le patio. Une bien douce étape de luxe, mais à des prix vraiment exagérés.

▲ *Hoteles Aristos* (plan B3, 16) : calle Cardo 2. ☎ 152-35-10 et 01-49. Fax : 152-16-31. Assez excentré, à l'angle d'Ancha de San Antonio et del Cardo (choisir cette dernière entrée si vous êtes en voiture). Doubles autour de 750 $Me (53 €). Quelques bungalows un peu moins chers, et des suites luxueuses. Très bel hôtel. Chambres vraiment plaisantes, avec un petit coin salon dont la porte vitrée donne sur les jardins à la française ou sur la grande piscine. Préférer celles à l'étage, avec sols en tomettes. Resto, bar, salon de jeu, tennis, etc. Quand même trop grand pour avoir du charme (120 chambres), mais c'est ici qu'il faut essayer si tout est complet ailleurs.

Où manger ?

Bon marché : moins de 70 $Me (5 €)

I●I *Tacos* (plan C1, 30) : ce n'est pas un resto mais une petite échoppe sans nom, installée seulement le soir, jusque très tard, à l'angle des rues Insurgentes et Hidalgo. Les accros vous affirmeront que c'est ici que se cachent les meilleurs *tacos* de la ville. Côté budget, on ne peut pas rêver mieux.

I●I *La Alborada* (plan C2, 37) : Sollano 11. ☎ 154-99-82. Ouvert du lundi au samedi de 13 h à 1 h. Une petite affaire familiale qui tourne bien, très fréquentée par les Mexicains – et les touristes avisés – pour sa cuisine authentique et bon marché. Carte restreinte, avec une dizaine de plats au choix, des classiques *antojitos* aux pieds de porc farcis (!). Le cadre est convivial, avec trois petites salles colorées et même un coin cafet' pour la pause café (bio). Une adresse rare à deux pas de la cathédrale.

I●I *El Capri Cenadoria* (plan B1, 31) : Hidalgo 110. ☎ 152-05-26. Si vous fuyez les Américains, c'est ici qu'il faut venir. Mais il vous faudra attendre les heures troubles et obscures de la nuit. Ce petit resto, tenu depuis plus de 40 ans par la même petite dame, n'ouvre que le soir et accueille jusqu'au petit matin les serveurs, musiciens, travailleurs de nuit qui viennent se sustenter après le boulot. Bonne nourriture mexicaine traditionnelle (pozole, enchiladas, tacos...), dans une ambiance populaire et décontractée.

I●I *Restaurant Aquí es México* (plan B1, 36) : Hidalgo 28 ; au 1er étage. Agréable resto avec ses petites salles décalées sur différents niveaux et joliment décorées. La carte n'est pas bien longue, mais l'accueil et la qualité de la cuisine assurent une bonne soirée. Pour le déjeuner, *comida corrida* bon marché (3 menus au choix).

De prix moyens à un peu plus chic : de 70 à plus de 150 $Me (5 à 10,50 €)

Iel *Café Olé-Olé (plan C1, 32) :* Loreto 66. Près du marché d'artisanat. Ouvert de 13 h à 21 h. Le patron est un passionné de corrida ; décor délirant, inégalable pour sa concentration d'objets et de références tauromachiques. Quant aux *fajitas mixtas,* difficile de trouver meilleur. Bref, *Olé-Olé,* le bien nommé, est une étape quasi obligatoire, où les prix sont étonnamment raisonnables... Pourvou qué ça doure !

Iel *Café de la Parroquia (plan B2, 33) :* Jesús 11. ☎ 152-31-61. Tout près du *zócalo.* Ouvert de 8 h à 17 h. Fermé les dimanche et lundi. Jolie maison vieille de 300 ans, tenue par une Française de San Miguel. Excellents petits déjeuners, snacks variés, et quelques plats mexicains, parfois avec un discret clin d'œil à la France. C'est le moment de goûter aux *huevos al albañil* ou encore aux *molletes.* Une cuisine fraîche et goûteuse, à déguster dans l'agréable patio aéré et rempli de plantes. Une nouvelle salle attenante permet de venir y dîner à moindre coût, avec de bonnes formules complètes.

Iel *Restaurant El Tomato (plan C1, 34) :* Mesones 62. ☎ 154-60-57. Ouvert de 9 h à 21 h. Fermé le dimanche. Resto végétarien au cadre très mignon, tout de rouge et vert vêtu, en hommage à... la tomate, bien sûr ! La carte est alléchante et variée : salades fraîches, bons *frichtis* à base de tofu et soja, pâtes et *quesadillas* intégrales. Délicieux jus de fruits et milkshakes frais. Pour les grandes faims, un menu bien composé et copieux, et pour les lève-tard, le petit dej' est servi jusqu'à midi.

Iel *La Posadita (plan C2, 38) :* Cuna de Allende 13. ☎ 154-75-88. Ouvert du mardi au dimanche de 13 h à 22 h. Encore une bonne adresse à prix très raisonnables, malgré la proximité du *zócalo.* On grimpe une volée de marches pour accéder aux deux salles coquettes. Accueil aimable, service efficace et vaisselle soignée. Des conditions idéales pour apprécier la goûteuse cuisine mexicaine (*pozole, enchiladas verde* et *fajitas*), élaborée à partir de bons produits frais. Une adresse qui débute et veut bien faire, ce qui n'est pas pour nous déplaire !

Iel *Restaurant El Correo (plan C2, 35) :* Correo 23. ☎ 152-01-51. Juste en face de la poste. Ouvert de 9 h à 22 h. Cadre et déco agréables pour ce petit resto mexicain où l'on est accueilli chaleureusement. Bonne cuisine fraîche, assiettes copieuses et joliment présentées, le tout à des prix très honnêtes.

Iel *La Mansión del Bosque (plan C3, 18) :* voir la rubrique « Où dormir ? ». Même si vous n'y séjournez pas, vous pourrez profiter de la table d'hôtes le matin ou le soir, en goûtant une cuisine fraîche et assez inventive, à des prix très honnêtes.

Où boire un verre ?

Y *Leonardos – Bar du resto Mama Mía (plan C2, 50) :* Umaran 8. ☎ 152-20-63. Un vaste bar-resto établi dans une vieille maison coloniale, surtout fréquenté par les *gringos* et la jeunesse dorée mexicaine. La cuisine du resto ne mérite pas qu'on s'y arrête, mais le cadre et l'ambiance très festive justifient d'y passer un soir pour boire un verre. Superbe terrasse sur le toit et plusieurs petites salles surpeuplées d'une faune branchée et déchaînée en fin de semaine.

Y *Tío Lucas (plan B1, 51) :* Mesones 103. ☎ 152-49-96. Une adresse chic au cadre soigné, qui fera craquer les amoureux de déco mexicaine... Différentes pièces aux couleurs vives (à dominante pistache et rose pétard !) et un agréable patio lumineux. Cuisine correcte et bonnes grillades, tout de même cher payées. On y vient surtout pour prendre un verre en soirée, sur un air jazzy. Concerts tous les jours de 21 h à minuit.

À voir

La Parroquia de San Miguel Arcángel *(plan C2)* : en face du *zócalo*. Étrange édifice néogothique du XIXᵉ siècle, qui fait penser à certaines réalisations de Gaudí, en particulier la *Sagrada Familia* de Barcelone. Ses tours roses dominent le centre de la ville, et la façade est superbement mise en valeur avec des éclairages nocturnes. L'intérieur ne présente rien de très remarquable.

L'église San Rafael *(plan C2)* : c'est celle qui est juste à côté de la Parroquia. On a rarement vu aussi lugubre. Les différentes scènes, représentant les souffrances endurées par le Christ, rivalisent de réalisme morbide. Âmes sensibles, s'abstenir !

Museo histórico de San Miguel *(plan C2, 60)* : Allende 1. ☎ 152-24-99. Juste à côté de la Parroquia. Ouvert de 10 h à 16 h. Fermé le lundi. Entrée : 30 $Me (2,10 €). Installé dans la maison natale d'Ignacio Allende, une belle demeure coloniale, ce musée raconte l'histoire de la région depuis l'époque préhispanique jusqu'à la vice-royauté espagnole. Bien organisé et didactique, avec des panneaux explicatifs et de grandes cartes. Quelques pièces intéressantes. Depuis les fenêtres, jolie vue sur le *zócalo*.

L'église de la Concepción *(plan B2)* : à l'angle des rues Canal et Zacateros. Construite au milieu du XVIIIᵉ siècle, elle faisait partie de l'ancien monastère du même nom (voir ci-dessous). Ce n'est qu'à la fin du XIXᵉ qu'a été ajouté le dôme de l'église. L'intérieur ne présente pas d'intérêt majeur, à part quelques beaux tableaux.

Escuela de Bellas Artes *(plan B2, 61)* : ouvert du lundi au samedi de 9 h à 18 h et le dimanche de 10 h à 15 h. Cet ancien couvent, qui comprenait l'église de la Concepción, accueille aujourd'hui le centre culturel *El Nigromante*, ainsi que l'école des Beaux-Arts. Bel ensemble architectural. Autour du patio à 2 étages, foisonnant de plantes tropicales, on peut circuler sous les arcades en admirant les fresques murales (dont une de Siqueiros mais inachevée) et une ou deux expos temporaires de sculpture ou peinture. Pour affiner le plaisir, on peut aussi s'offrir un expresso à la caféteria *Las Musas*.

Casa de los Perros : il y a deux entrées, Canal 14 et Umaran 3. L'une des plus belles maisons coloniales de San Miguel, appelée ainsi à cause de son balcon supporté par des chiens. On peut la visiter tranquillement et gratuitement, puisqu'elle est aujourd'hui transformée en boutique luxueuse de décoration et d'art populaire.

Oratorio de San Felipe Neri *(plan C1, 63)* : riche façade baroque en pierre rose qui trahit l'influence indienne, notamment sur les statues des niches. L'intérieur est plus intéressant que beau, avec une kyrielle de statues de saints pathétiques. À voir quand même. Surtout que juste à côté se trouve la **Santa Casa de Loreto,** une reproduction du sanctuaire italien, la chapelle dédiée à la Vierge de Lorette, dont le sol et les murs sont ornés de céramiques en provenance de Puebla, de Valence et même de Chine. Bien entendu, elle abrite la Vierge Marie, avec, à ses pieds, le donateur Manuel Tomás de la Canal et son épouse. N'oubliez pas d'aller admirer le *camarín*, étonnante chambre baroque octogonale qui comprend 3 magnifiques retables et un plafond de style mudéjar.

L'église de la Salud *(plan C1)* : près de la précédente. Construite en 1735. Joli dôme couvert de tuiles colorées et un portail churrigueresque assez impressionnant, avec sa grande coquille Saint-Jacques abritant l'œil de Dieu. À l'intérieur, quelques éléments baroques intéressants, mais l'ensemble est plutôt sinistre, à l'exception d'une collection d'ex-voto populaires qui redonnent le sourire.

🚶 *L'église San Francisco (plan C1-2) :* construite en 1779. Très beau portail churrigueresque et haute tour néoclassique, tout comme l'intérieur.

🚶 *Panorama sur la ville :* il faut grimper jusqu'au *Mirador* pour jouir d'une superbe vue sur San Miguel et les paysages environnants. Pour y aller, prendre la rue Recreo en direction de la plaza de Toros *(plan C2),* puis la rue Piedras Chinas et enfin la rue Salida a Queretaro.

🚶🚶 *L'institut Allende (plan B3) :* Ancha de San Antonio 20. ☎ 152-01-90. ● www.instituto-allende-edu.com.mx ● À moins de 1 km du centre. École d'art installée dans un ancien couvent de carmélites, agrémenté de patios et de jolis jardins fleuris. Un lieu propice à la lecture ou à la détente, vraiment agréable. Pour prolonger la pause, resto et cafétéria avec terrasse et vue panoramique sur la ville. L'institut organise régulièrement diverses expos d'artistes locaux, des conférences, des visites guidées et des cours d'espagnol.

Achats

La ville de prédilection pour faire agoniser vos économies en un temps record ! D'innombrables boutiques vendent de très belles pièces d'artisanat régional et national, mais aussi toutes sortes de babioles, tee-shirts, tissus, etc. Ne pas manquer la boutique *Zócalo,* un peu excentrée, dans Hernández Macias 110, véritable petit musée dédié à la « fête des Morts ». On trouve également de nombreux brocanteurs.
– N'oubliez pas non plus d'aller faire un tour au **marché d'artisanat** qui squatte toute la rue Lucas Balderas *(plan C1).* Les prix sont plus doux et on y trouve toutes sortes d'objets, des robes et chemises brodées, ponchos en laine, couvertures, céramiques, étain, etc.

Fêtes et festivals

– *Sanmiguelada :* le 3ᵉ samedi de septembre. Grande fête traditionnelle où l'on assiste à un lâcher de taureaux dans la ville, qui se termine sur le *zócalo.*
– *Fiesta de San Miguel Arcángel :* juste après la *feria* de septembre. Fêtes en l'honneur du saint patron de la ville : spectacles, concerts, corridas...
– *Festival international de Jazz :* la dernière semaine de novembre. Une semaine de concerts avec des artistes internationaux.

➤ *DANS LES ENVIRONS DE SAN MIGUEL DE ALLENDE*

🚶🚶 *Jardín Botánico – El Charco del Ingenío (hors plan par D3) :* à environ 5 km du centre, vers Querétaro. ☎ 154-47-15. Ouvert tous les jours de l'aube au coucher de soleil. Entrée : 30 \$Me (2,10 €). Les amateurs de nature se doivent d'y faire un tour. Plus de mille variétés de cactées et de plantes grasses. Belle balade de 1 h 30 environ dans ce parc de 100 ha joliment aménagé. Chouette plan d'eau également, squatté par les canards et les aigrettes, et même un petit canyon pour s'adonner à l'escalade. Retour en ville possible par un chemin de traverse (compter une demi-heure de marche).

🚶🚶 *Atotonilco :* petit village désolé, situé dans une campagne aride à 15 km de San Miguel. L'*église,* datant du XVIIIᵉ siècle, est remarquable pour ses murs et ses plafonds entièrement recouverts de fresques (désormais classées), mais aussi pour une tranche d'histoire chère aux Mexicains. En effet, c'est ici qu'Hidalgo, à la tête de son armée d'insurgés indépendantistes, retira de l'église le portrait de la Vierge de Guadalupe pour en orner sa bannière. C'est ainsi que la Guadalupe, patronne des Indiens, servit d'étendard aux insurgés. Et voilà pourquoi cette petite église accueille les pèlerins de tout le Mexique, particulièrement lors de l'importante procession de la Semaine sainte. Des dizaines de stands de « bondieuseries » entourent l'église.

GUANAJUATO   75 000 hab.   IND. TÉL. : 473

Imaginez une ville où tout serait serré, imbriqué, entrelacé, une folie à la Escher au dessin labyrinthique ! Cette bizarrerie enchâssée dans plusieurs collines recèle des charmes qui se dévoilent peu à peu, dans des ruelles parfois si étroites qu'on peut s'y embrasser de balcon à balcon. Tout le centre historique est piéton, et on prend plaisir à se perdre dans les *callejones* adjacents, allant de surprise en surprise, à la découverte de charmantes places arborées, de ravissantes fontaines, de balcons en fer forgé, de corniches sculptées. Ça, c'est pour la surface. Mais Guanajuato vit aussi sous terre. Cet ancien centre minier est un véritable gruyère dans lequel on circule à travers un dédale de rues souterraines. Si vous y pénétrez en voiture, préparez-vous à un vrai casse-tête pour arriver à bon port...
Outre son intérêt universitaire et culturel, Guanajuato s'anime aussi le soir, quand les *callejoneadas* et les *mariachis* envahissent les rues de leur musique. Les monuments s'illuminent, les places et les marches des églises se remplissent de jeunes Mexicains et d'étudiants étrangers. Une atmosphère très festive et conviviale. La ville accueille aussi en octobre le festival de théâtre le plus célèbre du pays, le *Cervantino,* un peu l'équivalent du festival d'Avignon. En outre, la ville s'est autoproclamée capitale de Cervantès, avec un superbe musée consacré à Don Quichotte, un théâtre et de belles statues disséminées dans le centre historique. Un dernier mot : n'oubliez pas qu'à 2 000 m d'altitude, il fait franchement frisquet en hiver et les nuits restent fraîches toute l'année.

Arriver – Quitter

En bus

▄▄▄ *Le terminal* se trouve à 8 km du centre *(hors plan par A1).* ☎ 733-14-40. Pour y aller, prendre un bus urbain sur la plaza de La Paz qui indique « Central de autobuses ». Pour certaines compagnies, on peut acheter ses billets en ville, à l'agence *Viajes Frausto* (voir « Adresses utiles »).

■ Compagnies de 1ʳᵉ classe : *Primera Plus* (☎ 733-13-33), *Futura* (☎ 733-13-44) et la très confortable *ETN* (☎ 733-15-79). Compagnies de 2ᵉ classe : *Flecha Amarilla* (☎ 733-13-33), *Omnibus de Mexico* (☎ 733-26-07).

➤ *Depuis Mexico :* départ au terminal Norte. Nombreux départs en bus de 1ʳᵉ classe, qui ont l'avantage d'être directs : 8 départs quotidiens avec *Primera Plus* et 9 départs avec la luxueuse *ETN.* Trajet : 5 h. En 2ᵉ classe, compter au moins 1 h de plus ; et peu de départs : 2 seulement avec *Flecha Amarilla.*

➤ *Vers Mexico :* compter 5 h de trajet en 1ʳᵉ classe et environ 6 h en 2ᵉ classe. Avec *Omnibus de México,* départs à 16 h et minuit. Avec *Primera Plus,* 10 départs de 5 h 30 à minuit. Avec *Futura,* départs à 10 h 20, 13 h et minuit. Avec *ETN,* 7 départs de 8 h 30 à 18 h 30 (et 2 départs à 1 h et 5 h, sauf le dimanche).

➤ *De et vers Dolores Hidalgo :* compter 1 h de trajet avec *Flecha Amarilla*. Départ toutes les 20 mn environ, de 5 h 30 à 22 h 30.

➤ *Vers San Miguel de Allende :* compter 1 h 30 de trajet sans arrêt. Avec *Flecha Amarilla*, 8 départs de 7 h à 18 h 30. Avec *Primera Plus*, départs à 15 h, 17 h 15 et 19 h 20. Avec *ETN*, départs à 12 h 50 et 19 h.

➤ *Vers Guadalajara :* compter 4 h de trajet en 1re classe et 6 h 30 en 2e classe. Avec *Flecha Amarilla*, 8 départs de 7 h à 16 h 30. Avec *Primera Plus*, 8 départs de 8 h 45 à 23 h 30. Avec *Servicios Coordinados*, départs à 7 h 45 et 21 h 30. Avec *ETN*, 6 départs de 8 h à 18 h 45.

➤ *Vers León :* 1 h de trajet. Toutes les 30 mn avec *Flecha Amarilla*, de 5 h 30 à 10 h 30 ; 6 à 7 départs par jour en 1re classe avec *ETN* et *Primera Plus*, de 8 h à 19 h environ.

➤ *Vers Zacatecas :* compter 6 h de trajet. Un départ par jour avec *Omnibus de México*, à 21 h.

➤ *Vers San Luis Potosí :* 5 h de trajet. Départ à 18 h 45 avec *Omnibus de México*, 19 h 30 avec *Futura* ; 7 départs depuis León avec *Primera Plus*, de 7 h 10 à 2 h 45 du matin.

➤ *Vers Querétaro :* compter 2 h 30 de trajet. Avec *Flecha Amarilla*, 5 départs de 7 h 40 à 16 h 30. Avec *Primera Plus*, 5 départs de 8 h à 14 h 30. Avec *Servicios Coordinados*, 3 départs l'après-midi.

➤ *Vers Morelia :* compter 3 h 30 de trajet. Avec *Primera Plus*, départs toutes les 30 mn depuis León.

Adresses utiles

🄸 *Office de tourisme* (plan C2) : plaza de La Paz 14. ☎ 732-15-74 et 76-22 ou 01-800-714-10-86 (n° gratuit). ● www.guanajuato-travel.com ● Ouvert du lundi au vendredi de 9 h à 19 h 30 et les samedi et dimanche de 10 h à 14 h. Accueil pas franchement efficace, mais bien documenté ; on y trouve notamment une bonne carte de la ville.

🔳 *Transportes Turísticos de Guanajuato* (plan C2, 1) : plaza de La Paz. ☎ 732-21-34 et 28-38. Juste en face de l'office de tourisme. Compagnie privée organisant des tours de la ville en minibus. Départs à 10 h 30, 13 h 30 et 16 h. Durée du circuit : 3 h. Billet : 100 $Me (7 €).

✉ *Poste* (plan C1) : Ayuntamiento 25. Près de l'église Compañía. Ouvert du lundi au vendredi de 9 h à 17 h et le samedi jusqu'à 13 h. Un autre bureau au terminal des bus.

@ *Téléphone, Internet :* appels longue distance et accès Internet dans la boutique *Computel* (plan C1, 2), Ayuntamiento 18, presque en face de la poste. Ouvert du lundi au dimanche de 9 h à 21 h. Autre adresse : *El Tapatio* (plan C1, 44), accolé au resto du même nom, juste en face du grand escalier de l'université.

🔳 *Banques, change :* plusieurs agences autour de la plaza de La Paz. L'agence *Banamex* (plan C2, 4) est juste à côté de l'office de tourisme, *HSBC* et *Bancomer* donnent sur la place (plan C1, 3). Changent les espèces (dollars et euros) et chèques de voyage. Distributeurs de billets (*Visa* et *MasterCard*) dans toutes les banques.

🔳 *Vente de billets de bus* (plan C2, 5) : à l'agence *Viajes Frausto*, dans la rue principale Luis Obregón. Ouvert du lundi au vendredi de 9 h à 14 h et de 16 h à 19 h 30 et le samedi jusqu'à 13 h. Très pratique, on peut y acheter ses billets à l'avance. Compagnies représentées : *ETN*, *Primera Plus*, *Omnibus de Mexico*. Également la possibilité de réserver des billets de bus au départ de Mexico vers le sud et la côte pacifique, et des billets d'avion.

🔳 *Consigne :* au terminal de bus.

🔳 *Lavandería Nogueda* (plan C-D2, 6) : subida Principal ; en bas des escaliers, à droite du teatro Principal. Ouvert du lundi au vendredi de 10 h à 20 h 30 et le samedi jusqu'à 17 h 30. Bon marché.

LES VILLES COLONIALES

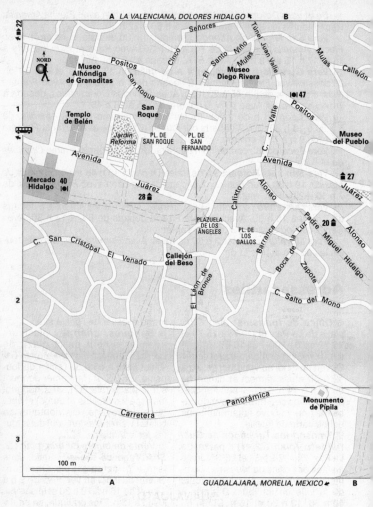

LES VILLES COLONIALES

A LA VALENCIANA, DOLORES HIDALGO ↖ **B**

Señores

Museo Alhóndiga de Granaditas

Positos

NORD

Cinco

El Santo Niño

Túnel Juan Valle

Mulas

Callejón

Museo Diego Rivera

Positos

San Roque

Templo de Belén

San Roque

Museo del Pueblo

Jardín Reforma

PL. DE SAN ROQUE

PL. DE SAN FERNANDO

J. J. Valle

47

Avenida

Avenida

Mercado Hidalgo

40

Juárez

Alonso

27

Juárez

28

Calixto

PLAZUELA DE LOS ÁNGELES

PL. DE LOS GALLOS

Barranca

Padre Miguel Hidalgo

20

Alonso

C. San Cristóbal El Venado

Callejón del Beso

El León de Bronce

Boca de la Luz

Zapote

C. Salto del Mono

Carretera

Panorámica

Monumento de Pípila

100 m

A GUADALAJARA, MORELIA, MEXICO ↙ **B**

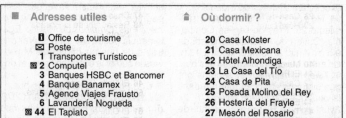

■ **Adresses utiles**

- ℹ Office de tourisme
- ✉ Poste
- 1 Transportes Turísticos
- @ 2 Computel
- 3 Banques HSBC et Bancomer
- 4 Banque Banamex
- 5 Agence Viajes Frausto
- 6 Lavandería Nogueda
- @ 44 El Tapiato

⌂ **Où dormir ?**

- 20 Casa Kloster
- 21 Casa Mexicana
- 22 Hôtel Alhondiga
- 23 La Casa del Tío
- 24 Casa de Pita
- 25 Posada Molino del Rey
- 26 Hostería del Frayle
- 27 Mesón del Rosario

527

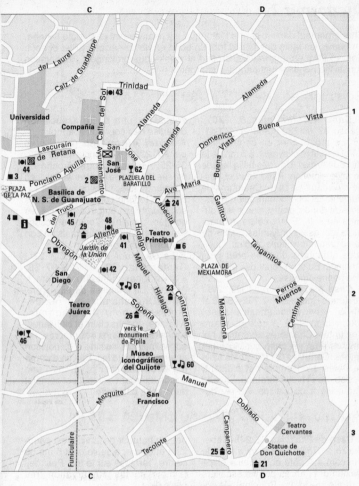

GUANAJUATO

28 Casa de las Manrique
29 Hôtel Luna

Où manger ?

40 Mercado Hidalgo
41 El Pingüis
42 Casa Valadez
43 La Esquina del Sol
44 El Tapatio
45 Truco 7
46 El Gallo Pitagórico

47 Chao Bella
48 Restaurant de la Posada Santa Fé

Où boire un verre ? Où sortir ?

46 El Gallo Pitagórico
60 La Dama de las Camelias, es él
61 El Café et El Bar
62 Zilch Cafe-Bar

LES VILLES COLONIALES

Où dormir ?

L'hébergement dans le centre historique est relativement cher toute l'année. En prime, les tarifs des hôtels font un bond en haute saison : juillet et août, Noël et Pâques, festival *Cervantino* et week-ends prolongés. Réservation conseillée pendant ces périodes chargées.

Bon marché : de 210 à 300 $Me (14,70 à 21 €)

🛏 *Casa Kloster* (plan B2, 20) : Alonso 32. ☎ 732-00-88 et 733-41-18. Le moins cher du centre-ville. Hôtel agréable et sympa, à 5 mn de la plaza de Armas. Une très belle façade de style victorien. Patio fleuri et peuplé d'oiseaux en cage. Chambres de plusieurs lits fonctionnent selon le système de dortoir, pratique pour les routards en solo. Éviter celles donnant sur la rue, assez bruyantes. Salles de bains communes impeccables. Quelques chambres doubles pour plus d'intimité. Boissons chaudes offertes. Une bonne adresse.

🛏 *Casa Mexicana* (plan D3, 21) : Sostenes Rocha 28. ☎ 732-73-93 et 50-05. ● www.casamexicanaweb. com ● Bien situé, à côté du teatro Cervantés. Chambres agréables qui entourent un joli patio sur plusieurs étages. Certaines ont une petite salle de bains. L'ensemble est plaisant, très coloré et bien entretenu. Laverie et cuisine à disposition. Au rez-de-chaussée, une petite association organise des cours d'espagnol.

🛏 *Hôtel Alhondiga* (hors plan par A1, 22) : Insurgencia 49. ☎ 732-05-25. Assez excentré, proche du musée *Alhóndiga de Granaditas*. Les chambres, avec salle de bains et TV, ont une touche coloniale. Certaines sont sombres ; d'autres plus claires donnent sur la rue. Confort et accueil simples et sans chichis, mais un bon rapport qualité-prix.

🛏 *La Casa del Tío* (plan C2, 23) : Cantarranas 47. ☎ 733-97-28. ● www.lacasadeltio.hostel.com ● Auberge de jeunesse de taille familiale. Une chambre au rez-de-chaussée pour 4 personnes. À l'étage, dortoirs clairs et bien tenus, sanitaires communs très propres. TV, accès Internet, cuisine à disposition et terrasse sur le toit. Pas un charme fou et un peu cher payé, mais quand même une bonne alternative si tout est complet dans cette catégorie.

Prix moyens : de 300 à 450 $Me (21 à 35 €)

🛏 *Casa de Pita* (plan C2, 24) : Cabecita 26. ☎ 732-15-32. ● www.casadepita.com ● À côté de la petite place Mexiamora ; accès par les escaliers à droite du teatro Principal. Attention, prise rare ! Cette maison familiale possède un charme fou et l'accueil de Pita est inégalable ! Petit dortoir très agréable et 8 chambres personnalisées, certaines avec accès indépendant, TV, cuisine, etc. Une chambre à l'atmosphère très cosy, avec cheminée et meubles en bois ; une autre pour les lunes de miel (sic !) ; une autre pour les familles, avec mezzanine et 2 lits simples à l'étage. Bref ! On vous laisse le plaisir de la découverte, et apprécier l'ambiance conviviale. Pour ne rien gâcher, le quartier, un peu en hauteur de la ville, est populaire et calme, à seulement 5 mn du centre. Terrasse sur le toit. Petit dej' (simple) inclus. Réservation très conseillée.

🛏 *Posada Molino del Rey* (plan D3, 25) : Padre Belaunzarán. ☎ 732-22-23. Fax : 732-10-40. Non loin de la statue de Don Quichotte, dans une ruelle en retrait de la place. Architecture assez originale, avec des chambres agrémentées de voûtes en brique (style colonial), réparties sur plusieurs niveaux autour d'un patio arboré. Propres et confortables, certaines sont toutefois un peu sombres. Au sous-sol, resto très correct. Accueil sympathique du *padre* Belaunzaran. Une bonne adresse dans cette catégorie.

Chic : de 500 à 700 $Me (35 à 49 €)

🛏 *Hostería del Frayle (plan C2, 26) :* Sopeña 3. ☎ 732-11-79. Très cher en haute saison, mais le reste du temps, on peut s'offrir une chambre double luxueuse pour 500 $Me (35 €). Superbe bâtisse coloniale immense et austère, dans la grande tradition espagnole. Les chambres sont magnifiques, décorées de peintures et de meubles anciens. Celles donnant sur la rue sont calmes et très agréables. Petites salles de bains couvertes de céramiques. Restaurant. Une bonne adresse de charme.

🛏 *Mesón del Rosario (plan B1, 27) :* Juárez 31. ☎ et fax : 732-32-84. ● www.travelbymexico.com/guan/me sonrosario ● Une vieille demeure datant de 1784, entièrement rénovée. On accède aux chambres, réparties sur 3 étages, par un petit patio. Assez modernes et toutes identiques, confortables et propres. L'ensemble est plutôt agréable et bien tenu, situé en plein centre mais au calme. Accueil souriant et disponible.

🛏 *Casa de las Manrique (plan A1, 28) :* Juárez 116. ☎ 732-76-78. Un petit hôtel situé entre le mercado Hidalgo et la plaza de La Paz. Ancienne et très belle demeure coloniale. Seulement 8 suites spacieuses, décorées avec goût. Confort et charme pour un prix attractif (en dehors des périodes d'affluence).

Plus chic : au-dessus de 700 $Me (49 €)

🛏 *Hôtel Luna (plan C2, 29) :* Jardín de la Unión 6. ☎ 732-97-25. Fax : 732-97-20. ● ● www.hotelluna.8k. com ● Doubles autour de 820 $Me (58 €) sans fenêtre, 960 $Me (68 €) avec balcon et vue sur la place ; 1 200 $Me (84 €) pour la sublime suite présidentielle ! Le petit dej' (américain) est compris. Baisse de 10 % si l'on paie en espèces. Superbe demeure construite au XVIIIe siècle, chargée de marbre et de lustres en cristal. Le président Porfirio Díaz y séjourna à l'occasion de l'inauguration du théâtre Juárez, en 1903. Une vingtaine de chambres confortables. Jolis balcons en fer forgé donnant directement sur la place animée, mais les couche-tôt peuvent dormir de l'autre côté. Seul bémol, la déco des chambres est assez banale et les salles de bains sont petites. Resto en terrasse, sur la place. Accueil charmant et efficace.

Où manger ?

De bon marché à prix moyens : de moins de 70 $Me à 150 $Me (5 à 10,50 €)

🍴 *Mercado Hidalgo (plan A1, 40) :* aujourd'hui presque entièrement dévolu aux stands de souvenirs et babioles pour touristes, ce marché abrite toutefois quelques gargotes qui proposent quelques plats et surtout un large choix de jus de fruits frais et *vitaminas*. Comme d'habitude, choisir le stand qui paraît le plus propre et qui rameute le plus de monde.

🍴 *El Pingüis (plan C2, 41) :* jardín de la Unión. Pas d'enseigne, seulement un auvent orange. Pour se nourrir sans chichis, avec un bon menu du jour à prix démocratique. Un miracle que de rencontrer sur cette place un endroit aussi simple et populaire.

🍴 *La Esquina del Sol (plan C1, 43) :* calle del Sol 10. ☎ 732-18-73. Ouvert du lundi au samedi de 8 h à 20 h. Une jolie adresse zen au cadre soigné, avec une petite salle accueillante et un coin rempli de plantes. Cuisine végétarienne de qualité : salades, sandwichs, bagels, soupes, gâteaux maison ; et une grande sélection de jus de fruits frais et milk-shakes. *Comida corrida* d'un excellent rapport qualité-prix. La chef, une Australienne, est secondée par une Française. Atmosphère agréable et cosmopolite.

|●| *El Tapatio* (plan C1, 44) : juste en face du grand escalier de l'université. ☎ 732-32-91. Déco assez kitsch et TV en fond sonore, mais ambiance chaleureuse et familiale. Quelques profs, des employés de l'université, et des routards avisés ! De bons plats et surtout, au déjeuner, une *comida corrida* bon marché. Quelques formules pour le petit dej'. Le fils du patron tient le cybercafé à côté.

|●| *Truco 7* (plan C2, 45) : Truco 7 (donc !). ☎ 732-83-74. Ouvert tous les jours de 8 h 30 à 23 h. Resto très convivial, style café littéraire. Tables rondes, vieux fauteuils en cuir, affiches sur les murs et tout un bric-à-brac d'objets anciens. Chouette musique en fond sonore. Beaucoup d'étudiants, d'intellos ; c'est souvent bondé aux heures de pointe. Excellents *antojitos, enchiladas (verde, rojo...), huevos al gosto,* viandes, pâtisseries, et même un rare *espresso.* Une adresse très sympa, véritable institution.

|●| *Casa Valadez* (plan C2, 42) : à l'angle du jardín de la Unión. Ouvert de 9 h à 23 h. Grande salle clean tendance bistrot, remplie dès le matin pour le petit dej'. Lieu de rendez-vous des Mexicains, mais aussi une adresse très touristique. Carte très complète et *comida corrida* très correcte pour le prix. On profite de la vue sympa sur la place et le théâtre.

De chic à plus chic : de 150 $Me à plus de 250 $Me (10,50 à 17,50 €)

|●| *El Gallo Pitagórico* (plan C2, 46) : ruelle Constancia ; derrière l'hôtel *San Diego.* ☎ 732-94-89. Ouvert de 14 h à 23 h. Fermé le lundi. D'accord, il faut grimper jusque-là, mais la récompense est à la hauteur de l'effort. Vous voici au « Coq Pythagorique (!) », un excellent resto de cuisine italienne, qui jouit d'une belle vue sur la ville. Le patron a passé plusieurs années en Italie et concocte une cuisine fine de première fraîcheur : délicieuses pâtes au vin blanc et au citron, carpaccio de bœuf ou de saumon, etc. N'oubliez pas de commander votre tiramisù dès le début, car il disparaît rapidement de la carte. De quoi passer une douce soirée.

|●| *Chao Bella* (plan B1, 47) : Positos 25. ☎ 732-67-64. Comme son nom l'indique, un resto de spécialités italiennes. Excellentes salades, pâtes fraîches, pizzas fines et croustillantes. Le patron est mexicain mais il connaît son affaire et maîtrise l'art d'une cuisine goûteuse, parfumée et joliment présentée. Prix élevés, mais produits de première fraîcheur. À déguster dans un cadre agréable ; plusieurs petites salles aérées et une cour intérieure aux murs colorés. Idéal pour un dîner en amoureux.

|●| *Restaurant de la Posada Santa Fé* (plan C2, 48) : jardín de la Unión 12. ☎ 732-00-84. Superbe édifice du XIXe siècle, qui abrita à l'époque le consulat de Prusse. Côté hébergement, on est déçu par la déco des chambres, sans charme, en contradiction avec des tarifs aussi élevés. En revanche, on peut s'offrir un bon repas dans la salle à l'intérieur, au cadre chic et compassé. En terrasse, c'est plus cool et touristique ; les groupes de *mariachis* se succèdent. Vraiment excellent mais cher. Pour un soir de fête. Les nostalgiques de pubs anglais se devront d'aller prendre un verre au bar *El Consulado,* très smart.

Où boire un verre ? Où sortir ?

♩ **La Dama de las Camelias, es él** (plan C-D2, 60) : Sopeña 32. En face du musée Don Quijote. Entrée discrète, devant l'escalier qui mène aux rues souterraines. Vraiment étrange, ce nom : « La Dame aux Camélias, c'est lui » ! Tout comme l'ambiance de ce bar délirant aux murs recouverts de fresques, de collages, de miroirs brisés, de partitions musicales, etc. Musique latino (salsa, rumba...), parfois du jazz ou du flamenco. Étrangement hétéroclite, cette clientèle de vieux aficionados, de poupées en minijupes et de quelques gays. Tout ce petit monde sorti d'un film de Fellini se met à danser après quelques verres de tequila. Propice aux rencontres nocturnes insolites...

El Café (plan C2, 61) : Sopeña 10. ☎ 732-25-66. Ouvert tous les jours de 8 h à minuit (2 h le week-end). À deux pas du jardin de la Unión, un petit café animé et coloré, fréquenté pour son agréable terrasse en face du teatro Juárez. On y vient le matin pour s'offrir un petit dej' avec espresso ou un café arrangé, et on s'y donne rendez-vous en soirée, autour d'une bière ou d'une tequila. Petite carte d'antojitos et salades.

Zilch Cafe-Bar (plan C1, 62) : Baratillo 16. Sur la place du même nom. L'adresse en vogue chez la jeunesse étudiante. Entrée tout en longueur et deux petites salles intimes au fond, loupiotes colorées et tableaux contemporains aux murs. Carte longue comme le bras, de bières nationales et internationales, vins, tequilas... Très fréquenté aussi le midi pour sa sélection de crostinis et l'après-midi pour la pause thé ou café (une vingtaine au choix). Le soir, l'ambiance s'échauffe sur fond de musique latino et au rythme des verres éclusés !

♩ **El Bar** (plan C2, 61) : Sopeña 10. ☎ 103-02-18. Situé juste au-dessus d'El Café, c'est le dernier club en vue pour danser sur un air de salsa. On peut s'entraîner en allant aux cours, du lundi au jeudi de 18 h à 22 h, puis montrer ses prouesses jusqu'à 2 h, en s'échauffant à l'aide de tequila ! Réductions pour les filles et happy hours presque tous les jours.

El Gallo Pitagórico (plan C2, 46) : sur les hauteurs ; voir « Où manger ? ». Le bar se trouve au dernier étage du restaurant. On vous laisse imaginer la vue... C'est donc l'endroit idéal pour venir prendre un verre, attablé sur l'agréable terrasse qui domine la ville. À l'intérieur, cadre coloré et chaleureux.

À voir. À faire

On peut visiter la ville, ainsi que les sites des environs, avec des circuits organisés en minibus. Voir « Adresses utiles ».

Jardín de la Unión (plan C2) : petite place très agréable avec des lauriers d'Inde si touffus qu'ils dispensent une douce fraîcheur. C'est ici que se rassemblent les mariachis. De l'autre côté de la place, on peut voir le Teatro Juárez de style dorique-pompier et, juste à côté, l'église San Diego, à la splendide façade. Concerts fréquents dans le kiosque à musique au centre.

Teatro Juárez (plan C2) : en face du jardin de la Unión. Ouvert aux visites du mardi au dimanche de 9 h à 13 h 45 et de 17 h à 19 h 45. Entrée : 20 $Me (1,40 €). Inauguré en 1903 par Porfirio Díaz. Salle de théâtre splendide de style mozarabe très marqué, inspirée de l'Alhambra de Grenade. Le foyer est assez surprenant, néoclassique mais avec des touches Art nouveau.

Basílica de Nuestra Señora de Guanajuato (plan C1-2) : cette basilique du XVIIe siècle dévore la plaza de La Paz par son architecture baroque imposante. Les ornements intérieurs, peintures, balcons, lustres et statues, en font l'une des plus belles églises de la région. La statue de la Vierge richement parée de bijoux fut offerte par le roi Philippe II d'Espagne.

🏃 ***Les rues souterraines :*** spectacle impressionnant que cet énorme gruyère qui grouille sous la ville, formé de rues en zigzag qui surgissent, disparaissent et réapparaissent, débouchant parfois sur des maisons à encorbellement qui semblent miraculeusement accrochées aux flancs des ravins creusés lors de l'inondation de 1905. En voiture, cauchemar total assuré ; il faut abandonner son véhicule au plus vite dans n'importe quel parking souterrain. En bus, c'est nettement plus marrant !

🏃🏃 ***Monumento de Pípila*** *(plan B2-3)* : il surplombe la ville. Accessible par des escaliers (pénible quand il fait chaud !) ou mieux, par un funiculaire : départ derrière le théâtre Juárez (du lundi au vendredi de 8 h à 22 h, le samedi à partir de 9 h et le dimanche de 10 h à 21 h) ; 10 $Me l'aller (0,70 €). *Pípila* est le nom d'un héros de la guerre d'Indépendance, durant laquelle il se distingua en attaquant le grenier municipal où les Espagnols s'étaient réfugiés, en y mettant le feu. Là-haut, sa statue monumentale domine la ville, et une belle esplanade panoramique permet de jouir d'une vue splendide sur Guanajuato. Superbe en fin de journée, lorsque le soleil couchant embrase les monuments et les maisons aux façades colorées.

🏃 ***Mercado Hidalgo*** *(plan A1)* : av. Juárez. Vaste bâtiment du début du XXe siècle. Pas grand-chose à voir car il est aujourd'hui envahi de stands de babioles touristiques. En cherchant bien, notamment au 1er étage, on peut dénicher quelques bricoles.

🏃 ***La ruelle du Baiser*** *(callejón del Beso ; plan A2)* : près de la plaza Los Angeles. C'est l'une des grandes attractions de la ville et paradoxalement, elle ne présente absolument aucun intérêt, même si l'on est très amoureux et très romantique. Cette ruelle tient son nom d'une légende du XIXe siècle : deux amoureux vivaient dans des maisons se faisant face. Comme leurs parents ne voulaient pas entendre parler de leur union, ils se retrouvaient sur leurs balcons respectifs et si proches qu'ils pouvaient s'embrasser. Du Roméo et Juliette version mexicaine.

Les musées

🏃🏃🏃 ***Museo iconográfico del Quijote*** *(plan C2)* : Sopeña ; à côté de l'église San Francisco. ☎ 732-67-21. Ouvert du mardi au samedi de 10 h à 18 h et le dimanche de 10 h à 14 h. Entrée : 20 $Me (1,40 €). Musée dédié à Don Quijote, dans un superbe bâtiment colonial du XVIIIe siècle. Sculptures, peintures et dessins inspirés des tribulations du héros de Cervantès. Riche collection privée et quelques très belles pièces, notamment des œuvres de Pedro Coronel et une superbe lithographie de Dalí.

🏃🏃 ***Museo Alhóndiga de Granaditas*** *(plan A1)* : au bout de la rue Pocitos. ☎ 732-11-12. Ouvert du mardi au samedi de 10 h à 14 h et de 16 h à 18 h et le dimanche jusqu'à 15 h. Fermé le lundi. Entrée : 30 $Me (2,10 €). Installé dans les anciens greniers de la ville (réserves de céréales et entrepôts de tabac) qui furent transformés en place forte par les Espagnols en 1810, lors de la guerre d'Indépendance. Pípila, un indépendantiste mené par le père Hidalgo, finit par y pénétrer en y mettant le feu. Cette période capitale dans l'histoire du Mexique est racontée ici sous forme de grandes fresques de Chavez Moredo, qui ornent les murs des escaliers. À l'étage, les salles entourant le patio relatent modestement l'histoire du Mexique, depuis les Aztèques jusqu'à la fin des colonies et l'instauration de la République. L'accent est mis en particulier sur l'État de Guanajuato, à travers une foule d'objets, peintures, sculptures, etc. Parmi les drôleries du genre, l'une des cages en fer où furent exposées pendant dix ans, à l'extérieur du bâtiment, les têtes des quatre leaders : Allende, Hidalgo, Aldama et Jiménez. On retrouve leur tête sous forme de sculptures monumentales, exposées au rez-de-chaussée. Également quelques salles d'expos temporaires.

🍴 *Museo Diego Rivera (plan B1) :* Positos 47. ☎ 732-11-97. Ouvert du mardi au samedi de 10 h à 19 h et le dimanche jusqu'à 15 h. Entrée : 15 $Me (1,10 €). C'est la maison où le peintre Diego Rivera a passé la première partie de son enfance. Au rez-de-chaussée, quelques pièces meublées ; aux étages, sa vie et son œuvre (1886-1957). Ses surprenantes fresques murales se trouvent notamment au Palacio Nacional de Mexico.

🍴 *Museo del Pueblo (plan B-C1) :* Positos 7. ☎ 732-29-90. Ouvert du mardi au samedi de 10 h à 18 h 30 et le dimanche jusqu'à 14 h. Entrée : 12 $Me (0,90 €). Dans une belle maison du XVIIᵉ siècle, exposition de peintures d'artistes mexicains, notamment le muraliste José Chávez Morado, et une collection d'art civil et religieux des XVIIIᵉ et XIXᵉ siècles. Jeter un regard (aiguisé !) à la collection d'art miniature, spécialité régionale. Quelques expos temporaires d'artistes contemporains.

🍴🍴 *Museo de las Momias (hors plan par A1) :* un peu en dehors du centre. Prendre un bus marqué « Pueblo de Rocha » ou « Tepetapa ». Ouvert tous les jours de 9 h à 18 h. Vision à la fois macabre et fascinante que cette centaine de momies grimaçantes ! Elles sont parfaitement conservées, grâce à la composition du sol et à l'air particulièrement sec. C'est l'attraction favorite des Mexicains en visite à Guanajuato. Une manifestation intéressante de leur relation ambiguë avec la mort !

Fêtes et festivals

– *Les callejoneadas :* toute l'année, rassemblement les vendredi et samedi soir sur l'escalier du teatro Juárez *(plan C2).* Mais d'autres *callejoneadas* surgissent spontanément à tout moment. Des musiciens vêtus de costumes espagnols du XIXᵉ siècle invitent la foule à les suivre dans les rues de la ville, qui se transforme rapidement en une vaste fête populaire...

– *Viernes del Dolores :* le vendredi avant la Semaine sainte. C'est le jour des offrandes à la vierge de Dolores, sainte patronne des mineurs. Traditionnel paseo fleuri sur le jardin de la Unión. Un beau spectacle coloré.

– *Fiestas de San Juan :* la 2ᵉ quinzaine de juin. Spectacles, concerts, animations dans le centre historique... Le point d'orgue de la fête a lieu le 24 juin, jour de la saint Jean. À ne pas manquer !

– *Festival Cervantino :* en octobre. ● www.festivalcervantino.gob.mx ● Ce célèbre festival de danse et de théâtre réunit durant 15 jours d'excellentes troupes d'artistes venus du monde entier. Spectacles dans les théâtres, mais aussi une multitude de groupes et d'animations partout dans la ville.

– *Feria del Alfeñique :* fin octobre-début novembre. Une tradition populaire. On réalise à cette occasion d'immenses figurines en sucre, notamment des squelettes pour le jour des Morts, le 2 novembre.

➤ DANS LES ENVIRONS DE GUANAJUATO

🍴🍴 *L'église San Cayetano et la mine de Valenciana :* à 4 km sur la route de Dolores Hidalgo. Prendre un bus marqué « Valenciana » près du musée Alhóndiga. Ouvert tous les jours sauf le lundi, de 9 h à 18 h. Entrée : 25 $Me (1,80 €). Magnifique église baroque du XVIIIᵉ siècle, construite sur les hauteurs dominant la ville. La façade de style churrigueresque est superbe et à l'intérieur, les trois retables baroques, dorés et bien lourds, méritent le détour.

LES VILLES COLONIALES

En contrebas, la mine de Valenciana, très active à la fin du XVIIIe siècle, qui produisait en grande quantité de l'or et de l'argent exportés en Espagne et en Asie. Elle fut fermée au moment de la Révolution mexicaine et remise en activité bien plus tard, en 1968, sous forme de coopérative. Des « guides » vous proposent la visite, mais c'est sans grand intérêt ; on ne voit pas grand-chose de plus que ce qui est visible à l'entrée.

🚶 *Hacienda San Gabriel de la Barrera :* ☎ 732-06-19. Pour y aller, bus en direction de Noria Alta ou Marfil et descendre à l'hôtel *Misión Guanajuato* (2,5 km du centre). Ouvert tous les jours de 9 h à 18 h. Entrée : 22 $Me (1,60 €), plus 20 $Me pour l'appareil photo (!). On visite la maison et les jardins aménagés. Belle propriété datant du XVIIe siècle, qui fut remaniée en résidence officielle pour les grands de ce monde (le roi d'Espagne et la reine d'Angleterre y séjournèrent) au début du XXe siècle, avant d'être reconvertie en musée (beau mobilier ancien) et jardins d'agréments, en 1979.

SAN LUIS POTOSÍ

630 000 hab.   IND. TÉL. : 444

À 1 880 m d'altitude, à mi-chemin entre Mexico et la ville industrielle de Monterrey, San Luis Potosí représente une étape agréable. Non seulement pour les beaux restes de son glorieux passé colonial, mais aussi pour la gentillesse de ses habitants et sa vie culturelle. Peut-être moins de charme que ses voisines Zacatecas et Guanajuato, mais quelques beaux monuments, d'imposantes églises, d'agréables places entourées de vieilles demeures, et une animation agréable le week-end. L'important centre historique a été entièrement rénové ces dernières années. Il offre désormais de vastes espaces piétons, où il fait bon se promener pour admirer les superbes édifices coloniaux, dont la noblesse architecturale rappelle l'époque prospère où la cité vivait de ses mines d'argent.

UN PEU D'HISTOIRE

Au moment de la Conquête, la région était seulement habitée par les rudes tribus nomades Chichimèques, aguerries à la vie hostile dans le désert. Ce sont les moines franciscains qui s'y aventurèrent les premiers (vers 1589, soit presque 70 ans après la chute de l'Empire aztèque) et fondèrent plusieurs missions, dont celle de San Luis (en hommage à Saint Louis, roi de France). On découvrit alors de riches gisements argentifères et des mines d'or qui firent accourir les colons espagnols. L'histoire se répète ; les Indiens furent soumis et envoyés aux mines. En novembre 1792, la ville fut fondée officiellement et l'on ajouta fièrement le mot « Potosí », en référence aux fameuses mines de Bolivie (*potosí* signifie « grande richesse » en quechua). Plus tard, lors de l'invasion du Mexique par les troupes françaises de Maximilien, Benito Juárez installa son gouvernement à San Luis Potosí, qui devint la capitale provisoire du pays entre 1863 et 1867.

Arriver – Quitter

En bus

🚌 *Terminal des bus (hors plan par B2, 5)* : la *Central camionera* est située sur la route 57, en direction de Mexico. ☎ 816-45-96. Pour s'y rendre, prendre le bus urbain qui indique « Central camionera » sur le

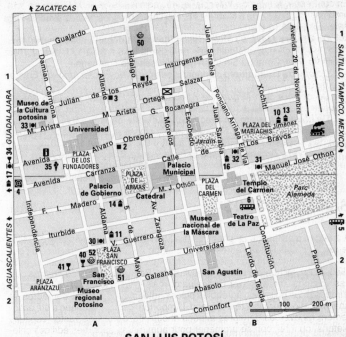

SAN LUIS POTOSÍ

■ **Adresses utiles**

- ℹ Office de tourisme
- ✉ Poste
- 1 Bureaux de change
- 2 Banque Banamex
- 3 Banque Bancomer
- @ 4 Infinitum
- 🚌 5 Terminal des bus
- 🚌 6 Bus urbain
  pour le terminal

🛏 **Où dormir ?**

- 10 Hôtel La Estación
- 11 Hôtel Progreso
- 13 Hôtel Guadalajara
- 14 Hôtel de Gante
- 16 Hôtel María Cristina
- 17 Hôtel Real Plaza

|●| **Où manger ?**

- 30 El Bocolito
- 31 Café Tokio
- 32 Café Pacífico
- 33 Yu Ne Nisa
- 34 La Corriente

🍦 **Où déguster une glace ?**

- 35 Tequisnieve

🍷 **Où boire un verre ?**

- 34 La Corriente
- 40 El Callejón de San Francisco
- 41 Luna Café

🔧 **Achats**

- 50 Mercado Hidalgo
- 51 Casa Grande
- 52 Boutique Fonart

jardín Alameda *(plan B2, 6)*. Si vous voyagez avec les compagnies *ETN* et *Primera Plus,* il est possible de réserver vos billets en ville dans une agence de voyages. Les compagnies de 2ᵉ classe sont : *Flecha Amarilla* (☎ 816-63-93), certains bus de *Estrella Blanca* et de *Futura.* En 1ʳᵉ classe, on voyage avec *Primera Plus* (☎ 818-11-99) ou la luxueuse *ETN* (☎ 818-67-17 ou 05).

➤ *Vers Matehuala (Real de Catorce) :* en 1re classe avec *Noroeste* (☎ 818-35-67), 12 départs de 6 h 40 à 23 h. Départs toutes les heures avec *Estrella Blanca*. Trajet : 2 h 30.

➤ *De et vers Mexico :* en 2e classe, environ 8 départs avec *Flecha Amarilla* ; en 1re classe, une quinzaine de départs de 0 h 30 à 17 h avec *ETN* et *Primera Plus*. Compter 5 h à 6 h de trajet selon la compagnie.

➤ *De et vers Guanajuato :* 5 départs par jour avec *Flecha Amarilla*. Environ 4 h de trajet.

➤ *De et vers San Miguel de Allende :* avec *Flecha Amarilla,* 6 départs quotidiens de 7 h 30 à 18 h. Également des bus *Primera Plus*. Trajet : 4 h.

➤ *De et vers Querétaro :* avec *Flecha Amarilla,* départs à 9 h, 11 h, 12 h et 14 h. Avec *Primera Plus,* 5 départs en 1re classe et une vingtaine avec des bus de 2e classe. Avec *ETN*, départs à 6 h 30, 12 h 30 et 16 h 30.

➤ *De et vers Zacatecas :* avec *Estrella Blanca,* 6 départs entre 7 h et 17 h ; ou en 1re classe avec *Omnibus de México*, 10 départs par jour. Trajet : 3 h.

➤ *De et vers Guadalajara :* avec *Estrella Blanca,* 8 départs par jour en 2e classe. Neuf départs avec *ETN*, de minuit à 18 h 30. Trajet : 5 h à 6 h.

En avion

✈ *L'aéroport* est situé à 13 km au nord, sur la route 57 en direction de Monterrey. ☎ 822-23-96.

■ *Aerocalifornia :* ☎ 811-80-50. À l'aéroport : ☎ 818-48-61. Liaison quotidienne avec *Mexico :* un vol le matin depuis San Luis et un le soir depuis Mexico. Assure la liaison via Mexico pour de nombreuses villes mexicaines, ainsi que *Los Angeles* (Californie).

■ *Aerolitoral :* ☎ 822-22-29. Quatre à 9 vols directs par jour avec Mexico, selon le jour de la semaine. Depuis et vers *Monterrey,* 2 vols directs par jour du lundi au vendredi, un vol le week-end. Très nombreuses liaisons nationales et internationales via Mexico.

■ *Aeromar :* ☎ 817-79-36. Plusieurs vols par jour pour *Monterrey* et *Mexico*, ainsi qu'une liaison quotidienne pour *San Antonio (Texas)*.

Adresses utiles

🛈 *Office de tourisme* (plan A1) : Alvaro Obregón 520. ☎ 812-99-39.
● www.visitsanluispotosi.com ●
Ouvert du lundi au vendredi de 8 h à 21 h et le samedi de 9 h à 14 h. Dans une jolie maison de style néoclassique. Nombreuses brochures sur les environs, des cartes de la ville et de la région.

✉ *Poste* (plan A1) : à l'angle de Salazar et de Morelos. Ouvert du lundi au vendredi de 8 h à 17 h et le samedi de 9 h à 13 h.

▓ *Change* (plan A1, 1) : plusieurs bureaux de change sont regroupés dans la rue Julián de los Reyes, entre Hidalgo et Morelos. On peut comparer les taux en toute tranquillité. Ici, les euros, les dollars et les pesos s'échangent à un taux souvent intéressant.

■ *Banque Banamex* (plan A1, 2) : au coin entre Alvaro Obregón et 5 de Mayo. Ouvert du lundi au vendredi de 9 h à 16 h 30. Change les espèces ou chèques de voyage. Distributeur de billets (*MasterCard* et *Visa*) accessible 24 h/24.

■ *Banque Bancomer* (plan A1, 3) : au coin entre Julián de los Reyes et I. Allende. Ouvert du lundi au vendredi de 8 h 30 à 16 h et le samedi de 10 h à 14 h. Distributeur de billets (*MasterCard* et *Visa*) accessible 24 h/24.

▓ *Infinitum* (plan A2, 4) : calle Carranza 416. Ouvert du lundi au samedi de 10 h à 21 h et le dimanche de 11 h à 17 h.

Où dormir ?

Très bon marché : moins de 210 $Me (14,70 €)

🛏 *Hôtel La Estación* (plan B1, *10*) : Jiménez, à côté de l'hôtel *Guadalajara*. Pas de téléphone. Petite entrée discrète. De toute façon petites chambres *sin baño*, réduites au strict minimum mais très propres, murs turquoise pour la touche de gaieté. Hôtel bien tenu, même si les douches communes sont vraiment rudimentaires. Le tout à prix imbattables. En revanche, le quartier est un peu glauque le soir.

Bon marché : de 210 à 300 $Me (14,70 à 21 €)

🛏 *Hôtel Progreso* (plan A2, *11*) : Aldama 415. ☎ 812-03-66 et 67. • ho telprogreso@hotmail.com • Près de la plaza de Armas. Un hôtel qui a connu ses heures de gloire dans les années 1920. Un vrai charme rétro avec quelques beaux restes, notamment le lobby, son standard téléphonique d'époque et ses canapés Chesterfield. À l'étage, chambres très claires et spacieuses, avec parquet et petit balcon sur la rue. L'ensemble est propre et bien tenu, même si les salles de bains mériteraient d'être rafraîchies. En outre, éviter les chambres sur l'intérieur, sombres et tristounettes. Une bonne adresse pas chère.

🛏 *Hôtel Guadalajara* (plan B1, *13*) : Jiménez 253. ☎ 812-46-12. À une *cuadra* de la plaza del Mariachis. Une trentaine de chambres petites et assez sombres, réparties sur 3 étages autour d'une cour intérieure. Confortable et très propre, avec salle de bains et TV. A l'avantage d'être bien tenu et sûr, dans un quartier qui l'est un peu moins en soirée... Ascenseur et parking. Un bon rapport qualité-prix.

Prix moyens : de 300 à 500 $Me (21 à 35 €)

🛏 *Hôtel de Gante* (plan A2, *14*) : 5 de Mayo 140, à l'angle de la plaza de Armas. ☎ 812-14-92 et 93. • ho tel_degante@hotmail.com • Un hôtel très rétro mais pas désagréable. Grandes chambres propres et claires, avec salle de bains et mobilier des années 1950. Certaines possèdent un vrai charme, notamment les n°s 110 et 210, à l'angle, lumineuses et avec vue directe sur la place.

Plus chic : plus de 600 $Me (42 €)

🛏 *Hôtel María Cristina* (plan B1, *16*) : Juan Sarabia 110. ☎ 812-94-08 ou 01-800-480-61-00 (n° gratuit). • www.mariacristina.com.mx • Grande tour moderne bien située, à deux pas de la plaza del Carmen. Bien qu'assez sombres et petites, les chambres sont confortables et chaleureuses. Préférer celles des étages supérieurs. Gymnase. Parking. Bon petit dej'. Un bon rapport qualité-prix.

🛏 *Hôtel Real Plaza* (hors plan par A2, *17*) : V. Carranza 890. ☎ 814-60-55 et 69-69. Réservations : ☎ 814-20-57. • www.realpla za.com • Un grand hôtel chic de 14 étages, un peu éloigné du centre (on peut tout de même y aller à pied sans problème). Chambres tout confort, agréables, avec dessus-de-lit assortis aux rideaux. Au choix, lit *king size* ou 2 lits individuels. Demander une chambre à partir du 6e étage : vue superbe sur la ville. Des prix très intéressants pour cette catégorie.

Où manger ?

Bon marché : moins de 70 $Me (5 €)

|●| *El Bocolito* (plan A2, 30) : Vincente Guerrero 2. ☎ 812-76-94. Ouvert tous les jours, du matin au soir. Vaste salle aérée et lumineuse, donnant sur la belle place San Francisco. Déco soignée et propreté irréprochable. Surtout, la cuisine y est vraiment excellente et d'un très bon rapport qualité-prix, à l'instar de la *comida corrida* (à 55 $Me, soit moins de 4 €) avec potage maison et riz sauté, 3 plats au choix (le *pollo* sauce *mole* un régal !), fruits frais en dessert et *agua fresca* à volonté ! Service assuré par toute la famille, charmante, et atmosphère bien agréable. Un coup de cœur.

|●| *Café Pacífico* (plan B1, 32) : Constitución 200. ☎ 812-54-14. En face de la plaza del Mariachis. Cadre agréable pour cette grande cafétéria du genre hall de gare rétro. Présente l'énorme avantage d'être ouvert 24 h/24. Carte très complète. Menu pas cher pour le déjeuner et bonnes formules copieuses pour le petit dej'. Le tout dans une ambiance très populaire et mené tambour battant par un service féminin très efficace.

|●| *Yu Ne Nisa* (plan A1, 33) : Arista 360. ☎ 814-36-31. Ouvert de 9 h 30 à 20 h 30 ; service jusqu'à 18 h. Fermé le dimanche. Un resto végétarien au charme rétro, idéal pour la pause déjeuner. Bonne cuisine pas chère, à manger sur place, dans un patio intérieur avec des plantes vertes. Goûtez aussi aux *licuados* (fruits mixés avec du lait). On peut faire ses emplettes de produits bio dans la boutique à l'entrée.

|●| *Café Tokio* (plan B1, 31) : Manuel José Othon 415, en face du jardin de l'Alameda. ☎ 812-58-99. Ouvert de 7 h à 23 h 30. Grande salle assez kitsch pour ce resto populaire. La carte propose les plats classiques de la cuisine mexicaine. *Comida corrida* pour le déjeuner et bon choix de petits déjeuners. Une annexe plus petite à l'angle des calle Merced et Guerrero.

Prix moyens : de 70 à 150 $Me (5 à 10,50 €)

|●| *La Corriente* (hors plan par A1, 34) : Carranza 700. ☎ 812-93-04. Ouvert du lundi au samedi de 8 h à minuit (18 h le dimanche). Buffet pour le petit dej' le dimanche matin. Un peu excentré mais vaut quelques minutes de marche car le cadre est vraiment exceptionnel. Salles superbement décorées, entourant un vieux patio avec fontaine et plantes vertes. Cuisine excellente, plats typiques, viandes grillées et un copieux menu du jour. Vous pouvez goûter le café *de Olla*, parfumé à la cannelle. Service efficace et agréable, ce qui ne gâte rien.

Où déguster une glace ?

♥ *Tequisnieve* (plan A1, 35) : plaza de Los Fundadores, à l'angle d'Obregón. Ouvert tous les jours de 11 h à 21 h. Le glacier incontournable de la ville. Des dizaines de parfums aussi exotiques les uns que les autres. On peut les déguster sur place, sur des tables en bois peintes de couleurs vives. Très familial.

Où boire un verre ?

♥ *El Callejón de San Francisco* (plan A2, 40) : callejón de Lozada 1. ☎ 812-45-08. Dans la ruelle qui longe l'église San Francisco. Ouvert de 14 h à minuit. Vieille maison coloniale au cadre soigné avec, sur le toit, une très agréable terrasse donnant sur le clocher de l'église. Tapas espagnoles à grignoter et quelques plats classiques comme la *sopa azteca*. Idéal pour accompagner les nombreux cocktails maison (le bar est bien fourni).

🍷 *Luna Café (plan A2, 41) :* Universidad 155. ☎ 812-44-14. Ouvert tous les jours de 17 h à 22 h. Un salon de thé et bar très prisé de la jeunesse de San Luis. On profite des salles intimes et joliment décorées pour compter fleurette au-dessus des

pâtisseries maison, un café « especial » (une vingtaine au choix, avec du chocolat, de la glace vanille...) ou un cocktail fruité à base de tequila. Les plus romantiques optent sans hésiter pour la terrasse sur le toit, avec vue sur le dôme de l'église San Francisco.

🍷 *La Corriente (hors plan par A1, 34) :* Carranza 700. Cette bonne adresse de resto (voir « Où manger ? ») programme aussi des concerts du jeudi au samedi (soirées salsa les vendredi et samedi, jusqu'à 2 h).

À voir

➤ On peut suivre une *visite commentée* du centre historique dans un train touristique. Le départ se fait en face de l'hôtel *Panorama*, Carranza 315, du mardi au dimanche à 12 h 30, 16 h 30 et 18 h 30, plus à 20 h 30 les vendredi, samedi et dimanche. Compter un peu plus de 1 h de circuit et 40 $Me (2,80 €) par personne.

🎬 *La plaza de Armas (plan A1-2) :* également appelée *jardín Hidalgo*. Vaste place aux belles proportions, toute de rose et ocre vêtue. On fait référence à la couleur de la pierre des somptueux édifices qui l'entourent, superbe en fin de journée. La cathédrale et le palais municipal font face au Palacio de Gobierno. De style néoclassique, ce dernier a été érigé en 1770.

🎬 *La cathédrale (plan A-B2) :* construite en pierre rose à la fin du XVIIᵉ siècle, c'est l'une des plus belles églises baroques de la région. À l'intérieur, de grandes voûtes gothiques couvertes de dorures soutiennent un magnifique plafond peint en bleu qui diffuse une lumière subtile. À l'entrée, belles statues de style réaliste du roi Saint Louis et de saint Sébastien. D'autres sculptures intéressantes le long des deux travées, notamment un *Christ penseur*. Belle coupole au-dessus du chœur.

🎬 *Templo del Carmen (plan B1-2) :* sur la place du même nom. L'église présente une façade churrigueresque du XVIIIᵉ siècle, de facture indigène comme disent les spécialistes. L'intérieur est particulièrement intéressant et original, regroupant deux retables de styles différents, dont un naïf assez extraordinaire peint en blanc et beige, où dansent des angelots colorés dans toutes sortes de postures saugrenues ! Au fond à gauche, superbe chapelle baroque.

🎬 *Museo nacional del Virreinato (plan B2) :* dans l'ancien couvent accolé au Templo del Carmen. Ouvert du mardi au vendredi de 10 h à 19 h, le samedi jusqu'à 17 h et le dimanche de 11 h à 17 h. Entrée : 10 $Me (0,70 €). Exposition de peintures de la période « novohispana », en pleine évangélisation du Mexique, avec des normes picturales définies par le concile de Trente (1545-1563). Puis des sculptures religieuses polychromes, dont un étonnant *Niño Jesús*. Le bâtiment, superbement restauré, abrite un joli patio rempli de plantes et orné de belles colonnades. À l'étage, collection d'objets en fer forgé (clés, éperons, etc.) et quelques porcelaines. Pour finir, peintures du XVIIIᵉ siècle, représentant les saints et les archanges. Noter l'*Immaculada Concepción activa,* une huile de Morlete Ruiz (1715-1770) dont un exemplaire identique est visible dans la cathédrale de San Luis.

🕺 À une encablure de l'église, sur la plaza del Carmen, on tombe sur le ***teatro de La Paz*** *(plan B2)*, construit au début du XXe siècle et de style néoclassique. Les théâtreux hispanophiles assisteront à une représentation (places pas chères), les autres prendront un verre au *Café del Teatro*, très agréable.

🕺 ***Museo nacional de la Máscara*** *(plan B2) :* en face du teatro de La Paz. Ouvert du mardi au vendredi de 10 h à 14 h et de 16 h à 18 h et les samedi et dimanche de 10 h à 14 h. Dans un bel édifice du XIXe siècle, orné de superbes plafonds. Belle collection de masques traditionnels mexicains et quelques vêtements rituels provenant de différentes régions du pays.

🕺 ***Plaza del Mariachis*** *(plan B1) :* à voir en fin de journée pour une vision assez insolite : des dizaines de musiciens costumés en *mariachis,* qui offrent leurs services pour animer la soirée.

🕺🕺 ***L'église de San Francisco*** *(plan A2) :* sur la place du même nom, superbe, avec sa grande fontaine au centre, de nombreux arbres pour flâner à l'ombre et de beaux bâtiments coloniaux tout autour. Belle coupole recouverte d'*azulejos* et façade baroque datant de la fin du XVIIe siècle. À l'intérieur, un magnifique plafond peint d'un bleu divin et de nombreux tableaux baroques (Cabrera, Antonio de Torres, etc.). La sacristie est un petit chef-d'œuvre du style, avec un bas-relief représentant un épisode de la vie de saint François.

🕺🕺🕺 ***Museo regional Potosino*** *(plan A2) :* plaza de Aranzazu ; derrière l'église San Francisco. ☎ 814-35-72. Ouvert du mardi au samedi de 10 h à 19 h et le dimanche de 10 h à 17 h. Entrée : 30 $Me (2,10 €). Dans un ancien couvent franciscain fondé en 1590. Scénographie soignée pour ce musée consacré aux civilisations préhispaniques. Belles sculptures et objets artisanaux des peuples mayas, aztèques, zapotèques...
Il faut absolument monter au 1er étage pour admirer la ***chapelle Aranzazu.*** Un chef-d'œuvre de l'art churrigueresque. Construite en 1690, elle était réservée à l'usage personnel des franciscains. Vraiment surprenante avec ses ornements de stuc peints en rose et turquoise, soulignés de dorures. À côté de la chapelle, quelques œuvres d'art sacré, notamment un incroyable Christ du XVIIe siècle, dont la structure en bois est couverte de pâte de maïs et de stuc, puis peint, lui donnant presque l'aspect du bois.

🕺 ***Museo de la Cultura potosina*** *(plan A1) :* Arista 340, entre Independencia et Damián Carmona. ☎ 812-18-33. Ouvert du mardi au vendredi de 10 h à 14 h et de 16 h à 18 h et les samedi et dimanche de 10 h à 14 h. Entrée : 10 $Me (0,70 €). Petit musée gentiment présenté, qui retrace l'histoire de l'État de San Luis Potosí. Des maquettes d'anciennes mines, des objets et des costumes traditionnels.

Achats

🏵 ***Mercado Hidalgo*** *(plan A1, 50) :* tout le quartier est animé et sympa, avec des rues piétonnes assez agréables. Boutiques de vêtements à l'extérieur et stands de souvenirs (babioles, sacs, jouets en bois) dans le marché couvert.

🏵 ***Casa Grande*** *(plan A2, 51) :* Universidad 220. À côté de la plaza San Francisco. Belle vitrine de l'artisanat traditionnel de Potosí. Poteries, objets, cuir, tissus et produits bio (café, miel, liqueurs). Le lieu est agréable et dispose d'une petit cafèt'. Un bon plan pour faire le plein de souvenirs intelligemment, car l'argent est reversé directement aux artisans.

🏵 ***Boutique Fonart*** *(plan A2, 52) :* magasin gouvernemental d'artisanat. Situé à l'intérieur du Secretaria de Cultura, sur la place San Francisco. Belles pièces d'artisanat de tout le pays, bien que l'accent soit mis sur la production régionale.

Fêtes et festivals

– **Festival del Cafe potosino :** pendant 3 jours le dernier week-end de janvier. Animations, dégustation et vente de café des producteurs locaux.
– **Muestra internacional de Cine :** la 2e quinzaine de février. 65e édition en 2006 ! Intéressante programmation de films espagnols, italiens, chinois, français... Billet : 38 $Me (2,70 €). Renseignements auprès du *Secretaría de Cultura* : Jardín Guerrero 6 ; ☎ 812-90-14 ou 55-50.
– **Festival de Arte :** fin mars-début avril, pendant 2 semaines. Riche programme : concerts de musique classique, spectacles de danse, expos d'art contemporain, cinéma, etc. Concerts symphoniques gratuits sur les plazas de Armas et de Fundadores.
– Si vous avez la chance de vous trouver là pour la **Semaine Sainte** et en particulier le **Vendredi saint,** vous assisterez à la procession du silence, un événement impressionnant où des milliers de figurants, vêtus de longues robes macabres, défilent dans les rues en portant des scènes reconstituées de la vie du Christ. Pour suivre ce spectacle incroyable dans des conditions confortables (sur des chaises installées sur le trottoir), se renseigner dans les grands hôtels du centre ou à l'office de tourisme. Durant toute la semaine, spectacles, concerts et animations dans le centre historique.
– **Festival international de danse contemporaine « Lila López » :** chaque année fin juillet-début août. Spectacles de danse par des compagnies mexicaines et étrangères. Nombreuses représentations au théâtre de La Paz.
– **Feria nacional potosina :** pendant 3 semaines en août. Au sud de la ville, un vaste espace consacré au commerce, à l'agriculture et au tourisme de l'État de San Luis. Nombreuses animations, notamment d'importants combats de coq...
– **Fiesta de San Luis :** le 25 août, pour clore la feria. Très populaire, elle célèbre le saint patron de la ville, roi de France. Au programme, parades, musique, danses folkloriques et feux d'artifice.

REAL DE CATORCE   1 000 hab.   IND. TÉL. : 488

Perdu aux portes du désert et perché à 2 750 m d'altitude, le village de Real de Catorce a été, durant près d'un siècle, oublié du monde et des hommes. Un village fantôme, caché au fond d'une vallée, au milieu d'un paysage lunaire envahi par les cactus. Depuis que la gare est désaffectée, le seul accès possible se fait par un long tunnel creusé à même la roche, qui traverse la montagne de part en part, reprenant le tracé d'un ancien boyau de mine. Des mines d'or et d'argent, bien sûr ! Car ce village, aujourd'hui en ruine, aux ruelles escarpées et défoncées, a été l'une des villes minières les plus prospères de la Nouvelle-Espagne, fondée en 1778, quelques années après la découverte d'importants gisements.
Le village connaît un développement très rapide, avec la construction de vastes demeures coloniales, une majestueuse église, un hôtel de la monnaie et même un théâtre. Rien n'est trop beau pour les riches habitants qui importent d'Europe leur mobilier, les tissus fins et la vaisselle en porcelaine. Mais à l'aube du XXe siècle, l'opulente cité se retrouve ruinée en quelques années sous l'effet de la baisse du cours de l'argent et de l'instabilité politique due à la Révolution mexicaine. Entre 1905 et 1910, la population passe de 14 000 habitants à moins d'un millier ! Et la belle s'endort... Ce n'est que depuis quelques années que le village est sorti de sa léthargie, réveillé par un nombre croissant de visiteurs. L'atmosphère de village far west attire aussi les studios hollywoodiens, qui trouvent ici un sublime décor grandeur nature et à moindres frais !

Pour goûter au charme tranquille de Real de Catorce, mieux vaut donc éviter les week-ends et les périodes de vacances, car les touristes affluent, les tarifs flambent et les dizaines de stands de babioles à l'entrée du village transforment le village en « petit Mont-Saint-Michel » pour néobabs !

LA TERRE SACRÉE DES HUICHOLES

Chaque année, les Indiens huicholes effectuent une longue marche depuis les terres de Jalisco et de Nayarit (sur la côte Pacifique) pour venir célébrer ici un de leurs rituels séculaires : la communion avec leur dieu Híkuri, le peyotl, ce fameux cactus hallucinogène « qui nous fait passer outre notre code des perspectives et des couleurs », comme disait Cocteau. Cette région (Wirikuta en huichol), qui inclut une partie du désert, est sacrée, considérée comme la terre de leurs dieux. C'est d'ailleurs pour cette raison que les Huicholes ne vivent pas là. Mais tous les ans depuis des siècles, ils viennent ici sur les traces du Grand Esprit, le *Venado* (c'est-à-dire le cerf), qui est représenté par le cactus Híkuri, consommé lors des cérémonies. Cependant, pour la culture huichole, le peyotl n'est pas une simple drogue et constitue un élément de rituel sacré.

Arriver – Quitter

On ne peut plus y aller en train car la petite gare d'Estación Catorce, à quelques kilomètres de Real, est abandonnée aux vents du désert.

➤ **En bus :** à la gare routière de San Luis Potosí, prendre un car *Noroeste* (☎ 818-35-67) pour Matehuala (compter 3 h de trajet). Douze départs de 6 h 40 à 23 h. De là, prendre un bus *Altiplano* à destination de Real (compter 1 h 45 sur une magnifique route de montagne, pavée les 30 derniers kilomètres). Ce bus, trop grand pour passer par le tunnel, s'arrête à l'entrée, et on doit donc emprunter un minibus local pour accéder au village.

Le *túnel de Ogarrio,* inauguré en 1901, mesure 2,3 km de long. À l'origine, on y circulait en tramway électrique. Si vous circulez en voiture, petit péage de 20 $Me, soit 1,40 € (aller-retour).

Adresses utiles

ⓘ *Informations touristiques (plan B1) :* Constitución 27. ☎ et fax : 887-50-71. Un petit module est situé devant le Palacio municipal. Il n'y a souvent personne, la doc est très pauvre, mais l'effort est louable.

✉ *Poste (plan B2) :* Constitución. Ouvert du lundi au vendredi de 9 h à 15 h.

■ *Change :* pas de banque à Real. La plus proche est à Matehuala.

Où dormir ?

Tous les hôtels alignent leurs prix en fonction de la catégorie de confort, que ce soit les petites adresses pour routards ou les établissements « chic ». Mais durant les week-ends et les vacances, certains ont une fâcheuse tendance à augmenter leurs tarifs, déjà assez élevés le reste de l'année. En revanche, en semaine et en basse saison, on obtient souvent une ristourne. Autre chose : il faut savoir que le village manque parfois d'eau. Une autre bonne raison pour éviter les périodes de rush.

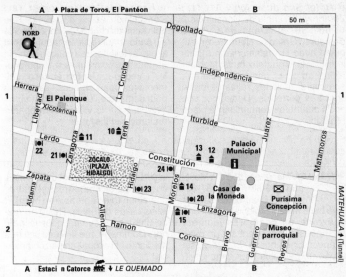

REAL DE CATORCE

■ Adresses utiles

🛈 Informations touristiques
✉ Poste

🏠 Où dormir ?

10 Hôtel San Francisco
11 Hôtel San Juan
12 Hospedaje Familiar
13 Hôtel Corral del Conde
14 Hôtel El Real

15 Mesón de la Abundancia

🍴 Où manger ?

15 Restaurant de la Mesón de la Abundancia
20 El Minero
21 El Cactus
22 Eucalipto
23 La Esquina Chata
24 Restaurante Malambo

Camping

⚠ **Camping informel** autorisé autour de l'ancienne *plaza de Toros,* au bout du village, en face du cimetière *(hors plan par A1).* On peut aller prendre sa douche dans certains hôtels bon marché du village (3 $Me, soit 0,25 € par personne !). De nombreux jeunes babs mexicains y viennent passer le week-end et il y règne une bonne ambiance. Prévoyez un bon duvet car les nuits sont fraîches, surtout en hiver.

Très bon marché : moins de 210 $Me (14,70 €)

🏠 **Hôtel San Francisco** *(plan A1, 10) :* Terán (ruelle au-dessus de la place). Pas de téléphone. Petit hôtel sans prétention mais bien sympathique. Deux tarifs différents, selon vos exigences. Chambres sommaires mais propres, avec ou sans salle de bains. Les douches communes sont très correctes et comme le proprio est plombier, on est sûr que l'eau chaude fonctionne toute la journée. Les campeurs peuvent prendre leur douche ici. Il y a même une terrasse pour jouir de la vue.

≜ Hôtel San Juan (plan A1, **11**) : Zaragoza, à l'angle de Constitución. ☎ 887-50-29. Dans une vieille demeure. Grandes chambres rustiques, avec lit *matrimonial* ou 2 lits individuels, d'où deux tarifs. Mobilier réduit au strict minimum et literie sommaire, mais les salles de bains sont très correctes. Demander une des 4 chambres donnant sur la place Hidalgo.

≜ Hospedaje Familiar (plan B1, **12**) : Constitución 21. ☎ 887-50-09. Une quinzaine de chambres, dont la moitié *sin baño*. Il faut réclamer la serviette et le papier toilette. Eau chaude le matin et douches communes à dispo pour les campeurs. Confort et déco rudimentaires, mais en basse saison, on peut demander l'une des 2 chambres avec vue sur le village. Atmosphère routarde plutôt sympa.

Prix moyens : de 300 à 450 $Me (21 à 35 €)

≜ Hôtel El Real (plan B2, **14**) : Morelos 24. ☎ 887-50-58. Fax : 887-50-67. • hotelelreal@yahoo.com.mx • Une belle maison coloniale avec une douzaine de chambres joliment arrangées, qui donnent sur un patio intérieur. Une annexe, *El Real 2*, est située un peu plus haut dans le vil- lage. Les chambres sont petites mais coquettes et chaleureuses, avec cheminée (bien agréable en hiver) et jolies salles de bains. Resto au rez-de-chaussée, sympa pour le petit dej'. Dommage que la literie soit très médiocre et l'accueil un peu commercial.

De chic à plus chic : de 500 $Me à plus de 700 $Me (35 à 49 €)

≜ Mesón de la Abundancia (plan B2, **15**) : Lanzagorta 11. ☎ 887-50-44. Fax : 887-50-45. • hotelabundan cia@hotmail.com • L'adresse chic de Real, en plein cœur du village, dans une impressionnante bâtisse à l'architecture trapue et aux murs épais. Et pour cause, c'est l'ancien hôtel de la Trésorerie. Belles chambres tout confort et superbement décorées. Elles sont toutes différentes, certaines ayant été aménagées dans les caves, d'autres à l'étage avec petite terrasse. Demandez à visiter avant. Bon, tout cela n'est tout de même pas donné, et les prix grimpent le week-end.

≜ Hôtel Corral del Conde (plan B1, **13**) : Constitución, à l'angle avec Morelos. ☎ 887-50-48. Charmant petit hôtel de 11 chambres dans une demeure ancienne avec jardin intérieur. Certaines sont très spacieu- ses, aux murs de pierre, avec lit *king size* et coin salon (plus chères). Décoration sobre mais de bon goût. Les chambres en hauteur sont plus claires et jouissent de la vue sur les montagnes. Confort, charme et intimité, mais les prix sont tout de même un peu exagérés.

Où manger ?

En semaine, notamment en basse saison, le village redevient vraiment fantôme, et les cuistots aussi. Faute de clients, beaucoup ferment purement et simplement. Pas d'endroits vraiment bon marché, mais beaucoup de restos italiens qui pratiquent des prix assez élevés.

Bon marché : moins de 70 $Me (5 €)

|●| La Esquina Chata (plan A2, **23**) : au coin de la plaza Hidalgo et de la rue Lanzagorta. ☎ 887-50-60. En basse saison, ouvert seulement du vendredi au dimanche, à partir de 9 h ; sinon, ouverture plus fréquente.

Petit resto vraiment sympa, avec ses murs de pierre et ses tables rustiques. On y vient pour le plaisir d'un bon petit dej' avec café (du vrai !) ou un chocolat chaud accompagné de pain grillé et d'une divine marmelade. Tout est fait maison. Le pain, les brioches et les pâtisseries sont un délice.

Prix moyens : de 70 à 150 $Me (5 à 10,50 €)

|●| *El Minero* (plan B2, 20) : Lanzagorta 18. ☎ 887-50-64. En face de la *Mesón de la Abundancia.* Ouvert tous les jours du matin au soir (plus tôt et plus tard le week-end). Un des tout premiers restos du village et quasiment le seul mexicain. On peut y goûter d'excellentes soupes maison ou quelques plats traditionnels comme le *cortadillo al minero* (morceaux de bœuf cuits dans la bière). Toute la variété d'*antojitos* et quelques jus de fruits frais pour le petit dej'. L'atmosphère est familiale et les prix sont raisonnables. Une bonne adresse.

|●| *El Cactus* (plan A1, 21) : Zaragoza, en face du parc Hidalgo. ☎ 887-50-56. Ouvert du lundi au mercredi et le vendredi de 14 h à 21 h et le week-end de 10 h à 22 h. Fermé le jeudi. Tout petit resto au décor chaleureux, avec ses tables et ses bancs en bois clair. Le patron italien, aidé par son épouse mexicaine, prépare de délicieuses pâtes maison et des pizzas. Propose aussi à la vente miel, liqueur...

|●| *Eucalipto* (plan A1, 22) : Lerdo 7. ☎ 887-50-51. Ouvert de 10 h à 22 h.

Souvent fermé en semaine. Grande salle agréable où, en hiver, brûle un bon feu de cheminée. Cuisine italienne, mais aussi des quiches, des salades et des charcuteries du pays. Les produits sont frais, certains viennent directement du potager. Un peu cher quand même.

|●| *Restaurante Malambo* (plan A-B1, 24) : à l'angle de Constitución et Morelos. Ouvert tous les jours à partir de 17 h. Cadre sobre pour ce resto mexicano-italien, avec seulement 5 tables, comptoir et étagères en bois. Côté cuisine, l'attente vaut la peine : de bonnes viandes servies avec des pommes de terre sautées, des plats de pâtes fraîches ou de goûteuses pizzas. Accueil charmant et discret. En guise de digestif, rien ne vaut une infusion de *mate* pour s'acclimater à l'altitude.

|●| *Restaurant de la Mesón de la Abundancia* (plan B2, 15) : voir « Où dormir ? ». Cuisine soignée, à déguster dans un beau décor. Plusieurs salles avec souvent une bonne ambiance. Plats mexicains et les inévitables spécialités italiennes. Les desserts maison ne sont pas en reste.

À voir

🏃🏃 *L'église de la Purísima Concepción* (plan B2) : une bien grande église pour un si petit village, témoin des lustres d'antan. Terminée au début du XIXe siècle, elle a été construite grâce aux dons en argent des mineurs. Façade néoclassique et intérieur de style baroque. Noter les belles voûtes peintes en bleu céleste et un détail insolite, le sol couvert de planches en bois pour conserver la chaleur. Dans l'entrée trône la statue de saint François d'Assise, qui rassemble le 4 octobre de chaque année des milliers de pèlerins venus de tout le pays. En face, une étonnante statue du Christ dans la position du *Penseur* de Rodin. Il faut aller dans la crypte du fond, entièrement tapissée d'ex-voto dédiés à saint François, petits chefs-d'œuvre d'art populaire.

🏃 *Museo parroquial* (plan B2) : en contrebas de l'église, rue Lanzagorta. Ouvert le week-end de 10 h à 16 h. Intéressante collection d'objets de la vie quotidienne, datant de l'époque de la splendeur de Real.

🍴 **Casa de la Moneda** *(plan B2) :* en face de l'église. En principe, ouvert de 10 h à 18 h. Imposante et belle demeure construite en 1863. Dans cet ancien hôtel de la monnaie, on a frappé plus d'un million et demi de pesos argent. L'édifice est malheureusement en bien mauvais état, et seul le 1er étage se visite ; on y voit quelques lambeaux des anciennes fresques murales. Dans une salle du fond, petit atelier où quelques artisans travaillent l'argent comme au bon vieux temps. On peut y acheter des bijoux. Parfois des expositions temporaires.

🚶 **El Palenque** *(plan A1) :* de la plaza Hidalgo, remonter Zaragoza vers le cimetière (el Panteón), puis prendre à gauche sur Xicotencatl ; l'entrée est à 20 m, sous un porche. Ouvert de 9 h à 17 h. Construite à la fin du XVIIIe siècle, cette arène subit plusieurs transformations. Elle était destinée aux combats de coqs. Aujourd'hui, elle sert (occasionnellement) à des spectacles.

🍴 **El Panteón** *(hors plan par A1) :* c'est le cimetière du village, un peu à l'écart comme il se doit. Superbe grille en fer forgé et chapelle dédiée à la Vierge de Guadalupe. En face se trouvent les restes de la **plaza de Toros**.

Balades dans les environs

➤ **Balades à cheval :** généralement, les villageois s'installent avec leurs chevaux autour de la plaza Hidalgo. Excursions jusqu'au village fantôme, au sommet d'*El Quemado* ou à *Estación Catorce*. Prix à négocier.

➤ **El pueblo fantasma :** les ruines d'un petit village fantôme, qu'on aperçoit d'ailleurs depuis Real. Perché sur la colline au-dessus du tunnel, on peut y grimper à pied en 30 mn par un petit sentier rocailleux. Prendre la rue Lanzagorta. Au tunnel, prendre la piste qui grimpe sur la gauche. Les moins sportifs peuvent s'y rendre à cheval, mais la balade reste vraiment accessible.

➤ **El Quemado :** pour les Huicholes, c'est une montagne sacrée au sommet de laquelle ils pratiquent leur cérémonie rituelle et font leurs offrandes lorsqu'ils viennent communier avec le dieu Híkuri. Un endroit à respecter, donc. D'en haut, vue époustouflante sur le désert. On aperçoit la ligne de chemin de fer et les hameaux de Estación Catorce et Watley. Compter environ 1 h 30 de marche, 1 h à cheval. Depuis la place Hidalgo, descendre la rue Allende pour sortir du village et suivre le sentier ; lorsqu'on arrive à un embranchement, prendre sur la gauche.

🍴 **Le village d'Estación Catorce :** c'est là où s'arrêtait autrefois le train venant de Mexico. Possibilité d'excursions en jeep pour visiter cet autre village fantôme. On les prend en contrebas de la place Hidalgo ou au pied de l'église (40 mn de trajet). Assurez-vous du dernier départ pour le retour. Rien de particulier à voir à Estación, sauf pour les amoureux des vieilles gares désaffectées.

ZACATECAS

110 000 hab.   IND. TÉL. : 492

Isolé au milieu d'un paysage aride et rocailleux, on découvre enfin Zacatecas, petit joyau de l'architecture coloniale caché parmi les collines désertiques, à 2 500 m d'altitude. Si les Espagnols ont bravé les éléments pour venir s'installer ici à la fin du XVIe siècle, c'est que le sous-sol regorge d'argent, et, depuis très longtemps, les mines ont assuré la prospérité de la ville et de ses habitants. Amoureux d'histoire et d'architecture coloniale, prenez donc le temps de visiter cette superbe ville classée au Patrimoine culturel de l'Humanité par l'Unesco. Le tracé des ruelles pentues suit gaiement les ondulations du terrain, découvrant au fil de la balade escaliers, petites places arborées, squares et recoins pleins de charme... Comme à Morelia, la pierre rose des édifices se détache sur le ciel bleu. Le soir, de superbes éclairages mettent en valeur les monuments historiques et ajoutent une note théâtrale et romantique.

Mais Zacatecas n'est pas une ville-musée figée dans l'histoire. Elle a aussi une vie culturelle très dynamique, avec des musées de qualité, un théâtre, un cinéma d'art et d'essai (parfois des films français), des conférences, des concerts... Quant à l'atmosphère (très fraîche en hiver !), elle est réchauffée par la forte densité d'étudiants (la moitié de la population), qui envahissent un grand nombre de bars et de discos ouverts en semaine, dès la nuit tombée. Enfin, la ville est animée chaque fin de semaine par les musiciens troubadours, qui entraînent la foule sur des airs traditionnels. Ambiance très festive et populaire.

UN PEU D'HISTOIRE

« De l'argent ! ». Attirée par les rumeurs, la petite expédition menée par Juan de Tolosa arrive dans cette région inhospitalière en 1546. Celle-ci est déjà habitée depuis bien longtemps par des tribus nomades chichimèques, les Zacatecos, qui s'opposent farouchement aux conquistadors. Mais la découverte des filons d'argent attire de plus en plus d'Espagnols. Le développement urbain s'accélère, au point que Zacatecas devient, au cours du XVIe siècle, la deuxième ville la plus peuplée du Nouveau Monde après Mexico. Et les ordres religieux d'accourir, faisant de Zacatecas le point de départ de l'évangélisation du nord du pays. Au XVIIIe siècle, la ville connaît son apogée économique. Elle produit alors 20 % de l'argent de la Nouvelle-Espagne. À cette époque, les riches exploitants miniers rivalisent en faisant construire d'imposantes demeures coloniales, et de nombreux édifices publics sont bâtis : églises, couvents, collèges, hôpitaux... Après la Révolution mexicaine, l'exploitation des mines reprend. Aujourd'hui encore, la région reste le premier producteur d'argent du pays (sur les villes argentifères, voir aussi Real de Catorce, Guanajuato et Taxco).

Arriver – Quitter

En bus

🚌 **La gare routière** (hors plan par A3, 1) est située à l'extérieur de la ville, à environ 3 km du centre. Bus fréquents depuis le centre-ville, qui passent dans la rue Gonzalez Ortega. Prendre un bus « Ruta 8 » de couleur orange (30 à 35 mn). En taxi, compter 30 \$Me (2,10 €) et 15 mn de trajet.

Attention, beaucoup de bus sont *de paso,* ce qui veut dire qu'ils ne sont pas au départ de Zacatecas et s'arrêtent uniquement s'il reste des places. Si vous voulez réserver votre billet à l'avance, il faut donc prendre un bus au départ de Zacatecas, malheureusement peu nombreux.

➤ **De et vers Guadalajara :** bus *de paso* toutes les heures avec *Transportes Chihuahuenses* et *Omníbus de Mexico* en 1re classe, idem en 2e classe avec *Estrella Blanca.* Trajet : 4 h 30.

➤ **De et vers San Luis Potosí :** départ toutes les 2 h environ avec *Chihuahuenses* (bus *de paso*), *Futura* ou *Estrella Blanca.* Deux départs fixes le matin avec *Omníbus de Mexico* (☎ 925-08-63). Trajet : 3 h.

➤ **De et vers Mexico** (terminal Norte) **:** plusieurs départs quotidiens avec Futura, Omníbus de Mexico et Chihuahuenses, surtout en soirée, et un bus de luxe pour voyager de nuit dans de bonnes conditions. Trajet : 8 h.

En avion

✈ **L'aéroport** est situé à 30 km au nord de la ville. ☎ 925-08-63 et 03-38. Pour s'y rendre en taxi, compter 25 mn de trajet environ et 200 $Me (16 €) la course.

➤ Vols quotidiens de et pour **Mexico** et **Morelia,** avec Mexicana (☎ 922-74-29).

➤ Trois vols par jour de et pour **Mexico** avec Aeromar (☎ 985-14-78).

Adresses utiles

🄸 **Office de tourisme** (plan B2) **:** av. Hidalgo 403 ; au 2e étage. ☎ 924-40-47 ou 01-800-712-40-78 (n° gratuit). ● www.turismozacatecas.gob. mx ● Ouvert en semaine de 8 h à 20 h et le week-end de 9 h à 18 h. Bonnes infos et plan de la ville. Demandez l'Agenda cultural, qui indique les expos et les événements culturels du moment (souvent gratuits).

✉ **Poste** (plan B2) **:** Allende 111. Ouvert du lundi au vendredi de 9 h à 16 h et le samedi matin.

@ Plusieurs **centres Internet** dans le centre-ville, av. Hidalgo. Compter 10 $Me (0,80 €) pour 1 h.

■ **Banque HSBC** (plan A2, 3) **:** Hidalgo 107. Ouvert du lundi au vendredi de 8 h à 19 h. Change les euros et les chèques de voyage jusqu'à 13 h. Distributeurs de billets dans toutes les banques sur l'avenida Hidalgo.

■ **Lavandería El Indio Triste** (plan B1, 4) **:** calle Juan de Tolosa 824. Ouvert du lundi au samedi de 9 h à 20 h 30. Compter 13 $Me (0,90 €) le kilo de linge.

Où dormir ?

De nombreux luxueux et très beaux hôtels ; quelques petites adresses sympas et pas chères. Mais entre les deux, pas grand-chose. Attention, les tarifs font un bond à Noël, à Pâques et au milieu de l'été. En basse saison, on peut négocier à la baisse.

De très bon marché à bon marché : de moins de 210 $Me à 300 $Me (14,70 à 21 €)

🛏 **Hostel Villa Colonial** (plan B2, 10) **:** Primero de Mayo y Callejón Mono Prieto. ☎ et fax : 922-19-80. ● www.hostels-zacatecas.com ● Appartient au réseau Hostelling International. Dans une jolie maison coloniale tenue par Ernesto Lozano et ses deux fils. Accueil très chaleureux et ambiance conviviale, presque communautaire ; ici, on est comme chez soi. Petits dortoirs de 4 lits, lumineux, sympas et bien conçus (avec lockers). Et deux petites chambres avec bains. Salon confortable sur la mezzanine, accès Internet et TV, coin lessive, cuisine collective bien aménagée. Sur le toit, grande terrasse avec une vue superbe sur la ville. Une excellente adresse.

🛏 **Hostal del Río** (plan A2, 11) **:** Hidalgo 116. ☎ 924-00-35. ● hostal delrio_zac@hotmail.com ● Un drôle de petit hôtel niché dans une maison à l'architecture originale. L'entrée se situe au fond du couloir. Les chambres sont de qualité inégale mais

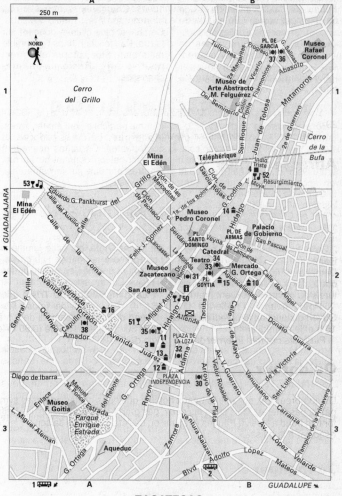

ZACATECAS

■ **Adresses utiles**

🛈 Office de tourisme
✉ Poste
🚌 1 Terminal des bus
🚌 2 Bus pour Guadalupe
3 Banque HSBC
4 Lavandería El Indio Triste

🛏 **Où dormir ?**

10 Hostel Villa Colonial
11 Hostal del Río
12 Posada de los Condes
13 Hôtel Condesa
14 Casa Santa Lucía
15 Hostal Reyna Soledad
16 Hostal del Vasco

🍽 **Où manger ?**

30 Mercado Arroyo de la Plata
31 Gorditas Doña Julia
32 Mercado Codina
33 La Cantera Musical
34 Acrópolis
35 La Traviata
36 Los Dorados de Villa
37 Taquería Wendy
38 El Recoveco

🍸🎵 **Où boire un verre ? Où sortir ?**

50 Gaudi
51 Bistro
52 Rincón de los Trovadores
53 El Malacate

bien tenues, avec salle de bains impeccable. Seules celles de l'étage (un peu plus chères) ont une fenêtre sur cour. On accède à celles du sous-sol par un couloir aux voûtes de pierre. Accueil et atmosphère agréables.

🏠 *Posada de los Condes* (plan A2, 12) : Juárez 107. ☎ 922-14-12 et 10-93. Chambres sombres et pas bien grandes, à la déco vieillotte. Certaines, plus claires, donnent sur la rue. Pas folichon dans l'ensemble mais bien situé, propre et correct pour le prix. Resto au rez-de-chaussée.

Prix moyens : de 300 à 500 $Me (21 à 35 €)

🏠 *Hôtel Condesa* (plan A2, 13) : Juárez 102. ☎ et fax : 922-11-60 ou 10-62. ● www.hotelcondesazac.com. mx ● Bâtiment de 3 étages en plein centre historique. Joli hall d'entrée et bon accueil. Les chambres, sans charme particulier, ont été rénovées. Modernes, calmes, propres et confortables. Certaines possèdent un petit balcon donnant sur la rue, d'autres ont vue sur la cathédrale. Bar et resto.

De chic à plus chic : de 500 $Me à plus de 700 $Me (35 à 49 €)

🏠 *Casa Santa Lucía* (plan B2, 14) : Hidalgo 717. ☎ 924-49-00 à 03. Petit hôtel de charme très bien situé, presque en face de la plaza de Armas. Architecture labyrinthesque pour cette vieille demeure qui dispose d'une vingtaine de chambres confortables et assez joliment meublées. Certaines donnant sur le grand patio en vieille pierre, assez sombres, d'autres donnant sur la rue. Accueil pro et cordial. Et le petit dej' est inclus.

🏠 *Hostal del Vasco* (plan A2, 16) : Alameda y Velasco 1. ☎ et fax : 922-04-28. ● www.hostaldelvasco.com ● Jolie demeure de style colonial donnant sur la place de l'Alameda. Vastes chambres tout confort et meublées à l'ancienne. Agréable patio lumineux pour prendre le petit dej' au calme, seulement dérangé par le chant des oiseaux. Cuisine à disposition pour les séjours prolongés. Atmosphère très sereine. Une belle adresse à prix raisonnables hors saison.

🏠 *Hostal Reyna Soledad* (plan B2, 15) : calle Tacuba 170. ☎ et fax : 922-07-90. ● www.hostalreynasoledad.com.mx ● Dans une bâtisse ancienne, un hôtel récent et des installations modernes aménagées dans le style colonial. Chambres coquettes et cosy, aux meubles rustiques. Demandez-en une qui donne sur le patio ou sur le balcon du 1er étage. Tranquille et bon accueil.

Où manger ?

Bon marché : moins de 70 $Me (5 €)

🍴 *Mercado Arroyo de la Plata* (plan B3, 30) : Arroyo de la Plata. Nombreux petits bouis-bouis où dévorer *tacos, enchiladas,* etc.

🍴 *Mercado Codina* (plan B2, 32) : nourriture moins variée qu'au marché Arroyo, mais les étals de fruits et de légumes (notamment le nopal) valent le coup d'œil. Plusieurs stands proposant jus de fruits frais et *vitaminas.*

🍴 *Taquería Wendy* (plan B1, 37) : plazuela de García. ☎ 924-17-65. Ouvert de 7 h à minuit. Petite affaire familiale où déguster une savoureuse cuisine. Menu différent en fonction du repas : *quesadillas,* yaourt et jus de fruits pour le petit dej', plats du jour le midi (poulet sauce *mole,* steak) ; enfin, une variété de *tacos* et de goûteuses soupes maison (*pozole, sopa azteca...*) pour le dîner. Atmosphère chaleureuse dans la salle joliment décorée. Le tout est servi copieusement, avec le sourire, et fait de cette adresse l'une des plus populaires du quartier.

|●| *El Recoveco* (plan A2, 38) : av. Torreón 513. ☎ 924-20-13. Ouvert de 8 h 30 à 19 h. Cadre banal pour ce resto qui propose toutefois une bonne formule pour le *desayuno* et un buffet appétissant, servi à toute heure. La qualité et les prix restent très honnêtes. Sympa.

|●| *Gorditas Doña Julia* (plan B2, 31) : Hidalgo 409. ☎ 923-79-55.

Ouvert de 8 h à 21 h. L'idéal pour combler un petit creux dans la journée. Les *gorditas* ressemblent à des *quesadillas* mais en plus épais et plus grand. Large choix dont la classique *picadillo*, à la viande hachée et aux oignons, d'autres délicieuses, au poulet ou au fromage. Bon et pas cher. À emporter ou à déguster sur place, dans une grande salle ouverte sur la rue.

Prix moyens : de 70 à 150 $Me (5 à 10,50 €)

|●| *Acrópolis* (plan B2, 34) : au coin de Hidalgo et Rinconada de Catedra, à côté du marché G. Ortegal. ☎ 922-12-84. Ouvert de 8 h à 22 h. Cafétéria classique au cadre moderne, sympa pour prendre le petit dej' (copieux !) ou manger un petit plat dans la journée.

|●| *La Cantera Musical* (plan B2, 33) : Tacuba 2 ; sous l'ancien marché G. Ortega. ☎ 922-88-28. Ouvert de 8 h à 23 h. Dans les anciennes caves du marché, sous une voûte en pierre. Bonne cuisine mexicaine traditionnelle qui attire les étudiants et

les stars de la télé de passage à Zacatecas. Très animé en fin de semaine. Prix raisonnables le midi, qui grimpent pour le dîner.

|●| ⏛ *La Traviata* (plan A2, 35) : callejón de Cuevas. ☎ 924-20-30. À deux pas du jardín Juárez. Ouvert de 14 h à 1 h. Fermé le mercredi. Cadre convivial pour ce bar *lounge* et resto italien. Moquette et fauteuils avenants en faux zèbre. On y mange de délicieuses pizzas croquantes et on y boit toute une sélection de cocktails. Bonne musique et service aimable.

Chic : de 150 à 250 $Me (10,50 à 17,50 €)

|●| *Los Dorados de Villa* (plan B1, 36) : sur l'adorable plazuela de García 314. ☎ 922-57-22. Tout petit resto ouvert uniquement le soir. Son nom est en fait le surnom donné à l'armée du révolutionnaire Pancho Villa. La décoration est elle aussi ins-

pirée de la Révolution mexicaine. Très bonne cuisine régionale avec la spécialité locale, le *pozole verde*, et de délicieuses *enchiladas*. Fruit du succès, l'adresse est souvent bondée ; patienter ou réserver à l'avance.

Où boire un verre ? Où sortir ?

⏛ ♪ *Rincón de los Trovadores* (plan B1, 52) : à l'angle d'Hidalgo et du callejón Luis Moya. Ouvert à partir de 17 h. Fermé le lundi. Quatre musiciens ont ouvert ce bar convivial. Ils invitent souvent des groupes de musique cubaine, andine, des percussionnistes... et tout musico de passage qui le désire (de préférence, les bons !). Large choix de cocktails et tequilas, et *antojitos* pour maintenir le cap ! Y aller le week-

end, il y a plus d'ambiance.

⏛ ♪ *Gaudi* (plan B2, 50) : Tacuba 4, sous le mercado G. Ortega. ☎ 922-14-33. Ouvre à partir de 20 h. Situé juste à côté du resto *La Cantera Musical* (voir plus haut « Où manger ? ») ; la jeunesse festive passe généralement de l'un à l'autre pour finir la soirée en beauté. Bar, table de billard et le week-end, groupes rock *en vivo*. Chaude ambiance certains soirs.

Bistro *(plan A2, 51)* : Jardín Juárez 137. ☎ 924-23-70. Caché tout au fond de la petite place. Ouvert de 16 h à 1 h 30. Fermé le lundi. Déco design de bois clair et tabourets de bar en plexiglas, œuvres contemporaines sur les murs. Pour un café en fin de journée ou un verre le soir (bar bien fourni).

El Malacate *(plan A1, 53)* : à l'intérieur de la mine *El Edén.* ☎ 922-30-02. Ouvert du jeudi au samedi de 22 h à environ 2 h 30. Une idée plutôt originale ! Eh oui, la discothèque a été aménagée à 300 m sous terre, dans la mine El Eden. Grisant !

À voir. À faire

Au cœur du centre historique

La Catedral *(plan B2)* : la façade principale, superbe, est considérée comme l'un des chefs-d'œuvre du baroque mexicain. Sa construction s'est achevée en 1752.

Palacio de Gobierno *(plan B2)* : ancienne demeure particulière du XVIIIe siècle. Une très belle fresque murale peinte en 1970 domine l'escalier central. Elle relate l'histoire de l'État de Zacatecas.

Mercado González Ortega *(plan B2)* : près de la cathédrale, un beau bâtiment en fer et en verre bâti en 1890. Il abrita pendant de longues années le grand marché couvert de Zacatecas. Depuis sa rénovation, on y trouve une galerie commerciale avec des boutiques d'artisanat et de souvenirs.

Templo Santo Domingo et museo Pedro Coronel *(plan B2)* : plaza Santo Domingo. ☎ 922-80-21. Ouvert de 10 h à 17 h. Fermé le jeudi. Entrée : 20 $Me (1,40 €). Très belle façade de style baroque pour cet ancien collège jésuite construit au milieu du XVIIe siècle, qui abrite aujourd'hui un superbe musée. À l'intérieur du temple, remarquer le sol en parquet qui a été préservé et quelques beaux retables.
Artistes et collectionneurs éclairés, les frères Coronel, originaires de Zacatecas, ont rassemblé au cours de leur vie une collection de peintures et d'objets du monde entier assez incroyable. Le musée présente ainsi toute une collection de peintures contemporaines (Picasso, Chagall, Kandinsky, Miró, Goya), des lithographies (Fernand Léger, Cocteau, Braque, Topor), des objets précolombiens, des antiquités égyptiennes et africaines. Grande bibliothèque comprenant plus de 20 000 volumes du XVIe au XXe siècle.

Museo Zacatecano *(plan A-B2)* : Dr. Hierro 301. ☎ 922-65-80. Ouvert de 10 h à 17 h. Fermé le mardi. Entrée : 20 $Me (1,40 €). Superbe bâtiment colonial et intéressant musée consacré à la culture locale et à l'art huichol. Pour débuter la visite, riche collection de retables populaires, aux cadres colorés, et peintures naïves représentant des scènes de la Passion du Christ et toute une pléiade de saints et martyrs. L'essentiel du musée présente une belle collection d'artisanat huichol, peuple indien aujourd'hui limité à la réserve Huiricita, au nord de l'État de San Luis Potosí. Panneaux brodés de fils multicolores aux dessins psychédéliques, objets, colliers, vêtements... Également une petite expo de photos (couleur) retraçant le pèlerinage vers la montagne sacrée (voir le chapitre en introduction de Real de Catorce).

Templo San Agustín *(plan A-B2)* : une histoire peu banale pour cette église construite au XVIIe siècle. Elle a été en grande partie détruite au XIXe siècle, puis l'ensemble est devenu un hôtel (de passe, murmure-t-on ici) avant d'être reconverti en entrepôt. Finalement, le monastère a été racheté en 1904 par l'Église qui y a installé l'évêché, et une partie du temple abrite aujourd'hui un petit centre culturel.

Autour du Cerro de la Bufa et du parque Enrique Estrada

🏃🏃🏃 *Museo Rafael Coronel* *(plan B1) :* installé dans les ruines de l'ancien couvent San Francisco. ☎ 922-81-16. Ouvert de 10 h à 17 h. Fermé le mercredi. Entrée : 20 $Me (1,40 €). L'endroit est sublime. Le musée occupe une partie de l'ex-*convento* érigé par les Franciscains au XVIᵉ siècle et présente une formidable collection de plus de 2 000 masques mexicains exposés selon leur expression et leur utilisation rituelle ou festive. À ne pas rater. Également une collection de marionnettes superbement mises en scène et une salle consacrée aux peintures de Rafael Coronel (1949-1999).

🏃🏃 *Museo de Arte abstracto Manuel Felguérez* *(plan B1) :* Colón 1, à l'angle de Seminario. ☎ 924-37-05. Ouvert de 10 h à 17 h. Fermé le mardi. Entrée : 20 $Me (1,40 €). Musée entièrement dédié à l'art abstrait. L'endroit est pour le moins original. Cet imposant édifice fut bâti au XIXᵉ siècle pour loger les séminaristes. Puis il servit de garnison, avant de devenir pendant de longues années la prison de Zacatecas ! Le musée présente les œuvres d'une centaine d'artistes, dont celles de Manuel Felguérez lui-même. Une salle expose 11 spectaculaires *murales* réalisés pour le pavillon du Mexique à la Foire mondiale d'Osaka de 1970. Bonne librairie de livres d'art à l'entrée.

🏃 *L'aqueduc* *(plan A3) :* à côté du joli parc Enrique Estrada. Un peu noyé au centre de plusieurs axes routiers.

🏃 *Museo Francisco Goitia* *(plan A3) :* General Enrinque Estrada 102. ☎ 922-02-11. Ouvert de 10 h à 17 h. Fermé le lundi. Entrée : 20 $Me (1,40 €). Ce musée porte le nom d'un peintre célèbre né à Zacatecas, Francisco Goitia (1882-1960). Y est exposé son fameux *Tata Jet Society,* considéré comme l'une des grandes œuvres de la peinture mexicaine du XXᵉ siècle. À voir aussi, son superbe autoportrait. Quelques salles sont dédiées aux œuvres d'autres artistes de Zacatecas, dont Pedro Coronel et Manuel Felguérez.

🏃 *La mine El Edén* *(plan A2) :* il y a deux entrées ; la première à Cerro del Grillo, près de la station du téléphérique ; pour atteindre l'autre entrée (La Esperanza), suivre Juárez, puis Torreón le long du parc Alameda et tourner à droite après l'hôpital. ☎ 922-30-02. Ouvert de 10 h à 18 h. Une visite guidée démarre toutes les 30 mn. Entrée : 30 $Me (2,10 €) ; réduction enfants. Sinon, on peut découvrir la mine de nuit en allant danser à la disco *El Malacate* ! (voir « Où sortir ? »). La mine fut exploitée de 1586 à 1950. Les mineurs, dont des enfants, y travaillaient dans des conditions abominables pour extraire de l'argent, mais aussi de l'or, du fer, du cuivre et du zinc. Aujourd'hui, quatre niveaux sont ouverts aux visiteurs. On pénètre à l'intérieur dans un petit train (sur un trajet de 500 m), puis on parcourt quelques galeries. D'importants travaux de réfection étaient en cours lors de notre passage ; ils devraient améliorer les conditions de visite. La boîte de nuit *El Malacate* subit le même lifting.

🏃🏃 *Le téléphérique* *(plan B1) :* c'est l'attraction numéro un de Zacatecas ! Le téléphérique joint le *Cerro del Grillo* au *Cerro de la Bufa* (trajet de 650 m, à 85 m de hauteur). La vue est superbe. Tous les jours de 10 h à 18 h, départs toutes les 15 mn sauf quand il y a trop de vent. Prix aller : 21 $Me (1,50 €). Pour rejoindre l'entrée, monter les marches du callejón Garcia Rojas.

🏃🏃 *Cerro de la Bufa* *(plan B1) :* point d'arrivée du téléphérique, une imposante colline qui surplombe la ville. On peut aussi y aller à pied (ça monte dur !) ou par la route. Là-haut, vue extraordinaire sur le centre historique de Zacatecas.

Fêtes et festivals

– *Les callejoneadas :* cette tradition existe depuis 1610. Les jeudi, vendredi et samedi à partir de 20 h, la foule suit gaiement des musiciens-troubadours à travers les rues de Zacatecas. Départ sur la place de l'Alameda *(plan A2)*, sur la plazuela Francisco Goitia, à côté du mercado G. Ortega *(plan B2)* ou sur la plaza de Armas *(plan B2)*.

– *Le Festival culturel :* a lieu à Pâques durant la Semaine sainte. Excellents concerts (des pointures de la musique latine comme le Buena Vista Social Club), spectacles et théâtre sur les places publiques.

– *Morismas de Bracho :* le dernier week-end d'août. Un événement très populaire qui, durant 3 jours, met en scène l'expulsion des Maures par l'Espagne catholique ; une tradition depuis plusieurs siècles. Pour les dates précises, consultez le site web de la ville (voir ci-dessus « Adresses utiles »).

– *La Feria nationale* se tient la première semaine de septembre, avec de nombreuses animations et une flopée de stands de produits et d'artisanat locaux.

➤ *DANS LES ENVIRONS DE ZACATECAS*

🏫 *Museo de Arte Virreinal de Guadalupe :* Jardín Juárez, à 7 km de Zacatecas (les deux villes se touchent). ☎ 923-20-89. Prendre un bus *Transportes de Guadalupe* à l'arrêt situé sur le boulevard López Mateos *(plan B3, 2),* sous la passerelle piétonne. Ouvert tous les jours de 10 h à 16 h 30. C'est en 1707 que commença la construction de ce couvent franciscain. Il servait de collège pour préparer les missionnaires avant qu'ils ne partent essaimer le nord de la Nouvelle-Espagne. Il abrite aujourd'hui une magnifique collection d'art religieux de l'époque coloniale. Ne pas manquer non plus l'église et surtout la très belle chapelle, la *capilla de Nápoles.*

LA LIGNE DE CHEMIN DE FER LOS MOCHIS - CHIHUAHUA

De Chihuahua au Pacifique ! Le célèbre train *Chihuahua al Pacífico* relie le désert du Nord aux terres tropicales de Los Mochis en traversant les extraordinaires paysages de la sierra Tarahumara et du canyon du Cuivre. On vous conseille vivement de prendre le train à partir de Los Mochis et non de Chihuahua. En effet, au départ de Chihuahua, le train arrive tard le soir à Los Mochis (que ce soit en 1re ou en 2e classe), et vous risquez donc de traverser les plus beaux paysages dans l'obscurité.

Le trajet dure entre 16 h 30 et 18 h 30 ; en condition normale. Or il se passe toujours quelque chose sur cette ligne de chemin de fer ! Imaginez : 39 ponts, 86 tunnels, 655 km de voie ferrée qui longent sur la plus grande partie du trajet un ensemble de canyons, parmi les plus imposants du monde. Les montagnes grandioses et les précipices se succèdent, que la voie enjambe sur un rail unique dépourvu de parapets. Perdus dans le secret des gorges, quelques hameaux sont restés isolés de la civilisation et du temps. Et puis encore le vide, et tout en bas, des rivières impétueuses nées dans les hautes forêts de pins, qui ont creusé leur chemin à travers les roches volcaniques de la sierra. D'où ce somptueux réseau de gorges abruptes, qui forment un ensemble quatre fois plus important que le Grand Canyon du Colorado.

LA SIERRA TARAHUMARA ET LA BARRANCA DEL COBRE

Tirant profit de la multiplicité de microclimats et d'écosystèmes, les Indiens tarahumaras trouvèrent refuge ici après avoir été refoulés par les colons espagnols, puis pour échapper au travail forcé dans les mines. Au début du XVIIe siècle, la région fut découverte par les missionnaires jésuites. À la recherche de cuivre, ils la baptisèrent *Barranca del Cobre*. Mais en réalité, le sous-sol renfermait bien d'autres richesses qui attirèrent les chercheurs de fortune : de l'or, de l'argent et de l'opale.

Quant à la ligne de chemin de fer, elle est née de l'obsession d'un Américain, Albert Owen, qui rêvait dans les années 1870 de relier les États-Unis au Mexique. Ce n'est qu'en 1803 que les travaux commencèrent. Pancho Villa lui-même y travailla. Mais la voie ferrée ne fut achevée qu'en 1961. On raconte que les grèves réprimées, les révoltes et les accidents causèrent plus de 10 000 morts ! La ligne dessert plusieurs gares qui constitueront les étapes de votre voyage. Attention, les nuits sont fraîches toute l'année dans la sierra et en hiver, il peut neiger fortement à partir de 2 000 m d'altitude, alors qu'en été, au fond des canyons, on supporte à peine un drap pour dormir.

LES INDIENS TARAHUMARAS

C'est l'un des derniers peuples légendaires d'Amérique à refuser le progrès et à fuir les contacts avec la civilisation « occidentale ». Avec l'arrivée des Espagnols, ils furent d'abord refoulés dans les montagnes, et les missionnaires jésuites tentèrent, sans beaucoup de succès, de les convertir au catholicisme. Au cours des siècles suivants, leurs terres furent envahies par les métis, ce qui provoqua des heurts sanglants. Depuis, les Tarahumaras ont recherché la paix dans un isolement qui s'est révélé être le seul moyen de défense efficace.

Établis dans leurs montagnes immenses, les Tarahumaras sont aujourd'hui près de 50 000 à vivre en harmonie avec cet environnement austère, disséminés dans la sierra. Chaque famille dispose de deux ou trois logements, souvent des grottes naturelles, mais aussi des cabanes en bois et en pierre. Au rythme des saisons, ils changent d'habitat : au fond des canyons en hiver, sur les plateaux en été. Ils vivent de la culture et élèvent un peu de bétail, se nourrissant pour l'essentiel de *tortillas* de maïs, de pommes de terre et de haricots. Ils viennent aussi en ville vendre leur artisanat, mais le contact n'est pas facile, ne serait-ce qu'à cause de l'obstacle de la langue (à moins de parler le raramuri !). À Creel, un petit groupe d'entre eux s'est sacrifié au tourisme, et leurs grottes sont périodiquement envahies de visiteurs.

Les Indiens ont su néanmoins conserver leurs traditions séculaires, se livrant encore à des rites étranges et compliqués. Antonin Artaud affirme à leur sujet : « Le pays des Tarahumaras est plein de signes, de formes, d'effigies naturelles qui ne semblent point nés du hasard, comme si les dieux, qu'on sent partout ici, avaient voulu signifier leurs pouvoirs dans ces étranges signatures où c'est la figure de l'homme qui est de toute part pourchassée. »

Le rite tarahumara le plus étonnant, chargé d'un obscur sens magique, est une course à pied qui dure au minimum 24 h, parfois 3 jours consécutifs, et durant laquelle les coureurs poussent du pied une boule de bois (de 10 cm de diamètre environ). Ils l'organisent sur des distances allant jusqu'à 300 km pour les hommes et 100 km pour les femmes. Certains ont même été sollicités pour participer à des grands marathons.

Quelques infos pratiques

Nombreuses infos touristiques et adresses utiles sur ● www.coppercanyon. org ● et ● www.coppercanyon.com.mx ●

Il existe 2 trains quotidiens, à choisir en fonction du temps de parcours et de votre budget :

– **le CHEPE Primera Express :** départ quotidien à 6 h. C'est le train luxueux, avec moquette, wagon-restaurant, bar, AC, sièges inclinables... Très cher, évidemment : compter 220 $Me (15,40 €) jusqu'à El Fuerte, autour de 550 $Me (38,50 €) jusqu'à Creel et 1 200 $Me (84 €) jusqu'à Chihuahua. Voici les gares desservies et les horaires officiels : *Los Mochis* (6 h), *El Fuerte* (8 h 26), *San Rafael* (13 h 05), *Divisadero* (13 h 25), *Creel* (16 h), *Cuauhtémoc* (19 h 30) et *Chihuahua* (22 h 25).

– **Le train Clase económica :** départ quotidien à 7 h. Presque moitié moins cher que le précédent : autour de 110 $Me (7 €) jusqu'à El Fuerte, 330 $Me (23,10 €) jusqu'à Creel et 600 $Me (42 €) jusqu'à Chihuahua. Tout à fait confortable, puisqu'il s'agit de l'ancien train de 1re classe reconverti en 2e classe. Il y a un « service cafétéria », mais on apporte en général son casse-croûte avec soi. L'ambiance est nettement plus folklo que dans le précédent. Il est aussi plus lent car il dessert toutes les gares de la ligne : *Los Mochis* (7 h), *Sufragio, El Fuerte* (10 h 15), *Loreto, Temoris, Bahuichivo, Cuiteco, San Rafael, Posada Barrancas, Divisadero* (16 h 55), *Creel* (19 h), *San Juanito, La Junta, Cuauhtémoc* (22 h 35) et enfin *Chihuahua* (1 h 30).

Bien entendu, il ne faut s'attendre à aucune fiabilité quant aux horaires. De mémoire de Chihuahuense, on n'a jamais vu un train arriver à l'heure.

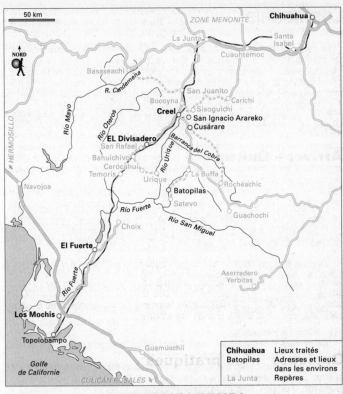

50 km

NORD

ZONE MENONITE
Chihuahua
Santa Isabel
La Junta
Cuauhtemoc
Basaseachi
R. Candemena
San Juanito
Bocoyna
Carichi
Creel
Sisoguichi
San Ignacio Arareko
Cusárare
Rio Mayo
Rio Oteros
Rio Urique
Barranca del Cobre
EL Divisadero
San Rafael
Bahuichivo
Cerocahui
Temoris
Urique
La Buffa
Rochéachic
Batopilas
Satevo
Guachochi
Río Fuerte
Río San Miguel
Choix
Navojoa
HERMOSILLO
El Fuerte
Río Fuerte
Aserradero Yerbitas
Los Mochis
Topolobampo
Golfe de California
Guamúschil
CULIACÁN ROSALES

Chihuahua	Lieux traités
Batopilas	Adresses et lieux dans les environs
La Junta	Repères

LA SIERRA TARAHUMARA

En général, l'étape classique pour quelques nuits est le village de ***Creel.*** Mais on peut aussi procéder par bonds successifs et s'arrêter sur le trajet. Il faudra alors attendre le lendemain pour reprendre le train.

Les plus beaux paysages se trouvent entre El Fuerte et Creel. À partir de Creel, vous pouvez prendre le bus pour rejoindre Chihuahua : plus rapide et surtout plus souple quant aux horaires. De même, on peut se passer de la première partie du voyage entre Los Mochis et El Fuerte, car le trajet en train est plus long qu'en bus (même en 1re classe) et le paysage est assez monotone. De nombreux bus permettent de rallier El Fuerte en 2 h environ depuis Los Mochis. Donc, si vous arrivez à Los Mochis après le départ du train, deux solutions : soit passer la journée en ville et y dormir ; soit aller en bus à El Fuerte, y passer la nuit et attraper le train là-bas le lendemain matin.

Les deux trains s'arrêtent 20 mn en gare de ***Divisadero,*** point de vue panoramique extraordinaire. On peut descendre pour aller admirer la vue. Ne vous en privez surtout pas. On est ici à la confluence de 3 canyons : celui d'Urique, de Tararecua et la Barranca del Cobre. De toute beauté.

Enfin, un dernier conseil : si vous allez en direction de Chihuahua, demandez une place à droite. Vous aurez les plus belles vues. Cela dit, la vue est encore plus belle depuis les fenêtres panoramiques du wagon-restaurant, ou entre chaque wagon, à l'air libre, le poste idéal pour prendre de beaux clichés.

Pour l'achat des billets, voir selon votre cas la rubrique « Arriver – Quitter » à Los Mochis ou Chihuahua.

LOS MOCHIS

200 000 hab.   IND. TÉL. : 668

On a beaucoup exagéré au sujet de cette ville, moderne et construite suivant un plan quadrillé, à l'américaine. Ce n'est certes pas la plus jolie cité du Mexique mais, comme on y passe obligatoirement pour prendre le train qui pénètre dans la sierra Tarahumara, autant en profiter pour apprécier le marché populaire, l'agréable jardin botanique et surtout le village et le port de Topolobampo (à 45 mn de bus), où s'ébattent pélicans et dauphins.

À noter, on est ici, comme dans tout l'État de Sinaloa, avec un décalage horaire de - 1 h par rapport à Mexico.

Arriver – Quitter

En avion

✈ **L'aéroport** (☎ 815-30-70) est à mi-chemin entre Los Mochis et le port de Topolobampo, à une quinzaine de kilomètres. Prendre un bus dans le centre, sur l'avenida Obregón *(plan A2, 1)*, qui indique « Aeropuerto ». Deux départs le matin et 2 l'après-midi (dernier départ à 16 h 45).

➤ **Depuis Mexico :** liaison directe quotidienne le midi avec *AeroMexico* et le soir avec *Aero California*. Compter 1 h 10 de vol.

➤ **Vers Mexico :** liaison directe le matin avec *Aero California* et en début d'après-midi avec *AeroMexico*.

➤ **De et vers Tijuana et Chihuahua :** avec *Aero California*, 1 vol quotidien pour Chihuahua via Tijuana. Avec *AeroMexico*, 1 vol quotidien pour Tijuana avec escale à Hermosillo.

➤ **De et vers Guadalajara :** avec *Aero California*, 2 vols quotidiens directs. *AeroMexico* assure un vol quotidien avec escale.

➤ Vols quotidiens (avec escales) pour et de **Querétaro, Monterrey, La Paz, Mérida** ; et plusieurs villes des États-Unis : **Los Angeles** (2 vols par jour), **Houston, Tucson, San Antonio** et **Phœnix.**

En bus

➤ **De et vers Topolobampo :** arrêt de bus à l'angle de Prieto et Cuauhtémoc *(plan A2, 3)*. Départs tous les 30 mn environ, de 6 h 30 à 20 h 30. Compter 45 mn de trajet.

➤ **Vers El Fuerte :** arrêt de bus à l'angle de Zaragoza et Cuauhtémoc *(plan A2, 4)*. Une quinzaine de départs quotidiens, de 7 h à 20 h. Trajet : environ 2 h.

➤ **Vers Guadalajara, Mexico, Tijuana, Mazatlán (côte Pacifique), etc. :** plusieurs compagnies de 1re classe assurent la liaison avec les destinations lointaines. Le *terminal principal (hors plan par A2, 5)*, un peu éloigné sur le boulevard Castro, au niveau de Constitución. Dans le centre, la *Cie Transportes Norte de Sonora (plan B2, 6)* possède son propre terminal, tout comme *Transportes del Pacífico (plan A2, 7)*. Au total, de très nombreuses fréquences jour et nuit.

En train (pour le canyon du Cuivre et la sierra Tarahumara)

La voie ferrée est le moyen idéal pour pénétrer dans la sierra des Indiens Tarahumaras et découvrir le spectacle grandiose du canyon du Cuivre. Tou-

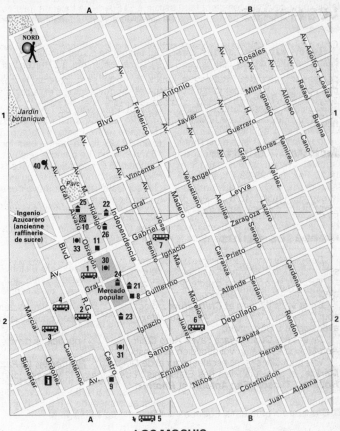

LOS MOCHIS

■ **Adresses utiles**

🛈 Office de tourisme
🚌 1 Bus pour l'aéroport
🚌 2 Bus pour la gare de chemin de fer
🚌 3 Bus pour Topolobampo
🚌 4 Bus pour El Fuerte
🚌 5 Terminal principal des bus
🚌 6 Terminal de *Transportes Norte de Sonora*
🚌 7 Terminal de *Transportes del Pacífico*
8 Banque Banamex
9 Banque HSBC
@ 10 Online Cafe Internet
11 Agence Viajes Flamingo

🛏 **Où dormir ?**

21 Hôtel Hidalgo
22 Hôtel Monte Carlo
23 Hôtel Lorena
24 Hôtel Beltrán
25 Hôtel Corintios
26 Hôtel Fénix

🍽 **Où manger ?**

30 Mercado popular
31 La Cabaña de Doña Chayo
33 El Farallón

🚶 **À voir**

40 Musée régional

tefois, pour ceux qui comptent faire escale à El Fuerte, le trajet en train est plus long qu'en bus et assez monotone (avec un départ très matinal). À bon entendeur...

■ *Réservation et achat des billets :* auprès de *Ferrocarril Mexicano,* ☎ (614) 439-72-12 ou 01-800-122-43-73 (n° gratuit). ● chepemochis@ferromex.com.mx ● Également à la gare, dans les agences de voyages ou certains hôtels de Los Mochis. L'agence *Viajes Flamingo (plan A2, 11),* sise dans l'hôtel *Santa Anita,* est très efficace : Gabriel Leyva. ☎ 812-16-13 et 19-29. Fax : 818-33-93. ● hotelsbal@tsi.com.mx ● Ouvert du lundi au samedi de 8 h 30 à 18 h 30. Pas de commission. On peut aussi réserver par téléphone ou par e-mail.

■ *Gare :* excentrée, à 10 mn en taxi, moyen de transport obligatoire pour le train de 6 h car il n'y a pas encore de bus. Compter environ 80 $Me (5,60 €). Pour celui de 7 h, on peut prendre un bus sur le boulevard R. Castro, entre Prieto et Zaragoza (plan A2, **2**). Ils passent toutes les 15 mn environ. Le prendre vers 6 h. Compter 15 mn de trajet. Il n'est pas nécessaire d'arriver aussi tôt qu'indiqué sur les billets, mais prévoir une marge de sécurité.

Adresses utiles

■ *Office de tourisme (plan A2) :* dans Allende, à l'angle de Marcial Ordoñez ; dans le centre administratif du gouvernement de l'État de Sinaloa, au rez-de-chaussée. ☎ 815-10-90. Ouvert du lundi au vendredi de 9 h à 16 h. Nombreux dépliants sur chaque village de la région. Mais les agences de voyages sont mieux renseignées sur la sierra Tarahumara ou la *Barranca del Cobre,* qui se trouvent dans l'État de Chihuahua.

■ *Banques :* plusieurs agences dans le centre, dotées de distributeurs de billets (*Visa* et *MasterCard*). La *Banamex (plan A2, 8),* à l'angle de Hidalgo et Guillermo Prieto, est ouverte en semaine de 9 h à 17 h 30. Tout comme la *HSBC (plan A2, 9),* à l'angle de l'avenida Santos Degollado et du boulevard R. Castro, avec distributeur accessible 24 h/24.

@ *Online Cafe Internet (plan A2, 10) :* av. Obregón, juste à côté de *Corintios.* ☎ 812-90-97. Ouvert du lundi au samedi de 9 h à 21 h et le dimanche de 10 h à 15 h.

Où dormir ?

Bon marché : de 210 à 300 $Me (14,70 à 21 €)

▲ *Hôtel Hidalgo (plan A2, 21) :* Hidalgo 260. ☎ 818-34-53. En face du *Beltrán.* Un hôtel un peu triste et vieillot, parmi les moins chers de la ville. Surtout valable pour les chambres bon marché, sombres (sans fenêtre), assez petites et sommaires mais avec salle de bains et ventilo. Pour dépanner.

▲ *Hôtel Monte Carlo (plan A1-2,* **22)** *:* Angel Flores 322. ☎ 812-18-18 et 13-44. À l'angle d'Independencia. Grande demeure à la belle façade de style colonial. Vaste patio garni de plantes. Chambres à l'étage très correctes mais assez sombres et vieillottes. Une nouvelle aile dispose d'une dizaine de petites chambres impeccables et plus lumineuses. AC et TV. Parking. Un certain charme désuet.

Prix moyens : de 300 à 500 $Me (21 à 35 €)

▲ *Hôtel Fénix (plan A2, 26) :* Angel Flores Sur 365. ☎ 812-26-23 et 25.

● hotelfenix@email.com ● Un établissement moderne aux chambres

PLANS ET CARTES EN COULEURS

SOMMAIRE

2

MEXIQUE – CARTE GÉNÉRALE

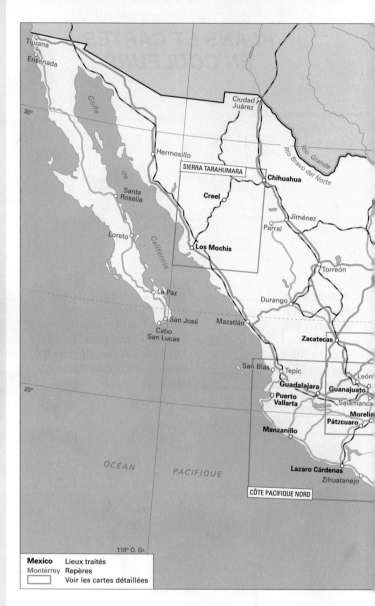

Tijuana
Ensenada
30°
Golfe
Hermosillo
Santa Rosalia
de
Loreto
Californie
La Paz
San José
Cabo San Lucas
20°
OCÉAN   PACIFIQUE
110° O. Gr.

Ciudad Juárez
Rio Grande
Rio Bravo del Norte
SIERRA TARAHUMARA
Chihuahua
Creel
Jiménez
Parral
Los Mochis
Torreón
Durango
Mazatlán
Zacatecas
San Blas   Tepic
León
Guadalajara   **Guanajuato**
Puerto Vallarta   Salamanca
Morelia
Pátzcuaro
Manzanillo
Lazaro Cárdenas
Zihuatanejo
CÔTE PACIFIQUE NORD

Mexico	Lieux traités
Monterrey	Repères
⬜	Voir les cartes détaillées

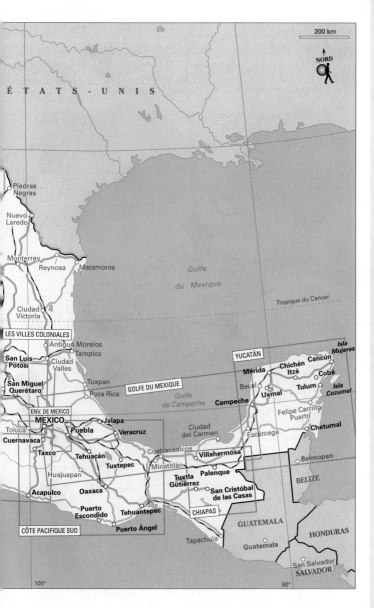

MEXIQUE

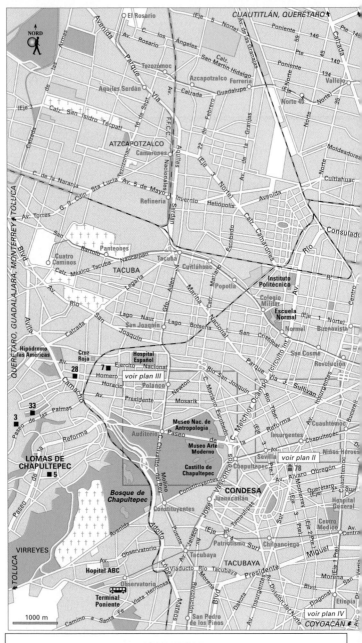

4

MEXICO – PLAN D'ENSEMBLE

voir plan III

voir plan II

voir plan IV

■ **Adresses utiles**

3 Ambassade et consulat de Suisse

5 Ambassade et consulat du Guatemala

7 Instituto nacional de Migración

28 Air France

33 Lufthansa

▲ **Où dormir ?**

78 Hostal Home

MEXICO – PLAN D'ENSEMBLE

MEXICO – CENTRE (PLAN I)

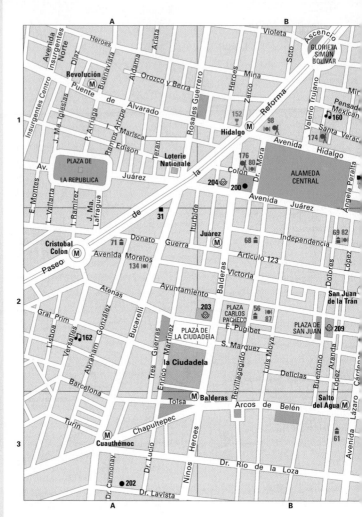

MEXICO – CENTRE (PLAN I)

8

REPORTS DU PLAN DE MEXICO – CENTRE (PLAN I)

■ **Adresses utiles**

✉ Poste centrale
📷 **10** Café Distante
📷 **11** Express-Net
12 Bains-douches Marbella
31 Iberia
50 Mundo Joven
173 Le petit train

🛏 **Où dormir ?**

50 Hostal Catedral
51 Hôtel Isabel
52 Hostal Moneda
53 Hôtel Meave
54 Hôtel Juárez
55 Hôtel Habana
56 Hôtel Conde
57 Hôtel Monte Carlo
58 Hôtel Lafayette
59 Hôtel Congreso
60 Hôtel Atlanta
61 Hôtel Miguel Ángel
62 Hôtel San Antonio
63 Hôtel Washington
64 Hôtel Antillas
65 Hôtel Azores
66 Hôtel Roble
67 Hôtel Canada
68 Hôtel Monte Real
69 Hôtel Marlowe
70 Hôtel Gillow
71 Hôtel Reforma Avenue

|●| **Où manger ?**

80 Trevi
81 Café El Popular
82 Casa de Todos
83 Gili Pollo et Taquería Tlaquepaque
85 La Casa del Pavo
86 Pastelería Madrid
87 Restaurant San José
88 Selva Café
89 El Vegetariano
90 Mercado de los alimentos San Camilito
91 Restaurant Castropol
92 Café La Blanca
93 Centro Castellano
94 Casa de los Azulejos
95 Hostería de Santo Domingo
96 Los Girasoles
97 Café de Tacuba
98 Restaurant de l'hôtel Cortés
99 El Danubio
100 La Casa de las Sirenas

|●| **Où prendre le petit déjeuner ?**

67 Jugos Canada
86 Pastelería Madrid
98 Resto de l'hôtel Cortés
131 Bertico Café

132 Pastelería Ideal
133 Pastelería del Camino
134 Café Habana
136 Hôtel Majestic
137 El Moro
138 Allende 46
139 Dulcería Celaya

🍸 **Où boire un verre ?**

100 La Casa de las Sirenas
150 Bar La Ópera
152 La Hostería del Bohemio
153 Salón Tenampa

🎵 **Où sortir ? Où danser ?**

159 Salón Tropicana
160 Salón México
161 Tarará
162 Colmillo Bar

⚔ **À voir**

98 Hôtel Cortés
135 Gran Hotel de México
170 Templo Mayor
171 Secretaría de Educación Pública
172 Museo nacional de Arte ou Munal
173 Palacio de Bellas Artes
174 Museo Franz Mayer
175 Museo de la Ciudad de México - MCM
176 Museo mural Diego Rivera
177 Palacio nacional
178 Cathédrale
179 Monte-de-Piedad
180 Université autonome métropolitaine
181 Église Santa Teresa la Antigua
182 Musée national des Cultures
183 Église de la Santísima
184 Ancien collège jésuite San Ildefonso
185 Église San Francisco et église San Felipe de Jesús
186 Palacio Iturbide

● **À faire**

200 Les joueurs d'échecs
201 Arena Coliseo
202 Arena México

🛍 **Achats**

203 Mercado de la Ciudadela
204 Exposición nacional de Arte popular - FONART
205 Mercado de la Merced
206 Mercado de la Lagunilla
207 Plantes médicinales
208 Bazar de la Fotografía Casasola
209 Mercado San Juan

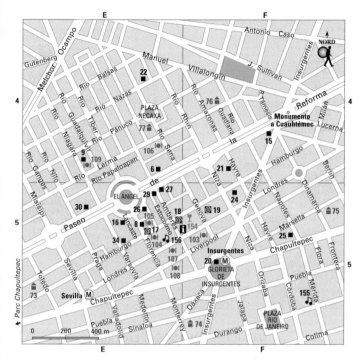

MEXICO – ZONA ROSA (PLAN II)

■ **Adresses utiles**

- 🅘 Direction du tourisme
- 6 Ambassade des États-Unis
- 8 Policía
- 9 Viva Zapata
- 15 Bureau de change (Casa de cambio)
- 16 American Express
- @ 17 Bits Café y Canela
- @ 18 Café Mail
- @ 19 Java Chat
- 20 Cartes (INEGI)
- 21 La Casa de Francia et La Bouquinerie
- 22 IFAL - Institut français d'Amérique latine
- 24 Budget
- 25 Laverie automatique
- 26 Aeromexico
- 27 Mexicana de Aviación et Aerocalifornia
- 29 American Airlines
- 30 Delta Airlines
- 34 United Airlines

🛏 **Où dormir ?**

- 73 Hostel Las Dos Fridas
- 74 Hôtel El Castró
- 75 Posada Viena
- 76 Hôtel María Cristina
- 77 Hôtel Bristol

|●| **Où manger ?**

- 103 Café Konditori
- 104 Pari Pollo
- 105 Campanario's
- 106 Café Mangia
- 107 Sanborn's de l'Hôtel Genève
- 108 Fonda El Refugio
- 109 Café del Arrabal

🍷 🎵 **Où boire un verre ? Où sortir ? Où danser ?**

- 154 El Péndulo
- 155 Fixión
- 156 Lipstick Lounge and Bar

MEXICO – ZONA ROSA (PLAN II)

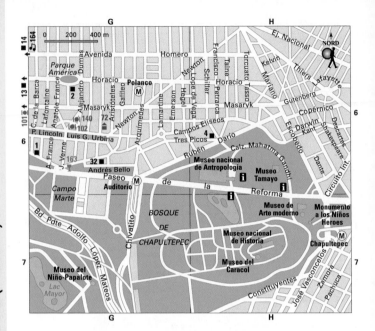

MEXICO – POLANCO (PLAN III)

■ **Adresses utiles**

🛈 Points d'infos touristiques
1 Ambassade et consulat de France
2 Ambassade de Belgique
4 Ambassade et consulat du Canada
13 L'actualité internationale
14 Alliance française
32 KLM

🛏 **Où dormir ?**

72 Casa Vieja

|●| **Où manger ?**

101 Takos Takos
102 Non Solo Pasta

|●| **Où prendre le petit dej' ?**

140 Paris Croissant

🍸 🎵 **Où boire un verre ? Où sortir ?**

163 Hard Rock Café
164 Salón 21

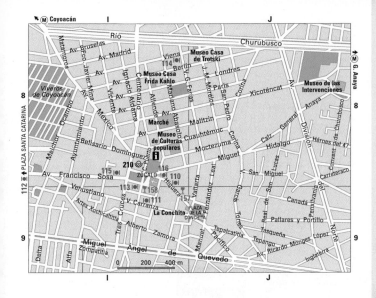

MEXICO – COYOACÁN (PLAN IV)

■ **Adresse utile**
 🅱 Office de tourisme

|●| **Où manger ?**
 110 El Mercadito
 111 Papa Pavo Medieval
 112 Mesón de Santa Catarina
 113 La Esquina de los Milagros
 114 La Vienet

 115 Moheli
 116 Caballocalco

🍸 **Où boire un verre ?**
 157 La Guadalupana
 158 Burma DJ Café

⊛ **Achats**
 210 Marché d'artisanat

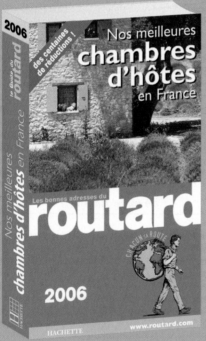

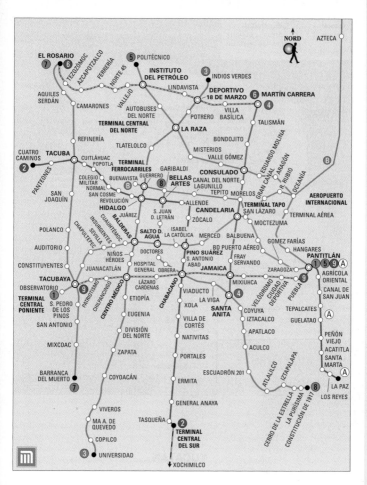

MÉTRO DE MEXICO

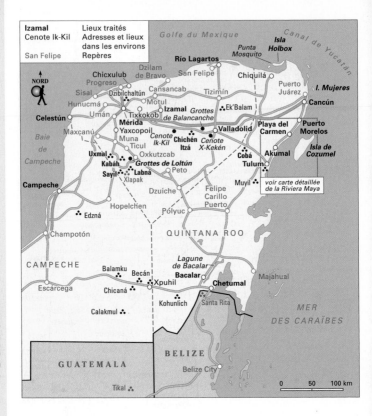

YUCATÁN

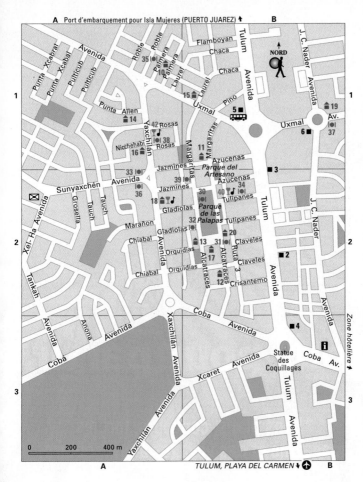

CANCÚN

Adresses utiles

8 Direction du tourisme municipal
⊠ Poste
✈ Aéroport
🚌 Terminal des bus
2 Banque Bancomer
3 Scotiabank Inverlat
4 Banque Santander Serfín
5 Station de taxis
6 Immigration

Où dormir ?

10 AJ Mexico Hostel
11 AJ Mayan Hostel
12 The Nest Backpackers Hostel
13 Hostal Chacmool
14 Casa de Huéspedes Punta Allen
15 Hôtel Alux
16 Hôtel Canto
17 Hôtel Suites Cancún Center
18 Hôtel Xbalamqué
19 Hôtel El Rey del Caribe
20 A Casazul

Où manger ?

30 Kiosques du parc de las Palapas
31 Los Huaraches de Alcatraces
32 El D'Pa
33 El Taco Torro
34 Gory Tacos
35 Tampico
36 100 % Natural
37 Mesón del Vecindario
38 La Parilla
39 Labná

Où boire un verre ? Où sortir ?

18 El Pabilo Café
40 Root's
42 Los Arcos

proprettes, avec salle de bains, TV, AC, et petit balcon pour certaines. Pas le grand charme, mais un confort impeccable, des prix honnêtes et un accueil souriant.

🛏 *Hôtel Lorena* (plan A2, *23*) : Obregón Poniente 186. ☎ 812-02-39 et 09-58. ● hotel_lorena@hotmail. com ● En plein centre. Une cinquantaine de chambres propres et correctes, avec AC, TV et téléphone. Parking. Bar et resto. Sans grand charme mais bien tenu. Accueil gentil et discret.

🛏 *Hôtel Beltrán* (plan A2, *24*) : Hidalgo 281. ☎ 812-06-88 et 00-39. Hôtel bien tenu de 55 chambres claires et proprettes, avec salle de bains, AC, téléphone et TV. Préférer celles à l'arrière, plus calmes. Au dernier étage, petite terrasse avec vue sur la ville. Très correct mais un peu cher payé.

Plus chic : au-dessus de 700 $Me (49 €)

🛏 *Hôtel Corintios* (plan A1, *25*) : av. Obregón 580. ☎ 818-22-24 et 23-00. Proche du joli Parque 27 de Septiembre, qui fait office de *zócalo*. Ne pas se fier à la façade moderne de cet hôtel récent. Elle cache en fait un agréable patio arboré et une trentaine de chambres tout confort, auxquelles on accède par des escaliers couverts d'*azulejos*. Charmant… malgré les voitures garées dans la cour. *Room service,* resto, salle de fitness, jacuzzi. Et agréable accueil.

Où manger ?

Bon marché : moins de 70 $Me (5 €)

🍴 *Le mercado popular* (plan A2, *30*) : quelques stands pour manger un plat typique en profitant de l'ambiance populaire. Les amateurs se régaleront avec des *tacos de cabeza* (tête de bœuf). Il faut aussi goûter le *menudo*, une soupe à base de tripes de bœuf (ou de fruits de mer) et d'oignons, parfumée à la coriandre. *Riquísimo !*

🍴 *La Cabaña de Doña Chayo* (plan A2, *31*) : à l'angle d'Obregón et d'Allende. ☎ 818-54-98. Ouvert de 9 h à 1 h. La *taquería* typique pour déguster de délicieux *tacos* ou *quesadillas* à la viande grillée et au fromage. Les *tortillas*, de farine de blé ou de maïs, sont faites à la main. Peu de choix et huileux à souhait mais typique.

Plus chic : de 150 à 250 $Me (10,50 à 17,50 €)

🍴 *El Farallón* (plan A2, *33*) : à l'angle d'Angel Flores et Obregón. ☎ 812-12-73 et 14-28. Ouvert tous les jours ; le soir, ferme plus tard que les autres. Avant de pénétrer dans la sierra, offrez-vous un dernier repas de *mariscos* dans cette institution locale. On y sert la spécialité du coin, un poisson farci de fruits de mer, le *sarandeado,* mais aussi des plateaux de fruits de mer, poisson, poulpe et crevettes à toutes les sauces, et même des sushis. Cadre agréable, plats copieux et finement cuisinés, ballet de serveurs empressés, le tout au prix de la réputation…

À voir. À faire

Pas grand-chose. Si vous êtes là à attendre le train, quelques idées quand même pour tuer le temps.

🎭 *Topolobampo :* un village de pêcheurs à l'atmosphère populaire, établi au bord du golfe de Californie. Quelques gargotes pour s'offrir une *agua fresca* ou un plat de poisson, avec vue sur la mer. Le site est un sanctuaire naturel où s'épanouissent les oiseaux marins, notamment les pélicans qui longent la côte et assurent un spectacle insolite. Possibilité d'excursions en bateau pour rallier plusieurs îlots sanctuaires de dauphins, phoques et oiseaux marins. S'adresser aux pêcheurs munis d'une autorisation officielle, à l'embarcadère touristique *Mazocahui*.

⚡ **Le jardin botanique** *(parque Sinaloa ; plan A1) :* à 10 mn à pied du centre. Ouvert tous les jours de 4 h (pour le footing matinal) à 19 h.

⚡ **Le Musée régional** *(plan A1, 40) :* sur l'avenida Obregón, presque en face de l'église du Parque 27 de Septiembre. Ouvert du mardi au samedi de 10 h à 13 h et de 16 h à 19 h et le dimanche de 10 h à 13 h. Entrée : 5 $Me (0,50 €). Quelques objets, photos et panneaux sur l'histoire de l'État de Sinaloa. Fait aussi « ciné-club » plusieurs fois par semaine.

EL FUERTE   40 000 hab.   IND. TÉL. : 698

Première étape à 3 h de train de Los Mochis. Bien plus agréable que Los Mochis pour se balader et faire une pause. Jolie petite ville au passé colonial, fondée en 1564 par les premiers explorateurs de la sierra. Ruelles pavées de gros galets et quelques belles demeures du XVIIIe siècle comme le *Palacio Municipal* ou la *Casa de la Cultura*. Le *zócalo* est aussi plein de charme (joli kiosque à musique et nombreux palmiers) et très animé en soirée.

Arriver – Quitter

En bus

➤ **De et vers Los Mochis :** une quinzaine de départs quotidiens entre 6 h et 19 h depuis El Fuerte, entre 7 h et 20 h depuis Los Mochis. À El Fuerte, arrêt de bus à l'angle de Juárez et 16 de Septiembre. Compter 2 h de trajet.
➤ Pas de liaison en bus vers Creel car la route est trop longue et sinueuse.

En train

🚆 **La gare** est à 4 km du centre-ville. Liaison en bus depuis le centre (devant l'hôtel *San José*) à 7 h 45 | pour le *Primera Express* et 9 h pour le train de 2e classe.

➤ **De et vers Los Mochis :** départs quotidiens à 6 h et 7 h en 2e classe depuis Los Mochis ; respectivement 19 h 30 et 22 h 30 depuis El Fuerte. Compter environ 2 h 30 à 3 h 30 de trajet.
➤ **De et vers Creel et la sierra Tarahumara :** départs quotidiens à 11 h 15 et 13 h 30 en classe économique depuis Creel ; respectivement 9 h 05 et 10 h 30 depuis El Fuerte. Compter environ 7 h à 9 h de trajet.

Adresses utiles

📧 **Kiosque touristique et poste :** à l'intérieur du *Palacio Municipal*. Ouvert du lundi au samedi de 9 h à 16 h.

– **Site Internet :** www.elfuerte.com. mx ●

■ **Banque :** agence *Bancomer* à l'angle des rues Constitución Norte et B. Juárez, ouverte en semaine de 8 h 30 à 16 h ; distributeur (*Visa* et *MasterCard*) accessible 24 h/24.

@ *Cibercafe Portales :* sur la place principale. Fermé le dimanche.

Où dormir ?

Très bon marché : moins de 210 $Me (14,70 €)

🛏 *Hôtel San José :* Juárez 40. Situé en plein centre. Vieux et plutôt sommaire. Chambres et sanitaires ultra-rudimentaires, mais l'ensemble est compensé par l'accueil chaleureux de Gaspard, qui fournit plein d'infos sur la région. Les nombreux routards qu'il a accueillis ont laissé des marques de leur passage sur le mur de la réception. Le bus pour la gare s'arrête en face.

Bon marché : de 210 à 300 $Me (14,70 à 21 €)

🛏 *Hôtel Guerrero :* Juárez 206. ☎ 893-13-50. • hotelguerrero@hotmail.com • En plein centre, dans la rue principale (bus pour la gare à deux pas). Jolies mosaïques colorées à l'entrée et patio fleuri desservant une quinzaine de chambres impeccables. Déco simple mais agréable, confort et propreté nickel, accueil charmant. À noter, le petit dej' est compris. Bref, une bonne adresse à l'atmosphère familiale.

Chic : de 500 à 700 $Me (35 à 49 €)

🛏 *Hôtel Río Vista :* mirador de Montes Claros. ☎ et fax : 893-04-13. À côté du fort (monter la ruelle qui part de la place). Attention, perle rare ! Un véritable jardin d'Eden chargé de fleurs et de cactus, agrémenté d'une foule d'objets hétéroclites, peuplé de nombreux colibris, parsemé de chaises et de tables. On peut s'y installer tranquillement à toute heure du jour. Les chambres tout confort sont personnalisées, décorées avec goût et vraiment agréables. Également une grande terrasse qui jouit du panorama sur le fleuve et les montagnes. Accueil chaleureux et atmosphère vraiment paisible. Un excellent rapport qualité-prix.

Très chic : plus de 900 $Me (63 €)

🛏 *Posada del Hidalgo :* derrière l'église et à deux pas du *zócalo.* Réservations à Los Mochis à l'hôtel *Santa Anita.* ☎ (668) 818-70-46. Fax : 812-00-46. • www.mexicoscoppercanyon.com • Appartient à la chaîne *Balderrama,* qui a carrément squatté toute la région dans le créneau du luxe. Une illustre demeure du début du XXe siècle, entièrement rénovée et agrémentée de splendides jardins tropicaux. Une cinquantaine de chambres tout confort. Demandez-en une dans la partie ancienne plutôt que dans l'extension récente. Superbe cadre colonial, objets et meubles anciens dans les salles communes. De la piscine, belle vue sur le village. L'ensemble sent toutefois « l'attrape-gringos » à plein nez et les tarifs sont un peu exagérés. Allez au moins y prendre un verre pour vous promener dans les jardins.

Où manger ?

🍴 *Los Portales de Don Manuel :* sous les arcades de la place principale. Ouvert tous les jours. Une boulangerie-confiserie idéale pour s'offrir une douceur après un repas pimenté. Gâteaux et entremets maison, salade de fruits, glaces, etc.

|●| *El Supremo :* à deux pas de la place principale. Bon petit resto frais et propre. Grandes tables couvertes de nappes cirées et télé en fond sonore. Une cuisine familiale avec une grande variété de plats copieux et quelques spécialités du coin à base de poisson. Snacks et sand-wichs pour les petits appétits. Très bon rapport qualité-prix.

|●| *La Tecate :* calle Juárez 114. Resto de poisson et fruits de mer établi dans une maison datant de 1760. On peut y goûter la spécialité locale, les *cauque* (langoustines) et les poissons d'eau douce. Pas de la grande cuisine, mais de bons plats servis copieusement et à prix honnêtes. Accueil souriant.

À voir. À faire

Avant tout, déambuler dans les ruelles à la découverte de jolies façades colorées et de quelques belles demeures coloniales ; faire une sieste à l'ombre des palmiers de la place principale et prendre le temps de vivre...

🏃 *Fuerte museo Mirador :* mirador de Montes Claros. Accès par la ruelle qui monte depuis le *zócalo*. Ouvert tous les jours de 9 h à 19 h. Entrée : 5 $Me (0,35 €). Un petit musée récent dédié à l'histoire de la région. Salles d'expos temporaires présentant les œuvres d'artistes locaux et expo permanente d'objets d'artisanat et de la vie quotidienne ; photos, masques, et même un vieux corbillard digne de *Lucky Luke* ! Surtout valable pour le panorama imprenable sur la rivière et El Fuerte.

EL DIVISADERO

IND. TÉL. : 634

Lieu-dit à 2 250 m d'altitude. Le train s'y arrête systématiquement durant 15 mn. « Tout le monde descend ! ». Toute une flopée de stands d'artisanat et de gargotes pour se restaurer sur le pouce avant d'atteindre le panorama sur le canyon. Tout simplement époustouflant ! La vue plonge à l'infini sur les gorges profondes d'Urique, Cobre et Tararecura. On peut aussi venir ici en bus depuis Creel.

CREEL

8 000 hab.

IND. TÉL. : 635

C'est la ville la plus importante le long de la ligne de chemin de fer et l'étape idéale pour se reposer des fatigues du voyage. Vous êtes ici à 2 340 m d'altitude, et en hiver il peut faire très froid ; les paysages couverts de neige sont alors splendides. Il y règne une ambiance de western, avec les maisons de bois alignées le long de l'unique rue principale et les chevaux peuplant les champs alentour. Né grâce à la construction de la voie ferrée, le village s'est développé avec l'exploitation forestière au début du XXᵉ siècle. Aujourd'hui, c'est plutôt le tourisme qui le fait vivre. On peut y rester plusieurs jours pour visiter les environs et partir en randonnée dans la sierra. La *Barranca del Cobre* et l'ensemble de canyons offrent de belles excursions à la découverte de paysages sauvages et préservés.

Arriver – Quitter

En train

➤ *Pour El Fuerte et Los Mochis :* départ quotidien à 11 h 15 avec le *Primera Express* et 13 h 20 en 2e classe. En 1re classe, arrivée (en principe) à 19 h 30 à El Fuerte et 22 h 25 à Los Mochis ; respectivement 22 h 25 et 1 h 30 du matin en classe économique.

➤ *Pour Chihuahua :* pour les amoureux du train, car en réalité les plus beaux paysages sont derrière vous (et le bus est plus rapide). Départ du train 1re classe à 16 h et du train 2e classe à 19 h (en principe !). Compter minimum 6 h 30 de trajet.

En bus

🚌 Deux compagnies à côté de la gare : *Estrella Blanca,* plus économique, et *Noroeste,* plus confortable.

➤ *Pour/de Chihuahua :* 10 bus par jour de 6 h à 17 h 30 avec *Estrella* ; 4 bus de 6 h 30 à 15 h 30 avec *Noroeste.* Trajet : 4 h 30 environ.

➤ *Pour/de Divisadero :* 2 bus par jour avec *Estrella* (10 h 20 et 18 h) et 3 départs avec *Noroeste.* Trajet : 1 h.

➤ *Pour/de Guachochi :* 2 bus par jour avec *Estrella* (12 h et 17 h 30).

Adresses utiles

✉ *Poste :* sur la place principale. Ouvert du lundi au samedi de 9 h à 15 h.

@ *Cibercafe Cascada Net :* López Mateos 49. Ouvert tous les jours de 8 h à 22 h. Compter 20 $Me (1,40 €) l'heure.

■ *Banque :* une seule agence, *Serfín,* sur la place principale. Ouvert de 9 h à 16 h. Change des euros et des chèques de voyage jusqu'à 13 h seulement. Distributeur de billets (*Visa* et *MasterCard*).

■ *The 3 Amigos :* López Mateos 46. ☎ 456-00-36 ou 05-46. ● www.the3amigoscanyonexpeditions.com ● Adresse incontournable pour obtenir toutes les infos sur Creel et la Sierra. Accueil charmant et très pro de deux Mexicains et d'une Américaine. Tous les services possibles : excellente documentation et cartes détaillées ; tours organisés de 1 à 2 jours vers le lac Arakero, San Ignacio, Cusárare

et Batopilas ; location de pick-up (copieux pique-nique inclus), VTT et scooters ; réservation de train et hôtels, etc. Des prestations de qualité et un accueil vraiment efficace. Et les prix restent honnêtes.

■ *Location de VTT :* chez *The 3 Amigos.* Le plus professionnel de Creel, avec un matériel de qualité. Compter 150 $Me (10,50 €) la journée. Également à la *Casa Margarita* (voir « Où dormir ? »), un peu moins cher. En été, mieux vaut réserver les vélos la veille.

■ *Location de chevaux :* s'adresser à *El Aventurero,* à côté de la *Casa Margarita.* ☎ 456-05-07. Nombreuses possibilités d'excursions : aller-retour, compter 3 h pour aller au lac d'Arareko ou à San Ignacio, 5 h pour la Valle de los Monjes, 6 h jusqu'au canyon de Tararecua, une journée pour les eaux chaudes de Recohuata.

LA LIGNE DE CHEMIN DE FER LOS MOCHIS -CHIHUAHUA

Où dormir ?

Campings

⛺ *Camping Koa :* à 1 km du centre vers le sud, en continuant tout droit | sur l'avenue principale López Mateos. ☎ 456-06-65. Très bien équipé, avec des sanitaires impeccables. Pas un poil d'ombre cependant pour les journées d'été.

⚑ On peut aussi camper sur les rives du lac Arareko, à environ 5 km de Creel. Moins cher et plus sauvage.

Bon marché : de 210 à 300 $Me (14,70 à 21 €)

🏠 **Hôtel Cabañas Bertis :** López Mateos 31. ☎ 456-05-51. Bon petit hôtel situé dans la rue principale. Chambres spacieuses et bien tenues, avec *baño*. Quelques-unes avec cheminée ou poêle à bois. Les chambres les moins chères ont un bon rapport qualité-prix. Simple, propre et confortable. Accueil familial.

🏠 **Cabañas Sierra Azul :** s'adresser à l'épicerie *Aborrotes Pèrez,* López Mateos 29. ☎ 456-01-11. Une adresse récente de type motel américain, juste en retrait de l'avenue principale. Sans charme particulier, mais une vingtaine de chambres confortables et très propres, et un accueil souriant.

🏠 **Hôtel Korachi :** calle F. Villa 116 ; à 100 m de la gare. ☎ 456-00-64. ● www.hotelkorachi.tripod.com ● Chambres propres et gentiment arrangées, avec 2 lits *matrimonial.* Au calme. Les bungalows derrière sont spacieux, avec des poêles à bois. On peut s'y installer jusqu'à 4 personnes. Tenu par un sympathique couple d'Indiens.

🏠 **Casa Margarita :** López Mateos 11 ; sur la place. ☎ 456-00-45. ● www.tripadvisor.com ● Clé du succès : les tarifs incluent le petit dej' et le dîner (bon et copieux). Autant vous prévenir, c'est devenu une véritable usine à routards. On s'entasse comme on peut dans un dortoir avec lits superposés ou dans des chambres lambrissées pour 2 à 6 personnes. Autre option un peu plus coûteuse, des petites chambres doubles propres et agréables. Une bonne adresse à prix serrés malgré l'affluence de touristes. De fait, s'il n'y a plus de place, on vous dirigera avec un grand sourire sur l'hôtel *Margarita Plaza's Mexicana,* appartenant à la même famille mais 3 fois plus cher (voir ci-dessous). Possibilité d'excursions et location de VTT.

Prix moyens : de 300 à 500 $Me (21 à 35 €)

🏠 **Hôtel Nuevo :** en face de la gare, en contrehaut, dans une ruelle qui monte. ☎ 456-00-22. Deux tarifs selon la taille et le confort de la chambre. Les moins chères, tout en bois, sont déjà bien agréables ; les autres sont dotées d'un poêle à bois. Confortable et bien tenu. Resto. Accueil très gentil de la patronne.

🏠 **Hôtel Margarita's Plaza Mexicana :** de la gare, prendre l'avenue principale López Mateos et, à 100 m, tourner à gauche dans la rue Elfido Batista. ☎ 456-02-45. Appartient à la même famille que la *Casa Margarita.* Chambres joliment décorées, donnant sur une grande cour extérieure. Les tarifs comprennent aussi la demi-pension, avec de bons repas à prendre dans la salle à manger conviviale. Un bon rapport qualité-prix hors saison.

Chic : à partir de 700 $Me (49 €)

🏠 **Hôtel Parador de la Montaña :** López Mateos 44. ☎ 456-00-23. ● www.hotelparadorcreel.com ● À 200 m de la gare. Le premier hôtel construit à Creel. Belles chambres spacieuses et confortables, salles de bains impeccables. TV et téléphone, chauffage central. Resto et parking. Atmosphère chaleureuse malgré l'affluence de groupes de touristes.

Où manger ?

De bon marché à prix moyens : de 70 à 150 $Me (5 à 10,50 €)

|●| *El Tungar :* à deux pas de la gare, sur le même quai. Ouvert tous les jours de 8 h à 17 h. Petit snack populaire et authentique pour s'offrir un bon plat de cuisine familiale (soupe aux choux et bœuf salé, *comida corrida, chile rellenos*). À déguster au comptoir, dans une jolie salle colorée, avec la cuisine au centre pour observer la maîtresse des lieux en action.

|●| *Mi Café :* tout au début de López Mateos, l'avenue principale, à gauche quand on vient de la place. Quelques tables pour dévorer le petit dej' ou grignoter un snack. Bon, l'accueil n'est pas des plus chaleureux, mais les *quesadillas* et le chocolat chaud sont fameux.

|●| *Restaurant Veronica :* López Mateos. De bons petits plats, un menu consistant et même des *tacos vegetarianos*. À déguster dans une petite salle pimpante.

|●| *Restaurant Lupita :* López Mateos 44. Presque en face du *Parador de la Montaña*. Bon petit resto de cuisine familiale. Salades, *comida corrida* et quelques plats basiques. Sert aussi des petits dej'. Pas vraiment copieux mais bien cuisiné. Atmosphère très conviviale.

|●| *Tio Molcas :* López Mateos. Restaurant au cadre chaleureux, tout en bois, et bar convivial à l'arrière, avec cheminée et bonne musique pour réchauffer les soirées d'hiver. Pas une grande sélection de plats, mais une cuisine goûteuse (comme la *sopa azteca* et les *enchiladas*) et un accueil vraiment agréable.

À voir

🏹 *Casa de las Artesanías y Museo :* av. Ferrocarril 178 ; sur la place. ☎ 456-00-80. Ouvert de 9 h à 18 h (15 h le dimanche). Fermé le lundi. Entrée : 10 $Me (0,70 €). Divers panneaux et objets traditionnels retracent l'histoire de la région depuis l'arrivée du 1er missionnaire en 1601. Un bon aperçu de l'histoire des Indiens Tarahumaras : mode de vie, coutumes, rites, artisanat... Superbes photos noir et blanc de Gérard Tournebize, un Français qui vécut plusieurs années avec eux dans les montagnes. On peut y acheter et consulter des bouquins sur la sierra.

➤ *DANS LES ENVIRONS DE CREEL*

Presque tous les hôtels proposent des excursions aux endroits qu'on vous indique. En réalité, ils font surtout office de taxis collectifs, ce qui peut être très pratique pour certains sites, vu que les transports publics sont quasi inexistants. Les plus sportifs peuvent opter pour la location de VTT, moyen de transport bien agréable pour rejoindre facilement l'ensemble des sites autour de Creel. L'autre solution consiste à s'organiser à plusieurs pour louer un pick-up et sillonner la région librement.

En été, lors de la saison des pluies, partir tôt en balade pour profiter du soleil. La pluie débarque généralement en fin d'après-midi (parfois des trombes). Enfin, un dernier mot sur les sites autour de Creel. Sachez que l'entrée est payante (de 5 à 15 $Me, soit 0,35 à 1 €) car il s'agit d'une zone *ejidal,* c'est-à-dire qui appartient à la communauté des Tarahumaras. Cette « coopération » sert au nettoyage et à l'entretien, et permet l'emploi d'une trentaine d'Indiens.

🏃 *Le complexe* ecoturístico *Arareko :* à 2 km du centre. Prendre l'avenue principale López Mateos vers le sud, sortir du village et continuer tout droit. Balade facile à pied : c'est le site le plus accessible depuis Creel.

➤ En général, on commence par la visite de la *grotte de Sebastián,* habitée par une famille d'Indiens depuis quatre générations. La *cueva* est un exemple caractéristique de l'habitat traditionnel des Tarahumaras, qui vivent dans des grottes aménagées. Ce n'est pas le moment le plus agréable, on se sent un peu voyeur.

➤ En continuant vers le sud, on arrive à la *Misión de San Ignacio* : construite au début du XVIIIe siècle pour accueillir les jésuites sur la route entre Batopilas à Cerocahui, c'est aujourd'hui la petite église des Tarahumaras. Ouvert seulement le dimanche. À l'intérieur, pas de banc. Les Indiens s'assoient par terre durant la messe, qui est célébrée dans leur langue, le raramuri. Après la messe, les Tarahumaras se réunissent sur le parvis et prennent les décisions importantes concernant la vie de leur communauté.

➤ En poursuivant la balade, on tombe sur la *vallée de los Hongos* et la *vallée de las Ranas* : zone étonnante de rochers en forme de champignons *(hongo)* et de grenouilles *(rana).* Au loin, dispersées sur ce vaste plateau, quelques grottes et cabanes de Tarahumaras.

➤ En continuant la route qui va à Guachochi et Cusárare, on accède au *lac d'Arakero,* situé à environ 8 km de Creel. Même ticket que pour le *complexe ecoturístico.* Un petit sentier sur la gauche mène directement à ce lac en forme de fer à cheval, comme son nom l'indique... en raramuri. Juste avant d'arriver, remarquer la curieuse roche en forme d'éléphant. C'est un beau site aux eaux tranquilles, où l'on peut camper à la belle saison. Location de barques toute l'année et agréable balade pour en faire le tour (5 km environ). Pour le retour, on peut passer par les chemins détournés : depuis le lac, prendre le chemin qui part vers l'est. Après 45 mn de marche, on arrive à la *Misión Gonogochi* (près de la vallée de Los Monjes) ; là, prendre en direction de la *Misión de San Ignacio,* pour rejoindre Creel facilement. En tout, compter 4 h à 5 h de marche.

🎥 *El valle de los Monjes :* « La vallée des Moines » ! Appelée ainsi pour les énormes et incroyables rochers qui évoquent leurs silhouettes. Les Tarahumaras l'appellent aussi « la vallée des Dieux ». Un site naturel étonnant, situé à une dizaine de kilomètres de Creel. Une belle escapade à pied, à vélo (c'est pratiquement plat) ou à cheval, par une piste en terre. N'oubliez pas le pique-nique et de quoi boire. On peut se procurer des cartes topographiques en ville (chez *The 3 Amigos*).

🎥 *Les sources d'eau chaude de Recohuata :* à 22 km de Creel. Au fond d'un canyon. Prendre la route de Divisadero ; après 7 km, prendre à gauche ; on descend au fond du ravin. En bas, trempette relaxante dans une eau à 37 °C. À pied ou en vélo, attention à la remontée : 600 m de dénivelé sur un sentier ardu. Mieux vaut avoir une bonne condition physique !

🎥 *La cascade de Cusárare :* pas loin du village du même nom, à 25 km de Creel. Une impressionnante chute d'eau de 40 m de hauteur. Site magnifique. Les téméraires n'oublieront pas leur maillot de bain. L'accès est facile : en stop, à vélo ou à cheval ! On peut aussi prendre le bus qui va à Guachochi (avec la compagnie *Estrella Blanca*) et passe devant le sentier qui mène à la cascade (15 mn de marche). *Cooperación* à l'entrée. Dans le hameau de Cusárare, petite mission fondée par les jésuites, avec son église du XVIIIe siècle que les Indiens ont décorée de quelques peintures.

BATOPILAS *(IND. TÉL. : 649)*

Superbe virée nécessitant au moins 2 jours pleins si l'on y va par ses propres moyens ou avec une excursion organisée. En 6 h environ, on passe d'un climat montagnard à un climat tropical. La route est de toute beauté. On passe de ravin en canyon, on traverse des paysages semi-désertiques, d'immenses forêts de pins, avant d'entamer l'impressionnante descente dans le canyon de Batopilas sur une piste cahoteuse, souvent endommagée en saison des pluies (ne pas avoir peur du vide dans les épingles à cheveux !). Enfin apparaissent les palmiers et les bananiers, les terres rouges et les cactus candélabres.

Batopilas, à près de 500 m d'altitude, est un vieux village minier de chercheurs d'or fondé au XVIIe siècle, au bord d'une rivière. Les ruines de l'ancienne hacienda San Miguel évoquent un âge révolu. Au début du XXe siècle, il y avait 20 000 habitants à Batopilas. Ils sont à peine 1 200 aujourd'hui. Un petit goût de bout du monde.

Comment y aller ?

➢ *De Creel :* en autocar, les lundi, mercredi et vendredi à 9 h 30 ; ou les mardi, jeudi et samedi à 7 h 30. Le bus qui vous descend à Batopilas remonte le lendemain matin, à 5 h (!), du lundi au samedi. Le trajet dure environ 6 h. Départ en face de l'hôtel *Los Pinos,* dans la rue principale López Mateos. Compter environ 320 $Me (22,50 €) aller-retour.

– Un seul téléphone à Batopilas : ☎ 456-02-79.

– Si vous louez un véhicule, vous aurez le droit à 140 km de route très sinueuse et bordée de précipices.

Où dormir ? Où manger ?

De bon marché à prix moyens : de 210 à 500 $Me (14,70 à 35 €)

▤ *Hôtel Mary's :* juste en face de l'église. L'adresse prisée des routards au budget serré. Chambres très simples mais avec salle de bains. Ventilo et moustiquaire aux fenêtres. Petit resto et bar au rez-de-chaussée.

▤ Dans le même style mais avec plus de charme et de confort, la *Casa Monse,* sur la place principale. ☎ 456-90-27. Un peu plus cher.

▤ *Hôtel Juanita's :* ☎ 456-90-43. Juste après la place, le long de la rivière. Une dizaine de chambres simples et agréables. Bien arrangé, propre et confortable. Eau chaude et café le matin.

▤ *Real de Minas :* ☎ 456-90-45. Petit hôtel de charme dans une ancienne maison coloniale. Autour d'un agréable patio, une dizaine de chambres confortables et joliment décorées. Atmosphère familiale et bon petit resto juste à côté, où officie la maîtresse de maison. Un bon rapport qualité-prix hors saison.

|●| *Restaurant Doña Mica :* sur la seconde *plazita,* 100 m après le *zócalo.* Malheureusement fermé en basse saison ; mais si vous avertissez la veille, sûr qu'on vous préparera quelque chose. Repas bon et copieux. Une atmosphère de table d'hôtes très conviviale.

CHIHUAHUA (prononcer « chi-oua-oua ») 680 000 hab. IND. TÉL. : 614

Eh bien non ! En nahuatl, *Chihuahua* ne signifie pas « petit chien avec nœud-nœud bleu et rose », mais « lieu sec et sablonneux ». En effet, c'est un peu plus au nord que s'ouvre le désert qui étend ses terres arides et ses cactus jusqu'à la frontière avec le Nouveau-Mexique et le Texas (El Paso). On est ici à 1 500 km de Mexico, dans la capitale de l'État de Chihuahua, le plus grand du Mexique. La ville doit ses premières richesses aux mines d'argent découvertes à la fin du XVIIe siècle. Par la suite, c'est avant tout l'élevage qui fit la réputation de la région. Quelques familles se partageaient le territoire en d'immenses ranchs s'étendant à perte de vue. La ville est donc celle des cow-boys à la mexicaine : bottes en cuir (les fameuses santiags), éperons, chapeau... la panoplie complète. Anecdote au passage : c'est ici que naquit l'acteur américain Anthony Quinn, en 1915, en pleine Révolution mexicaine. Le héros de *Lauwrence d'Arabie* ne manquera pas de jouer bien plus tard dans le film culte réalisé par Kazan, ¡ *Viva Zapata !* Chihuahua lui a érigé une statue, qui trône fièrement dans le parc El Palomar.

LES MENONNITES

La région de Chihuahua est aussi le berceau d'une communauté originale, les mennonites, installés autour de Cuauhtémoc (environ 60 000 membres). On découvre des Mexicains blonds aux yeux bleus qui parlent l'allemand du XVIIIe siècle, ne reconnaissent qu'une seule autorité, celle de la Bible, et refusent les machines et les règles sociales de notre siècle. Ils sont arrivés en 1923, après avoir fui Lyon, la Prusse, la Russie et le Canada parce qu'on leur demandait de servir sous les armes. Le gouvernement mexicain leur octroya un grand bout de plaine déserte et une exemption de service militaire et d'impôt pendant cinquante ans, à la condition qu'ils mettent le pays en valeur. Pari gagné. Travaillant sans relâche, ils ont réussi à faire pousser sur cette terre aride du blé, des pommiers, et ils fabriquent de délicieux fromages. D'autres communautés mennonites, issues de cette religion fondée au XVIe siècle par le Hollandais Menno Simonsz, se sont installées au Belize et en Amérique centrale.

Arriver – Quitter

En train, le Chihuahua al Pacífico

On conseille de faire ce magnifique parcours au départ de Los Mochis. Car si vous partez de Chihuahua, vous terminerez le voyage dans l'obscurité, alors que le train traversera les plus beaux paysages. Si vous allez seulement jusqu'à Creel, prenez plutôt le bus. Pour les détails, reportez-vous au chapitre, plus haut, consacré à la sierra Tarahumara et au canyon du Cuivre.

🚂 *La gare Chihuahua al Pacífico :* à l'angle de Méndez et de la calle 24. Le bus pour y aller se prend sur l'avenida Ocampo, au niveau de la cathédrale. En taxi (nécessaire pour le train de 6 h), compter 15 mn de trajet.

🎫 *Achat des billets :* on peut le faire le jour même à la gare ou réserver à l'avance par téléphone ou e-mail.

☎ 439-72-12 ou 01-800-122-43-73 (n° gratuit). ● chepereservaciones@ ferromex.com.mx ● Également auprès des agences de voyages, comme *Rojo y Casavantes* : Vincente Guerrero 1207. ☎ 415-58-58 et 410-45-27. Près du Palacio de Justicia. Ouvert du lundi au vendredi jusqu'à 18 h et le samedi jusqu'à 13 h.

➤ *Départs :* 1re classe à 6 h du mat' et 2e classe à 7 h. Avec la *Primera Express,* arrivée (en principe) à 11 h 15 à Creel, 19 h 30 à El Fuerte et 22 h 25 à Los Mochis. En classe économique, arrivées respectivement à 13 h 20, 22 h 25 et 1 h 30 du matin.

En bus

🚌 *Le terminal de bus :* Circunviculación, au niveau de Pacheco. ☎ 420-22-86. À 15 mn du centre en taxi. Ou autobus sur Ocampo ou Juárez (35 mn de trajet). Nombreuses destinations.

➢ *De et vers Creel :* 5 à 6 départs par jour avec *Estrella Blanca* (☎ 429-02-30). Trajet : 5 h.

➢ *De et vers Mexico :* 6 départs par jour ; 19 h de trajet. Inutile de dire que pour ceux qui ont les moyens, l'avion est préférable.

➢ *De et vers Zacatecas :* 5 bus 1re classe par jour. Trajet : 12 h.

➢ *De et vers San Luis Potosí :* 6 départs quotidiens. Trajet : 16 h.

➢ *De et vers Guadalajara :* 5 bus par jour. Trajet : 18 h.

En avion

✈ *L'aéroport international :* à 30 mn du centre. ☎ 420-06-76. On peut prendre un bus sur Niños Heroes qui indique « Aeropuerto ». Prévoir plus d'une heure de transport. En taxi, compter 130 $Me (9 €) la course et environ 45 mn de trajet.

■ *Aeromexico et Aerolitoral :* Bolivar 445. ☎ 893-24-61 ou 63. Dans le centre. Très nombreuses liaisons avec toutes les régions du Mexique et les États-Unis.

■ *Aero California :* ☎ 437-10-22 ou 01-800-237-62-25 (n° gratuit).

➢ *De et vers Mexico :* 5 vols quotidiens avec *AeroMexico* ; 2 liaisons avec *Aero California* (tôt le matin et en fin d'après-midi depuis Chihuahua ; en matinée et en soirée depuis Mexico). Compter 2 h de vol.

➢ *De et vers Tijuana et Los Mochis :* 1 vol quotidien direct avec *Aero-Mexico* (à la mi-journée) ; 1 h 15 de vol. Également un vol quotidien via Tijuana avec *Aero California* ; compter 4 h 30 de trajet au total.

➢ *AeroMexico* assure 3 vols avec escale et 4 avec connexion (à Mexico ou à Monterrey) pour *Guadalajara*, 2 pour *Oaxaca* (avec escale à Mexico), 2 pour *Querétaro* (avec escale), 4 pour *San Luis Potosí* (avec escale) ; 3 vols quotidiens (avec connexion) pour *Cancún, Acapulco* ou *Mérida*. Également 2 vols (avec escale) pour *La Paz* (le matin et en début d'après-midi)...

➢ *Aero California* assure également 2 vols par jour pour *Guadalajara*, ainsi qu'un vol quotidien (avec escale à Mexico) pour *San Luis Potosí, Monterrey, Mérida...*

➢ *De et vers les États-Unis :* Phoenix, Tucson, Houston et San Antonio sont desservis, mais aussi Atlanta, Boston, Los Angeles, Miami et New York.

➢ Plusieurs *vols internationaux* vers São Paulo (Brésil), Lima (Pérou) et même Paris (France).

Adresses utiles

🛈 *Office de tourisme :* au rez-de-chaussée du Palacio de Gobierno, en face de la place Hidalgo. ☎ et fax : 429-35-95 ou 96 ou ☎ 01-800-508-01-11 (n° gratuit). ● www.chihuahua.gob.mx/turismoweb ● À l'angle d'Aldama et V. Carranza. Ouvert tous les jours de 9 h à 17 h. Efficace et bien documenté, avec des cartes de la ville, de l'État de Chihuahua et du canyon du Cuivre. Profitez-en pour admirer dans la cour intérieure les impressionnantes fresques murales d'Aarón Piña Mora, qui retracent l'histoire de la région.

✉ *Poste :* Libertad, à l'intérieur de l'édifice du Palacio Federal (construit en 1906). Proche du Palacio de Gobierno. Ouvert du lundi au vendredi jusqu'à 17 h.

@ *Internet :* dans Juárez, juste à côté de l'hôtel *Apolo*.

■ *Bancomer :* sur la place de la cathédrale. Ouvert du lundi au vendredi de 9 h à 16 h et le samedi de 10 h à 14 h. Change le matin seulement. Plusieurs banques autour de la cathédrale, toutes avec distributeurs automatiques.

■ Plusieurs *casas de cambio* en face de la cathédrale, sur l'avenida Independencia.

Où dormir ?

Très bon marché : moins de 210 $Me (14,70 €)

🛏 *Casa de Huéspedes :* Libertad 1209. ☎ 410-53-61. Un peu avant d'arriver sur le boulevard Díaz Ordaz. Pas de nom plus précis, et l'enseigne ne se voit pas beaucoup. En ville, vous trouverez difficilement moins cher. L'endroit est très simple mais sympa, avec plein de plantes dans la cour et 7 chambres rudimentaires avec *baño* et eau chaude. Tenu par une gentille mamie.

🛏 *Hôtel San Juan :* Victoria 823. ☎ 410-00-35, 36 ou 37. Un peu après l'hôtel *Reforma.* Une belle façade coloniale et un patio du même style, avec ses *azulejos* et sa fontaine délabrée. Chambres très vieillottes, au confort rudimentaire, mais propres et pas désagréables. L'eau chaude a ses humeurs. Bar et resto pour le petit dej'. Bon accueil.

Bon marché : de 210 à 300 $Me (14,70 à 21 €)

🛏 *Hôtel Jardín del Centro :* Victoria 818. ☎ et fax : 415-18-32. Même proprio que le *Comedor familiar* (voir « Où manger ? »). Au fond d'une sympathique cour fleurie, une quinzaine de chambres sans charme mais très propres. Préférer celles à l'étage, plus claires et de confort égal (eau chaude et TV). Atmosphère familiale et accueil agréable. Un bon rapport qualité-prix dans cette catégorie.

De prix moyens à chic : de 300 à 700 $Me (21 à 49 €)

🛏 *Hôtel El Campanario :* bd Diaz Ordaz 1405, à l'angle de Libertad. ☎ 415-45-45 et 49-79. Établissement tout neuf et moderne, donnant sur le boulevard mais doté de chambres au calme. Tout confort, TV, salle de bains, literie et propreté impeccables. Et copieux petit dej' inclus. Accueil pro et serviable. Un bon rapport qualité-prix dans cette catégorie.

Plus chic : autour de 900 $Me (63 €)

🛏 *Hôtel San Francisco :* Victoria 409. ☎ 439-90-00 ou 01-800-711-41-07 (n° gratuit). Fax : 415-35-38. ● www.hotelsanfrancisco.com.mx ● Juste derrière la cathédrale, en plein centre. Incontournable. Vaste, moderne et tout confort mais sans charme. Pas moins de 130 chambres, resto, bar, salle de fitness. Accueil moyen.

Où manger ? Où boire un verre ?

Bon marché moins de 70 $Me (5 €)

🍴 Les fast-foods et les marchands de glaces se trouvent dans la rue piétonne qui part de la cathédrale et descend vers le Palacio de Gobierno.

🍴 *Nutry Vida :* Aldama 117. Chouette adresse entièrement dédiée aux végétariens. À l'avant, gâteaux maison, pains bio, yaourts, et quelques produits homéopathiques. Dans la salle de resto, on commande une copieuse *comida corrida* avec salade, soupe, plat, dessert et boisson (ouf !). Plusieurs menus bon marché avec hamburger, *burrito* ou *torta,* etc. Une bonne halte pour manger sainement au royaume du bœuf et des *tacos* à l'huile !

|●| Mi Café : Victoria 1000. ☎ 410-12-38. Quasiment en face de l'hôtel *San Juan.* Cafétéria qui aligne de merveilleuses banquettes en skaï orange et des tables en formica. Le cadre parfait pour engloutir une cuisine classique mais bien servie,

quelques plats de poisson et de bonnes salades. Sert aussi des petits déjeuners.

|●| Comedor Familiar Victoria : Victoria 818. ☎ 415-18-32. Presque en face de l'hôtel *San Juan.* Offre l'avantage d'ouvrir tôt. Petit dej' correct et bon marché. Pour le déjeuner, *comida corrida.* Atmosphère familiale.

De prix moyens à chic : de 70 à 250 $Me (5 à 17,50 €)

|●| ▽ Calicanto Café : Aldama 411. ☎ 410-44-52. Entre Ocampo et 4ᵃ calle. Ouvre en fin d'après-midi. Un resto très agréable où vous pourrez goûter des spécialités de la région de Chihuahua, comme le fameux fromage des mennonites, sorte de cheddar. On peut aussi prendre un verre en terrasse. Salle de danse au fond pour des soirées endiablées le week-end.

|●| ▽ La Casa de los Milagros : Victoria 812. ☎ 437-06-93. Presque en face de l'hôtel *Reforma.* Ouvert tous les jours de 17 h 30 à 1 h. Belle façade de style colonial, cadre de charme avec plusieurs salles aux couleurs vives pour jeunes branchés chihuahuenses. On peut y manger ou juste prendre un verre. Carte variée de cocktails maison et de cuisine mexicaine pour tous les goûts et tous les budgets. Petits concerts en fin de semaine.

À voir

🍴 La cathédrale : construite entre 1725 et 1826. Sur la plaza de Armas. Belle façade baroque. Intérieur sans grand intérêt. Sur son côté gauche, petit *musée d'Art sacré.* Ouvert du lundi au vendredi de 10 h à 14 h et de 16 h à 18 h. Entrée : 18 $Me (1,30 €). Une quarantaine de peintures religieuses du XVIIIᵉ siècle. En face, la *Presidencia Municipal,* bâtie au début du XVIIIᵉ siècle, abrite aujourd'hui l'hôtel de ville.

🍴🍴 Museo historico de la Revolución Mexicana : à l'angle de la calle 10ᵃ et Méndez. À une dizaine de *cuadras* du centre. Prendre un autobus en direction du « Cerro de la Cruz », ou n'importe quel autre qui continue l'avenida Ocampo (arrêt à l'angle de Méndez). Ouvert du mardi au samedi de 9 h à 13 h et de 15 h à 19 h et le dimanche de 10 h à 16 h. Entrée : 10 $Me (0,70 €). C'est l'ancienne résidence de Pancho Villa. Sa veuve montrait elle-même la limousine criblée de balles où il fut assassiné en 1923 à Parral, ainsi que des souvenirs tels que pistolets, épées, uniformes, etc. Elle est morte en septembre 1981, à l'âge de 90 ans. Visite indispensable pour les aficionados de la Révolution mexicaine.

🍴 Palacio de Gobierno : vaste demeure construite à la fin du XIXᵉ siècle sur les fondations d'une mission jésuite. Sous les arcades de la cour, des *fresques* de Piña Mora (réalisés de 1956 à 1962) racontent l'histoire de Chihuahua, du XVIᵉ siècle à la révolution mexicaine. Au rez-de-chaussée, petit *museo de Hidalgo,* qui retrace modestement l'histoire de l'indépendance mexicaine (objets, maquettes). Également pour les amateurs, la *galeria de Armas,* 3 salles d'exposition d'armes sur cette période historique.

🍴 Quinta Gameros : à l'angle de Bolívar et de calle Cuarta. Ouvert du mardi au dimanche de 11 h à 14 h et de 16 h à 19 h. Entrée : 30 $Me (2,10 €). Terminée en 1910, cette grande maison a été construite dans le style français rococo. Le propriétaire, Gameros, ne put pas en jouir bien longtemps : la

LA LIGNE DE CHEMIN DE FER LOS MOCHIS-CHIHUAHUA

Révolution la lui confisqua 3 ans après pour y installer notamment le quartier général de Pancho Villa. La maison abrite aujourd'hui le centre culturel de l'université de Chihuaha et une très belle collection de meubles et d'objets Art nouveau.

Achats

– *Des bottes,* encore des bottes, toujours des bottes... Pas moins de 20 boutiques concentrées dans les rues autour de la cathédrale. On trouve des santiags de toutes les couleurs, jaune, rouge, turquoise, et de toutes tailles, même pour enfants ! N'oubliez pas le chapeau pour parfaire le look (8 boutiques spécialisées dans l'avenida Juárez).

LA BASSE-CALIFORNIE

Si belle à force d'austérité. Si aride et sauvage, à l'image de ces immenses cactus candélabres qui dressent leurs moignons épineux vers l'immensité d'un ciel toujours bleu. Si tragique parfois, comme à Cataviña, au centre du désert, où les paysages de roches ont des accents d'apocalypse. Si douce aussi quand le désert se marie avec des plages de sable blanc et se couche dans les eaux transparentes de la mer de Cortés.

Mais « si loin de Dieu et si près des États-Unis » ! La célèbre formule de Porfirio Díaz à propos du Mexique trouve ici son application la plus juste. À bras grands ouverts, la Basse-Californie accueille les Nord-Américains et leurs liasses de dollars. Au nord de la péninsule, la zone frontalière est devenue un gigantesque parc industriel où plus d'un millier de *maquiladoras* américaines et japonaises ont provoqué tout à la fois un boom économique, une explosion démographique et... le chaos social. Depuis 50 ans, la population des états frontaliers a été multipliée par cinq. Avec seulement 3 % de chômage, le taux est le plus faible du Mexique, et de loin. En Basse-Californie du Nord, plus que nulle part ailleurs, la dépendance vis-à-vis du grand frère yankee saute aux yeux. Les Mexicains caressent la bête dans le sens du poil, et pour montrer leur coopération dans la lutte contre la drogue, vous croiserez de nombreux barrages militaires et ferez sans doute l'objet de fouilles (courtoises !). Au sud de la Baja California, changement de décor. Ici, tout est conçu, pensé pour le touriste *gringo* dont les dollars dépassent des poches. Le tourisme est désormais la principale, sinon l'unique activité économique. Autant annoncer la couleur tout de suite, la Basse-Californie est, avec le Yucatán, l'endroit le plus cher du Mexique. C'est dit, on essaiera de ne plus le répéter. Question pratique, emportez des chèques de voyage en dollars, les autres devises sont quasi inconnues.

La « Baja », c'est le paradis pour les aventuriers de tout poil. Depuis le commodore d'opérette qui s'essaie à la pêche sportive sur son yacht, jusqu'aux émules vieillissants de Kérouac ou Ginsberg qui ne mangent plus que des herbes... ou les fument. Les amoureux des grands espaces sauront admirer les prodigieuses beautés de ce pays sauvage. Les fonds marins, avec leur faune exceptionnelle, sont parmi les plus beaux du monde. Et puis il y a aussi les habitants, qui sont de partout sauf de Basse-Californie, aimables et accueillants. Bien sûr, on vous considérera d'abord comme un *gringo*. Mais n'hésitez pas à préciser que vous êtes francophone. Le sourire se fera encore plus naturel et spontané ; et vous éveillerez la curiosité. Que vous veniez des États-Unis ou du Mexique, n'oubliez pas la Baja California. De nombreux *trailer-parks* bien aménagés (liste dans les offices de tourisme) jalonnent bien la route transpéninsulaire, mais à moins de posséder vous aussi un de ces mastodontes rutilants, vous risquez d'avoir du mal à voir la mer. Aussi, l'idéal est-il d'avoir une tente, ce qui permet de faire du camping plus ou moins sauvage sur les plages, et de profiter ainsi en toute quiétude de l'eau couleur méditerranée.

UN PEU D'HISTOIRE

À vrai dire, on ne sait pas grand-chose sur les populations indigènes qui ont peuplé la presqu'île. Selon certains, le nom de « California », qui apparaît pour la première fois en 1556, viendrait d'un roman très en vogue au début du XVIe siècle. Celui-ci mentionnait une île de rêve, nommée California, peuplée de belles et fortes amazones noires qui montaient des bêtes sauvages

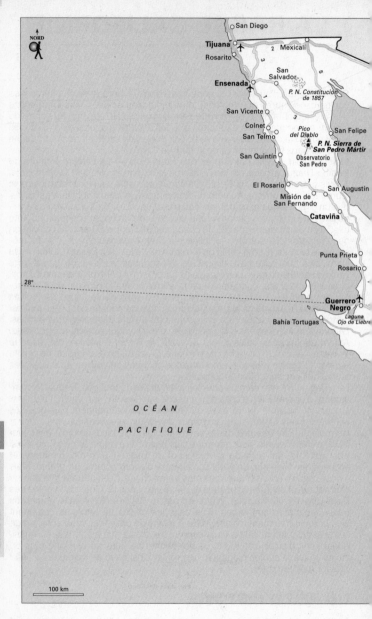

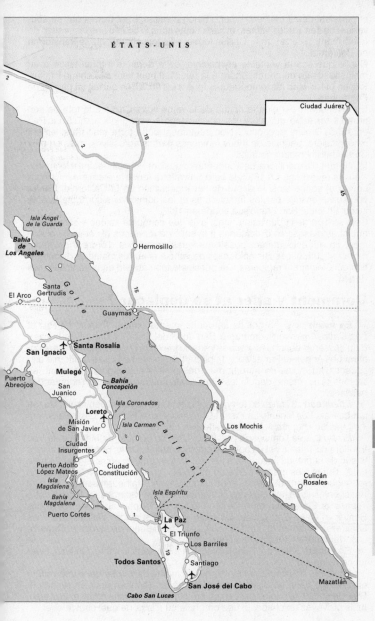

ÉTATS-UNIS

Ciudad Juárez

Isla Ángel
de la Guarda

Bahía
de
Los Angeles

Hermosillo

Santa
Gertrudis

El Arco

Golfe

Guaymas

San Ignacio   Santa Rosalía

Mulegé

Puerto
Abreojos

San
Juanico

Bahía
Concepción

de

Loreto

Isla Coronados

Misión
de San Javier

Isla Carmen

Los Mochis

Ciudad
Insurgentes

California

Puerto Adolfo
López Mateos

Ciudad
Constitución

Isla
Magdalena

Culicán
Rosales

Bahía
Magdalena

Isla Espíritu

Puerto Cortés

La Paz

El Triunfo

Los Barriles

Todos Santos

Santiago

Cabo San Lucas

San José del Cabo

Mazatlán

LA BASSE-CALIFORNIE

et portaient des armes en or pur... Selon d'autres, c'est Cortés qui, se souvenant de ses études latines, et sans doute sous le coup d'une inspiration de génie, baptisa cette terre « Callida fornax » (le four chaud), qui se transforma en California.

Quelle que soit la véritable étymologie, cette dernière interprétation a au moins le mérite de correspondre à la réalité. Il peut faire très chaud ici, surtout en été, quand les températures frisent les 40 °C, ce qui fait un paquet de Fahrenheit.

En revanche, c'est bien le mythe de la reine noire Califia à la tête de son paradis terrestre qui attira les conquistadors espagnols jusqu'à La Paz en 1535. Grosse déception. Non seulement cette terre était franchement inhospitalière, peuplée de tribus indigènes parfois agressives, mais en plus Cortés faillit y mourir de faim.

Là où tant d'expéditions de conquérants avaient échoué, les missionnaires jésuites réussirent. En 1697, le père Salvatierra fonde la première mission à Loreto et sonne ainsi le début de l'évangélisation de la Californie. Œuvre poursuivie ensuite par les franciscains et les dominicains sur toute la côte jusqu'à l'actuel San Francisco, fondé en 1823.

Colonisation de la péninsule donc, plus que conquête ; aidée il est vrai par quelques massacres d'indigènes à la suite de rébellions (ils étaient polygames, ce qui évidemment posait quelques problèmes d'ordre théologico-moral) et surtout par des épidémies de variole et autres maladies d'importation qui éteignirent rapidement la principale tribu du sud de la péninsule, les Pericú.

Comment y aller et se déplacer ?

➤ *En avion :* il y a 3 grands aéroports internationaux, *Tijuana, La Paz* et *Los Cabos* (aéroport commun à San José del Cabo et Cabo San Lucas). Bien desservis depuis les grandes villes du Mexique et des États-Unis, notamment Los Angeles. Par ailleurs, la plupart des villes de Basse-Californie disposent d'au moins un aérodrome ; des petites compagnies assurent les liaisons-taxis, même depuis les États-Unis, surtout en hiver à l'époque des baleines.

➤ *En bateau :* 3 lignes de ferry relient le reste du pays à la péninsule, Mazatlán-La Paz, Los Mochis-La Paz et Guaymas-Santa Rosalía. Les détails sont indiqués au chapitre « Arriver-Quitter » à La Paz.

➤ *En bus :* que l'on vienne des États-Unis ou du nord du Mexique, la ville frontière de Tijuana est un point de passage obligé. De là, prendre le bus vers le sud de la presqu'île. Jusqu'à La Paz, il faut compter entre 21 h et 24 h de trajet. Sur la plus grande partie du parcours : collines pelées à la végétation rabougrie, déserts de pierres et de cactus géants. Malheureusement, la route transpéninsulaire ne longe pas souvent la mer. On l'aperçoit seulement entre Tijuana et Ensenada, entre Mulegé et Loreto, et plus au sud entre Todos Santos et Cabo San Lucas. De toute façon, les plages vierges que vous admirerez le resteront, sauf si vous avez du matériel de camping. Dans ce cas, demandez l'arrêt au chauffeur.

➤ *En voiture :* bien sûr l'idéal. Avec une tente dans le coffre. Ou bien, louer un camping-car.

➤ *En stop :* bon courage ! Évitez quand même de monter dans une voiture qui s'arrête dans un bled au milieu du désert (bonjour pour en repartir !). Dans le sud de la péninsule, pas de problème. Ça marche relativement bien, mais prévoyez un chapeau, une ombrelle ou n'importe quel couvre-chef.

Voir les baleines

C'est la grande attraction de la période hivernale. Elles sont là de janvier à fin mars, parfois jusqu'à la mi-avril. Chaque année, des milliers de baleines grises (certaines atteignent 15 m pour un poids de 35 t) viennent s'accoupler et mettre au monde les petits baleineaux. Elles quittent les eaux arctiques de la mer de Behring à l'automne et parcourent quelque 10 000 km avant d'atteindre les côtes de Basse-Californie où certaines mettent bas (un seul petit à la fois) après 13 mois de gestation, tandis que les autres s'adonnent aux plaisirs de la chair. Toute une histoire : la femelle a besoin de deux mâles, choisissant le dominant comme légitime époux tandis que l'autre sert d'assistant pour aider le couple à trouver la position adéquate. D'où l'expression « tenir la chandelle ». Et leur fameux jet d'eau, à quoi il sert ? Pour se nourrir, la baleine grise aspire principalement la vase au fond de l'océan, et pour faire le tri, elle la comprime contre ses fanions, qui servent de filtres. Ce joli geyser de 3 m que vous allez prendre en photo avec émotion... c'est le reste de son repas ! On peut voir les baleines batifoler depuis Cabo San Lucas, mais elles se concentrent surtout dans 3 sanctuaires situés sur la côte Pacifique :

– **La baie Laguna Ojo de Liebre (Guerrero Negro) :** à une trentaine de kilomètres de la ville de Guerrero Negro qui sert de base. Depuis la terre ferme, on aperçoit parfois les baleines mais pour le vrai frisson, mieux vaut louer une barque. De nombreuses agences de voyages organisent des excursions en mer, mais on peut aussi se rendre en voiture jusqu'à l'embarcadère (direction Vizcaino jusqu'à une piste indiquée sur la droite de 20 km à travers les salines). C'est un peu moins cher, et en plus vous profiterez mieux du spectacle incroyable de ce petit désert de sel, étonnamment riche en couleurs. Avec un peu de chance, on pourra toucher maman baleine ou son nouveau-né. C'est à cet endroit que vous aurez le plus grand nombre de cétacés autour de votre barque à moteur.

– **La baie de San Ignacio :** située à 60 km du village du même nom. De 1 h 30 à 2 h de trajet selon l'état de la route. Les transports publics sont quasi inexistants. On y va donc soit en stop, soit en excursion organisée. Les baleines de San Ignacio sont réputées pour être les moins farouches, vous les verrez donc de plus près.

– **Puerto López Mateos (la baie de Magdalena) :** à López Mateos, les baleines sont très visibles depuis la rive. C'est un excellent point d'observation, qui évite en outre de monter trop au nord de la péninsule. Possibilité de camper sur place ou bien de dormir chez l'habitant. Les quelques hôtels de la ville sont pris d'assaut. Il faut alors loger à Ciudad Constitución, ce qui risque d'en déprimer plus d'un. N'oubliez pas de vous faire déposer sur l'île en face : dunes de sable, coquillages et squelettes de cétacés. De La Paz ou Loreto, prendre le bus jusqu'à Ciudad Insurgentes. De là, 40 km jusqu'à López Mateos en stop ou avec un bus *Aguila* (2 par jour).

SAN JOSÉ DEL CABO

IND. TÉL. : 624

Avec Cabo San Lucas, à une trentaine de kilomètres, l'ensemble est communément appelé Los Cabos. Les deux stations balnéaires sont séparées par une immense et magnifique plage grignotée un peu plus chaque année par les hôtels de luxe. C'est au début des années 1970 que le ministère du Tourisme mexicain a jeté son dévolu sur San José pour en faire le grand pôle touristique de la Basse-Californie du Sud. Paradoxe étonnant : le vieux village a su préserver son charme aux accents coloniaux. Malheureusement, les plages ne sont pas accessibles à pied, le bus est nécessaire. De plus, il est quasiment impossible de se loger ou de se nourrir bon marché. Routard fauché, passe ton chemin ! En revanche, adresses de charme et restos délicieux à prix occidentaux en font une étape très plaisante lorsque l'on en a les moyens. C'est un peu le Palm Springs mexicain, avec des boutiques chic, des fontaines éclairées dont les jets d'eau jaillissent au rythme de la musique, et des joailliers vendant la pierre mexicaine la plus connue : l'opale de feu, transparente, d'une belle couleur jaune ou rouge. On peut aussi louer une voiture pour se balader dans les environs : quelques jolis villages typiques dans la montagne et des baies désertes à découvrir du côté de la mer de Cortés.

Arriver – Quitter

En bus

➢ *De et vers Cabo San Lucas :* le plus simple est de prendre le bus urbain *Subur Cabos* sur la route principale (la transpéninsulaire) qui passe toutes les 15 à 20 mn. Trajet : 30 mn.

➢ *De et vers La Paz :* avec les bus *Aguila.* Deux options : VC ou VL. Traduisez *vía corta* (c'est-à-dire par Cabo San Lucas et Todos Santos, un peu plus de 3 h de trajet) et *vía larga* (par l'est, avec des arrêts un peu plus nombreux dans les villages et un paysage plus montagneux ; compter environ 4 h de route). Une dizaine de bus par jour.

➢ *De et vers Loreto et Tijuana :* 1 à 2 bus par jour.

En avion

✈ *L'aéroport international* de Los Cabos est beaucoup plus proche de San José que de Cabo San Lucas. Si on loge dans cette dernière ville, on a donc intérêt à prendre le bus jusqu'à San José. De là, plus qu'une dizaine de minutes en taxi.

➢ Vols de et vers **Mexico** et **Guadalajara** (il y a plus de choix à La Paz).

➢ *Depuis et vers les États-Unis :* Phoenix, San Francisco, Los Angeles et San Diego.

Adresses utiles

▪ *Office du tourisme :* sur Zaragoza, entre le square et le *zócalo.* ☎ 142-29-60, poste 148. Ouvert du lundi au vendredi de 8 h à 15 h et le samedi matin. Plan de la ville et des plages.

▪ *Change :* quelques bureaux de change et des banques avec distributeur de billets. La *Bancomer,* au coin de Morelos et Zaragoza, est ouverte du lundi au vendredi de 8 h 30 à 16 h et le samedi matin.

Casa de cambio juste en face. Change de dollars uniquement, comme souvent en Basse-Californie.

▪ *Location de voitures : Thrifty,* à l'angle de Mijares et de Doblado, à 50 m du *zócalo.* ☎ 142-41-51. Moins cher de juin à octobre. *Advantage rent a car,* à l'angle du *zócalo* et de la rue Hidalgo. ☎ 143-09-09. Ouvert de 9 h à 17 h tous les jours. Propose des tarifs similaires.

Où dormir ?

En basse saison, entre juillet et septembre, les prix des hôtels ont tendance à baisser, mais la ville reste chère, ne vous faites pas trop d'illusions.

Très très bon marché et bon marché : de 120 à 300 $Me (8,50 à 21 €)

▪ *Hôtel Nuevo San José :* à l'angle de Obregón et de Guerrero. ☎ 142-

17-05. Réception 24 h/24. Le seul, vraiment le seul, à peu près abordable. Clientèle de routards surfeurs. Ambiance sympa. Pléthore de tarifs selon vos besoins, de la chambre double avec douche aux dortoirs avec salle de bains commune. Plutôt spacieuses, elles ne sont pas désagréables mais vraiment rudimentaires. Demandez à visiter avant.

🛏 *Hôtel Diana :* Zaragoza 30. ☎ 142-04-90. Un hôtel très central qui ne casse pas des briques mais pas cher et vraiment propret. Chambres vastes, certaines sans fenêtre. Salle de bains avec douche. Une option honorable à ce prix pour la ville.

Prix moyens : de 420 à 660 $Me (30 à 46,50 €)

🛏 *Hôtel Colli :* Hidalgo. ☎ et fax : 142-07-25. Pas loin du *zócalo*. Une douzaine de chambres avec AC et ventilo disposées autour d'une courette arborée. Sans charme et moderne mais d'une propreté impeccable.
🛏 *Posada Señor Mañana :* Obregón 1. ☎ 142-04-62. À côté de la

Casa de la Cultura, à deux pas du *zócalo*. Les chambres ont 3 tarifs différents. Frigo, TV câblée et AC dans certaines chambres. Petite piscine pas toujours très propre. Dans le jardin, cuisine collective à disposition sous une paillote, avec barbecue. La vue sur les montagnes offre un spectacle rare en ville.

Chic : plus de 700 $Me (49 €)

🛏 *Tropicana Inn :* Mijares 30. ☎ 142-15-80 ou 23-11. Derrière le resto du même nom qu'il faut traverser (voir rubrique « Où manger ? »). Compter un peu moins de 100 US$, petit déjeuner compris. Des chambres spacieuses avec tout le confort moderne (AC, TV, frigo, machine à café) autour d'une piscine avec bar tropical, fontaine et palmiers. Environnement très agréablement soigné.
🛏 *El Encanto Inn :* Morelos 133, presque à l'angle de Obregón. ☎ 142-03-88. Fax : 142-46-20. ● www.elencantoinn.com ● Un bel hôtel de charme récent. Déco de style colonial avec une touche contemporaine. Chambres conforta-

bles et accueillantes à partir de 79 US$ avec AC et ventilo. Seule faiblesse : pas de piscine, le jardin est trop étroit. Une annexe, toute récente, s'est donc ouverte presque en face et là, pour un peu plus cher bien sûr, vous pourrez profiter d'une belle piscine et de chambres plus spacieuses et plus charmantes. La réception se situe d'ailleurs dans l'annexe chic pour les 2 établissements. En été, quand l'hôtel est vide, on peut faire ici une bonne affaire. Comme la patronne veut faire le plein, elle sera disposée à vous consentir une réduction pour peu que vous insistiez. Petit dej' compris dans tous les cas.

Où manger ? Où boire un verre ?
Où déguster une pâtisserie ?

Beaucoup de restos élégants et délicieux. Faute de clients, certains ferment de mi-juillet jusqu'à mi-septembre.

Très bon marché : de 45 à 70 $Me (3,20 à 5 €)

🍽 *Le marché :* un peu excentré. Dans la section réservée à la restauration, nombreux petits restos fort sympathiques. *Comida corrida* à

base de poisson. Plusieurs sortes d'*agua de fruta* (jus de fruits avec de l'eau). Clean et bonne ambiance.
🍽 *Cafeteria Rosy :* à l'angle de

Zaragoza et Alfonso Green. Ferme vers 21 h. Une bonne cuisine mexi- caine *casera* (familiale). Menu pour le déjeuner.

Prix moyens : autour de 200 $Me (14 €)

|●| *Restaurant Jazmin's :* Morelos, entre Zaragoza et Obregón. ☎ 142-17-60. Jolie déco très très colorée, un peu l'image d'Épinal du Mexique pour touristes mais bien fait. Terrasse ombragée à l'arrière. Cuisine à base de poisson et classiques de la cuisine mexicaine. Bonnes *margaritas*.

|●| ▼ *El Tropicana :* Mijares 30. Depuis la place centrale, à 60 m sur la gauche. L'un des rares endroits animés le soir. Terrasse couverte souvent pleine. À l'intérieur, une première salle avec poutres apparentes et chaises en cuir à l'ambiance de pub, et une deuxième dans un style médiéval, éclairée à la bougie, avec nappes blanches. Au menu : produits de la pêche du jour, viandes en *parrilla* et hamburgers pour les bourses moins garnies (80 $Me, soit 5,60 €, tout de même !). Cocktails maousses. Shows de salsa et *mariachis* certains soirs. Voir également la rubrique « Où dormir ? ».

|●| *French Riviera :* à l'angle de Manuel Doblado et Hidalgo. Ouvert de 7 h 30 à 22 h. Du croissant au délicieux millefeuilles en passant par les tartelettes aux fruits, toute la (bonne) pâtisserie est dans votre assiette. Jean, également proprio d'un resto et d'une autre pâtisserie à Cabo San Lucas, a ouvert cette boulangerie-salon de thé et fait honneur à la cuisine française. Également des crêpes, des supers petits dej', des salades... à prix parisiens (faut c'qu'y faut !). Déco moderne agréable.

Plus chic : à partir de 250 $Me (17,50 €)

|●| *La Panga Antigua :* Zaragoza 20. ☎ 142-40-41. Ouvert midi et soir, tous les jours. Le plus beau resto de toute la ville. Ambiance *lounge* tropical avec des murs en brique artistiquement dénudés et un jardin luxuriant. Produits de qualité, cuisine élaborée avec produits de la mer en exergue, présentation soignée, cadre raffiné. Pour une soirée d'exception.

|●| *Morgan's :* à l'angle de Doblado et d'Hidalgo. ☎ 142-38-25. « Une pointe de Toscane, un murmure de Provence, l'âme de la Méditerranée au cœur de San José del Cabo ». Voilà joliment expliqué (par lui-même) le menu que propose ce Canadien de Vancouver, amoureux de la vieille Europe dont il a essayé de retrouver l'esprit dans les assiettes. Beau patio à ciel ouvert et chaises rigolotes pour repas raffiné. *Morgan's Encore,* à l'angle de Morelos et Obregón, à la déco encore plus ravissante, propose une carte un peu différente mais tout aussi appétissante. Terrasse pour prendre de la hauteur. Dans les 2 restos, beau choix de vins, chers, ça va de soi, mais quand on aime...

À voir. À faire

⌂ *Les plages :* la plus proche est *Costa Azul,* le long de la zone hôtelière. Les autres sont moins fréquentées mais il faut prendre le bus. Elles s'étendent le long de la route qui mène à Cabo San Lucas. Prendre l'autobus urbain *Subur Cabos* qui assure la liaison entre San José et San Lucas. Il passe toutes les 20 mn environ sur la route principale. Les plages sont facilement repérables car elles correspondent généralement à l'emplacement d'un grand hôtel. Demander l'arrêt au chauffeur. Dans l'ordre d'apparition : *Palmilla, Ventanas al Paraíso* (« fenêtres sur le paradis » !), *Bahía Chileno* (hôtel *Cabo San Lucas*) et enfin la plage de *Santa María* au fond d'une superbe baie. En dehors de ces endroits, sauf si vous êtes surfeur, il est dangereux de se baigner.

🏃 **La Playita :** à 2 km de San José. Petit village en bord de plage. On peut se baigner, mais seulement là où il y a du monde. Ailleurs, c'est dangereux. Prendre un minibus rouge et jaune.

CABO SAN LUCAS
IND. TÉL. : 624

Voilà, vous êtes au bout de la Californie. Depuis San Francisco, vous avez avalé 4 000 km de routes de plus en plus poussiéreuses, mais quelle récompense à l'arrivée ! Tout y est comme sur les cartes postales : l'*Arco,* la célèbre arche rocheuse façon Étretat, la croquignolette et charmante *playa del Amor.* Beaucoup, beaucoup d'Américains viennent ici pour les vacances ou même le week-end. Même les otaries ont fini par prendre la fuite, estimant sans doute qu'elles avaient été suffisamment photographiées. Quant aux pêcheries et conserveries du port, abandonnées de tous, elles se fissurent lentement en face d'une marina flamboyante digne de celle de Saint-Tropez, qui ne cesse de s'étendre. Avec le vent du nord, les anciens pêcheurs d'espadon se sont reconvertis dans la chasse aux pigeons, il est vrai beaucoup plus lucrative. Amateurs de bars *destroy,* dingues de concerts rock ou fanatiques de boîtes de nuit, nul doute que vous trouverez votre bonheur ici.

Arriver – Quitter

En bus

➤ **De et vers La Paz (vía corta) :** en passant par **Todos Santos.** Une dizaine de bus par jour à partir de 6 h. C'est le trajet le plus rapide (3 h). Également 1 ou 2 bus pour **Loreto** et 1 bus en fin d'après-midi pour **Tijuana.**
➤ **De et vers La Paz (vía larga) :** en passant par **San José del Cabo, Miraflores, Santiago, San Antonio** (anciennes mines d'or). Trajet un peu plus long. Cinq bus par jour à partir de 7 h.
➤ **De et vers San José del Cabo :** on peut prendre les bus urbains *Subur Cabos* qui font le corridor entre San Lucas et San José. Toutes les 20 mn environ. Dernier passage vers 22 h. En ville, le prendre sur l'avenue Lázaro Cárdenas. Trajet : 30 mn.

En avion

Voir à San José del Cabo le paragraphe « Arriver – Quitter ».

Où dormir ?

En période creuse, de juin à octobre, les prix chutent considérablement dans les hôtels genre moyen et haut de gamme. On peut en profiter pour se faire un petit plaisir. Et en toute saison, c'est surtout en US$ que vous paierez la note.

🏠 **Hôtel San Antonio :** Morelos, à l'angle de Carranza. ☎ 143-27-09 ou 13-01. Compter environ 390 $Me (27,50 €) la chambre double ou 340 $Me (24 €) sans la télé. Chambres spacieuses, certaines avec un petit bar et un coin kitchenette. S'il est complet vous pouvez vous rabattre sur l'*hôtel El Dorado* (☎ 143-28-10), 20 m plus haut. Tarifs similaires. De style motel. On gare sa voiture devant la chambre. Propre et bien tenu. Au choix, ventilo ou AC.

■ *Hôtel Mar de Cortez :* pratiquement à l'angle de Guerrero, sur Cardenas. ☎ 1-800-347-88-21 (n° gratuit). ● www.mardecortez.com ● À partir de 56 US$. Des chambres en bois et brique, un brin charmantes, à la tenue irréprochable. La piscine, à la forme originale, est ombragée par des palmiers. Vraiment très au calme et pourtant au cœur de l'animation de Cabos San Lucas et à deux pas de la mer. Idéal. Ambiance familiale et très bon accueil.

■ *Hôtel Santa Fe :* au coin de Zaragoza et Obregón. ☎ 143-44-02. Compter entre 600 et 800 $Me (42 à 56 €) selon la saison et le taux de remplissage. Autour d'une petite piscine avec tables ombragées et chaises longues, des chambres spacieuses, bien conçues, avec AC, TV câblée et une kitchenette équipée. Pratique pour restreindre le budget restos. Un modernisme de bon goût.

■ *Hôtel Casa Rafael's :* vers la plage Medano, près du grand hôtel *Marina Sol.* Pas facile à trouver, mais les taxis connaissent. ☎ 143-07-39. Fax : 143-16-79. À partir de 75 US$. Les prix baissent de moitié entre juillet et septembre. Et on vous accorde 10 % de réduction si vous payez en espèces. Une demeure toute verte avec des pointes de rose. L'intérieur est tout aussi kitsch. Une dizaine de chambres seulement, avec chacune son coin salon et décorées plus sobrement que le reste de l'hôtel. Certaines avec terrasse. Piscine tout en longueur (on a vu mieux), bar, resto avec musique live certains soirs, salon pour fumer le cigare, salle de gym. Un endroit de charme.

Où manger ? Où boire un verre ?

San Lucas c'est *THE place* pour sortir et faire la fête. Sur Médano Beach, les bars-boîtes pullulent, avec de la musique branchée à fond les ballons, dont le très connu *Nikki Beach* (Saint Trop', Marbella, Marrakech, etc.). Le long de la marina, ça bouge aussi, comme à *Margaritaville* avec sa vue imprenable. Et pour manger, contrairement à San José del Cabo, il y en a pour toutes les bourses.

|●| *Tacos El Conde :* presque au croisement de Moulos et 16 de Septiembre. Devant le bar-club *El Toro.* Ouvert de 8 h à 2 h du mat' ! Pour trois fois rien on y mange, debout ou assis sur le bord du muret, de délicieux *tacos* très bien garnis. D'ailleurs, c'est facile à trouver, c'est toujours noir de monde.

|●| *El Pollo de Oro :* depuis Lázaro Cárdenas, prendre Morelos ; c'est à 30 m, du côté droit. Ouvert de 8 h à 22 h. Entre 50 et 90 $Me (3,50 et 9,30 €). Depuis plus de 20 ans, on y mange des poulets rôtis et de délicieuses côtes de porc grillées dans un patio verdoyant où glougloute une fontaine.

|●| *El Pescador :* à l'angle de Hidalgo et Zapata. L'un des meilleurs restos de poisson et fruits de mer du coin (super soupe de *mariscos*) pour des prix raisonnables, assis sur des chaises colorées. Également des petits déj'.

|●| ⚱ *French Riviera :* plaza Martín.

Ouvert du lundi au samedi de 8 h à 21 h et le dimanche de 9 h à 19 h. Le petit frère de celui de San José del Cabo. Pour de super petits déjeuners à la française ou pour déguster une pâtisserie sur la placette piétonne à l'arrière.

|●| ⚱ *El Squid Roe :* sur Lázaro Cárdenas, juste en face du *Hard Rock Café.* ☎ 143-06-55. Ferme vers 4 h du matin. L'endroit le plus branché de San Lucas. Déco *sixties* à l'américaine, revue look industriel très réussi en son genre. Musique toute la journée, techno et salsa en alternance. On y mange, on y boit, on y danse. Et bien d'autres choses encore. Le week-end, un monde fou, fou, fou.

|●| ⚱ *Cabo Wabo Cantina :* Guerrero. ☎ 143-11-88. Ouvert de 11 h à pas d'heure. LE lieu à la mode de San Lucas. Ne pas aller tâter l'ambiance de ce resto-bar-night-club-salle-de-concert tient de l'hérésie. Sammy Hagar, guitariste du groupe hard-rock

Van Halen, dirige son bébé avec un savoir-faire consommé de l'*entertainment*. Décor soigné, sono super-puissante, scène ultra-équipée et l'alcool qui coule à flots. Côté resto, c'est cher et sans intérêt.

À voir. À faire

🍸 *El Arco :* le fameux rocher en forme d'arche qui marque la fin de la Californie et où se rejoignent les eaux du Pacifique et celles de la mer de Cortés. Au même endroit, la non moins célèbre *playa del Amor* « d'où l'on arrive à deux et l'on repart à trois », comme disent les coquins du pays. Le tout est splendide, surtout quand il n'y a personne, ce qui est rarement le cas.

➤ Nombreux sont ceux qui proposent des *recorridos* (tours) en barque autour de la pointe. Avant, on pouvait y admirer des otaries et des phoques mais, lassés de ces déambulations nautiques, ils sont partis se réfugier sur l'île Espíritu Santo au large de La Paz. Après le petit tour en bateau (en général avec fond en verre), on vous déposera, si vous le souhaitez, sur la *playa del Amor.* On revient vous chercher quelques heures plus tard. Départ des balades : à la marina et sur le quai du fond du port. Les tarifs tournent autour de 10 US$ pour l'excursion complète. La *compagnie Zaida's* (☎ 143-13-06) offre 20 % de réduction sur présentation de ce guide. Insistez en cas de trou de mémoire.

🍸 *Mercado Marina :* sur la marina. Ouvert de 9 h à 17 h (jusqu'à 15 h le dimanche). Un marché qui regroupe un nombre impressionnant de petits stands où vous trouverez en version concentrée tout l'artisanat de la région. Autre avantage : il y fait frais.

🏖 *La plage Médano :* à 600 m du centre, après la marina. Beaucoup de restaurants sous *palapa.* Belle vue sur la pointe. Du monde, évidemment. Feux de camp les soirs de pleine lune.

Entre janvier et mi-mars, les baleines viennent batifoler dans le coin. Se trouver un rocher et attendre le spectacle.

TODOS SANTOS   11 500 hab.   IND. TÉL. : 612

Artistes italiens et américains ont fondé ici une petite colonie tranquille pour profiter de cette oasis de calme, entourée de vergers et de palmiers. Le village est entièrement dédié à l'accueil des Américains en mal d'authenticité, et ce n'est pas forcément désagréable. On passe d'un petit bar coquet à une galerie d'art « contemporain », on flâne dans les boutiques de souvenirs, et si on est motorisé, de longues plages vierges où batifolent parfois lions de mer, dauphins et baleines vous attendent à quelques kilomètres.

Arriver – Quitter

➤ *Taxis et bus :* aux abords du parc Los Pinos (c/ Mílitar, entre Morelos et Zaragoza). Une dizaine de bus par jour pour *La Paz* ou *Los Cabos,* 2 bus pour *Tijuana* et 1 pour *Loreto.*

Adresses utiles

■ *Informations touristiques :* pas d'office de tourisme. Allez à la *librairie Tecolote,* à l'angle de Hidalgo et Juárez. ☎ 145-02-95. On y répondra à toutes vos questions. Monographies sur le village. On tombe parfois sur la revue (gratuite) de la communauté américaine, qui contient en plus un plan de Todos Santos.

.com : dans la Centenario. Ouvert de 9 h à 19 h. Fermé le dimanche. Assez cher, mais comme à peu près tout dans la ville.

Où dormir ? Où manger ? Où déguster une glace ?

Pour se sustenter à petit prix, une seule solution : les *taquerias* et *tortellerias* qui jalonnent l'av. Mílitar.

Motel Guluarte : à l'angle de Morelos et Juárez. ☎ 145-00-06. À une *cuadra* de l'arrêt des bus. Pas formidable, mais le moins cher de Todos Santos (à quand même 300 $Me, soit 21 €). Chambres avec AC et frigo, plutôt propres. Piscine sur la rue. L'accueil pourrait être plus avenant.

Todos Santos Inn : Legaspi 33. ☎ 145-00-40. ● www.todosantosinn. com ● À partir de 115 US$ pour une chambre double. Dans une magnifique hacienda du XIXᵉ siècle, ancienne demeure d'un magnat du sucre, un hôtel au charme fou. Chambres spacieuses, hautes de plafond, meublées avec goût dans un style rustique-chic. Jardin, chaises longues, fontaines, piscine. Un confort au poil.

Caffé Todos Santos : Centenario 35. ☎ 145-03-00. Ouvert de 7 h à 21 h (14 h le lundi). Compter 200 $Me (14 €) par personne. Des pancakes du petit déjeuner aux spécialités de la mer pour le dîner, en passant par les gâteaux du goûter ou les super

sandwichs et salades du midi, tout Todos Santos vient ici pour les bons produits frais et la belle salle aérée. À moins que votre choix ne se porte sur le jardin sous la treille ?

Los Adobes : calle Hidalgo. Ouvert de 11 h à 21 h (17 h le dimanche). Une autre bonne option, aux mêmes prix, qui sert quelques spécialités régionales de tout le pays dans un grand jardin de cactus de tailles et de formes très différentes. Certains soirs, *live music*. Service Internet mais hors de prix.

Las Cabañas : à 3 km du village, en direction de Los Cabos, sur la plage San Pedrito. ☎ 123-46-43. Des cabanons très agréables et assez confortables donnant sur la plage de sable blanc. Bar et resto. Un petit coin de paradis. Couchers de soleil inoubliables. On peut aussi camper sur la plage. Demander l'arrêt au chauffeur du bus.

Rocco : dans Hidalgo, entre Juárez et Centenario. Des vraies glaces en cornet aux parfums plutôt classiques mais bons et rafraîchissants.

Campings

Camping San Pedrito Trailer Park : au km 59. Depuis la route principale, il reste 3,5 km à pied jusqu'à la plage. Super équipé, avec même une piscine. Cher (environ 30 US$ – soit 20 € – la nuit pour 2 personne).
Toujours dans la même direction

(vers Los Cabos), mais encore plus loin, un autre *camping,* aux tarifs équivalents, est situé sur la plage *Los Cerritos*. Très chic. Beaucoup d'Américains et de Canadiens, dont certains viennent de Vancouver en voiture !

À voir. À faire

Centro cultural Siglo XXI : Juárez. Ouvert du lundi au vendredi de 8 h à 20 h. Créé à l'initiative de Nestor, un ancien maître d'école, qui a installé son petit centre culturel du XXIe siècle dans l'édifice même où il donnait il y a plus de 30 ans ses premières classes. Il se dévoue corps et âme à ce cocktail sympathique où l'on trouve pêle-mêle une exposition sur l'histoire de la Basse-Californie, de vieilles photos de Todos Santos, la reproduction de l'habitat traditionnel des *rancheros* de la montagne, un jardin botanique maigrichon, un peu d'artisanat de la région...

Les plages : la seule plage accessible à pied depuis le village est *La Poza* (à 15 mn). Mais ne pas s'y baigner : c'est dangereux. De là, on peut rejoindre, toujours à pied, la *playa Punta Lobos* où la baignade est possible et même délicieuse. C'est aussi de là que se font les départs pour la pêche. Les autres plages se trouvent également en direction de Los Cabos ; prendre un bus *Aguila* sur la route transpéninsulaire et demander l'arrêt : d'abord la magnifique plage *Las Palmas* puis, pour les surfeurs, *San Pedrito* et la plage *Los Cerritos,* la plus éloignée. Ce sont les seules plages recommandées pour se baigner, les autres endroits sont dangereux (on le répète) à n'importe quelle époque de l'année.

LA PAZ
140 000 hab. IND. TÉL. : 612

Capitale de la Basse-Californie du Sud, c'est LA grande ville du coin. Mais finalement beaucoup plus agréable que Los Cabos car plus mexicaine, moins tape-à-l'œil et moins chère. Ici au moins, on peut voir la mer en se promenant sur le *malecón* (le front de mer), bordé par quelques bancs de sable blanc, et admirer les célèbres couchers de soleil sur la baie. C'est aussi là que résident de janvier à mars les baleines Jorodaba, célèbres pour leurs sauts spectaculaires. Il règne une bonne ambiance de vacances ; ici, c'est « *pacífico* » comme nous l'a dit un chauffeur de taxi, autrement dit : peinard.

Arriver – Quitter

En bateau

➤ *De et vers Los Mochis (accès à la sierra Tarahumara), port de Topolobampo :* départ tous les jours à 22 h. Compter entre 8 h et 9 h de traversée.
➤ *Vers Mazatlán et la côte Nord :* départ tous les jours, sauf le samedi, à 13 h. Prévoir de 16 h à 18 h de traversée.
– *Conditions de voyage :* il existe 4 classes différentes ; *salón* (on dort sur un siège inclinable, ou bien par terre comme tout bon Mexicain qui se respecte) ; *turista* (cabine de 2 à 4 couchettes avec un lavabo) ; *cabina* (cabine pour 2 personnes avec douche et toilettes) ; *especial* (le grand luxe !). Pour vous donner une idée des prix pour Mazatlán, par personne : 270, 540, 810, 1 080 \$Me (19, 38, 57 et 76 € environ). Moins cher pour Los Mochis. À bord, resto self-service et bar. Transport des voitures possible (2 700 \$Me, soit 190 €).
– *Achat des billets :* les billets ne peuvent être achetés que la veille du départ aux bureaux de la compagnie maritime *Sematur* (dans le centre, à l'angle des rues 5 de Mayo et Guillermo Prieto), un gros édifice carré. ☎ 125-46-66 et 38-33. Ouvert du lundi au vendredi de 8 h à 13 h et de 16 h à 18 h et les samedi et dimanche le matin uniquement. S'il n'y a plus de place, tentez votre chance le jour même au port d'embarquement de Pichilingue, à 20 mn du centre.
➤ *Pour aller au port de Pichilingue :* prendre un bus *Aguila* au petit terminal qui se trouve sur le *malecón,* entre 5 de Mayo et Independencia, presque en face de l'office de tourisme. Attention, le dernier bus part à 19 h. Autrement

dit, il y a au moins 2 h d'attente au port pour ceux qui vont à Los Mochis. Il y a une jolie plage à côté...

– *L'arrivée* : le ferry pour Los Mochis arrive au port de Topolobampo. À peine débarqué, on est sollicité par une nuée de taxis. Ne vous laissez pas impressionner, il y a aussi des bus qui rejoignent le centre-ville en 30 mn. Si vous allez à Mazatlán, rien ne vous empêche de sympathiser à bord avec quelqu'un ayant une voiture qui se fera un plaisir de vous conduire en ville.

En bus

🚌 ***Terminal des bus*** *(plan A2) :* sur le *malecón,* au débouché de la rue 5 de Mayo, sur la droite en regardant la mer.

➤ ***De et pour Loreto,*** 2 bus par jour (5 h de trajet), ***Mulegé*** (8 h), ***San Ignacio*** (10 h), ***Guerrero Negro,*** 1 bus en soirée (12 h), ***Tijuana,*** 3 bus par jour (22 h).

➤ ***De et pour Los Cabos :*** bus toutes les heures de 6 h à 21 h, parfois aussi à la demie de certaines heures. La *vía larga* (VL) est celle qui passe par l'est, avec des passages montagneux et des arrêts dans les villages comme *Santiago* (presque 4 h de route). La *vía corta* (VC), à l'ouest, passe par *Todos Santos* (compter 3 bonnes heures de trajet).

➤ ***De et pour le port de Pichilingue et les plages :*** départ toutes les heures de 9 h à 19 h.

En avion

✈ ***L'aéroport international*** est à 15 mn en taxi et absolument hors de prix : compter 150 $Me (10,50 €) pour une personne et 250 $Me (17,50 €) pour deux (comptoir de prépaiement à côté des loueurs de voitures).
■ ***Aerocalifornia :*** ☎ 125-10-23.
■ ***Aeromexico :*** ☎ 122-00-91.

➤ ***De et pour Los Mochis, Mazatlán, Tijuana, Monterrey, Guadalajara et Mexico :*** vols nationaux quotidiens.
➤ ***Depuis et pour les États-Unis*** (San Diego, Los Angeles, San Francisco) : vols quotidiens.

En stop

Assez facile, surtout pour Los Cabos. L'été, la chaleur est insupportable. Prévoyez un couvre-chef et de l'eau.

Adresses utiles

🛈 ***Office de tourisme*** *(hors plan par B2) :* en dehors de la ville et donc pas pratique du tout. Au cas où : km 5,5 carretera al Norte. ☎ 122-59-39.
■ ***Banques*** *(plan A2, 1) :* depuis le front de mer, prendre Agustín Arriola Martinez. Au 1er croisement (Mutualismo ou Esquerro), 3 banques se font face. La *Santander* et la *Banamex* changent dollars et euros. Ouvertes en semaine de 8 h 30 à 16 h 30 et le samedi de 9 h à 14 h.

Distributeurs de billets qui acceptent la *MasterCard* et la *Visa*. Également une *Bancomer* et une *City Bank* (avec guichets automatiques) en bas de la rue 16 de Septiembre, avant d'arriver en bord de mer.
▣ ***Internet :*** *Superway* (plan A2, *2*), dans le terminal des bus, sur le *malecón,* au débouché de la rue 5 de Mayo. Ouvert 24 h/24.
■ ***Maison de la Culture*** *(plan B1, 3) :* sur Madero, à l'angle de Salvatierra. Très accueillante. On y passe

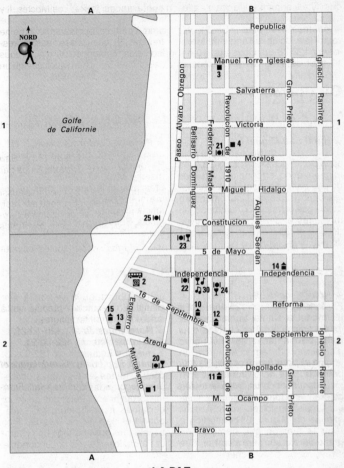

LA PAZ

LA BASSE-CALIFORNIE

■ **Adresses utiles**

1 Banques
🚌 @ 2 Terminal des bus et Superway
3 Maison de la Culture
4 Alliance française

🏠 **Où dormir ?**

10 Hôtel San Miguel
11 Pension California
12 Hôtel Yeneka
13 Hôtel Plaza Real
14 El Angel Azul
15 Hôtel Perla

|●| ▼ **Où manger ?**
Où boire un verre ?

20 Taqueria Hermanos Gonzalez
21 Mc Fisher
22 El Quinto del Sol
23 Jarrock Café
24 Madero
25 Restaurant Kiwi

▼ ♪ ♫ **Où écouter de la musique ?**
Où danser ?

30 Las Varitas

des films cubains, français, allemands, etc.

■ *Alliance française* (plan B1, 4) : calle Revolución, à l'angle de Morelos. ☎ 122-28-88. Ouvert de 10 h à 13 h et de 17 h à 21 h. Expos et conférences mais, malheureusement, pas d'un dynamisme fou. Le lundi à 18 h 30, projection de films en français, et le jeudi des films de tous les coins du monde.

Où dormir ?

Très bon marché : moins de 220 $Me (15,50 €)

■ *Hôtel San Miguel* (plan B2, 10) : à l'angle de 16 de Septiembre et Belisario Domínguez. ☎ 125-88-88. Très mignon, avec ferronneries, *azulejos* un peu partout et coquillages incrustés dans la pierre. Cour intérieure ombragée et fraîche. Chambres rudimentaires et défraîchies mais avec douche et ventilo. Gagnerait à être un peu plus propre.

■ *Pension California* (plan B2, 11) : calle Degollado 209, entre Madero et Revolución, en face du grand supermarché *MAS*. ☎ 122-28-96. Chambres aveugles pas toujours nickel mais literie correcte et bonne ambiance relax. Téléphone *larga distancia*. Beaucoup de routards américains.

Prix moyens : autour de 380 $Me (27 €)

■ *Hôtel Yeneka* (plan B2, 12) : calle F. Madero 1520. ☎ 125-46-88. En plein centre. L'hôtel le plus original de La Paz. Du genre caverne d'Ali Baba où s'entasse un bric-à-brac d'objets hors du temps. Au centre, un jardin-terrasse fort agréable où l'on prend le petit dej'. Chambres spacieuses à la déco délirante et toutes différentes. Confort largement suffisant, mais ventilo seulement. Accueil sensas de Miguel, 3e génération à tenir la maison qui, comme son grand-père et son père avant lui, offre une double tequila le soir à ses clients. En revanche, c'est lui qui a lancé l'heure d'Internet gratuite !

■ *Hôtel Plaza Real* (plan A2, 13) : dans la rue piétonne callejón La Paz, à l'angle d'Esquerro. ☎ 122-93-33. À deux pas du bord de mer, en plein centre. Toutes les chambres possèdent de grandes fenêtres qu'il vaut mieux ouvrir pour aérer un bon coup, certaines avec balcon. AC, téléphone et service de laverie. Très avantageux si on partage une chambre à quatre.

Plus chic : autour de 870 $Me (61 €)

■ *El Angel Azul* (plan B2, 14) : calle Independencia, à l'angle de Guillermo Pireto. ☎ 125-51-30. ● www.elangelazul.com ● Prix en US$. Dans un bâtiment colonial du milieu du XVIIIe siècle qui a abrité un temps la cour fédérale de Basse-Californie. Magnifiquement restauré par Esther, une Suissesse qui a peint elle-même les délicates et discrètes fresques ornant les chambres. Toutes différentes, toutes charmantes. Superbe jardinet pour boire un verre à la fraîche ou pour prendre le petit déjeuner (inclus). Une vraie maison d'hôte(sse) comme on les aime.

■ *Hôtel Perla* (plan A2, 15) : sur le *malecón*, face à la baie, au coin d'Arreola. ☎ 122-07-77. Fax : 125-53-63. Entièrement rénové, avec tout le confort souhaité. Déco marine et ambiance de villégiature. Piscine, jacuzzi, bar, resto et discothèque. Une quinzaine de chambres seulement ont vue sur la mer, pour le même prix. À l'entrée, des photos de l'hôtel au cours du XIXe siècle. Devant, un p'tit bout de plage avec 3 parasols.

Où manger ? Où boire un verre ?

Attention aux mauvaises surprises : dans quelques restos, l'IVA de 10 % (la TVA mexicaine) n'est pas incluse dans les prix indiqués au menu. L'exception culturelle de la Basse-Californie.

Bon marché : de 50 à 100 $Me (3,50 à 7 €)

Ⓘ ▼ *Taqueria Hermanos Gonzalez* (plan A2, **20**) : sur Sebastian Lerdo de Tejarda, entre Madero et Mutualismo. Ouvert tous les jours jusqu'à 19 h. Pour moins de 30 $Me on mange des *tacos, empanizados, quesadillas* à base de produis de la mer ou pour un peu plus cher des poissons et crustacés *a la plancha*. Le tout servi sur une terrasse en hauteur, à l'abri de la circulation, avec un coin bar et une musique locale entraînante. Bonne ambiance, bonne bouffe, bons prix, une bonne adresse quoi !

Ⓘ *Mc Fisher* (plan B1, **21**) : calle Morelos, entre Revolución et Madero, à deux pas de l'Alliance française. Ouvert de 8 h à 17 h sauf le lundi. Sous un grand auvent, une cantine populaire, très fréquentée le midi pour ses spécialités pas chères du tout. Ça sent bon la viande grillée et on vous enjoint à goûter la sauce *molcajete*, servie dans un bol en pierre pour accompagner les *tacos*. Musique tropicale et ambiance enjouée.

Ⓘ *El Quinto del Sol* (plan B2, **22**) : Belisario Domínguez 12, à l'angle de Independencia. Ouvert de 8 h à 21 h 30. Fermé le dimanche. Bon resto végétarien de cuisine mexicaine. Délicieux yaourts aux céréales et super cocktails de fruits et légumes. Cadre agréable. Boutique de produits diététiques et naturels dont du miel d'agave bon pour... tout ! Les fumeurs devront passer leur chemin.

Ⓘ ▼ *Jarrock Café* (plan B2, **23**) : Belisario Domínguez, 1245, entre 5 de Mayo et Constitución. Ouvert de 10 h à 18 h. Fermé le dimanche. À la gloire des chanteurs de rock des années 1960 à 1980, un café-resto marrant comme tout. Petite restauration que l'on dévore dans le patio-jardin ou sous l'auvent qui regorge de vieux outils, d'enseignes rouillées, d'un bric-à-brac indescriptible du sol au plafond. Une p'tite adresse sympa et pas chère pour le midi.

Prix moyens : plus de 150 $Me (10,50 €)

Ⓘ ▼ *Madero* (plan B2, **24**) : calle Madero 93. Ouvert tous les jours sauf le dimanche de 18 h à 1 h, 2 h, 3 h... en fonction de l'ambiance. *Happy hours* jusqu'à 21 h. Décor design. Super cocktails ou verres de vin à boire confortablement installé dans un canapé. Le resto, dans le patio couvert avec une treille de bambou, des plantes et des tons chauds, propose une carte alternant viandes et copieux plats de pâtes à toutes les sauces, absolument divins. Devinez pourquoi ? Le *Madero* est tenu par un adorable couple d'Italiens, Roberto et Cinzia. Ambiance chaleureuse autour du billard et musique qui penche vers le disco.

Ⓘ *Restaurant Kiwi* (plan A1, **25**) : sur le *malecón*, côté plage, au niveau de la calle Constitución. ☎ 123-32-82. Ouvert tous les jours. Belle vue sur la baie. Cuisine excellente. Viande, poisson et *mariscos*. Copieuses salades. Service impeccable.

Où écouter de la musique ? Où danser ?

▼ ♪ ♫ Les discos et les bars branchés avec la musique à plein tube sont regroupés sur le front de mer, entre l'hôtel *Perla* et *Carlos'n Charlie*, un bar-resto branché où se retrouve la jeunesse locale en fin de semaine.

LA BASSE-CALIFORNIE

🍸 🎵 🎶 ***Las Varitas*** *(plan B2, 30) :* calle Independencia 111, à côté du resto *Quinto del Sol.* Ouvre à partir de 22 h 30. Fermé le lundi. Un *antro* bon enfant, fréquenté par les jeunes autochtones (et les moins jeunes). Du rock mexicain *en vivo* interprété par des groupes locaux. Et des pauses de musique tropicale et disco. Très bonne ambiance.

À voir. À faire

🚶 ***Le coucher de soleil sur la baie :*** en se baladant sur le *malecón* à l'heure dite. Amoureusement, solitairement, nostalgiquement ou autre... ment.

🚶🚶 ***Le musée d'Anthropologie :*** sur la calle Altamirano, à l'angle de 5 de Mayo. Ouvert du lundi au vendredi de 9 h à 18 h et le samedi jusqu'à 14 h. Pour ceux qui veulent en savoir plus sur l'histoire de la Basse-Californie. Ici, les Indiens de la région, qui brillent par leur absence au musée de Mexico, ont droit de cité. Il est vrai qu'ils ont réalisé, sur plus de 300 sites, de superbes peintures rupestres. Joli jardin botanique.

🚶 ***Les otaries sur l'île Espíritu Santo :*** elles sont près de 300, espiègles et joueuses, qui se réfugient régulièrement sur cette petite île au large de La Paz. On peut se baigner avec elles. Pour y aller, deux possibilités. Se rendre à la plage Tecolote (en taxi ou en stop durant la semaine) et prendre une *lancha.* Il faut attendre qu'elle se remplisse (4 à 5 personnes minimum). Compter autour de 400 $Me (28 €) par personne et 5 h aller-retour. L'autre solution consiste à acheter une excursion d'une journée dans une des nombreuses agences du *malecón.* Autour de 500 $Me (35 €), déjeuner compris.

🐚 ***Les plages :*** La Paz est nettement mieux dotée que Loreto. Dans la ville même, on peut se baigner sur une plage de sable blanc, mais des algues pullulent à certains moments. Mieux vaut se rendre un peu plus loin, vers les très belles plages sur la droite en regardant la mer. ***Coromuel*** est la seule accessible à pied en longeant le *malecón* jusqu'au bout. C'est à 600 m après la marina. Populaire, il y a souvent du monde. Et on y danse parfois le dimanche. Ensuite, mieux vaut prendre le bus. La plage ***El Caimancito,*** avec bars et restos, est à 6 km. Puis viennent la ***playa del Tesoro*** (13 km) et celle de ***Pichilingue*** (17 km) à côté du port des ferries (la vue est moins géniale). Quelques kilomètres supplémentaires, et on arrive à notre préférée, ***Balandra*** (23 km). C'est la plus sauvage. Comme il n'y a rien, apportez de quoi boire. Sur place, partez à la recherche du rocher en forme de champignon et envoyez-nous une photo.
Enfin, apparaît la dernière et la plus connue, ***Tecolote*** (26 km). On y trouve tous les services : restos, location de masques et tubas, pédalos et autres sports nautiques. C'est de là que partent les bateaux pour l'île Espíritu Santo. Elle est très longue et en semaine, il n'y a quasiment personne.
➤ *Pour y aller :* malheureusement, le bus ne va que jusqu'à Pichilingue en semaine. Il faut donc prendre un taxi ou faire du stop. Il ne va plus loin (jusqu'à Tecolote) que le week-end. Le bus se prend au terminal, sur le *malecón,* entre 5 de Mayo et Independencia. Demandez l'arrêt au chauffeur sur la plage de votre choix. Attention pour le retour : le dernier bus part vers 17 h 30 de Tecolote et ramasse tout le monde au passage.

➤ DANS LES ENVIRONS DE LA PAZ

🚶 ***Le village de Santiago :*** à 1 h de La Paz. Petit village pittoresque, au pied de la montagne. Point de départ de superbes randonnées. Nombreux coquillages fossilisés et eaux thermales. Prendre un bus pour San José del Cabo par la *vía larga* (VL).

🛏 |◐| *Hôtel-restaurant Palomar :* ☎ 142-21-65. Fax : 142-21-75. Autour de 200 $Me (14 €). Un petit havre de paix. Le patron, Sergio, est très sympa. Accepte aussi les tentes.

🚶 *El Triunfo :* à une cinquantaine de kilomètres de La Paz sur la route de Cabo San Lucas via Todos Santos. Un ancien village minier célèbre pour ses deux immenses cheminées. À la fin du XIXᵉ siècle, avec ses 10 000 habitants, c'était la ville la plus importante de la Basse-Californie du Sud. Aujourd'hui, entre les anciennes demeures abandonnées ne règnent plus que les fantômes des chercheurs d'or et d'argent.

LORETO

IND. TÉL. : 613

La nature a été très généreuse avec Loreto, encerclée par le désert, les montagnes et la mer de Cortés. À 360 km au nord de La Paz, c'est la plus ancienne ville du sud de la péninsule. La « capitale des Californies », comme on l'appelle aussi, car elle fut le point de départ de l'évangélisation de toute la côte du Pacifique Nord. Le 25 octobre 1697, le père Juan María de Salvatierra fonda ici la première mission, Nuestra Señora de Loreto. De là, les jésuites, puis les franciscains et les dominicains, essaimèrent leurs missions en remontant vers le nord jusqu'à l'actuel San Francisco aux États-Unis, dernière mission fondée en 1823. Loreto fait beaucoup d'efforts pour s'auto-promouvoir, mais en réalité, cette petite station balnéaire, constituée de trois rues, n'a pas grand-chose d'autre à offrir que les paysages des alentours et ses fonds poissonneux.

Arriver – Quitter

En bus

🚌 La petite *station de bus* se trouve au rond-point à l'entrée de la ville, au début de l'avenue Salvatierra. À 10 mn à pied du centre. Ça ressemble à un bar. C'en est un d'ailleurs ; on y achète ses billets. La plupart des bus (vers le nord ou le sud) sont *de paso*. S'attendre donc à des retards.

➤ Le seul bus au départ même de Loreto est celui de 8 h pour *La Paz* (5 h de trajet).
➤ *De et pour Mulegé,* compter 2 h de transport, 3 h 30 pour *San Ignacio,* un peu moins de 6 h pour *Guerrero Negro* et 18 h pour *Tijuana.*

En avion

✈ *L'aéroport international* est à 3 km de Loreto. ☎ 135-05-65 ou 04-98. Service de taxis à disposition. Plusieurs destinations, dont évidemment *Los Angeles.*

▪ *Aero California :* à l'aéroport. ☎ 135-05-55. Ou aller dans n'importe quelle agence de voyages.
▪ *AeroMexico :* à l'aéroport également. ☎ 135-18-37.

Adresses utiles

🛈 *Office de tourisme :* calle Madero ; à l'angle du *zócalo,* face à la banque *Bancomer.* ☎ 135-04-11. Ouvert de 8 h à 20 h. Fermé les samedi, dimanche et jours fériés. Documentation sur la ville et ses environs. Bien informé sur ce qu'on peut faire ici.

■ *Change :* il y a une *Bancomer* sur le *zócalo*, en face de l'office de tourisme. ☎ 135-03-15. Ouvert de 8 h 30 à 14 h 30. Change les dollars et les euros. Ou, plus simple, distributeur de billets (24 h/24) qui accepte les cartes *Visa* et *Master-Card*.

@ *.com :* à côté du *Café Ole*. Ouvert de 9 h à 21 h, sauf le dimanche.

✉ *Poste :* au coin de Benito Juárez et d'Ignacio Allende. Ouvert en semaine, le matin seulement.

Où dormir ?

⌂ *Posada San Martín :* à l'angle de Juárez et Davis. ☎ 135-11-07. Autour de 220 \$Me (15,50 €) avec AC. Moins cher avec ventilo. Propre et bien aménagé, avec un effort dans la déco. Lits confortables, TV. Une adresse sympathique.

⌂ *Hôtel Plaza :* av. Hidalgo 2. ☎ 135-02-80. Fax : 135-08-55. Attention, pas d'enseigne, mais c'est une grande bâtisse blanche avec des fenêtres orange. Compter moins de 500 \$Me (35 €). Trente chambres avec AC, très agréables et confortables, autour d'un joli patio central. Le patron organise des excursions en kayak. Juste en face, au *motel Junipero* – pas de signe extérieur non plus (☎ 135-01-22) –, les chambres sont à 350 \$Me (24,50 €). La différence ? L'AC et la TV sont très vieillottes dans celui-ci. Certaines chambres ont une jolie vue sur l'église.

⌂ *Posada de las Flores :* sur le *zócaló*. ☎ 135-11-65. ● www.posadalasflores.com ● À partir de 160 US\$. Les plus fortunés viendront passer ici un séjour de rêve sans hésiter. Une vieille demeure superbement restaurée, meublée d'objets anciens remis au goût du jour. Un patio ravissant, une *alberca* pour prendre le soleil et des chambres aux plafonds vertigineux, très joliment aménagées. Peintures patinées, terrasses un peu partout et plantes en pagaille. Un charme fou à prix fous.

Où manger ?

|●| *Tacos & Tacos :* au coin de Collegio et Hidalgo. Imbattable : prix à partir de 10 \$Me (0,70 €). Petite *cantina* typique et sans chichis : *tacos, enchilada, guacamole...* Simple et bon. Fréquentée en majorité par les Mexicains.

|●| *Santa Lucia :* sur le *malecón,* au coin de Jordan. Ouvert de 6 h à 16 h sauf le lundi. Jolie salle avec de grandes baies vitrées donnant sur le *malecón* et la mer. Ambiance familiale et prix moyens. Croissants, baguette digne des meilleures boulangeries françaises, *cinnamon rolls,* mais aussi une petite restauration pour le midi dont de très bons sandwichs. Cocktails de jus de fruits frais et confitures maison pour le petit déjeuner. Délicieux.

|●| *La Palapa :* paseo Hidalgo. ☎ 135-02-84. Resto installé sous une grande hutte en palme (la *palapa* précisément). Compter dans les 250 \$Me (17,50 €). Déco chaleureuse. La cuisine est à l'air libre. On voit donc ce qui se passe et on peut aller choisir son poisson ou sa pièce de viande. Délicieuses grillades.

Où boire un verre ?

▼ *Mike's Bar :* paseo Hidalgo, au débouché de la rue Madero. La terrasse du 1er étage, sous une *palapa,* est bien aérée. Suspendues au plafond, des vertèbres de baleine. La *piña colada* est délicieuse. Bonne ambiance.

Macaws : sur le *malecón*, presque au coin de Jordan. Au milieu des palmiers, dans un petit jardin. Une adresse qui bouge surtout en soirée. Le rendez-vous de la jeunesse qui emporte parfois sa bière sur un banc face à la mer, de l'autre côté de la rue. On peut aussi y grignoter.

À voir. À faire

La mission : au centre du village. L'église est ouverte de 7 h à 20 h, tous les jours. Fondée en 1697, c'est la plus ancienne de Basse-Californie, mais elle ne présente pas beaucoup d'intérêt. Par contre, son musée retrace l'histoire de la conquête de la région. Ouvert de 8 h à 13 h et de 16 h à 18 h. Fermé les lundi et jours fériés. Entrée payante. Également présentation de la vie quotidienne dans les missions. Tableaux, tapisseries, armes et poteries...

VTT dans la montagne : très éprouvant, mais les paysages sont magnifiques. Renseignements : *Las Parras Tours,* av. Madero, à côté du resto *Ole.* ☎ 135-10-10. Propose aussi des balades en kayak et *mucho more* (pour parler en bon *americañol*). Prix en dollars (25 US$ pour une journée en VTT).

Balade en mer : jusqu'aux îles du large, notamment *Isla Coronado.* Un petit paradis pour les oiseaux et les otaries, qui sont en général les seuls à profiter de la magnifique plage baignée par des eaux cristallines. Renseignements à l'office de tourisme ou directement à la *marina* où l'on peut louer une *lancha.*

➤ DANS LES ENVIRONS DE LORETO

La mission San Francisco Javier : à 42 km de Loreto. Compter 1 h 30 de voyage car la piste est très escarpée, mais le paysage de la sierra est absolument splendide. Si vous êtes dans les parages, n'hésitez pas. Ouvert tous les jours de 6 h à 18 h mais les horaires peuvent varier. Entrée libre. Pour s'y rendre, deux solutions : la moins onéreuse est le taxi ou une bonne voiture de location, style 4x4. La meilleure manière d'être libre de vos mouvements. Il y a désormais une buvette sur place pour grignoter quelque chose. Autre possibilité : toutes les agences proposent des excursions où le déjeuner est compris, mais c'est nettement plus cher.

Il s'agit de la deuxième mission fondée en Californie, en 1699 (par le père Francisco María Piccolo), soit deux ans après celle de Loreto. Très bien préservée, dans un magnifique environnement. L'église construite au milieu du XVIIIᵉ siècle est l'une des plus belles de la péninsule.

Puerto Adolfo López Mateos : à 178 km de Loreto. C'est l'un des sanctuaires où se retrouvent les baleines entre janvier et mars. On vous a tout dit dans la rubrique « Voir les baleines » en début de chapitre.

LE DÉSERT CENTRAL

BAHÍA CONCEPCIÓN

Si vous êtes monté jusqu'à Loreto, c'est pour venir ici ! Il vous reste 77 km à faire. Mais la récompense dépasse largement ces ultimes petites fatigues. Sur la mer de Cortés, s'ouvre une baie profonde où des montagnes violettes se jettent dans une eau d'un bleu limpide. Superbes panoramas et mangrove. Les plages de sable blanc ne sont que pour vous. En voici quelques-unes (difficile de dire laquelle est la plus belle), dans l'ordre d'apparition en partant de Loreto.

On commence par *El Requesón* où l'on peut planter sa tente (50 $Me par voiture, soit 3,50 €) sur la plage de sable blanc, en face des eaux turquoise. On peut rallier à pied une petite île par un banc de sable. Assez paradisiaque. On peut camper sur la plage d'*El Coyote* et sa magnifique crique pour 50 $Me également (3,50 €). Pour ceux qui n'ont pas de tente, la *playa Los Cocos* dispose également de quelques *cabañas*. À *Posada Concepción,* on peut camper et il y a une épicerie. Un peu plus loin, apparaît la *playa Santispac,* la plus fréquentée en hiver mais aussi la plus vaste, avec des beaux îlots juste en face ; *trailer-parks* et plusieurs restos. La plus proche de Mulegé, à 20 mn de bus, est la plage *Punta Arena,* située à 2 km de la route.

Où dormir ? Où manger ?

▲ 🏠 |◉| *Buenaventura restaurant and bar :* sur la plage de Buenaventura, juste après la plage d'El Requesón. ● bajabuenaventura@hotmail.com ● Plusieurs options possibles : plantage de tente (100 $Me, soit environ 7 €), cahute sommaire avec ventilo (250 $Me, soit 17,50 €) ou le grand luxe dans un grand bungalow très bien aménagé avec 3 chambres et 2 salles de bains, salon, cuisine super-équipée et ter- rasse à 2 m de l'océan. Un rêve accessible pour 85 US$ pour deux ou, plus intéressant, 120 US$ pour 4 personnes. Marco et Olivia, transfuges de San Diego, ont créé ici un petit paradis au milieu du désert et des cactus. La cuisine y est aussi fort correcte bien que l'addition se révèle un peu salée. TV dans le resto et billard à disposition. Ambiance américaine, mais plutôt dans son bon côté.

MULEGÉ (ind. tél. : 615)

Petite ville pittoresque de 3 000 habitants, construite au fond d'une vallée tandis que le long de la rivière s'étendent les palmeraies, des champs de coton et même quelques vignes. Depuis le pont, on a une vue magnifique sur le village, ses maisons aux toits de palmes, la mission du XVIIIᵉ siècle et l'ancienne prison transformée en musée. Au loin, à 3 km, on aperçoit la mer de Cortés.
➤ Balade très agréable le long du *río* jusqu'à la plage.

Où dormir ? Où manger ? Où boire un verre ?

🏠 |◉| *Las Casitas :* calle Madero 50. ☎ 153-00-19. Hôtel, resto, bar, boutique et organise même des excursions dans la région. Chambres autour de 350 $Me (24,50 €), pimpantes, presque coquettes avec AC, TV, disposées autour d'un patio arboré. Resto honorable dans un cadre *muy simpático :* terrasse ombragée ou salle avec cheminée pour l'hiver.
|◉| 🍸 *Bar El Patrón :* El Farito. Pour ceux qui sont véhiculés, prendre le chemin du phare, le long du río Mulegé. On passe devant l'hôtel *Las Brisas* et au bout de 2 km de chemin passablement crevassé : la récompense. Un bar-resto ambiance bout du monde avec les flots bleu azur en compagnie. Pour atteindre le phare, une p'tite grimpette de 200 m. Un vrai paradis pour prendre une mousse à la tombée du jour ou quelques plats simples au déjeuner.

🎥 Au nord de Mulegé, à 2 h de voiture, se trouve la ***cueva San Borjita*** qui abrite les peintures rupestres les plus célèbres de la péninsule.

SANTA ROSALÍA *(ind. tél. : 615)*

Petit port créé à la fin du XIXᵉ siècle par des Français intéressés par les mines de cuivre. Aujourd'hui, les habitants vivent de l'exploitation du manganèse, du gypse et de la pêche. Mais, cocorico !, l'église Santa Barbara, au centre du village, a été dessinée et construite par notre Gustave Eiffel national pour l'exposition universelle de 1889. Au départ prévue pour les pays africains – sa voûte en fer étant idéale pour faire face aux termites – elle fut achetée par le directeur de la compagnie minière française de Santa Rosalía, démantelée et transportée par bateau jusqu'au port mexicain. Étonnant.
Avec La Paz, c'est le deuxième port d'où l'on peut rejoindre le reste du pays en bateau, à Guaymas précisément. Trois départs par semaine les mardi, vendredi et dimanche vers 21 h. Environ 7 h de traversée. Pour plus d'infos : ● www.ferrysantarosalia.com ● Voir à La Paz la rubrique « Arriver - Quitter » pour les détails de la traversée.

SAN IGNACIO

Charmant village niché dans une calme et sereine oasis, à mi-chemin entre Mulegé et Guerrero Negro. Siège d'une ancienne mission fondée par les jésuites, qui eurent la bonne idée de planter palmiers, citronniers et dattiers. La très belle église, terminée en 1786, est l'une des mieux conservées de la péninsule. Également à voir dans les environs, des peintures rupestres cachées dans les grottes de la sierra. Les plus proches sont tout de même à 4 h de marche. On en sait bien peu sur ces peintures pariétales, difficiles à dater. Les Indiens racontaient aux jésuites qu'elles avaient été peintes par une race de géants venus du nord...
En bus, descendre à la bifurcation. Le hameau est à 2 km.

Où dormir ? Où manger ?

Dans le village, pas grand-chose à se mettre sous la dent à part le *Sport Racing Bar Restaurant,* sa cuisine familiale et son baby-foot, et des petites guérites autour du *zócalo* servant des *tacos*. En revanche, de belles adresses un peu à l'extérieur.

🏕 ⏹ *Camping Los Petates :* à la sortie de San Ignacio en venant du sud. ☎ 154-02-67. Compter 50 $Me (3,50 €) pour une tente et une voiture. Sous les palmiers dattiers, sur les rives sablonneuses de la rivière. Pas trop d'accueil, mais certainement le plus agréable camping de Baja California. La route n'est pas très fréquentée, les douches et w.-c. sont propres. On peut pêcher ou « farnienter » en regardant les oiseaux. Kayaks et barbecue. Sinon, à deux pas, *Mikasa,* ouvert de 9 h à 21 h, pour grignoter sur des tables face (encore, mais on ne s'en lasse pas !) à la rivière. Cuisine familiale.

🏕 *Ignacio Springs B & B :* à la sortie de San Ignacio, en venant de Santa Rosalía. ☎ 154-03-33. ● www.ignaciosprings.com ● À partir de 560 $Me (39,50 €) la nuit pour deux. Au bord d'une rivière où nagent des canards, au milieu d'une palmeraie, un emplacement de rêve pour dormir dans des... yourtes ! Avec ou sans salle de bains, avec ou sans AC mais toutes absolument charmantes et aménagées avec amour par un couple de Canadiens chaleureux, Terry et Gary. Petit dej' divin inclus et repas sur demande. Kayak, bateau à voile et chaises longues à disposition. Idyllique !

GUERRERO NEGRO *(ind. tél. : 615)*

À 10 h de bus d'Ensenada et 4 h de Mulegé. Un village de sable, de poussière et de sel ; bienvenu quand même après une journée de voyage à travers le désert. Surtout qu'il y fait étonnamment frais le soir. Durant les trois
quarts de l'année, la ville semble endormie, vivant de ses salines qui sont les
plus grandes du monde, avec 22 millions de tonnes produites par an. Mais
soudain, en hiver, c'est la ruée des touristes qui viennent du monde entier
pour observer le batifolage des baleines dans la baie, à une trentaine de
kilomètres de là (pour les détails, se reporter à la rubrique en début de chapitre « Voir les baleines »). À ce propos, méfiez-vous des prétendus offices
de tourisme qui fleurissent à ce moment-là, ce ne sont que des agences de
voyages qui veulent vous vendre leur *tour* dans le sanctuaire des baleines
grises d'El Vizcaíno. Celui-ci a d'ailleurs failli être rayé de la carte par un
projet de création de bassins de cristallisation pour le sel. Il a fallu tout le
poids de l'Unesco, qui a inscrit le site sur la liste du Patrimoine mondial
en 1993, et une coalition de 58 groupes écologiques mexicains et internationaux pour stopper une implantation, qui aurait été fatale aux cétacés.
À l'ouest de Guerrero Negro, se trouve la plage Malarrimo (compter 3 h de
route en 4x4, le chemin à partir de San José de Castro étant souvent ensa-
blé), réputée pour être une immense poubelle naturelle du Pacifique. Le courant marin Kurosiwo, originaire du Japon, vient déposer ici ses chargements
d'ordures. Immense bazar où, depuis des générations, les habitants de Guerrero Negro viennent faire leurs emplettes : balles de golf, uniformes de l'armée
américaine, caisses de bouteilles d'alcool, voitures, ailes d'avion, restes de
navires naufragés et quelques squelettes...
Une banque *Banamex* à la sortie de la ville après la station *Pemex* permet de
retirer des sous afin de satisfaire aux avidités des « *baleines tours* ».

Où dormir ? Où manger ?

Des motels à la façon américaine. Vides la plupart du temps, complets à la
saison des baleines (il faut dire que c'est la seule raison de s'arrêter ici).

■ Dans le genre, le *motel Las Bal-
lenas* est notre préféré. Situé dans
une rue perpendiculaire à l'avenue
principale, au niveau du grand réser-
voir d'eau orange. À 200 m du terminal de bus. ☎ 157-01-16. Autour de
260 $Me (18,50 €). Chambres très
propres avec moquette et une literie
confortable. Accueil sympa comme
tout et Internet juste à côté.
■ |●| Pour 300 $Me (21 €), l'*hôtel
Malarrimo* offre un confort des plus
corrects, avec même un *mini market*
à l'intérieur. Sur l'avenue principale,

à l'entrée de la ville. ☎ 157-01-00.
Le resto, ouvert tard le soir, sert une
délicieuse soupe de poisson dans
une salle fort agréable. En saison,
l'hôtel organise des excursions pour
voir les baleines.
|●| *Cocina económica :* sur l'avenue
principale, plein de petites échoppes
qui ferment tôt. Pour ceux qui arriveraient tard à Guerrero Negro, ou pour
faire un vrai repas assis, le resto de
l'hôtel *Malarrimo* propose une cuisine
de la mer de très bonne qualité, mais
évidemment plus chère.

LE NORD DE LA PÉNINSULE

LE 28ᵉ PARALLÈLE

Il marque la frontière entre la Basse-Californie du Nord et celle du Sud. On le
sait parce qu'un aigle métallique colossal de 40 m de haut (qui ressemble

plutôt à un plongeoir) est dressé là, au milieu d'une base militaire. N'oubliez pas de retarder votre montre de 1 h si vous passez du sud au nord. Ou l'inverse et réciproquement.

BAHÍA DE LOS ÁNGELES

Sur la mer de Cortés, un vilain village mais une belle baie bleue (remarquez les allitérations) où viennent plonger les collines désertiques. L'endroit est encore sauvage, protégé par une douzaine d'îles à explorer. Si vous arrivez à vous rendre sur l'*île Ángel de la Guarda* (sur une barque de pêcheur, renseignez-vous au port), vous ne serez pas déçu. Un paradis pour la plongée sous-marine. On peut aussi faire du kayak ou tout simplement s'allonger dans un hamac, ce qui reste un choix tout à fait judicieux vu les températures dans les parages.

🛏 Camping ou quelques hôtels rudimentaires comme le sympathique hôtel *Las Hamacas.*

CATAVIÑA *(ind. tél. : 616)*

Après plusieurs heures de route sans rencontrer âme qui vive, on pénètre dans un paysage de collines arides, parsemées d'étranges rochers de granit et de cactus candélabres (*idria columnaris* pour les intimes), dont certains peuvent atteindre jusqu'à 20 m de hauteur. Enfin, on arrive à l'oasis de Cataviña. Ouf ! un peu de vie au milieu de cette terre désolée et surchauffée.

🛏 |●| Ceux qui ont encore des dollars en poche pourront passer la nuit au luxueux *hôtel-restaurant La Pinta.* ☎ 676-26-01. C'est le seul et unique logement dans le coin. Normalement, vous n'aurez pas besoin de boules Quies.

🍴 Non loin de là se trouvent les *ruines d'une ancienne mission* et des *grottes* avec des peintures rupestres.

LE PARC NATIONAL SIERRA DE SAN PEDRO MÁRTIR

La route pour le parc part de San Telmo de Abajo, entre Camalu et Colonet, et commence à grimper peu à peu à travers les forêts de conifères et de pins géants. Superbe. La piste n'est pas toujours très bonne, surtout après l'hiver durant lequel il peut neiger beaucoup. L'idéal est d'y aller entre avril et octobre. Sur place, plusieurs chemins de randonnée mais franchement mal signalés. Demandez des infos au *San José Meling Ranch* (où l'on peut loger et qui loue des chevaux mais à des prix américains). On s'arrête en voiture à 2 km de l'Observatoire national d'astronomie construit sur le Pico del Diablo, à 3 078 m d'altitude. Balade magnifique et faune intéressante (cerfs, sangliers, renards, chats sauvages, etc.).

ENSENADA   195 000 hab.   IND. TÉL. : 646

Une grande ville, premier port de pêche du Mexique. Mais aussi une station balnéaire pour les Américains. D'un côté, les pêcheries et les conserveries. De l'autre, les plages et les boutiques de mode. Et pour trait d'union, de bons restos de fruits de mer. C'est une bonne étape pour ceux qui veulent éviter de dormir à Tijuana. L'animation se concentre sur l'avenue principale López Mateos (appelée aussi 1era calle) et, le soir venu, sur l'avenida Ruiz. Les amateurs de bateaux de plaisance iront se promener sur le *malecón* qui borde la marina. Certaines maisons ont un petit air *british* : les restes d'une tentative de colonisation anglo-saxonne au XIXe siècle.

Arriver – Quitter

En bus

🚌 *Le terminal de bus* est à une dizaine de *cuadras* du centre. À 25 mn à pied. Ou prendre un minibus jaune et blanc qui indique « Azteca » dans la 2ª *calle*. Si vous ratez l'arrêt (comme nous !), vous aurez droit au tour complet de la ville sur les hauteurs, ce qui n'est pas inintéressant...

➤ *Pour Tijuana :* départ toutes les 30 mn (trajet : 1 h 30).
➤ *Pour le Sud :* les bus qui vont à La Paz (22 h à 23 h de trajet) desservent toutes les villes de la *transpeninsular*. Cinq à six départs par jour. Compter 3 h 30 pour *San Quintín,* 10 h pour *Guerrero Negro* et 16 h pour *Loreto.*
➤ Également des bus pour **Mexicali** (durée : 4 h), **San Felipe** (4 h) et le reste du pays : **Guadalajara, Morelia, Mexico...**

Adresse utile

🏢 *Office de tourisme :* bd Costero, en face de l'hôtel *Corona.* ☎ 172-30-22. Ouvert tous les jours.

Où dormir ?

🏨 *Motel Pancho :* à l'angle entre calle Alvarado et 2ª *calle*, à une *cuadra* de la zone animée. ☎ 178-23-44. À partir de 150 $Me (10,50 €). Ne pas s'attendre au grand luxe. Les dessus-de-lit sont usés jusqu'à la corde, mais les matelas ne sont pas mauvais. Propre. Parking. Finalement, pour Ensenada, ce n'est pas un mauvais rapport qualité-prix !

🏨 *Motel Caribe :* López Mateos 628. ☎ 178-34-81. Dans l'avenue principale. Plusieurs types de chambres avec des tarifs entre 180 et 380 $Me (12,60 et 26,60 €). Demander à visiter. Hôtel correct et bien situé. Seul hic : les prix augmentent d'au moins 50 $Me (3,50 €) le week-end (comme souvent dans le coin). Pour le petit dej', aller juste en face, au *Corralito.*

🏨 *Hôtel Bahía :* av. López Mateos, au niveau de la rue Alvarado. ☎ 178-21-01 à 03. Les prix varient selon les saisons et augmentent le week-end, de 380 à 480 $Me (26,60 à 33,60 €) pour 2 personnes, jusqu'à 1 110 $Me (78 €) pour une suite de 5 à 8 personnes. Mignon et bien situé. Tout confort. À plusieurs, c'est une très bonne option.

Où boire un verre ?

🍸 *Cantina Hussong's :* av. Ruiz 113. Une « *cantina típica* » devenue hyper branchée. Braillements hystériques et musique tropicale sur fond de techno dans un décor de saloon. La maison a tellement de succès qu'elle a créé sa propre ligne de fringues et des boutiques à la même enseigne. En voilà du bon négoce !

TIJUANA

IND. TÉL. : 666

C'est vilain, bruyant, sale, dangereux et cher. Deux millions de Mexicains – dont la moitié ne rêve que d'entrer aux États-Unis – vivent aux crochets du « grand frère ». Le poste frontière de San Ysidro est paraît-il le plus fréquenté du monde : 50 millions de personnes le traversent chaque année. San Diego n'est qu'à 30 mn, Los Angeles à 3 h en voiture. CQFD. Passage très facile en venant des États-Unis, beaucoup plus délicat dans l'autre sens.

Arriver – Quitter

Le poste frontière le plus proche du centre-ville est *San Ysidro,* ouvert jour et nuit. C'est là que s'arrête le fameux trolley qui rejoint San Diego en 25 mn.

En bus

➢ *Pour/depuis la Basse-Californie et le reste du Mexique :* au principal terminal des bus, à 25 mn du centre-ville. Pour y aller, prendre un autobus bleu et blanc indiquant « Central Camionera » ou « Buena Vista » dans 2ª calle, entre les avenues Revolución et Constitución. Voici la durée de quelques trajets. *Hermosillo :* 12 h. *Guadalajara :* 36 h. *Mexico :* 42 h.
➢ *Pour/depuis le sud de la péninsule :* 5 à 6 départs par jour. Les bus (confortables, avec AC) vont jusqu'à La Paz et s'arrêtent le long de la route transpéninsulaire : *Ensenada* (1 h 30 de trajet), *San Quintín* (5 h), *Guerrero Negro* (12 h), *San Ignacio* (16 h), *Mulegé* (18 h), *Loreto* (19 h), *La Paz* (22 h). Voir plus haut « Comment se déplacer en Basse-Californie ? ».
➢ *Pour/depuis les États-Unis :* il faut aller à l'ancien terminal, dans le centre, à l'angle de Madero et 1ᵉʳᵃ calle. La compagnie américaine *Greyhound* dessert la Californie, notamment *Los Angeles.* Pour *San Diego,* aller à San Ysidro et prendre un bus ou, plus rapide, le trolley (départs toutes les 15 mn, de 5 h à minuit).

En avion

✈ *L'aéroport* est à environ 30 mn du centre-ville. ☎ 683-20-21. Les taxis sont très chers. Prendre un autobus indiquant « Aeropuerto » dans 5ª calle, entre Constitución et Niños Heroes.

➢ Nombreuses destinations pour le Mexique et les États-Unis. Se renseigner dans une agence de voyages.

Orientation

C'est simple comme un damier. Les avenues vont du nord au sud. Les rues qui les traversent perpendiculairement portent des numéros. La 1ᵉʳᵃ calle est la plus au nord, quasi parallèle à la frontière.

Adresses utiles

🅸 *Office de tourisme :* à l'angle de Revolución et 1ᵉʳᵃ calle. ☎ 688-05-55. Très aimable. On y parle l'anglais bien entendu. Surtout de la documentation sur la Basse-Californie du Nord.
◾ *Money, money :* pas de précipitation pour changer votre argent. Ici,

tout se paie en dollars, même le bus. Les banques sont regroupées sur l'avenue Constitución, entre 4ª calle et 7ª calle. Préférez-les aux bureaux de change (casas de cambio) qui refilent parfois de faux billets verts. Évidemment, avec les pesos, on ne court pas ce genre de risques ! Guichets automatiques dans presque toutes les banques, qui fonctionnent avec la carte Visa et la MasterCard. Si vous descendez vers le sud de la péninsule, ce n'est pas la peine de vendre tous vos dollars. On peut les changer facilement par la suite et même payer avec, au moins les hôtels.

■ *Consulat du Canada :* German Gedovius 5-202, zona Río. ☎ 684-04-61.

■ *Consulat de France :* av. Revolución 1651, 3ᵉ étage. ☎ 685-71-72 et 78. Dans le centre.

■ *Consulat des États-Unis :* Tapachula 96, colonia Hipódromo. ☎ 681-74-00. Ouvert du lundi au vendredi de 8 h à 16 h 30.

Où dormir ? Où manger ?

Restos, bars, boîtes de nuit et hôtels se concentrent sur l'avenue Revolución et l'avenue Constitución, entre 1ᵉʳᵃ calle et calle 7. Le week-end, la ville se remplit de *gringos* en goguette. Certains hôteliers en profitent pour augmenter leurs tarifs. De toute façon, les hôtels sont complets.

🛏 *Hôtel del Mar :* à l'angle de l'av. Revolución et de 1ᵉʳᵃ calle. ☎ 685-73-02. Juste en face de la rue piétonne et de la place des *mariachis*. Une bâtisse bleue et blanche. Le moins cher. Autour de 150 $Me (10,50 €) pour 1 ou 2 personnes. Rudimentaire mais assez propre.

🛏 *Hôtel San Francis :* 2ª calle 8279 ; entre les av. Revolución et Madero. ☎ 685-49-03. À partir de 180 $Me (12,60 €). Plusieurs sortes de chambres, avec ou sans moquette, avec ou sans salle de bains. Propre et sérieux. Parking.

🛏 *Hôtel Paris :* calle 5 ; entre les av. Revolución et Constitución. ☎ 685-30-23 et 39-61. À partir de 300 $Me (21 €). On se demande vraiment ce que fait ici l'immense tour Eiffel qui orne le mur du hall d'entrée. Sans autre prétention mais confortable, avec AC et eau potable dans les chambres. Très propre.

🛏 |●| *Hôtel Villa de Zaragoza :* av. Madero 1120 ; juste derrière l'immense édifice du Jai-Alai. ☎ 685-18-32. Fax : 685-18-37. À partir de 400 $Me (28 €). Un peu en retrait de la zone animée. Calme et luxueux. Chambres et suites avec tout le confort souhaité. Certaines sont « non-fumeurs » (!). Lits *king size*. Bar et resto. Parking. Mieux vaut réserver, surtout le week-end.

À voir. À faire

Rien de rien. Mais si vous y passez la nuit, faites un tour sur l'avenue Revolución, la « Revo » pour les intimes. C'est bourré de discos et de bars. Un savant mélange de techno *made in USA* et de folklore local façon *mariachis*.

🍖 *Le mur de tortillas :* ou le rideau de l'espoir. Pour ceux qui ont raté le mur de Berlin. L'un des derniers du genre sur la planète. Long de 35 km, il a été construit en 1994 avec du matériel de récup' de la guerre du Golfe. Opération *Gate Keeper,* comme l'ont appelée les Américains qui ont cru, avec cet amas de tôles rouillées, pouvoir naïvement oublier les carences fondamentales de leur voisin du Sud, dont ils savent si bien profiter par ailleurs. Dévalant les collines de l'est, il coupe la plage de Tijuana en deux et s'enfonce jusque dans la mer. C'est là qu'on peut aller admirer cette œuvre tragique, dérisoire protection contre la culpabilité. À travers les énormes poteaux enfoncés dans le sable, on aperçoit au bout d'un *no man's land* les premiers pavillons de la banlieue de San Diego. Chaque année, un million de Mexicains franchissent clandestinement la frontière. La moitié échoue. Ceux qui réussissent trouvent, s'ils ne sont pas trop difficiles, du travail dans les États du Sud. Quelques années plus tard, après avoir amassé suffisamment d'économies pour créer un négoce, ils rentrent au pays. En fait, l'immigrant mexicain ne défait pas sa valise. C'est au Mexique qu'il veut vivre. Pour beaucoup, l'aventure a commencé ici. Pour quelques-uns, elle s'y est aussi terminée : un immense panneau annonce laconiquement la liste de tous ceux qui sont morts en tentant de passer du côté du rêve.

➤ *Pour y aller :* prendre un bus urbain bleu et blanc qui indique « Playas », dans 3ª calle, entre les avenues Constitución et Niños Heroes. Descendre quand on aperçoit la frontière de ferraille. Compter 20 à 30 mn de trajet. Ou prendre un taxi collectif jaune et blanc.

protégez-vous

AIDES

www.aides.org

P 125 F5.6 +...0...⌐ ⚡

Les peuples indigènes croient qu'on vole leur âme quand on les prend en photo. Et si c'était vrai ?

Pollution, corruption, déculturation : pour les peuples indigènes, le tourisme peut être d'autant plus dévastateur qu'il paraît inoffensif. Aussi, lorsque vous partez à la découverte d'autres territoires, assurez-vous que vous y pénétrez avec le consentement libre et informé de leurs habitants. Ne photographiez pas sans autorisation, soyez vigilants et respectueux. Survival, mouvement mondial de soutien aux peuples indigènes s'attache à promouvoir un tourisme responsable et appelle les organisateurs de voyages et les touristes à bannir toute forme d'exploitation, de paternalisme et d'humiliation à leur encontre.

Survival

pour les peuples indigènes

Espace offert par le Guide du Routard

- ✂

❑ envoyez-moi une documentation sur vos activités   ❑ j'effectue un don

NOM   PRÉNOM   ADRESSE

CODE POSTAL   VILLE

Merci d'adresser vos dons à Survival France. 45, rue du Faubourg du Temple, 75010 Paris.
Tél. 01 42 41 47 62. CCP 158-50J Paris. e-mail : info@survivalfrance.org

NON
aux mutilations

Chaque année, les bombes à sous-munitions tuent
et mutilent des milliers de civils. Mobilisez-vous pour
leur interdiction sur le site www.sousmunitions.org

HANDICAP
INTERNATIONAL

routard
ASSISTANCE
L'ASSURANCE VOYAGE
INTEGRALE A L'ETRANGER

VOTRE ASSISTANCE « MONDE ENTIER » LA PLUS ETENDUE

RAPATRIEMENT MEDICAL **ILLIMITÉ**
(au besoin par avion sanitaire)
VOS DEPENSES : MEDECINE, CHIRURGIE, (env. 1.960.000 FF) **300.000 €**
    HOPITAL, GARANTIES A 100% SANS FRANCHISE
    HOSPITALISE : RIEN A PAYER ! … (ou entièrement remboursé)
BILLET GRATUIT DE RETOUR DANS VOTRE PAYS : **BILLET GRATUIT**
    En cas de décès (ou état de santé alarmant) **(de retour)**
    d'un proche parent, père, mère, conjoint, enfant(s)
*BILLET DE VISITE POUR UNE PERSONNE DE VOTRE CHOIX **BILLET GRATUIT**
    si vous être hospitalisé plus de 5 jours **(aller - retour)**
    Rapatriement du corps – Frais réels **Sans limitation**

RESPONSABILITE CIVILE «VIE PRIVEE» A L'ETRANGER

Dommages CORPORELS (garantie à 100%) ....(env. 4.900.000 FF) **750.000 €**
Dommages MATERIELS (garantie à 100%) ....(env. 2.900.000 FF) **450.000 €**
(dommages causés aux tiers) (AUCUNE FRANCHISE)
EXCLUSION RESPONSABILITE CIVILE AUTO : ne sont pas assurés les dommages
causés ou subis par votre véhicule à moteur : ils doivent être couverts par un contrat
spécial : ASSURANCE AUTO OU MOTO.
ASSISTANCE JURIDIQUE (Accident) ....(env. 1.960.000 FF) **300.000 €**
CAUTION PENALE .... (env. 49.000 FF) **7500 €**
AVANCE DE FONDS en cas de perte ou de vol d'argent ..(env. 4.900 FF) **750 €**

VOTRE ASSURANCE PERSONNELLE «ACCIDENTS» A L'ETRANGER

Infirmité totale et définitive (env. 490.000 FF) **75.000 €**
Infirmité partielle – (SANS FRANCHISE) **de 150 €** à **74.000 €**
    (env. 900 FF à 485.000 FF)
Préjudice moral : dommage esthétique (env. 98.000 FF) **15.000 €**
Capital DECES (env. 19.000 FF) **3.000 €**

VOS BAGAGES ET BIENS PERSONNELS A L'ETRANGER

Vêtements, objets personnels pendant toute la durée de votre voyage à l'étranger :
vols, perte, accidents, incendie, (env. 6.500 FF) **1.000 €**
Dont APPAREILS PHOTO et objets de valeurs (env. 1.900 FF) **300 €**

À PARTIR DE 4 PERSONNES
TARIFS
"Spécial Famille"
Nous consulter Tél. : 01 44 63 51 00
Souscription en ligne : www.avi-international.com

routard
ASSISTANCE
L'ASSURANCE VOYAGE
INTEGRALE A L'ETRANGER

BULLETIN D'INSCRIPTION

NOM : M. Mme Melle

PRENOM :

DATE DE NAISSANCE :

ADRESSE PERSONNELLE :

CODE POSTAL :   TEL.

VILLE :

DESTINATION PRINCIPALE...

Calculer exactement votre tarif en SEMAINES selon la durée de votre voyage :

7 JOURS DU CALENDRIER = 1 SEMAINE

Pour un Long Voyage (2 mois...), demandez le ***PLAN MARCO POLO***
Nouveauté contrat Spécial Famille - Nous contacter

COTISATION FORFAITAIRE 2006-2007

VOYAGE DU | | AU | | = | |

		SEMAINES
Prix spécial (3 à 40 ans) :	**22 € x**	= ⎿⎽⎽⏌ **€**
De 41 à 60 ans (et – de 3 ans) :	**33 € x**	= ⎿⎽⎽⏌ **€**
De 61 à 65 ans :	**44 € x**	= ⎿⎽⎽⏌ **€**

Tarif "**SPECIAL FAMILLES**" 4 personnes et plus : **Nous consulter au 01 44 63 51 00**
Souscription en ligne : www.avi-international.com

Chèque à l'ordre de ROUTARD ASSISTANCE – *A.V.I. International*
28, rue de Mogador – 75009 PARIS – FRANCE - Tél. 01 44 63 51 00
Métro : Trinité – Chaussée d'Antin / RER : Auber – Fax : 01 42 80 41 57

ou Carte bancaire : Visa ☐   Mastercard ☐   Amex ☐

N° de carte :

Date d'expiration :   Signature

Je déclare être en bonne santé, et savoir que les maladies
ou accidents antérieurs à mon inscription ne sont pas assurés.

Signature :

Faites des copies de cette page pour assurer vos compagnons de voyage.

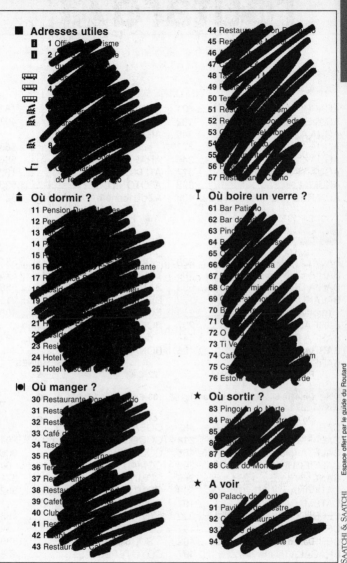

INDEX GÉNÉRAL

– D –

– E –

– F-G –

– H –

– I-J –

– K-L –

– R –

– S –

– T –

OÙ TROUVER LES CARTES ET LES PLANS ?

Les **Routards** *parlent aux* **Routards**

Faites-nous part de vos expériences, de vos découvertes, de vos tuyaux.
Indiquez-nous les renseignements périmés. Aidez-nous à remettre l'ouvrage à jour.
Faites profiter les autres de vos adresses nouvelles, combines géniales... On adresse un exemplaire gratuit de la prochaine édition à ceux qui nous envoient les lettres les meilleures, pour la qualité et la pertinence des informations. Quelques conseils cependant :
– Envoyez-nous votre courrier le plus tôt possible afin que l'on puisse insérer vos tuyaux sur la prochaine édition.
– N'oubliez pas de préciser l'ouvrage que vous désirez recevoir.
– Vérifiez que vos remarques concernent l'édition en cours et notez les pages du guide concernées par vos observations.
– Quand vous indiquez des hôtels ou des restaurants, pensez à signaler leur adresse précise et, pour les grandes villes, les moyens de transport pour y aller. Si vous le pouvez, joignez la carte de visite de l'hôtel ou du resto décrit.
– N'écrivez si possible que d'un côté de la lettre (et non recto verso).
– Bien sûr, on s'arrache moins les yeux sur les lettres dactylographiées ou correctement écrites !
En tout état de cause, merci pour vos nombreuses lettres.

Le Guide du routard : 5, rue de l'Arrivée, 92190 Meudon

e-mail : guide@routard.com
Internet : www.routard.com

Les **Trophées** *du* **Routard**

Parce que le *Guide du routard* défend certaines valeurs : droits de l'homme, solidarité, respect des autres, des cultures et de l'environnement, les Trophées du Routard soutiennent des actions à but humanitaire, en France ou à l'étranger, montées et réalisées par des équipes de 2 personnes de 18 ans à 30 ans.
La troisième édition des Trophées du Routard 2006 est lancée, et les équipes partent chacune avec une bourse et 2 billets d'avion en poche pour donner de leur temps et de leur savoir-faire aux 4 coins du monde.
Ces projets sont menés à bien grâce à l'implication d'Air France qui nous soutient.

Routard Assistance *2007*

Routard Assistance, c'est l'Assurance Voyage Intégrale sans franchise que nous avons négociée avec les meilleures compagnies, Assistance complète avec rapatriement médical illimité. Dépenses de santé et frais d'hôpital pris en charge directement sans franchise jusqu'à 300 000 € + caution + défense pénale + responsabilité civile + tous risques bagages et photos. Assurance personnelle accidents : 75 000 €. Très complet ! Le tarif à la semaine vous donne une grande souplesse. Tableau des garanties et bulletin d'inscription à la fin de chaque *Guide du routard* étranger. Pour les longs séjours, un nouveau contrat *Plan Marco Polo « spécial famille »* à partir de 4 personnes. Si votre départ est très proche, vous pouvez vous assurer par fax : 01-42-80-41-57, en indiquant le numéro de votre carte de paiement. Pour en savoir plus : ☎ 01-44-63-51-00 ; ou, encore mieux, sur notre site : • www.routard.com •

Photocomposé par MCP - Groupe Jouve
Imprimé en Italie par Legoprint
Dépôt légal n° 75244-9/2006
Collection n° 13 - Édition n° 01
24.0503.3
I.S.B.N. 201.24.0503.7